헌성사

이 책을 고(故) 프란시스 메트컬프와

금촛대선교회(Golden Candlestick ministry)에 바칩니다.

50여 년에 걸친 당신들의 희생적 중보기도와

우리 주님을 경배하며 행해온 사역이

이 책을 통해 아름다운 열매로 드러나기를

하나님의 은총을 힘입어 기도합니다.

The Dancing Hand of God

by James Maloney

Copyright ⓒ 2008 by James Maloney

Published by Dove on the Rise International
P. O. Box 1166
Argyle, Texas 76226-1166

Korean translation Copyright ⓒ 2014 by Pure Nard
2F 16, Eonju-ro 69-gil, Gangnam-gu, Seoul, Korea

The Korean edition is published by arrangement with Dove on the Rise International.
All rights reserved.

본 제작물의 한국어판 저작권은 Dove on the Rise International과의 독점 계약으로 한국어 판권은 '순전한 나드'가 소유합니다.
저작권자의 허락 없이 이 책의 일부 또는 전체를 무단 복제, 전재, 발췌하면 저작권법에 의해 처벌을 받습니다.

춤추는 하나님의 손(1권)

초판발행ㅣ 2014년 1월 10일
2쇄인쇄ㅣ 2018년 10월 8일

지 은 이ㅣ 제임스 말로니
옮 긴 이ㅣ 임정아

펴 낸 이ㅣ 허철
총　　괄ㅣ 허현숙
편　　집ㅣ 김혜진
디 자 인ㅣ 이보다나
인 쇄 소ㅣ 예원프린팅

펴 낸 곳ㅣ 도서출판 순전한 나드
등록번호ㅣ 제2010-000128
주　　소ㅣ 서울 강남구 언주로 69길 16 (역삼동) 2층
도서문의ㅣ 02) 574-6702
편 집 실ㅣ 02) 574-9702
팩　　스ㅣ 02) 574-9704
홈페이지ㅣ www.purenard.co.kr

Printed in Korea

ISBN 978-89-6237-152-9 04230

1권
춤추는 하나님의 손

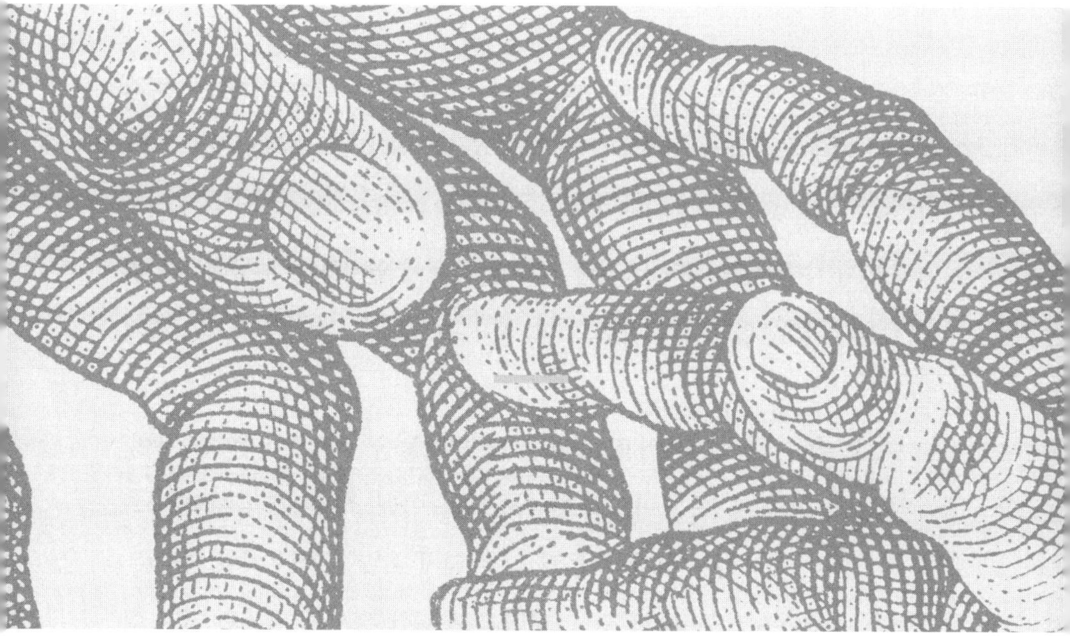

제임스 말로니 지음 | 임정아 옮김

감사의 글

그동안 삶과 사역 가운데 수많은 멋진 사람들을 만났습니다. 그들의 도움이 있었기에 제가 지금과 같은 모습으로 빚어질 수 있었습니다. 물론 이 책도 그들 덕분에 나오게 되었습니다. 지면의 한계로 그들 모두를 일일이 거명할 수는 없습니다. 그러나 최소한 다음에 열거하는 분들께는 기필코 감사의 뜻을 밝혀야만 비로소 이 책이 온전해질 수 있을 것이라 여겨집니다.

가장 좋은 친구이자 어떤 비밀이라도 털어놓을 수 있는 막역한 사이, 나의 상담자이면서 '목사'이기도 한 아름다운 아내 조이에게 감사의 마음을 전합니다. 그녀는 나에게 흔들림 없는 지지, 무조건적인 사랑, 한없는 인내를 베풀어주었습니다. 나는 그녀만큼 탁월한 은사와 지성을 지닌 여성을 이제껏 한 번도 만나본 적이 없습니다. 무엇보다도 지난 30여 년 동안 동역자로서 나와 함께 해준 아내에게 진심으로 감사합니다.

탁월한 기량을 가진 아들 앤드류에게 감사합니다. 나는 다음 세대를 길러내는 일이 얼마나 중요한지를 잘 알고 있습니다. 앤드류는 참으로 부모의 영적 DNA를 물려받은 아이입니다. 이 책이 다루고 있는 여러 가르침들을 설명하기 위해 사용된 수많은 통찰들을 실제로 그에게서 얻었습니다. 그뿐 아니라 원고 편집을 위해 아낌없이 도움을 베풀어준 손길들에 대해서도 감사하게 생각합니다. 사랑스런 딸 앨리사에게도 감사의 인사를 전합니다. 그 아이는 자기의 이름에 걸맞게 늘 '기쁘게' 생활합니다. 저는 딸아이의 손을 꼭 붙잡고 주님께 이렇게 말했습니다. "주님, 이 아이는 제 딸입니다." 나는 너희들 모두를 너무나 사랑한다!

처남인 데이비드 알소부룩에게도 감사의 인사를 전합니다. 오늘날 독보적인 위치에 있는 가장 탁월한 성경교사라고 할 수 있는 그를 통해 말씀 안에서 든든한 토대를 다질 수 있도록 교리적 통찰을 제공받은 것에 얼마나 감사하게 생각하고 있는지 모릅니다.

지금은 돌아가신 고(故) 브랜트 베이커와 쉐키나펠로우십에 속한 모든 분들께 감사드립니다. 그들은 십대 소년이었던 저에게 용기를 불어넣어 주었고, 그 용기가 결국 기적을 낳았습니다. 그들의 사랑과 임파테이션과 격려가 제 삶에 줄곧 얼마나 큰 감화를 주었는지, 그들은 아마 잘 모를 것입니다.

언제나 시기적절하게 예언적 지혜를 제공해주시는 척 박사님과 메리 앤 플린 박사님께 감사드립니다. 두 분은 제가 만나본 이들 중 가장 훌륭하신 분들입니다. 여기서 두 분께 감사의 뜻을 표할 수 있다는 사실 자체가 저로서는 더할 나위 없는 영광입니다.

마리오 무릴로에게 감사드립니다. 나는 마리오 무릴로야말로 우리 시대의 가장 역동적이고 깊이 있는 부흥사라고 생각합니다. 차별화된 그의 메시지와 엄청난 권능의 역사는 지금 이 순간까지도 계속해서 제 삶에 깊은 감화를 주고 있습니다.

The Dancing Hand of God

목차

감사의 글 _4

서문 _10

1권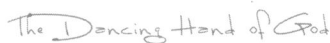

CHAPTER 1 **하나님의 충만하심** _14

> 모든 표적과 기사들이 갖는 유일한 목적이 있다면, 그것은 바로 하나님의 신적 본성을 드러내는 것이다.

CHAPTER 2 **하나님의 아버지 되심** _46

> 하나님은 돌보시는 아버지로서 우리의 눈물에 반응하신다. 주님은 기꺼이 우리의 불완전한 믿음과 더불어 일해주시는 분이다.

CHAPTER 3 **하나님의 초월성** _90

> 하나님은 최고의 주권자이시다. 하나님은 원하시는 바를, 원하시는 때에, 원하시는 방법으로, 원하시는 사람을 통하여 이루실 수 있는 분이다.

CHAPTER 4 **하나님의 받아주심** _120

> 돌파의 기름부음은 누구든 진실한 열망과 참된 믿음과 기대감을 품고 하나님께 나아오기만 하면, 모두가 그분의 도우심을 받을 수 있음을 알려준다

CHAPTER 5 **하나님의 집** _182

> 주님은 그분의 계획들을 이 땅 가운데 펼치시기 위해 주님과 더불어 언약을 맺을 남녀들을 찾고 계신다.

2권

The Dancing Hand of God

CHAPTER 6 하나님의 영광 _8

주님의 영광이란 주님의 은총과 명성이 우리 위에 임하시는 것임을 기억하라. 하나님의 얼굴은 우리를 향하고 계신다.

CHAPTER 7 하나님의 통치 _82

하나님께서 당신의 교회의 표층구조를 벗겨내시고, 근육 이면의 것을 드러내셔야 한다. 당신은 강력한 돌풍과도 같은 순전한 성령의 운행하심이 당신의 회중을 관통함으로 그들이 회복되기를 원해야 한다.

CHAPTER 8 하나님의 가용성 _144

우리는 삶 속에서 무한대로 하나님의 도우심을 누리며 살아갈 수 있다. 이것은 우리가 알아차릴 수 있는 수준을 훨씬 더 능가한다!

CHAPTER 9 하나님의 거룩하심 _194

우리가 예수 그리스도의 몸에 접목됨으로써 '하나님과 같음'을 지니게 되었다는 사실을 인정하는 것은 결코 교만이 아니다. 실제로는 이런 사실을 인정하지 않는 것이 잘못이다. 그러나 경건에 속한 모든 것을 얻으려면 대가를 치러야 한다.

3권

The Dancing Hand of God

CHAPTER 10 하나님의 믿음 _8

믿음은 영광스런 만남들을 통해 임한다. 당신이 하나님 아버지의 권세와 사랑과 영광과의 만남을 경험하면 할수록, 점점 더 큰 믿음을 얻게 된다

CHAPTER 11 하나님의 긍휼 _48

그리스도께서는 긍휼에 의해 움직이시는 분이다. 주님은 사람들의 삶을 만져주시고자 하는 간절한 열망으로 가득 차 계신다.

CHAPTER 12 하나님의 확신 _106

우리는 주의 일을 함에 있어서 반드시 담대함을 가져야 한다. 이 담대함은 오로지 성령님과의 관계로부터 말미암는다

CHAPTER 13 하나님의 권능 _164

하나님의 권능은 성령을 통해 계시된다. 성령님은 우리 안에 존재하는 다이너마이트를 폭발시키는 불꽃이시다.

CHAPTER 14 하나님의 축복 _220

우리는 축복을 이어받을 수 있는 능력을 가지고 있으며, 우리가 그리스도 안에서 세상 사람들에게 축복을 간증하는 것이 하나님의 뜻이다.

CHAPTER 15 하나님의 단순성 _266

초자연적이고 사도적인 표적과 기사와 이적들은 초대교회의 기본으로 돌아가는 것, 하나님께서 품으신 생각의 단순성으로 돌아가는 것이다.

서문

역사는 비범한 용기를 지닌 사람들에 의해 빚어져 왔다. 용기를 가진 사람들이 하나님과 깊은 교제를 나누는 삶을 살 때, 그들은 여러 세대의 문화와 사고의 틀을 형성하는 일에 강력한 영향력을 행사한다. 하나님과 함께하는 은밀한 장소야말로 그분의 친구들이 태동하는 곳이다.

하나님과의 친밀함을 누리는 자리는 영원한 승리를 얻는 장소이다. 진실한 하나님의 친구는 사람의 인정을 받기보다 하나님으로부터 은총 받기를 더 좋아한다. 다윗 왕이 바로 그런 사람이었다. 그는 아무도 보지 않을 때, 사자나 곰과 싸웠다. 그러나 다윗은 이 은밀한 곳에서 승리를 얻은 경험으로 두 민족이 지켜보는 자리에서 골리앗을 패배시킬 수 있는 자격을 갖추게 되었다. 이는 하나님의 친구에게는 너무나도 당연한 일(부르심)이다. 종종 하나님은 그들이 사람들의 인정도 받게 하신다. 어찌됐든 그들에게 중요한 것은 오직 하나님의 은총뿐이다.

그들은 하나님의 신임을 받는 자들이다. 때가 되면 하나님께서는 그들에게 어마어마한 규모로 그리스도의 사역을 행할 수 있도록 능력과 권세를 위임해주신다. 사실 이것은 모든 사람들의 몫이 되어야 함에도 불구하고, 실제로는 몇몇 소수의 사람들만이 누리고 있다. 이 책의 저자인 제임스 말로니 박사는 그러한 소수에 속한 사람이다. 그는 하나님의 친구이자, 주님이 선택하신 그릇이다.

인생에서 누릴 수 있는 가장 위대한 특권 중 하나를 들라면, 하나님의 친구들을 존경하는 일일 것이다. 그들을 존경함으로써 우리는 하나님을 존경한다. 하나님께서는 이것을 인격적으로 받아들이신다. 이런 의미에서, 말로니 박사에게 존경을 표현하는 것은 내가 누리게 된 특권이다. 주님을 향한 섬김과 그의 경탄할 만한 책 《춤추는 하나님의 손》으로 인해, 나는 그를 존경하지 않을 수 없다. 나는 이제껏 이 책만큼 탁월한 책을 읽어본 일이 없다. 이 책은 계시와 영감, 통찰로 가득 차 있다. 무엇보다 중요한 사실은, 이 책이 시기적으로 매우 적절한 때에 나왔다는 점이다.

우리는 이 책을 반드시 읽어야 한다! 기적들에 관해 보고하는 내용이든, 사역에 대한 부르심에 관한 이야기든, 마지막 때의 교회생활에 관한 다양한 통찰을 전해주는 내용이든 간에, 어디를 펼쳐보아도 이 책이 매우 신중한 연구를 통해 나온 산물임이 여실히 입증되고 있다. 이론은 상상력을 자극할 수 있다. 그러나 참된 성경적 체험에서 우러나온 가르침과 이야기들은 사람을 변화시키는 권능을 풀어놓는다. 이것이야말로 의심할 나위 없이 이 책을 읽음으로써 얻을 수 있는 유익이다.

특별히 사역의 부르심에 대한 저자의 개인적인 이야기는, 단연 이례적이고도 흥미로운 초자연적 내용들이다. 이제껏 나는 이런 이야기를 들어본 적이 없다. 그의 체험들은 아무리 듣고 또 들어도 싫증나지 않는다. 하나님께서 그를 끈질기게 뒤좇으셔서 불러내신 방식을 보노라면, 얼마나 흥미진진한지 모른다. 비록 나의 개인적 부르심은 그의 경우와는 사뭇 다르지만, 이처럼 다양한 이야기들을 통해 하나님에 관한 이해의 폭이 전보다 훨씬 더 확장되었다.

나는 말로니 박사가 경험했던 기적적인 일들에 흠뻑 매료되었다. 그로 인해 나의 마음은 예수님의 진정한 사역이 지구상에서 이루어지는 모습을 보게 되기를 간절히 열망하고 있다. 그가 들려주는 이야기들 하나하나가 나에게는 모두 귀한 가르침이다. 그럴듯한 아이디어에 만족하지 못하는 나는 실제적인 것을 취해야 직성이 풀리며, 최소한 실제적인 것을 추구하고 있어야만 한다. 그런 내가 말로니 박사와 함께할 때마다 하나님께서 그를 사용하시는 지극히 비범한 방식들에 관해 조금씩 더 알아가고 있다. 그럴 때마다 나의 믿음은 더욱 강건해지고, 나의 초점도 점점 더 확고해진다. 그만큼 그는 나에게 굉장히 큰 영향력을 행사하고 있는 존재다.

내 삶에는 제임스 말로니와 같은 사람들이 필요하다. 내가 그들로부터 얻는 지혜는 도저히 값을 매길 수조차 없을 정도다. 또한 나에게는《춤추는 하나님의 손》과 같은 책들도 필요하다. 기적적인 삶에는 엄청난 신비가 내재되어 있다. 말로니 박사는 결코 은폐된 채로 내버려 두어서는 안 될 일들의 정체를 풀어내고 있다. 이를 통해 신비의 영역은 점차 우리의 유산이 되어가고 있다.

이 책을 읽는 동안 당신의 심장이 불타오르기를 기도한다. 하나님을 향한 새로운 열정과 진리에 대한 목마름, 표적과 기사와 이적을 드러내 주는 진정한 복음을 향한 갈망으로 타오르기 바란다.《춤추는 하나님의 손》의 모든 페이지에는 이러한 불길을 타오르게 할 온갖 핵심적 요소들이 스며들어 있다.

빌 존슨(Bill Johnson)_ 벧엘교회 담임목사

CHAPTER 1

하나님의 충만하심

모든 표적과 기사들이 갖는 유일한 목적이 있다면, 그것은 바로 하나님의 신적 본성을 드러내는 것이다. 온갖 종류의 기적, 방문, 예언적 메시지 등은 하나님 나라와 세상 나라를 영속적으로 연결시켜 놓는다. 이 책의 목적은 교회 안에서 운행하시는 삼위일체 하나님의 충만하심을 드러내는 것에 있다. 또한 사랑 안에서 당신이 믿음의 진보를 이루고, 삶 속에서 하나님의 운행하심을 실제로 목도하기 원하는 기대감을 품도록 촉구할 것이다.

춤추는 하나님의 손

나는 이 땅 가운데 주님의 권능이 나타남으로써 하나님이 가시적으로 드러나실 때마다 얼마나 기쁜지 모른다. 하나님은 기꺼이 자신을 우리에게 계시해 주실 뿐 아니라, 또한 그렇게 계시해 주시기를 간절히 열망하신다. 스바냐 3장은 하나님께서 그분의 자녀들과 더불어 기쁨으로 춤추시며, 그들 가운데서 강력한 권능을 행하신다고 말씀한다. 참으로 인상적인 모습이 아닌가.

'춤추는 하나님의 손'이라는 개념은 성령의 은사들에 관해 다루고 있는 고린도전서 12장을 통해 착상되었다. 이 개념은 지금은 고인이 된 존 윔버에 의해 소개된 것이다. 고린도전서 12장 11절에 의하면, 주님은 그분이 원하시는 대로 각 사람에게 성령의 은사들을 나누어주시는 분이다. 7절에 언급된 '나타내심'(manifestations)이라는 단어는 헬라어 '파네로시스'(phanerosis)

에서 유래되었다. 이 말은 '눈부시게 빛나다, 내보이다, 분명하게 나타내다' 등의 의미를 지닌다.

나는 존 윔버가 하나님과 대면하여 만난 체험을 바탕으로 '파네로시스'의 여러 가지 의미들 중 하나를 추론해냈으리라고 믿는다. 그는 하나님의 손가락이 어느 특정한 사람들을 가리키면서 그들에게 주님의 본질적인 측면 중 하나를 드러내 보여주신다는 의미로 이 단어를 사용하였다. 그러므로 여기 지혜의 말씀을 가진 한 사람이 있을 때, 다시금 주님의 손가락은 다른 사람을 위하여 춤추실 수 있으며, 이제 그들은 지식의 말씀과 같은 또 다른 은사들을 받게 된다.

한편 '파네로시스'는 강의 지류들을 실어 나를 수도 있고 기다란 강줄기를 운반해올 수도 있다. 이 강물은 사람들을 향해 흘러가서 하나님이 보시기에 적절한 방식으로 다양화된다. 하나님의 사람들 안으로 흘러들어가는 물줄기는 여러 갈래일지라도, 강물(성령님)은 오직 하나다. 거듭 말하지만, 이것은 존 윔버가 주님과 대면하여 만났을 때 받은 계시다. 나는 성령님의 가시적인 나타나심과 관련하여 이 계시야말로 절대적으로 경이로운 것이라고 생각한다. 내가 직접 경험한 주님과의 만남을 통해서도 이 계시의 진실성이 증명되고 있다. 그 구체적인 내용에 관해서는 앞으로 이 책을 통해 소개하려고 한다.

하나님의 손이 주님의 종들 사이에서 운행하시는 동안, 성령님의 초자연적 은사들은 주님의 충만하심을 분명히 입증해준다. 주님은 부르심을 받은 주님의 자녀들을 통해 일하시기를 매우 기뻐하신다. 나는 춤추는 하나님의 손이 이 책을 통해 보다 선명하게 나타나기를 간절히 바란다. 춤추는 하나님의 손은 사도적인 표적과 기사와 이적들을 통하여 성부 하나님의 충만하신 마음이 무엇인지를 잘 드러내 보여준다.

이 책을 통해, 우리에게 은총을 쏟아부어주시기를 간절히 바라시는 하나님의 갈망이 보다 온전히(비록 남김없이 속속들이 보여주는 것이 불가능할지라도) 드러날 수 있기를 바란다. 나는 가장 먼저 사도적인 사람들(apostolic people)이 이 책을 읽었으면 한다. 이 책은 일종의 사도적인 책이다. 그리고 이 책이 사도적인 사람들을 세워주는 역할을 감당하기를 바란다. 나는 우리들 모두가 '풀타임'(full-time) 사역으로 부름 받은 것은 아니라고 생각한다. 그러나 내가 강력히 확신하는 바가 있는데, 하나님은 주님의 모든 자녀들이 사도적인 사람이 되고자 하는 동기부여를 받기 원하신다는 것이다. 내가 이 책을 이른 바 대화체 어투로 저술하기로 결심한 이유도 여기에 있다.

또 한 가지 언급해야 할 중요한 사실이 있다. 나는 이 책을 마치 일대일로 만나서 이야기를 나누듯이 기록했다. 미리 녹음된 테이프를 단순히 받아 적는 식의 이야기로 보이지 않게 하려고 상당히 애를 썼다. 나는 이 책에 제시된 정보가 매우 실용적인 접근방법을 취하고 있다고 믿는다. 그 동안 내가 관찰해온 바에 의하면, 수많은 은사적인 책들이 대체로 고리타분한 방식으로 집필되어 무미건조하고, 내 취향과는 다소 거리가 멀었던 것이 사실이다. 그래서 나는 최소한 이 책만큼은 그러한 특성을 피해보고 싶었다.

나는 책을 쓰면서 스토리텔링과 가르침 사이에 조화와 균형을 유지하려고 노력했다. 따라서 당신은 이 책을 읽으면서 마치 나와 커피 한 잔을 마시며 대화를 나누는 것처럼 느껴질 것이다. 그러나 한편으로 나는 가르침에 해당하는 부분을 체계적인 방식으로 보완할 수 있는 자료들도 제공해주고 싶었다. 이런 이유로 이 책의 각 장 끝부분에 어느 정도의 개요적인 내용을 첨부했다. 당신이 현재 어떤 사역을 맡고 있든지 간에, 이 요약된 내용을 당신의 주변 사람들에게 소개해주었으면 한다. 모쪼록 하나님의 얼굴이 이 세상을 향하시게 하는 일에 이 자료가 요긴하게 사용되기를 바란다. 이 세상은 하나님의 얼굴을 너무나도 절실히 필요로 하고 있다.

또한 이 책을 계속 읽는 동안, 당신은 어떤 장들은 좀더 심오한 영감을 주는 반면, 다른 장들은 오히려 신학적 연구에 훨씬 더 '충실한' 내용을 다루고 있음을 알게 될 것이다. 내가 이렇게 구성한 데는 이유가 있다.

그동안 내가 접한 책들 중에는 마치 숙제를 하는 듯한 기분으로 읽은 경우들이 종종 있었다. 그래서 나는 계속해서 앞으로 전진만 하기보다는, 재충전을 위하여 조금은 천천히 가는 것도 좋다고 생각했다. 틀림없이 당신도 이와 유사한 경험을 해본 적이 있을 것이다. 새로운 책을 읽을 때, 그 내용이 분명 깜짝 놀랄 만한 것이라도, 너무 오랫동안 그런 내용이 이어진다면 머리가 지끈거릴 수가 있기 때문이다. 그래서 나도 이런 경우에 해당되지 않기를 바라는 마음으로 내용에 신경을 썼다.

사도적인 개혁(Apostolic Reformation)의 도래와 더불어, 그동안 사도적인 사람들과 교회 내 사도적 기능에 관해 다루어온 책들이 2백 권 이상은 된다. 여기에는 주님의 몸 된 교회 안에 사도적인 사람들의 출현을 반대하는 내용을 담은 책들은 포함되지 않는다. 그러나 '사도적 사역에 찬성하는'(pro-apostle) 책들, 이를테면 사도적 직임에 관한 주제들을 다루고 있는 책들의 범위는 매우 광범위하다. 교회정부에 관한 책, 재정의 돌파를 위한 책, 부성적인 훈육, 리더십 기술, 일터의 기름부음에 관한 책 등을 예로 들 수 있다. 사도적 사역에 관한 정보는 이미 과잉상태다.

이러한 상황에서 한 가지 의문을 제기할 수 있다. 그렇다면, 이 책이 왜 필요하단 말인가? 왜 지금 이 책을 읽어야 하는가? 매우 좋은 질문이다. 이 물음에 대한 나의 답변은 다음과 같다.

나는 지난 10여 년 동안의 사도적인 개혁을 통해, 나 자신뿐만 아니라 주님의 몸 된 교회 안에 사도적 사역에 관한 일반적 개념이 출현하기를 손꼽아 기다려왔다. 간단히 말해서, 당신과 마찬가지로 나도 무엇이 사도적이고, 무엇이 사도적이지 못한지를 배워오고 있었다. 물론 내가 이것과 관련된 모든 사항들을 섭렵한 권위자라고 주장하는 것은 아니다. 아니 실제로는 그와는 정반대다. 이 책은 결코 사도적인 사람들과 그들의 기능에 관해 쓴 완벽한 신학적 연구서가 아니기 때문이다.

오히려 나는 사도적인 사람들이 가진 동기 이면에 흐르는 핵심적 원리들에 관해 다뤄보고 싶었다. 그 이유가 무엇일까? 나는 누군가로부터 어떤 형태의 사도적인 풀어짐(정부적인 형태, 부성적 훈육의 형태, 일터의 기름부음 등)이 있든지 간에, 거기에는 반드시 초자연적 기름부음이라는 역동이 수반되고 있음을 느낀다. 이러한 기름부음은 그들의 사도적인 요구를 뒷받침해준다. 그러므로 누구든지 사도적인 갈망을 가진 사람이라면, 반드시 이 책을 통해 엄청난 유익을 얻게 될 것이다.

다양한 초자연적인 만남들을 소개하기에 앞서, 당신에게 몇 가지 사항들을 명확하게 해두고 싶다. 나는 하나님의 말씀의 사람이 되고자 애쓰고 있다. 지난 30여 년 동안, 나는 할 수 있는 한 최선을 다하여 하나님의 말씀을 연구하는 일에 전념해왔다. 내가 구원을 받은 것은 '예수운동'(Jesus Movement)을 통해서였다. 그러나 내가 다닌 성경학교는 하나님의 말씀을 조직적이고 신학적인 연구를 토대로 가르치는 곳이었다. 거기에서 나는 '믿음의 말씀 운동'(Word of Faith movement)에 관한 영적인 눈을 떴다. 그렇다고 해서 내가 믿음의 말씀에 관한 모든 사항들에 전적으로 동의하는 것은 아니다.

나의 요지는 이렇다. 나는 우리가 주님의 몸 된 교회 안에서 목도하고 있는 온갖 형태의 표현 가운데 성경이야말로 최고의 권위를 지니고 있다고 생각한다. 보다 구체적으로 말하면, 말씀(Word)과 성령(Spirit)이 온전하게 연합을 이루어 함께 기능해야 한다(요 4:23).

만일 우리에게 하나님의 영원하시고 무오하신 말씀에 대한 깨달음이 결여되어 있다면, 우리는 스스로 죽은 행실들을 강조하는 율법주의와 종교성에 노출되거나 초감성적이고 과도한 신비주의와 비밀스런 체험주의에 빠지기 쉽다. 전자도 나쁜 것이지만, 후자는 훨씬 더 나쁘다. 따라서 우리가 균형을 유지하려면, 예수 그리스도와의 생동감 있고 인격적인 일대일 관계와 하나님의 말씀 외에는 방법이 없다. 이 책은 매순간 당신으로 하여금 좀 더 하나님을 추구하는 자가 되도록 인도해 줄 것이다.

당신은 초자연적인 경험에 대해 회의적인 입장일 수도 있고, 혹은 이미 '거물급' 실력자일 수도 있다. 당신이 어떠한 사람이든 간에, 이 책을 읽는 동안 만사를 늘 문맥에 맞춰 이해하고 기록된 하나님의 말씀을 의지하기를 촉구하는 바이다. 이것이 바로 우리가 붙잡을 수 있는 절대로 흔들리지 않을 유일한 원칙이다. 그럼에도 불구하고 이 책은 초자연적인 풀어짐에 관한 내용을 다루고 있다. 그러한 초자연적인 만남들 이면에는 반드시 '진정한' 목적이 존재하고 있다.

초자연적 만남의 목적

이 책은 전반적으로 자서전적인 성격을 띤다. 내 평생에 걸쳐 이루어낸 작품인 것이다. 이 책에는 지극히 기적적인 만남들도 소개되어 있다. 은혜로우신 하나님께서 나로 하여금 그러한 만남들에 참여할 수 있도록 허락해주셨다. 그러나 동시에 이 책은 단순한 자서전적인 글 이상의 의미를 가진다. 이 책에 언급된 초자연적 만남들이 제시하는 가르침들을 당신의 삶에도 적용할 수 있기 때문이다.

내가 하나님의 은총으로 주님의 임재에 물리적으로 접촉하거나 주님의 방문을 받았을 때, 그것은 결코 나 혼자만의 유익을 위한 것이 아니었다. 주님은 이러한 만남들을 통해, 하나님의 마음과 그분의 갈망, 그분의 권능에 관한 보다 깊은 깨달음을 주님의 몸 된 교회 가운데 풀어놓기 원하신다. 나는 이것이야말로 사도적 사역의 본질이라고 생각한다. 그렇다고 해서 내가 스스로를 사도라고 칭하는 것은 아니다. 나는 실제로 스스로에 대해 그런 호칭을 사용하지는 않는다. 그러나 나는 이러한 체험들을 통해 하나님의 자녀들이 일상적인 생활 속에서 하나님 아버지의 속성을 확고히 인식할 수 있게 된다고 믿는다.

하나의 초자연적 행위가 자연계 안으로 보내질 때, 하나님의 나라는 더욱더 견고하게 확증된다. 영적 세계의 실체(성경은 영의 세계야말로 자연적인 영역보다 훨씬 더 실제적이라고 말씀한다)가 자연계를 덮고 있던 막과 충돌하여 이를 완전히 산산조각 내버린다(사 25:7).

이 체험들을 다른 이들(사도적인 사람들)의 유익을 위해 함께 나누는 동안, 내가 하나님께 기도드리는 바가 있다. 나는 하나님께서 주님의 자녀들 사이에 돌파의 기름부음(breaker anointing)을 풀어주셔서, 그들도 이러한 기적적인 만남을 경험할 수 있게 되기를 기도한다. 나는 결코 특별한 사람이 아니다. 하나님께서 이 세상을 살아가는 모든 성령 충만한 신자들에게 주고 싶어 하시는 것을 오직 나에게만 주실 만큼, 그렇게 특별한 사람은 아니다.

이 책을 읽으면서 이러한 초자연적인 만남들이 성령님의 뜻대로 모든 이들에게 주어지는 것이라는 사실을 배우길 바란다. 또한 주님께서 어떤 방식으로 당신을 그러한 만남으로 이끌어 가시는지도 알게 되길 바란다.

이 책을 통해 읽게 될 내용들을 믿음과 거룩한 훈련, 그리고 주님의 임재에 대한 열정 등과 결합시킬 때, 당신도 이러한 기름부음 가운데로 들어갈 수 있을 것이다(히 4:1-2). 이것은 모든 사람을 위한 것이다! 이것을 마치 기독교인들 사이에서 일시적으로 번지고 있는 최신유행인 양 치부해 버려서는 안 된다. 우리는 체계적이고 성경적인 연구를 토대로, 하나님의 초자연적 임재에 민감한 생활방식과 예수 그리스도와의 보다 심오한 관계를 누리는 삶을 계발시켜야 한다.

나는 이 책에 제시되어 있는 초자연적인 만남들이 돌파의 기름부음을 풀어내는 일에 사용될 것이라고 믿어 의심치 않는다. 물론 이미 사도적인 사람들은 일상적으로 돌파의 기름부음 가운데 기능하고 있지만 말이다. 몇몇 계시들은(여기에 소개된 모든 계시들이 그렇다는 것은 아니다) 사도적인 풀어짐에 매우 핵심적인 내용들이다. 이 책을 집필하기 시작하면서 우연히 머릿속에 떠오른 생각이 있다. 그동안 내가 목격해온 수많은 꿈과 환상, 방문, 나타나심 등은 표적과 기사와 이적들을 행하는 사도적 은사의 속성을 드러내준다는 것이다. 나는 새로운 사도적 표현을 산출시키기 위해 이 내용을 당신에게 들려주고자 한다.

1990년대 초반에 사도적 직임에 관한 몇 권의 책들이 출판되었다. 이 책들은 그동안 수많은 신학자들에 의해 호칭된 바와 같이, 사도적인 개혁의 출범을 알리는 것들이었다. 하나님께서는 이 책들을 주님의 몸 된 교회에 관한 신선한 개념과 새로운 기름부음으로 이끌어 가시는 선구자적 도구로 사용하셨다. 나에게 간절한 바람이 있다면, 모쪼록 이 책이 사람들에게 사도적 사역에 관한 또 하나의 표현을 착수시키는 계기가 되는 것이다.

나는 사도적인 개혁이 전개되는 동안, 10년 혹은 그 이상의 세월을 기다려왔다. 하나님께서 이 책을 집필하도록 나를 풀어주시기만을 기다리고 있었다. 나는 이제야말로 주님의 몸 된 교회가 이 책에서 소개하는 새로운 형태의 사도적인 표현을 수용할 만한 준비를 갖췄다고 믿는다.

나는 이 책에서 다루고 있는 것이 사도적 사역에 관한 유일무이한 표현이라고 생각하지 않는다. 또한 이 책이 결코 사도적 사역에 관한 모든 내용을 아우를 만큼의 권위를 가진 것도 아니다. 이 책은 단순히 지난 30여 년 동안의 사역을 통해 누적되어온 다양한 체험과 자료들을 소개하고 있을 뿐이다. 다만 나는 하나님께서 사도적인 사람들을 통해 하나님 자신에 관한 새로운 표현을 만들어내시고자 이 책을 사용하기 원하신다고 믿는다.

내 친구 빌 존슨이 언젠가 이런 말을 한 적이 있다. "어디서든지 하나님의 활동하심을 발견하기만 하면, 나 역시도 그 활동의 소유자가 될 수 있다." 이 얼마나 타당한 표현인가! 빌 존슨에 의하면, 만일 누가 어떤 특별한 방식으로 운행하시는 하나님을 목격할 때, 혹은 다른 사람이나 어떤 지리적인 장소 안에 존재하는 초자연적인 방식을 볼 때, 그 사람은 자신의 삶 속에서도 이와 유사한 방식으로 운행하시는 하나님의 모습을 목격할 것을 기대할 수 있다고 한다. 하나님은 어떤 사람에게는 주님 자신을 드러내 보이시지만 다른 사람에게는 보여주시지 않는, 그런 분이 결코 아니다.

내가 이 책에 깜짝 놀랄 만한 여러 가지 간증들을 수록해 놓은 데에는 이유가 있다. 나는 당신이 원하기만 하면, 당신의 삶 속에서도 이러한 초자연적 만남들이 그대로 재현될 것을 기대해도 좋다고 격려하고 싶다. 이쯤에서 잠시 이런 일의 주의사항을 말해야겠다. 사람들의 시선을 집중시키는 극적인 광경에 사로잡혀 초자연적인 영역을 놓쳐버리는 일이 없도록 하라! 이 책에서 하나님께서 행하신 여러 가지 경이로운 만남들에 관해 읽으면서(나는 그러한 만남을 먼저 경험한 사람이고, 그 만남들은 외경심을 불러일으키는 것들이다) 그분께서 행하시는 초자연적인 일들 중 '보다 사소한' 것들을 최소화시키지 말기 바란다.

주님의 자녀들에게는 하나님의 가시적인 나타나심이 지닌 온갖 측면들과 모든 움직임들이 더할 나위 없는 은사다. 내가 솔직하게 말할 수 있는 것이 있다. 나는 하나님이 폐암 같은 것이 아니라 단순히 발톱이 살 속으로 파고들어가는 증상으로 고통스러워하는 사람을 치유해주시는 장면만 보아도 짜릿한 전율을 느낀다! 이 모든 일이 주님의 자비와 은혜로 가능해진다. 그러나 나는 우리가 더 강력한 임파테이션의 시기로 접근해가고 있다고 믿는다. 또한 하나님께서 주님의 백성들로 하여금 보다 심오한 수준의 깜짝 놀랄 만한 표적과 기사들이 일어날 것을 기대하라고 촉구하고 계심을 믿는다.

만일 하나님이 발톱이 살을 파고들어가는 질병을 치유해주시는 분이라면, 당연히 암도 치유해주시는 분이라고 기대하는 것은 결코 오만이 아니다. 물론 이제껏 그리스도의 몸은 교회사 전반에 걸쳐 암이 치유되는 것을 목도해왔다. 그러나 갈수록 암 치유를 목격하기 위해 필요한 우리의 믿음은, 내생발톱의 치유만큼이나 점점 커질 것이다. 그런 종류의 믿음과 기대감을 고취시키는 것이 바로 이 책의 목적이기도 하다.

돌파의 기름부음

지금 성령께서는 그리스도의 몸 된 교회 안에 있는 양 떼들을 분류하고 계신다. 다시 말해, 하나님은 사도적인 영을 가진 사람들을 일으키시는 중이다. 그런 성도들의 모습은 옆에 있는 다른 사람들에 비해 약간 더 두드러진다. 이들은 탁월한 영을 가진 사람들이며, 또 다른(혹은 상이한) 영을 가진 사람들로서, 어느 순간 갑작스럽게 터져 나올 것이다. 그들은 결코 좀더 나은(better) 사람들이 아니다. 그들은 무리의 지도자들로, 무리를 이끌 것이다. 추종하는 무리들이 스스로를 참된 지도자에게 조율시켜 놓기만 하면, 그들은 걱정할 게 전혀 없다.

다니엘 5장 11-12절은 다음과 같이 말씀한다. "왕의 나라에 거룩한 신들의 영이 있는 사람이 있으니 … 이 다니엘은 마음이 민첩하고 지식과 총명이 있어 능히 꿈을 해석하며 은밀한 말을 밝히며 의문을 풀 수 있었나이다."

본문에서 '민첩하다'(excellent)라는 말은 갈대아어로 '야티르'(yattiyr)에 해당하는 단어다. 이 단어는 '돌출되어 나오다, 월등하다, 대단히 탁월하다'라는 의미를 지니고 있다. 다니엘은 매우 뛰어난 지도자였다. 심지어 왕조차도 그의 말에 주목할 정도였다.

민수기 14장 24절에는 다음과 같은 내용이 소개된다. "그러나 내 종 갈렙은 그 마음이 그들과 달라서 나를 온전히 따랐은즉 그가 갔던 땅으로 내가 그를 인도하여 들이리니 그의 자손이 그 땅을 차지하리라." 여기서 '달라서'(different)는 히브리어 '아케르'(acher)에 해당하는 말로, '다른, 이상한, 독특하고 유별난' 등의 뜻을 지닌다. 당시 갈렙도 매우 뛰어난 지도자였다. 만일 이스라엘 백성들이 갈렙과 여호수아의 조언을 듣고 순종하기만 했더라면, 아마도 그들은 광야에서 40년 동안 방황하는 일은 피할 수 있었을 것이다.

미가 2장 13절은 이렇게 기록하고 있다. "길을 여는 자가 그들 앞에 올라가고 그들은 길을 열어 성문에 이르러서는 그리로 나갈 것이며 그들의 왕이 앞서 가며 여호와께서는 선두로 가시리라." '길을 여는'이라는 말은 히브리어로 '파라츠'(parats)다. 이 단어는 '돌파하다, 터져 나오다, 밀어붙이다, 흩뿌리다, 재촉하다, 돌파하는 자' 등의 의미를 내포하고 있다. 하나님은 주님을 표현하는 일에 있어 최첨단에 서는 사람들을 일으켜 세우시는 중이다. 이들은 이른 바 은총을 견고히 붙들어놓는 쐐기와도 같은 사람들이다. 혁신자들인 그들은 다른 사람들보다 앞서가며, 뒤따라오는 이들을 위해 길을 열어놓는다. 돌파하는 사람들은 길을 닦아놓는다.

당신은 어떤 사람이 되기를 원하는가? 나는 모든 신자들이 추종하는 무리들을 위해 길을 닦아놓는 돌파자가 되도록 부름 받았다고 확신한다. 어느 정도까지는 모든 신자들이 일종의 쐐기가 되도록 부름 받았다. 당신은 남다르고 민첩한 영의 소유자가 되도록 부름 받았다! 지금 이 순간 당신이 사도적인 사람 그 자체는 아닐 수도 있다. 그러나 가까이에 있는 사도적인 사람들에게 나타나는 돌파의 기름부음에 자신을 조율시켜 놓을 수 는 있다. 돌파의 기름부음은 하나님의 운행하심을 방해하는 구조를 깨부 순다.

이상에 언급한 모든 구절들은 사도들 및 그와 연관된 사도적인 사람 들을 보여주고 있다. 그들의 존재는 일종의 쇄빙선(icebreaker)과 같다. 그들 은 일종의 반도로, 나머지 사람들보다 약간 돌출되어 있다. 그들은 선각 자이자, 핵심임무를 수행하는 사람이요, 지도자다. 나는 성령께서 지금 우리에게 바로 이 돌파의 기름을 부어주고 계신다고 믿는다. 나는 이 책이 이 돌파의 기름부음을 위한 하나의 촉진제가 되기를 바란다.

성경은 사도가 된 표징이 모든 것을 참고 견디면서 놀라운 일과 기적 을 행하는 것이라고 말한다(고후 12:12). 나에게 이 구절은 누구든지 사도적 인 사역을 감당하고 있는 사람은, 반드시 규칙적이면서도 꾸준하게 초자 연적인 영역에서 기능해야 한다는 의미이다. 그가 몸담고 있는 부분이 치 유사역이든, 기적을 행하는 일이든, 축사사역이든, 예언사역이든 상관없 이 말이다.

한편 우리가 주목해야 할 또 하나의 사실이 있는데, 사도가 되면 단 순히 직설적으로 행하는 치유나 축사를 훨씬 더 능가하여 나타난다는 것 이다. 그들은 교회정부 내에서 초자연적인 전략들과 구상 혹은 돌파의 기 름부음을 가지고 있을 수도 있다. 교회의 갈등과 알력들을 처리함에 있어 은사를 발휘하고, 위로부터 온 지혜가 있으며, 이 세상의 전략들을 패배시 키기 위한 하늘의 전략들을 가지고 있다. 한편 박해를 받는 동안 초자연적 인 인내를 발휘할 수도 있다. 초자연적이라고 하는 것이 시각적으로나 청 각적으로, 미각적으로나 촉각적으로 또는 후각적으로 강렬하지 않다고 해서, 그것이 초자연적이지 않다고 말할 수는 없다. 이제 사도적인 사람들에 의해 '초자연적인' 것에 대한 우리의 정의가 달라지게 된다.

만일 철저하게 솔직해진다면, 일반적으로 우리는 마땅히 경험해야 할 분량만큼 그렇게 빈번하게 기적적인 일을 목격하며 살아가지 못하고 있다는 것을 인정할 것이다. 그러나 나는 지금 하나님께서 손에 잡힐 듯 실제적이고도 초자연적인 것들을 사도적인 사람들에게 보내주고 계신다고 믿는다.

그리스도의 몸 된 교회는 지금보다 훨씬 더 놀라운 수준으로 초자연적인 모습을 회복하게 될 시기를 향해 빠른 속도로 나아가고 있다. 때가 되면 하나님으로부터 보내심을 받은 사람들이 권능과 권세를 가지고 일어날 것이다. 그들은 하늘 아버지께서 우리의 눈으로 목도할 수 있을 정도로 기적들을 행하시는 하나님이심을 확증시켜 줄 것이다.

주님께서 나로 하여금 살면서 겪은 수많은 체험들을 나눌 수 있도록 권세를 주신 것은, 불과 몇 년 전의 일이다. 이제 곧 카이로스가 도래할 것이다. 카이로스와 함께 기적적인 일들이 봇물처럼 터져 나오기 시작할 것이다. 이로 인해 그리스도의 몸이 권능을 회복할 뿐 아니라, 주님의 실체와 권세가 온 세상에서 확증될 것이다. 헬라어 '카이로스'는 달력상의 통상적인 시간(크로노스)의 흐름 속에 존재하는 예정된 어느 한순간을 가리킨다.

친구들이여, 여기서 인정할 것은 인정하고 지나가자. 만일 팔이 없는 사람이 있는데, 천여 명이 운집해 있는 자리에서 갑작스럽게 그의 팔이 자라났다고 가정해보자. 그렇다면 이 광경을 지켜보고 있는 사람들은 하나님 아버지의 실제적인 사랑과 권세에 대면하게 되지 않겠는가? 그들은 이제 어쩔 수 없이 하나님을 인정하거나 혹은 거부하거나, 둘 중 하나를 선택해야 한다. 직접 목도하고 있는 장면이 너무나도 실제적이기 때문이다. 제자들도 스스로에게 다음과 같은 의문을 제기했다. "이이가 어떠한 사람이기에 바람과 바다도 순종하는가"(마 8:27). 만일 우리가 그리스도께서 지상에서 행하신 사역을 그대로 본받아 행한다면, 하나님의 파송을 받아 주님의 이름으로 주님의 일을 행하는 사람들 앞에서 바람과 바다도 순종해야 하지 않겠는가?

모든 표적과 기사와 이적들의 목적은 사도적인 영을 풀어놓는 것에 있다. 그들은 영적인 영역에서 전쟁을 수행함으로써, 귀신의 세력들이 이 세상에 구축해놓은 견고한 진들을 허물어뜨린다. 진실로 우리의 싸움은 인간이 아니라, 통치자들과 권세자들과 이 어두운 세상의 지배자들과 하늘에 있는 악한 영들을 상대로 하는 것이다. 우리는 육신적인 무기를 사용하여 싸우는 것이 아니다(엡 6:12). 기적은 우리가 사용하는 무기의 한 형태다. 기적 자체가 전쟁의 무기로 사용되는 것이다. 물론 기적이 우리가 보유하고 있는 유일한 무기는 아니다. 그러나 그동안 우리가 응당 우리의 소유이면서도 무시해왔던 몇몇 무기들 중에는 기적도 포함된다.

과연 우리는 어떤 방법으로 뉴에이지와 싸워야 하겠는가? 어떻게 이슬람의 맹습에 저항할 수 있겠는가? 세상 사람들의 냉담함에 어떻게 맞서 싸울 수 있겠는가? 우리는 표적과 기사와 이적들을 행함으로써 예수 그리스도의 나라의 권세와 타당성을 입증해 보여야 한다. 전제는 매우 간단명료하다. 그러나 은사주의 계열의 사람들은 이러한 전제를 대화의 소재로 그리 많이 다루지 않는다.

열정이 생겨나고 있다

지금 하나님의 사람들 사이에서 울부짖음이 터져 나오고 있다. 열정이 생겨나고 있다. 지구상에 하나님의 권능과 영광이 번져가기를 애타게 갈망하는 함성이 들려온다. 다윗은 다음과 같이 노래했다. "내가 주의 권능과 영광을 보기 위하여 이와 같이 성소에서 주를 바라보았나이다"(시 63:2). 이것은 오늘날 하나님의 사람들에 의해 불리고 있는 노래이기도 하다.

사도 바울은 빌립보서 3장 10절에 모든 신자들에게 가장 절실히 필요한 것에 관해 잘 요약해놓았다. "내가 그리스도와 그 부활의 권능과 그 고난에 참여함을 알고자 하여." '알다'(know)는 헬라어로 '기노스코'(ginosko)다. 이 말에는 '철저하게 알다'라는 뜻이 내포되어 있다. 나는 바울이 주님을 알되, 매우 강력하고 경험적인 방식으로 알기를 원하였다고 믿는다. 나는 '앎'(knowing)에도 두 종류가 있다고 본다. 사람은 어떤 것을 추상적인 방식으로, 하나의 개념으로 알 수 있다. 그러나 이렇게 개념적으로 아는 것은, 무언가를 실제적인 체험을 통해 아는 것과는 전혀 다르다.

오늘날 그리스도의 몸 안에서 어떤 불만족스러운 느낌이 감지되고 있다. 그것은 하나님의 권능이 좀더 가시적으로 강력하게 나타나기를 원하는 데서 오는 불안감이다. 우리에게는 주님을 보다 온전히 알고 싶어 하는 열정이 필요하다. 잠언 29장 18절은 다음과 같이 권고한다. "묵시가 없으면 백성이 방자히 행하거니와 율법을 지키는 자는 복이 있느니라."

생각해보라. 우리는 예수 그리스도 안에서 궁극적인 만족을 누릴 수 있다. 나는 이 사실을 깊이 깨달았다. 만일 내가 이런 식으로 말할 수 있다면, 당연히 우리는 현재 만족하는 수준에 대해 불만을 느껴야 한다. 우리는 주님을 더 많이 필요로 한다. 만일 하나님의 권능이 무제한적이라면, 우리는 하나님의 권능이 보다 심오한 수준에서 가시적으로 나타나도록 지속적으로 추구해야 한다.

나는 우리 삶 속에 주님이 보다 많이 표현되시기를 갈망하는 것은 결코 잘못이 아니라고 생각한다. 우리 모두는 지구상에서 하나님의 권능이 폭발적으로 드러나게 하는 대리자들이 되어야 한다. 출애굽기 33장 18절에서 우리는 모세가 하나님과 더불어 매우 놀라운 관계를 누리고 있는 모습을 본다. 그럼에도 불구하고 모세는 더욱더 주님을 보기를 열망했다. 우리도 모세와 같은 태도를 취해야 한다.

우리는 휘장 너머라도 억지로 밀치고 들어가서, 주님의 열정에 철저히 사로잡혀야 한다. 구약의 성막 안에는 바깥뜰이 있었고 성소와 지성소도 있었다. 성소와 지성소는 휘장을 통해 구분되어 있었다(출 26:33). 이 휘장은 그리스도께서 십자가 처형을 당하시던 순간에 둘로 찢어졌다(마 27:51, 막 15:38, 눅 23:45). 그러므로 오늘날 우리의 성소(여기서 성소는 우리들 자신을 의미한다. 고린도전서 6장 19절에 의하면, 우리는 하나님이 머무시는 성소다) 안에서 우리로 하여금 하나님과 지극히 친밀한 영역 안으로 들어가지 못하게 가로막고 있는 휘장은 불만과 실망, 속임수 등으로 이루어져 있다. 사도적인 사역은 이 둘 사이에 존재하는 휘장을 찢어버림으로써, 우리가 하나님의 열정에 철저히 사로잡힐 수 있도록 대로를 닦아놓는다.

오늘날 수많은 사람들이 하나님의 열정을 상실한 채 살아가고 있다. 그들은 실패와 좌절에 상처받은 자들이다. 그들은 이렇게 말한다. "인생이 너무 고달픕니다. 더 이상 앞으로 나아갈 수 없을 것 같습니다." 어쩌면 이들은 과거에 경험했던 거짓으로 깊은 상처를 입고 하나님과 사역자들에게 실망감을 느끼고 있을지도 모른다. 그러나 사도적인 기름부음은 실망감을 제거해버릴 뿐 아니라, 하나님과의 만남에 푹 빠져 있는 사람들이 들려주는 간증 가운데 영감을 회복시켜 준다.

사도적인 사람들은 혹시라도 사람들이 하나님에 관해 품고 있을 수 있는 잘못된 개념들을 해체시키는 일에 쓰임 받는다. 그들은 마치 노련한 외과의사처럼 하나님의 말씀을 사용하여 온갖 방해물들을 잘라내면서 기적이 일어날 수 있도록 여지를 마련하고 있는 듯하다. 왜냐하면 수많은 사람들이 기만당하는 모습을 보고 있기 때문이다. 사도적인 기름부음은 적절한 가르침을 회복시키고 목적을 확장시킨다. 이렇게 함으로써 속임수들이 뿌리 뽑히고, 하나님께서 운행하실 수 있는 여지가 만들어진다. 이것이 바로 사도행전 2장에서 사람들이 따랐던 사도들의 교훈이 지니는 한 측면이다.

하나님께서는 지금 지혜와 덕을 발산하는 사도적인 사람들을 일으켜 세우고 계신다. 그들의 삶 속에 존재하는 기름부음은 평강과 만족감을 접목시킴으로써 세상의 불만을 정복할 것이다.

사도들은 사람들에게 종교적인 누룩으로 덩어리 전체를 못 쓰게 해서는 안 된다고 만류한다(고전 5:5-7, 갈 5:9). 오늘날 종교성은 걷잡을 수 없이 확산되고 있으나, 정작 사람들이 필요로 하는 실제적인 본질은 전혀 제공해주지 못하고 있다. 이런 시대 속에서 사도적인 사람들에게 하나님을 경배함으로 자유로움을 증가시키는 사명이 위임되고 있다.

오늘날 수많은 종교들이 이러한 해방감을 명백히 맛보지 못하고 있다. 궁극적으로는 아무런 열매도 맺지 못하고 있는 교회들도 사정은 마찬가지다. 어떤 사람들은 특정 패턴을 준수하는 예배에 익숙해져 있는 까닭에, 이러한 자유로움을 두려워하기까지 한다. 이러한 종교적인 영들은 일반적 기준에 비춰 봤을 때 '정상적이지'(normal) 않은 온갖 감각적인 표현들을 가차 없이 차단해 버린다. '정상적'이라는 의미가 무엇이든지 상관없이 말이다.

나는 만사를 품위 있고 질서 있게 해야 한다고 믿는다(고전 14:40). 또한 그동안 새로운 부흥이 등장할 때마다 주님의 몸 된 교회 안에 만연해 있는 어리석은 과잉반응과 남용들에 관해서도 모르는 바가 아니다. 그러나 우리는 이 구절의 첫 부분에 대해 완전히 간과하는 경향이 있는 것 같다. "모든 것을 ~하라." 나는 하나님께서 육신적인 것은 아주 조금이라도 철저히 처리하시도록(work through) 기꺼이 내어드리기 원한다. 그래야 보다 깊은 수준으로 영과 진리 안에서 주님을 경험할 수 있기 때문이다.

여기서 한 가지 주목할 것이 있다. 나는 '눈감아주다'(excuse)라는 말이 아니라 '처리하다'(work through)라는 표현을 사용하였다. 그러나 기억하라. "우리가 이 보배를 질그릇에 가졌으니 이는 심히 큰 능력은 하나님께 있고 우리에게 있지 아니함을 알게 하려 함이라"(고후 4:7). 더 이상 육신을 눈감아 주어서는 안 된다. 육신은 태워버리고 십자가에 못 박아야 한다. 이렇게 할 때, 하나님의 성령이 진실한 모습으로 나타날 수 있다. 주님의 몸 된 교회 안에는 육성과 영성이 너무나도 심하게 뒤섞여 있다. 이 주제에 관해서는 이 책 전반에서 상세하게 탐색해보기로 하겠다.

여기서 한 가지 분명히 해두고 싶은 사항이 있다. 나는 결코 초자연적인 것의 남용을 지지하는 사람이 아니다. 내가 믿기로, 강대상 뒤에서 사역하는 사람들은 왕이신 예수 그리스도 안에 있는 진리의 복음을 전할 때, 어쩔 수 없이 어느 정도는 단정하고 겸손한 태도를 견지할 수밖에 없다. 심지어 사도 바울도 다음과 같이 고백했다. "우리는 그리스도 때문에 어리석으나"(고전 4:10). 나는 바울이 스스로를 미친 사람으로 여겼다고는 생각하지 않는다. 아무리 하나님 안에서 다양한 표현들이 가능하다고 분별없는 행동들까지 묵인할 수 있는 것은 아니다. 육신적인 온갖 변덕스러움이나 일시적인 유행들을 모두 용인할 수는 없다.

그러나 또 다른 관점에서 생각해볼 때, 우리는 자신의 거짓된 종교성이라는 사고구조로 인해 하나님으로부터 말미암은 새로운 표현을 두려워하는 일이 있어서는 안 된다. 우리의 동기가 성령님으로부터 온 올바른 것일 때, 그 표현은 어쩌면 하나님께서 우리를 인도해 들이기 원하시는 새로운 수준일 수도 있기 때문이다. 그 수준에서 우리는 보다 심오하고 놀라운 나타나심을 통해 주님을 알게 될 것이다. 우리가 무언가 새로운 것에 대해 끊임없이 두려워할 까닭이 무엇인가? 늘 신중함을 잃지 마라. 그러나 아울러 늘 열린 마음을 견지하라. 이것이 바로 사도적인 개혁이 앞으로 바로잡을 일이다.

쉽게 말해서, 사도적인 사람들은 회복시키고(restore), 갱신하고(renew), 풀어놓고(release), 개혁한다(reform). 그들은 하나님의 열정이 우리를 온통 사로잡을 수 있도록 대로를 예비한다. 이렇게 함으로써 우리는 하나님의 지성소 안으로 들어간다. 하나님의 지성소에서 우리는 지구상에서 누릴 수 있는 최고의 수준으로 얼굴을 맞대고 만나는 친밀함으로 하나님과 교제한다. 이를테면 우리는 활활 타올라야 한다. 하나님을 알기 원하는 강렬하고 타는 듯한 갈망으로 이글거려야 한다.

예수님은 요한복음 6장 53절에서 다음과 같이 말씀하셨다. "내가 진실로 진실로 너희에게 이르노니 인자의 살을 먹지 아니하고 인자의 피를 마시지 아니하면 너희 속에 생명이 없느니라."

나는 이 구절과 관련하여 다음과 같은 설명을 들은 적이 있다. 물론 나는 이것을 매우 훌륭한 견해라고 생각한다. '살을 먹다'라는 표현에는 아주 시끄럽게 오독오독 씹는 소리를 내면서 먹는 게걸스러움의 의미가 내포되어 있다. 접시를 깨끗이 핥아먹은 후에 이제는 손가락까지 모조리 빨아먹는 모습이다. 이것이 바로 '먹다'의 의미다. 아울러 '주님의 피를 마시다'라는 표현도, 벌컥벌컥 소리를 내며 요란스럽게 마신다는 의미로 이해될 수 있다. 턱밑으로 줄줄 흘러내리도록 마시는 모습, 이것이 바로 '마시다'의 진정한 의미다.

우리는 게걸스러운 태도로 하나님의 계시를 추구해야 한다. 그렇지 않고서는 우리가 실제로 먹거나 마시고 있다고 말할 수 없다. 우리는 보다 높은 곳으로 올라가야 한다. 우리에게는 보다 심오한 계시, 우리의 마음을 온통 빼앗는 아버지 하나님의 계시가 필요하다. 하나님의 사도적인 사람들은 이 목표를 성취하기 위해 하나님께서 교회에 허락해주신 도구들이다.

마음의 눈이 밝아지고 있다

에베소서 1장 18절은 다음과 같이 말씀한다. "너희 마음의 눈을 밝히사." 나는 '밝히다'라는 단어의 의미를 생각할 때, 사진 촬영용 플래시의 이미지가 떠오른다. 마치 플래시가 번쩍하고 빛나듯이, 당신의 인생에 주님의 인격과 목적이 섬광처럼 낙인찍힌다. 다시 말해, 우리가 알고, 알고, 또 안다는 것이다. 영광의 아버지께서 하나님을 아는 지식 안에 있는 계시와 지혜의 영을 당신 안에 각인시켜 주실 것이다(엡 1:15-23).

주님을 반드시 알고자 하는 마음이 우리의 부르짖음이 되어야 한다. 주님을 알 때, 우리는 원수의 온갖 도전들을 무효화시킬 수 있다. 우리는 주님께 대한 믿음을 가지고 원수의 올가미들과 맞서 싸운다. 당신은 로마서 10장 17절의 말씀을 잘 알고 있을 것이다. "그러므로 믿음은 들음에서 나며 들음은 그리스도의 말씀으로 말미암았느니라." 우리는 이미 하나님의 말씀을 들을 수 있게 기름부음을 받은 자들이다. 따라서 우리의 마음의 눈도 밝아지는 것이 당연하다.

감사하게도 나는 지금까지 약 30여 년간 사역하고 있는 은혜를 누리고 있다. 한 가지 내가 확신하는 바는 주님의 교회 안에 아직 최선의 것이 오지 않았다는 것이다. 이 책에 소개되어 있는 몇몇 초자연적인 만남들에 관해 읽자마자, 사람들은 수많은 질문들을 제기할 것이다. 아마도 그 질문들 중 가장 중요한 것을 들자면, "과연 그가 진실을 말하고 있는가?"일 것이다. 그런 다음 곧바로 사람들은 다음과 같이 물을 것이다. "왜 나는 이제까지 이 사람에 관한 이야기를 한 번도 들은 적이 없었을까? 만약 이 초자연적인 만남들이 모두 진짜라면, 왜 그는 세계적으로 좀더 유명해지지 않았을까?"

이 두 가지 질문은 모두 매우 타당한 것들이다. 첫 번째 질문에 대해서는 이제 집중적으로 다루어볼 것이다. 두 번째 질문에 대한 답변은 훨씬 더 간단하다. 지금 나는 특정 집단에 속한 사람들 사이에서는 어느 정도 알려져 있는지도 모른다. 또한 나는 국제적인 사역을 수행하는 축복도 누릴 수 있었다. 그러나 하나님은 현재 내가 행하고 있는 일들에 대해 과도한 광고를 하지 못하도록 금지하셨다. 처음부터 하나님은 불필요한 광고나 관심을 끌기 위한 술책 등에 의지해서는 안 된다고 신신당부하셨다. 주님은 내가 일정 기간까지는 숨어 있어야 한다고 말씀하셨다. 그러므로 주님은 나에게 주님과의 특정한 만남을 위임해주시곤 하셨다. 기도하는 마음으로 나는 하나님의 계시를 보다 온전하게 전해주곤 하였다. 이렇게 함으로써 다음 세대들에게 영향을 주었고, 그들이 보다 깊은 믿음과 확신을 가지고 직접 주님의 운행하심을 강력하게 목도할 수 있었다.

그런 의미에서, 내가 평생에 걸쳐 수행해온 대다수의 일들은 아직까지 공개되지 않은 채 숨겨져 있다. 나에게는 이 모든 것들이 아무렇지 않다. 왜냐하면 내가 원하는 바는, 다만 기적들을 목격하는 것이기 때문이다! 우리는 그동안 문자 그대로 수천 건 이상의 기적들을 목격해왔다. 그 기적들은 아무도 듣거나 보지 못했던 것들이다. 물론 그 기적들을 체험한 주인공들과 그들의 가족, 그들과 함께 실제로 현장에 있었던 사람들을 제외하고 말이다. 그러나 나는 설사 아무도 그 기적들에 관해 알지 못한다 하더라도 전혀 걱정이 없다.

그렇다고 해서 이것에 대해 너무 불쾌하게 생각하지는 말기 바란다. 나는 결코 거짓된 겸손을 드러내고 있는 것이 아니며, 당신이 충분히 이것을 이해하게 될 것이라 믿는다. 나는 하나님의 뜻에 따라 사역에 대해 광고하는 것이 잘못되었다고는 생각하지 않는다. 좀 진지하게 이야기해보자. 틀림없이 이 책도 어느 정도는 광고와 홍보의 효과를 가져올 것이다. 그러나 내가 믿기에, 그리스도의 몸 된 교회 안에는 스스로를 높이려는 모습이 심각하게 만연되어 있다. '유명한' 사역자들 중에는 자신이 엄청난 기름부음을 가지고 있다고 하면서 허위광고를 해온 이들도 있다. 결국 사람들은 그로 인해 상처를 받거나 실망을 하고 만다. 차라리 나는 이 초자연적인 만남들이, 내 쪽에서 일부러 과도한 판촉행위를 하지 않더라도, 자체적으로 목소리를 내도록 내버려두는 편이 낫다고 본다.

하나님께서 내가 경험한 것들에 관해 저술하도록 허락하신 것은 불과 몇 년 전의 일이다. 이 책은 분명 주님이 좀더 심오한 수준으로 표현되실 수 있도록 촉진시키는 일에 사용될 것이다. 이것이야말로 가장 중요한 일이다.

이제는 앞서 제기한 첫 번째 질문에 대해 부분적으로 답변해보겠다. 나는 이 책이 하나의 축복이 되기를 바란다. 그러나 표적과 기사와 이적들에 관한 책을 저술하는 일에는 여러 가지 어려움들이 따른다. 그중 하나는 이런 책이 정밀조사와 비판에 대한 문을 열어놓게 된다는 것이다. 나는 나중에 하나님 앞에 서서 이 책의 정확성에 대해 설명해야 할 때가 있을 것이라고 생각한다. 따라서 감히 '실수'의 유산을 남겨놓고 싶지는 않다.

지난 30여 년간 전임사역을 감당하는 동안, 나는 실제로 눈으로 목격한 기적들에 관해 조금이라도 과장하거나 각색하지 않으려고 무진장 애를 썼다. 사역 초창기 무렵, 당시 내가 말씀을 전하던 교회의 목사님들로부터 나와 관련된 몇 가지 일들에 관해 부정확한 정보를 전해 받은 적이 있다. 좀더 면밀하게 조사한 후에야 그 경험들은 내가 들은 것만큼 정확한 것이 아니라는 사실이 밝혀졌다. 사람들은 내가 그 정보를 마치 사실인 양 받아들이고 믿게 하려고 했다. 나는 사역자라면 누구나 이런 식의 일을 겪을 수 있다고 확신한다. 물론 변명하고자 하는 것은 결코 아니다. 그러나 이런 말을 하는 데는 이유가 있다. 내가 당신에게 이 초자연적인 만남들에 관해 정직하게 들려주려고 얼마나 노력하는지 알아주었으면 하는 바람 때문이다. 나는 하나의 체험이 원래 의도했던 바와는 달리 훨씬 더 대단해 보이도록 과대 포장되기를 원치 않는다.

사람들이 부정적인 말을 하거나 이런 종류의 책에 대해 어느 정도 반발하는 것까지 막을 수는 없다. 나는 그런 것들을 받아들일 준비가 되어 있다. 나는 기적의 하나님을 믿는다. 하나님은 모든 사람들에게 기적적인 존재가 되기를 원하신다. 그들이 하나님을 기적을 행하시는 분으로서 기꺼이 인정하기만 한다면 말이다.

나는 나의 사역에 관해 알고 있는 사람은 누구나 내가 어떤 마음으로 사역에 임하는지 잘 알고 있으리라고 믿는다. 예수님과 보다 친밀한 관계를 누리고자 하는 헌신과 사랑과 긍휼이야말로, 내가 이 책을 쓰게 된 주된 동기 중 하나다.

나도 다른 사역자들과 마찬가지로 평범한 사람이다. 아니 오히려 그들보다 훨씬 더 인간적인 사람인지도 모른다! 내 안에는 당신에게 내보일 만큼 대단한 것이 하나도 없다. 이 점에 관해서는 앞으로 나의 간증을 잘 들어보면 알 수 있을 것이다. 나는 이 책을 통해 사역의 주춧돌로서 당신에게 제시하고자 하는 겸손이 잘 전달되기를 바란다.

나는 모든 초자연적인 경험의 목적은 우리를 향한 하나님의 사랑을 전달해 주는 데 있다고 믿는다. 하나님께서는 우리를 너무나 사랑하신다. 그렇기 때문에 우리는 사역 가운데 하나님의 초자연적인 일들이 일어나든지 일어나지 않든지 간에, 결코 해명하려 해서는 안 된다. 이런 이유로 나는 매일의 기도, 방언기도, 손에 잡힐 듯 가시적이고 구체적인 주님의 임재, 주님의 백성들 사이에서 나타나는 하나님의 예언적 운행하심, 오늘날 이 세상에서 행해지고 있는 축사사역, 병든 자들을 위한 치유사역, 하나님의 말씀의 무오성을 간결하고 실질적이며 교훈적인 방식으로 가르치는 일 등에 대해 높이 평가한다.

내가 이 책에서 소개하려는 기적들 대다수는 약간의 자료화된 문서들과 다양한 목격담들을 함께 가지고 있다. 이것들은 체험의 타당성을 입증해주는 자료들이다. 어떤 만남들은 내가 주님과 은밀한 시간을 보내는 동안에 이루어진 것들도 있다. 그러나 이런 경우들에 대해서는 성령께서 내 마음의 의도가 무엇인지를 당신에게 증언해주시리라 믿는다.

또 한 가지 말해두어야 할 것이 있다. 나는 나 자신뿐 아니라 주님께 치유를 받은 소중한 사람들이, 이 체험들에 관한 증거를 요구하는 이들의 비난 섞인 집중포화에 노출되기를 조금도 바라지 않는다. 한편으로 이 사람들은 긍정적으로든 부정적으로든 어떤 종류의 인정도 기대하지 않고 있다. 그들은 자신들의 이야기가 익명으로 소개되기를 바랐다. 그들과 더불어 교제하는 동안, 그들은 자신과 가족들이 하나님의 기적적인 손길에 닿을 수 있었음에 매우 기쁠 따름이라고 표현했다. 아울러 그들은 이 모든 사건들을 간증하고 목격담을 진술하는 일이 가장 적절한 주님의 때에 이루어질 수 있도록 성령님의 인도하심에 전적으로 맡겨드리고 있다.

궁극적으로 사람들은 자신의 선택에 따라 내 이야기를 믿기도 하고, 믿지 못하기도 할 것이다. 나는 하나님 아버지를 신뢰한다. 주께서 당신에게 그분의 사랑과 권능의 진리를 드러내기 원하는 나의 열망을 확신시켜 주실 것이다. 나를 아는 이들은 내가 정직한 삶을 살기 위해 몹시 노력하는 사람임을 잘 알고 있다. 나를 모르는 분들에게는, 앞으로 내가 소개할 계시들과 관련하여 하나님의 얼굴을 구하기를 바란다.

매번 기적의 순간을 대면할 때마다, 나는 깜짝 놀라 비틀거리며 겸손하고 깨어진 모습이 된다. 하나님은 우리 중 누구라도 주님의 권능의 통로로 사용하기 원하신다. 이것은 참으로 믿기 어려울 만큼 경탄스러운 사실이다. 그러나 주님은 정말로 그런 분이다. 나아가 주님께서 이 만남들에 관해 당신에게 들려줄 사명을 내게 위임하신 목적은, 당신을 세워주시고, 당신으로 하여금 주님의 돌파의 기름부음을 추구하도록 하시기 위함이라고 믿는다. 당신이 나의 정직함을 확신할 수 있도록 주님께서 일해주실 것을 믿는다.

십대 무렵 텍사스 주 댈러스에 소재한 '열방을 위한 그리스도 협회'(Christ for the Nations Institutes)에서 공부할 때, 누군가가 나에게 스미스 위글스워스가 쓴 책자 하나를 건네주었다. 그 책에는 저자가 목격한 수많은 놀라운 일들이 소개되어 있었다. 책을 읽는 동안 나의 믿음은 더욱 고취되었다. 성령께서는 내 마음에 이 기적들이 실제로 일어난 일들이라고 말씀해 주셨다. 그 책은 나의 삶을 바꾸어놓았다.

나는 이 책을 통해서도 이와 유사한 일이 일어나기를 기도한다. 내가 주님을 경외하는 사람임을 부디 알아주기 바란다. 나는 주님께서 그분의 종들에게 계시해주신 진리에 반하여 타협함으로써 주님의 백성들을 잘못된 길로 인도하는 어리석음을 결단코 범하지 않을 것이다.

오늘날 우리가 견지하고 있는 주된 진리들 대부분은 과거에 이루어진 초자연적 경험들에 기반을 두고 있다. 혹시 당신이 유대인이 아니라면, 당신은 오늘날 어떻게 구원을 받을 수 있었는가? 베드로가 하늘로부터 받은 환상 덕분이 아닌가? 그는 구원이 이방인들을 위한 것이기도 하다는 메시지를 담은 환상을 보았다(행 11장). 당신이 오늘날 성령으로 충만케 될 수 있었던 이유는 무엇인가? 다락방을 가득 메웠던 급하고 강한 바람 같은 성령 때문이 아닌가?(행 2장) 만일 성경이 진실로 권위 있는 하나님의 말씀이라면, 또한 하나님께서 결코 변하지 않으시는 분이라면(말 3:6), 하나님은 과거와 마찬가지로 오늘날에도 여전히 초자연적으로 활동하신다(히 13:8). 또한 하나님께서 내가 목격할 수 있도록 허락해주신 체험들은, 나만의 덕을 세우기 위한 것이 아니다. 그것은 그리스도의 몸 전체를 세우기 위한 것이기도 하다(고전 14:26).

세상의 질그릇 같은 인생들을 사용하여 일하시는 주님께 모든 영광과 찬송을 올려드린다. 그러나 하나님이 단순히 초자연적인 만남 자체를 위해 이러한 초자연적 만남을 허용해주시는 것은 아니다. 하나님은 기적적인 개입을 통해 왕이신 예수 그리스도께서 이 자연계를 통치하고 계심을 보여주기 원하신다. 단지 당신의 몸에 '따뜻하고 감상적인' 느낌을 주시기 위해서 이런 만남을 허락하시는 것이 아니다.

모든 표적과 기사들이 갖는 유일한 목적이 있다면, 그것은 바로 하나님의 신적 본성을 드러내는 것이다. 온갖 종류의 기적, 방문, 예언적 메시지 등은 하나님의 나라와 세상 나라를 영속적으로 연결시켜 놓는다. 실제로, 음란한 세대는 단순히 표적 자체를 부각시키기 위해 표적을 구한다(마 16:4). 그러나 이 책은 시종일관 하나님 아버지의 사랑과 성자 예수님의 권세, 성령 하나님의 권능에 초점을 맞추고 있다. 이 책의 목적은 교회 안에서 운행하시는 삼위일체 하나님의 충만하심을 보다 온전히 드러내는 데 있다.

우리는 모든 것들의 궁극적인 계시를 성경 안에서 찾아볼 수 있음을 안다. 다시 말하지만, 나는 기록된 하나님의 말씀에 관해서는 꽤 깐깐한 사람이다. 그러나 동시에 오늘날에도 훨씬 더 많은 초자연적인 경험들(물론 하나님의 말씀인 성경에 근거한)이 일어나고 있다고 확신한다. 이러한 초자연적인 경험들은 하나님의 백성들에게 말씀을 확증시켜 준다(히 2:4). 내가 이 책을 쓴 이유도 여기에 있다.

이제 나는 당신에게 가장 중대하고 기적적인 하나님과의 만남에 관해 소개하고자 한다. 은혜로우신 주님께서 당신의 유익을 위해 이러한 이야기를 나눌 수 있도록 허락해주셨다. 이를 통해 당신이 더욱 발전되기를 기도한다. 이 이야기들이 당신의 믿음을 고양시키고, 하나님의 말씀에 대한 확신을 북돋워줄 것이라 믿는다. 그러나 무엇보다도 나는 이 이야기들로 인해, 당신 안에 사도적 기름부음을 통해 계시된 하나님의 온전하심을 목도하고자 하는 열정이 불붙기 바란다.

이 책은 당신이 사랑 안에서 믿음의 진보를 이루고, 삶 속에서 하나님의 운행하심을 실제로 목도하기 원하는 기대감을 품도록 촉구할 것이다. 우리 하나님은 오직 한 분이시고, 참된 하나님이심을 세상 사람들에게 확증시켜 줄 유일한 방법이 이것이다. 이렇게 함으로써 세상은 다른 모든 신들이 말 못하는 우상들에 불과하다는 것을 알게 될 것이다.

CHAPTER 1 하나님의 충만하심

| 춤추는 하나님의 손

- 하나님의 손이 주님의 사람들 사이에서 춤추면서, 그분의 뜻에 따라 수많은 성령의 은사들을 나누어주신다. 이것은 마치 하나의 강물이 여러 물줄기들을 형성하는 것과 같다.
- 이것은 지금은 작고한 존 윔버가 고린도전서 12장에 근거하여 고안해낸 개념이다.

| 초자연적 만남의 목적

- 초자연적 만남의 목적은 하나님의 충만하심에 관한 비밀을 밝혀내는 것에 있다.
- 초자연적 만남은 사도적인 돌파의 기름부음을 풀어놓는다.
- 모든 사람이 초자연적인 만남을 경험하고 사도적인 사람이 되어야겠다는 동기부여를 받도록 부름 받았다. 단순히 눈앞에 펼쳐지는 웅장한 광경에 압도당하여 초자연적인 것의 진정한 의미를 놓치지 말라.
- "내가 어디서든지 간에 하나님의 활동하심을 발견하기만 하면, 나 역시도 그 활동의 소유자가 될 수 있다."

| 돌파의 기름부음

- "민첩한 마음"(단 5:11-12)은 갈대아어 '야티르'(yattiyr)로 '돌출되어 나오다, 월등하다, 대단히 탁월하다'라는 의미를 지닌다.
- "다른 영"(different spirit, 민 14:24)은 히브리어 '아케르'(acher)로 '다른, 이상한, 독특하고 유별

난' 등의 뜻을 지닌다.
- "길을 여는"(미 2:13)은 히브리어 '파라츠'(parats)로 '돌파하다, 터져 나오다, 밀어붙이다, 흩뿌리다, 재촉하다, 돌파하는 자' 등의 의미를 지닌다.
- 하나님은 주님의 몸 된 교회 안에서 사람들을 구별시켜 놓고 계신다. 그들은 다른 사람들보다 약간 두드러진 사람들이다. 다른 영을 소유한 그들은 마치 쐐기처럼 깨부수고 나와 길을 열어놓는다. 그들은 앞서가는 선두주자요 뒤따라오는 사람들을 이끄는 지도자로서, 사도적 기름부음을 통해 하나님의 충만하심의 비밀을 밝혀낸다.
- 사도가 된 표지(고후 12:12)는 인내를 통해 표적과 기사와 강력한 이적들 속에서 나타난다.
- 사도적인 사람은 규칙적이고도 지속적으로 초자연적인 영역에서 기능한다. 여기에는 치유사역, 기적을 행함, 축사사역, 예언사역, 지식의 말씀, 교회정부를 위한 전략들과 구상들에 관한 지혜의 말씀, 핍박으로 인한 초자연적인 인내 등이 있다.

열정이 생겨나고 있다

- 사도적 기름부음은 낙담을 제거하고 영감을 회복시킨다.
- 사도적인 사람들은 하나님에 관한 잘못된 개념들을 해체시키고 적절한 가르침을 회복시킨다.
- 사도적인 사람들은 지혜와 덕을 발산한다. 그들이 풀어놓는 기름부음은 평강과 만족을 전이시켜 준다.
- 사도적인 사람들은 사람들을 설득하여 다른 사람들의 자유를 강탈하는 종교적인 누룩을 제거하며, 하나님을 향한 경배 가운데 자유로움을 증가시켜야 할 사명을 위임받았다.
- 사도적인 사람들은 회복시키고(restore), 갱신하고(renew), 풀어놓고(release), 개혁한다(reform).

CHAPTER 2

하나님의 아버지 되심

하나님은 돌보시는 아버지로서 우리의 눈물에 반응하신다. 주님은 단지 우리의 기도에만 응답하시는 분이 아니다. 주님은 기꺼이 우리의 불완전한 믿음과 더불어 일해주시는 분이다. 우리는 하나님의 가족이다(엡 2:19). 우리는 그저 외인이나 나그네가 아니라, 하나님의 가족에 속한 일원으로서 모든 권리와 유익을 누릴 수 있다. 우리는 실제로 삶 속에서 주님과 더불어 살아갈 수 있다.

얻어맞고 멍들다

나는 1950년대 중반에 미주리 주 캔자스시티의 빈민가에서 태어났다. 양어머니에 의하면, 나를 낳은 생모는 독일인 이민자였다고 한다. 나의 생모가 결혼한 남성은 이러저러한 이유로 감옥에 갇혀 있었다. 그가 투옥되어 있는 동안, 나의 어머니는 위안을 얻고자 한 사역자를 찾아갔다. 상담이 진행되는 동안, 어머니는 상담자였던 그 설교자와 불륜을 저질렀다. 어머니가 나를 임신한 것은 그 사건을 통해서였다. 나는 그들의 간통의 결과로 태어났다.

당시 아직 십대였던 어머니는 먹을 것을 구하기 위해 용기를 내어 시내로 들어가곤 했다. 그러나 먹을 것을 조금도 얻지 못한 채 몇 날 며칠을 지내기가 일쑤였다. 어머니가 내게 우유를 먹일 수 있는 유일한 방법은, 이웃

집 현관에 놓여 있는 우유를 훔쳐오는 것뿐이었다. 따라서 대부분의 경우 나의 젖병은 수돗물로 채워져 있었다. 어머니는 기저귀 대용으로 한 장의 모포를 사용했는데, 그 모포를 물로 헹구거나 하는 일도 거의 없었다. 따라서 그 모포에 피부가 쓸려서 상상할 수도 없을 만큼 심하게 부풀어 오르곤 했다. 한편 내 요람은 서랍장이었다.

설상가상으로, 어머니는 앞으로 아버지가 감옥을 나와 집으로 돌아왔을 때의 끔찍한 상황을 생각하며, 극심한 두려움에 사로잡혀 있었다. 어머니는 아버지가 집에 돌아오자마자 맞닥뜨리게 될 충격(다른 남자의 아이를 낳은 사건)에 대비할 만큼 용감하지는 못했다. 어머니의 남편은 맨주먹으로 누군가를 때려 죽이려 했다가, 결국 독방에 감금되는 신세가 되어 임신한 이후로는 한 번도 얼굴을 본 적이 없었다.

마침내 그 남자가 가석방이 되어 집으로 돌아왔다. 그가 집에 돌아와서 발견한 것은, 이제 막 걸음마를 시작한 남자아이였다. 그는 도저히 원룸 아파트 바닥에 가만히 앉아 있을 수 없었다. 그는 격노의 영과 질투에 사로잡혀 광적으로 분노하기 시작했다. 그는 방 한복판을 질주하듯 가로질러서는 묵직한 장화로 내 얼굴을 걷어찼다. 나의 코는 짓이겨지고, 얼굴은 흉측한 꼴로 일그러졌다. 그는 발목으로 나를 채어 올리더니, 나를 벽 쪽으로 쾅 하고 걷어차 버렸다.

무자비한 행위는 그로부터 수개월 동안이나 지속되었다. 때로는 어머니가 희생양이 되기도 했다. 결국 어머니는 어쩔 수 없는 현실에 직면해야 했다. 그녀는 더 이상 나를 안전하게 보호해줄 수 없음을 깨달았다. 이미 2년 넘게 줄곧 영양실조상태였던 나는 이제 광분한 그녀의 남편의 손아귀에서 꼼짝없이 죽을 수밖에 없는 운명이었다. 엎친 데 덮친 격으로, 어머니는 여자아이 한 명을 또 낳았는데, 이 아기를 통해 남편의 마음을 달랠 수 있었으면 하고 바라셨다. 여자아이의 아버지는 그 남자였다. 어머니는 몇몇 친구들에게 나를 팔아넘기려했다. 그러는 동안에도 신체적 학대는 계속되었을 뿐 아니라, 갈수록 더욱 심해지고 있었다.

당시 나는 너무나도 어렸기 때문에 다행스럽게도 그토록 얻어맞았던 기억들이 거의 남아 있지 않다. 하지만 벽장 속에 감금되었던 사건만은 아직도 생생하게 기억한다. 때로는 한번 벽장에 갇히면 이틀 동안 나오지 못하기도 했다. 그때 먹을 것이라고는 물병 하나가 전부였다. 컴컴한 곳에 홀로 앉아 두려움에 휩싸여 마구 울어 대던 기억이 난다. 아무리 울고 소리쳐도 누구 하나 응답해주지 않았다.

그러던 중 어머니의 친구들이 내가 처한 끔찍한 상황에 관해 듣게 되었다. 그들은 나의 문제가 정부적인 차원에서 해결될 수 있도록 개입해주었다. 나의 안전을 위해 보호조치가 필요하다는 그들의 소송제기가 결국 승소했다. 나는 어머니의 친구들 가정에 입양되어 들어가게 되었다. 그 후 마침내 남부 캘리포니아로 이사를 갔다.

나는 그동안 매우 절실히 필요했던 병원 치료를 받았고, 영양상태도 서서히 좋아지면서 건강을 회복하기 시작했다. 내 젖니들은 모두 한결같이 썩어 있었다. 따라서 치아 하나하나를 전부 은으로 씌워야 했다. 모포 기저귀와 매질로 생긴 부푼 상처들 대신, 피부에는 점차 보드라운 살이 돋아나고 있었다. 매번 밥을 먹을 때마다 마치 그것이 내 인생의 마지막 식사인 것처럼 느껴졌던 기억이 있다. 당시 나는 매끼마다 성인분량 만큼 먹어치우곤 했다(그러나 1년이 지난 후에야 비로소, 나는 그렇게 게걸스럽게 먹어치울 필요가 없음을 깨달았다. 음식은 매일매일 언제나 풍성했기 때문이다). 더 이상 서랍장 안에서 잠들지 않아도 되었다. 나만을 위한 새로운 침대가 생겼기 때문이다. 또한 나는 용변훈련을 받지 않았음에도 불구하고, 침대에서 오줌을 싼 적이 한 번도 없었다. 이 점에 대해서는 스스로 무척 자랑스럽게 생각한다.

새 부모님은 나의 내면의 고통도 다루어주셨다. 하지만 충분한 배려에도 내가 먼저 다른 사람에게 손을 내밀거나 신뢰하지는 못할 정도로, 내 감정들은 심각하게 손상되어 있었다. 실제로 나는 4살이 될 때까지 말을 한마디도 하지 못했다. 나의 생모와 그녀의 남편으로부터 당한 학대와 방치가 내 성격에 깊이 각인된 채 지속적으로 영향력을 행사하고 있었다.

나는 아래층에서 잠을 잤는데, 위층에서 양부모님의 발자국 소리가 들려올 때마다 잠에서 깨어나 거의 정신을 잃을 정도로 공포에 떨었다. 정말이지 금방이라도 육중하고 묵직한 장화가 날아와 또다시 내 얼굴을 짓이겨놓을 것만 같았다. 점점 나이가 들면서, 굶주림과 폭력으로 고통스러웠던 일들은 더 이상 떠오르지 않았다.

그러나 그 무엇으로도 그 시절의 일부를 완전히 지워버리지는 못했다. 홀로 벽장 안에 갇힌 채 방치되어 있었던 일은 잊혀지지가 않았다. 명치 부위에서 느껴지는 불쾌함이 '너는 원치 않는 존재다'라고 말해주는 것만 같았다. 겉으로 드러난 상처들은 이미 오래전에 치유되었다. 그러나 거절로 인한 마음의 상처들은 온갖 치료법을 동원해도 아무런 차도를 보이지 않았다. 종종 공허하고 고독한 느낌에 몸서리쳤다. 나는 이런 느낌이 평생 나를 따라다니며 괴롭힐 것을 알고 있었다. 공허감과 고독감이 나의 내면을 언제나 절름발이로 만들어놓을 것이다.

나는 받아들여지기 위해 열심히 애쓰고 노력했다. 입양 자체가 나의 이러한 추구에 대한 궁극적인 해결책이 되어주지는 못했다. 몇 년이 지나지 않아 나는 미국의 수많은 십대들과 같은 모습으로 살아가게 되었다. 끊임없이 교정을 받아야 할 만큼 나쁘게 행동하지도 않았고, 눈에 띌 정도로 유별난 행동을 일삼지도 않았다. 나는 중도적인 성격을 계발시켰다. 중도적인 성격의 소유자는 사람들로부터 간과되기 쉽다. 60년대와 70년대에는 부모와 자녀 간에 전형적인 세대차가 존재하고 있었다.

이제 내 삶에는 그렇게 잔인한 학대는 없었다. 그렇게 슬픈 눈을 가진 작은 남자아이가 양부모의 동정심 덕분에 빈민가에서 구조되어 나올 수 있었다. 양부모는 나를 독립적인 사람으로 키워내기 위해, 즉 나를 스스로 앞가림 할 줄 아는 사람으로 만들기 위해, 그들로서는 최선을 다했다. 수많은 미국의 가정에서 그러하듯이, 더 이상 다른 이들에게 의존하지 않아도 되는 삶을 살아가는 것이야말로 성숙의 지표였다.

상처 받은 자의 울부짖음

14살이 되었을 때, 나는 자살을 생각하기에 이르렀다. 마을의 구불구불한 산길을 걸어가다가 내 옆으로 질주해가는 자동차들을 바라볼 때면, 그것이 마치 내가 죽을 수 있는 더할 나위 없이 좋은 기회인 것처럼 느껴지곤 했다. 마치 어떤 묵직한 손이 자동차 쪽으로 내 등을 떠미는 것 같다는 느낌도 받았다. 심지어 머릿속에서 어떤 목소리가 이렇게 말하곤 했다. "어서 가. 자살해 버려!" 그러다가 마지막 순간이 되어서야 나는 그 보이지 않는 손의 힘을 애써 떨쳐버릴 수 있었다. 그렇게 하고 집으로 돌아오는 동안, 내 마음은 한없이 비참했고, 당황스러웠으며, 철저하게 고독했다.

나는 진절머리가 났다. 1971년 새해가 시작되기 하루 전의 일이었다. 새해에는 기필코 좀더 나아지겠다던 단호한 결심들은 매번 물거품이 되곤했다. 지난해도 예외가 아니었다. 아무리 애를 써도 인간이 꾸며낸 고행은 아무런 소용이 없다는 결론에 이르렀다. 나는 턱없이 부족한 자존감으로 고통스러워하고 있었다. 내 삶에는 목적이 없었다. 나 자신이 원치 않는 존재라는 느낌에서 여전히 헤어나지 못하고 있었다. 왜 살아야 하는지 도무지 의미를 찾을 수 없었다. 내가 이미 밧줄을 놓치기 직전까지 와 있다는 사실을 알고 있었다. 이제 한발만 더 내디디면 나는 스스로 목숨을 끊고 이 세상을 탈출해버릴 수도 있었다.

나의 내면은 온통 뒤죽박죽이었다. 기도를 해볼까도 생각해보았지만, 어떻게 기도해야 좋을지를 몰랐다. 너무나 절박한 심정으로, 나는 침대 속에 들어가 큰소리로 울부짖었다. "하나님, 만일 당신이 정말로 살아 계시다면, 당신의 모습을 제게 직접 보여주십시오. 더 이상은 못 참겠습니다." 그렇다고 내가 하나님을 위협하는 듯한 태도로 이렇게 말한 것은 아니었다. 다만 사실 그대로를 진술하였을 따름이다. 나에게는 더 이상 살아갈 여력이 조금도 남아 있지 않았다. 나는 실제를 찾기 위해 부르짖고 있었다. 만약 하나님께서 내 인생에 관심을 가지고 계신 것이 사실이라면, 그분은 반드시 내 안의 이 공허함을 채워 주실 것이다.

나는 그날 밤 그렇게 울다가 잠이 들었다. 당신도 나와 유사한 경험을 해본 적이 있다면, 이런 일이 얼마나 비참한지를 잘 알 것이다. 나는 눈물을 흘리는 나 자신이 수치스러웠다. 왜냐하면 눈물이 연약함의 징표라고만 생각하고 있었기 때문이다.

그렇게 밤이 가고 1971년 새해 첫날이 되었다. 이른 아침에 눈을 뜨니,

아직 어둠이 사방을 에워싸고 있었다. 나는 밤새 잠을 설치다가 겨우 잠이 든 상태였다. 그런데 침대에 누워 있는 나의 발치 부근에 한 줄기의 불빛이 나타났다. 나는 그 불빛에 화들짝 놀라 잠에서 깨어났다. 나는 침대 위에 앉은 채로 빨갛게 충혈된 눈을 손으로 부비면서 그 빛을 뚫어지게 쳐다보았다. 그 빛줄기는 점점 더 굵어지고 밝아지고 있었다. 마침내 그 빛은 경이로울 정도의 포근함과 거룩한 임재로 내 방안을 가득 채웠다. 이런 평강이 나를 온통 둘러싸는 경험은 난생 처음이었다. 그런데 그 빛 속에 어떤 존재가 서 있었다. 그 빛의 정체가 무엇인지는 전혀 알지 못했으나, 나는 본능적으로 침대에서 뛰어내려와 바닥에 무릎을 꿇었다. 무슨 이유인지는 잘 모르지만, 나는 이 빛 속에 서 계신 분이 경외와 영광을 받으실 만한 분이라는 것을, 찬양과 경배를 받으시기에 합당하신 고귀한 분이라는 것을 직감적으로 알 수 있었다.

자, 이쯤에서 여러분에게 들려주고 싶은 말이 있다. 만일 석가모니가 그 빛 속에 서 있었더라도, 나는 그 석가모니를 경배했을 것이다. 만일 모하메드가 그 빛 속에 서 있었더라도, 나는 분명 그 모하메드를 경배했을 것이다. 그러나 그 빛 속에 서 있는 존재는 석가모니도, 모하메드도 아니었다. 그분은 바로 주 예수 그리스도셨다!

바로 그날 내 눈이 열렸다. 나는 마치 내 두 손을 빛 가운데로 뻗어야 할 것 같은 느낌이 들었다. 그래서 실제로 두 손을 들어 빛을 향해 쭉 뻗었다. 바로 그때 나는 빛 속에서 두 개의 손이 내 손을 향해 뻗어나오는 모습을 보았다. 직감적으로 빛 속에 서 계신 분이 예수 그리스도이심을 알 수 있었다. 나의 두 손과 팔뚝과 팔꿈치가 모두 빛 속에 가려져 보이지 않았다. 나의 온몸은 완전히 부들부들 떨리고 있었다. 다음 순간, 내 귀에 너무나도 아름다운 음성이 들려왔다.

"받아들여지기를 원하는 너의 통곡소리가 내게 들렸다. 실체를 찾아 헤매는 너의 울부짖음을 내가 들었다. 나는 지금 이 모습 이대로의 너를 사랑한단다."

아, 내가 이런 말을 한 번이라도 들어보기를 오랜 세월 동안 얼마나 간절히 원하고 있었던가! 아마 당신은 내 마음을 모를 것이다. 나는 고개를 든 채 온통 기쁨의 눈물로 뒤범벅되어 있었다. 드디어 삶의 의미를 찾았다. 순간 나를 둘러싼 모든 자연계의 사물들이 뿌옇게 보였다.

얼마쯤 지났을까? 나는 당시 살고 있던 눈 덮인 산을 걸어 내려오고 있었다. 그러는 동안 내내 이 독특하고 거룩한 임재가 나와 함께해주셨다. 나는 구불구불한 산길을 지나 마을 쪽으로 내려가 수많은 낯익은 기념품 가게들 옆을 스쳐 지나갔다(당시 나는 산악지구의 리조트 타운에 살고 있었다). 그런데 이상하게도 거리의 막다른 골목에 위치한 작은 옷가게에 나의 관심이 쏠렸다. 그곳은 이전까지만 해도 거의 내 눈에 띄지도 않던 가게였다.

"도와드릴까요, 손님?" 상점 주인의 목소리에 그제야 나는 정신을 차렸다.

"저, 성경책이 한 권 필요한데요." 내 입에서 전혀 생각지도 않았던 말이 툭 튀어나왔다. 갑자기 나는 내가 느끼고 있었던 온갖 은밀한 느낌들에 관해, 처음 본 이 상점 주인에게 모조리 털어놓았다. 놀랍게도 친절한 여주인은 귀를 쫑긋 세우고 내 이야기를 경청해주었다. 내가 말을 모두 마쳤을 때, 그녀는 내게 성경책과 함께 또 다른 한 권의 책을 덤으로 주었다.

"아마 이 책을 재밌게 읽으실 수 있을 거예요." 그녀는 단지 이렇게 말했을 뿐이었다. 그녀가 준 또 한 권의 책은 캐서린 쿨만의 《나는 기적을 믿는다》(I Believe in Miracles)였다.

그때만 해도 하나님께서 내가 그토록 찾아 헤매던 답을 가지고 있는 누군가에게로 인도해주셨다는 사실을 전혀 알아차리지 못했다. 그로부터 몇 주가 흘렀다. 그녀는 한 친구를 소개해주며 찾아가 보라고 했다. 사실 그분은 나의 중학교 선생님이기도 했다. 그 선생님은 내게 하나님의 구원계획에 관한 이야기를 들려주었다. 하나님께서 내 모든 죄를 성자 예수님(그 빛 속에 계셨던 분)의 보혈로 말미암아 용서해 주신다는 이야기를 듣는 순간, 즉각적으로 나는 그분이 말씀하신 값없이 베푸시는 영생을 받고 싶다고 요청하였다. 나는 하나님께서 나를 깨끗케 해주셨음을 믿음으로 깨달았다.

나는 은혜로 구원받았다. 아무리 많은 선행을 해도 혹은 어떤 종교를 통해 내 힘으로 구원받을 수 있는 것이 아니었다. 나는 명목상 '개혁적인 가톨릭'(Reformed Catholic) 집안에서 자라났다. 그러나 우리 식구들은 미사를 드리는 자리에는 얼씬도 하지 않았다.

바로 그날, 나는 진정한 그리스도인은 그리스도를 인격으로 아는 사람임을 깨달았다. 참된 그리스도인은 완전히 새로운 피조물이었다. 나는 천국시민으로 거듭났다. 이 이야기가 당신에게는 너무나 단순한 소리로 들릴지도 모르겠다. 그러나 최소한 내게 있어서, 이것은 이제껏 전혀 들어본 적이 없는 지극히 심오한 이야기였다!

은총의 손길

그로부터 수년이 흘렀다. 나는 인도의 한 형편없는 열차 안에서 복음을 전하는 복음전도자가 되어 있었다. 내 말을 이해하겠는가? 만약 당신이 인도의 대중교통을 이용해본 경험이 없다면, 이런 여행이 얼마나 끔찍한 것인지 전혀 감이 오지 않을 것이다.

당시 한 작은 남자아이가 좁고 지저분한 열차의 통로를 위아래로 기어 다니고 있었다. 이제 막 불신앙에 관한 이야기를 시작하려는데, 5-6살가량 되어 보이는 아이가 양손과 무릎을 사용하여 이리저리 기어다녔다. 그 아이가 걸치고 있는 유일한 옷은(그것을 진정 옷이라 부를 수 있다면) 간신히 엉덩이 부위만 가려주고 있는, 낡을 대로 낡은 너덜너덜한 삼베조각이었다. 갈비뼈 하나하나가 부풀어 오른 배 위로 심하게 돌출되어 있었다. 엉겨 붙은 머리카락들은 한 번도 감은 적이 없는 듯했다. 움푹 꺼진 어두운 두 눈은 온통 수치심으로 가득 차 있었다. 그 아이는 마치 매 맞은 강아지처럼 행동하고 있었다. 두 다리 사이에 꼬리를 말아 감추고 있는 강아지의 모습 말이다. 아이는 감히 눈을 들어 내 얼굴을 쳐다보지도 못하고 있었다.

어떤 인도인들은 이 남자아이가 비참한 상태에 처해 있는 것이, 전생(previous life) 때문이라고 생각한다. 전생에 매우 끔찍한 죄를 지었기 때문에, 힌두교의 신들이 이토록 비참한 운명으로 벌주고 있다는 것이다. 또 다른 인도인들, 좀더 엄격한 힌두교 종파에 속한 사람들은 문화적 카스트제도 안에서 누군가를 돕기 위해 다른 이들이 개입하지 못하도록 금지한다.

그러나 이 특별한 열차의 승무원은 업보 따위는 무시하고 이 작은 고아를 불쌍히 여겨 객실 화장실에서 살 수 있도록 배려해주었다. 열차가 막 떠나는 순간은, 이 아이가 과감하게 통로 쪽으로 나와 빵을 구걸하기 시작하는 시간이기도 했다. 문자 그대로 이 아이는 승객들이 손바닥에 한줌씩 떨어뜨려주는 음식으로 목숨을 연명하고 있었다.

그 아이가 알고 있는 영어단어는 두 개였다. 그는 이 단어들을 매우 적절하게 사용하였다. 하나는 여자들에게 사용하는 '마'(Ma)였고, 나머지 하나는 남자들에게 사용하는 '파'(Pa)였다. 그 아이는 바닥에서 눈을 떼고 위를 올려다보는 일조차 지극히 두려워하고 있었다. 대신에 때가 낀 더러운 한쪽 손을 나를 향해 치켜들고 간청했다.

"파, 파."

나는 깜짝 놀라 무슨 말을 해야 할지조차 몰랐다. 그 아이는 용기를 내어 온순한 태도로 다시 한 번 내게 호소했다.

"파, 파."

나는 그 아이에게 먹을 것을 조금 건네주었다. 그러나 내가 실제로 하고 싶었던 일은 따로 있었다. 세상에 존재하는 그 무엇보다도, 나는 그 병약한 아이를 두팔로 들어 올려, 단 한 번이나마 사랑의 포옹을 해주고 싶었다. 그리고 "너는 결코 쓸모없는 인간이 아니란다. 여전히 사람들은 너를 사랑한단다"라고 말해주고 싶었다. 물론 내가 그 아이에게 그런 행동을 하는 것은 금지되어 있었다. 그가 속한 문화의 사회적 관습이 그렇게 하지 못하도록 만들어놓았다. 그것은 그 아이가 감당해야 할 인생의 곤경이었다.

잠시 후에 나는 그 아이가 잠들어 있는 화장실에 가보았다. 아이가 누워 있는 바닥 바로 옆에는 악취를 풍기는 오물이 있었다. 그 아이는 소변기 옆쪽의 구석에서 마치 태아처럼 몸을 웅크린 채 누워 있었다. 아이는 엄지손가락을 빨고 있었고, 또 다른 손으로는 지저분한 자신의 머리칼을 만지작거리고 있었다. 축축한 바닥에서 몸을 이리저리 왔다갔다하면서 마치 엄마가 아기를 잠재우듯 스스로를 얼러주고 있던 그 아이를, 나는 그저 지켜볼 뿐이다.

나는 이 이야기가 행복한 결말로 끝났더라면 얼마나 좋았을까 하는 생각을 해본다. 그러나 이 세상에서 사랑받지 못하는 사람들의 외로움이 얼마나 처참한지 모른다! 나는 이런 느낌이 어떤 것인지를 잘 알고 있다. 나 자신도 과거에 이런 느낌을 경험해본 적이 있기 때문이다.

예수님께서 지상에서 두루 다니시며 선한 일들을 행하시던 무렵, 가장 외로운 사람들은 아마도 나병환자들이었을 것이다. 잠시 마가복음 1장 40절에 묘사된 나병환자의 이미지를 살펴보도록 하자. 당시 나병환자는 살이 썩어 문드러지는 질병으로 인해 공동체 밖으로 쫓겨나 따돌림을 당했다. 그들은 공동체 안으로 들어오지 못하도록 엄격히 금지되어 있었다.

이 외로운 나병환자의 모습을 한 번 상상해보라. 그는 어느 언덕마루에 서서, 수많은 무리들이 주님의 만져주심으로 치유되는 광경을 내려다보고 있다. 예수님께 가까이 다가가고 싶어도 엄격한 사회적 제약이 그를 가로막고 있다. 심한 거절감, 낙담, 절망 등이 이 슬픈 사람을 무겁게 짓누르고 있었을 것이 틀림없다! 골짜기 맞은편에서는 계속해서 승리의 외침들이 메아리쳐오고 있었다. 그는 먼발치에서나마 사람들이 기뻐하는 장면을 지켜보았다. 그는 저 모든 일들이 자신에게만은 결코 허락되지 않았음을 잘 알고 있었다.

다음 순간, 그의 마음 한구석에서 한 가지 갈망이 솟구쳐 올랐다. 어쩌면 그는 혼자서 이렇게 중얼거렸을 수도 있다. "더 이상 무엇이 문제인가? 다른 사람들이 뭐라 하든지 나는 신경 쓰지 않아. 그냥 저 군중들 사이로 돌진해 들어가서 예수님이 계신 곳까지 가야겠어." 이례적인 믿음의 행보를 내디딤과 동시에, 그는 지난 숱한 세월동안 자신을 옥죄어왔던 어둠과 적막함의 사슬들을 끊어내고, 앞으로 나아갔다.

이 사람은 예수님을 향해 달려갔다. 아마도 그 순간 사람들은 역겹다는 반응을 내보이며 다음과 같이 소리쳤을 것이 분명하다. "부정하다! 부정하다!" 그럼에도 불구하고 그는 계속해서 달려가 예수님의 발 앞에 털썩 주저앉았다. 그가 예수님께 드릴 수 있는 말씀은 오직 한 가지였다. 그동안 그는 예수님의 치유 능력에 관한 소식을 수도 없이 전해 들었다.

"선생님께서 하시고자 하시면, 나를 낫게 해주실 수 있습니다. 선생님은 나를 깨끗하게 해주실 수 있습니다."

자, 이 사람은 이미 예수님이 자신을 낫게 하실 수 있음을 알고 있었다. 다만 그가 듣고 싶었던 진실은, 과연 예수님이 자신을 치료해주시려는 마음을 갖고 계신지의 여부였다. 그는 지금 예수님께 다음과 같이 묻고 있었다. "주님은 정말 저를 치료해주실 생각이 있습니까? 기꺼이 이 부정한 나병환자의 몸에 손을 대주시렵니까? 주님이 오늘 만져주시고 치유해주신 다른 병자들만큼이나, 저도 주님께 중요한 존재입니까?"

이 질문에 예수님은 이렇게 대답해주셨다. "내가 너를 낫게 해주겠다." "주님은 저를 치유해주시기 원하십니까?"라는 질문에 대한 예수님의 대답은 영원토록 변함이 없다. 그렇다! 주님은 당신을 치유해주기 원하신다!

예수님은 그 나병환자의 몸에 손을 대시면서 말씀하셨다. "깨끗하게 되어라."

친구들이여, 지금 이 사람에게는 신체적인 회복 이상의 것이 필요했다. 그의 전 존재 자체가 만져주심과 변화를 필요로 하고 있었다. 하나님의 확신이 그의 인격 속에 쏟아부어져야 했다. 그의 존재 전체, 즉 그의 영과 혼과 몸이 모두 온전해져야 했다.

사도적인 돌파의 기름부음은 이러한 필요성에 응답한다. 하나님은 사도적인 사람들에게 사명을 위임하셨다. 그 사명이란, 사랑받지 못하고 불결하고 인정받지 못한 이들의 필요를 충족시켜 주는 일이다. 하나님과의 초자연적인 만남들은(치유 받은 이 나병환자의 경우와도 같이), 살아 계신 하늘의 하나님께서 당신의 행복에 관심을 갖고 계신 분임을 세상에 나타내 보여준다. 하나님은 당신의 정서적, 신체적, 나아가 영적인 행복에도 관심을 기울이신다.

누가복음 17장에서 우리는 또 다른 이야기를 만난다. 여기에는 10명의 나병환자들이 예수님을 찾아오는 내용이 소개되고 있다. 예수님은 그들에게 오직 한 가지 지시사항을 내리신다. 그것은 제사장에게 가서 몸을 보여주라는 말씀이었다. 10명의 나병환자들은 예수님의 지시에 순종하였고, 결국 돌아가던 길에 깨끗이 치유받았다. 이 나병환자들은 예수님께 실제로 자신들의 몸에 안수해달라고 요구하지는 않았다. 주님의 말씀 자체에 내재된 권능은 순종으로 반응하는 그들을 얼마든지 치유해주시고도 남았다.

그렇다면 왜 예수님은 마가복음 1장에 언급된 외로운 나병환자에게는 만져줌이 필요하다고 여기셨을까? 아마도 예수님은 이 나병환자가 단순히 말 이상의 무언가를 필요로 하고 있음을 분별하셨던 듯하다. 10명의 나병환자들의 경우, 그들은 분명 무리를 지어 예수님을 찾아왔을 것이다. 다시 말해 이 10명의 환자들은 서로를 돌보아주며 살아갈 수 있었다. 설령 한 사람이 스스로 음식을 먹거나 옷을 입을 수 없더라도, 다른 사람들로부터 도움을 받을 수 있는 상황이었다. 한 사람이 휘청거리다가 넘어지더라도, 또 다른 사람이 그를 도와 일으켜 세워줄 수가 있었다. 그렇게 10명의 나병환자들은 서로서로 동무가 되어주며 살아왔다.

그러나 마가복음에 등장하는 나병환자는 혼자서 예수님 앞으로 나아왔다. 그에게는 사귐을 주고받는 친구가 한 명도 없었다. 따라서 이 사람은 단순한 메시지 선포 이상의 것을 필요로 하고 있었을지도 모른다. 그에게 필요한 것은 신성과 인성을 모두 지닌 손길로 만져 주는 것이었다. 이러한 만짐은 하나님이시자 인간이신 예수 그리스도, 오직 한 분 안에서만 찾아낼 수 있었다. 그는 춤추는 하나님의 손이 자신의 고통스런 몸과 마음을 만져주시기를 간절히 원하였다. 맹렬한 고통을 수반하는 질병의 노예로 살아가는 동안, 그의 병은 육신뿐 아니라 그의 영혼 깊은 곳으로까지 번져갔다! 이 사람은 은총의 손길을 필요로 하고 있었다.

성경은 예수님께서 그를 불쌍히 여기셨다고 말씀한다. 주님은 간절히 바라는 마음으로 손을 내밀어 그 나병환자의 몸에 대셨다. 그렇게 하나님의 아버지 되심의 비밀을 드러내셨다. 예수님은 춤추는 하나님의 손의 연장으로 이 세상에 오셨다. 하나님 아버지의 사랑을 가시적으로 드러내 보여주시려고 오신 분이었다. 예수님은 말씀하셨다. "나를 본 자는 아버지를 보았거늘"(요 14:9). 성자 예수님은 성부 하나님께서 행하시는 것을 보신 그대로 행하셨다. 예수님은 희년을 선포하는 나팔소리가 울려 퍼지게 하셨다.

> 주의 성령이 내게 임하셨으니 이는 가난한 자에게 복음을 전하게 하시려고 내게 기름을 부으시고 나를 보내사 포로 된 자에게 자유를, 눈먼 자에게 다시 보게 함을 전파하며 눌린 자를 자유롭게 하고 주의 은혜의 해를 전파하게 하려 하심이라 (눅 4:18-19)

실제로 그 나병환자는 그날로 나음을 입었다. 또한 그의 마음속 상처까지도 치유되었다.

인류가 당하는 억압

앞으로 몇 페이지에 걸쳐 내가 하려는 이야기를 참을성 있게 읽어주기 바란다. 지금 나는 전세계에 살아가는 수백만 명의 사람들에게 고통을 끼치는 한 가지 문젯거리에 관하여 설명하려고 한다. 당신이 내 말을 조금이라도 신뢰할 수 있다면, 이 문제의 해결책이 하나님의 아버지 되심의 비밀을 계시해주는 사도적 기름부음 안에 있음을 깨닫게 될 것이다. 나는 정작 해답은 제시해주지도 못하고 단지 애석한 상황들에 관해서 말만 하는 사람이 결코 아니다. 그러나 무엇보다 먼저, 우리는 사단이 쳐놓은 핵심적인 올가미들이 무엇인지를 바로 식별하여야 한다.

오늘날 세계 전역을 휩쓸고 있는 가장 심각한 역병 중 하나는, 바로 거절에 대한 두려움이다. 원치 않는 상황에 임신된 아기들이 쓰레기통 속으로 던져지거나, 재고의 여지도 없이 낙태당하거나, 달갑지 않은 조직세포로서 폐기처분된다. 한편 살아남은 아기들도, 깨어진 가정으로 인해 거절감에 맞닥뜨리게 되는 것은 매한가지이다. 이런 환경 속에서 자라난 젊은이들은, 앞으로 부모 중 어느 편과 함께 살아갈 것인지를 결정하라는 압박 앞에 죄책감과 정죄감을 느끼며 고통스러워한다. 부모가 이혼할 경우, 그들은 아빠나 엄마 중 어느 쪽을 더 사랑해야 하는지를 선택해야 한다.

이런 시대적 상황을 보면, 그토록 많은 남녀가 결혼을 끔찍하게 여기는 것이 결코 놀랍지 않다! 그들은 오직 안정적인 가정 안에서만 영위할 수 있는 자기정체성과 안전감을 상실해버렸다. 제발 나를 오해하지 말기 바란다. 나는 이 불쌍한 사람들이 그야말로 무고한 희생자들임을 잘 알고 있다. 대부분의 경우 많은 엄마들과 아빠들도 희생자들이다. 이혼을 둘러싼 여러 가지 정황들은 이미 그들이 통제할 수 있는 한계를 벗어나 있다. 그러나 변함없는 사실은 이 세상에는 멍들고 상처 입은 수많은 사람들이 살아가고 있다는 것이다.

입양된 아이들은 어느 정도는 거절에 대한 두려움으로 인해 힘들어한다. 나도 그들 중 한 사람이었기 때문에 이런 사실을 잘 안다. 종종 그들은 왜 이런 일이 자신에게 일어나야 하는지 의아해한다. 아울러 왜 자신들은 보호받지 못할 만큼 좋지 못한 아이였는지에 대해서도 의문을 제기한다. 설사 부모가 자녀를 포기하는 것이 이타심에서 나온 행위라 할지라도, 자녀는 부모의 동기를 오해할 수 있다.

오늘날 수많은 자녀들이 내면적으로 실패 콤플렉스를 조장하는 환경 속에서 자라나고 있다. 누구 하나 그들에게 친절한 말을 해주는 이가 없다. 친절한 말은 한 번도 들어본 적이 없다. 다만 다른 사람들끼리 친절한 말을 주고받는 모습을 보았을 뿐이다. 오늘날 수많은 부모들이 자녀들에게 끊임없이 부정적인 말을 퍼부어댄다. 나아가 이런 말들은 자녀들의 삶에 일종의 저주로 기능하기 시작한다. 다시 말해, 자녀들은 부모에게 들은 내용 그대로 자신을 몰아가게 된다. 이로 인해 수많은 자녀들이 좌절한 채 자신이 부적절한 존재라는 생각에 대처하기 위해 알코올과 마약류에 탐닉한다. 많은 사람들이 자신의 가정 안에서 벌어지는 가혹한 상황들로부터 도피하려고 환각의 세계에 빠져든다.

그렇다. 거절감은 한때 부드러웠던 마음에 타박상을 입히기 위해 사단이 사용하는 주된 도구 중 하나다. 이러한 거절감을 깨뜨리기 위해서는 반드시 특별한 기적이 일어나야 한다. 사도적인 방식을 통해 하나님의 더할 나위 없는 사랑과 권위의 비밀이 드러나야 한다.

이는 그동안 주님의 몸 된 교회 안에서 행해져온 내적치유의 수준을 훨씬 능가하는 개념이다. 아니, 내적치유라는 고결한 과정만큼이나 중요하다고 할 수 있다. 이것은 축사(deliverance)를 뛰어넘는 개념이며, 동시에 축사만큼이나 필요한 일이다. 또한 하나님께서 사도적인 사람들을 통해 행하시는 작업이다. 사도적인 사람들은 거절당한 사람들, 권리를 박탈당한 사람들, 원치 않는 아이로 태어난 사람들의 상처에 붕대를 감아준다.

거듭 말하지만, 나의 말을 오해하지 말기 바란다. 물론 내적치유와 축사사역을 돌파의 기름부음 안에서 행하는 사역자들도 많다. 여기서 내가 말하려는 요지는, 우리가 이런 사역자들의 삶 속에서 작동하고 있는 사도적 기름부음을 이제까지보다 훨씬 더 많이 필요로 한다는 사실이다. 나는 이미 수많은 내적치유 및 축사사역자들이 사도적 기능을 수행하고 있다고 믿는다.

지금 하나님은 보다 신속하고 심오한 결과를 얻기 위해, 기름부음의 수준을 이전보다 훨씬 더 증가시켜 주고 계신다. 성령께서 이런 훌륭한 사람들 안에서 사도적 운행하심을 시작하실 때, 그리 오랜 시간을 들여 치유를 받지 않더라도 거절의 상처가 극복되는 모습을 목격할 수 있게 될 것이다.

잊지 마라. 마가복음 1장에 소개된 나병환자는 단번에 온전히 회복되었다. 인간의 영혼은 유한하다. 그러나 하나님께서 영혼에 대해 다루셔야 할 것들은 아직도 많이 남아 있다. 따라서 하나님께서는 이 마지막 때에 훨씬 더 신속하게 활동을 수행하신다.

오늘날 너무도 많은 젊은이들이 자신의 정체성을 상실한 채 살아간다. 여자아이의 자아존중감은 일차적으로는 아버지를 통해 형성된다. 만일 아버지와의 관계를 통해 사랑과 수용과 긍정을 받지 못한다면, 틀림없이 그 딸은 여성으로서 자기 스스로를 매우 열등하게 평가하게 된다. 반대로, 어머니가 아들의 능력을 인정해주는 표현을 거의 내비치지 않을 때, 그 아들의 자존감은 형편없이 낮아진다. 남자아이에게 적절한 아버지상이 결여되어 있는 경우, 그는 자신의 정체성을 잃어버리고 동성애로 전향할 가능성이 높다. 아버지가 딸을 학대하는 경우도 있을 수 있다. 이때 학대당한 딸은 종종 동성애나 난잡한 성행위에 빠져든다.

자녀들을 잘못된 방식으로 대하는 부모들은, 대체로 그들 자신도 아동학대의 희생자인 경우가 많다. 부모와의 관계가 무너졌을 때, 자녀들의 마음에는 일종의 정서적 공백이 형성된다. 자기 자신조차 사랑하지 못하는 사람이 다른 사람을 사랑하는 것이다. 이 사악한 순환 고리는 세대적으로 계속해서 대물림되어 내려가면서, 고독한 희생자들을 무수히 양산해낸다.

대개 정서적으로 안정된 사람들은, 사람이 어떻게 외로워지는지에 관해 잘 이해하지 못한다. 그들은 단지 우호적인 태도를 보여줌으로써 친구들을 얻을 수 있다는 사실을 알고 있을 뿐이다. 그러나 외로운 사람은 아예 다른 사람에게 어떻게 다가가야 하는지조차 모른다. 마음에 입은 타박상으로 인해 그들은 '두 번 다시는 상처받지 않을 거야'라고 결심한다. 그리고 주위에 보호벽을 둘러침으로써, 단단한 외피 속에 스스로를 고립시킨다.

잠언 18장 8절에 따르면, 헐뜯기를 잘하는 사람의 말은 상처처럼 뱃속 가장 깊은 데로 내려간다. 어린 시절에 부르던 어리석은 동요가 하나 있다. "막대기와 돌멩이로 내 뼈를 부러뜨릴 수는 있어도, 말로는 결코 그렇게 하지 못한다." 그러나 이것은 진실이 아니다. 계속해서 잠언은 사람이 강한 정신력으로 신체적인 허약함도 이겨낼 수 있지만, 정신이 꺾이면 과연 누가 그를 일으킬 수 있겠느냐고 말한다. 즐거운 마음은 마치 양약과 같다. 건강한 정신을 소유한 사람은 온갖 문제들을 잘 통과해나갈 수 있다. 그러나 내면의 상처로 고통을 당하는 사람은 스스럼없이 다른 사람에게 다가가지 못한다. 그들은 위기에 직면하면 싸움을 포기해버린다.

예레미야 8장 21절에서, 예레미야 선지자는 자신을 이스라엘 백성들과 동일시하고 있다. 그는 자신의 백성이자 딸인 이스라엘의 아픔을 보면서 자신도 동일하게 상처와 타박상을 입는다. 22절에서 그는 다음과 같이 묻는다. "길르앗에는 유향이 있지 아니한가." 이미 알고 있는 사람도 있겠지만, 길르앗은 '하나님의 백성들을 위한 예배처소'를 의미한다. 그러니 당연히 그곳에는 치유의 기름이 있지 않겠는가? 당연히 그곳에는 의사이신 주님이 계시지 않겠는가? 그는 의문을 제기한다. "딸 내 백성이 치료를 받지 못함은 어찌 됨인고."

사도적인 사람이 되기 위해서, 우리는 반드시 예레미야의 질문에 대답해야 한다. 이사야 53장 4절은 예수 그리스도께서 우리의 질고를 십자가로 가져가셨다고 말한다. 주님이 우리의 슬픔을 대신 짊어지셨다. 예수님은 발가벗긴 채 십자가에 달리심으로써 우리의 수치를 담당하셨다. 다시 말해, 예수님께서 우리의 가난을 가져가셨으므로 우리는 가난해지지 않을 수 있다는 말이다.

거절감으로 고군분투하는 사람들 중에는, 가난한 사고방식으로 씨름하는 이들이 얼마나 많은지 모른다. 그들은 마치 평균에도 미치지 못하는 삶의 수준으로 살아가고 있는 듯하다. 그들은 자신들을 에워싸고 있는 빈핍의 상황들로부터 도저히 벗어나지 못할 것처럼 느낀다.

나는 그리스도인이든 아니든 간에 현재 수백만 명의 사람들이 가난의 영의 영향력 아래 살아가고 있다고 믿는다. 가난한 사고방식은 돈이 있느냐 없느냐를 전제로 하지 않는다. 아무리 백만장자라 할지라도, 정서적으로나 정신적으로 그리고 영적으로 빈곤한 상태일 수가 있다(나는 여기서 과연 그리스도인도 귀신에 들릴 수 있는지의 여부에 대해, 의미론적인 논쟁을 벌일 생각은 전혀 없다. 그러나 그동안 내가 사역해왔던 수많은 교회들에서 실제로 목격한 명백한 사실이 있다. 어떤 사람들은 여전히 귀신의 압박을 받거나 억제당하거나 사로잡혀 지내고 있다. 그들은 현재 처해 있는 상황에서 도저히 헤어나지 못하고 있다. 당신이 귀신의 억압에 관해 어떤 신학적 입장을 가지고 있는지는 잘 모르겠다. 그러나 우리는 최소한 그런 상황을 제거해야 하지 않겠는가?).

하나님은 우리를 가난하게 살아가라고 창조하지 않으셨다. 이것은 결코 속 보이는 노골적인 번영의 메시지가 아니다. 아마 혹자는 눈을 희번덕거리며 이렇게 말할지도 모른다. "이런 세상에나, 계속해서 지겹도록 돈에 관해서만 지껄여대는 설교자가 여기 또 한 명 있네!"

나는 예수님께서 십자가를 지심으로써 우리의 가난, 우리의 축복받지 못함을 대신해주셨다고 굳게 믿는다. 재정은 단지 축복의 일부에 불과하다. 그렇다고 해서 모두가 메르세데스 벤츠를 소유해야 한다고 말하려는 것은 아니다(물론 벤츠를 가진다고 해서 나쁠 것은 없지만 말이다). 그러나 우리는 사람들의 삶 속에 영향력을 행사하고 있는 거절의 상처를 완전히 무효화하기 위해 반드시 이 가난의 영을 처리해야 한다.

거절과 가난은 어떤 형태로든 병행한다. 하나님의 사람들 편에서는, 이 잔인한 철학들을 해체시키기 위해 어떤 특별한 기름부음을 필요로 한다. 사도적 기름부음은 이 가난의 영의 권능을 깨뜨려놓는다. 거절당한 사람들에게 더 이상 진부하고 빈궁한 실존 속에서 고군분투하지 않아도 된다는 것을 보여준다. 그들은 단지 부모가 가난했다는 이유로, 혹은 조부모가 경제적 공황시대를 살아갔다는 이유만으로 가난할 필요가 없는 것이다. 사도적인 사람이 지니는 근본적인 표지는, 온갖 형태로 나타나는 가난의 저주를 역전시켜 놓는 능력이다.

예수님은 몸이 보혈로 범벅이 되신 채 우리의 죄를 짊어지셨다. 나의 처남인 데이빗 알소부룩은 다양한 저술들을 통해서, 어떻게 예수님이 값을 치르심으로써 우리가 주님의 마음을 갖게 되었는지에 관해 설명해주었다(고전 2:16). 십자가 처형장을 향해 걸어가시는 동안, 주님의 머리에는 가시관이 깊숙이 박혀 있었다. 주님의 머리칼과 수염은 피로 젖어 있었다. 이렇게 하심으로써 주님은 우리의 사고에 대한 대체물을 제공해주셨다. 예수님이 공급해주신 것으로 말미암아, 우리의 마음은 죄책감과 두려움으로부터 자유로워졌다. 이제 우리는 사람들에게 이 사실이 얼마나 실제적인가를 보여주기만 하면 된다. 과연 우리는 이 일을 어떻게 해야 할까?

예수님은 "간고를 많이 겪었으며 질고를 아는 자"였다(사 53:3). 그랬기에 주님은 우리 대신 십자가를 지기로 선택하신 것이다. 채찍질을 당하시거나 십자가에 못 박히실 때, 예수님은 분명 신체적인 고통을 느끼셨을 것이다. 그런데도 복음서 어디에도 예수님의 신체적 고통에 관해서는 언급하지 않고 있다. 틀림없이 주님은 온갖 실제적인 고통을 느끼셨을 것이다.

이 점은 주님이 십자가에 매달려 계실 때 누군가가 일종의 진통제인 몰약을 주려 했던 모습을 통해 확인된다. 그러나 예수님은 그것을 받아 마시기를 거절하셨다. 이렇게 함으로써 주님은 온 세상을 향해 우리의 고통을 짊어지기 원하신다는 사실을 공표하셨다.

그럼에도 불구하고, 복음서의 기자들은 주님의 신체적 고통에 대해서는 전혀 언급하지 않는다. 주님의 정서적 고뇌는 신체적인 괴로움보다 훨씬 더 컸다. 이제 우리는 거듭난 신자로서, 주님의 십자가 희생이 우리의 모든 슬픔과 비탄을 해결해주시기에 충분했음을 잘 알고 있다. 우리는 하나님이 아브람에게 히브리적인 계약의 이름 '엘샤다이'(El-Shaddai), 즉 '전능하신 하나님'(창 17:1-2)으로 계시해주셨다는 사실도 알고 있다. 나는 이것을 '주체할 수 없을 만큼 충분하신'(more than enough) 하나님이라는 의미로 이해한다. 하나님은 무한한 권능을 가지신 분이다. 많은 성서학자들에 의하면, 엘샤다이에는 어머니가 모든 어린 자녀들에게 충분한 모유를 제공해준다는 의미가 강하게 내포되어 있다(히브리어 '샤드'[Shad]는 언제나 '젖가슴'으로 번역된다). 이 얼마나 놀라운 계시인가!

하지만 여기서 우리가 좀더 솔직하게 인정해야 할 것이 있다. 세상을 살아가고 있는 비기독교인들은 물론 수많은 기독교인들도 각자의 일상적인 삶 속에서 '엘샤다이'의 가시적인 나타나심을 목격하지 못하도록 방해하는 상처로 인해 고통받고 있는 듯하다. 우리가 어떻게 해야 이러한 실체를 그들에게 보여줄 수 있을까?

예레미야 8장 11절을 읽으면서 나의 마음은 찌르는 것처럼 아팠다. 하나님의 사랑하는 자가 반복적으로 거절의 상처 때문에 넘어지고 있었다. "그들이 딸 내 백성의 상처를 가볍게 여기면서 말하기를 평강하다, 평강하다 하나 평강이 없도다."

아버지의 눈물이 지니는 권능

내가 제기하는 질문은 다음과 같다. 과연 우리는 이 세상에 존재하는 온갖 거절의 산물들을 어떻게 해체시킬 수 있을까? 나는 이 물음에 대한 해답은 사도적인 기능 면에서 두 가지로 나누어볼 수 있다고 믿는다. 첫째, 사도적인 사람은 반드시 사랑으로 행하시는 아버지로서의 하나님을 계시해주어야 한다. 둘째, 하나님을 최고의 권위를 가진 아버지로서도 계시해주어야 한다. 이 장의 나머지 부분에서는 첫 번째 계시에 관한 내용을 다루어보기로 하겠다.

마가복음 9장 14-29절에서, 우리는 매우 강력한 장면을 보게 된다. 귀신 들린 아들을 둔 한 아버지가 제자들을 찾아와서 축사(deliverance)를 요청하였다. 그러나 제자들은 그 아들에게서 귀신을 쫓아내주지 못한다. 이제 그 아버지는 예수님을 찾아가서 부탁한다. 이미 믿음이 약해진 그는 예수님께 다음과 같이 변변찮은 말씀을 드린다. "그러나 무엇을 하실 수 있거든 우리를 불쌍히 여기사 도와주옵소서"(22절).

여기에 우리가 주목할 만한 흥미로운 사실이 있다. 예수님께서 바로 그의 믿음 없음을 묵과하지 않으셨다는 것이다. 주님은 그 아버지가 처해 있는 비참한 곤경에 그다지 마음이 움직이지 않으신 듯하다. 그러나 그에게 믿음이 없는 것에 대해서는 아량을 베푸시며 이렇게 말씀하신다. "믿는 자에게는 능히 하지 못할 일이 없느니라"(23절).

이에 대한 아이 아버지의 대답은 정말 깜짝 놀랄 만하다. "곧 그 아이의 아버지가 소리를 질러 이르되 내가 믿나이다 나의 믿음 없는 것을 도와주소서 하더라"(24절). 우선 그는 자신의 믿음을 선포한다. 그런 다음에 "나의 믿음 없는 것을 도와주소서"라고 외친다. 그의 눈물은 깨달음을 간구하고 있음을, 또한 예수 그리스도의 계시를 알고 싶어 하고 있음을 보여준다. 그의 깨달음의 목적에는 계시의 세 가지 차원이 내포되어 있다. 첫째는 하나님 아버지의 소망(hope)을 이해하는 것, 둘째는 하나님 아버지의 마음(heart)을 이해하는 것, 그리고 셋째는 하나님 아버지의 가족(household)을 이해하는 것이다. 각각의 동기들은 아들의 치유를 간절히 바라는 아버지의 열망 속에 잘 나타나 있다.

예수님은 그에게서 온전한 믿음을 찾지는 않으셨다. 주님이 찾으신 것은 바로 그의 갈망이었다. 목적을 이루기 위한 아버지의 눈물이 하나님의 춤추는 손을 움직였다. 물론 예수님은 그 아들에게서 귀신을 쫓아내주셨다. 목적을 가지고 눈물을 흘리는 것은 마치 예언적 중보기도와도 같다. 이런 눈물들은 어떤 특정한 대의명분과 깊이 연관된 것이며, 아울러 그 사람의 갈망을 하나님 아버지의 갈망에 맞춘다.

하나님 아버지의 소망이 일단 계시되면, 온갖 공허와 점점 약해지던 소망의 문제가 해결된다. 우리는 그동안 이러한 공허와 꺼져가는 소망으로 인해 힘들어하고 있었을 수도 있다. "소망이 더디 이루어지면 그것이 마음을 상하게 하거니와"(잠 13:12). 우리는 하나님 아버지로부터 자녀를 향해 품고 계신 소망에 관하여 듣고 깨달아야 한다. 우리를 향해 주님이 품고 계신 높은 소망이 무엇인지 잘 이해해야 한다. 이 지식을 붙잡을 때,

우리의 정체성을 비롯하여 삶 자체가 주님 안에서 새롭게 재구성된다. 사도적 기름부음은 우리 인생을 향해 하나님 아버지께서 품고 계신 소망의 비밀을 밝혀낸다.

당신은 지난 70년대에 상영된 '뿌리'(Roots)라는 드라마를 본 적이 있는가? 많은 사람들이 이 드라마를 가장 강력한 미니시리즈로 평가한다. 이 대하드라마는 어느 아프리카인(궁극적으로는 아프리카계 미국인) 가정을 노예시대로부터 미국의 독립전쟁과 남북전쟁 시대를 거쳐 마침내 해방의 순간에 이르기까지 줄곧 추적해 간다. 내가 이 드라마를 언급하는 요지는 드라마가 거의 끝나갈 무렵에서 발견된다. 자유를 얻은 노예가 자신의 아들을 하늘로 치켜드는 모습에 이 놀라운 걸작을 지켜보던 사람들은 모두 가슴 뭉클할 정도로 부풀어 오르는 소망을 품게 된다. 그것은 마치 하나님 아버지께서 그분의 자녀들을 하늘로 치켜드시는 장면처럼 보인다. 우리는 주님의 마음이 우리의 미래를 향한 소망으로 벅차오르고 계신다는 것을 잘 알고 있다. 이 드라마를 본 적이 있다면, 아마 당신의 마음에도 이러한 소망의 개념이 선명하게 각인되었을 것이다. 아직 이 드라마를 보지 못한 독자들에게는 한 번쯤 시간을 내어 보라고 권유하고 싶다.

에베소서 2장 10절은 다음과 같이 선포한다. "우리는 그가 만드신 바라 그리스도 예수 안에서 선한 일을 위하여 지으심을 받은 자니." 하나님 아버지의 마음이 계시될 때, 우리는 하나님의 창조적 의도가 무엇인지 알게 된다. 우리는 하나님께서 만드신 자들이다.

헬라어 '포이에마'(poiema)는 운율과 리듬을 지닌 하나님의 시를 의미한다. 우리는 하나님의 예술작품이다. 좌우대칭으로 조화를 이루고 잘 정돈되어 있는 작품이다. 하나님의 마음이 계시될 때, 우리의 정체성이 회복된다. 하나님이 어떤 분이신지를 이해함으로써, 우리는 우리를 창조하신 그분의 목적을 본다.

우리는 하나님께서 놀라운 예술성으로 빚어내신 걸작들이다. 우리가 하나님께서 공들여 만들어내신 열매임을 깨달을 때, 우리는 자신에 대한 올바른 정체성을 발견하게 된다. 사도적 기름부음은 우리가 예수 그리스도 안에서 정확히 어떤 존재인지를 밝혀주는 신선한 계시를 가져온다.

계속해서 에베소서 2장 19절은 다음과 같이 말한다. "그러므로 이제부터 너희는 외인도 아니요 나그네도 아니요 오직 성도들과 동일한 시민이요 하나님의 권속이라." 이 구절 바로 직전에 위치한 14-18절에서는, 예수 그리스도께서 중간에 막힌 담을 헐어버리심으로써 우리가 하나님의 가족이 되게 해주셨다는 내용이 소개된다. 나의 멘토이자 친구인 척 플린 박사는, 이것을 '하나님의 가족의 기름부음'(Householder's Anointing)이라고 부른다.

하나님 아버지의 가족이 계시될 때, 우리는 주님이 거하시는 처소에 존재하는 거룩한 질서를 목도하게 된다. 그곳은 영적인 권위가 있는 자리다. 하나님 아버지의 권위는 우리의 삶 속에 인격을 회복시킨다. 삶 가운데 우리는 실제로 주님과 더불어 살아갈 수 있다. 외국인이나 나그네로서가 아니라 하나님의 가족의 일원으로서 주님과 함께 살아가는 것이다. 하나님은 우리와 함께 주님의 집을 건축하시는 중이다!

하나님의 가족의 기름부음이 그리스도인인 우리에게 상징해주는 바가 있다. 우리는 그리스도인으로서 함께 모인다. 우리 모두는 각각 자신만의 독특한 은사와 동기들을 가지고 있다. 아울러 우리는 각자가 지닌 특징적인 성격들을 통해 그리스도의 본질을 다양한 방식으로 표현한다. 달리 표현하자면, 하나님 아버지는 당신이 하나님의 가족의 일원으로서 오직 당신만이 나타낼 수 있는 무언가를 표현해내기를 원하신다. 왜냐하면 하나님은 당신을 다른 모든 사람들과는 차이점을 지닌 존재로 만드셨기 때문이다. 그러므로 나는 그리스도인으로서 나만의 독특한 삶의 한 측면을 가지고 있다. 당신에게도 그리스도인으로서 다른 사람들에게 표현할 수 있는 당신만의 독특한 또 다른 측면이 있다.

하나님은 놀랄 만큼 탁월한 지휘자시다. 하나님은 백성들의 삶을 통해 자신에 관한 온전한 계시를 가져오신다. 사도적 기름부음은 주님의 자녀들로 하여금 하나님의 가족의 비밀을 밝히 드러내어 알게 해준다. 그들은 아들과 딸로서 하나님의 가정에서 자신들의 위치가 어디이고, 무슨 기능을 해야 할지를 발견해낸다.

이 지구상에서 그리스도의 온전한 나타나심을 대표할 수 있는 사람은 단 한 명도 없다. 그것은 그리스도의 온몸, 즉 하나님의 가족 전체를 필요로 하는 일이다. 그러니 당신도 이제 나에게 무언가를 말하라. 나에게는 당신이 필요하다. 동시에 당신도 나를 필요로 하고 있다. 우리가 하나님의 가족 구성원으로서 모든 인류의 필요를 바라보면, 당연히 우리 마음속으로부터 사람들의 필요들을 채워주고자 하는 긍휼의 마음이 흘러나올 것이다. 이것이 소위 말하는 몸 사역의 핵심이다.

나는 고통당하는 사람이나 아픈 사람의 경우를 비유적으로 사용하기를 좋아한다. 아마 당신도 이런 사람들을 알고 있을 것이다. 우리 모두는 누구나 아프거나 괴로워하는 사람을 한두 명 쯤은 알고 있다. 이제 하나님의 가족의 일원으로서, 당신은 기꺼이 그들이 입원해 있는 병원을 찾아가려 할 것이다. 당신은 그들이 누운 침대 옆에 앉아서 시중을 들어주고,

그들의 삶에 관해 여러 가지 이야기를 해줄 것이다. 그들의 삶에 치유의 효력이 나타날 때까지 당신은 줄곧 그들의 마음을 기쁘고 즐겁게 해주려고 할 것이다. 이것이 바로 하나님의 가족이 의미하는 바다! 이것이 바로 사도적 사역의 본질이요, 기능이다. 설사 이 이야기가 당신이 생각했던 것만큼 그리 대단한 일처럼 들리지 않을지라도 말이다!

하나님은 우리를 주님의 가족으로 불러들이심으로써, 주님의 몸이 다른 사람들을 향해 그분의 권세와 사랑의 실제를 표현하게 하신다. 따라서 우리에게는 다음 세대 가운데 이처럼 다양화된 표현들을 계발시킬 임무가 있다. 우리가 이 세상을 떠난 후에도 하나님의 가족이 계속 유지되어야 하기 때문이다. 우리는 사람들에게 영적인 일자리를 제공해주도록 부름 받았다. 따라서 사람들이 제기하는 최첨단의 필요들을 충족시켜 주는 자리에서 그들이 활동할 수 있도록 도와야 한다.

하나님의 은총 회복시키기

사람들의 다양한 필요를 채워주기 위하여, 우리는 반드시 주님의 가족 안에서 역사하는 주님의 은총을 받아야 한다. 만일 그동안 하나님의 은총이 지속적으로 감소되어 왔다면, 우리는 어떤 방법으로 그 은총을 회복시킬 수 있는지 자문해야 한다. 어떻게 해야 주님의 얼굴이 다시금 우리를 향하게 될까? 우리가 어떻게 해야 하나님의 영향력과 힘이 우리의 삶에 임하게 될까? 사도들이 가져오는 세 가지 핵심적인 비결은 회개(repentance)와 로맨스(romance)와 실체(reality)이다.

우리는 회개를 촉구해야 한다. 마가복음 9장 24절에서 "나의 믿음 없는 것을 도와 주소서"라고 울부짖은 아버지처럼 말이다. 내가 이전에 들어본 적이 있는 표현을 사용해서 말하자면, 우리에게는 '부성적인 돌봄의 대부흥'이 일어나야 한다. 말라기 4장 6절은 다음과 같이 말씀한다. "그가 아버지의 마음을 자녀에게로 돌이키게 하고 자녀들의 마음을 그들의 아버지에게로 돌이키게 하리라 돌이키지 아니하면 두렵건대 내가 와서 저주로 그 땅을 칠까 하노라 하시니라." 우리는 사도적인 아버지들의 마음을 그들의 영적 자녀들에게 돌이켜 놓아야 한다.

여기서 '돌이키다'(turning)란 '잃어버린 무엇인가에게로 돌아가다, 온전케 하고 완성시키고 살아 있게 하다, 원상태로 복귀시키다, 유용성(usefulness)과 수용성(acceptance), 성능(performance)을 회복시키다' 등의 의미를 갖는다. 다시 말해 돌이킨다는 것은 '회복'(restoration)을 뜻한다. 아울러, 여기서 말하는 '유용성'이란 '진정한 목적'을 가리킨다. '수용성'이란 '진정한 정체성'을 말하며, '성능'이란 '진정한 생산성'을 의미한다.

영적으로 사도적인 아버지들은(물론 여기에는 어머니들도 포함된다. 아버지라는 표현은 인격과 기름부음의 명칭일 뿐, 결코 성을 구분하는 용어가 아니다) 베푸는 삶, 다른 사람들을 위해 자신의 삶을 쏟아붓는 삶을 살아가야 한다. '마음을 돌이키다'라는 말은, 사람의 의지에 있어서 가장 중요하고 핵심적인 부분, 혹은 감정의 구성요소들이나 욕구, 열정에 있어서 가장 중요하고 핵심적인 부분을 돌이킨다는 말이다. 사람의 '마음'(heart)은 긍정적인 방식으로 돌이킬 수 있고, 부정적인 방식으로 돌이킬 수도 있다. 사악함은 아버지들의 범죄로 인해 자녀들에게 대물림되어 내려갈 수 있다. 이 점에 관해서는 출애굽기 20장 3-6절을 읽어보라. 만일 우리가 자기보존이라는 명목으로 보호벽을 쌓아올린다면, 이것도 자녀들에게 그대로 대물림되어 내려간다.

우리가 반드시 깨달아야 할 것이 있다. 그것은 사도적인 아버지로서 우리의 삶은 죽음 이후에도 자녀들의 삶을 통해 계속된다는 사실이다. 따라서 우리는 그들 안에 좋은 것들을 쏟아부어주어야 한다. 우리는 그들의 마음을 돌이켜 하나님이 실제로 어떤 분이신지를 이해할 수 있게 해주어야 한다. 우리의 삶에 하나님을 상징적으로 드러내야 한다. 사도적인 돌파의 기름부음이 지니는 유익은, 하나님의 참된 본성을 사람들에게 보여주는 것에 있다. 이렇게 할 때 사람들의 마음이 하나님께로 돌아가게 될 것이다.

로맨스로의 부르심이란, 우리의 영적인 열정을 재발견하는 것을 의미한다. 마가복음 9장에서 제자들은 왜 자신들이 소년 안에 있는 귀신을 내쫓지 못했는지 궁금해했다. 이때 예수님은 제자들에게 그런 종류의 귀신은 오직 기도와 금식을 통해서만 쫓아낼 수 있다고 말씀하셨다. 자, 이제 알겠는가? 우리의 마음은 반드시 하나님과의 친밀함을 회복해야 한다. 킹제임스(KJV) 성경은 아가서 1장 4절을 다음과 같이 번역하고 있다. "나를 데려가 주세요, 어서요. 임금님, 나를 데려가세요, 님의 침실로. 우리는 님과 더불어 기뻐하고 즐거워하며, 포도주보다 더 진한 님의 사랑을 기리렵니다. 아가씨라면 누구나 님을 사랑할 것입니다"(Draw me, we will run after thee: the king hath brought me into his chambers: we will be glad and rejoice in thee, we will remember thy love more than wine: the upright love thee).

오, 주님, 우리를 데려가 주십시오! 주님의 침실로 우리를 이끌어 주십시오! 이것이 나의 부르짖음이다. 나는 여러분도 나와 마찬가지일 것이라고 믿는다. 하나님과의 친밀함과 로맨스를 회복하는 것은, 우리의 일상적인 필요들(먹고 마시는 일)보다도 훨씬 더 긴급한 사안이다. 그러나 친밀함뿐 아니라, 우리의 마음속에 내재된 필요성에 대한 고백도 회복되어야 한다. 주님의 능력이 함께하지 않으면, 우리는 무능력한 존재들이다. 우리에게는 주님의 초자연적인 만져주심이 필요하다!

갱신의 표현들은 로맨스 회복의 한 형태다. 혹시 여기서 '갱신의 표현들'(renewal expression)이 무엇을 말하는지 모르는 이들도 있을지 모르겠다. '갱신의 표현들'이란, 단순히 성령님이 하나님의 사람들 위에 운행하시는 것을 의미한다. 이것은 우리를 새롭게 하시는 갱신의 권능이 풀어질 수 있게 분위기를 형성한 후, 우리가 원하기만 하면 바로 작동한다. 갱신의 표현들이란, 하나님의 사람들 사이에서 이루어지는 하나님의 친밀한 만져주심을 뜻한다. 집단적인 상황에서 이러한 표현은 갑작스럽게 열광적으로 터져 나오는 기쁨, 소리 지름, 껑충껑충 뜀, 빙글빙글 돎, 웃음 등의 형태를 띨 수도 있다. 이것은 어떤 면에서 보면 비이성적이고 급진적인 현상들이다. 은사주의에서는 이것들을 가리켜 '성령에 취해 있다'(행 2:5-15)라고도 표현한다.

갱신의 표현은 하나님의 거룩 혹은 평강과 갑작스럽게 맞닥뜨린 경우에도 나타날 수 있다. 이 경우에 사람들은 자기도 모르게 눈물을 흘리거나, 터져 나오는 통곡을 억제하지 못한다. 혹은 겉으로 나타나는 이유는 조금도 찾아볼 수 없고 다만 철저한 침묵 가운데 가만히 앉아 있기도 한다(시 46:10).

앞에서도 언급한 바 있으나, 이런 현상들은 결코 육체적 카타르시스를 충족시키기 위한 구실들이 아니다. 물론 방출의 요소로 카타르시스가 촉진될 가능성은 있다. 그러나 오히려 갱신의 표현들은, 하나님의 위대하심과 맞닥뜨린 순간에 생겨나는 참된 반응들이라고 말할 수 있다. 만물의 존재

이유가 되시는 하나님과 진정으로 만났다면, 당신도 이와 마찬가지로 열광적으로 반응하거나 혹은 참담할 정도로 겸손해질 것이다.

이러한 갱신의 표현들은 당신을 향한 하나님 아버지의 이끄심이자 구애다. 주님은 만져주심과 은사와 말씀들을 사용하시어 당신을 이끄시고, 당신에게 구애하신다. 사도적인 아버지의 사역에서 초자연적인 돌파의 기름부음이 가동되어야 하는 이유도 이 때문이다. 그들은 이처럼 매혹적인 갱신의 표현들을 하나님의 가족 안에 가지고 들어와야 한다.

아버지와 어머니들이 온 마음으로 하나님의 실제적 권능을 보이고자 하는 갈망을 회복할 때, 하나님의 가족은 아버지와 어머니들에게 반응을 보일 것이다. 그들은 단지 사람들의 마음을 돌이키려는 인간적인 갈망만을 표현하지 않을 것이다(친구들이여, 물론 이러한 갈망도 지극히 중요하다). 그들은 초자연적이고 영적인 기름부음을 통해 사람들이 변화되는 모습을 지켜보려는 마음도 드러낼 것이다. 다름 아닌 사도적인 사람들부터 몸소 이런 일들을 체험한 후, 다른 사람들에게 자신의 경험을 설명해주려면, 돌파의 기름부음 즉 역동적인 능력이 풀어져야 한다!

사도적인 사람들은 하나님 아버지의 마음으로 일한다. 그들이 하나님의 은사들을 풀어놓고 하나님이 말씀하시려는 메시지들을 함께 나눌 때, 사람들은 하나님의 성품을 이해하고, 새로워지고, 회복된다.

하나님의 가족은 힘(strength)과 안정성(stability)과 영성(spirituality)에 대해 반응을 보일 것이다. 나아가 사람들은 그 무엇보다도 감수성(sensitivity)에 반응할 것이다. 이를테면 우리는 우리의 갑옷들을 내려놓는 법을 배우고, 하나님의 자녀들의 좌절과 정서적인 욕구들에 대해서도 민감해져야 한다. 또 하나 가장 중요한 것이 있다. 우리는 원수의 활동들에 대해서도 민감하게 반응해야 한다. 거듭 말하지만, 이를 위해서는 반드시 기름부음이 가시적으로 나타나야 한다. 초자연적인 분별이 필요하다는 말이다.

실체로의 부르심은 일종의 성화(sanctification)로의 부르심이다. 마가복음 9장에 소개된 아이가 귀신으로부터 자유케 될 수 있었던 까닭은, 예수님의 성화 덕분이었다. 예수님은 이렇게 말씀하셨다. "기도 외에 다른 것으로는 이런 종류가 나갈 수 없느니라"(막 9:29). 예수님은 아버지이신 하나님 앞에서 성화된 삶을 살아가셨고, 거룩한 삶에 대한 보상을 받으셨다. 히브리서 1장 9절은 예수님에 관해 다음과 같이 말씀한다. "주께서 의를 사랑하시고 불법을 미워하셨으니 그러므로 하나님 곧 주의 하나님이 즐거움의 기름을 주께 부어 주를 동류들보다 뛰어나게 하셨도다." 예수님은 불의를 미워하셨다. 그런 이유로 주님은 다른 사람들보다 훨씬 탁월한 기름부음을 받으실 수 있었다.

우리는 하나님에게서 난 아들이요 딸들이다. 따라서 성화된 삶을 살아갈 때, 우리는 훨씬 더 탁월한 기름부음 가운데 행할 수 있게 된다. 영적 아버지들은 자녀들로 하여금 과거 시대에는 유례를 찾아볼 수 없는 새로운 수준의 성화의 삶을 살아가도록 촉구한다.

게리 그린월드는 나의 동료 사역자다. 그는 아버지들의 마음을 자녀들에게로 돌이키는 것을 '부성적인 돌봄의 대부흥'이라 칭하였는데, 나는 이 호칭이 무척 마음에 든다. 부성적인 돌봄의 대부흥은 임박한 예수 그리스도의 재림의 표지다.

우리는 하나님의 목적에 맞추어 성화된 삶을 살아감으로써 주님의 길을 예비해야 한다. 사도적인 아버지들이 부르심에 응답함에 있어 돌파의 기름부음으로 행해야 하는 이유가 여기에 있다. 그들은 돌파의 기름부음으로써 로맨스와 회개를 회복하도록 돕는다. 나아가 궁극적으로 그들은 하나님의 진정한 성품의 실체가 회복되도록 돕는다. 하나님의 본성을 이해하게 될 때, 사람들은 하나님의 목적들을 성취하는 일에 착수하게 된다. 사랑하는 친구들이여, 우리가 지금 여기에 존재하는 이유도 이것 때문이다. 우리는 하나님의 목적들을 이루기 위해서 살아간다.

하나님의 목적들

우리가 반드시 유념해야 할 사실이 있다. 그것은 하나님께서 의도하신 모든 일들에는 목적이 있다는 것이다. 그러므로 우리는 하나님의 목적들이 무엇인지 정확히 이해해야 한다. 자신의 고유한 계획들을 세우기 이전에, 우선은 하나님께서 일으키기 원하시는 일들이 무엇인지를 깨달아야 한다. 목적은 언제나 '좋은 일'(good thing)보다는 '옳은 일'(right thing)을 하는 것이다. 이러한 목적을 가지고 있는지의 여부가 성공을 결정한다.

하나님은 우리의 결정에 의해 움직이시는 분이 아니다. 주님은 그분의 뜻에 의해 움직이신다. 주님의 뜻이야말로 주님이 성취되기를 원하시는 유일한 것이다.

> 너는 권고를 들으며 훈계를 받으라 그리하면 네가 필경은 지혜롭게 되리라 사람의 마음에는 많은 계획이 있어도 오직 여호와의 뜻만이 완전히 서리라 (잠 19:20-21)

> 내가 시초부터 종말을 알리며 아직 이루지 아니한 일을 옛적부터 보이고 이르기를 나의 뜻이 설 것이니 내가 나의 모든 기뻐하는 것을 이루리라 하였노라 (사 46:10)

내가 좋아하는 교사 중 마일즈 먼로가 있다. 여기서 잠시 그의 가르침에 관해 소개하고자 한다. 물론 그의 말을 직접적으로 인용하지는 않을 것이며, 이 계시의 내용에는 나의 생각도 어느 정도 뒤섞여 있다. 그러나 나는 해당사안에 대한 그의 통찰이 깜짝 놀랄 만한 것이라고 믿는다. 그의 견해 일부를 여기서 당신에게 이야기해주겠다. 이것을 통해 우리는 하나님께서 이미 우리의 목적을 완성하셨음을 알아차려야 한다.

먼로 박사는 하나님께서 가장 먼저는 목적을 세우시고, 그런 후에 착수하신다고 설명한다. 하나님은 처음부터 목적을 설정해두셨다. 그런 다음에 시작하셨다. 주님께서 목적지를 설정해놓으신 후에 비로소 시간의 과정이 시작되었다. 이는 마치 주님이 이렇게 말씀하시는 것과도 같다. "나는 끝내기 전에는 결코 시작하지 않는다. 내가 시작했을 때, 이는 내가 끝냈음을 알려주는 표지다."

아마도 거듭나지 못한 인간에게는 이런 내용이 불완전한 논리처럼 들릴지도 모른다. 그러나 우리가 반드시 유념해야 할 것이 있다. 시간은 하나님께서 만드신 개념이다. 하나님은 시간의 한계 너머에서 살아가시는 분이다. 기억하라. 하나님은 무소부재하신 분이다. 그야말로 그분은 존재하시는 분이다. 하나님은 현재와 과거, 미래를 동시에 살아가신다. 주님께는 과거와 현재와 미래가 모두 동일하다.

에베소서 1장 4절은 다음과 같이 말한다. "곧 창세 전에 그리스도 안에서 우리를 택하사 우리로 사랑 안에서 그 앞에 거룩하고 흠이 없게 하시려고." 또한 로마서 8장 29절은 이렇게 말하고 있다. "하나님이 미리 아신 자들을 또한 그 아들의 형상을 본받게 하기 위하여 미리 정하셨으니 이는 그로 많은 형제 중에서 맏아들이 되게 하려 하심이니라." 당신이 태어났다는 사실 자체가, 하나님께서 당신을 출발시키시기 위해 이미 무언가를 끝마치셨다는 증거다!

욥기 36장 5절에서 우리는 다음과 같은 구절을 발견한다. "하나님은 능하시나 아무도 멸시하지 아니하시며 그의 지혜가 무궁하사." 주님의 능하심은 그분이 최고의 권능을 가지고 다스리시는 분임을 말해준다. 에베소서 1장 11절의 말씀을 보자. "모든 일을 그의 뜻의 결정대로 일하시는 이의 계획을 따라 우리가 예정을 입어 그 안에서 기업이 되었으니." 하나님은 그분의 목적에 있어서 확고부동하시다. 말라기 3장 6절은 이렇게 말한다. "나 여호와는 변하지 아니하나니." 하나님은 사람을 멸시하지 않으신다. 다시 말해 주님은 사람을 무시하지 않으신다.

하나님은 그분의 뜻 안에서 자신의 목적에 복종하신다. 주님은 당신의 목적을 변경시킬 수 있는 주권도 가지고 계신다. 그러나 그렇게 하지 않으신다. 모세의 경우를 예로 들어 살펴보자(출 4:13). 하나님은 모세로 하여금 이스라엘 백성들을 구원하게 하시려는 목적을 가지고 계셨다. 그러나 모세는 자신이 얼마나 그 일에 적합하지 못한 사람인지를 합리화하면서 하나님께 다음과 같이 말씀드렸다. "누군가 다른 사람을 보내십시오. 저는 말을 잘할 줄 모릅니다." 이때 하나님이 실제로 모세에게 얼마나 화를 내셨는지 주목하여 보라.

우리는 하나님의 지혜를 공격하는 일이 없도록 지혜로워야 한다. 왜냐하면 주님은 일단 결심하신 일들에 대해서는 확고부동한 분이시기 때문이다. 당신이 받은 가정교육, 당신의 두려움, 소심함, 상처들, 어린 시절, 이 중 그 무엇도 하나님의 마음을 흔들지 못한다. 하나님은 결코 다른 사람으로 당신을 대체하지 않으신다. 하나님께서는 이미 당신을 통해서만 할 수 있는 무언가를 계획해 놓으셨기 때문이다!

이 계시를 통해, 나는 우리의 삶을 향한 하나님의 뜻에 관하여, 이전과는 전혀 다른 새로운 수준의 생각으로 나아가게 되었다. 내가 궁극적으로 도달해야 할 부르심의 자리에 대한 하나님의 관점은 못 박은 듯 확고부동하다. 또한 긍정적 의미에서, 나의 인생과 사역의 경로는 이미 고정되어 있다. 당신의 경우도 마찬가지다!

목적이 동기를 부여해준다. 히브리서 11장 20절의 말씀을 들어보자. "믿음으로 이삭은 장차 있을 일에 대하여 야곱과 에서에게 축복하였으며." 이삭은 아들들을 축복해줌에 있어서, 아들들이 인생에서 성취해야 할 부르심에 관해 예언해주었다. 아들들의 삶에 부여된 사명에 관해 이야기해준 것이다. 이삭의 축복은 아들들이 앞으로 걸어가기로 예정된 영적 여정에 신속히 착수할 수 있도록 도와주었다. 이삭은 그들이 먼 장래에 통과하게 될 중요한 단계들에 관해서 선포하였다. 그는 하나님께서 그들을 부르시고 그들을 통해 이루기 원하셨던 모든 일들을 성취하도록 그들을 자극했다.

기억하라. 하나님 아버지께서 마음의 비밀을 밝히 보여주실 때, 우리의 정체성이 회복된다. 이 정체성이 회복됨에 따라 우리의 부르심이 펼쳐지기 시작한다. 각각의 인생을 향한 목적과 부르심을 계시해주는 일은, 사도적인 사람들이 수행해야 할 부르심과 기능들 중 하나다. 사도적 기름부음은 목적을 가시적으로 드러내 보여준다. 그리고 사람들로 하여금 각자 자신을 향한 하나님의 부르심을 성취해가도록 동기를 부여해준다. 그들은 하나님께서 자신들 안에서 운행하고 계심을 느낀다. 그러면 그들은 자신들이 느끼고 있는 바를 다른 사람들에게 구체적으로 표현하고 싶어 한다.

나는 사도적인 사람들이 하나님을 사랑의 아버지로 드러내는 기름부음을 받은 사람들이라고 믿는다. 사도들은 친밀함을 회복시키고, 하나님 아버지의 사랑을 보여주고, 목적을 계시해준다. 그들은 세대들을 관통하여 흐르는 부성적인 돌봄의 기름부음 안에서 활동하면서, 거절의 올무를 통해 역사하는 원수의 행위들을 무효화시킨다. 이 얼마나 흥미진진하고 추구해봄직한 모험인가!

아울러 나는 사도적인 사람들이 하나님 아버지에 관한 더 심오한 이해를 계시해주어야 할 사명을 부여받은 자들이라고 믿는다. 이 핵심적 진리에 관해서는 다음 장에서 보다 구체적으로 살펴보도록 하겠다. 다음 장에서는 권위를 지니신 아버지로서의 하나님에 관한 비밀을 밝혀보고자 한다.

CHAPTER 2 하나님의 아버지 되심

| 상처 받은 자의 울부짖음, 은총의 손길

- 거절은 하나님에 대한 사람들의 관점을 왜곡시키기 위해 원수가 사용하는 가장 중요한 수단이다. 원수는 사람들에게 하나님의 성품뿐 아니라 자기 자신의 성품에 관해서도 중상모략하여 훼손시켜 놓는다.
- 나병환자에게는 신체적 치유 이상의 것이 필요했다. 그에게는 감정의 회복이 필요했다(막 1:40).
- 예수님은 그의 나병을 치유해주기 원하셨을 뿐 아니라, 기꺼이 그의 몸에 손을 대어주셨다. 이렇게 함으로써 주님의 사역(그리고 사도적 사역)이 단순히 겉으로 드러난 증상들만 처리하는 것이 아니라, 내면적인 뿌리들까지도 다룬다는 사실을 보여주셨다.
- 거절로 인한 여러 가지 부산물 중 하나는 가난한 사고방식이다.
- 사도적 기름부음은 가난의 영을 깨뜨린다. 사도적 기름부음은 가난해지는 것이 결코 하나님의 뜻이 아님을 드러내준다. 하나님께서는 사람들이 삶의 어느 측면도 가난해지도록 의도하지 않으셨다.
- 예수님이 십자가를 지신 사건은, 우리의 삶에 결여되어 있는 모든 것들에 대한 해답을 제공해주셨다. 영적인 면, 신체, 우리의 정신과 의지와 정서적인 행복 등, 모든 것에 대한 해답이 예수님의 십자가 사건에 담겨 있다.
- 사도적 기름부음은 거절당한 사람 안에 확신의 느낌을 회복시킨다. 그뿐만이 아니라, 사도적 기름부음은 정신의 회복에 대한 욕구도 불어넣어 준다.

| 아버지의 눈물이 지니는 권능

- 아버지가 눈물을 흘렸다. 예수님의 동정심을 자극한 것은 귀신 들린 소년의 아버지의 위대

한 믿음이 아니라, 바로 그의 눈물이었다. 예수님은 믿음 없음을 묵인하지 않으셨다. 그러나 주님은 깨달음과 믿음의 증가를 원하는 소년의 아버지의 부르짖음을 들으신 후에, 기꺼이 그와 함께 일해주셨다(막 9:14-29).

- 하나님은 돌보시는 아버지로서 우리의 눈물에 반응하신다. 주님은 단지 우리의 기도에만 응답하시는 분이 아니다. 그분은 기꺼이 우리의 불완전한 믿음에도 역사하시는 분이다.
- 사도적인 사람들은 하나님을 사랑의 아버지로 계시해준다.
- 사도적 기름부음은 하나님의 아버지 되심을 계시해준다. 하나님의 소망, 하나님의 마음, 하나님의 가족을 통해 하나님의 아버지 되심이 드러난다.
- 하나님 아버지의 소망이 일단 계시되면, 온갖 공허와 점점 약해져가던 소망의 문제가 해결된다. 그동안 우리는 공허와 약화되는 소망으로 인해 힘들어하고 있었을 수도 있다. 그러나 사도적 기름부음은 하나님께서 사람들을 향해 품고 계신 높은 소망이 무엇인지를 보여준다.
- 인간은 하나님 아버지의 예술작품이다. 우리는 하나님의 걸작품(포이에마)이다(엡 2:10).
- 하나님 아버지의 마음은 우리를 창조하신 하나님의 목적이 무엇인지를 보여준다. 우리는 특별한 목적을 위해 지음 받았다.
- 우리는 하나님의 가족이다(엡 2:19). 우리는 그저 외인이나 나그네가 아니라, 하나님의 가족에 속한 일원들이다. 우리는 하나님의 가족으로서 모든 권리와 유익을 누릴 수 있다.
- 하나님 아버지의 가족이 계시될 때, 우리는 주님이 거하시는 처소에 존재하는 거룩한 질서를 목도하게 된다. 그곳은 영적인 권위가 있는 자리다. 하나님 아버지의 권위는 우리의 삶 속에 인격을 회복시킨다. 우리는 실제로 삶 속에서 주님과 더불어 살아갈 수 있다. 이것이 바로 '하나님의 가족의 기름부음'(Householder's Anointing)이다.

하나님의 은총 회복시키기

- 하나님의 은총을 되찾기 위한 세 가지 핵심적인 비결은 회개(repentance), 로맨스(romance), 실체(reality)다.
- 회개란 돌이키는 것(turning)이다. '돌이키다'란 '잃어버린 무언가에게로 돌아가다, 마땅히 존재해야 하는 방식대로 되돌리다'를 의미한다.
- 아버지들의 마음이 자녀들에게 돌이켜지고, 자녀들의 마음이 아버지들에게로 돌이켜져야

한다(말 4:6).
- '부성적인 돌봄의 대부흥'이 일어나야 한다. 오래 참으시는 하나님의 사랑에 대해 왜곡된 관점을 묵인한 것에 대해, 선배 세대들로부터의 회개가 이루어져야 한다.
- 로맨스란 하나님 아버지와의 친밀함으로 돌아가는 것을 의미한다. 하나님을 좀더 잘 아는 것이 언제나 우리의 첫 번째 열정이 되어야 한다.
- 주님은 우리를 그분의 침실로 이끌어 들이신다. 하나님은 다양한 사랑의 표현들을 통해 우리를 이끄시고 우리에게 구애하신다(아 1:4).
- 갱신의 표현들은 일종의 로맨스의 회복이다. 로맨스의 회복은 하나님 아버지와 더불어 친밀함을 주고받는 자리로 영구히 돌아가도록 이끌어준다.
- 실체는 성화를 의미한다. 성화란 거룩함의 회복이다. 하나님께서 거룩하신 분이기 때문이다.
- 우리는 예수님께서 그러하셨듯이 불의를 미워하고 의를 사랑해야 한다(히 1:9).
- 사도적 기름부음은 사람들로 하여금 하나님을 위해 구별된 존재가 되도록 해준다. 사람들은 하나님을 사랑하기에 자신들의 삶을 통해 주님의 권세를 드높이려 한다. 그리하여 하나님만을 위해 언제나 스스로 거룩한 삶을 유지해가는 것이다.

하나님의 목적들

- 하나님께서 무언가를 창조하셨을 때에는, 반드시 이면에 그것을 창조하신 목적이 있다. 그러므로 우리에게도 목적이 있다. 하나님께서는 우리를 통해 성취하시고자 하는 목적이 있다.
- 세상이 창조되기 이전에, 이미 하나님은 당신을 향한 목적을 완성하셨다. 하나님은 시작하시기 전에 이미 끝마쳐 놓으셨다.
- 하나님은 결코 사람을 멸시하지 않으신다. 하나님은 우리 각자를 통해 성취하기 원하시는 목적을 가지고 계신다. 그 무엇도 주님이 우리를 통해 완성하기 원하시는 역할을 단념시킬 수 없다. 우리의 이익이나 심지어 주님의 뜻조차도 그렇게 할 수 없다.
- 사도적 기름부음은 사람들의 삶 속에 존재하는 하나님 아버지의 목적을 명확하게 감지할 수 있도록 회복시켜 준다.

The Dancing Hand of God

CHAPTER 3

하나님의 초월성

하나님은 사랑의 아버지시다. 그렇다. 그러나 동시에 그분은 절대적인 권위를 가지고 보좌 위에 앉으신 거룩한 아버지이시기도 하다. 하나님은 최고의 주권자이시다. 하나님은 원하시는 바를, 원하시는 때에, 원하시는 방법으로, 원하시는 사람을 통하여 이루실 수 있는 분이다. 이러한 하나님의 인격과 거룩하심에 관한 계시는, 우리로 하여금 하나님의 본질을 이해할 수 있게 한다.

하나님의 명성

거절감의 문제에 관해 내가 모든 해답을 가지고 있다고 할 수는 없다. 그러나 나도 이제껏 거절당하고 아무 쓸모없는 사람처럼 여겨지며 상처를 안고 살아온 사람 중 하나였다. 나는 아직도 십대 시절 예수님이 빛 속에서 나타나셨던 순간을 기억한다. 그때 주님은 나에게 하나님 아버지가 지니고 계신 한 가지 속성에 관한 비밀을 계시해주셨다. 사실 그런 성격의 초자연적 만남은 결코 한 사람만을 위한 것이 아니다. 따라서 나는 이 거절의 상처에 대면하기 위해, 또 하나의 사도적 속성에 관해 나누기 원한다. 이것은 단순히 아버지로서의 하나님이 아니라, 고귀하고 높은 곳에 계신 하나님에 관한 계시다. 우리의 원천이신 하나님의 사랑뿐 아니라, 주님의 위엄, 주님의 영광, 주님의 초자연적인 거룩하심에 관해 꿰뚫는 듯한 계시를 소개하기로 하겠다.

단순한 이야기로 들리겠지만, 사도들의 부성적인 돌봄은 아버지이신 하나님의 충만하심에 관한 비밀을 밝혀 준다. 하나님은 경이로운 은사들을 베풀어주시는 분이다. 이것은 매우 중대한 계시다. 그러나 이것을 훨씬 더 능가하는 계시로서, 우리는 하나님이 모든 생명의 아버지이심을 잘 이해해야 한다. 주님은 만물의 창조주시다. 주님은 참으로 고귀하시고 높이 들리신 분이다. 따라서 우리는 단순히 하나님의 사랑에 관한 신비를 밝히 아는 것에 그치지 말고, 하나님의 권위에 관해서도 알아야 한다.

텍사스의 댈러스에 위치한 '열방을 위한 그리스도 협회'(CFNI)에서 가르치고 있을 때의 일이다. 당시 나의 친구 존 켈리가 초청강사로 왔다. 나는 하나의 실제적인 사례로서 이 이야기를 언급하고자 한다. 존에게는 놀라운 부성적인 돌봄의 기름부음이 있다. 그가 가진 기름부음은 하나님을 단순히 사랑의 아버지로 계시하는 수준을 훨씬 넘어선다.

CFNI에서는 한 차례의 강의가 끝날 때마다 학생들이 강사 주변으로 몰려들곤 한다. 존이 강의를 마쳤을 때에도 학생들이 그의 주변에 모여들었는데, 이때 학생들은 그를 통해 매우 역동적인 기름부음이 전이되고 있음을 실제로 느꼈다. 그들은 존의 발치에 앉았고, 그도 학생들과 함께하는 시간을 즐거워했다. 그렇게 그들이 앉아 있는 동안 보다 심오한 계시가 그들 위에 임하였다. 그것은 하나님의 거룩하심, 하나님의 힘, 하나님의 영광, 하나님의 권위에 관한 계시였다. 강의를 마치고 돌아갈 즈음이면, 하나님에 대한 학생들의 이해수준이 이전에 비해 훨씬 더 깊어져 있었다. 그들은 아버지로서의 하나님, 우리 영혼을 사랑해주시는 분으로서의 하나님, 절대적인 권위를 가지고 보좌 위에 앉으신 거룩하신 하나님에 관한 계시를 가슴에 품고 돌아갔다. 그야말로 깜짝 놀랄 만한 계시의 체험이었다!

하나님은 지금 예수 그리스도의 부활의 생명을 놀라운 방식으로 증언할 사람을 세우고 계신다. 하나님은 당신이 주님의 생명을 충만히 경험하기를 원하신다. 우리는 사도행전에서 하나님께서 권능과 은혜를 베푸시는 장면을 보게 된다. 사도들은 주님의 생명을 놀랍게 증언하였다(행 4:33). 우리는 하나님의 다루심에 계속해서 복종해야 한다. 성령님께서 우리 안에 하나님의 생명, '조에'(zoe)가 흘러넘치지 못하도록 가로막는 방해요소 혹은 장애물들을 모조리 제거하실 수 있게 허락해드려야 한다.

하나님의 생명에 대한 이러한 표현은, 하나님께서 우리를 주님의 백성으로서 어떻게 확장시켜 주시는지에 관한 보다 심오한 계시에서 비롯된 것이다. 우리는 단지 주님 안에 받아들여졌을 뿐 아니라, 하나님의 생명에 동참할 수 있게 되었다. 그래서 삶 가운데 하나님의 생명의 능력을 표현해낼 수 있다(이것에 관해서는 에베소서 1장 6절과 2장 18절을 참조하라).

요한복음 10장 10절의 "생명을 얻게 하고 더 풍성히 얻게 하려는 것이라" 같은 표현은 능력이 비단 우리의 개인적인 필요뿐 아니라, 우리와 만나는 모든 사람들의 필요들까지 채워줄 수 있을 때 비로소 가능한 것이다. 이것이 바로 믿는 자가 행하는 사역이다. 믿는 자는 하나님의 생명을 온 세상 사람들이 볼 수 있도록, 예언적이고 복음전도적이며 목양적인 가르침을 통해 사도적인 방식으로 나타내야 한다. 오중사역의 목적이 바로 여기에 있다.

하나님은 지금 주님의 백성들 안에 소금의 짠맛을 회복시키시는 중이다. 지금 우리는 세상을 향해 하나님의 충만하신 생명을 보다 효율적으로 증언하기 위하여, 영광에서 영광으로 변화되고 있다(고후 3:18). 마리오 무릴로가 절규하듯이 외친 것처럼 이 사회는 하나님이 하늘에 살아 계심을 어느 순간에 깨닫게 될 것이다! 그들은 하나님의 사랑뿐 아니라 하나님의 권위와도 만나게 될 것이다. 아멘!

앞에서 이미 언급한 바 있으나, 모세는 하나님에 관해 더욱더 많은 계시를 원하였다. "저는 주님의 임재를 원합니다. 주님의 길을 알기 원합니다. 제가 지금 주님께 간청합니다. 주님의 영광을 제게 보여주소서"(출 33:18). 이것이 바로 모세가 마음속에 품고 있었던 가장 간절한 부르짖음이었다. 에베소서 1장 12절은 우리가 하나님의 영광스런 온전하심을 찬미하는 자들이 되어야 한다고 말한다. 요한복음 14장 8절에서 빌립은 예수님께 다음과 같이 청했다. "주여 아버지를 우리에게 보여 주옵소서." 빌립의 요청에 예수님은 이렇게 대답하셨다. "나를 본 자는 아버지를 보았거늘"(요 14:9). 예수님은 지상사역을 수행하시는 동안, 어디를 가시든지 하나님의 명성을 실제적이고 가시적으로 드러내 보이셨다.

명성(reputation)은 '한 사람의 가치에 대한 견해'라고 정의할 수 있다. 만일 내가 누군가를 가리켜 매우 성실한 사람이라고 말한다면, 이는 내가 그 사람의 가치를 그렇게 생각하고 있다는 뜻이다. 예수님은 가시는 곳마다 어디에서든 하나님의 성품, 하나님의 인격 자체를 철저하고 온전하게 가시화시켜 보여주셨다. 달리 표현하자면, 예수님은 하나님 아버지의 명성을 실제화시킨 분이었다. 예수님의 경우와 마찬가지로, 하나님은 우리 위에 주님의 영광이 머물게 하기를 원하신다. 우리는 마치 물이 바다를 덮듯이 이 세상을 덮는 주님의 영광이며(합 2:14) 주님의 영광을 운반하고 주님의 임재를 실어 나르는 언약궤다.

당신에게 질문이 있다. "당신은 하나님의 명성이 당신을 통해 나타나도록 허락하기 원하는가?"

베드로전서 2장 9절에서는 우리를 '그의 소유가 된 백성'(peculiar people 원서의 구절을 직역하면 '특별한 백성'이지만, 한글성경의 표현을 따라 표기하였다 – 역주)이라고 말하고 있다. 여기서 '그의 소유가 된'이라는 표현에 대한 하나님의 정의는 우리의 정의와 다르다. 주님은 언젠가 환상 가운데 내게 '그의 소유가 된 백성'의 의미를 다음과 같이 알려주셨다.

우리는 하나님 앞에서 입을 다물지 않을 수 없다. 마치 밀실과도 같은 체험을 하면서 우리는 주님께 에워싸여 있다. 그곳에서 주님만이 우리의 유일한 원천이심을 배운다. '그의 소유된 백성'으로서 우리는 주님과 얼굴과 얼굴을 맞대고, 마음과 마음을 대면하고, 생명과 생명을 대면하여 만난다.

당신이 주님과 어떤 유형의 친밀함(만남을 주고받는 수준)을 누리고 있든지 간에 주님과 관계를 맺을 때, 당신은 정서적으로든 영적으로든 주님처럼 변화될 것이다. 한편 그러한 내면의 밀실체험을 마치고 나올 때 우리는 매우 급격하게 변화되고 질적으로 놀랍게 향상되어, 우리와 만나는 사람들마다 실제로 살아 계시는 하나님에 관해 좋은 생각을 품지 않을 수 없게 된다. 이러한 일은 우리 안에서, 우리를 통해서 보여지는 것들로 인해 가능해진다.

하나님은 우리 위에 주님의 명성이 임하기를 원하신다. 주님이 실제로 어떤 분이신지를 보여주는 주님의 명성과 주님의 가치가 우리에게 임하기를 원하신다. 주님의 영광과 주님의 인격이 우리를 통해 밝히 드러나기를 원하신다. '영광'(glory)은 히브리어로 '카보드'(kabod)다. '카보드'의 문자적인 의미는 '하나님의 무게감'이다. 히브리인들은 이 단어를 하나님 아버지께서 압도할 듯한 무게로 그들 위에 임하신다는 뜻으로 사용하였다. 주님은 그분의 가치와 명성을 손에 잡힐 듯이, 눈에 보일 듯이, 귀에 들릴 듯이 느껴지게 하신다. 오늘날 우리는 이것을 하나님의 임재의 가시적인 나타나심이라고 일컫는다. 영광에 관해서는 6장에서 보다 깊이 있게 다룰 것이다. 그러므로 여기서는 이번 장의 목적에 맞게 영광의 특징과 유형들에 관해 살펴보고자 한다.

이사야는 "높이 들린 보좌에 앉아 계시는 주님을 뵈었는데, 그의 옷자락이 성전에 가득 차 있었다"(사 6:1)라고 말했다. 여기서 '그의 옷자락'이란, 주 예수 그리스도의 왕권과 영광을 말한다. 어떤 역본의 표현처럼, '장엄한 주님의 영광'이 성전을 가득 채우고 있었다. 주님이 계시는 곳이면 어디든지 그분 뒤에는 영광의 옷자락이 따라다닌다.

모세가 하나님을 보게 해달라고 요청했던 때를 기억하는가? 주님은 그를 바위 틈에 놓아두셨다. 하나님은 모세에게 주님의 몸 전체를 보여 줄 수는 없다고 말씀하셨다. 그렇게 되면 모세는 죽음을 피할 수 없기 때문이다. 그러나 하나님은 모세로 하여금 주님의 뒷모습만은 볼 수 있도록 허락해주셨다(출 33:23). 이것이 바로 하나님을 따라다니는 영광의 옷자락이며, 이것이 바로 주님의 무한한 권능의 무게다. 우리가 하나님의 이러한 속성에 관한 계시를 가지고 있어야만, 사람들을 고통스럽게 하는 무가치함과 거절의 영향력을 해체시킬 수 있다.

나는 '그의 영광이 성전에 가득하다'라는 말로 거주의 연속성을 표현하고 있다고 생각한다. 고린도후서 3장 18절에서 '영광에서 영광에'라고 표현한 것처럼, 영광이 한 수준에서 또 다른 수준으로 계속해서 증가해간다. 나는 주님이 오셔서 머무시는 모습을 마음에 그려본다. 주님의 영광이 임하고, 또 임하셨다. 그리고 계속해서 임하셨다. 지속적으로 말이다.

친애하는 독자들이여, 주님이 주님의 집에 오셨다. 주님은 점점 더 강력한 수준으로 계속해서 오시는 중이며, 지속적으로 오실 것이다. 그와 동시에 더욱 놀라운 비밀들이 밝혀질 것이고, 보다 심오한 계시들이 드러날 것이다. 우리가 주님과 더불어 누리는 친밀함에 기초하여, 생명의 충만함이 보다 강력하고 놀라운 수준으로 임할 것이다. 할렐루야!

하나님의 말씀을 가르치는 교사들에 따르면, 하나님이 우리에게 계시하시거나 펼쳐주시는 영광의 등급 혹은 수준은 기본적으로 두 가지라고 한다. 우리는 이 두 가지 수준 모두를 심화시켜야 한다. 나의 처남인 데이비드 알소부룩은 매우 탁월한 은사를 가진 성경교사다. 그는 이제껏 내가 메시지를 들어본 사람들 중 어쩌면 그야말로 최고의 성경교사인지도 모르겠다. 그는 내가 아는 이들 중 영광의 두 가지 수준에 관해 언급한 최초의 사람이다.

영광의 첫 번째 수준은, 소통적인 영광(communicative glory)이다. 주님은 이 영광을 주님의 백성들과 공유하신다. 우리는 이 영광의 수준에서 임박하신 하나님, 혹은 '가까이 계시는, 곁에 계시는' 하나님에 관한 메시지를 접한다. 사람들은 한 번도 하나님과의 '친밀한 만남'을 가져본 적이 없기에, 상처와 거절감 속에서 절뚝거리고 있다. 그들은 하나님 아버지로부터 결코 이러한 사랑의 포옹을 받아본 적이 없어서, 그들 안에 있는 사랑의 욕구들이 충족되지 못하고 있다. 그런데 사도들이 가진 부성적인 돌봄의 기름부음은 부분적으로 하나님이 가까이 계심을 전달해준다.

성령의 은사들이란 바로 이런 것이다! 당신도 이미 알고 있을지 모르지만, 성령의 은사를 헬라어로는 '카리스마'(Charisma)라 부른다. 이는 '하나님이 거저 주시는 은혜의 가시적인 나타남'이라는 의미다. 은사들은 단지 하나님의 임재의 연장선에 나타나는 것일 뿐, 하나님이 하실 수 있는 무언가를 가리키는 말이 아니다. 하나님은 단순히 치유를 행하시는 분이 아니라 하나님 자체가 치유이시다. 치유는 주님의 본성 자체이며, 주님의 중심적인 인격이다. 우리가 성령의 은사들을 올바른 동기에서 갈망하는 것이 옳은 까닭도 여기에 있다. 당신이 성령의 은사들을 갈망할 때, 이는 하나님을 더욱더 갈망하는 것이기도 하다.

그러나 상처 입고 거절당한 사람들은 이러한 점을 잘 이해하지 못한다. 그러므로 우리에게는 그들에게 하나님의 가치와 명성의 비밀을 사도적인 방식으로 밝히 드러내줄 임무가 있다. 우리는 하나님의 은혜가 거저 받아 누릴 수 있는 것임을 보여주어야 한다.

모든 기적과 치유는 하나님의 인격, 하나님의 속성, 하나님의 권능에 내재된 어느 한 측면에 대한 친밀함을 회복시킨다. 모든 계시와 축사는 하나님의 거룩하심에 대한 친밀함을 회복시킨다. 모든 예언적 메시지는 하나님의 음성에 대한 친밀함을 회복시킨다. 이것이 바로 하나님이 우리와 공유하시는 소통적인 영광이다.

하나님의 초월성

원수가 쳐놓은 거절감의 올가미를 무효화시키기 위해 하나님의 아버지 되심의 비밀을 밝혀내는 일에는 수수께끼 같은 사실이 존재한다. 하나님의 영광은 보다 더 심오한 차원을 지니고 있다. 주님이 주님의 집에 오시고, 또 계속해서 오심에 따라 계시도 점점 더 깊어진다. 하나님은 또 다른 측면을 가지고 계신데, 이것에 관해서는 모든 사람들이 공유하고 있지는 않다. 이것은 하나님의 '초월성'이라 일컬어지는 측면이다.

영광의 두 번째 수준 혹은 두 번째 등급을 칭하기 위해, 데이비드 알소부룩은 '비소통적인 영광'(non-communicative glory)이라는 용어를 사용한다. 이는 하나님의 탁월함(transcendence)을 말하며, '모든 것보다 뛰어나심'을 의미한다. 주님은 가장 높으신 하나님, '엘–엘론'(El-Elyon)이시다(창 14:18-20, 시 78:35). 이사야 42장 8절은 이렇게 말하고 있다. "나는 여호와이니 이는 내 이름이라 나는 내 영광을 다른 자에게, 내 찬송을 우상에게 주지 아니하리라."

하나님은 우리에게 가까이 다가오기를 갈망하신다. 그럼에도 불구하고 우리가 잊지 말아야 할 것은, 하나님은 여전히 하나님이라는 사실이다. 우리는 하나님의 초월성을 다음과 같이 설명할 수도 있을 것이다. 여기에 하나님의 모든 피조물들이 있다. 그리고 여기에 하나님이 계신다. 그 무엇도 하나님과는 비교할 수 없다.

상처 입고 거절당한 사람들은 이러한 하나님의 초월성에 관한 비밀을 반드시 알고 있어야 한다. 하나님의 초월성은 하나님의 가까이 계심만큼이나 중요한 것이다. 이것은 단지 하나님이 우리를 사랑하시기 때문에 우리를 위해 무언가를 해주신다는 개념이 아니다. 우리가 주님을 경배하는 이유는 주님이 살아 계신 분이기 때문이다. 당신이 하나님을 경배하는 것 외에 달리 무엇을 할 수 있겠는가?

모든 진정한 의미의 사도들과 선지자들과 복음전도자들과 목사들과 교사들, 세상 속에서 하나님을 위하여 용맹을 떨치고 있는 모든 사람들, 하나님의 권능과 은혜 안에서 활동하는 사람들은, 살아가는 동안 어느 시점에는 반드시 보다 심오한 초월적 체험들에 대해 마음을 열어놓아야 한다.

내 인생의 초월적인 체험들은 그리스도께서 내 방 안에 나타나주신 순간부터 시작되었다. 그전까지만 해도 나는 주님을 사랑의 하나님으로만 알고 있었다. 그러나 주님은 피조물에게 기적적인 방법으로 나타나실 수 있는 최상의 존재이시기도 했다. 우리가 참된 사도적인 사람이 되는 유일한 비결은, 바로 하나님의 초월성에 관한 계시를 갖는 것이다. 이는 우리가 예언적으로 산을 옮겨놓는 사람이 되는 비결이자, 상처 입은 사람들을 하나님을 아는 지식 가운데로 이끌 수 있는 비결이기도 하다. 우리가 얻게 될 결과들은 영속적이면서도 매우 놀라울 것이다. 이것은 이 책 전반에 흐르고 있는 핵심적인 주제이기도 하다.

나는 그동안 한 번도 초월적인 경험을 해본 적이 없는 사람들도 얼마든지 강력한 권능을 행사할 수 있다는 것을 알게 되었다. 친구들이여, 우리는 지금 하나님의 초월성을 체험하기를 간절히 기대해야만 하는 역사적 시점에 서 있다. 대부분의 사람들에게 이러한 체험들은 대체로(언제나 그런 것은 아니지만) 사역의 초창기 무렵에 일어난다.

사도행전 9장에서 사울은 다메섹으로 향하고 있다. 그는 여전히 살기등등하게 주님의 제자들을 위협하고 있었다. 그런데 갑자기 하늘로부터 레이저 광선이 비치었다. 그는 그대로 땅바닥에 곤두박질치고 말았다.

나는 여기서 다소 익살맞게 이야기하고 있다. 그러나 결과는 동일하다. 나는 성령님이 신사적인 분이라고 믿는다(가까이 계심). 동시에 나는 주님이 당신을 땅바닥에 쓰러뜨리실 정도로 압도하시는 분임을 믿는다(초월성). 다소의 사울에게 한 번 물어보라. 나는 이 경우에 하나님이 마치 천상의 우주적인 집사처럼 나타나셔서 다음과 같이 말씀하셨을 것이라고는 생각하지 않는다. "사울아, 잠깐만 이쪽으로 와서 이 바위 위에 앉아볼 수 있겠니? 내가 너와 할 이야기가 있단다."

사울의 첫 번째 반응이 어떠했는지를 주목해보자. 그는 결코 주변을 두리번거리며 큰소리로 질문을 던지지 않았다. "이봐요, 도대체 내가 지금 무엇을 경험하고 있는 거요?" 우리는 사울이 땅바닥에 고꾸라진 채, 공포감을 애써 억누르며 거칠게 숨을 몰아쉬고 있는 모습을 본다. 다시 말해 그는 깜짝 놀란 상태로 온몸을 벌벌 떨고 있다. 과연 그가 받은 계시는 무엇이었을까? "주여, 누구시니이까?" 내가 성경본문을 다른 말로 바꾸어 표현하고 있는 것을 양해해주기 바란다. 요지는 본문의 맥락에 있다.

사울은 마치 다음과 같이 말하고 있는 듯하다. "하나님이십니까? 당신이 바로 내가 이제까지 핍박해온 바로 그 하나님이십니까?" 그는 가슴이 철렁할 정도로 갑작스럽게 하나님의 초월성에 관한 계시를 받았다. 어찌나 놀랐던지, 그는 아나니아가 그에게 손을 얹어주기 전까지 줄곧 눈이 멀어 있었다. 그것은 상당히 강력한 초월적 체험이었다. 당신도 그렇게 생각하지 않는가?

로마서 8장 15절에 의하면, 우리는 하나님께 '아빠 아버지!'라고 부르짖을 수 있다. 수많은 사람들이 하나님을 자신의 영적 아버지로 믿고 있다. 하나님은 자상하고 사랑이 많으신 아버지시다. 이것은 우리가 반드시 견지하고 있어야 할 올바른 개념이기도 하다. 당신은 하나님의 무릎 위에 앉을 수도 있고, 하나님께서 당신 주위를 바쁘게 움직이시기도 한다. 당신은 하나님께서 당신을 내려다보시며 빙그레 웃으시는 것처럼 느끼기도 한다. 그렇다. 이 모든 것들이 아빠의 모습이다. 이 얼마나 경탄할 만한 계시인가! 그러나 본문이 "아빠 아버지!"라는 중복되는 두 개의 어구로 표현되고 있음에 주목하라. 다시 말해 이 어구에는 무언가 또 다른 의미가 내포되어 있다.

이것에 관해 나는 학생들에게 다음과 같은 방식을 사용하여 설명해 준다. 두 손을 컵 모양이 되도록 모아보라. 그 상태로 양손을 머리 위로 치켜들고, 눈을 들어 하늘을 바라보라. 그리고 이렇게 말해보라. "아빠." 이것이 바로 하나님이 가까이 계심이다. 이는 마치 당신이 다음과 같이 말하는 것과도 같다. "주님, 주님이 제 곁에 가까이 계시기를 원합니다. 나는 도움이 필요합니다. 나는 주님의 아들이고, 주님의 딸입니다. 주님이 나의 아버지이십니다. 저에게 쏟아부어주세요. 제 안에 채워주세요."

이제는 당신의 손바닥을 바깥쪽을 향해 가능한 한 멀리 주님을 향해 펼쳐 들어보라. 그리고 이렇게 말해보라. "아버지!" 자, 이제 차이점을 좀 알겠는가? 이것이 바로 하나님의 초월성이다. 이때 당신은 마치 다음과 같이 말하고 있는 것과도 같다. "설사 주님이 나를 위해 무슨 일인가를 해주지 않으실지라도, 주님이 살아 계신 분이라는 사실 하나만으로도 나는 주님을 사랑합니다! 주님은 아버지이십니다. 주님께 찬양과 경배를 드립니다."

우리 모두에게는 이와 같은 계시가 필요하다. 우리 모두에게는 불타는 떨기나무의 체험이 필요하다!(출 3장) 또한 우리에게는 다메섹 도상에서의 개입하심이 필요하다! "여호와여 신 중에 주와 같은 자가 누구니이까 주와 같이 거룩함으로 영광스러우며 찬송할 만한 위엄이 있으며 기이한 일을 행하는 자가 누구니이까"(출 15:11).

만약 성경 전반에 걸쳐 소개되고 있는 이적과 기사들에 관해 철저히 연구해본다면, 당신은 하나님께서 주님의 백성들과는 별도로 하늘에서 행하시는 기적들이 있음을 발견하게 될 것이다. 하나님은 어떤 특정한 일들에 대해서는 오로지 천상의 장소들에만 비축해두고 계신 것이 분명하다. 하나님의 초월성이라는 매우 강력한 계시에 관해 들려주는 일이 바로 사도적인 사람들에게 부여된 임무다. 대체로 이것은 오로지 천상의 장소들에만 보유되어 있는 하나님의 기적들을 이 지구상에 가시적으로 나타내야 할 책임이 우리에게 위임되었다는 사실에 관한 계시다.

나는, 지금 하나님께서 사도적인 사람들의 활동을 통해 주님의 탁월하심을 세상 사람들에게 점점 더 많이 드러내고 계신다고 굳게 확신한다. 하나님의 사람들은 하나님을 알되, 하늘에서 이루어지는 주님의 행위들이 바로 이 땅 위에서도 가시적으로 나타나는 심오한 수준으로 알게 될 것이다. 지금 시간은 이런 때를 향하여 급속하게 흘러가고 있다. 하나님의 초월성의 실제를 가시적으로 드러내는 것, 바로 이 방법을 통해 우리는 거절의 상처를 극복할 수 있다.

하나님의 주권

하나님이 최고의 주권자이심은 변하지 않는 사실이다. 하나님은 하나님이시다. 나에게 있어 이것은, 하나님께서 원하시는 바를 행하시는 분임을 의미한다. 하나님은 원하시는 바를, 원하시는 때에, 원하시는 방법으로, 원하시는 사람을 통해 이루실 수 있는 분이다. 이것은 매우 중대한 계시다. 그러나 이 계시는 그리스도의 몸 안에서 종종 간과되고 있으며, 그로 인해 세상 사람들도 주님의 위엄 있는 성품을 전혀 이해하지 못하고 있다. 우리에게는 두 가지 모두, 즉 하나님의 가까이 계심과 하나님의 초월성 모두가 필요하다.

하나님의 사랑에 관한 계시는 우리로 하여금 아버지 하나님의 마음을 이해할 수 있도록 해준다. 그러나 하나님의 인격과 거룩하심에 관한 계시는, 하나님의 본질을 이해할 수 있게 해준다. 이러한 계시는 우리에게 하나님의 절대적인 권위를 드러내준다. 하나님 아버지의 마음은 정체성을 가져온다. 하나님 아버지의 권위는 인격을 가져온다.

"모세야! 네 신을 벗어라! 네가 서 있는 곳은 거룩한 땅이다!"(출 3장) 이 얼마나 놀랄 만한 권위의 나타나심인가! 평범한 떨기나무에 불이 붙었는데도 타지 않고 있다! 천사들은 큰소리로 외친다. "거룩하다 거룩하다 거룩하다"(계 4:8). 모세와 천사들의 겸손함을 우리의 교훈으로 삼자. 사도적인 사람들은 가장 높으신 하나님의 본질과 표현에 관한 통찰들을 드러내야 한다.

우리가 하나님의 거룩하심을 인식할 때, 우리는 오직 거룩함만을 지니게 될 것이다. 나는 사랑으로 임하시는 하나님의 중요성을 결코 과소평가하려는 것이 아니다. 하나님께서 계속해서 우리에게 사랑으로 임하시도록 하자. 우리는 주님과의 사랑의 만남을 계속해서 경험해야 한다! '허그 테라피'(hug therapy)는 참으로 놀랍고도 대단히 중요하다. 예수님의 지상사역을 묘사하기 위해 사용된 용어로서 '테라퓨오'(therapeuo)가 있다(마 8:7, 12:22). 이것은 '치유하다'를 뜻하는 헬라어로, '치유'(therapy)와 '치료적인'(therapeutic) 등이 여기서 유래되었다. 예수님은 위대한 치료자시다.

주님은 사람들을 끌어안아 주셨고, 주님의 마음은 그들을 향한 긍휼로 움직이셨다. 이것이 바로 하나님의 인격에 관한 계시의 수준이다. 그러나 우리는 주님에 관해 보다 더 심오한 계시가 있음을 잊지 말아야 한다. 이 계시는 주님이 우리를 위해 해주시는 일을 훨씬 넘어서고 능가한다. 우리는 단지 하나님이 하나님이시라는 이유만으로 그분을 경배한다!

어떤 그리스도인들에게는 이 점이 문젯거리로 작용하기도 한다. "만약 하나님이 나를 위해 이 일을 해주시지 않으면, 나는 떠나갈 것입니다. 그만두겠다는 말입니다." 이 얼마나 오만방자한 말인가! 이런 이야기를 털어놓기가 무척 민망하지만, 나도 주님과의 동행을 시작하고 처음 몇 년 동안에는 이런 말도 안 되는 소리를 해본 적이 있다. 나는 주기적으로 기도하러 골방으로 들어가서 성경책을 던져놓은 채, 무지하고 뻔뻔스럽게도 하나님을 위협하곤 했다. "하나님! 만일 당신이 이 일을 해주시지 않는다면, 저를 놓치시게 될 것입니다!" 이 얼마나 어리석고 미성숙한 태도란 말인가!

지금 생각해보면 그것은 정말 말도 안 되는 일이었다. 당신은 제발 나처럼 행동하지 말기 바란다. 그런 식으로 행동하는 사람은 나 하나만으로 족하다! 나는 그리스도인들이 다음과 같이 말하는 것을 들은 적이 있다. "만일 주님이 저를 치유해주시지 않는다면, 주님이 저를 사랑하시지 않는다는 것으로 듣겠습니다!" 참으로 감사하게도 이제 나는 성장하였다. 나는 하나님이 거룩하신 분이라는 계시를 받았다. 우리 모두는 계시를 받아야 한다.

내가 당신에게 애정 어린 태도로 해주고 싶은 말이 있다. 나는 결코 타협을 원치 않는다. 현재 그리스도의 몸 안에는 세속적인 사고방식이 만연되어 있다. 과연 얼마나 많은 사람들이 우리의 몸이 성령님의 성전임을 알고 있을까?(고전 6:19) 우리는 하나님이 일단 거룩하다고 하신 것을 거룩한 것으로 인정하고 그렇게 불러야 한다. 우리는 주님의 권위에 부합하게 살아야 한다. 그렇게 하는 것이 인격을 회복시키는 방법이다.

어떤 특정한 직무를 수행하기 위한 기름부음을 가질 수는 있어도, 당신 위에 임하신 성령님의 영광은 소유할 수 없음을 알고 있는가? 하나님의 은사와 부르심에는 후회하심이 없다(롬 11:29). 다만 잠시 중단될 뿐이다! 하나님의 권위에 부합한 삶을 살 때, 우리에게는 경배에 대한 의무가 생겨난다. 그러나 그 무엇보다 하나님의 권위에 부합한 삶을 살 때, 우리는 일상생활 속에서 보다 더 거룩해지고 경건해지고 싶은 갈망을 품게 된다.

이는 주님의 영광을 대면한 이사야도 마찬가지였다. 이사야 선지자는 자신의 입술이 너무나도 부정하다며 울부짖었다(사 6:5). 우리도 이렇게 외쳐야 한다. "오, 주님, 천사가 숯불을 주님의 선지자의 입술에 대었던 것같이, 나의 입술도 만져주십시오! 주님이 거룩하신 것처럼, 우리 안에도 거룩한 삶이 시작되게 해주십시오." 그런 다음, 주님의 영광과의 만남은 우리 안에 복음전도에 대한 열망을 부추길 것이다. "내가 누구를 보내며 누가 우리를 위하여 갈꼬"(사 6:8). 오, 주님, 우리를 보내주십시오!

우리 모두는 어느 정도의 수준으로든 주님을 경배하고 찬양하는 동안 초월적인 체험을 해본 적이 있다. 당신은 거룩하신 하나님을 강렬하게 경배할 때, 문득 '당신 안에서 빠져나와' 마치 높은 곳으로 올라가는 듯한 순간을 경험해본 적이 있는가? 그것이 바로 초월적인 체험이다. 우리는 이러한 체험에 관한 비밀을 더 많이 밝혀내고 알아야 한다. 경배하는 동안에 이루어지는 이런 체험을 통해, 우리는 자신으로부터 벗어나 보좌에 앉아 계신 하나님의 사랑과 권위에 맞닥뜨린다. 주님의 권위와 만날 때, 우리는 경배하지 않을 수 없고, 복음을 전파하지 않을 수 없게 된다.

기적 이상의 것이 필요하다

변화산에서의 사건(마 17장)이 단순히 예수님만을 위한 체험 이상의 것이었음을 알고 있는 사람이 과연 얼마나 될까? 이 사건은 예수님의 제자들을 위한 체험이기도 했다. 예수님이 제자들 앞에서 변모되시던 순간, 하나님 아버지께서는 그들에게 그리스도의 초월성(otherness)을 보여주고 계셨다. 엘리야(하나님의 권능)는 주님의 초월성을 증명하였고, 모세(하나님의 말씀)의 경우도 마찬가지였다.

"사람들이 나를 누구라고 하느냐?"

"주님, 주님은 그리스도시고 살아 계신 하나님의 아들이십니다"(마 16:16).

이것에 관해 척 플린 박사는 다음과 같이 설명하고 있다. "그분은 그리스도(기름부음을 받으신 분)시며, 살아 계신 하나님(창조적인 분)의 아들(훈련을 받으신 분)이시다." 오, 우리는 이 진리를 반드시 이해하고 있어야 한다! 기름부음이 임하면, 스스로를 훈련하게 된다. 그렇게 함으로써 당신은 갇힌 자들을 자유롭게 할 수 있는 메시지를 창조적으로 선포할 수 있게 된다. 이것이 바로 영광이다! 이것이 바로 주님의 부활 생명에 대한 증거다. 이로써 우리는 상처 입은 채 살아가는 삶에서 초래된 부당함에서 자유로워진다!

물론 제자들은 그동안 주님의 가까이 계심을 실제로 목격하며 지내왔다. 그들은 주님이 치유하시고, 축사를 행하시고, 말씀을 선포하시는 모습을 옆에서 지켜보았다. 요한복음 2장 11절에 따르면, 제자들은 가시적인 기적들을 행하시는 주님의 모습을 통해 하나님의 영광을 보았다. 그러나 단순히 기적들을 보았다고 사람들이 변화되는 것은 결코 아니었다! 기적만으로는 충분치 못했다. 주님을 통해 몸소 기적을 체험했던 바로 그 사람들이, 나중에는 주님을 십자가에 못 박아 죽이지 않았는가!

나는 다가오는 시기에는 주님이 하늘을 말아 올리시고, 우리에게 주님의 권위와 아버지 되심에 관한 비밀을 밝혀주실 것이라고 믿는다. 우리는 이때를 위해 대비하고 있어야 한다. 나는 교회들 안에서 성도들이 다음과 같이 울부짖는 소리를 언제나 듣고 있다. "오, 주님, 우리에게 주님의 충만한 영광을 계시해주십시오!" 친애하는 독자들이여, 솔직하게 말하겠다. 만일 하나님이 실제로 그 정도 규모의 굉장한 영광을 우리에게 보여주신다면, 어쩌면 교회 안에서 중대한 출애굽이 이루어질지도 모른다. 우리는 그런 종류의 영광에 대비해야 한다. 그것은 당신에게 축복이 될 수도 있지만, 당신을 죽일 수도 있다(대상 13:9-11). 하나님은 결코 혼합하시는 분이 아니라는 것을 항상 기억하라.

오, 주님, 우리를 순전하게 해주십시오! 주님의 명성이 우리 위에 임하실 수 있도록 준비시켜 주십시오! 물론 주님이 주님의 백성들과 공유하시는 수준의 영광도 존재한다. 그러나 우리는 주님께서 그 누구와도 공유하지 않으시는 보다 심오한 수준의 영광도 있다는 사실을 반드시 알아야 한다(사 48:11). 이런 수준의 영광은 오직 주님만을 위한 것이다. 왜냐하면 주님은 거룩하신 분이기 때문이다. 주님의 보좌 곁에 서 있는 스랍들도 이 계시를 알고 있기에 큰소리로 다음과 같이 외쳤다. "거룩하다, 거룩하다, 거룩하다!" 주님의 보좌 주변을 순회할 때마다, 스랍들에게는 매번 이전과는 전혀 다른 새로운 수준의 하나님의 초월성이 계시된다. 하나님의 거룩하심을 온전히 이해하기 위해서는 아마도 영원이라는 시간이 소요될 것이다.

순종이 요구된다

그렇다면 하나님의 영광과 초월성을 만났다는 사실을 어떻게 알 수 있을까? 일단 그런 체험을 하게 되면, 주님께 순종하고 싶은 마음이 든다. 마리오 무릴로는 다음과 같이 말했다. "하나님과의 관계에서 당신이 하나님께 순종하는 것 외에 달리 무엇을 할 수 있겠는가?" 순종은 권위를 충족시켜 주는 일이다. 순종이 단지 사랑만을 충족시켜 주는 것은 아니다. 구원받지 못한 사람들이 그동안 나에게 제기해온 질문이 있다. 그들은 나에게 "세상 사람들이 하는 것처럼 진흙탕, 먼지구덩이 속에서 뒹굴고 싶은 마음이 없느냐"고 물었다.

그들의 물음에 대한 나의 대답은 늘 한결같았다. "그렇게 살아가는 사람들은 자존감이 전혀 없어요. 만일 그들이 그리스도 안에서 조금이라도 자존감이 있었더라면, 결코 그런 식으로 살고 싶은 마음이 들지 않았을 거예요." 나의 답변이 여전히 자기거절감에 빠져 상처와 아픔을 떠안은 채 살아가는 사람들의 귀에는 가혹하게 들릴 수도 있다. 그러나 친구들이여, 우리는 사랑하면서도, 결코 타협하지 않고 살아갈 수 있다. 자기에 대한 증오와 무가치함을 극복하는 것은, 그들과 그리스도의 사랑을 함께 나누는 일을 훨씬 능가한다. 그것은 하나님의 권위와의 만남을 요구하는 일이기 때문이다. 하나님의 권위에 맞닥뜨렸을 때, 이제 그들은 어쩔 수 없이 주님께 순종할지 그렇지 않을지의 여부를 선택해야만 한다.

만일 사람들이 하나님의 온갖 장엄하심과 위대하심을 지속적으로 체험하고 있다면, 세상의 죄악들로부터 유혹의 손길이 뻗쳐오더라도, 그들의 영이 먼저 들고 일어나 하나님의 초월성과 하나님의 경이로움과 순전하심, 하나님의 거룩하심을 그들에게 일깨워줄 것이다.

사도적인 사람들의 사역은, 하나님 아버지와의 초월적인 사랑의 만남을 인격적으로 날마다 점점 더 많이 체험해가는 데서부터 시작된다. 그들은 하나님의 영광의 임재를 집요하게 추구한다. 그들이 가진 돌파의 기름부음은 그들의 강의와 사역을 통해 하나님의 무거운 임재를 나타내 보여 준다. 그들에게서 사역을 받은 사람들은 거룩함으로 일어나 세상의 방법들을 향해 "No!"라고 외칠 것이다.

잘 알겠지만, 유혹으로부터 자유로운 사람은 우리 중 아무도 없다. 유혹을 이길 수 있는 유일한 길은 오직 하나님의 은혜뿐이다. 그러나 나에게는 그런(세상적인) 일들을 하고 싶은 욕구가 조금도 없다. 그런 일들을 할 수 없기 때문이 아니라, 하기를 원치 않기 때문이다. 나는 거룩한 하나님의 권위에 맞닥뜨렸고, 그 권위에 복종한 사람이다. 내 안에는 하나님을 향한 경외심이 있다. 따라서 나는 전혀 무가치한 일들을 행함으로써 하나님의 은총을 잃어버리고 싶지 않다.

나는 주님을 너무나도 사랑한다. 주님의 얼굴이 나를 향하시는 모습을 보는 것이야말로 내 인생 전체의 최대목표다. "이는 내 사랑하는 아들이다. 내가 그를 기뻐한다." 이보다 더 위대한 찬사가 또 어디 있겠는가? 물론 이따금씩 나는 주님을 실망시켜 드리기도 했다. 그러나 내 인생 최대의 목적이 주님 앞에서 올바르게 행하는 것이라는 사실만큼은 결코 변함이 없다.

에스겔 1장 1-3절에서, 제사장으로 부름 받은 선지자는 바벨론(이는 '혼돈의 땅'이라는 뜻이다) 사람들에 의해 그발(이는 '속박의 강'이라는 뜻이다) 강가에 포로로 잡혀 있었다. 계속해서 에스겔은 '환상들과 계시들'이 임하였다고 말한다. 바벨론은 하나님의 영광을 목격하기에는 그리 적절하지 못한 곳으로 여겨지는 땅이다. 그런데 에스겔은 바로 그곳에서 환상과 계시들을 받는다.

우리들도 마찬가지다. 반드시 예배당 안이나 혹은 어떤 거룩한 장소가 아니더라도, 심지어 속박된 것처럼 느껴지고 혼돈의 땅에 있는 것처럼 느껴질 때에도, 여전히 우리는 초월적인 체험들을 할 수 있다. 이러한 초월적인 체험들을 통해 우리는 하나님의 충만하신 생명에 관한 보다 심오한 계시 가운데로 들어갈 수 있다. 에스겔의 경우와 마찬가지로, 이러한 체험들은 힘들고 어려운 시기를 통과하고 있는 우리에게 버팀목이 되어줄 것이다.

신학자들은 내가 가진 이러한 견해들에 대해 비난의 화살을 퍼부어왔다. 사람들은 나를 체험주의자라고 말한다. 그러나 내가 원하는 것은 오직 하나님을 체험하는 것일 뿐이다! 이것은 치유와 예언과 지식의 말씀을 훨씬 능가한다. 나의 목적은 단순히 주님을 아는 것이다! 그분은 하나님, 하늘에 계신 분, 높이 들리신 분이다. 그런 주님이 여기 이 땅에 있는 우리와 접촉하기를 원하신다.

만일 우리가 주님에 관한 이러한 계시를 알고 있다면, (내가 확실히 장담하건대) 하나님께로부터 보내심을 받은 사람이 되고 싶다는 열망과 부정한 입술을 숯불에 대이고 싶다는 욕구가 자동적으로 생겨날 것이다. 왜냐하면 우리가 주님의 짐을 함께 짊어지게 될 것이기 때문이다. 즉, 주님의 관점을 가지고 사람들을 바라보게 될 것이기 때문이다.

나는 영적 우물들을 다시 파야 한다는 메시지를 들어본 적이 있다. 그들은 특정한 지리적 장소(이를테면 영국이나 미국 등)에서 치유와 구원의 영적 우물들을 다시 파내야 한다고 가르친다. 물론 나는 그들의 가르침에 동의하고, 나도 그러한 내용을 가르친 적이 있다. 이들의 사고방식은 어떤 독특한 계시를 담고 있는데, 나는 그 계시도 매우 중요하다고 생각한다. 그러나 때때로 의구심이 든다. 우리는 왜 언제나 뒤만 돌아보고 있는 것일까? 나는 앞서 살다간 이들의 겉옷을 되찾는 일이 얼마나 중요한지에 대해서는 충분히 공감한다. 이 일은 매우 중요하다. 그러나 우리가 항상 어제의 체험에만 초점을 맞춰야 할 이유는 없다고 본다.

바로 오늘이라는 시간에 하나님께서 우리에게 계시해주기 원하시는 것들이 무궁무진하다. 그러므로 오늘 신선한 방식으로 하나님을 경험하도록 하자. 하나님은 주님의 초월성을 계시하시기 위하여 이 마지막 때에 오직 주님만 알고 계시는 기적적인 만남들을 남겨놓으셨다. 보다 놀라운 기적들, 보다 심오한 계시들, 보다 위대한 깨달음들은 단순히 과거의 것을 다시 파거나 되찾는 것만으로는 얻을 수 없다. 그랬더라면, 우리는 예수님이 말씀하신 더 큰 일들(요 14:12)을 이미 경험했을 것이다. 지금 우리는 초대교회 시대로부터 이미 2천 년 이상 경과된 시점을 살아가고 있다. 그러나 보다 놀라운 기적들은 바로 오늘이라는 세상 속에서, 하나님의 주권과 초월성 가운데서 발견된다.

지금이야말로 구원의 때요, 지금이야말로 은혜 받을 만한 때다(고후 6:2). 보다 더 위대한 기적들은 사도적인 사람들이 하나님의 초월성의 비밀을 밝혀낼 때, 비로소 일어날 것이다. 모든 사도적인 사람들은 초대교회로의 회귀 그 이상의 것을 향하여 타오르는 열정을 품고 지속적으로 추구해 나가야 한다. 그렇게 할 때, 비로소 성전의 나중 영광이 이전 영광보다 커질 것이다(학 2:9).

요한계시록 2장 2절은 거짓 사도들에 관해 언급하고 있다. "자칭 사도라 하되 아닌 자들을 시험하여 그의 거짓된 것을 네가 드러낸 것과." 하나님께 강력하게 쓰임 받았던 참된 사도들, 선지자들, 복음전도자들, 목사들, 교사들은 모두 한결같이 하나님의 초월성에 관한 계시를 받은 자들이었다. 그들은 초월적인 체험을 통해 하나님을 사랑의 하나님으로서뿐 아니라 권위의 하나님으로도 알고 있었다. 앞에서도 언급한 바 있으나 성경에 나타난 사례들에 의하면, 이러한 체험은 그들의 사역 초창기에 빈번하게 일어났다. 그러나 항상은 아니더라도 얼마든지 또 일어날 수 있다.

나는 15살에 거듭남을 체험했다. 그때 이후로 시작된 여정 가운데 나는 결코 흔들리지 않았다. 하나님의 초월성에 대한 이러한 깨달음은, 세상에서 영향력을 행사하는 거절의 영과 맞서 싸우는 사도적 사역에 있어서 지극히 중요하다. 그러므로 우리 모두가 몸소 체험해보도록 하자! 이 계시를 들고 세상 속으로 들어가자. 하나님이 사도적인 사람들을 통하여 강력하게 일하시는 모습을 지켜보도록 하자.

개요

CHAPTER 3 하나님의 초월성

하나님의 명성

- 하나님은 사랑의 아버지이시다. 그렇다. 그러나 동시에 그분은 절대적인 권위를 가지고 보좌 위에 앉으신 거룩한 아버지이기도 하다.
- 사도적 기름부음은 하나님을 단지 사랑의 아버지로 계시하는 것을 훨씬 능가한다. 사도적 기름부음은 하나님의 절대적 권위에 관한 보다 심오한 깨달음을 전이시킨다.
- 하나님의 생명(요 10:10)은 흘러넘치는 생명으로, 하나님의 권위라는 창조적 원천으로부터 유래한다.
- 사도적 기름부음은 단순히 하나님이 얼마나 놀랄 만한 생명과 권능으로 충만하신 분인지를 계시해줌으로써 이런 종류의 생명을 전이시킨다.
- 우리의 갈망은 무엇보다도 주님을 더욱더 온전히 아는 것, 주님의 영광을 온전히 아는 것이 되어야 한다(출 33:18).
- 명성(reputation)은 '한 사람의 가치에 대한 견해'로 정의된다. 예수님은 지상사역을 수행하시면서, 언제나 주님의 영광을 통해 하나님 아버지의 명성을 가시적으로 드러내셨다.
- 사도적 기름부음은 초자연적 사역을 통하여 하나님 아버지의 명성이 참된 가치를 지니고 있음을 입증한다.
- 하나님은 우리 위에 주님의 명성, 주님의 가치, 주님의 무게로 임하기를 원하신다.
- '영광'(glory)은 히브리어로 '카보드'(kabod)로 번역된다. '카보드'는 하나님의 무한한 권능의 무게감을 의미한다.
- 소통적인 영광(communicative glory)이란, 주님이 주님의 백성과 함께 공유하시는 영광이다. 이것은 주님의 가까이 계심, 주님의 친밀하심을 말한다.

- '비소통적인 영광'(non-communicative glory)이란, 하나님의 초월성(transcendence)을 말한다. 하나님은 그 누구와도 이 영광을 공유하지 않으신다. 주님은 높은 보좌 위에 앉아 계신 분이다.
- 사도적 기름부음은 하나님의 전적인 초월성에 관하여 계시해준다.
- 만일 사람들이 초월적인 체험을 통해 하나님의 초월성에 관한 계시를 진정으로 받았다면, 이제 그들은 유일하시고 참되신 하나님을 경배하지 않을 수 없게 될 것이다.
- 하나님이 진정으로 어떤 분이신지 이해하기 위하여, 우리 모두는 초월적인 체험, 하나님의 초월성을 경험할 필요가 있다.

하나님의 초월성

- 주님은 가장 높으신 하나님, '엘-엘론'(El-Elyon)이시다(창 14:18-20, 시 78:35).
- "나는 여호와이니 이는 내 이름이라 나는 내 영광을 다른 자에게, 내 찬송을 우상에게 주지 아니하리라"(사 42:8).
- 우리는 하나님의 초월성에 관한 계시를 가질 때에만 비로소 진정한 의미의 사도적인 사람이 될 수 있다. 이것은 우리가 예언적으로 산을 옮겨놓는 사람이 되고, 상처 입은 사람들을 하나님을 아는 지식 가운데로 이끌 수 있는 비결이기도 하다. 우리가 얻게 될 결과들은 영속적이고도 매우 놀라울 것이다.

하나님의 주권

- 하나님은 최고의 주권자이시다. 하나님은 원하시는 바를, 원하시는 때에, 원하시는 방법으로, 원하시는 사람을 통하여 이루실 수 있는 분이다.
- 하나님의 사랑에 관한 계시는 우리로 하여금 아버지 하나님의 마음을 이해할 수 있도록 돕는다. 하나님은 표현하시는 분이다. 그러나 하나님의 인격과 거룩하심에 관한 계시는, 우리로 하여금 하나님의 본질을 이해할 수 있게 한다.
- 하나님의 권위에 부합하여 살아갈 때, 우리에게 경배에 대한 의무가 생겨난다. 그러나 그 무

엇보다도 하나님의 권위에 부합하여 살아갈 때, 우리는 일상생활 속에서 보다 더 거룩하고 경건해지고 싶은 갈망을 품게 된다.
- 우리 모두는 어느 정도 수준에서든, 주님을 경배하고 찬양하는 동안 초월적인 체험을 한다.

| 기적 이상의 것이 필요하다

- 예수님이 제자들 앞에서 변모되셨을 때, 하나님 아버지께서는 그들에게 그리스도의 초월성을 보여주셨다(마 17장).
- "주님, 주님은 그리스도이시고 살아 계신 하나님의 아들이십니다"(마 16:16).
- 주님은 그리스도(기름부음을 받으신 분)이시며, 살아 계신 하나님(창조적인 분)의 아들(훈련을 받으신 분)이시다.
- 기름부음이 당신에게 임하면, 당신은 스스로를 훈련할 것이다. 그렇게 함으로써 당신은 갇힌 자들을 자유롭게 할 메시지를 창조적으로 선포할 수 있게 된다.
- 단지 기적들을 보았다고 해서 사람들이 변화되는 것은 아니다! 기적들만으로는 충분치 않다. 주님을 통해 몸소 기적을 체험했던 바로 그 사람들이, 나중에는 주님을 십자가에 못 박아 죽이지 않았는가!

| 순종이 요구된다

- 그렇다면 당신이 하나님의 영광과의 초월적인 만남을 가졌다는 사실을 어떻게 알 수 있을까? 일단 그런 체험을 하게 되면, 당신은 주님께 순종하고 싶은 마음이 든다. 하나님과의 관계에서 당신이 하나님께 순종하는 것 외에 달리 무엇을 할 수 있겠는가?
- 순종은 권위를 충족시켜 주는 일이다. 순종이 단지 사랑만을 충족시켜 주는 것은 아니다.
- 자신에 대한 증오와 무가치함을 극복하는 것은, 그들과 그리스도의 사랑을 함께 나누는 일을 훨씬 능가한다. 그것은 하나님의 권위와의 만남을 요구하는 일이기 때문이다. 하나님의 권위에 맞닥뜨릴 때, 이제 그들은 어쩔 수 없이 주님께 순종할지, 그렇지 않을지의 여부를 선택해야만 한다.

- 사도적인 사람들의 사역은, 하나님 아버지와의 초월적인 사랑의 만남을 인격적으로 날마다 점점 더 많이 체험해가는 데서부터 시작된다. 그들은 하나님의 영광의 임재를 집요한 태도로 추구한다. 그들이 가진 돌파의 기름부음은 그들의 강의와 사역을 통해 하나님의 무거운 임재를 나타내 보여준다.
- "자칭 사도라 하되 아닌 자들을 시험하여 그의 거짓된 것을 네가 드러낸 것과"(계 2:2).
- 하나님께 강력하게 쓰임 받았던 참된 사도들, 선지자들, 복음전도자들, 목사들, 교사들은 모두 한결같이 하나님의 초월성에 관한 계시를 받은 자들이었다. 그들은 초월적인 체험을 통해 하나님을 사랑의 하나님으로서뿐 아니라 권위의 하나님으로도 알고 있었다.
- 성경에 나타난 사례들에 의하면, 이런 체험은 그들의 사역 초창기에 빈번하게 일어난다. 그러나 항상은 아니더라도 얼마든지 또 일어날 수 있다.

The Dancing Hand of God

CHAPTER 4

하나님의 받아주심

하나님께서 모든 사람을 동등하게 받아주시지 않는다는 잘못된 이해는 돌파의 기름부음으로 말미암아 산산조각 나게 된다. 돌파의 기름부음은 누구든 변화되기 원하는 진실한 열망과 참된 믿음과 기대감을 품고 하나님께 나아오기만 하면, 모두가 동일하게 하나님의 도우심을 받을 수 있음을 알려준다. 우리는 잊혀진 존재들이 아니다. 우리는 하나님이 신뢰할 만한 분이심을 믿으면서 열악한 상황들을 밀어젖히고 나아가야 한다. 그러면 주님은 반드시 그분의 신실하심을 입증해주실 것이다.

해리 이야기

　나는 부모님을 깊이 사랑한다. 나의 양부모님은 믿을 수 없을 만큼 열심히 일하셨다. 우리 집은 1960년대 기준으로 비교적 부유했다. 우리는 캘리포니아 팜스프링스 근처에 있는 산악지구의 리조트 타운에 근사한 집을 가지고 있었다. 아버지는 부동산 중개업자로 산악지구와 그 근방에 있는 부지들을 매매하시는 일을 하셨다. 때로는 할리우드에서 온 유명한 사람들에게 땅을 팔기도 하셨다. 나는 어른들이 골프를 즐기는 동안 할리우드 배우들의 자녀들과 함께 놀곤 하였다. 어머니는 외삼촌이 소유하신 철물점에서 일하셨는데, 체구는 작지만 매우 다부지셔서 자기 몸집의 두 배 이상 되는 큰 물건들도 너끈히 들어올리실 정도였다.

　이러한 두 분의 삶은 내 안에 몇 가지 소중한 자질들을 주입시켜 주셨다. 부모님을 통해 배운 독립성, 결단력, 불굴의 정신, 매우 강력한 노동윤리 등은 이제까지 내 삶 전체를 이끌어온 원동력이기도 하다. 이것에 대해 하나님께 감사드린다. 하나님은 나의 양부모들을 사용하시어, 내 어린 시절 전반에 걸쳐서 주님의 성품의 여러 측면들을 계시해 주셨다. 돌이켜 생각해보면, 그 무렵에도 이미 하나님의 초자연적인 손이 내 삶에 역사하고 있었다.

부모님은 정말 열심히 일하셨다. 그래서인지 두 분은 나와 여동생을 돌봐줄 사람을 두는 편이 훨씬 현명한 일이라고 생각하신 듯하다. 내 여동생 트리쉬는 중국계 미국인 입양아다. 아버지의 지인인 해리가 우리의 실제적인 유모가 된 것은 그때부터였다. 그는 약 10여 년간 풀타임으로 우리와 함께 지냈다. 그는 1800년대 후반에 태어났으므로, 당시 79살이었다. 그리고 나는 9살이었다.

해리는 오래전 미국 중서부에서 살던 때의 이야기들을 들려주곤 했다. 예를 들면, 어린 꼬마였을 때 그는 어느 유명한 총잡이의 무릎에 앉아본 적이 있다고 했다. 또한 자신이 포드 A모델 혹은 포드 T모델을 최초로 구입한 사람 중 하나였다는 이야기도 들려주었다. 한편 미국의 시골 가정에 어떤 식으로 전기가 확산되어 갔는지에 관해서도 말해주었다. 1933년도에 발생한 오하이오 대홍수에 관해서도 이야기해주었고, 폭우로 인해 친구들과 가족을 잃은 사건에 대해서도 들려주었는데, 이 재해로 윌리엄 브랜햄의 아내와 딸도 목숨을 잃었다고 한다. 해리에게는 우리에게 해줄 이야기가 무궁무진했다. 의심할 나위 없이, 나는 해리를 무척이나 사랑했다.

그는 나에게 요리하는 법도 가르쳐주었다. 물론 이 요리법도 1960년대의 것으로, 모든 것을 돼지기름에 튀기는 방식이었다. 해리 때문에 내 안에는 동물의 왕국과 자연에 대한 애정이 생겨나게 되었다. 그 영향으로 고등학생 때에는 삼림경비원이 되고 싶었고, 실제로 짧게나마 삼림소방관으로 일하기도 했다. 우리는 함께 돼지우리며 닭장, 토끼집 등을 만들었다. 80년 가까이 살아온 그는 상상할 수 있는 거의 모든 주제들에 관해 꿰뚫고 있었다.

그러나 당시 해리는 구원받지 못한 상태였다. 게다가 분리의 영에 사로잡혀 있었다. 그는 말할 수 없이 친절하고 자애로웠지만, 동시에 이따금씩 격노에 사로잡히기도 했다. 그가 가진 문제의 원인은 부분적으로는 단순히 고령 탓이었다. 그는 점차 시력을 잃어가고 있었다. 약화되는 시력으로 인해 그는 스스로 서툴다는 생각에 분노하곤 했다.

하루는 그가 걸어가다가 뒷문의 판유리에 '꽝' 하고 부딪치는 모습을 목격하였다. 판유리가 산산조각이 나면서 그는 얼굴에 매우 심한 부상을 입었다. 지금도 그 얼굴에 흥건한 핏자국이 생생하게 기억난다. 그때 해리는 망연자실한 모습으로 바닥에 주저앉아 고통과 당황스러움과 분노 가운데 눈물을 흘렸다. 내가 느낀 당혹감은 이만저만이 아니었다. 그 상황에 내가 그를 위해 해줄 수 있는 일은 정말 아무것도 없었다. 당시 나는 아직 어린아이에 불과했다. 반면 그는 나이도 많았고, 조금씩 죽음을 향해 가고 있었다.

나는 그를 무척이나 좋아해서 점점 악화되어가는 그의 건강상태를 걱정하며 몇 날 며칠씩 뒤척이며 잠을 이루지 못하기도 했다. 심지어 나까지 구역질하는 상황이 벌어지기도 했을 정도다. 마음 깊은 곳으로부터 그를 향한 동정심이 우러나왔다. 그러나 나는 스스로에 대하여 심각할 정도로 왜곡된 시각을 품고 있었고, 하나님이 나를 받아주셨다는 사실에 대해서도 매우 제한된 이해를 견지하고 있었다. 그래서 나를 옥죄는 듯한 일상생활에 대해 인식하지 못하고 있었다. 그토록 어린 나이였음에도 불구하고 나는 실의에 빠져 있었다. 왜냐하면, 그런 비참한 상황에 처해 있는 해리를 어떻게 도와주어야 할지 전혀 몰랐기 때문이다.

지금 돌아보면 하나님은 그 순간에도 그를 지탱해주고 계셨다. 다만 내가 전혀 알아차리지 못했을 뿐이다. 여전히 하나님의 손길은 그를 만져주고 계셨다. 해리는 시력을 완전히 잃지는 않았다. 의사들은 그가 시력을 잃어 가는 이유가 무엇인지 설명해내지 못했다. 그는 앞을 전혀 못 보는 사람이 될 수도 있었다. 그러나 그의 시력은 어느 정도까지만 악화되었을 뿐, 더 이상 나빠지지는 않았다. 그는 여전히 사물의 윤곽은 식별할 수 있었다.

하루는 그가 한 가지 이야기를 들려주었다. 그것은 그가 훨씬 더 젊었을 때인 1900년대 초반 무렵의 일이었다. 당시 그는 다소 말썽꾼이었고, 민중선동가였으며, 좀 거칠었다. 그가 자신과 비슷한 부류의 친구들 몇 명과 함께 인디애나에 머물고 있을 때, 마침 그 마을에 한 순회사역자가 와서 대형천막 부흥회를 인도한다는 소식이 들려왔다. 그들은 이 복음전도자의 집회에 참석하기로 결정했다. 소동을 피우고 말썽을 일으키려는 목적이었다. 마침내 그들은 천막이 설치된 곳으로 가서 뒷편에 앉았다.

해리는 깨닫지 못했지만, 그때도 성령님이 그를 깨우쳐주고 계셨다. 다른 친구들이 뒷자리에 앉아 낄낄거리며 무례한 태도로 왁자지껄 떠드는 동안, 그는 침묵을 지킨 채 가만히 앉아서 이따금씩 자신이 그 설교자의 메시지에 귀 기울이고 있음을 알아차리곤 했다. 그 복음전도자는 여성이었다. 수많은 세월이 흐른 뒤, 해리는 그 복음전도자로부터 들었던 내용을 나에게 말해주었다. 그녀의 메시지는 이후로 평생 동안 그를 따라다녔다. 또한 그가 나에게 들려준 그 내용은 생애 내내 내 사역의 중요한 주제가 되었다.

그녀는 다음과 같이 말했다고 한다. "여러분이 하나님께로 나아올 때나 기도할 때, 여러분은 하나님이 기도를 들어주시는 분이심을 확신해도 좋습니다. 그리고 주님은 주님의 지혜대로 여러분의 기도에 응답해주실 것입니다." 이 간단한 내용이 당시 하나님에 관하여 거의 아무것도 알지 못하던 나에게 강력하게 부딪쳐왔다. 지금 생각해보니, 하나님은 그 순간 나에게 주님의 마음의 비밀을 다운로드해 주고 계셨다.

그날 이후로 내 안에는 아픔과 질병에 대해 형용할 수 없을 정도로 혐오하는 마음이 생겨나기 시작했다. 심지어 나는 거의 의분을 품기에 이르렀다. 하나님께서 인간의 아픔들을 어떻게 바라보고 계신지가 이해되었다. 주님은 실제로 사람들이 속임 당하는 모습을 보시며 분노하신다. 주님은 내 안에 주님의 만져주심을 간절히 갈망하는 사람들을 향한 연민의 마음을 부어주셨다.

나는 점점 자라갔고, 해리는 점점 늙어갔다. 그는 이따금씩 심장발작을 일으키기 시작했다. 그가 밤새도록 경련과 발작에 시달리는 동안, 나는 눈물을 흘리며 그의 몸을 꼭 붙들고 있었다. 그럴 때마다 내 마음은 참담했다. 해리의 고통을 완화시키기 위해 내가 할 수 있는 일이 아무것도 없기에, 나 스스로 매우 무가치한 사람이라는 생각이 들었다. 마음이 몹시 아팠다. 왜 나는 그의 고통을 덜어주기 위해 해줄 수 있는 일이 전혀 없는 것일까?

나는 울면서 조용히 하나님께 그를 도와달라고 간구했다. 사실 나는 과연 하나님이 실제로 존재하시는지조차 완전히 확신하지 못하고 있었다. 그저 해리를 위해 하나님의 개입을 요청해야 할 것만 같은 느낌이 들었을 따름이다. 이것이 바로 그가 수십 년 전에 한 여성 복음전도자로부터 들은 내용이었다.

해리가 통증으로 힘들어할 때면, 나는 그와 함께 고통스러워했다. 하나님의 마음에 관하여 사실 아무런 지식이 없었음에도 불구하고, 나는 하나님께 해리를 도와달라고 기도하곤 했다. 단순히 그 여성 복음전도자가 그렇게 말했다는 이유만으로 말이다. 하지만 씨앗은 이미 그때 뿌려졌다. 후일 예수님이 나를 찾아오시고, 성경학교에서 내적치유와 회복의 과정을 거친 후에, 또한 내 안에 하나님의 받아들이심에 관해 자리하고 있던 왜곡된 견해가 바로잡힌 후에, 비로소 나는 사람들의 고통이 해결되는 모습을 목도하기 원하는 간절한 열망을 품게 되었다.

이러한 열망은 내 삶에서 일종의 강력한 동기부여제가 되고 있다. 이것은 나로 하여금 사람들의 삶 속에 역사하시는 하나님의 가시적인 임재를 목격하도록 몰아가는 추동력이다. 나는 이러한 동기부여제가 당신의 삶에도 전이될 수 있음을 믿어 의심치 않는다!

하나님께서는 나의 기도에 응답하셔서 해리의 목숨을 구해주셨다. 그의 타락한 본성, 이중인격, 발작적인 분노, 죽음을 연상시키는 절망적인 우울증 등에도 불구하고, 주님은 해리를 통해 내게 하나님 아버지의 성품이 지닌 다양한 측면들을 계시해주셨다. 주님은 나의 양부모님을 사용하셨던 것만큼이나 그를 사용하고 계셨다. 내가 그를 통해 배운 것들은 오늘날 내 사역에 크나큰 도움이 되고 있다. 그가 내게 들려준 '그 여성 설교자'의 메시지는 결코 잊지 못할 것이다.

나중에 알고 보니 그 여성 설교자의 이름은 마리아 우드워스 에터였다! 그녀는 의심할 나위 없이 사도적인 돌파의 기름부음이 있었던 여성이다! 하나님께서 어떻게 해리를 사용하시어 나에게 그런 사도적인 진리를 가르쳐주셨는지를 생각해보면, 지금도 여전히 놀라움을 금치 못한다. 그것은 매우 단순해 보이는 진리였지만, 그 진리는 나로 하여금 세대를 초월하여 우드워스 에터의 능력과 연결되도록 해주었다. 정말 놀라운 일이 아닐 수 없다!

나는 거듭남을 체험한 후에 해리를 주님께로 인도했다. 그런 다음 그는 우리와 함께한 10년의 세월을 뒤로하고 다른 곳으로 이사를 갔다. 그 후로 그는 4년을 더 살았다. 그의 마지막 4년은 매우 평온하고 즐거운 삶이었다. 해리는 아흔셋을 일기로 1977년에 세상을 떠났다. 어서 빨리 그를 다시 만나고 싶다.

개리와 남자아이

그로부터 수년이 지났다. 나는 미국인들로 구성된 팀을 이끌고 인도에 가게 되었다. 우리 팀은 인도의 한 작은 마을로 들어갔는데, 그 마을의 변두리에 길 양쪽으로 마주 서 있는 두 개의 건물이 눈에 띄었다. 각각 무슬림의 예배장소와 힌두교도들의 예배장소였다. 마을의 중심부에는 높은 연단이 놓여 있었고, 강사들이 오르내릴 수 있도록 층계가 설치되어 있었.

우리는 단상 위에 함께 모여 주님을 경배하기 시작했다. 사실 이것은 마을 사람들의 흥미를 끌기 위한 간단한 전략이기도 했다. 마을 사람들이 점점 집회 장소 주변으로 몰려들었다. 그들이 하늘을 올려다보며 누군가를 찬미하고 있는 백인들을 구경하는 모습은 정말 익살스런 광경이었다. 연단은 바닥에서 몇 피트 정도 위에 있었고, 측면에 올라가는 계단이 있었다. 한 계단 아래에서 나를 에워싸고 있던 복음전도자들 중에 친구인 개리가 있었다. 이제부터는 당시 개리가 체험했던 일을 여러분에게 간증으로 들려주고자 한다.

그곳에는 순식간에 수백 명의 마을 사람들이 모여들었다. 보나마나 한편에는 무슬림들끼리 또 다른 한편에는 힌두교도들끼리 모여 있는 것이 분명했다. 나는 그들을 향해 그들이 섬기고 있는 온갖 신들이 왜 거짓된 것이며, 나의 하나님, 예수 그리스도께서 어떻게 그들의 죄를 위해 죽으심으로 천국에 들어갈 수 있는 궁극적인 길을 열어주셨는지에 관해 선포하기 시작했다.

우선은 구원의 섭리에 관한 메시지를 간략하게 전달했다. 그런 다음 나는 사람들에게 병든 사람들을 데려오라고 했다. 하나님께서 그들을 치유해주시는 모습을 목격하게 함으로써 예수님이 참된 하나님이시고 다른 신들은 모두 거짓되었음을 증명해보이기 위해서였다. 실제로 나는 복음에 대해 배타적인 나라에서 전도할 수 있는 길은 오직 이 방법밖에 없다고 생각한다. 먼저 복음을 선포하고, 내가 선포한 복음을 하나님께서 입증해주시는 방법 말이다.

그러자 춤추는 하나님의 손이 사람들 사이에서 활발히 활동하기 시작했다. 청중을 주시하여 보았더니, 힌두교도들 사이에서 하나님이 순전하게 운행하고 계셨다. 사람들은 자발적으로 치유를 받았고, 수십 명의 힌두교도들이 앞으로 나와서 예수님을 영접했다. 그러나 무슬림들 중에는 치유 받은 이가 단 한 명도 없었다. 참으로 이상한 일이었다.

모인 사람들 중에는 마을의 장로인 힌두교도가 있었다. 그는 이미 여러 해 동안 눈이 멀어 앞을 못 보고 있었다. 그런데 그가 주님의 권능으로 갑작스럽게 눈이 열려 볼 수 있게 되었다. 힌두교도들의 기쁨은 이만저만이 아니었다. 거의 모든 힌두교도들이 강단초청에 응하여 앞으로 나왔을 정도였다. 그야말로 영광스런 영혼추수의 날이었다.

그러나 그날 내내 의아스러운 점이 있었다. 춤추는 하나님의 손이 힌두교도들 사이에서만 운행하신 이유가 도대체 무엇이었을까? 무슬림 중에는 강단 앞으로 나온 사람이 단 한 명도 없었다. 그들은 불쾌한 표정으로 얼굴을 찌푸린 채 뒷전에 물러나 있었다. 그들은 이 새로운 신이 자기들은 제쳐놓고 오직 힌두교도들만을 치유해주고 있는 광경을 지켜보며 화가 나 있었다.

통역하는 사람을 통해 나는 무슬림들에게 다음과 같이 외쳤다. "예수님은 결코 사람을 차별하시는 분이 아닙니다. 예수님은 무슬림들이나 힌두교도들이나 동일하게 치유해주기 원하십니다. 그분은 여러분 모두를 똑같이 사랑하십니다. 만일 예수님이 여기 계신 힌두교 지도자를 치유하기 원하셨다면, 그분은 당신들도 치유해주기 원하십니다." 그런 다음 나는 하나님께 방금 선포한 이 메시지를 확증해달라고 속으로 조용히 기도했다.

'오, 예수님, 저를 이 상황에서 구원해주시는 편이 나을 겁니다! 저는 위대한 믿음과 권능의 사람이지 않습니까?'

그러면서 나는 슬쩍 곁눈질로 한 무슬림 여인을 쳐다보았다. 그녀는 몹시 초조해하며 이리저리 왔다 갔다 하고 있었다. 그녀의 품에는 남자아이가 안겨 있었다. 그 아이가 장애를 가지고 있다는 것은 누가 보아도 금방 알 수 있었다. 아이의 다리는 불구였다. 작은 두 다리가 마치 고무장갑처럼 달랑달랑 힘없이 매달려 있었다. 그 아이가 움직일 수 있는 방법은, 오로지 두 팔꿈치를 사용하여 가까스로 몸을 끌고 가는 것 외에 없었다.

그 무슬림 여인은 눈에 띌 만큼 초조하고 불안해 보였다. 이제까지 그녀는 힌두교도들이 치유를 받는 모습과, 그들 가운데 많은 이들이 예수라는 이 새로운 하나님께로 개종하는 모습을 줄곧 지켜보고 있었다. 나는 통역이 없이 단지 그녀의 눈만 쳐다보아도 모든 것을 알 수 있었다. 왜 하나님은 그녀의 아이를 치유해주시지 않는 걸까?

나는 왜 저 무슬림들이 치유 받지 못하고 있는지 잠시 하나님께 여쭈어 보았다. 주님은 내게 수많은 무슬림들이 중상모략의 영에 시달리고 있음을 계시해주셨다. 마귀(devil)란 '비방하는 자, 고발하는 자'를 의미한다. 이것은 마귀가 사람들에게 하나님의 성품을 중상모략하기 위해 사용하는 가장 중요한 공격형태다. 마귀는 이 방법으로 사람들로 하여금 자신의 성품도 스스로 왜곡하게 만들기도 한다.

그 순간에 이 소중한 무슬림들에 관하여 하나님께서 알려주신 계시는, 그동안 한 번도 경험해본 적이 없는 가장 강력한 내용이었다. 아, 모든 영광과 존귀를 하나님께 올려드린다. 나는 그 계시를 사용함으로써 수많은 무슬림들이 하나님의 나라 안으로 밀물처럼 몰려들어오는 광경을 목격할 수 있었다. 생각만 해도 놀랍기 그지없는 일이다!

이 중상모략의 영에 관해서는 잠시 후에 좀더 자세히 다루기로 하겠다. 지금은 내가 그 은폐되어 있던 인식에 권세를 사용하자 무슬림들을 뒤덮고 있던 중상모략의 영이 박살났다는 사실만을 언급하고 지나가겠다.

결국 그 아이의 어머니는 하나님을 시험대에 올려놓아 보기로 결심했다. 이런 일이 있을 때마다 나는 왜 이리 좋은지 모르겠다!

그녀의 생각은 매우 단순했다. 그녀는 이 백인이 말하는 하나님이 필경 힌두교도들이 운집해 있는 곳에 계실 것이라고 판단했다. 그리하여 하나님의 관심을 끌기 위해 힌두교도들 쪽으로 살금살금 이동해 갔다. 그러자 무슬림들이 못마땅한 표정으로 그녀를 노려보았다.

결국 그녀는 힌두교도들이 있는 데까지 왔다. 그리고는 잠시 두리번거리며 하나님이 어디 계신지 찾아내려고 애썼다. 그러나 허사였다. 마침내 그녀는 높이 세워진 단상 아래까지 걸어나왔다. 그런 다음 한 치의 망설임도 없이, 자신의 어린 아들을 개리를 향해 휙 던졌다. 개리는 잠시 휘청했으나, 곧바로 자신의 두 팔로 아이를 붙잡았다. 다행스럽게도 그는 아이를 떨어뜨리지 않고 잘 받아 안았다. 우리가 서 있던 단상은 바닥으로부터 약 2미터 높이에 있었지만, 개리는 나보다 몇 계단 정도 아래에 서 있었기 때문이다.

바로 그 순간 내 머리를 스치고 지나간 첫 번째 생각은 이랬다. '오, 하나님, 감사합니다. 마침내 그녀가 아이를 개리에게 넘겼습니다!'

이 귀한 여인은 날카로운 시선으로 나를 흘끗 쳐다보더니, 뼈만 남은 앙상한 손을 자신의 사리(sari 인도의 여성용 겉옷 - 역주) 위에 얹었다. 나는 그녀가 속으로 무슨 생각을 하고 있는지를 알 수 있었다. 아마 이렇게 생각하였을 것이다. '당신의 하나님이 과연 우리를 힌두교도들만큼이나 사랑하시는지 아닌지 두고 보겠어요.' 순간 신선한 공포가 우리들을 휩쓸고 지나갔다. 형제자매들이여, 솔직히 말해 우리는 매우 열렬히 기도하기 시작했다. 불쌍한 개리가 그 순간에 느끼고 있었을 감정은 단지 상상만 할 수 있을 따름이다!

개리는 아이의 앙상한 두 다리를 향해 생명을 선포하였다. 축사도 하고 끊어내는 기도도 드렸다. 묶기도 하고, 풀기도 했다. 그는 머릿속에 떠오르는 온갖 성경구절들을 인용했다. 나는 소리 죽여 방언으로 기도하면서, 그동안 들어왔던 스미스 위글스워스에 관한 온갖 이야기들을 속으로 상기시키고 있었다. 그러는 동안 줄곧 나는 그 여인이 아이를 개리에게 던진 것에 대해 하나님께 감사하고 있었다!(부끄러운 이야기지만, 사실이 그랬다)

그런데 아무 일도 일어나지 않았다.

우리는 조금 더 기도했다. 이번에는 훨씬 더 열심히 기도했다. 개리는 혹시라도 뭔가 달라지고 있는지를 확인하기 위해, 1분에 한번 씩은 그 남자아이의 다리를 내려다보았다. 그러나 아무런 변화도 나타나지 않았다. 이제 나는 마음속으로 하나님께 매달리기 시작했다. '오, 하나님! 제발이지 우리를 좀 도와주십시오. 이 상황에서 건져주십시오! 주님, 무슨 일이든지 행해주십시오!'

오, 마치 지금까지 한 번도 이런 식으로 기도해본 적이 없는 척하지 마라! 그땐 상황이 정말 심각했다.

드디어 나는 주님의 음성에 귀 기울일 수 있을 만큼 잠잠해졌다. 개리가 여전히 아이를 품에 안은 채 어르고 있는 동안, 나는 잠시 뒤로 물러나 속으로 이렇게 생각했다. '주 예수님, 왜 이 아이가 치유되지 않고 있는지 설명해주셔야겠습니다.' 이미 나는 권세를 가지고 이 중상모략의 영을 제어해보기도 했다. 그러나 무슨 이유에서인지, 아직도 치유가 일어나지 않고 있었다.

그런데 갑자기(내가 이 단어를 얼마나 좋아하는지 모른다) 내 영 안에서 무언가가 솟구쳐 올랐다. 아, 이 압도당할 듯한 믿음, 어떤 문제라도 능히 해결해 낼 막강한 권능이라니! 내가 확신하는 바, 그것은 하나님의 보좌로부터 직접 온 것이었다. 내가 늘 농담처럼 사용하는 표현을 빌리자면, 마치 공중전화박스 안으로 들어갔다가 옷을 갈아입고 나온 듯한 형국이었다. 내가 무슨 말을 하려는지 이해되는가? 나는 이 경이로운 믿음의 은사가 계속해서 내 영 안에서 솟구쳐 오르는 것을 느끼고 있었다.

갑자기(또 한 번의 갑자기다!) 주님이 나에게 다음과 같이 말씀하시는 것 같았다. "개리더러 그 아이를 땅바닥에 던지라고 말해라. 지금 당장! 어서!"

믿음의 은사이든 아니든 간에, 나는 반드시 그 메시지대로 해야겠다고 생각한 것은 아니었다. 그러나 정녕코 나는 순종하는 사람이었다. 마침내 나는 할 수 있는 한 최대로 목소리를 차분히 가라앉힌 채 입을 열었다. "개리!"

개리의 두 눈은 안도감으로 가득 차 있었다. 그의 눈은 마치 나에게 이렇게 말하고 있는 듯했다. "오, 감사합니다, 하나님! 이 상황에서 저를 좀 도와주십시오!"

당연히 나는 그를 도와주었다. 말하자면 그랬다. 나는 이어서 말했다.

"개리! 그 아이를 땅바닥에 그냥 던지세요!"

그도 그럴 것이 나를 바라보는 그의 얼굴은 충격 그 자체였다. 그가 내 말을 오해한 것일까? "어, 뭐라고 하셨지요?" 그는 얼굴을 찌푸리며 고개를 좌우로 흔들었다.

나는 이번에는 조금 더 권위적인 목소리로 말했다. 믿음의 은사는 계속해서 강력해지고 있었다. "개리, 내가 말했지 않소. 그 아이를 땅바닥에 떨어뜨려요!"

아마도 개리는 내가 정신이 이상해진 모양이라고 생각했을 것이다. 그는 할 말을 잃은 표정으로 나를 노려보았다. 그러면서 결코 그럴 수 없다는 뜻으로 머리를 흔들어댔다. 이를 악물고 필사적으로 평정심을 유지하면서 그가 중얼거렸다. "아니, 그럴 수 없어요!"

세 번째로 말할 때, 이 믿음은 내 안에서 마치 이제 막 분출하는 화산과도 같이 증폭된 상태였다. 나는 그를 향해 소리쳤다. "개리, 그 아이를 떨어뜨려요! 그 아이를 지금 당장 떨어뜨리란 말이오! 지금 당장!"

지금 생각해보면, 하나님이 두려워서 그랬는지, 아니면 내가 두려워서 그랬는지는 잘 모르겠지만, 개리는 그 아이를 손에서 놓아버렸다. 내가 "지금 당장!"이라고 으르렁거리며 고함치는 순간, 그는 품안에 있던 아이를 공중에 휙 던져버렸다.

마치 시간이 정지한 것만 같았다. 그런데 그 다음에 무슨 일이 일어났는지 아는가?

그 아이가 땅바닥에 떨어지기 직전 아직 공중에 있는 동안, 주님은 거의 1000분의 1초 사이에 그의 두 다리를 즉각적으로 재창조해주셨다. 아이가 바닥에 떨어졌을 때는 이미 그의 두 다리가 완벽하게 건강해져 있었다. 아이는 얼른 제 엄마에게 달려가서 안겼다! 할렐루야!

그날 거의 모든 무슬림들이 예수님을 알게 되었다!

기대감의 소멸

그날 하나님은 내게 매우 강력한 계시를 알려주셨다. 수많은 무슬림들을 주님께로 돌이키는 혁혁한 승리를 거둘 수 있었던 것도, 이 계시 덕분이었다. 나를 아는 사람들이라면, 내가 무슬림들을 구원하는 일에 남다른 열정을 품고 있다는 것을 잘 알 것이다. 이러한 갈망은 이미 사역 초창기부터 내 영 안에서 태동하고 있었다. 그러나 주님이 이 계시를 주신 이후부터, 이 갈망은 엄청나게 뜨거워졌다.

여기서 한 가지 말해둘 것이 있다. 그것은 이 계시가 모든 상황과 모든 무슬림들에게 해당되는 것은 아니라는 점이다. 그러나 나는 이것을 이슬람 국가들에서 복음을 전파할 때마다 매우 빈번하게 목격하였는데, 이것을 소위 이스마엘 증후군이라고 칭할 수 있을 것 같다. 물론 이렇게 부르는 것이 지나친 일반화일지도 모르겠다. 하지만 단순히 이름을 붙여 본 것일 뿐이다. 물론 모든 무슬림들이 이스마엘의 직계후손은 아니다. 그러나 그들의 현재 상태는 이삭/이스마엘의 딜레마까지 거슬러 올라가는 저주 때문일 수도 있다. 어쩌면 어떤 무슬림들은 버림받았다고 느낄지도 모른다. 하나님께서 구세주를 탄생시키기 위해 선택하신 혈통은 이스마엘이 아니라 이삭이었기 때문이다.

분명 하나님은 이스마엘을 사랑하셨고 돌봐주셨다(창 21장). 그러나 이스마엘의 영적인 후손들로서 무슬림들이 하나님에 대해 견지하고 있는 시각은, 그분을 마치 화난 감독의 이미지로 받아들이고 있을지도 모른다. 그들은 어쩌면 하나님에 관한 뒤틀린 견해를 물려받았을 수도 있다. 이미 많은 무슬림들이 알라를 믿는 삶에 더 이상 아무런 희망도 없다고 느끼고 있다. 알라는 사랑의 신이 아니기 때문이다. 수많은 무슬림들이 스스로에 대해 원치 않은 존재인 듯한 느낌, 왠지 이등시민인 듯한 느낌, 버려진 듯한 느낌을 갖고 있을 수 있다.

하나님에 대한 그들의 관점이 이렇게 왜곡된 데는 이유가 있다. 그것은 바로 원수의 거짓말 때문이다. 원수의 거짓말에 따르면, 하나님은 그들의 존재를 다른 사람들만큼 그리 중요하게 여기시지 않는 분이다. 하나님이 사람을 차별대우하시는 분이라는 것이다. 주님은 단지 복수심에 불타는 화난 감독에 불과하다는 것이다. "이것을 행하라. 그렇지 않으면 화를 당할 것이다!" 나는 바로 이것이 서구화된 '기독교' 세계를 향해 이슬람 과격주의자들이 표출하는 이글거리는 분노 이면에 숨겨져 있는 추동력 중 하나라고 믿는다.

그 무슬림 여인의 아들이 치유 받던 날, 하나님께서 내게 알려주신 사실이 있었다. 원수는 수많은 무슬림들의 눈에 얇은 막을 씌워놓았다. 원수는 그들의 이해력을 왜곡시켜 놓았고, 하나님을 단지 분노하는 분이요 애정 없는 신으로 바라보도록 그들의 시각을 흐려놓았다. 주님께서 이 베일의 정체를 보여주셨을 때, 나는 권세를 취하여 그 혼돈의 영에게 명령했다. 그러자 돌파의 기름부음이 그 마을을 장악하고 있던 속임수에 치명타를 가했다. 이렇게 하여 결국 무슬림들은 하나님을 실제 모습 그대로 바라볼 수 있게 되었다. 무슬림들이 하나님의 사랑에 반응하기 시작한 것은, 그 꼬마아이가 치유 받은 특별한 기적이 일어난 직후부터였다.

이 베일은 무슬림이든 아니든 오늘날 세계 전역에 살아가는 수많은 사람들과도 관련이 있다. 하나님이 모든 사람을 동등하게 받아주시지 않는다는 잘못된 이해는 사도적 돌파의 기름부음을 통해 산산조각 난다. 언제라도 하나님의 도움을 요청할 수 있다는 것을 믿지 못하고 왜곡된 견해를 가지고 있을 때, 사람들은 자신들의 삶이 현재의 모습보다 훨씬 더 나아질 수 있다는 희망을 포기하고 낙담해버린다.

예레미야 8장 21-22절의 말씀을 기억하라. "딸 내 백성이 상하였으므로 나도 상하여 슬퍼하며 놀라움에 잡혔도다 길르앗에는 유향이 있지 아니한가 그곳에는 의사가 있지 아니한가 딸 내 백성이 치료를 받지 못함은 어찌 됨인고."

이러한 돌파의 기름부음을 접하지 못하여, 오늘날 수백만 명의 사람들이 원하는 만큼 충분히 사랑받고 수용받지 못한 채 살아가고 있다. 물론 나는 비난하려고 이런 말을 하는 것이 결코 아니다. 우리 모두는 이따금씩 기대에 못 미치는 삶을 살아가곤 한다. 그러나 나는 더 이상은 견디지 못하겠다. 예수님이 주시려고 의도해두신 원래 그대로의 복음이 사람들에게 전달되지 못하고 있는 모습을 더 이상 묵과하기 어렵다. 여러분이여, 잔혹하리만치 스스로에게 솔직해보자. 만일 복음이 예수님 시대에도 오늘날 수많은 교회들에서 선포되고 있는 정도로만 선포되었다면, 어쩌면 예수님은 결코 십자가 처형 따위는 당하지 않으셨을 수도 있다. 동의할 만한 생각 아닌가?

한번 생각해보라. 이것은 오늘날 수없이 많은 교회들의 경우에 해당되는 말인지도 모른다.

복음은 사람들로 하여금 그것을 선택하지 않을 수 없는 상황으로까지 몰아간다. 참된 그리스도의 나라는 우리의 마음을 뒤흔들어놓는다. "와! 저 사람이 그동안 짚고 다니던 목발을 던져버렸네!" "와! 저 여자는 이제 두 눈을 떠 보게 되었어!"

그들은 실제로 대면하여 보고 있다. '정말 저 일은 하나님이 행하신 걸까? 만일 그렇다면, 하나님이 저들 사이에서 일하신 것을 알게 된 이상, 나는 이제 어떻게 해야 할까?'

어떤 이들에게는 복음을 듣는 것 자체가 화를 돋우는 일이 될 수도 있다. 언젠가 내가 복음을 전했던 사람들이 생각난다. 그들은 내가 복음을 전하자, 다짜고짜 화부터 냈다. 삶에 혁명을 일으킬 수도 있는 무언가에 대해, 사람들이 그 정도까지 성을 낸다는 것은 다소 애석한 일이다.

복음은 때로 갈등을 조장하는 불쏘시개로 작용하는 경우도 있다. 사람들은 하나님 때문에 결단할 수밖에 없게 된다. 그들은 무엇을 믿으며, 어느 편에 서야 할지를 결정해야 한다. 주님을 따를 것인지, 따르지 않을 것인지를 결정해야 한다. 왜냐하면 상황이 그러하기 때문이다. '저 남자는 순식간에 두 목발을 내던져버렸다. 앞을 못 보던 저 여자가 갑자기 보게 되었다. 실제로 하나님이 살아 계신다. 지금 주님이 나에게도 무언가를 기대하고 계신다.'

사실 시시하고 평범한 설교는 사람들이 안고 있는 삶의 근본적 이슈들을 베어내지 못한다. 대부분의 세상 사람들, 특히 좀더 문명화된 나라에서 살아가는 사람들도 예수님이 자신들을 사랑하신다는 메시지를 듣고 있다. 그들은 이 메시지를 들으면서 참 근사한 내용이라고 생각한다. 우리의 죄와 기타 등등을 위해 하나님께서 행하신 일은 얼마나 훌륭한가. 그러나 실제로 복음은 그들을 위해 무슨 일을 하고 있는가? 그들은 성경을 통해 예수님께서 두루 다니시며 수천 명을 치유하셨다는 이야기를 읽는다. 예수님은 한 민족 전체의 목적과 정체성을 회복시켜 주셨다. 그런데 오늘날 그들은 실제로 마땅히 취해야 할 관점을 잃어버리고 있다. 결국 이로 인해 하나님을 바라보는 시각도 왜곡되고 뒤틀려 있다.

그들은 기대감을 품는다. 만일 하나님이 실재하시는 분이라면, 또한 성경에서 말씀하고 있는 바와 같이 결코 변함이 없으신 분이라면, 도대체 왜, 왜! 그들은 2천 년 전에 유대인들이 보았던 일들을 지금은 목격하지 못하고 있단 말인가?

이것은 매우 타당한 질문이다. 그러나 그들은 답변을 얻지 못하고 있다. 우리는 과거에는 실제로 일어났던 일들을 지금은 목격하지 못하고 있다. 이제 마귀는 그들에게 하나님에 관해 중상모략하기 시작한다. 불법자는 "하나님이 변하셨다"고 속삭인다. "주님은 당신들보다 그 사람들을 더 사랑하셨다"고, "당신은 당신의 삶에서 기적이 일어날 수 있을 만큼 경건하지 못하다"고 말이다.

그러면 사람들은 마귀의 속삭임을 믿기 시작한다. 마침내 그들이 품고 있던 기대감은 온데간데없이 사라져버린다. 그들은 하나님께서 자신들을 위해 무언가를 해주실 것이라고는 조금도 기대하지 않는다.

나의 친구들이여! 그렇다고 해서 결코 상심하지 마라. 그것은 거짓말에 불과할 따름이다!

'거의'라 불리는 체험들

사도적인 사람들은 보다 위대한 기적들을 끊임없이 추구해가는 사람들이어야 한다! 그들은 세상 사람들뿐만 아니라, 이미 그리스도인으로서 살아가고 있지만 아파하는 자들을 위해서도 하나님의 향유를 공급해주어야 한다. 우리 중에는 병든 이들, 상처 입은 이들, 아픈 그리스도인들이 너무나 많다. 그들은 하나님께서 의도하신 대로 마땅히 누려야 할 풍성한 생명의 삶을 살지 못하고 있다.

너그러운 독자들이여, 한번 구원받지 못한 사람들의 관점으로 바라보도록 하자. 만일 우리가 부분적으로는 초자연적이고 어느 정도는 전통적인 종교 이외에 더 이상의 실체를 제공해주지 못하고 있다면, 왜 많은 사람들이 우리의 대열에 합류하기를 원치 않는지 잘 이해될 것이다. 우리도 여전히 질병으로 죽어가고, 배우자와 이혼하고, 교회들이 분열되고, 서로 험담하고, 논쟁하고, 이러쿵저러쿵 언쟁을 벌이고 있지 않은가? 이런 우리의 모습을 보면 그들이 우리와 함께하고 싶어 하지 않는 것이 전혀 이상할 게 없다.

사람들의 허를 찌를 목적으로 이런 말을 하는 게 아니다. 나는 다만 문제가 무엇인지를 알려주고, 보다 나은 방안을 모색하기를 원할 뿐이다.

우리 모두가 이런 사실을 통해 어느 정도는 교훈을 받아야 한다. 그 누구보다도 나 자신이 그래야 한다. 이 모든 이야기를 시작한 사람이 나이기 때문이다. 내 마음을 좀 이해해주기 바란다. 나는 이 사람들을 생각하면 마음이 아프다. '거의'(almost)라 불리는 체험들에 관해 듣는 것도 이제는 진절머리가 난다.

"저는 거의 주님과 동행하는 삶을 살고 있어요." "저는 술을 거의 끊었어요." "저는 거의 치유를 받았어요." "저는 거의 하나님의 음성 같은 것을 들었어요." 나는 이런 '거의'(almost) 체험들을 '온전한'(complete) 체험들로 만들어놓고 싶다. 나는 지금 하나님께서 그리스도의 몸 안에 존재하는 이 '거의' 사고방식에 맞서 싸우시기 위해 사도적인 사람들을 일으켜 세우고 계신다고 믿는다.

요한은 다음과 같이 기도했다. "사랑하는 자여 네 영혼이 잘됨 같이 네가 범사에 잘되고 강건하기를 내가 간구하노라"(요삼 2). 사도적인 사람들은 신선한 돌파의 기름부음을 가져옴으로써 영혼이 잘되게 해주어야 한다. 평안한 영혼은 과거의 수치로부터 더 이상 아무런 영향도 받지 않는다. 우리에게는 수세기 동안 계속 괴롭혀온 멍에와 속박과 한계들을 부서뜨리는 기름부음이 필요하다. 우리가 가진 건강상의 문제들을 변화시킬 기름부음이 필요하다. 잠시 여기서 예수님이 사람들과의 만남 속에서 어떤 방식으로 치유를 행하셨는지 살펴보기로 하자.

주님은 무수히 많은 사람들을 즉석에서(instantaneously) 치유해주셨다. 예수님이 지상사역을 하시는 동안, 점진적인 치유를 행하신 경우는 거의 없다. 물론 바로 그 시점부터 점점 나아지기 시작한 사람도 있었다. 나는 이런 경우의 중요성을 과소평가할 마음이 조금도 없다. 신적인 치유는 신적인 치유다. 즉각적으로 건강해졌든, 혹은 점진적으로 건강해지든 상관이 없다. 어느 방식이든지 중요하지 않은 것은 없다. 우리는 주님이 축복해주시는 모든 경우들로 인해 감사를 드린다. 그러나 나는 이제 우리가 즉각적인 기적들을 보다 더 많이 체험하는 쪽으로 나아가기 시작해야 한다고 믿는다. 즉각적인 기적들을 통해 하나님의 개입하심에 대한 의심의 여지를 조금도 남겨놓지 말아야 한다.

예수님은 또한 온전하게 치유해주셨다. 일반적으로 예수님의 치유에는 회복의 기간이 거의 혹은 아예 없었다. 사람들은 아프다가도 즉시로 병이 나았다. 이미 우리는 관련된 성경구절도 살펴보았다. 한 나병환자의 이야기에서(막 1:40-41), 예수님은 신체적인 것을 비롯하여 그 밖에 그가 가지고 있던 온갖 허약함을 치유해주셨다. 한 사람의 삶(영과 혼과 몸) 속에 있던 모든 필요들이 오랜 전쟁이나 회복의 시간을 거치지 않고도 치료된 모습을 한번 상상해보라.

내 말에 오해가 없기를 바란다. 나도 내적치유와 상담의 중요성을 믿는다. 나는 상담학으로 학위까지 받은 사람이다. 그러나 너무도 많은 경우에 우리는 사람들이 약점들을 극복하도록 돕는 일에 여러 해를 소요하고 있다. 실제로는 마땅히 몇 주 혹은 몇 개월 안에 해결되어야 하는데도 말이다. 교회들은 사람들이 각자의 부르심을 향하여 달려가도록 구비시키고 풀어놓아 주는 터전이 되어야 한다. 그러나 사실 교회들은 상처 입은 사람들이 기대고 의지하는 목발의 역할을 수행하고 있을 뿐이다. 어떤 이들은 해마다 축사세미나, 치유모임, 상담수업 등에 참석하지만, 자신의 문제를 극복할 기미는 도통 보이지 않는다.

친구들이여, 우리는 유한한 사람들이다. 오직 하나님만이 새롭게 해주실 수 있는 문제들을 안고 있는 이들이 얼마나 많은지 모른다. 내가 확신하는 바가 있다. 그것은 지금 우리가 바야흐로 사도적 기름부음이 사람들 앞에 가시적으로 나타나는 시대를 향해 움직여가고 있다는 것이다. 주님은 모든 것들을 일시에 돌보아주신다. 이 얼마나 흥미진진한 잠재가능성인가!

예수님은 모든 이들을 치유해주셨다. 주님께 나아오는 모든 이들이 치유를 받았다. 심지어 믿음이 부족한 사람도 주님 앞에 오기만 하면 온전해졌다. 그들이 한 일이란, 오직 주님께 나아간 것이 전부였다. 이제는 이런 일들이 사도적인 사람들을 통해 일어나야 하지 않겠는가? 내 귀에 여러 가지 변명의 소리들이 들려온다. "형제님, 당신이 그 휠체어에서 일어나지 못하고 있는 이유는 믿음이 없기 때문입니다." 내게는 더 이상 이런 말이 통하지 않는다. 어떤 사람은 다음과 같이 말하기도 한다. "당신의 아내가 암으로 죽어가고 있는 까닭은 충분할 정도로 열심히 기도하지 않았기 때문입니다." 그녀는 지금 엄청난 고통 가운데 있으며, 더 열심히 기도할 만한 힘조차 남아 있지 않다.

이제는 우리가 가진 온갖 연약함이나 불완전한 믿음을 무색케 할 정도의 새로운 사도적 기름부음이 필요하다. 성경에 의하면, 예수님이 행하신 지상사역은 완벽했다. 주님은 언제나 100퍼센트의 성공을 목도하셨다. 우리는 주님처럼 되어야 한다(마 10:25). 나는 스스로에게 질문을 던져본다. 왜 2천 년 전의 사람들은 오늘날 우리들에 비해 훨씬 더 나은 혜택을 누리며 살았던 것처럼 보일까?

제발 너무 큰소리로 나를 다그치지 마라. 나는 하나님께서 오늘날에도 치유를 행하고 계신 것을 보고 있다. 나는 사역자의 한 사람으로서, 하나님의 치유의 능력이 표현되기를 얼마나 간절히 열망하고 있는지 모른다. 지난 30여 년 동안의 노력들도 이러한 갈망 때문이었다. 모든 영광을 주님께 올려드린다. 나는 주님의 보내심을 받아 간 곳이면 어디서든지, 주님께서 사람들을 치유해주시는 모습을 보기를 간절히 열망한다. 흙으로 만들어진 질그릇과 같은 자를 사용하시어 아픈 자들을 치유해주시는 하나님의 모습을 지켜보는 것, 바로 이것이 내가 늘 바라며 지향해가고 있는 바다.

나는 오늘날 하나님께서 세계의 특정 지역에서, 특정한 사람들을 통해 매우 강력하게 운행하시는 모습을 목도하고 있다. 주님은 신실하시고, 사랑이 많으시고, 공정하시며, 긍휼이 많으신 분이다. 나의 이 말을 듣고 "화로다, 우리여!" 하며 울어야 할 때라고 해석하지는 말아 달라. 어떤 암환자들은 나의 기도를 받고 치유를 받지만, 왜 다른 암환자들은 기도를 해주어도 치유를 받지 못하는지에 대해 나라고 해서 모든 해답을 가지고 있는 것은 아니다. 어떤 이들은 휠체어를 박차고 일어나서 걸어가는데, 왜 어떤 이들은 그렇게 하지 못하는지에 대해, 내가 언제나 모든 이유를 알고 있는 것은 아니다.

지금 우리는 더 이상 적당히 둘러댈 수 없는 시대를 살아가고 있다. 원수는 우리 안에 환멸감을 조성하여 우리로 하여금 초자연적인 것으로부터 완전히 물러나도록 부추긴다. 우리는 이러한 원수의 활동을 더 이상 방치해서는 안 된다. 우리는 치유와 기적에 관한 하나님의 말씀을 마치 하찮은 것인 양 해석해서는 안 된다. 우리가 목격한 적이 없다는 것이, 혹은 교회들 안에서 초자연적인 일들이 극단적으로 남용되고 있다는 것이 우리의 변명거리가 되어서는 안 된다.

나는 그리스도의 몸 된 교회에 속한 모든 구성원들, 특히 지도자들부터 스스로를 성찰해보도록 촉구하는 바다. 필요하다면 우리는 회개하고, 하나님의 말씀인 성경이 실제로 말씀하고 있는 것을 회복해야 한다.

교회에 속한 사람들 중 누군가가 초자연적인 일을 거의 혹은 전혀 경험해본 적이 없다고 하는 것은 별개의 문제다. 그들은 초자연적인 일이 무엇인지조차 모르는 이들이다. 그러나 내가 이 글을 쓰는 대상은 이미 초자연적인 일에 익숙하고, 이를 귀하게 여기는 사람들이다. 동시에 이 글은 초신자에게 우호적인 분위기를 조성한다는 미명 아래, 혹은 이전에 실망스런 경험으로 인해 지금은 하나님의 가시적인 임재로부터 멀어져 있는 사람들을 위한 것이기도 하다. 분명히 은사주의적인 교회들임에도 불구하고 치유와 축사, 예언사역을 전혀 행하지 않고 있는 경우들이 있다. 이러한 세태는 반드시 변화되어야 한다!

예수님께서 목도하신 바와 같은 성공을 나도 볼 수 있기 원한다. 예수님처럼 하나님께 쓰임 받을 수만 있다면, 나는 무슨 일이라도 할 것이다. 나는 예수님이 지상에서 사역하실 당시처럼 주님의 백성들을 사용해주시기를 기대하는 것은 결코 나쁘지 않다고 본다. 그렇지 않다면 도대체 우리가 '작은 기름부음 받은 자들'이라고 불릴 까닭이 무엇이겠는가? 결국 이것이야말로 '그리스도인'(Christian)이라는 말이 의미하는 바가 아니겠는가?

부디 내 이야기를 오만방자하다고 생각하지 마라. 우리 모두는 그리스도께서 십자가에서 성취하신 일에 그저 접붙여진 사람들일 뿐이다. 우리에게는 아무것도 없다. 그러나 그리스도의 가족의 일원이 됨으로써, 우리는 하나님의 아들이요 딸들이 되었다. 작은 하나님의 사람들이 되었다. 하나님은 어제도 계셨고, 오늘도 계시는 분이다. 따라서 우리도 다른 사람들을 초자연적인 방법으로 치유해줄 수 있다.

다음과 같은 질문을 제기하는 세상 사람들이 너무나도 많다. "길르앗에는 향유가 없습니까? 2천 년이라는 세월이 흐르는 동안 예수님이 변하신 겁니까?" 당신에 관해서는 잘 모르겠으나, 나의 경우 이것을 단지 하나의 가능성으로 여기지는 않다. 나의 하나님은 결코 변함이 없으시기 때문이다(말 3:6). 그러므로 문제는 분명히 우리 쪽에 있다.

문제의 뿌리

마태복음 3장 10절은 다음과 같이 말하고 있다. "이미 도끼가 나무 뿌리에 놓였으니 좋은 열매를 맺지 아니하는 나무마다 찍혀 불에 던져지리라." 또한 잠언 26장 2절은 우리에게 이렇게 말한다. "까닭 없는 저주는 참새가 떠도는 것과 제비가 날아가는 것 같이 이루어지지 아니하느니라." 요점을 말하자면, 뿌리가 되는 문제들이 언제나 사람으로 하여금 충만한 삶을 살아가지 못하도록 방해하고 있다는 것이다.

저주에는 항상 원인이 있다. 사도적 기름부음은 그러한 뿌리를 찾아내어 도끼로 베고 찍어내어 불 속에 던져 넣은 후, 다시금 참새들을 하늘로 날려 보낸다. 우리는 왜 사람들이 자신의 삶 속에서 길르앗의 향유가 활성화된 모습을 경험하지 못하며 살아가고 있는지를 이해하게 되었다. 사람들은 하나님이 온전한 회복의 하나님이심을 보여주는 절대 부인할 수 없는 증거를 본 적이 없다.

내가 관찰해온 바에 의하면, 대다수의 치유는 정신의 영역 혹은 기능적인 능력의 영역에서 일어나고 있다. 종종 이런 치유들은 하나님께서 과연 그 사람을 치유해주셨는지의 여부에 대해 의문을 남겨놓는다. 좀더 구체적으로 이야기해보겠다.

의사들은 질병을 크게 세 가지 항목으로 분류한다. 기능적인 질병, 유기체적인 질병, 심인성 질병이 그것이다. 나는 이 정보를 존 F. 맥아더의 책에서 인용하였다. 그는 자신의 책 《교리적 관점에서 본 은사주의》(The Charismatics: A Doctrinal Perspective, Grand Rapids: Lamplighter Books, 1978: pp.138 - 139)에서 이 세 가지 항목들에 관해 제시하였다.

여기서 잠시 주된 흐름에서 다소 벗어난 이야기를 하겠다. 나는 맥아더 박사의 책을 읽으면서, 저자가 실제로 은사주의적 체험을 반박하려고 애쓰는 듯한 인상을 받았다. 그러나 나는 나와는 전혀 상이한 믿음을 가진 사람들의 저술들을 읽는 것에 대해 두려움이 없다. 다만 그들이 시간을 내어 나의 책도 좀 읽어 주었으면 하고 바랄 뿐이다.

맥아더 박사는 이 책에서 매우 타당한 의견들을 제시하고 있다. 일반적으로 현재 우리는, 하나님께서 그리스도를 통해 치유를 행하고 계신다는 사실을 의심의 여지없이 확실히 입증시켜줄 만한 기적들을 목격하지 못하고 있다. 단순히 기능적인 질병과 심인성 질병뿐 아니라, 유기체적인 질병까지도 치유되는 일은 일어나지 않고 있다. 은사주의적 순회사역자인 나는, 은사주의적 표현에 관한 맥아더 박사의 입장에 동의하지 않는다. 그러나 나는 이제 사람들의 마음속에 한 치의 의심도 남겨놓지 않을 보다 위대한 기적들이 일어날 시기가 도래하고 있다고 믿는다.

앞서 말하던 내용을 계속해서 다루어 보겠다. 기능적인 질병이란 완벽할 정도로 훌륭한 신체의 시스템이 적절하게 기능하지 않는 상태를 말한다. 예를 들어 요통, 두통, 두근거림, 배탈, 호흡관련 문제 등은 모두 기능적인 질병들이다. 이러한 질병들은 시스템이 단순히 정상적으로 작동하지 않기 때문에 나타난다. 유기체적인 질병은 장기나 신체 시스템이 망가졌거나 불구가 되었거나 못 쓰게 되었을 때 일어난다. 감염, 심장마비, 담석, 탈장, 암, 골절, 실명, 선천적인 허약 등이 여기에 해당된다. 마지막으로 심인성 질병이란, 마음속에서 진행되고 있는 질병들을 가리키는 것으로, 실제로 신체에서 발생하는 것은 아니다.

이상의 내용을 우리는 다음과 같이 요약해볼 수 있다. 기능적인 질병은 '내 팔에 염증이 생겼다', 유기체적인 질병은 '나는 팔이 없다, 혹은 내 팔은 여위고 약하다', 심인성 질병은 '아무래도 내 팔이 아픈 것 같다'와 같이 예를 들 수 있다.

맥아더의 견해는 옳다. 이제까지 대부분의 기적들은 주로 기능적인 질병 혹은 심인성 질병의 영역에서 일어났다. 물론 이것에 대해서는 하나님께 감사드린다! 하나님께서 알레르기성 질환을 앓는 사람을 치유해주시는 일은 종양을 사라지게 해주시는 것만큼이나 극적인 사건이다. 우리는 하나님께서 행하시는 온갖 경이로운 일들로 인해 주님께 영광과 존귀를 올려드린다. 그러나 조금만 더 솔직해지자.

일반적으로 사람들의 삶을 평생토록 괴롭히는 것은 유기체적인 질병들이다. 대체로 이런 질병들로 인해 사람들은 본래의 수명을 다 누리지 못하고 죽음에 이르고 만다. 내가 강력하게 확신하는 바가 있는데, 당신도 나와 같은 확신을 가졌으면 한다. 지금 사도적인 사람들이 천국의 열쇠들을 가지고 일어나고 있다. 따라서 우리는 이러한 유기체적인 질병들의 급소가 베이고 뿌리가 소멸되는 모습들을 더욱더 많이 목격하게 될 것이다.

돌파의 기름부음은 저주의 뿌리를 샅샅이 찾아내어 그 핵심에 치명타를 가한다. 돌파의 기름부음은 적의 속임수와 한계를 노출시킨다. 또한, 정신적인 것이든 정서적인 것이든 신체적인 것이든, 온갖 허약함이 하나님의 권능 앞에서 힘을 잃어버린다는 것을 확실하게 보여준다.

이사야 53장 4-5절은 다음과 같이 말한다. "그는 실로 우리의 질고를 지고 우리의 슬픔을 당하였거늘 우리는 생각하기를 그는 징벌을 받아 하나님께 맞으며 고난을 당한다 하였노라 그가 찔림은 우리의 허물 때문이요 그가 상함은 우리의 죄악 때문이라 그가 징계를 받으므로 우리는 평화를 누리고 그가 채찍에 맞으므로 우리는 나음을 받았도다." 아마도 세계 전역에 살고 있는 거의 모든 복음주의적 기독교인들이 이 성경구절을 인용할 것이다. 본문은 그 유명한 '메시아에 관한 장'이다. 그러나 은사주의적 계열에 속하는 교회들조차도, 이 구절의 진정한 본질을 이미 상실해버리고 말았다.

우리는 이 구절을 원어로 공부할 필요가 있다. 원어 연구를 통해 우리는 다음과 같은 사실들을 깨닫게 된다. '지고'(borne)의 문자적인 의미는 '높이 들어올린'이다. '당하였거늘'(carried)은 '아주 먼 곳으로 제거해버리다' 라는 뜻이다. 한편, '질고'(griefs)를 가장 잘 표현해주는 용어로는 '아픔'(sickness)을 들 수 있다. '슬픔'(sorrow)은 '고통'(pains)의 의미도 지니고 있다.

우리는 주님이 하나님께 '맞아서 쓰러지셨다'고 여겼다. 그러나 예수님은 우리의 연약함과 사악한 경향으로 인해 '창과 못에 찔리시고' '짓밟히셨다.' 주님은 우리의 '행복'을 위해 '채찍질을 당하셨다.' 주님이 매를 맞으심으로써 우리가 치유되었다는 구절은, 데이비드 알소부룩이 가르쳐준 바와 같이 문자 그대로 표현하자면, 우리가 '희열의 상태에 이르게 되었다'로 바꿔볼 수 있다.

만일 사람들이 이 말씀이 계시해주는 참된 의미를 알고, 여기에 사도적 기름부음을 겸비할 수만 있다면, 우리는 우리가 만나는 온갖 외상들로부터 구속받는 법을 터득하게 될 것이다. 이와 같이 보다 위대한 유기체적인 기적들은 그리스도인의 삶이 지닌 주된 특성이 될 것이다. 사람들이 왔다가 실망한 채 혹은 변화되지 못한 채 떠나가버리는 일도 없어질 것이다. 그들의 두통도 사라지고, 아울러 두통을 야기한 이면의 뿌리까지 소멸될 것이다.

사도적인 사람들이 반드시 염두에 두어야 할 것이 있다. 사람들은 어떤 종류든지 실망을 경험했을 때, 취약해질 수 있다. 그리하여 마음이 완고해진 나머지, 상처를 치유 받을 수 있는 두 번째 기회에 대해서도 마음의 문을 닫아버린다. 그리스도의 몸 된 교회에 질고와 슬픔만큼 파괴적인 것도 없다. 그러나 하나님 아버지의 마음이 계시될 때, 또한 하나님 아버지의 신실하심이 계시될 때, 비로소 외상들로부터 벗어날 수 있는 해결책을 발견할 수 있다. 사도적인 사람들은 하나님 아버지의 마음과 신실하심을 모두 밝히 드러내주는 사람들이다.

질고의 상처

나는 '질고'(grief)를 누군가가 '아프고, 연약하고, 괴로워하고, 소심하고, 병에 걸려 있고, 상처를 입은' 상태라고 정의한다. 앞에서 소개한 무슬림들과 마찬가지로, 마귀는 세상 사람들에게 하나님에 관한 중상모략을 퍼뜨렸다. 그로 인해 사람들은 하나님의 마음에 대해서는 그다지 관심을 기울이지 않고, 스스로를 버림받은 자, 사생아, 부모 없는 자라고 느낀다. 그들은 하나님이 사람을 차별대우하시는 분이라고 생각한다. 그러면서 마치 자신들에게는 하나님께 자신들을 위해 개입해주시도록 요청할 아무런 권리도 없다고 여긴다. 우리가 주님으로부터 받을 수 있는 능력은, 하나님이 어떤 분이신지 우리가 어떻게 인식하고 있느냐와 직접적인 관련이 있다.

시편 77편 10-11절은 다음과 같이 말씀한다. "또 내가 말하기를 이는 나의 잘못이라 지존자의 오른손의 해 곧 여호와의 일들을 기억하며 주께서 옛적에 행하신 기이한 일을 기억하리이다." 오른손은 하나님의 권능을 상징한다. 그런데 수많은 사람들이 하나님의 오른손이 달라졌다고 믿도록 배우고 있다. 그로 인해 주님께서 권능으로 역사하시기를 중단하셨다고 생각하고 있는 듯하다. 물론 그런 일은 일어나지 않았다. 오히려 하나님이 변하셨다고 생각하는 사람들의 관념이 잘못되었다. 우리 모두 다음과 같은 사실을 기억하자. "주는 기이한 일을 행하신 하나님이시라"(시 77:14).

사람들은 실망을 경험했을 때, 그것도 여러 번 거듭해서 실망했을 때,

자신들이 반드시 알고 있어야 하는 지식을 더 이상 고수하지 않고 진리와 거짓을 맞바꿔버린다. 시편 77편 11절은 그들이 반드시 견지하고 있어야 할 신조다. "곧 여호와의 일들을 기억하며 주께서 옛적에 행하신 기이한 일을 기억하리이다." 그러나 이미 그들은 하나님의 신실하심을 망각해버렸다. 하나님의 마음에 대한 그들의 견해는 왜곡되어 있다.

사도적인 사람들은 사람들에게 하나님과의 관계가 정직해야 한다고 가르친다. 대부분의 사람들은 자신들의 마음을 온전히 쏟아붓지 않는다. 그들은 내면에서 악감정을 일으키는 근본적인 문제를 다루지 않는다. 그들은 실망감을 마음속에서 놓아버리지 않는다. "제가 처음 치유를 받기 원했을 때, 하나님은 저를 치유해주지 않으셨어요. 두 번 다시 상처 받고 싶지 않아요. 하나님은 저보다 다른 사람들을 더 사랑하시는 것이 분명해요." 사도적 기름부음은 이러한 거짓말을 깨뜨려버린다. 사도적인 사람들은 표적과 기사와 이적들을 통해 하나님에 관한 인식을 재구성하도록 돕는다.

사도적인 사람들은 누구든 변화되기 원하는 진실한 열망과 참된 믿음(그들의 믿음이 어느 정도 수준이든 상관없이)과 기대감을 품고 하나님께 나아오기만 하면, 모두가 동일하게 하나님의 도우심을 받을 수 있음을 보여준다. 사도적인 사람은 모두 자신만의 고유한 계시의 비결들을 찾아내야 한다. 이 비결들은 사람들이 그토록 애타게 찾아다니는 해답들을 드러내 줄 것이다.

잠시 시편 137편과 138편, 그리고 누가복음 21장 1-13절을 연구해보라. 특히 누가복음 21장 13절은 다음과 같이 말씀한다. "이 일이 도리어 너희에게 증거가 되리라."

지금 하나님께서는 실망감을 해체시킬 사도적인 사람들을 일으켜 세우시는 중이다. 그들은 격려하고 덕을 세우며, 위안과 확신을 가져온다. 그들은 사람들에게 하나님에 관해 기대감을 품고 기도한다는 것이 무엇인지를 가르쳐줄 것이다. 하나님은 지금 구원자들(deliverers)을 일으켜 세우고 계신다. 이들은 이스라엘을 압박하는 자들을 무찌를 수 있는 영적인 능력을 부여받은 개인들이다. 주님의 몸 된 교회(이스라엘)가 부르짖으면, 그들이 일어날 것이다. 눈물이 가진 권능을 결코 망각하지 마라!

사도적인 사람들은 압제당하는 자들의 기도에 대한 하나님의 응답이다. 그들이 보여주는 사역은 사람들의 믿음에 대한 보상이 될 것이다. 느헤미야 9장 27절의 경우와 마찬가지로 말이다. "그러므로 주께서 그들을 대적의 손에 넘기사 그들이 곤고를 당하게 하시매 그들이 환난을 당하여 주께 부르짖을 때에 주께서 하늘에서 들으시고 주의 크신 긍휼로 그들에게 구원자들을 주어 그들을 대적의 손에서 구원하셨거늘." 한편 사사기 10장 16절에서 우리는 다음과 같은 구절을 발견하게 된다. "여호와께서 이스라엘의 곤고로 말미암아 마음에 근심하시니라." 출애굽기에서도 이것과 관련된 구절을 찾아볼 수 있다. "내가 애굽에 있는 내 백성의 고통을 분명히 보고 그들이 그들의 감독자로 말미암아 부르짖음을 듣고 그 근심을 알고 내가 내려가서 그들을 애굽인의 손에서 건져내고"(출 3:7-8).

어느 교회에서 있었던 집회가 생각난다. 미주리 주에 있는 그 교회는 한 교단에 속해 있었다. 그곳에서는 성령의 역사하심과 관련하여 매우 인상적인 일들이 있었다. 그것은 청년들 사이에서 일어난 집중적인 기도에 대한 반응과 관련된 것이었다. 그들의 부르짖음은 사도적인 움직임을 태동시켰다. 이러한 움직임은 그 교회가 속해 있던 교단적 배경에서는 전혀 유래를 찾아볼 수 없는 것이었다. 나는 그와 같은 기적과 예언이 수반된 하나님의 운행하심에 동참할 수 있었음에 매우 감사하게 생각한다. 그때 일어난 일들은 이전에는 거의 목격한 적이 없었던 것들이었다. 아울러 그 일들은 청년들이 하나님의 방문을 기대하며 간절히 부르짖었기에 가능했다.

하나님께서는 그분의 백성들이 기대감을 가지고 주님께 부르짖기만 하면, 반드시 응답해주신다. 그들의 부르짖음은 하나님께서 개입하시는 촉매제가 되었다.

주님은 단지 우리가 드리는 기도에만 응답해주시는 분이 아니다. 주님은 우리의 울부짖음에도 응답하신다! 주님은 그분의 백성들의 비참함을 떠안아주신다. 하나님은 인류가 처해 있는 곤경의 상황으로부터 결코 멀리 계신 분이 아니다. 어떤 필요를 놓고 기도하는 것과 그 필요로 인해 슬피 우는 것은 전혀 별개의 일이다!

사무엘상 22장 1-2절은 다음과 같이 말한다. "그러므로 다윗이 그곳을 떠나 아둘람 굴로 도망하매 그의 형제와 아버지의 온 집이 듣고 그리로 내려가서 그에게 이르렀고 환난 당한 모든 자와 빚진 모든 자와 마음이 원통한 자가 다 그에게로 모였고 그는 그들의 우두머리가 되었는데 그와 함께 한 자가 사백 명가량이었더라."

속박되어 있는 동안에 사람들은 노래를 잃어버린다. 다시 말해, 그들은 갈망과 동기, 열정을 상실해버린다. 다윗에게 모여든 사람들은 정서적으로 괴로워하고 있었고, 물질적으로는 빚더미에 싸여 있었으며, 영적으로는 불만족스러워하고 있었다. 그들의 소망은 사울의 사악함으로 인해 산산이 부서졌다. 그들에게는 더 이상 아무런 힘도 없었고, 공급원도 없었고, 의욕도 남아 있지 않았다. 그들은 새로운 비전과 새로운 목적, 새로운 방향제시를 얻기 위해 다윗에게로 모여들었다. 다윗은 그들을 위한 구원자가 되어주었다. 오늘날에는 사도적인 다윗들이 우리의 여정 가운데 나타나 우리를 온갖 실망감들로부터 구원해줄 것이다.

사도적인 사람들은 사람들 안에 희망을 회복시킨다. 그들은 사람들로 하여금 무언가 좋은 것을 기대하게 하고, 하나님께로부터 오는 무언가를 열망하도록 격려한다. 사도적인 사람들은 수많은 은사주의자들에게 괴로움을 주고 있는 실망감을 박살낸다. 그들은 그리스도의 몸에 치유를 회복시킨다. 그들은 부흥을 가져오고, 사람들로 하여금 신선한 놀라움을 느끼도록 해준다.

그러나 우리는 단련을 받을 것이다

언젠가 어느 목사님이 나를 꾸짖은 적이 있다. "왜 자네는 사람들을 선동하여 희망을 일깨우고 있는가? 왜 사람들로 하여금, 반드시 치유되고, 구원받고, 새로워질 것이라고 믿게 하는가? 자네도 그 일이 반드시 일어난다고 장담하지 못하면서 말일세. 그들이 실망하는 모습이 불 보듯 뻔한데, 왜 자네는 그들을 그렇게 들뜨게 만들어놓는가?"

그의 말은 나를 당황스럽게 했다. 약 2초 동안 말이다. 잠시 후 나는 이 가련하고 환멸감에 빠진 목회자를 위한 다윗이 되어주고 싶은 마음이 들었다. 나는 그것이야말로 하나님께서 역사하시는 방법임을 알아차렸다. 주님은 우리 안에 자연적인 관점에서는 절대로 성취될 기미가 없어 보이는 희망과 갈망들을 일깨워주신다. 주님은 우리에게 약속해 주시고, 그런 후에 우리를 시험해보실 수 있는 여러 가지 상황들을 허락하신다.

주님은 우리를 축복하시고, 그런 다음 우리를 약속으로 단련하신다. '시험하다'(try)라는 단어에는 '불순물을 제거하고 정련시키다'라는 의미가 내포되어 있다. 시편 105편 19절을 참조하자. "곧 여호와의 말씀이 응할 때까지라 그의 말씀이 그를 단련하였도다."

이 구절은 열여덟에 노예로 팔려간 요셉에 관한 이야기다. 그는 말씀이 성취되기까지 12년이라는 세월을 기다려야 했다. 그는 말씀에 의해서, 약속에 의해서 단련을 받았다. 마치 사람이 하듯 그를 단련시킨 것은 다름 아닌 약속 자체였다. 말씀이 요셉 안에 남아 있던 온갖 불순물들을 제거해내고 정련시켰다. 그를 단련시킨 것은 단순히 그가 처해 있던 환경들이 아니었다. 이 점은 우리가 반드시 눈여겨보아야 할 대목이다. 우리를 시험하는 것은 하나님이라기보다는, 오히려 당사자가 부여받은 약속 그 자체다.

예레미야애가 3장 33절은 다음과 같이 선포하고 있다. "주께서 인생으로 고생하게 하시며 근심하게 하심은 본심이 아니시로다." 사도적인 사람들은 다음과 같은 질문을 제기하도록 부름 받았다. "당신은 하나님의 말씀을 믿으시렵니까, 아니면 당신이 처한 환경들을 믿으시렵니까?" 사람이 처해 있는 상황들은 단순히 이렇게 말한다. "아냐, 이건 효과가 없을 거야." 그러나 주님의 약속은 우리를 단련하고 시험하고 불순물들을 제거해낸 후에 기대했던 성과를 얻게 할 것이다. 우리가 실망하지 않으려면 이러한 과정들을 반드시 분리시켜 생각해야 한다. 누가복음 1장 45절의 말씀과도 같이, 주님께서 당신에게 약속해주신 일들이 성취되는 순간은 반드시 도래할 것이다. 당신이 믿음을 잃지만 않는다면 말이다.

우리는 다음의 말씀들을 늘 잊지 말아야 한다.

하나님은 사람이 아니시니 거짓말을 하지 않으시고 인생이 아니시니 후회가 없으시도다 어찌 그 말씀하신 바를 행하지 않으시며 하신 말씀을 실행하지 않으시랴 (민 23:19)

여호와께서 나를 위하여 보상해 주시리이다 여호와여 주의 인자하심이 영원하오니 주의 손으로 지으신 것을 버리지 마옵소서 (시 138:8)

사도적 기름부음은 상황들이 불리하게 돌아갈지라도 하나님의 약속들은 결코 흔들림이 없다는 사실을 상기시켜 준다. 우리는 잊혀진 존재들이 아니다. 우리는 결코 화낼 필요가 없다. 우리는 하나님이 신뢰할 만한 분이심을 믿으면서, 열악한 상황들을 밀고 나아가야 한다. 주님은 반드시 그분의 신실하심을 입증해주실 것이다.

열왕기하 4장 16장에서 엘리야에게 핀잔을 준 여인처럼 되지 마라. "엘리사가 이르되 한 해가 지나 이때쯤에 네가 아들을 안으리라 하니 여인이 이르되 아니로소이다 내 주 하나님의 사람이여 당신의 계집종을 속이지 마옵소서 하니라." 그녀는 이렇게 말하고 있었다. "나를 속이지 마십시오! 당신이 능히 이루지도 못할 일에 대해 갈망하도록 공연히 나를 부추기지 마십시오." 반면에 우리가 스스로에게 물어야 할 질문은 다음과 같다. "과연 하나님이 결국에는 우리를 낙담시키시려고, 우리 안에 위대한 열망을 일깨워 놓으시거나 회복시켜 놓으시는 걸까?" 이 물음에 대한 대답은 "아니다!"이다.

이사야 10장 27절은 말씀한다. "그날에 그의 무거운 짐이 네 어깨에서 떠나고 그의 멍에가 네 목에서 벗어지되 기름진 까닭에 멍에가 부러지리라." '멍에'(yoke)라는 말은 '머리를 조아리다, 억누르다, 무거운 부담을 지우다' 등의 의미를 지닌다. 수많은 사람들이 실망감이라는 멍에를 지고 괴로워하고 있다. 이제껏 그들은 언뜻 보기에 기대가 꺾여버리는 듯한 경험들을 수없이 많이 해왔다. 그러는 동안 그들은 앞으로도 또 그런 일들이 반복되어 일어날 것이라고 확신하게 되었다. 이런 상황에서 그들이 무언가를 믿을 이유가 무엇이겠는가?

사도적인 사람들이 지니고 있는 돌파의 기름부음은, 문자 그대로 그러한 멍에를 박살내버린다. 나의 친구이자 멘토인 척 플린이 이 성경구절의 함축적 의미에 관해 말해준 적이 있다. 이 말씀은 신자의 목이 영적으로 너무나도 살져서 더 이상 멍에가 매여 있을 수 없게 된 것을 의미한다고 한다. 오, 주님, 우리의 목이 살지게 해주십시오! 주님께서 우리를 그대로 받아주고 계심을 알도록 도와주십시오! 주님의 진정한 성품을 우리에게 계시해주십시오!

당신도 잘 알다시피, 마귀는 하나님의 성품에 관하여 사람들에게 거짓된 말을 퍼뜨려왔다. 그는 하나님이 실제로 어떤 분이신지를 깨닫지 못하도록, 사람들 안에 하나님에 관한 잘못된 인상을 심어놓았다. 앞서 이야기한 바 있는 인도의 무슬림들과 마찬가지로 말이다.

대부분의 사람들이 가지고 있는 하나님에 대한 신앙은, 사랑이 표현되었다고 추정되는 경우(주님이 그들을 위해 무언가를 해주실 때)에 기반을 두고 있다. 그들의 신앙은 그들을 향한 하나님의 변함없는 사랑의 태도(주님은 영원무궁토록 그들을 사랑하실 것이지만, 동시에 주님은 여전히 그들에게 경배를 명령하신다)에 근거한 것이 아니다. 궁극적으로 말하자면, 하나님에 대한 그들의 견해는 왜곡되어 있다. 그들은 하나님을 무의미한 경험의 차원으로, '반쪽짜리 진리'의 차원으로, 하나의 공식의 차원으로 축소시켜 놓았다.

수많은 사람들이 보다 심오한 진리를 원하면서도 주님과의 보다 친밀한 관계는 원치 않는다. 그들은 하나님에 관해 총체적으로 알기를 진심으로 원하지는 않은 채, 단지 하나님이 그들을 위해 무언가를 행해주시기만을 바란다. 그들은 자신들을 위해 치유사역을 '애써 행하려고' 노력한다. 참된 권능이 현존하고 있지 않음에도 불구하고, 그들은 권능 아래서 넘어진다. 그들에게서는 주님이 단지 하나님이시라는 이유만으로 주님과 함께 하려는 진심 어린 결단을 찾아볼 수 없다. 그저 상투적인 태도로 하나님으로부터 온 예언이나 번영을 못 본 체 하려고 애쓸 따름이다. 그들은 하나님을 아는 지식으로부터 말미암는 책임성을 함께 공유하는 것은 원치 않는다. 그들의 태도와 행위들이 그들의 진정한 동기들을 무심코 드러내 준다.

그동안 나는 하나님으로부터 은사를 받기 원하는 사역자들을 수없이 많이 보아왔다. 그들이 원한 것은 하나님이 아니었다. 그들은 주님을 갈망하기보다는 자신들의 사역을 더 갈망했다. "이제도 너희가 허탄한 자랑을 하니 그러한 자랑은 다 악한 것이라"(약 4:16). 심지어 하나님께서 베풀어주시는 축복들조차도 하나님과의 살아 있는 관계를 대체하는 수단이 될 수 있다.

사도적인 사람들은 이러한 오해를 바로잡기 위해 부름 받았다. 예수님은 지상사역을 행하시기에 앞서, 기쁨 안에서 하나님 아버지와의 관계를 누리셨다. 마찬가지로, 사도적인 사람들도 사람들에게 하나님의 축복을 받기에 앞서 주님과 더불어 진실하고 생동감 있는 관계를 누려야 한다고 촉구한다.

관계의 결핍이야말로 그리스도의 몸 된 교회 안에 실망감과 낙담, 실패들이 팽배하게 된 원인이라고 할 수 있지 않을까? 우리도 하박국처럼 기도해야 한다. "비록 무화과나무가 무성하지 못하며 포도나무에 열매가 없으며 감람나무에 소출이 없으며 밭에 먹을 것이 없으며 우리에 양이 없으며 외양간에 소가 없을지라도 나는 여호와로 말미암아 즐거워하며 나의 구원의 하나님으로 말미암아 기뻐하리로다"(합 3:17-18).

우리는 하나님이 실패하지 않으시는 분임을 알아야 한다. 하나님의 사랑은 결코 쇠퇴하지 않는다.

> 그가 친히 말씀하시기를 내가 결코 너희를 버리지 아니하고 너희를 떠나지 아니하리라 하셨느니라 (히 13:5)

자, 우리 모두는 언젠가 죽음의 골짜기를 통과하게 될 것이다(시 23:4). 나는 죽음의 골짜기를 '오해의 그림자가 드리워진 골짜기'라고 부른다. 마리오 무릴로는 이를 '영혼의 밤'이라고 부른다. 그러나 우리는 소망을 품는 것을 두려워해서는 안 된다. 우리는 언제나 기쁨을 잃지 말아야 한다. 우리는 의욕, 열정, 갈망을 상실해서는 안 된다. 주님의 권능과 권세와 능력 안에서 우리가 가진 영적 탄력성을 늘 유지해야 한다.

우리가 무슨 일을 겪게 되더라도, 아무리 상실처럼 보이는 일을 만날지라도, 상황이 악화되어가는 듯 보일지라도, 언젠가는 그 일들이 우리의 간증거리로 변화되는 순간이 찾아올 것이다. 거짓 그리스도들, 난리들, 난리의 소문들, 지진들, 기근들, 전염병들, 핍박들 때문에 근심한 나머지, 하나님께서 여전히 하나님이심을 잊어서는 안 된다(마 24:4-14). 우리 모두 우리의 질고와 상처, 온갖 실망감과 낙담들을 떨쳐버리자.

휠체어에 앉아 있던 남자

한번은 미국 중서부 지역에서 집회를 인도한 적이 있다. 집회를 개최한 그 지역교회는 '치유와 기적의 집회'라고 주제를 잡았다. 참으로 재미있었던 점은, 그들이 실제로 신문에 다음과 같은 광고를 냈다는 사실이다. "자, 오십시오. 병자들, 허약한 이들, 죽은 자들을 데려오십시오! 예수님께서 아픈 자들을 깨끗케 해주시고, 나병환자들을 치유해주시고, 죽은 자들을 일으키실 것입니다!" 정말이지 사람을 난처하게 만드는 내용 아닌가! 이런 경우 내가 할 수 있는 유일한 말은 다음과 같다. "주님, 다시 한 번 주님께서 일해 주셔야겠습니다!" 기대감에 부풀어 있는 사람들에게 아무것도 해줄 수 없음을 알게 될 때, 우리는 그야말로 겸손해지지 않을 수 없다.

마침내 나는 단상 위에 서게 되었다. 그 교회의 목회자와 회중들이 자리에 앉아 나를 바라보고 있었다. 참석인원은 2백여 명쯤 되어 보였다. 나는 어떻게 이 모임이 '치유와 기적의 집회'라고 광고되었는지에 관해 깊이 생각해보았다. 사실 회중들 사이에서는 아무런 기대감이나 흥분도 엿보이지 않는 듯했다. 그 점이 나는 염려스러웠다. 왜 그들 사이에서 번득이는 활력을 조금도 찾아볼 수 없는 건지 의아스러웠다. 그들은 하나님의 운행하심에 대해 아무것도 기대하지 않고 있었다.

한창 찬양과 경배를 드리던 중, 한 남자가 휠체어를 탄 채 교회 안으로 들어왔다. 그는 혼자서 휠체어를 운전하여 복도의 중간지점까지 왔다. 나중에 알고 보니, 그는 다발성 경화증을 이미 오랫동안 앓고 있는 사람이었다. 그가 이 병을 앓은 지도 벌써 14년 이상 되었다. 후일 그는 자신이 너무 오랜 세월을 걷지 못한 채 살아왔다고 털어놓았다. 그는 심지어 자신의 팔꿈치를 짚고 몸을 일으켜 세우는 일조차 하지 못했다. 사람들이 그를 휠체어에서 들어 올려 욕실에도 데려다주고 침대에도 눕혀주곤 했다.

그때 나는 매우 흥미로운 사실 하나를 발견했다. 그 순간 집회 장소에 있던 모든 사람들의 시선이 이 남자를 향해 쏠린 것이다. 나는 그들이 지금 무슨 생각을 하고 있는지 알 수 있었다. 주님께서 나에게 이런 통찰을 주시는 경우는 매우 드물다. 마치 백여 명이 일제히 이렇게 외치고 있는 것만 같았다. "오, 안 돼! 도대체 저 사람이 왜 이 안으로 들어온 걸까? 치유 받지 못한 채 실망하여 집회 장소를 떠나야 할 사람이 또 한 명 늘었네." 나는 그곳에 참석한 사람들의 불신앙을 감지하며 충격을 받았다.

어찌됐든 나는 선 채로 메시지를 선포하기 시작했다. 설교하기가 무척 힘들었다. 마치 걸쭉한 시럽 사이를 무진장 애를 쓰며 헤집고 나아가는 듯한 기분이었다. 바로 그때였다. 갑자기 성령께서 나와 전혀 상관없이 그곳에 앉아 있던 사람들을 치유하기 시작하셨다. 나로서는 주님께서 원하시는 때에 언제라도 일해주신다면 대환영이다.

하나님의 손이 회중들 사이에서 춤추기 시작하면, 대부분의 경우 잘 준비된 설교는 급히 중단된다. 그럴 때면 나는 으레 성경책을 덮고 주님께서 일하시도록 내어드리는 법을 터득했다.

그날 주님께서 나에게 한 여성에 관하여 매우 독특한 지식의 말씀을 주셨다. 그녀는 팔 아래의 림프절에 암이 있었는데, 이제 얼마 뒤에 수술을 받으려고 예약해둔 상태였다. 그런데 하나님께서 그녀를 치유해주셨다. 그녀의 암은 온데간데없이 사라져버렸다.

한편 거의 30년 이상 듣지 못하던 남성이 있었다. 심지어 그에게는 들을 수 있는 고막조차 없었다! 그런데 하나님께서 그날 고막을 새로 만들어주셨고, 마침내 그는 들을 수 있게 되었다. 이런 기적이 일어났다는 것 자체가 나로서는 몹시 흥분되는 일이었다.

그러나 사람들의 찬양소리는 여전히 매우 낮고 차분했다.

회중 가운데 한 소녀가 있었다. 발이 기형이었던 그녀는 맨 앞줄에 앉아 있다가 갑자기 자리에서 벌떡 일어섰다. "툭! 탁탁! 펑!" 하는 소리가 내 귀에까지 들려왔다. 하나님께서 그녀의 발을 고치고 계셨다. 그녀는 앞쪽으로 달려나와 주님께서 행하신 일을 사람들에게 들려주기 시작했다. 아울러 하나님의 만져주심을 받은 다른 몇몇 사람들도 앞으로 나와 간증을 했다. 그러나 그럼에도 불구하고, 집회 장소는 여전히 전체적으로 매우 차분하고 주저하는 분위기였다.

휠체어를 타고 있는 그 남성은 사람들이 들려주는 간증에 열심히 귀 기울이고 있을 뿐이었다. 나는 구원받기 원하는 사람들은 강단 앞쪽으로 나오라고 초청하였다. 그러자 그 남성도 사람들이 서 있는 줄 사이로 밀고 들어왔다. 마침내 하나님 나라 가운데로 휩쓸려 들어온 것이다. 나는 줄지어 서 있는 사람들에게 사역하기 위해 아래쪽으로 내려갔다. 그리고 어느 순간 그 남성 앞에 서서 그를 내려다보고 있었다. 만일 내가 다음과 같은 질문을 던졌더라면 매우 어리석었을지도 모른다는 생각이 든다. "자, 지금 주님이 당신을 위해 무슨 일을 행해주시기 원합니까?" 사실 이것은 너무나도 상투적인 질문이다.

그 대신 내 영 안에서 무언가가 탁 튀어 올라왔다. 나는 조금도 망설이지 않고 이렇게 말했다. "선생님, 선생님은 언제 그 휠체어를 박차고 나오고 싶습니까?"

"음, 지금 당장은 어떻겠습니까?"

그는 전혀 주저함이 없이 대답했다. 나를 바라보는 그의 두 눈은 기대감으로 가득 차 있었다. 그의 태도에 나는 심지어 당황스러움까지 느꼈다. 이 사람이 구원받은 것은 기껏해야 몇 분 전의 일이다! 그의 답변은 너무나도 간단명료했다. 그 순간 분위기는 갑작스런 침묵이 온 회중을 뒤덮는 소리마저 들을 수 있을 정도였다. 마치 우리 모두가 집단적으로 숨을 급히 들이마시고 있는 형국과도 같았다.

그런데 내가 아무런 지시를 내리지 않았음에도 불구하고, 그 남성은 가까스로 손을 아래로 뻗은 후에 조심조심 휠체어의 페달을 밀어 올렸다. 그런 다음 그는 약해빠진 자신의 두 다리를 손으로 쥐더니 바닥에 털썩 내려놓았다. 이 모든 동작들을 행하는 동안 그는 완전히 지쳐 버렸다. 그는 잠시 두어 번 심호흡을 한 후에, 고개를 들고 나를 쳐다보았다.

"음 … 자, 시작!"

그는 이를 악물고 젖 먹던 힘까지 동원하여 힘껏 휠체어를 밀어젖혔다. 그가 사력을 다해 비틀비틀 걷기 시작하였을 때, 하나님께서 그의 몸을 놀라운 생명력으로 충전시켜 주셨다.

이제 나는 하나의 원리를 믿는다. 하나님께서 당신에게 무언가를 행하도록 요구하실 때는 반드시 그 일을 통해 은혜를 베풀어주시기 위해서다. 성경에서 예수님은 한쪽 손 마른 남성에게 손을 내밀라고 말씀하셨다(마 12:13). 의심할 나위 없이 그가 주님께 손을 내밀려고 마음먹은 바로 그 지점에서 은혜가 임하여 그는 손을 쭉 펼 수 있었다. 우리가 하나님께서 무엇을 원하고 계신지를 아는 것보다 심오한 지혜 가운데서 행해야 할 필요성도 바로 여기에 있다.

마침내 성령님의 감동에 따라 이 남성은 두 발을 딛고 일어나 섰다. 순간 그의 몸이 약간 위아래로 흔들렸다. 그러나 그는 하나님의 권능이 자신을 관통하고 있음을 느꼈다. 그는 이렇게 말했다. "만일 제가 설 수 있다면, 저는 걸을 수도 있습니다." 그 말을 한 후에 그는 마치 갓난아이가 걸음마를 떼듯이 한 발 한 발 걷기 시작했다. 스무 발자국 혹은 스물다섯 발자국쯤 한 방향으로 줄곧 직진한 후, 그는 몸을 돌려 다시금 왔던 방향으로 되돌아갔다. 휠체어에 털썩 주저앉은 그는 완전 지쳐버린 듯한 모습으로 땀을 뻘뻘 흘리고 있었다.

심호흡을 하면서 그가 말했다. "설교자님, 오늘 처음으로, 정말 오랜만에 제 다리에 통증을 느꼈습니다! 마치 수만 개의 가느다란 바늘들이 제 다리를 콕콕 찌르는 것만 같았습니다. 아, 얼마나 아팠는지 모릅니다. 그러나 느낌이 좋았습니다."

당신도 알다시피, 세상에는 좋은 고통이라는 것도 존재한다!

당신은 회중들이 방금 전에 일어난 이 모든 일들을 목격했다면, 아마도 그곳이 놀라운 흥분의 도가니로 변했을 것이라고 생각할지 모른다. 열광적인 축하의 분위기가 터져 나오는 것이 당연했다. 그러나 그런 일은 일어나지 않았다. 오히려 무리 가운데 무언가가 풀어지면서, 사람들은 자기들끼리 투덜거리며 불평을 터뜨리기 시작했다. 심지어 몇몇 사람들은 다음과 같이 고함을 질러댔다. "완전히 미리 짜고 하는 일이야! 이것은 속임수거나 뭐 그런 것이라고!" 사람들의 목소리가 사방에서 들려오고 있었다. "이 일은 실제로 일어나지 않았어. 진짜로 일어난 일이 아니야!" 그들이 보여준 반응들에 나는 그야말로 아연실색하지 않을 수 없었다.

그러나 그동안 수많은 은사주의 집회들이 놀라운 치유와 기적의 예배라고 광고 되었음에도 불구하고, 실제로는 이렇다 할 기적들은 거의 일어나지 않은 채 끝나버리곤 했던 경우가 얼마나 비일비재했는가. 결과적으로 사람들의 마음에는 박탈감과 실망감만 쌓이게 되었다. 따라서 마침내 하나님의 운행하심이 손에 잡힐 듯 구체적으로 일어나는 순간에, 사람들은 침울함(이것에 관해서는 다른 장에서 보다 구체적으로 살펴보도록 하겠음)의 베일에 눈이 가려진 나머지, 참된 하나님의 손이 춤추고 있다는 것을 알아차리지 못하고 만다.

사도적인 사람들은 사람들에게 드리워진 이러한 베일을 제거해내야 한다. 원수의 수단이 되고 있는 실망감을 무장해제시켜야 한다. 기름부음을 통해 사람들의 삶에 도사리고 있는 침울함을 깨뜨리고, 그들로 하여금 언제라도 유감없이 드러내시는 하나님 아버지의 권능을 마음껏 누릴 수 있음을 알게 해주어야 한다.

이쯤에서 다시 방금 전 소개하였던 간증 이야기로 되돌아가보자. 그 집회를 마친 후 약 2주쯤 지났을 때, 나는 중서부에서 개최된 한 컨퍼런스에서 이전에 집회를 주관했던 교회의 목사님을 다시 만나게 되었다. 그가 나에게 이런 말을 전해주었다. "혹시 지난번에 휠체어 밖으로 걸어나온 그 다발성 경화증 환자의 일을 기억하십니까?"

내가 대답했다. "아, 네, 물론 기억하지요."

"음, 그 환자는 지금 완전히 치유되었답니다. 그런데, 말로니 형제님, 제가 형제님께 여쭤볼 것이 있습니다. 실은, 우리가 그 형제를 어떻게 대해야 할지 전혀 모르겠어요."

"그 남성을 어떻게 대해야 할지를 모르시다니, 그게 무슨 말씀이시죠?"

"형제님도 아시다시피, 우리 교회 앞 사거리에 정지신호등이 있지 않습니까? 당연히 자동차 운전자들은 신호등 앞에서 정지해야 하고요. 요즘 매번 예배가 시작되기 1시간 정도 전이면, 으레 그가 밖으로 나가 사거리 정지신호등 옆에 서 있곤 합니다. 자동차들이 신호등 앞에 서 있는 동안, 그는 자동차의 유리문을 두드립니다. 물론 그 자동차 안에는 전혀 모르는 사람이 타고 있죠. 그럼 그들은 이 남자가 뭘 원하고 있는지를 궁금해하면서 창문을 내립니다. 혹시라도 돈이나 다른 무언가를 달라고 하는 건가 궁금해하면서 말이죠. 바로 이때 그의 입에서 나오는 첫마디가 무엇인지 아십니까? '혹시 당신의 몸에 아프신 데는 없으십니까? 질병이 있지는 않으십니까? 과거에 저는 다발성 경화증을 앓고 있었습니다. 그래서 휠체어를 타고 다녔죠. 그런데 바로 저기에 있는 저 교회 건물이 보이시죠? 바로 저 교회에서 저의 질병을 치유 받았습니다. 만일 당신도 치유받기를 원하신다면, 저처럼 저 교회에 가보시기 바랍니다.' 이렇게 말한답니다."

그의 말을 들으며 나는 빙그레 미소를 지었다. 정말 굉장한 이야기 아닌가.

하지만 그 목사님의 얼굴에는 조금도 웃는 기색이 보이지 않았다.

"말로니 형제님, 우리가 어떻게 해야 그 사람이 그런 일을 하지 못하도록 말릴 수 있을까요? 도대체 어떻게 해야 그가 그 일을 그만둘까요?"

"목사님은 왜 그렇게 하기를 원하십니까? 왜 그를 그냥 내버려두지 않으십니까? 그냥 그가 하고 싶은 대로 하도록 두십시오." 그러나 그의 생각은 이미 확고해 보였다.

"형제님은 아마 잘 이해하지 못하실 겁니다. 그 사람의 행동으로 인해 저희 교회의 회중들이 불편해하고 있습니다."

"그게 무슨 말씀이십니까?" 나는 속으로 생각했다. '그래서 어쩌란 말인가?' 그러나 나는 가능한 한 요령 있게 대처하려고 애쓰고 있었다.

"교인들이 저를 찾아와서 이렇게 말합니다. '어떻게 이 사람은 구원받은 지 단 몇 분 만에 치유를 받을 수 있었답니까? 저는 하나님께서 치유해주시기만을 벌써 수년 동안 기다리고 있습니다. 왜 하나님은 저를 치유해주시지 않는 걸까요? 제가 이 교회를 다닌 지도 벌써 여러 해가 지났습니다. 게다가 저는 십일조도 내지 않습니까?'라고 말이죠."

그 사람들은 반드시 뚫고 지나가야 할 오랜 세월의 전통들과 종교적 개념들을 가지고 있다. 그러나 이제 막 구원을 받은 이 남자의 경우는 달랐다. 그는 이제까지 살아오면서 은사주의적인 교회의 집회에 한 번도 참석한 적이 없었다. 따라서 그는 무엇을 기대해야 하는지조차 알지 못했다. 하지만 교인들은 치유 받은 이 남자를 볼 때마다, 매번 자신들의 종교적 불신앙을 새삼 절감하곤 했다. 그들은 마침내 이 목사님에게 최후의 통첩을 보내기에 이르렀다. "그를 내보내주십시오. 그렇게 하시지 않으면 우리가 나가겠습니다."

이제 내가 그 목사님에게 물어보았다. "그래서 어떻게 대답하셨습니까?"

그가 말했다. "사실 우리는 그 남자에게 좀 떠나 달라고 부탁하지 않을 수 없었습니다."

오, 이 얼마나 애석한 일이란 말인가! 그 사건은 정말 깜짝 놀랄 만한 기적이었다. 이 기적을 잘만 활용했더라면 그 지역과 지방에 혁명을 일으키는 도구로까지 사용될 수 있었을 것이다. 그러나 그들은 이 남자가 사람들에게 영향력을 행사하지 못하도록 억제시키는 쪽을 선택했다. 이렇게 함으로써 그들은 스스로 하나님의 치유의 손길에서 점점 더 멀어져갔다. 그들은 자신들이 가진 재정적 영향력을 사용하여 목사를 압박했고, 결국 이 가련한 남자를 쫓아내도록 종용했다.

그 목사님은 계속해서 내게 다음과 같이 물었다. "당신이라면 어떻게 하셨겠습니까?"

차라리 나는 이렇게 말하고 싶은 심경이었다. "만일 저라면 손으로 문 쪽을 가리키며 그 사람들에게 나가라고 했을 것입니다." 그러나 그 대신 나는 그에게 다음과 같이 말했다. "만일 목사님이 저에게 돈과 기적 중 어느 쪽을 선택하겠느냐고 물으신다면, 아마도 저는 기적을 선택할 것 같습니다."

친애하는 독자들이여, 우리는 사람들이 가지고 있는 실망감을 누그러뜨려 주어야 한다. 우리는 다윗처럼 하나님의 교회를 옥죄고 있는 이 실망감의 멍에를 산산조각 내야 한다. 종교성이 가해오는 위협을 묵인해서는 안 된다. 상처를 입고 비탄과 쓴 뿌리의 늪에 빠져서 허우적대고 있어서는 안 된다. 하나님께서 우리를 다루시는 방식이 우리가 바라던 바와 다르다고 해서, 스스로 변명거리만 만들어내서는 안 된다.

지금은 바야흐로 사도적 시대다. 이 시대에 우리는 올바른 마음의 동기를 품고 올바른 자리에 서 있어야 한다. 하나님이 하나님이시라는 이유 하나만으로 우리가 주님께 온 마음을 쏟아부을 때, 하나님의 권능에 수반되는 부산물들이 풀어진다. 하나님이 언제라도 우리의 초자연적 충전을 위한 궁극적인 원천이 되실 수 있다는 계시를 확고하게 붙들고 있어야 한다.

우리가 가진 능력의 원천

여호수아 1장 1-5절의 말씀을 살펴보자. 여호수아는 이제 막 지도자였던 모세를 잃었다. 분명 여호수아는 깊은 슬픔에 잠겼을 것이다. 어쩌면 불안에 사로잡힌 채, 성공을 위한 타개책을 모색하고 있었을지도 모른다. 만일 누군가가 방향제시를 위한 메시지를 필요로 하고 있다면, 다름 아닌 여호수아였다. 그는 모세의 자리를 대신해야 했다. 지금 그에게는 이스라엘 백성을 약속의 땅으로 인도해야 할 어마어마한 책임이 주어져 있다. 그는 노련해져야 했고, 지혜가 필요했다.

하나님은 그로 하여금 터럭만큼의 부족함도 없게 해주셨다.

> 내가 네게 명령한 것이 아니냐 강하고 담대하라 두려워하지 말며 놀라지 말라 네가 어디로 가든지 네 하나님 여호와가 너와 함께 하느니라 (수 1:9)

오, 이것이야말로 사도적인 사람들이 주님의 몸 된 교회 안에 있는 사람들과 세상 사람들에게 가져다주어야 할 메시지가 아닌가!

여호수아는 하나님의 말씀을 듣는 동안 점차 깨달음을 얻기 시작했다. 주님은 모세가 능력의 원천을 가지고 있었다고 말씀해주셨는데, 그 원천이 바로 하나님이셨다. "내가 모세와 함께 있었던 것 같이 너와 함께 있을 것임이니라 내가 너를 떠나지 아니하며 버리지 아니하리니"(수 1:5). 하나님은 이렇게 말씀하고 계셨다. "내가 결코 너를 포기하지 않겠다. 너는 내게 있어 단순한 종 이상의 존재다."

수많은 그리스도인들을 포함하여 여전히 잃어버린 바 된 사람들이 소망을 품는 것을 두려워하고 있다. 그들 안에는 기대감이 완전히 소멸되어 버렸다. 사도적인 동기를 가지고 있는 사람들은 주님의 신실하심에 관한 계시를 가져온다. 그들은 하나님 아버지의 마음에 대한 올바른 관점을 가져온다. 주님을 기꺼이 아버지로서 영접하는 사람들을 위해, 아버지로서의 하나님에 관한 지식을 가져온다. 이것이 바로 성령께서 사도적인 사람들의 활동을 통해 증거해주시는 복음의 권능이다.

사람들은 주님이야말로 자신들의 진정한 아버지, 영원한 아버지이심을 깨닫기 시작한다. 아무리 확신이 부족하다 해도, 사도적 기름부음으로 넉넉히 이길 수 있다. 사람들은 자신들이 하나님 안에서 받아들여진 존재임을 이해하기 시작한다. 그러나 우리가 가진 확신이 부족하고 우리 안에 실망감이 있는 한, 이런 사실을 제대로 깨달을 수 없다. 그러므로 우리는 모든 슬픔을 벗어던지고 주님의 확신 가운데로 들어가야 한다. 그리스도 안에 해답이 있다(요 1:11-13).

비탄에 잠겨 있는 사람들은 종종 과묵하고 말이 없다. 그들은 일상 속에서 정서적 진공상태를 표현해낼 자신만의 목소리를 찾아내지 못하고 있다. 그로 인해 그들은 점점 더 무감각해지고 말수가 줄어든다. 그들은 정서적인 성장으로부터 차단되어 있다. 그들이 거절당한 상태, 혹은 상처 입은 상태, 분노의 상태에 있기 때문이다.

상처 입은 영을 가진 사람들은 마치 물이 새는 그릇과도 같다. 그들은 하나님의 받아주심을 지속적으로 유지하지 못한다. 그들은 세월을 허비하는 자들이다. 그러나 돌파의 기름부음은 그들을 풀어놓아 준다! 돌파의 기름부음은 그들에게 치유의 향유가 있음을 알려준다!

예레미야 30장 17절의 말씀을 들어보자. "여호와의 말씀이니라 그들이 쫓겨난 자라 하매 시온을 찾는 자가 없은즉 내가 너의 상처로부터 새 살이 돋아나게 하여 너를 고쳐 주리라." 하나님은 버림받았던 사람들을 사도적인 접착제를 사용하여 다시 회복시켜 주실 것이다. 그들은 더 이상 새지 않는 그릇이 될 것이다. 예레미야 31장 25-26절은 다음과 같이 말한다. "이는 내가 그 피곤한 심령을 상쾌하게 하며 모든 연약한 심령을 만족하게 하였음이라 하시기로 내가 깨어 보니 내 잠이 달았더라."

사도적인 사람들의 활동을 통해 하나님은 모든 영혼들을 원래대로 가득 채워주시고 단잠도 주실 것이다.

상심한 자들을 고치시며 그들의 상처를 싸매시는도다 (시 147:3)

나의 사랑하는 자는 내 품 가운데 몰약 향주머니요 (아 1:13)

무릇 시온에서 슬퍼하는 자에게 화관을 주어 그 재를 대신하며 기쁨의 기름으로 그 슬픔을 대신하며 찬송의 옷으로 그 근심을 대신하시고 (사 61:3)

예수님이 유다의 배반으로 깊은 상처를 입으셨다는 사실은 의심의 여지가 없다. 그 일로 주님께서 느끼신 아픔은 매우 컸을 것이다. 비록 주님께서 그 일이 일어날 줄 이미 알고 계셨더라도 말이다. 그러나 여전히 주님은 우리의 위대한 대리인이시다. 주님께서 우리의 모든 고통들을 대신 짊어지셨으므로, 우리는 더 이상 고통스러워하지 않아도 된다. 사도적인 사람들은 기름부음을 받고 이 진리를 사람들에게 계시해주어야 한다. 그렇지 않으면, 방금 전에 언급한 성경구절들은 우리에게 아무런 유익이 되지 못한다.

앞에서 나눈 바와 같이, 나는 4살이 될 때까지 말을 하지 못했다. 내 생애 처음 몇 년간 내가 들었던 이야기들은, 한결같이 나의 무가치함에 관한 것들뿐이었다. 그것은 다른 결점을 보완할 장점이란 조금도 갖지 못한 아이에 관한 이야기였다. "너는 아무짝에도 쓸모없는 녀석이야!"

이런 이유로 언제나 나는 성취를 통해서라도 받아들여져야 한다고 느끼며 살았다. 내 인생에는 리더십에 필요한 건축자재가 제대로 갖춰져 있지 않았다. 내면의 확신이 너무나도 결핍되어 있었기 때문에, 나 자신이 무조건적인 사랑을 받을 만한 권리가 있는 존재라는 사실조차 믿을 수 없었다. 나는 나의 유전자 구조가 실제로 손상되어버렸다고 생각했다. 원수는 중상모략을 통해 나로 하여금 하나님에 관해 삐딱한 시선을 갖게 만들어놓았다. 그것은 오늘날 무슬림 세계의 수많은 사람들이 하나님을 바라보는 방식과도 매우 유사했다.

그러나 초월적인 구원을 체험한 이후부터, 나는 내가 말할 수 없을 만큼 소중한 존재임을 믿고 느낄 수 있게 되었다. 그때 이후로 나는 하나님께서 나의 온갖 결점들에도 불구하고 나를 받아주셨음을 깨달았다. 나아가 주님은 내 안에서 이 모든 결점들을 강점으로 변화시키기 위한 작업에 착수하셨다. 어떤 이들은 내가 특별한 은총을 입어서 놀랄 만한 사역을 하게 되었다고 믿는다. 그러나 내 안에는 세상 사람들 앞에 내보일만한 특별한 것이 조금도 없다. 심지어 나는 말도 제대로 하지 못했던 사람이다!

이따금 아주 환상적인 기적에 대한 간증을 하고 난 후에는 슬그머니 교만한 마음이 들 때도 있다. 그럴 때마다 나는 겸허한 마음으로 내가 얼마나 하나님의 큰 은혜를 입은 사람인지를 떠올려본다. 심지어 오늘날 이 모습 이대로 사람 구실을 하며 살아갈 수 있는 것도 오직 하나님의 은혜 덕분이다. 하나님은 나의 원천이시다. 동시에 하나님은 우리 모두의 원천이시기도 하다. 따라서 당신은 하나님의 받아주심에 관한 계시를 소유하고 살아가야 한다.

당신도 알다시피 세상을 변화시킨 경건한 사람들의 역사를 살펴보면, 탁월하게 높은 아이큐(IQ)를 가진 사람들은 극히 드물다. 따라서 그들은 자신들의 능력이 실제로 그리스도 안에 있는 것임을 어렵지 않게 말할 수 있었다.

당신이 어떤 사람인지는 나에게 중요치 않다. 당신은 스스로를 우둔한 사람이라고 생각할 수도 있고 당신만의 목소리를 찾아내는 일이 불가능하다고 느낄지도 모른다. 그러나 하나님은 순식간에 사도적인 사람들을 불타오르게 하실 수 있는 분이다. 교회와 세상이 가진 온갖 한계점들을 제거해내고, 하나님께서 그들을 바라보시는 방식으로 스스로를 바라볼 수 있게 해주어야 할 사명이 이들에게 부여될 것이다. 주님은 우리 모두를 주님의 가족에 속한 자녀들이요, 친구들로 바라보신다. 주님의 가족은 아무런 부족함이 없다.

CHAPTER 4 하나님의 받아주심

| 기대감의 소멸

- 하나님에 대한 사람들의 관점이 왜곡된 데에는 이유가 있다. 바로 원수의 거짓말 때문이다. 하나님께서 그들의 존재를 다른 사람들만큼 그리 중요하게 여기지 않으시며, 하나님이 사람을 차별대우하시는 분이라고 속삭인다.
- 하나님이 모든 사람을 동등하게 받아주시지 않는다는 잘못된 이해는 사도적 돌파의 기름부음으로 말미암아 산산조각 나게 된다.
- 언제라도 하나님의 도움을 요청할 수 있다는 것을 믿지 못하고 왜곡된 견해를 가지고 있을 때, 사람들은 자신들의 삶이 현재의 모습보다 훨씬 더 나아질 수 있다는 희망을 포기하고 낙담해버린다.
- 오늘날 돌파의 기름부음을 전이받지 못한 수백만 명의 사람들이 충분히 원하는 만큼 사랑받고 수용받지 못한 채 살아가고 있다.
- 대체로 세상 사람들에게는 복음을 듣는 것 자체가 화를 돋우는 일이 되는 경우도 있다. 복음이 갈등을 조장하는 불쏘시개로 작용하는 것이다. 사람들은 하나님 때문에 결단할 수밖에 없게 된다. 그들은 무엇을 믿으며, 어느 편에 서야 할지 결정해야 한다. 주님을 따를 것인지, 따르지 않을 것인지를 결정해야 한다.
- 오늘날 수많은 사람들이 기적적인 일들과 사도적인 복음을 마땅히 목도할 수 있어야 함에도 불구하고, 실제로는 그렇게 하지 못하고 있다. 이로 인해 하나님을 바라보는 그들의 시각도 왜곡되고 뒤틀려 있다.

| '거의'라 불리는 체험들

- 사도적인 사람들은 보다 더 위대한 기적들을 끊임없이 추구해가는 사람들이어야 한다! 그들은 세상 사람들뿐만 아니라, 이미 그리스도인으로 살아가고 있지만 아파하는 자들을 위해서도 하나님의 향유를 공급해야 한다.
- 이제 우리는 '거의'(almost)라 불리는 체험들에 대해 진절머리가 나야 한다.
- 지금 하나님은 그리스도의 몸 안에 존재하는 이 '거의' 사고방식에 맞서 싸우기 위해 사도적인 사람들을 일으키시는 중이다.
- "사랑하는 자여 네 영혼이 잘됨 같이 네가 범사에 잘되고 강건하기를 내가 간구하노라"(요삼 2).
- 사도적인 사람들은 신선한 돌파의 기름부음을 가져옴으로써 영혼이 잘되도록 해주어야 한다. 평안한 영혼은 과거의 수치로부터 더 이상 아무런 영향도 받지 않는다. 수세기에 걸쳐 우리를 줄곧 괴롭혀온 멍에와 속박과 한계들을 부서뜨리는 기름부음이 필요하다.
- 예수님은 무수히 많은 사람들을 즉석에서(instantaneously) 치유해주셨다. 예수님이 지상사역을 수행하셨던 동안 점진적인 치유를 행해주신 경우는 거의 없었다.
- 예수님은 온전하게 치유해주셨다. 예수님은 신체적인 것을 비롯하여, 병자 안에 있던 온갖 허약함도 치유해주셨다.
- 예수님은 모든 이들을 치유해주셨다. 주님께 나아오는 모든 이들이 치유를 받았다. 심지어 믿음이 부족한 사람도 주님께로 나아오기만 하면 온전해졌다. 그들이 한 일은 오직 주님께 나아가는 것이 전부였다.

| 문제의 뿌리

- "이미 도끼가 나무 뿌리에 놓였으니 좋은 열매를 맺지 아니하는 나무마다 찍혀 불에 던져지리라"(마 3:10).
- "까닭 없는 저주는 참새가 떠도는 것과 제비가 날아가는 것 같이 이루어지지 아니하느니라"(잠 26:2).
- 사도적 기름부음은 뿌리를 찾아내어 도끼로 베어 찍어내어 불 속에 던져 넣은 다음, 다시 참새들을 하늘로 날려 보낸다.

- 의사들은 질병을 크게 세 가지 항목으로 분류한다. 기능적인 질병, 유기체적인 질병, 심인성 질병이 그것이다.
- 기능적인 질병이란, 완벽할 정도로 훌륭한 신체의 시스템이 적절하게 기능하지 않고 있는 상태다(요통, 두통, 심계 항진, 배탈, 호흡관련 문제들 등). ex) "내 팔에 염증이 생겼다."
- 유기체적인 질병은 장기나 신체 시스템이 망가졌거나 불구가 되었거나 못 쓰게 되었을 때 일어난다(감염, 심장마비, 담석, 탈장, 암, 골절, 실명, 선천적인 허약 등). ex) "나는 팔이 없다." "내 팔은 여위고 약하다."
- 심인성 질병이란 마음속에서 진행되고 있는 질병을 가리킨다. 심인성 질병은 실제로 신체에 발생하는 것이 아니다. ex) "아무래도 내 팔이 아픈 것 같다."
- 이제까지 대부분의 기적들은 주로 기능적인 질병 혹은 심인성 질병의 영역에서 일어났다. 물론 이것에 대해서도 하나님께 감사드린다!
- 대부분의 사람들의 삶을 평생토록 괴롭히는 것은 유기체적인 질병이다. 대체로 이 질병들로 인해 사람들은 본래의 수명을 누리지 못하고 죽음에 이르고 만다. 지금 사도적인 사람들이 이러한 유기체적인 질병이 치유되는 모습을 목격하기 위해 보다 강력한 기름부음을 가지고 일어나고 있다.
- "그는 실로 우리의 질고를 지고 우리의 슬픔을 당하였거늘 우리는 생각하기를 그는 징벌을 받아 하나님께 맞으며 고난을 당한다 하였노라 그가 찔림은 우리의 허물 때문이요 그가 상함은 우리의 죄악 때문이라 그가 징계를 받으므로 우리는 평화를 누리고 그가 채찍에 맞으므로 우리는 나음을 받았도다"(사 53:4-5).
- '지고'(borne)의 문자적 의미는 '높이 들어올린'이며, '당하였거늘'(carried)은 '아주 먼 곳으로 제거해버리다'라는 뜻이다. 한편, '질고'(griefs)는 '아픔'(sickness)을, '슬픔'(sorrow)은 '고통'(pains)의 의미로 이해할 수 있다.
- 우리는 주님이 하나님께 맞아 쓰러지셨다고 여겼다. 그러나 예수님은 우리의 연약함과 사악한 경향으로 인해 창과 못에 찔리고 짓밟히셨다. 주님은 우리의 행복을 위해 채찍질을 당하셨다. 주님이 매를 맞으심으로 우리가 치유되었다는 구절은 우리가 '희열의 상태에 이르게 되었다'는 뜻으로 해석할 수 있다.

| 질고의 상처

- '질고'(grief)란, 누군가가 '아프고, 연약하고, 괴로워하고, 소심하고, 병에 걸려 있고, 상처를 입은' 상태를 말한다.
- 마귀는 세상 사람들에게 하나님에 관한 중상모략을 퍼뜨렸다. 그로 인해 사람들은 하나님의 마음에 그다지 관심을 기울이지 않는다. 그들은 스스로를 버림받은 자, 사생아, 부모 없는 자라고 느낀다. 그들은 하나님이 사람을 차별대우하시는 분이라고 생각한다. 그러면서 마치 자신들에게는 하나님께 자신들을 위해 개입해 달라고 요청할 아무런 권리도 없다고 여긴다.
- 우리가 주님으로부터 받을 수 있는 능력은, 하나님이 어떤 분이신지에 관해 우리가 어떻게 인식하고 있느냐와 직접적으로 연관되어 있다.
- "또 내가 말하기를 이는 나의 잘못이라 지존자의 오른손의 해 곧 여호와의 일들을 기억하며 주께서 옛적에 행하신 기이한 일을 기억하리이다"(시 77:10-11). 오른손은 하나님의 권능을 상징하는 표현이다. 그런데 수많은 사람들이 오늘날 이러한 하나님의 오른손이 달라졌다고 믿도록 배우고 있다.
- 사람들은 실망을 경험했을 때, 그것도 여러 번 거듭해서 실망했을 때, 이제 그들은 자신들이 반드시 알고 있어야 하는 지식을 더 이상 고수하지 않고 진리와 거짓을 맞바꿔버린다.
- 사도적인 사람들은 사람들에게 하나님과의 관계가 정직해야 한다고 가르친다. 그런데 대부분의 사람들은 자신들의 마음을 마땅히 해야 할 방식으로 쏟아붓지 않는다. 그들은 내면에서 악감정을 일으키는 근본적인 문제를 다루지 않는다. 그들은 실망감을 마음속에서 놓아버리지 않는다.
- 사도적인 사람들은 표적과 기사와 이적들을 통해 하나님에 관한 인식을 재구성하게 해준다. 그들은 누구든 변화되기 원하는 진실한 열망과 참된 믿음(그들의 믿음이 어느 수준이든 상관없이)과 기대감을 품고 하나님께 나아오기만 하면, 모두가 동일하게 하나님의 도우심을 받을 수 있음을 보여준다.
- 지금 하나님은 실망감을 해체시킬 사도적인 사람들을 일으켜 세우고 계신다. 그들은 격려와 덕을 세워줌, 위안과 확신을 가져온다. 그들은 사람들에게 하나님에 관해 가르쳐줄 것이다. 기대감을 가지고 기도하는 법을 가르쳐줄 것이다. 하나님은 지금 구원자들(deliverers)을 일으켜 세우시는 중이다. 이들은 이스라엘을 압박하는 자들을 무찌를 수 있는 영적인 능력을 부여받은 이들이다.

- "그러므로 주께서 그들을 대적의 손에 넘기사 그들이 곤고를 당하게 하시매 그들이 환난을 당하여 주께 부르짖을 때에 주께서 하늘에서 들으시고 주의 크신 긍휼로 그들에게 구원자들을 주어 그들을 대적의 손에서 구원하셨거늘"(느 9:27).
- "여호와께서 이스라엘의 곤고로 말미암아 마음에 근심하시니라"(삿 10:16).
- 속박되어 있을 때 사람들은 노래를 잃어버린다. 다시 말해, 그들은 갈망과 동기, 열정들을 상실해버린다. 다윗에게 모여든 사람들은 정서적으로는 괴로워하고 있었고, 물질적으로는 빚더미에 싸여 있었으며, 영적으로는 불만족스러워하고 있었다. 그들의 소망은 사울의 사악함으로 인해 산산이 부서지고 말았다. 그들에게는 더 이상 아무런 힘도 없었고, 공급원도 없었고, 의욕도 남아 있지 않았다. 그들은 새로운 비전과 새로운 목적, 새로운 방향제시를 얻기 위해 다윗에게로 모여들었고, 다윗은 그들을 위한 구원자가 되어주었다(삼상 22:1-2).
- 오늘날은 사도적인 다윗들이 우리의 여정 가운데 나타나 온갖 실망감들로부터 우리를 구원해줄 것이다. 사도적인 사람들은 사람들 안에 희망을 회복시킨다. 그들은 사람들로 하여금 무언가 좋은 것을 기대하게 하고, 하나님께로부터 오는 무언가를 열망하도록 격려한다. 사도적인 사람들은 수많은 은사주의자들에게 괴로움을 주고 있는 실망감을 박살낸다. 그들은 그리스도의 몸에 치유를 회복시킨다. 그들은 부흥을 가져오고, 사람들로 하여금 신선한 놀라움을 느끼도록 해준다.

| 그러나 우리는 단련을 받을 것이다

- 주님은 우리 안에 자연적인 관점에서는 절대로 성취될 기미가 없어 보이는 희망과 갈망들을 일깨워주신다. 주님은 우리에게 약속을 주시고, 그런 후에 우리를 시험해보실 수 있는 여러 가지 상황들을 허락하신다. 주님은 우리를 축복하시고, 그런 다음 우리를 약속으로 단련하신다.
- '시험하다'(try)라는 단어에는 '불순물을 제거하고 정련시키다'라는 의미가 내포되어 있다.
- "곧 여호와의 말씀이 응할 때까지라 그의 말씀이 그를 단련하였도다"(시 105:19).
- 우리를 시험하시는 것은 하나님이라기보다는, 오히려 당사자가 부여받은 약속 그 자체다.
- "주께서 인생으로 고생하게 하시며 근심하게 하심은 본심이 아니시로다"(애 3:33).
- "하나님은 사람이 아니시니 거짓말을 하지 않으시고 인생이 아니시니 후회가 없으시도다 어

찌 그 말씀하신 바를 행하지 않으시며 하신 말씀을 실행하지 않으시랴"(민 23:19).
- "여호와께서 나를 위하여 보상해 주시리이다 여호와여 주의 인자하심이 영원하오니 주의 손으로 지으신 것을 버리지 마옵소서"(시 138:8).
- 사도적 기름부음은 상황들이 불리하게 돌아갈지라도 하나님의 약속들은 결코 흔들림이 없다는 사실을 상기시켜 준다. 우리는 잊혀진 존재들이 아니다. 우리는 결코 화낼 필요조차 없다. 우리는 하나님이 신뢰하실 만한 분임을 믿으면서 열악한 상황들을 밀고 나아가야 한다. 주님은 반드시 그분의 신실하심을 입증해주실 것이다.
- "그날에 그의 무거운 짐이 네 어깨에서 떠나고 그의 멍에가 네 목에서 벗어지되 기름진 까닭에 멍에가 부러지리라"(사 10:27).
- '멍에'(yoke)라는 말은 '머리를 조이다, 억누르다, 무거운 부담을 지우다' 등의 의미를 지닌다. 오늘날 수많은 사람들이 실망감이라는 멍에를 지고 괴로워하고 있다.
- 사도적인 사람들이 지니고 있는 돌파의 기름부음은, 문자 그대로 그러한 멍에를 박살내버린다. 이 말씀은 신자의 목이 영적으로 너무나도 살쪘기 때문에 더 이상 멍에가 매여 있을 수 없게 된 것을 의미한다.
- 대부분의 사람들이 가지고 있는 하나님에 대한 신앙은, 사랑이 표현되었다고 추정되는 경우(주님이 그들을 위해 무언가를 해주실 때)에 기반을 두고 있다. 그들의 신앙은 그들을 향한 하나님의 변함없는 사랑의 태도(주님은 영원무궁토록 그들을 사랑하실 것이지만, 동시에 주님은 여전히 그들에게 경배를 명령하신다)에 근거한 것이 아니다. 궁극적으로 말하자면, 하나님에 대한 그들의 견해는 왜곡되어 있다. 그들은 하나님을 무의미한 경험의 차원으로, '반쪽짜리 진리'의 차원으로, 하나의 공식의 차원으로 축소시켜 놓았다. 수많은 사람들이 보다 심오한 진리를 원하면서도, 주님과의 친밀한 관계는 원치 않는다. 그들은 하나님에 관해 총체적으로 알기를 진심으로 원하지 않고 단지 하나님께서 그들을 위해 무언가를 행해주시기만을 바란다.
- 심지어 하나님께서 베풀어주시는 축복들도 하나님과의 살아 있는 관계를 대체하는 수단이 될 수가 있다.
- 예수님은 지상사역을 행하시기에 앞서, 기쁨 안에서 하나님 아버지와의 관계를 누리셨다. 이와 마찬가지로, 사도적인 사람들은 사람들에게 하나님의 축복을 받기에 앞서 주님과 진실하고 생동감 있는 관계를 누려야 한다고 촉구한다.
- 바로 이러한 관계의 결핍이야말로 그리스도의 몸 된 교회 안에 실망감과 낙담, 실패들이 팽

배하게 된 원인이라고 할 수 있지 않을까?
- "비록 무화과나무가 무성하지 못하며 포도나무에 열매가 없으며 감람나무에 소출이 없으며 밭에 먹을 것이 없으며 우리에 양이 없으며 외양간에 소가 없을지라도 나는 여호와로 말미암아 즐거워하며 나의 구원의 하나님으로 말미암아 기뻐하리로다"(합 3:17-18).
- "그가 친히 말씀하시기를 내가 결코 너희를 버리지 아니하고 너희를 떠나지 아니하리라 하셨느니라"(히 13:5).

우리가 가진 능력의 원천

- 수많은 그리스도인들을 포함하여 여전히 잃어버린 바 된 사람들이 소망을 품는 것에 대하여 두려워하고 있다.
- 사도적인 동기를 가지고 있는 사람들은 주님의 신실하심에 관한 계시를 가져온다. 그들은 하나님 아버지의 마음에 대한 올바른 관점을 가져온다. 그들은 주님을 기꺼이 아버지로서 영접하는 사람들을 위해 아버지로서의 하나님에 관한 지식을 가져온다. 이것이 바로 성령께서 사도적인 사람들의 활동들 가운데 증언해주시는 복음의 권능이다.
- 아무리 확신이 부족하다 할지라도 사도적 기름부음으로써 넉넉히 이길 수 있다. 사람들은 자신들이 하나님 안에서 받아들여진 존재임을 이해하기 시작한다. 주님은 그들에게 능력의 원천이 되어주신다.
- "여호와의 말씀이니라 그들이 쫓겨난 자라 하매 시온을 찾는 자가 없은즉 내가 너의 상처로부터 새 살이 돋아나게 하여 너를 고쳐 주리라"(렘 30:17).
- "이는 내가 그 피곤한 심령을 상쾌하게 하며 모든 연약한 심령을 만족하게 하였음이라 하시기로 내가 깨어 보니 내 잠이 달았더라"(렘 31:25-26).

The Dancing Hand of God

CHAPTER 5

하나님의 집

하나님의 불은 곧 주님의 부담이자 열정이다. 주님은 주님의 부담을 그분의 자녀들과 함께 짊어지시기로 작정하셨다. 주님은 사람을 찾고 계신다. 주님은 그분의 계획들을 이 땅 가운데 펼치시기 위해 주님과 더불어 언약을 맺을 남녀들을 찾고 계신다.

우리는 우리가 있어야 할 자리가 어디인지를 찾아내야 한다. 그리고 현재 우리가 서 있는 곳 혹은 보내심을 받은 그 땅, 하나님께 속해 있는 그 영토를 위해 헌신해야 한다.

롱비치에서 열린 기적의 집회

1973년 8월에 있었던 일이다. 내가 다니던 고등학교는 캘리포니아 헤멧에 위치해 있었다. 나는 교내 미식축구팀의 리시버를 맡고 있었다. 나는 육상경기와 야구도 무척 좋아하지만, 미식축구는 늘 변함없이 내가 가장 좋아해온 스포츠다. 심지어 주님을 위해 노트르담대학교의 미식축구 선수가 되고 싶다는 생각도 했다. 당시 17살이었던 나는 대학리그에서 우승하여 황금헬멧을 써보는 것이 꿈이었다.

한편으로는 그 지역 주변의 대학들로부터 장학금을 받고 싶기도 했다. 결국 나는 미의회의 임명을 받아 메릴랜드 주 아나폴리스 소재의 해군사관학교에 들어갈 수 있게 되었다. 그것은 정말 내가 꿈에 그리던 일이었다. 이제 미국 해군을 위해 뛸 수 있게 된 것이다. 나는 결심을 굳혀서 영혼들을 주님께로 인도하고, 전투기를 조종하고, 열심히 노력해서 미국

프로풋볼(NFL)까지 가보기로 마음을 먹었다.

내가 '짐승'(Animal)을 만난 것은 그 이후의 일이었다. 사실 '짐승'은 그의 헬멧 전면에 스텐실로 찍혀 있던 문구였다. 그는 그야말로 산과도 같은 존재였다. 그는 경쟁 상대였던 고교시절부터 수비수로 엄청난 태클을 가했다. 한번은 어느 게임에서 그가 나를 늘씬하게 때려눕힌 적도 있었다. 내 기억이 틀림없다면, 그가 어찌나 나를 세게 때렸는지, 심지어 내 헬멧이 벗겨져 날아갈 정도였다. 심판들조차도 그에게는 벌칙을 적용하지 못했다. 아마 그들도 그를 무서워한 모양이다!

그날 경기에서 나는 공을 잡기 위해 껑충 뛰어올라 결국 그것을 손에 쥐었다. 바로 그 순간 그 '짐승'이 나타나서 으르렁거리며 큰 소리로 고함을 쳐댔다. 그는 나를 공중으로 집어 올리더니, 그대로 땅바닥에 '쾅' 하고 내동댕이쳐버렸다. 녹아웃 되기 바로 직전, 눈 앞에 그동안 쌓아온 나의 온 경력이 섬광처럼 스치고 지나갔다. 당시 경기장 한쪽 모서리에 약 3인치 정도 돌출되어 있는 돌이 있었다. 관리인들이 미처 손을 쓰지 못한 모양이었다. 그 짐승의 온 체중이 나를 향해 와락 덮쳐오는 순간, 그 돌멩이가 나의 척추 중앙 안쪽으로 세차게 밀고 들어왔다. 어딘가가 부러지는가 싶을 정도로 '와지끈' 하는 소리가 났다! 나는 완전히 멍한 상태가 되고 말았다.

탈구된 어깨와 심하게 손상된 발목만으로도 이미 끔찍한 상태였다. 그러나 나는 왠지 척추가 골절되었을지도 모른다는 시작이 들었다. 그것으로 나의 경력은 완전히 끝나버렸다. 아니 내 인생이 끝장났다. 그 후 몇 개월 동안 경험해야 했던 고통은 정말 끔찍했다. 나는 절뚝거리고 다니면서 골절된 척추를 치료받아야 했다.

당시 나에게는 어마어마한 치유의 기적이 필요했다. 운동을 못하게 된 것은 물론이고, 몸 자체가 거의 제대로 기능하지 못하는 상태였다. 그러던 어느 날 주 안에서 자매된 한 여성이 나에게 전화로 롱비치에서 기적의 집회가 열린다는 소식을 전해주었다. 강사는 브랜트 베이커라는 젊은 사역자라고 했다. 그는 지금은 돌아가신 캐서린 쿨만 여사에게 많은 영향을 받은 사람이었다. 베이커는 이미 20세 무렵에 집회를 인도하기 시작했는데, 불과 1-2년 만에, 수천 명의 사람들이 그의 집회에 모여 들었고, 수많은 사람들이 집단적인 치유를 받았다고 한다.

그 자매는 내가 베이커의 집회에 참석해야 할 것 같은 느낌이 들어서 전화를 주었다고 했다. 그리하여 나는 그 자매를 비롯한 또 한 명의 친구와 함께 차를 타고 롱비치로 떠났다. 차의 뒷자석에 앉아 말할 수 없이 끔찍한 통증을 느꼈던 그때를 잊을 수 없다. 그러나 계속해서 나는 스스로에게 되뇌었고, 주님께도 말씀드렸다. 이번이야말로 내가 주님을 만나게 될 절호의 찬스임을 믿는다고 말이다. 기대감에 부풀어 나는 하나님께서 나를 만나주시고 치유해주시기 전까지는, 결단코 그 기적의 집회 장소를 떠나지 않겠다고 굳게 결심했다.

집회 시작 1시간 혹은 30분 전에 미리 장소에 도착해 있지 않으면 앉을 자리가 남아 있지 않았다. 집회 장소는 천여 명가량을 수용할 수 있는 강당이었다. 그러나 수용할 수 있는 인원의 2배 이상 되는 사람들이 모여 들었다. 발 디딜 틈도 찾기 어려웠다. 감사하게도, 마지막으로 남아 있던 세 자리가 우리의 몫이 된 듯했다. 나는 몸의 통증이 너무 심했기에 도저히 오랫동안 서 있을 수 없는 상태였다.

집회가 미처 시작되기 전임에도 불구하고, 사람들 안에서 발산되는 경외감을 보며 나는 완전히 압도당할 지경이었다. 손에 잡힐 듯한 하나님의 만져주심이 너무나도 강력했다. 사람들은 훌쩍훌쩍 눈물을 흘리면서 자신의 삶을 주님께 드렸다. 설교자가 아직 강단에 오르지도 않은 시점이었는데도 말이다! 이러한 광경 자체가 나에게는 깜짝 놀랄 만한 체험이었다.

주님께서는 이미 내 영을 휘저어놓고 계셨다. 나는 점점 하나님의 가시적 임재 안에 잠기기 시작했다. 마치 강당 안에 희뿌연 안개가 드리워져 있는 것만 같았다. 이 임재의 안개를 바라보고 있는 동안, 나는 문자 그대로 어떤 초월적인 체험에 갑작스럽게 휘말려 들어갔다. 나는 여전히 몸의 일부에 극심한 통증을 느끼면서 앉아 있었는데, 순간 나의 또 다른 일부가 영적으로 하나님의 임재 안에 사로잡혀 올라갔다.

무언가 마치 2천 명 이상으로 구성된 성가대 같은 것이, 줄지어 서서 큰 소리로 노래를 부르기 시작하는 듯했다. 음악은 하나님의 영광으로 충만해 있었다. 모든 음색이 온통 이 안개에 대전(帶電)되어 있는 것만 같았다. 음악이 끝난 후 베이커가 강대상 위로 올라갔다. 나는 두 가지 사실에 깜짝 놀랐다. 하나는 강사가 매우 젊다는 것이었고, 또 하나는 하나님께서 그를 너무도 강력하게 사용하고 계신다는 것이었다.

그날 밤, 나는 하나님께서 우리를 사용하기 원하신다면 나이는 아무런 문제가 되지 않는다는 사실을 배웠다. 우리는 나이에 상관없이 영적인 아버지와 어머니가 될 수 있다. 지금 생각해 보면 하나님은 그때 이미 나를 그런 특별한 형태의 사역의 삶으로 준비시키고 계셨다.

솔직히 그 집회에서 베이커가 무슨 설교를 했는지는 전혀 기억이 나지 않는다. 다만 그것이 매우 훌륭한 설교였다는 것만은 분명했다. 그런데 메시지가 거의 끝나갈 무렵, 누군가가 그의 머릿속 스위치를 찰칵하고 켠 듯한 순간이 있었다. 그는 두 눈을 반짝거리면서 손가락을 들어 거의 내가 앉아 있던 방향을 가리켰다.

"뒤에서 여덟째 줄 정도에서 일곱 번째 혹은 여덟 번째에 앉아 계신 분, 지금 위암을 앓고 계신 여성분, 자리에서 일어나십시오! 당신의 위암이 지금 치유되고 있습니다."

그 여성은 자리에서 일어나면서 외마디 비명을 질렀다. "저분이 어떻게 내 질병을 알고 있지?" 그녀는 강대상 쪽으로 달려 나갔다. 엄청난 성령의 능력이 그녀를 강타하였다.

당시만 해도 나는 도대체 그가 무슨 일을 하고 있는 것인지 알지 못했다. 그동안 치유집회에는 단 한 번도 참석해본 적이 없었기 때문이다. 그는 다양한 지식의 말씀을 사용하여, 강당 이곳저곳에 앉아 있던 사람들을 불러내기 시작했다.

"저쪽에 백혈병을 앓고 계신 분이 있습니다. 이쪽에 귀 질환을 앓고 있는 사람이 있습니다. 음, 오른쪽 귀가 잘 안 들리시죠?" 이런 상황이 한동안 계속되었고, 사람들은 앞쪽을 향해 연이어 달려나갔다.

나는 전혀 새로운 일을 경험하며 충격에 빠진 채, 여전히 이 안개 같은 임재의 무게에 사로잡혀 있었다. 그럼에도 불구하고 나는 영 안에서 어떤 둔감한 느낌으로 인해 몹시 갈등하고 있었다. 말할 수 없이 극심한 통증 때문에 고통스러워하면서 나는 하나님께 울부짖었다. 실제로 주님께서 그날 밤 나에게 응답해주실 것이라고는 정말이지 상상도 하지 못했다. 그러나 어느 순간 갑자기 내 머릿속에 한 가지 생각이 스치고 지나갔다. 하나님께서 바로 그날 그 자리에서 내게 말씀을 해주실 것만 같았다.

그 생각이 머리를 스치고 지나갈 찰나에 설교자가 나를 지적하면서 이렇게 말했다. "저기 저쪽에 앉아 계신 청년의 발목이 치유되고 있습니다. 그리고 특별히 그의 척추가 치유되고 있습니다. 모두 학교에서 스포츠 경기를 하다가 입은 상처들입니다."

당시 나는 구원을 받은 지 겨우 2년가량 지났을 뿐이었다. 따라서 영적으로 매우 어린 상태였다. 나는 주위를 둘러보며 서너 사람들에게 물어보았다. "당신도 저와 같은 증상을 가지고 있습니까? 여보세요, 저와 같은 증상을 가지고 계신 분이 누구신가요? 혹시 당신이세요? 정말 놀라운 일이군요. 저도 동일한 문제를 가지고 있거든요." 나는 주님께서 나에게 개인적으로 그토록 구체적인 메시지를 주신다는 사실을 전혀 믿을 수가 없었다.

마침내 친구가 내 어깨에 손을 얹으면서 말했다. "아무래도 설교자가 바로 너를 가리키시는 것 같아."

"그래, 네 말이 맞다."

그리하여 그 안개 속에서 나는 매우 신중한 태도로 자리에서 일어났다. 그리고는 다리를 절며 앞쪽으로 걸어나갔다. 여전히 극심한 고통이 느껴졌지만, 나는 춤추는 하나님의 손이 역사하고 있는 사람들 사이에 함께 섰다. 설교자는 사람들이 앉아 있는 좌석 사이를 이리저리 오가며, 그들의 머리에 가볍게 안수해주고 있었다. 안수를 받은 사람들은 즉시 하나님의 임재에 압도되어 바닥으로 내동댕이쳐지듯 쓰러졌다. 내가 사람들이 '성령 안에서 쓰러지는' 혹은 '권능 아래서 넘어지는' 광경을 목격한 것은 그때가 처음이었다.

나는 주님께서 행하시는 방식들에 대해 너무나도 무지하여 사람들이 실제로 죽임을 당하고 있다고만 생각했다. 그들이 바닥에 쓰러진 채 움직이지도 않고 그대로 누워 있었기 때문이다. 그것도 몇 시간 동안이나 말이다. 잠시 후 나는 이 설교자가 진정한 능력을 소유하고 있음을 알아차렸다.

왜냐하면 얼마간 시간이 지나자 죽어 있던 사람들이 다시 일어나기 시작했기 때문이다! 나는 속으로 이렇게 생각했다. '이 사람 정말 굉장하다! 사람을 죽이기도 하고 다시 살려내기도 하다니! 저 사람들은 죽었는데 잠시 후 다시 살아났어. 죽었다가 다시 살아났다고! 와, 정말 놀라운걸!'

바로 다음 순간, 갑자기 최소한 나만은 죽었다가 살아나는 이런 경험을 하고 싶지 않다는 생각이 들었다. 그래서 나는 주님께 기도했다. '주님, 저는 치유받기를 원합니다. 하지만, 저 사람들처럼 쓰러지기는 원치 않습니다.' 내가 속으로 이런 기도를 드린 직후였다. 그때 나로부터 몇 사람 정도 떨어져 있는 지점을 지나던 베이커가 갑자기 방향을 바꾸어 나를 바라보면서 아이같이 소리내어 웃었다. 그는 나를 향해 성큼성큼 다가오더니 내 머리를 가볍게 치고 지나갔다. 다음 순간 마치 베개들 위로 넘어지는 듯한 기분이 들었다.

그리고 몇 분 후 나는 작은 그랜드피아노 밑에서 깨어났다. 누군가가 피아노에 붙여놓은 분홍색 풍선껌이 올려다보였다. 그곳은 온통 영적인 분위기로 가득 차 있었다! 나는 따뜻함이 내 몸을 관통하는 것을 느끼면서 그곳에 그대로 누워 있었다. 도저히 몸을 움직일 수가 없었다. 결국 친절하게도 어떤 사람이 피아노 아래에 누워 있던 나를 끌어내 일어설 수 있게 도와주었다. 나는 성령에 취하여 이리저리 비틀거리며(그것은 이제까지 한 번도 경험해본 적이 없는 일이었다), 겨우 강대상 측면까지 걸어왔다.

주 안에서 자매된 한 여자가 내게로 다가와 말을 건넸다. "당신의 치유는 어떻게 되었습니까?"

혀가 말을 듣지 않았기 때문에, 나는 매우 불분명한 어조로 중얼거리듯 대답했다. "잘 모르겠습니다." 나는 마치 어린아이처럼 엉엉 울고 있었다.

그러자 그녀가 말했다. "저쪽으로 가서 서 계세요. 거기서 주님의 음성을 좀 들어보세요."

이윽고 사람들은 강대상 위로 올라가서 하나님께서 자신들을 위해 해주신 일에 관해 간증하기 시작했다. 문득 내 머릿속에 한 가지가 생각났다. 그것은 내가 주님께서 나를 치유해주시기 전까지는 결단코 집회 장소를 떠나지 않겠다고 마음속으로 기도드렸던 일이었다. 나는 혼잣말로 중얼거렸다. "저는 이번의 만져주심이 주님으로부터 왔음을 그대로 믿으려 합니다. 주님께서 저를 만나주신 이 체험은, 당신이 나를 이 고통에서 자유케 해주셨다는 표지인 줄 믿습니다." 그때까지만 해도 나는 몸이 치유되었음을 알려주는 아무런 가시적인 징후도 감지하지 못하고 있었다.

나는 믿음으로 발걸음을 떼기로 결심했다. 그리고 내게 일어난 기적을 간증하기 위해 다시 강대상 위로 올라가는 바로 그 순간, 갑자기 엄청난 뜨거움과 기름부음이 느껴지기 시작했다. 그 열기와 기름부음은 가장 먼저 발목에서 느껴졌다. 그러더니 그것은 서서히 내 척추 쪽으로 타고 올라왔다. 드디어 내가 간증할 차례가 되었을 때, 나는 완전히 치유되었음을 깨달았다.

하나님께서 내게 행해주신 일들에 관해 간증하는 동안, 브랜트가 내 쪽으로 다가왔다. 그날 그가 나를 바라보며 해주었던 말은 결코 잊을 수가 없다. "이 사람에게는 무언가 특별한 것이 있습니다. 하나님의 임재가 이 사람을 온통 에워싸고 있습니다! 이 사람 주변에 하나님의 임재가 너무나 강하여 심지어 제 손을 갖다 대지도 못하겠습니다." 나는 제어할 수 없이 울음을 터트리고 말았다. 그는 몸을 돌려 다른 쪽으로 이동했다. 그러다가 네 발자국 쯤 가서 다시 내가 있는 곳으로 돌아왔다.

그가 내 머리에 손을 얹고 안수하며 말했다. "주님, 여기 주님의 빈 그릇이 있습니다. 그를 사용해 주십시오!" 다시 한 번 나는 성령의 권능 안에서 그대로 바닥에 쓰러졌다. 그리고는 몇 분 후에 다시 '부활하여' 비틀거리며 내 자리에 돌아와 앉았다. 그 후로도 집회는 45분 동안이나 더 지속되었다.

나는 치유 받은 것을 기뻐하며 주님께 감사드리기 시작했다. 그때 내가 이런 말을 했던 것이 기억난다. "주님, 감사합니다. 주님이 제 몸을 치유해주셨습니다! 저는 주님을 영화롭게 해드리는 자가 되기 원합니다! 해군사관학교로 돌아가면, 이제 최선을 다해 경기함으로써 주님께 영광을 돌리겠습니다!"

그 순간 내 영 안에서 어떤 목소리가 들려왔다. 마치 주님께서 나에게 이렇게 말씀하시는 것 같았다. "나는 네 삶을 향한 또 다른 계획이 있다. 내가 한다면 한다는 것을 너도 잘 알 것이다." 이것은 내가 듣고 싶어 하는 말씀이 아니었다. 나는 미식축구를 하려고 했다. 그러나 주님은 내게 계속해서 동일한 말씀을 들려주고 계셨다. 잠시 후에 그 목소리는 다음과 같이 말하였다. "나와 언약을 맺지 않겠느냐? 너의 욕망을 내려놓고 네 삶 자체를 나를 위해 헌신하지 않겠느냐?"

언약의 체결자들

당시 나는 '언약'(covenant)라는 말이 무슨 뜻인지조차 알지 못하고 있었다. 언약이 성경적인 표현이라는 사실을 알게 된 것은, 그로부터 몇 개월이나 지난 후의 일이었다. 성경을 읽다가 우연히 시편 50편 3-5절을 발견하였다. "우리 하나님이 오사 잠잠하지 아니하시니 그 앞에는 삼키는 불이 있고 그 사방에는 광풍이 불리로다 하나님이 자기의 백성을 판결하시려고 위 하늘과 아래 땅에 선포하여 이르시되 나의 성도들을 내 앞에 모으라 그들은 제사로 나와 언약한 이들이니라 하시도다."

어쩌면 당신도 언약의 의미가 무엇인지 잘 모를 수도 있다. 그래서 내가 자세히 설명해보도록 하겠다. 구약성경에는 '언약'(covenant)에 해당하는 두 개의 히브리어가 등장한다. 하나는 '베리트'(berith)고, 또 하나는 '카라트'(karath)다. '베리트'는 '산산조각 나게 하다'라는 뜻이고, '카라트'는 '쪼개다, 혹은 양분하다'라는 뜻이다. 신약성경에서 언약에 해당하는 헬라어는 '디아데케'(diatheke)로서, 이는 '계약, 혹은 유언장'이라는 의미를 담고 있다.

언약이 지속되는 기간과 관련하여, 우리는 몇 가지 원칙들을 알고 있어야 한다. 첫째로, 유언장의 취지와 조항들이 효력을 발휘하기 위해서는, 유언한 사람 혹은 유언장을 작성한 사람의 죽음이 필요하다.

둘째로, 기본적인 언약은 당사자들 간에 이루어진 일종의 협약 혹은 조약이었다. 언약을 통해 양자는 각자 자신의 온갖 소유물과 재력을 담보물로 걸어둔다. 그런 다음, 언약은 피를 뿌림으로써 인봉되었다. 그들은 가치를 지닌 짐승들을 둘로 쪼갠 뒤, 그 사이를 통과하여 지나갔다. 이렇게 함으로써 그들의 언약은 서로에게 인봉된다(창 15:9-17, 렘 34:18).

셋째로, 언약은 영속적이고 구속력을 지닌 계약으로서, 대대로 영원히 재정립된다.

마지막으로, 언약은 공정한 것이다. 양 당사자가 동일한 것을 상대방에게 맹세하였기 때문이다. 이제 하나님의 언약은, 주님 편에서는 은혜와 긍휼에 관한 사안이다(시 89:28).

성경에는 하나님과 인간 사이에 맺어진 8가지 언약들이 소개되고 있다. 잠시 이것들에 관해 연구해 보라(창 6장, 15장, 출 24장, 시 89편, 대하 29장, 34장, 왕하 11장, 눅 22장).

이쯤에서 다시 브랜트의 집회 이야기로 되돌아가자. 나는 영 안에서 이 목소리와 더불어 씨름을 벌이고 있었다. 이 목소리는 계속해서 나에게 언약을 맺자고 요구해왔다. 나는 강단 위에 올라가서 치유 받은 다양한 질병들에 관해 간증하던 사람들의 모습을 희미하게나마 떠올려보았다. 그들은 장애를 초래하는 질병들, 예를 들어 보지 못하는 눈과 듣지 못하는 귀, 정상적으로 작동하지 않던 내부 장기들이 치유되었다고 간증하였다. 어떤 이들은 1-2주 전부터 집회에 참석하였기에, 지금은 모든 질병이 치유되었다는 의사의 진단서까지 들고 간증하고 있었다. 종양들이 사라졌고, 혈액이 깨끗해졌다. 여러 해까지는 아니더라도 수개월 동안 휠체어 신세를 지던 사람들도 완전히 치유되어 다시 두 다리로 걸어다니게 되었다.

그러나 이러한 간증들도 그때 일어난 구원사건에 비하면 아무것도 아니었다. 우리는 구원이야말로 가장 위대한 기적임을 알고 있다. 그 집회에서는 강단초청이 선포되자마자, 수백 명의 사람들이 문자 그대로 앞쪽으로 돌진해 나아가 그들의 삶을 주님께 드렸다. 사람들이 앞다투어 하나님과의 관계를 바로잡으려는 모습은, 그야말로 너무나도 경이로운 열린 하늘의 체험이었다.

나는 여전히 그 목소리와 싸움을 벌이면서 이 모든 광경을 다만 지켜보고 있었다. 그러던 중 점차 내 안에 한 가지 사실이 깨달아지기 시작했다. 내가 단순히 스포츠스타가 되거나 해군사관학교에 들어가거나 전투기 조종사가 되는 일보다 훨씬 더 많은 것들을, 하나님께서 내 인생을 위해 준비해놓고 계셨음을 알게 되었다. 하나님께서는 나와 더불어 헌신의 언약을 맺기를 원하고 계셨다. 주님은 내가 주님의 목적들을 성취하기 위해 그동안 나의 최고의 꿈이었던 것들을 포기하기 원하셨다. 주님은 그분이 시키시는 일을 그대로 수행할 일꾼을 찾고 계셨다.

사람을 찾으시는 하나님

하나님의 불은 곧 주님의 부담이자 열정이다. 이 말이 의미하는 바가 무엇인지 좀더 자세히 살펴보도록 하겠다. 잠시 내 이야기를 들어보라. 일을 성취하는 것이 주님의 뜻이라는 것은 매우 단순명료한 사실이다. 주님은 무한하신 지혜 가운데 주님의 부담을 그분의 자녀들과 함께 짊어지시기로 작정하셨다. 그러므로 우리는 주님을 사람을 찾으시는 분이라고도 말할 수 있다. 주님은 그분의 계획들을 이 땅에 펼치시기 위해 주님과 더불어 언약을 맺을 남녀들을 찾고 계신다. 따라서 주님의 백성들은 분발하여 행동에 착수해야 한다.

사도적인 사람들은 이처럼 분발시키는 작업을 통해 그들을 돕는다. 그들은 현재 진행하고 있는 경로를 수정하도록 대면시키는 지점까지 사람들을 인도해간다. 이 일은 사도적인 사람들이 주님의 몸 된 교회 안에 일어나도록 돕고 있는 개혁의 일부다. 사람들을 흔들어 깨우고, 그들이 감당해야 할 사명이 있다는 사실을 알려주는 것이 바로 그들의 일이다! 세상 사람들은 하나님의 요구에 직면해 있다. 하나님께서 그들을 위해 무언가를 행해주실 것이므로 그들의 삶은 주님께 속해 있다. 사도적인 영은 영적인 냉담함과 맞서 싸운다.

엘리야는 이런 종류의 대면을 가져오는 일에 쓰임 받은 인물이다. 열왕기상 18장에 기록된 바알 선지자들의 이야기를 생각해보라. 여기 사람들의 이목을 집중시키는 전형적인 모습의 한 선지자가 서 있다. 그는 이스라엘 백성들의 우유부단함을 직면시키고 있다. 21절은 다음과 같이 말씀한다. "너희가 어느 때까지 둘 사이에서 머뭇머뭇 하려느냐 여호와가 만일 하나님이면 그를 따르고 바알이 만일 하나님이면 그를 따를지니라."

이것은 사실 간단하기 이를 데 없는 말이다. 사람이 하나님을 따르는 것 외에 달리 무엇을 할 수 있겠는가? 그러나 마음을 분발시키는 엘리야의 권고를 들은 후에도, 여전히 이스라엘 백성들은 뉘우침의 기미를 보이지 않았다. 그리하여 결국 엘리야는 한 가지 작은 테스트를 해보아야겠다고 마음먹었다.

만약 이 이야기에 관해 잘 모른다면, 먼저 해당 본문을 한 번 읽어보기 바란다. 엘리야는 바알 선지자들에게 막판대결 같은 것을 해보자고 도전한다. 두 마리의 송아지를 각 뜬 상태로 장작더미 위에 올려놓은 다음 엘리야는 다음과 같이 말한다. "너희는 너희 신의 이름을 부르라 나는 여호와의 이름을 부르리니 이에 불로 응답하는 신 그가 하나님이니라"(왕상 18:24). 여기 우리가 주목해야 할 중요한 사실이 있다. 그것은 바로 하나님께서 불로 응답하신다는 점이다. 기억하라. 주님의 불은 주님의 명령을 준행해야 할 사람들을 향한 하나님의 부담이요, 열정이다.

그리하여 바알의 선지자들은 마치 어릿광대처럼 아침부터 한낮까지

야단법석을 떨었다. 그러나 아무 일도 일어나지 않았다. 엘리야는 그들을 조롱하기 시작했다. "여보시오! 당신들의 신은 도대체 어떻게 된 거요? 무슨 일이 있는 거요? 혹시 잠자고 있는 건 아니요? 아니면 어디로 놀러간 거요? 어쩌면 양치질을 하고 있는 건지도 모르겠구려!"

그는 바알의 선지자들을 비웃음으로써 정오부터 대략 오후 3시까지 또 한 번의 어리석은 발작을 하도록 부추겼다. 그들은 자신들의 몸을 칼로 베기 시작했다. 여기저기에 유혈이 낭자했다. 그들은 스스로 흥분하여 광란의 도가니로 빠져들었다. 그러나 아무 일도 일어나지 않았다. 29절에는 내가 제일 좋아하는 구절이 소개되고 있다. "아무 소리도 없고 응답하는 자나 돌아보는 자가 아무도 없더라." 이 얼마나 우스꽝스러운 광경인가!

마침내 엘리야가 자리에서 일어났다. 그는 황소를 취하여 각을 뜨고, 그것을 여호와의 이름에 의지하여 12개의 돌로 쌓은 제단 위에 올려놓았다. 그런 다음, 제단 둘레에 도랑을 파고, 언약의 제물 위에 세 차례나 물을 들이부었다. 아울러 도랑 안에도 물이 넉넉히 채워지게 하였다(기억하라. 당시 3년 동안이나 비가 오지 않고 있었다. 따라서 우리는 본문에서 언급되는 이 엄청난 분량의 물과 관련해서도 할 이야기가 많다).

바알 선지자들이 무관심한 신 때문에 하루 종일 제정신을 잃고 스스로를 자해하는 소동을 벌인 후, 모든 준비를 끝낸 엘리야는 아주 간단한 문장으로 하나님께 아뢰었다. 그러자 하나님의 불이 내려와 번제물뿐 아니라, 나무와 흙과 돌까지 모조리 태웠다. 나아가 도랑에 있던 물까지 모두 말려 버렸다.

모든 백성이 보고 엎드려 말하되 여호와 그는 하나님이시로다 여호와 그는 하

나님이시로다 하니 (왕상 18:39)

당신이었어도 이렇게 말하지 않았겠는가?

이것이 바로 내가 '모든 것을 태우는 불'이라고 부르는 바다! 이것은 일반적인 규범을 훨씬 뛰어넘는 부담이다. 하나님의 열정은 주님의 백성들로 하여금 주님께 순종하도록 한다. 주님은 계획하신 바를 이루기 위해 무슨 일이라도 행하려 하실 것이다. 하나님의 불은 주님의 부담이요, 열정이다. 오늘날 우리에게는 이러한 유의 불이 떨어져야 한다! 소멸하는 성령의 불은 우리의 언약적인 번제물을 모두 태운다. 우리에게는 사도적인 사람들이 필요하다. 사도적인 사람들은 우리를 분발시켜 변화의 지점까지 몰아갈 것이다. 그리스도인들이 인정하든지 하지 않든지 간에, 우리 모두는 직면시키는 자들로 부름 받았다.

마리오 무릴로는 이것에 관해 이렇게 말했다. "이 세상은 하나님을 믿기는 하되 순종하지는 않는 허물을 범하고 있다. 한편 우리는 이것을 직면하게 해야 함에도 그 사명에 소홀한 잘못을 저지르고 있다." 이런 형태의 '불의 기적들'은 언제나 매우 강력한 직면을 가져온다. 이제 이와 관련된 예를 들어 보겠다.

똑바로 보고 싶어요!

캘리포니아에 있는 한 노인주택 지구에 있는 어느 특별한 교회로부터 사역을 해달라는 부탁을 받았다. 그 교회의 담임목사님은 나이가 이미

70대였다. 그는 내가 기적의 집회를 인도하기로 한 주일이 되기 약 2-3주 전부터 광고를 해놓고 있었다. 그 내용은 대략 이러했다. '아픈 사람들을 데려오십시오. 고통스러워하는 사람들도 데려오십시오. 말로니 형제가 간증을 들려드릴 것입니다. 누구든 성령세례가 필요한 분은 빨리 오십시오. 하나님의 권능이 여기서 역사할 것입니다.'

이번에는 아무런 압박감도 느끼지 않았다.

물론 나중에 내가 들은 이야기에 따르면, 그 교회에는 실제로 너무나도 오랜 세월동안 강력한 하나님의 운행하심이 없었다고 한다. 그래서인지 나이가 지긋한 백여 명의 회중 가운데서 기적적인 일에 대한 기대감을 거의 찾아볼 수 없었다.

그날은 화창한 주일 아침이었다. 강대상 위에 놓인 의자에 앉아 있으려니, 정말이지 매우 우습기까지 했다. 친애하는 목사님이 내 쪽으로 얼굴을 향하더니 이렇게 속삭였다. "말로니 형제, 여기까지 와주셔서 얼마나 감사한지 모릅니다. 지난 2-3주 동안 집회를 위해 광고를 하였습니다. 사역하실 기회는 얼마든지 드리도록 하겠습니다. 저희는 기적과 치유가 일어나기를 바라고 있습니다. 아울러 저희는 형제님의 간증도 들었으면 합니다. 그러므로 잠깐이라도 형제님의 간증을 들려주시기 바랍니다. 왜냐하면 여기에는 구원받지 못한 이들도 참석했기 때문입니다. 사실 그들은 모두 상당히 나이든 사람들입니다. 앞으로 살아갈 날이 얼마 남지 않은 이들이 대부분입니다. 어떤 이들은 성령세례를 받아야 합니다. 그러니 성령세례를 위한 사역도 좀 해주실 수 있겠습니까?"

"그럼요, 물론이죠." 나는 빙그레 웃으며 대답했다.

"자, 이제 11시 20분 정도에 예배순서를 넘겨드리도록 하겠습니다.

하지만 12시 10분 정도에는 집회를 모두 마쳐주셔야 합니다. 아시겠습니까?"

그 순간 나는 웃음을 터뜨리며 말했다. "그건 절대 불가능한 일입니다. 어떻게 1시간도 미처 안 되는 시간 동안 제가 이 모든 걸 다 할 수 있단 말입니까?"

"음, 어찌됐든, 형제님은 12시 10분이 되었다는 걸 자연히 알게 되실 겁니다. 설교자가 누구인지는 전혀 상관이 없습니다. 설사 예수님이 오셔서 강대상 위에서 설교하신다고 해도, 저 사람들은 그대로 일어나서 걸어 나갈 거니까요."

그의 말이 썩 좋지 않게 들렸기에, 내가 다시 물었다. "왜 그렇죠?"

"왜냐하면 저들은 이미 나이가 지긋하여 아주 천천히 걷는데, 그들이 즐겨 가는 식당이 주일 인파로 북적거리는 시간대를 피하려면 그 시간에는 나가야 하기 때문입니다."

나는 다만 고개를 절레절레 흔들 수밖에 없었다. 이제 그 목사님은 찬양과 경배를 인도하기 위해 일어났다. 아니나 다를까 12시 10분이 되었을 때, 나의 간증이 아직 절반이나 남은 시점에 회중의 4분의 3정도 되는 사람들이 자리에서 일어나 걸어나가기 시작했다. 그 목사님은 당황하며 어쩔 줄 몰라 하고 있었다.

이 얼마나 무례한 행동인가! 순간적으로 내 안에서 분노가 확 치밀어 올랐다. 나는 그런 사람이었다. 아주 화가 났다. 그때 이후로 줄곧 회개하고는 있지만 말이다.

나를 그 상황에서 구해준 유일한 것은 밖으로 걸어 나가는 사람들 대다수가 보행용 구두와 지팡이를 의지하고 있다는 사실이었다. 따라서 그들은 출입문을 향해 매우 느릿느릿 걸어가고 있었다. 그러나 더 이상 내가 누군가를 위해 사역해준다는 것은 어림도 없는 일이었다. 나는 성경책을 덮고 자리에 가서 앉았다. 내 안에서는 여전히 부아가 치밀고 있었다. 그 목사님은 중얼거리듯이 사과의 말을 하였다. 노인들은 여전히 불편한 몸을 이끌고 천천히 현관 쪽으로 걸어가는 중이었다.

집회 자리에 그나마 남아 있던 몇 안 되는 사람 중에는, 10살 정도 되어 보이는 남자아이가 있었다. 그날 그 아이와 그의 남동생만이 온 교회를 통틀어 유일한 어린아이였다.

나중에 알게 된 사실이지만, 그 아이들의 부모는 구원받지 못한 사람들로 길 위쪽에 살고 있었다. 그들의 부모는 아이들을 주일 몇 시간 동안이라도 떼어놓고 싶었다. 그래서 그들에게 교회를 하나 찾아주고는 주일학교에 다니라고 권하였다. 그곳이 어떤 교회든지 상관이 없었다. 그런데 바로 몇 주 전, 이 남자아이와 그의 동생이 길을 걷다가 우연히 이 교회를 발견하고, 마침내 그 교회 주일학교의 유일한 멤버가 되었다. 주일학교에 참석하는 아이들은 이 두 소년밖에 없었다. 따라서 노년층 교인들은 이 두 아이를 구원시키기 위해 물로 세례를 주었다. 그들은 마치 아주 귀한 보물이라도 되는 것처럼 이 아이들을 사랑해주었다.

그런데 형의 눈이 사시였다. 그것도 정도가 매우 심했다. 그의 상태가 얼마나 심각했는지 들어보겠는가? 그 아이의 눈을 똑바로 쳐다보려다가, 당신의 눈도 돌아갈 정도였다! 그 아이도 교회에서 목사님의 광고를 들었다. 그것은 돌아오는 주일에 말로니 형제가 와서 기적과 치유의 집회를 인도할 것이니, 각자 기적을 체험할 것을 기대하고 오라는 내용이었다.

내가 불쾌감을 드러내며 자리로 돌아가 앉았을 때, 그 아이는 자신이 고침 받을 기회를 놓쳤다고 생각했다. 마음이 다급해진 아이는 아무도 요청하지 않았음에도 불구하고, 앞쪽으로 걸어나와 그 자리에 그대로 서 있었다. 그는 설교단 바로 앞쪽에 선 채로 아무 말도 하지 않고, 단지 나와 목사님만을 뚫어지게 바라보고 있었다.

몇 초 후에 나는 도대체 그가 원하는 것이 무엇인지를 알아내야겠다고 판단했다. 나는 아이의 모습을 좀더 자세히 보기 위하여, 앉아 있던 자리에서 일어나 설교단에 몸을 기대고 내려다보았다. 아이가 나를 올려다보고 있었는데 그의 눈은 사시였다. 내 눈도 덩달아 사시가 되었다. 내 눈에 눈물이 고이기 시작했다. 그때 나는 설교단 뒤에서 사역자로서 할 수 있는 최고의 어리석은 질문을 그 아이에게 던졌다.

"넌 예수님이 너를 위해 무엇을 해주시기 원하니? 네 생각은 어떠니?"

그는 나를 응시하며 이렇게 대답했다. "똑바로 보고 싶어요!"

사실 처음에 나는 아무런 기름부음도 느끼지 못했다. 교회를 떠나가는 사람들로 인해 여전히 화가 나 있는 상태였기 때문이다. 그러나 나도 모르는 사이 강대상에서 펄쩍 뛰어 내려갔다. 아이는 기적이 일어날 것을 열렬히 바라면서 두 눈을 감고 있었다. 갑자기 내 영 안에서 긍휼함이 솟구쳐 올라왔다. 나는 30초가량 그 아이를 위해 기도해주었다. 그가 고개를 들고 나를 쳐다보았을 때, 그의 눈은 가장 똑바른 위치로 회복되어 있었다!

이따금씩은 나도 심술궂은 마음이 들 때가 있다. 내가 당시 주님의 인도하심을 받고 있었다고는 말하기 어렵다. 하지만 나는 그 아이에게 집회 장소를 한 바퀴 돌고 오도록 시켰다. 그리고는 사람들을 향해 큰소리로 외쳤다. "여러분들 모두 그대로 멈춰 서십시오! 뒤를 돌아보십시오! 여러분들이 그런 식으로 행동하고 있음에도 불구하고, 하나님께서 이 아이를 위해 무슨 일을 해주셨는지를 한 번 보십시오!"

나는 그때야말로 그 교회가 한 마음 한 뜻이 되어 함께 모인 유일한 순간이었다고 생각한다. 모든 사람이 발걸음을 멈추고 고개를 돌려 일제히 한 곳을 바라보았다. 죽음과도 같은 정적이 흐르는 가운데, 사람들은 입을 벌린 채 멍하니 쳐다보고 있었다. 그것은 매우 유쾌한 풍경이었다.

잠시 후, 곁눈질로 보니 공중에 보행용 구두와 지팡이가 빠르게 날아가고 있었다. 그들 모두가 마치 어린아이처럼 앞쪽으로 뛰어나오기 시작했다. "예수님! 예수님! 예수님!"

우리는 대략 오후 2시 45분까지 그 장소에 있었다. 엄청난 기적과 치유가 동반된 기분 좋고 고풍스런 오순절 부흥집회였다. 하나님의 손은 여러 시간 동안이나 사람들 사이에서 춤추며 놀라운 일을 행하셨다.

자, 당신은 이 아이들이 집으로 돌아갔을 때, 그들의 부모가 어떻게 반응했을 것이라고 생각하는가? "엄마! 아빠! 예수님이 내 눈을 고쳐주셨어요. 이것 좀 보세요!"

아이를 본 부모의 마음이 부드러워져서 다음과 같이 말했다면 얼마나 좋았을까. "얘야, 어서 가서 그 설교자를 찾아보고 예수님에 관해 알아보자."

그러나 몇 개월 후 그 목사님이 나에게 전해준 소식은 전혀 예상하지 못한 것이었다. 그 일이 일어난 이후로 그 아이들은 더 이상 어느 교회에도 발을 들이거나 얼씬거리지 못하도록 금지 당했다고 한다. 이 얼마나 애석하기 짝이 없는 일인가! 이것이 사람들을 직면시키는 기적이었다고 말하는 것 자체가 내게는 고통이다. 하지만 그렇게 말하는 것에 대해 사과하고픈 마음은 없다. 하나님이 보시기에 중간지대란 없기 때문이다. 하나님을 위하는 쪽이 아니라면, 하나님을 반대하는 쪽이다. 사도적인 영은 영적으로 무관심한 사람들에게 맹렬히 저항하며, 그들이 믿고 있는 분이 누구인지 명확한 선을 긋도록 촉구한다.

우리에게는 불의 기적이 필요하다

불의 기적은 그리 보편적으로 알려져 있는 주제는 아니다. 그러나 친애하는 독자 여러분, 우리에게는 이런 유의 기적이 필요하다. 엘리야가 목격한 대면을 촉구하는 기적 말이다. "너희가 어느 때까지 둘 사이에서 머뭇머뭇 하려느냐." 우리에게는 오직 주님만을 향해 불타오르는 열정과 시온에서 말미암은 권능의 지팡이가 필요하다(시 110편).

이러한 사도적 기적들은 사람들의 마음속에 혼란의 여지를 조금도 남겨두지 않는다. 또한 사회를 갑작스럽게 일깨움으로써, 하늘에 하나님이 살아 계시며 그분이 사람들에게 무언가를 요구하고 계신다는 사실에 대면시킨다. 세상을 살아가는 불신자들에게 대면을 촉구하는 것, 이것이 바로 표적과 기사와 이적들의 주된 목적이다(표적과 기사와 이적들의 구체적인 정의에 관해서는 뒤에서 소개하도록 하겠다).

한 번 상상해보라. 한 무신론자가 자신의 아내가 휠체어에서 일어나 걸어나오는 창조적인 기적을 대면하고 있다. 이제 그는 어쩔 수 없이 결정을 내릴 수밖에 없을 것이다. 아내에게서 나타나고 있는 물리적인 힘은 그녀의 정신력일 수도 있고, 혹은 하나님의 능력일 수도 있다. 만일 그녀를 휠체어에서 걸어 나오도록 만들어준 것이 하나님의 능력이라면, 이제 그는 주님을 경배할 준비를 하는 편이 훨씬 나을 것이다. 기적적인 일은 반응을 요구한다. 불의 기적들에 관해 좀더 자세히 알기 원한다면, 데이비드 알소부룩의《하늘의 불》(Heaven Fire)을 참고하기 바란다.

물론 하나님의 기적들은 모두 주님의 긍휼하심과 자비하심을 드러낸다. 그러나 그러한 계시 중에서도 사도적인 사람들이 행하는 특정한 기적들은 사람들로 하여금 대면하도록 촉구한다. 사도적인 사람들은 기적적인 표적과 기사들의 영역으로 계속해서 밀고 들어가야 한다. 이렇게 함으로써 하나님의 사랑을 나타내 보이고, 주변 사람들로 하여금 응답하도록 촉구해야 한다.

사실상 오늘날 이런 유의 사역은 결코 보편화되어 있지 않다. 몇몇 대형교회에 다니는 대다수의 사람들은, 대면을 촉구하는 초자연적 표현이 나타나는 장소에는 거의 모이지 않는 듯하다. 이것은 단순히 사실이 그렇다는 말이다(물론 언제나 예외가 존재한다는 사실도 잘 알고 있다). 그러나 사도적인 사람들은 어떤 유의 명성이든지 인간의 잣대를 통해 얻어야 하는 것들에 대해서는 기꺼이 잊어버려야 한다.

지금 사도적인 사람들의 마음이 힘을 얻고 그들 안에서 열정이 태동되고 있다. 그들은 언약을 맺은 자들로서, 변화를 향해 나아간다. 하나님께서는 영적인 배고픔과 불타오르는 열정을 지닌 사도적인 사람들을 찾고 계신다. 초자연적인 것을 소유하기 위해서라면 어떠한 것도 기꺼이 희생하고자 하는 강렬한 열정과 굶주림을 가진 자를 찾으신다. 그들은 열방을 향한 부담을 품고 있어야 하며, 열방 가운데 하나님께서 이루기 원하시는 바를 선포하고자 하는 열정과 믿음을 가지고 있어야 한다. 그들은 열방 가운데 예수님을 경배하며 살아가겠다는 계획적이고도 고의적인 선택을 해야 한다.

우리는 열방을 향해 나아가기 위하여 성령의 인도하심을 따라 움직여야 한다. 천국에서 이제껏 한 번도 들어본 적이 없는 이 땅의 방언들로 예수님께서 찬미를 받으시는 것이, 우리가 가진 최고의 꿈이 되어야 한다. 하나님의 영광이 온 땅을 뒤덮어야 한다. 하나님께서는 성자 예수님께서 열방 중에 높임 받으시기를 간절히 열망하신다.

사도적인 사람들은 열정을 일으키는 일을 하도록 부름 받았다. 당신이 원하기만 한다면, 과감한 포기도 필요하다. 결정을 내리고 전략들을 구상함에 있어서도, 늘 사도적인 것에 초점을 맞춰야 한다. 온 땅에 하나님의 영광을 확산시키는 일에 철저히 헌신된 사도적인 기도가 필요하다. 심지어 죽음까지도 불사해야 한다. 이것 외에 삶의 목적은 달리 없다.

'열정'(passion)이라는 말은 구어체 불어에서 유래된 것인데, 궁극적으로는 중세 라틴어인 '파수스'(passus)에서 비롯되었다. '파수스'는 '고통을 당하다'(to suffer)라는 의미를 지니고 있다. 열정이란 사람이 무언가를 위해 기꺼이 고통을 당하는 것을 뜻한다. 사도적인 사람들은 기꺼이 어떤 대가라도 치를 준비가 되어 있는 사람들이다. 그들은 끊임없이 스스로에게 질문을 던진다. '과연 나의 믿음은 진정 중요한 일을 지지하고 있는가?'

사도행전 4장 33절은 다음과 같이 말한다. "사도들이 큰 권능으로 주 예수의 부활을 증언하니 무리가 큰 은혜를 받아." '증거'(witness)에 해당하는 헬라어는 '마르투리온'(marturion)이다. 바로 이 말로부터 '마터'(martyr, 순교자)라는 단어가 유래되었다. '마터'(martyr)란 죽음까지도 불사하고 하나님을 위해 증언하는 사람을 뜻한다. 물론 모든 증거하는 행위가 반드시 죽음을 요구하는 것은 아니다. 그러나 사람들에게 요지를 이해시키기 위해 필요하다면, 그들은 무슨 일이든 서슴지 않고 행할 것이다.

몇 해 전인가, 나는 감사하게도 잠깐 동안이나마 라인하르트 본케와 만난 적이 있다. 아마 그는 이 일을 기억하지 못할 수도 있다. 이제 그는 자신이 열정적인 사람이라는 것을 누구보다도 먼저 인정할 것이다. 주님의 손에 붙들린 이 선동가는 오직 영혼들을 위해 먹고 자고 호흡했다. 이러한 사실은 아프리카 대륙이 입증할 수 있을 정도였다. 한번은 그의 팀원 중 한 명이 대중들을 위해 사역을 하던 중 총탄에 맞았다. 기적과 치유들이 일어나는 광경을 지켜보고 있는데, 누군가가 그들을 향해 무차별적으로 총격을 가한 것이다!

나는 본케 형제에게 그 일에 관해 어떻게 생각하느냐고 물어보았다. 다시 말해, 그토록 강력한 핍박에 대면할 준비가 실제로 되어 있느냐는 물음이기도 했다. 과연 목숨까지도 아끼지 않고 내놓을 수 있을 것인가?

나의 말에 그는 한 치의 망설임도 없이, 더할 나위 없이 강렬한 눈빛으로 나를 한 번 쳐다본 후에, 으르렁거리듯 말했다. "만일 내가 그들을 위해 복음을 전하다가 죽어야만 한다면, 그렇다면 바로 오늘이 내가 죽을 수 있는 절호의 기회라네."

열정으로 가득 찬 그의 눈을 들여다보는데, 갑자기 나의 양팔에 소름이 쫙 끼치는 것 같았다. 간단명료했던 그의 짧은 한마디를 그 이후로도 줄곧 떨쳐버릴 수가 없었다. 지금에서야 나는 조금의 허세 없이 그의 말에 동의할 수 있을 것 같다. 그야말로 사도적인 사람들은 어떠한 상황 속에서도, 위대한 능력과 은총으로써 주님의 부활하심을 증언하는 사람들이다.

사도적인 사람들은 '조에'(zoe)에 관한 계시를 가지고 있다. '조에'는 물리적이고 일반적인 삶을 초월하는 생명을 의미한다. 이는 하나님의 생명이 우리 삶의 모든 국면에 스며들어 있다는 사실에 대한 깨달음이다. 그런 유의 생명을 가지고 있다면 우리의 목숨을 가치 있는 목적을 위해 포기하는 일도 그리 나쁘지는 않은 듯하다. 하나님의 명령을 준행하는 것보다 더 가치 있는 일이 또 무엇이겠는가?

한번은 동료 사역자인 개리 블랙이 다음과 같이 말한 적이 있다. "당신은 자신 안에 열정이 있음을 알고 있습니다. 당신은 하나님께서 고향을 떠나 주님의 이름을 한 번도 듣지 못한 사람들에게 가도록 부르시지 않았다고 해서 깊이 실망하지 않을 것입니다. 또한 하나님께서 당신을 주님의 영광을 열방에 드러내기를 갈망하는 사람들 사이에만 있게 하실 때, 당신에게는 그렇게 할 권리가 있습니다."

그의 말에 내가 덧붙이고 싶은 말이 있다. 그것은 가려는 열망을 가진 사람들은 머물러 있어야 할 권리도 가지고 있다는 것이다. 다시 말해서 사도적인 사람들은 내면에 언제든 떠날 수 있는 열망을 갈고닦는 동시에, 기꺼이 머물러 있으려는 마음도 가지고 있어야 한다.

앞서 소개한 단락들을 문맥에서 분리시켜 생각하는 일이 없도록 하라. 이 말은 하나님께 부름을 받지도 않은 채 무모하게 돌진하다가 목숨을 잃어야 한다는 뜻이 결코 아니다. 나는 수많은 사도적인 사람들이 여전히 자기 자리에 머물러 있도록 부름 받았다고 생각한다. 현재 그들이 머물러 있는 곳이야말로 그들이 보내심을 받은 자리다. 그러나 당신이 있는 곳이 어디든지, 바로 그곳에서 변화를 가져오는 자가 되라. 그 변화를 가져오기 위해 무슨 일이라도 하겠다는 의지를 지니라.

이러한 변화로의 부르심은 하나님 아버지의 마음 깊은 곳으로부터 말미암은 것이다.

> 예수께서 또 이르시되 너희에게 평강이 있을지어다 아버지께서 나를 보내신 것 같이 나도 너희를 보내노라 (요 20:21)

주님의 몸 된 교회가 사도적인 사람들의 모임으로 변화될 때, 이 세상도 덩달아 변화될 것이다. 사도적인 사람들이란, 무슨 일이 있어도 반드시 달성해야 할 사명을 부여받고 보내심을 받은 자들이다. 우리는 결코 실패해서는 안 된다!

데이빗 캐니스트라시는 자신의 저서 《사도적 은사》(The gift of the Apostolic)에서 대략 다음과 같은 내용을 언급한 적이 있다. "우리가 이 사도적인 흐름의 일부임을 확증하기 위하여, 우리는 누구든지 하나님께 보내심을 받은 자들이 사도적인지의 여부를 보아야 한다." 나는 그의 말이 매우 타당하다고 생각한다.

계속해서 그는 하나님이 평범한 남녀들을 매우 사도적인 방식으로 사용하시는 분이라고 말한다. 지금 우리는 구별되어 사도적인 무리 가운데로 편입되고 있다. '사도'에 관한 정의로서 내가 매우 탁월하다고 생각하는 것을 소개한다. "보내심을 받고, 구별되고, 경계선에 의해 뚜렷이 구분된다는 것, 즉 사도적인 사람들 안에서 확고한 영토를 구축하고 뚜렷한 경계선을 긋는다는 것은 온전한 권위를 가지고 활동함을 의미한다."

우리는 우리가 있어야 할 자리가 어디인지를 찾아내야 한다. 그리고 현재 우리가 서 있는 곳 혹은 보내심을 받은 그 땅, 하나님께 속해 있는 그 영토를 위해 헌신해야 한다. 하나님은 희생에 기반을 두고 주님과 더불어 기꺼이 언약을 맺을 사람을 열심히 찾고 계신다. 얼마든지 되풀이해도 좋은 말이 있다. 그것은 하나님이 벌써 오래전에 브랜트의 집회에서 나를 다루셨던 교훈이다. 주님은 나의 마음이 분발하도록 도전하셨다. 주님은 내가 열정의 사람으로 변화되기를 바라고 계셨다. 그동안 나는 하나님의 축복의 불이 사람들의 마음속에 타오르는 모습을 지켜보는 일에 일생을 쏟아부었다.

열왕기상 18장에서 하나님은 불로 응답하셨다. 주님이 오늘날에도 동일하게 역사하지 않으실 것이라고 생각할 이유가 무엇인가? 우리는 마음이 대면시키는 일에 우리 자신을 준비시키기 위해 분발하고 있다. 세례 요한의 영이 주님 오실 길을 예비하기 위해 우리의 도시들을 분발시키고 있다. "회개하라, 천국이 가까웠도다!" 우리는 '광야의 외치는 소리'가 되어야 한다.

> 너희는 광야에서 여호와의 길을 예비하라 사막에서 우리 하나님의 대로를 평탄하게 하라 (사 40:3)

우리는 하나님의 불이 임하시도록 우리가 현재 서 있는 땅을 위해 헌신해야 한다. 하나님의 열정이 실제로 어떠한 것인지 사람들에게 대면시켜 알게 해야 한다. 아울러 그 하나님의 열정이 사람들 안에서 온전히 타오르는 모습을 보기 위하여, 주님 오실 길을 예비하여야 한다. 나의 경우에 사도적인 사역의 가장 중요한 중심축은, 바로 하나님께서 불로 응답하시는 모습을 목격하는 일이다. 내게는 이것이야말로 사도적인 부흥의 본질이다.

부흥을 향한 마음을 분발시키는 일과 관련하여, 나는 마리오 무릴로에게서 몇 가지 매우 강력한 견해들을 발견했다. 그의 견해들은 주님의 길을 예비하기 위한 열쇠들이기도 하다. "부흥의 비결은 우리가 사탄의 견고한 진들을 뿌리째 뽑기 위한 비밀들을 열심히 노력하여 찾아내고자 하느냐, 아니냐에 달려 있다. 부흥은 하늘로부터 시작된다. 그러나 부흥의 발사대는 반드시 사람의 마음속에서 발견된다. 부흥을 가져오기 위해서는 하나님의 뜻과 인간의 준비 사이에 언약이 체결되어야 한다."

하나님은 언제나 약속을 주심으로써 주님의 백성들 안에 변화를 일으키신다. 그런 다음 주님은 그들에게서 다시 무언가를 요구하신다. 마치 하나님께서 이렇게 말씀하시는 것과 같다. "내가 너에게 나의 모든 것을 주겠다. 만일 네가 너의 모든 것을 내게 준다면 말이다."

기억하라. 하나님과의 관계에서 중간지대란 없다. 당신의 전부를 드릴 때, 하나님의 전부를 얻게 된다(시 103편). 자, 한번 생각해보라. 이런 거래에서 과연 어느 쪽이 더 나은 결과를 얻겠는가? 하나님께서 우리에게 주시는 모든 것들 안에는 구원, 축사, 치유, 평강, 기쁨, 목적, 정체성, 명성, 영광, 열정 등이 포함된다. 그렇다면, 그 대신 주님께서 얻으시는 것은 무엇이겠는가? 그것은 바로 우리들이다.

주님께 매우 괜찮은 거래인 듯 보이지 않는가? 지금 나는 약간 유머스럽게 말하고 있다. 그러나 하나님의 목적은 우리가 승리할 때 비로소 완성된다. 주님은 경탄할 만한 웅장함 속에서 우리에게 주님의 모든 것을 주기 원하신다. 그러나 그에 대한 답례로 주님도 무언가를 받기 원하신다.

하나님은 우리 각자에게 주님과 더불어 희생의 언약을 맺자고 요청하신다. 문득 마리오 무릴로에게 들었던 메시지가 생각난다. 그는 마치 하나님께서 당신에게 말씀하시듯이 이야기한다. "당신은 당신에게 궁극적인 즐거움을 가져다주는 중요한 것을 영원히 포기할 준비가 되어 있는가? 다시금 그것을 되돌려 받고자 하는 욕망을 버릴 수 있겠는가?" 하나님의 짐은 당신으로 하여금 무언가 소중한 것을 대가로 지불하도록 한다.

사무엘상 1장을 한번 살펴보기 바란다. 히브리 문화에서 불임은 엄청난 치욕이었다. 심지어 불임은 하나님이 내리신 저주로까지 여겨지고 있었다. "여호와께서 그에게 임신하지 못하게 하시니"(삼상 1:5). 엘가나는 아내인 한나를 몹시 사랑했다. 그러나 해마다 제사 드리는 시즌이 되면, 한나는 아이가 없었던 까닭에 으레 울면서 음식조차 먹지 않았다. 그녀는 그저 아기만 낳을 수 있다면, 인생에서 더 이상 바랄 것이 없을 것 같았다. 아기를 낳고 싶은 그녀의 갈망 이면에 숨겨진 추동력이 어찌나 강력하던지, 그것은 심지어 그녀의 전 존재마저 집어삼킬 듯했다.

그럴 때면 그녀의 남편은 이렇게 묻곤 했다. "한나여 어찌하여 울며 어찌하여 먹지 아니하며 어찌하여 그대의 마음이 슬프냐 내가 그대에게 열 아들보다 낫지 아니하냐"(삼상 1:8).

그리하여 마침내 한나는 비통한 심경으로 성전에 올라갔다. 그녀는 깊이 괴로워하는 가운데 울면서 주님께 기도드렸다. 그때 그녀는 그야말로 믿을 수 없을 만큼 엄청난 일을 감행한다.

그녀는 주님께 서원하며 다음과 같이 아뢰었다.

> 만군의 여호와여 만일 주의 여종의 고통을 돌보시고 나를 기억하사 주의 여종을 잊지 아니하시고 주의 여종에게 아들을 주시면 내가 그의 평생에 그를 여호와께 드리고 삭도를 그의 머리에 대지 아니하겠나이다 (삼상 1:11)

이 하나님의 여인은 매우 이타적인 입장에서 서원을 하고 있다. "저에게는 아들이 필요합니다. 만일 주님께서 제게 아들을 한 명 주신다면, 그를 반드시 다시 주님께 돌려드리겠습니다." 한나는 하나님께서 이스라엘을 위해 헌신할 선지자를 절실히 필요로 하고 계심을 알고 있었다. 그녀는 자신이 아무리 아들을 낳지 못해 비통해한다 한들, 절박하게 선지자를 찾으시는 하나님의 고통보다는 덜하다는 사실을 인지하고 있었다.

그렇다. 그녀는 현재 자신이 갖고 있지 못한 것으로 인해 울었다. 그러나 동시에 하나님은 언제나 주님의 백성들보다 훨씬 더 비통하게 우실 수 있는 분이라는 엄중한 진리를 깨닫고 있었다. 실제로 하나님은 주님의 백성들로부터 무언가를 받기 원하신다. 이와 관련하여 마리오 무릴로는 이렇게 말했다. "언약은 하늘의 슬픔과 이 땅의 슬픔이 한데 어우러짐으로써 태동된다."

하나님께서 주님의 백성들로부터 무언가를 필요로 하신다는 사실을 전 세계 곳곳의 사도적인 사람들에게 일깨워주자. 그들로 하여금 일어나서 다음과 같이 말하도록 해주자. "그것을 저에게 주십시오. 그러면 반드시 그것을 주님께 다시 돌려드리겠습니다!" 그들로 하여금 주님을 찬미하고 주님의 짐을 상기하게 하자. 언제나 끊임없는 찬미와 희생으로 하나님의 짐을 해결해드리는 한 세대의 남녀들. 이들이 바로 사도적인 사람들의 존재양식이다. 잠시 시간을 내어 시편 50편을 묵상해보라. 그러면 지금 내가 무슨 말을 하고 있는지를 이해하게 될 것이다.

다시 집회 장소로 되돌아가보자. 나는 캘리포니아 주 롱비치에서 열린 집회에 참석하고 있었다. 나의 눈은 하나님께 놀랍게 쓰임 받고 있는 브랜트를 예의주시하고 있었다. 브랜트처럼 엄청난 방식으로 하나님께 사용되고 있는 사람을 나는 생전 처음 목격하고 있었다. 사람들은 여러 가지 간증을 전하고 있었다. 간증의 내용을 당신이 들었다면 분명 어안이 벙벙해졌을 것이다. 다름 아닌 나 자신도 방금 전 심각한 신체적 손상을 치유 받았다. 온 우주만물의 창조주이신 하나님께서 당신에게 경배를 요구하였음을 깨닫는 순간만큼, 당신의 마음이 겸허해지는 때가 또 어디 있겠는가.

그리고 마침내 나는 항복하였다. 그동안 그토록 집착해왔던 나의 이기적이고 거듭나지 못한 꿈과 욕망들을 내려놓았다.

한숨을 내쉬며 나는 아주 낮은 소리로 중얼거리듯 말하였다. "주님, 만일 제가 이렇게 한다면, 만일 제가 주님을 위해 그동안의 온갖 야망과 갈망들을 포기한다면, 제게 한 가지를 약속해주십시오. 제가 오늘밤 이 사람의 사역을 통해 목격한 모든 일들, 모든 치유와 구원, 모든 역동적인 만져주심이 앞으로 주님께서 저에게 맡겨주실 사역의 현장에서도 그대로 일어나게 해주십시오." 나는 결코 탐욕을 부리거나 지나치게 떼를 쓰고 있는 것이 아니었다. 주님께서 성령의 기름부음 아래서 이러한 부담을 내 마음속에서 전개해가고 계셨다.

몇 초 동안 침묵이 흘렀다. 잠시 후 응답의 목소리가 들려왔다. 오직 내 귀에만 들려왔지만, 그 목소리는 거의 귀로 들을 수 있을 만큼 생생했다.

주님께서 말씀하셨다. "알겠다. 내가 너의 요청을 받아들이마."

그날 이후로 나는 하나님이 언제나 킹제임스 성경에 나오는 말투로만 말씀하시는 것은 아니라는 사실을 배웠다.

나는 여러분에게 거짓말하고 싶지 않다. 사실 미식축구 선수들이 반짝거리는 헬멧을 쓰고 경기장 안으로 입장하는 모습을 지켜볼 때마다, 아직도 매번 나의 명치부분이 저려오곤 한다. 그러나 나는 순간을 위해 내 인생을 맞바꾸고 싶지는 않다. 내가 경험한 단 한 번의 기적은 그만큼 가치가 있었다.

그렇다고 해서 나의 사역 현장 가운데 언제나 내가 원하는 모든 일들이 일어나고 있는 것은 아니다. 나는 보다 위대한 하나님의 권능을 체험하기 위해, 늘 끊임없이 하나님의 마음에 관해 보다 심오한 계시를 추구해 들어가고 있다. 그러나 어떤 치유나 표적, 기사를 목격할 때마다, 나는 내가 하나님과 언약을 맺은 자라는 사실을 상기하곤 한다. 주님은 그분께서 설정해두신 계약의 목적을 항상 지켜주신다.

내가 내 마음의 갈망들이라고 여겼던 것들을 놓아버리고 주님께 의지를 굴복시킨 후에 깨닫게 된 사실이 하나 있다. 이렇게 함으로써 나는 내 삶의 진정한 갈망과 꿈들이 무엇이었는지를 보다 깊이 이해할 수 있게 되었다. 결국 나를 창조하신 하나님은 나의 갈망이 무엇인지 나보다 훨씬 더 잘 알고 계셨다! 하늘 아버지는 당신의 갈망도 채워주고 싶어 하신다. 이를 위해서는 당신의 마음이 변화되어야 하고, 주님께 당신의 존재 전체를 철저히 내어드려야 한다.

브랜트가 내게 해준 짤막한 예언적 선포를 상기해보라. "주님, 여기 주님의 빈 그릇이 있습니다. 그를 사용해주십시오!" 바로 그 소중한 순간에 내 영 안에 부르심이 심겨졌다. 예언적 메시지는 주님의 짐을 실어 나른다. 주님의 짐은 예언적 메시지를 통해 수신자 안에서 실질적인 것으로 변화된다.

나는 표적과 기사와 이적들을 지켜보는 것을 좋아한다. 물론 예언도 좋아한다. 나로 하여금 이 귀한 두 줄기의 사역을 모두 감당할 수 있도록 은총을 베풀어주신 주님께 영광과 존귀를 올려드린다. 나는 이 모든 사역들은 실제로 언제나 병행한다고 생각한다.

예언은 기적을 낳는다. 내가 사역 가운데 얻고 있는 가장 큰 보람은 주로 누군가에게 개인적으로 예언을 전하는 동안에 느껴지곤 한다. 개인적인 예언을 받은 사람들이 하나님의 권능에 압도당하는 모습을 지켜보는 것, 그들의 인생을 향한 주님의 짐이 그들의 영 안에 다운로드되는 것을 지켜보는 것이 나에게는 얼마나 큰 기쁨인지 모른다. 이제 그들은 이전과는 달라 보인다. 그들은 활기에 차 보인다. 이 얼마나 경탄스러운 일인가!

나는 예언에 관해서도 많이 가르치고 있다. 예언사역이 어떻게 주님의 짐을 전달하고 개인을 향한 부르심을 풀어놓는지에 관하여, 내게는 보다 상세히 논할 수 있는 몇 가지 놀라운 진리와 통찰들이 있다. 그러나 그것에 대해 언급하는 것은 사도적인 사역에 관해 다루고 있는 이 책의 범위를 벗어나는 일이다. 혹시 누가 알겠는가? 내가 또 한 권의 책을 써야 할지도 모르는 일이다!

지금은 이 정도만 해두기로 하자. 내가 예언 수업에서 학생들에게 가르치는 것이 있다. 구약성경에 등장하는 선지자가 주님의 메시지를 선포해야 할 때를 어떻게 알아차렸는지 아는가? 그 순간이 되면 그는 하나님의 손이 자신을 내리누르는 것을 느꼈다. 하나님께서 그에게 놓아두신 짐 때문이었다. 이때 선지자는 메시지를 선포하지 않고는 견딜 수 없는 상황이 된다. 이사야 8장 11절에서는 '강한 손'이라는 표현이 언급되고 있다. '강한 손'에 해당하는 히브리어는 '야드 체차카'(yad chezqah)다. 이는 문자적으로 '방향을 지시하는 강력한 힘'이라는 뜻이다.

하나님께서 선지자를 내리누르던 손을 들어올리실 때, 주님은 사람들 위에 주님의 짐과 주님의 메시지에 대한 인상을 각인시켜 놓으신다. 이제 그 메시지를 풀어놓고 성취하기 위해 길을 모색해나가는 것은 그들의 책임이 된다. 브랜트가 내 몸에 손을 얹었을 때, 그것은 춤추는 하나님의 손이 나를 주님의 짐으로 내리누르고 계신 것을 상징했다. 그것은 단순히 나를 치유하기 위한 행위가 아니라 부르심을 풀어놓는 행위였다. 사도적인 사람들은 바로 이러한 관점을 가지고 활동하는 사람들이 되어야 한다. 부르심에 관한 예언적 메시지는 한 사람의 일생을 바꿔놓을 수 있고, 하나님의 짐을 풀어놓는다. 이에 관한 한 가지 구체적인 사례를 소개하겠다.

긴 소매를 입은 여자

젊은 아가씨가 있었다. 그녀는 바로 몇 주일 전에 구원을 받았다. 지금 소개하는 이야기는 내가 콜로라도에서 인도하였던 한 집회에서 일어난 일이다. 내가 그녀를 쳐다보고 있는데 갑자기 주님의 메시지가 나에게 임했다. 하나님의 손이 나를 강하게 짓누르시는 것을 느낄 수 있었고, 이 여성을 향한 부담이 느껴졌다. 나는 그녀를 불러 냈고 그녀가 내 앞에 섰다. 나중에 안 사실이지만, 그녀는 이제껏 예언적 메시지라는 것을 한 번도 받아본 적이 없었다.

내가 입을 열어 주님의 부담감을 풀어놓기 시작했다. "바로 4년 전, 당신은 자살을 시도하였습니다."

그것은 그야말로 매우 대담한 발언이었다. 일반적으로 이런 성격의 메시지, 즉 한 개인이 가지고 있는 문제들을 구체적으로 알려주는 메시지를 받을 때, 대개 나는 나중에 개인적으로 이야기해줄 수 있는 기회가 생길 때까지 침묵을 지키곤 한다. 사람들 앞에서 당사자를 당황스럽게 만드는 일이 없게 하려는 것이다. 그러나 이번에는 성령께서 이 메시지를 공개적으로 나누어도 좋다고 허락하시는 것을 느꼈다. 왜냐하면 그곳에 있던 대부분의 사람들이 이미 그녀와 그녀의 간증에 관해서 잘 알고 있었기 때문이다.

내가 그녀를 만난 것은 그때가 처음이었다. 나는 계속해서 메시지를 선포했다. "당신이 자살시도를 한 이유는, 아버지가 당신에게 근친상간을 범하였기 때문입니다." 당시 나는 마치 그림을 보고 있는 듯하였다. 그러나 이것은 이제 막 내 영에서 풀려나오던 것의 시작에 불과했다. 나는 마음으로 보았던 이미지를 묘사하기 시작했다.

"당신은 면도날을 들고 당신의 손목을 여러 차례 그었습니다. 당신은 욕실에 있었습니다. 바로 그 순간, 집으로 돌아오신 당신의 부모님이 당신의 손목을 싸매주셨습니다. 그리고는 황급히 당신을 자동차에 태우고 응급실로 향했습니다. 이후 4년 동안 줄곧 당신은 코카인 밀매장소에서 살면서 마약 중독에 빠져 있었습니다."

친구들이여, 당신이 그토록 구체적인 메시지를 전할 때, 과연 맞는지 틀리는지를 아는 사람들이 얼마나 되겠는가! 메시지를 전해 받던 그녀가 갑자기 흐느껴 울기 시작했다. 그녀에 대해 잘 알고 있던 주변 사람들도 덩달아 울었다.

"바로 2-3주 전, 당신의 친구(마침 그 친구는 그녀의 옆자리에 앉아 있었다)가 당신을 구원의 복음으로 인도해주었습니다. 당신은 예수님께서 당신의 죄를 용서해주셨다면, 당신도 당신에게 죄를 범한 육신의 아버지를 용서해주어야 한다는 사실을 깨달았습니다. 결국 당신은 바로 얼마 전에 아버지를 용서하기로 의식적으로 결단하였습니다. 이제 주님께서 그리스도 안에서 당신의 자존감을 회복시켜 주시려 하십니다. 주님은 이 사실을 당신에게 알려주기 원하십니다. 이제 당신이 받았던 모든 상처들, 모든 아픔들이 치유될 것입니다. 당신은 아무런 고통도 느끼지 않으면서 과거를 회상할 수 있게 될 것입니다. 또한 주님께서는 '네가 겪었던 치욕의 증거를 내가 모두 제거해주겠다!'고 말씀하십니다."

내가 이 말을 할 때, 그녀는 양 손목에 하나님의 권능이 관통하는 것을 느꼈다. 당시 그녀는 긴 소매의 셔츠를 입고 있었다. 물론 그곳 로키스는 다소 추운 곳이기도 했다. 그러나 그때가 어느 계절이었는지 전혀 상관없이 그녀는 항상 긴 소매의 셔츠나 스웨터를 입었다. 거기에는 그럴 만한 이유가 있었는데, 바로 양 손목에 나 있는 몇 개의 큼지막한 상처들 때문이었다. 만일 사람들이 그녀의 상처들을 보기라도 하면, 그것이 자살시도와 자해로 인해 생긴 것인 줄 금방 알아차릴 것이다. 손목에 난 이런 유의 상처들은 결코 우연히 생기는 것이 아니기 때문이다.

그러나 지금 그녀는 자연스럽게 스웨터 소매를 걷어 올리고, 양 손목을 그대로 사람들 앞에 노출시켜 보여주었다. 우리 모두가 흉측한 상처들을 보았다. 이 상처들은 그녀가 살면서 겪어온 치욕의 상징이기도 했다. 눈으로 보기에 그것들은 너무나도 심각했다. 그런데, 모든 사람들이 지켜보는 가운데 눈 깜짝할 사이에 그녀의 상처들이 온데간데없이 사라져버렸다!

갑자기 그곳이 소란스러워졌다. 여기저기서 큰소리로 흐느껴 울고 눈물을 흘리며 난리가 났다. 그렇게 그 젊은 아가씨는 과거로부터 놓임을 받았다. 그녀는 자신을 향한 하나님의 깊으신 생각을 아주 조금이나마 맛볼 수 있었다. 하나님께 그녀는 매우 소중한 존재였다. 주님은 그녀를 필요로 하셨고, 그녀를 온전케 해주기 원하셨다.

하나님의 손이 당신 위에서 춤추며 당신을 주님의 짐으로 내리누르실 때, 예언적 메시지는 당신을 향한 부르심을 풀어놓을 수 있다. 그 순간 당신은 주님께 동의해야 한다! 하나님은 희생으로써 주님과 언약을 체결할 사도적인 사람들을 기다리고 계신다. 친애하는 독자 여러분, 하나님의 불이 우리 위에 임하셔야 한다! 우리에게는 이런 유의 불의 기적들이 필요하다. 우리가 불의 기적을 얻으려면, 반드시 우선은 주님의 짐을 체험해야 한다. 사도적인 풀어짐을 위한 중요한 비결 중 하나가 바로 이것이다.

CHAPTER 5 하나님의 짐

| 언약의 체결자들

- '언약'(covenant)에 해당하는 히브리어는 두 가지다. 하나는 '베리트'(berith)로서, '산산조각 나게 하다'라는 뜻이고, 또 하나는 '카라트'(karath)로서 '쪼개다 혹은 양분하다'라는 뜻을 지닌다.
- 신약성경에서 '언약'에 해당하는 헬라어는 '디아데케'(diatheke)로서, 이는 '계약 혹은 유언장'이라는 의미를 담고 있다.
- 유언장의 취지와 조항들이 효력을 발하기 위해서는, 유언한 사람 혹은 유언장을 작성한 사람의 죽음이 필요하다.
- 기본적인 언약은 당사자들 간에 이루어진 일종의 협약 혹은 조약이었다. 언약을 통해 양자는 각자의 온갖 소유물들과 재력을 담보물로 걸어두었다. 그런 다음 언약은 피를 뿌림으로써 인봉되었다. 그들은 가치를 지닌 짐승들을 둘로 쪼갠 뒤, 그 사이를 통과하여 지나갔다. 이렇게 함으로써 그들의 언약은 서로에게 인봉되었다(창 15:9-17, 렘 34:18).
- 언약들은 영속적이고 구속력을 지닌 계약의 체결로, 대대로 영원히 재정립된다.
- 언약들은 공정한 것이었다. 당사자가 동일한 것을 상대방에게 맹세하였기 때문이다. 이제 하나님의 언약은, 주님 편에서는 은혜와 긍휼에 관한 사안이다(시 89:28).
- 하나님과 인간 사이에 맺어진 언약으로는 8가지가 있다(창 6장, 15장, 출 24장, 시 89편, 대하 29장, 34장, 왕하 11장, 눅 22장).

| 사람을 찾으시는 하나님

- 하나님의 불은 곧 주님의 부담이자 열정이다. 주님은 주님의 부담을 그분의 자녀들과 함께 짊어지기로 작정하셨다. 주님은 사람을 찾고 계신다. 주님은 그분의 계획들을 이 땅 가운데 펼치시기 위해 주님과 더불어 언약을 맺을 남녀들을 찾고 계신다. 주님의 백성들은 분발하여 행동에 착수해야 한다.
- 사도적인 사람들은 이처럼 사람들을 분발시키는 작업을 돕는다. 그들은 사람들로 하여금 현재 향하고 있던 경로를 수정하도록 대면시키는 지점으로 이끌어간다.
- "너희가 어느 때까지 둘 사이에서 머뭇머뭇 하려느냐 여호와가 만일 하나님이면 그를 따르고 바알이 만일 하나님이면 그를 따를지니라"(왕상 18:21).
- 하나님은 불로써 응답하시는 분이다. 주님의 불은 그분의 명령을 준행해야 할 사람들을 향한 하나님의 부담이요 열정이다(왕상 18:24).
- 하나님의 열정은 주님의 백성들로 하여금 주님께 순종하도록 하는 것이다. 주님은 계획하신 바를 이루기 위해 무슨 일이라도 행하려 하실 것이다.
- 사도적인 사람들은 우리를 분발시켜 변화의 지점까지 몰아갈 것이다. 그리스도인들이 인정하든 안 하든 간에, 우리 모두는 직면시키는 자들로 부름 받았다.
- 이 세상은 하나님을 믿기는 하되 순종하지는 않는 허물을 범하고 있다. 한편 우리는 이것을 직면하게 해야 함에도 그 사명에 소홀한 잘못을 저지르고 있다.
- 하나님이 보시기에 중간지대란 없다. 하나님께는 그분을 위하는 쪽이 아니라면, 하나님을 반대하는 쪽이다. 사도적인 영은 영적으로 무관심한 사람들에 대해 맹렬히 저항하며, 그들이 믿고 있는 분이 누구인지 명확히 선을 긋도록 촉구한다.

| 우리에게는 불의 기적이 필요하다

- 불의 기적은 사도적인 기적이다. 이러한 사도적인 기적은 사람들의 마음속에 혼란의 여지를 조금도 남겨두지 않는다. 또한 사회를 갑작스럽게 일깨움으로써, 하늘에 하나님이 살아 계시며 하나님께서 사람들에게 무언가를 요구하고 계신다는 사실에 대면시킨다.
- 기적적인 일들은 반응을 요구한다.

- 하나님의 기적들은 모두 주님의 긍휼하심과 자비하심을 드러내준다. 그러나 그러한 계시 중에서도, 사도적인 사람들이 행하는 특정한 유의 기적들은 사람들로 하여금 대면하도록 촉구한다. 사도적인 사람들은 기적적인 표적들과 기사들의 영역으로 계속해서 밀고 들어가야 한다. 이렇게 함으로써 하나님의 사랑을 나타내 보이고, 주변 사람들로 하여금 응답하도록 촉구해야 한다.
- 사도적인 사람들은 어떤 유의 명성이든지 인간의 잣대를 통해 얻어야 하는 것들에 대해서는 기꺼이 잊어버려야 한다.
- 하나님은 배고픔과 불타오르는 열정을 지닌 사도적인 사람을 찾고 계신다. 초자연적인 것을 소유하기 위해 그 어떤 것도 기꺼이 희생하고자 하는 강렬한 열정과 굶주림을 가진 자를 찾으신다. 그들은 열방을 향한 부담을 품고 있어야 한다. 그들은 열방 가운데서 하나님께서 이루기 원하시는 바를 선포하고자 하는 열정과 믿음을 가지고 있어야 한다.
- 우리는 열방을 향해 나아가기 위하여 성령의 인도하심을 따라 움직여야 한다. 천국에서 이제껏 한 번도 들어본 적이 없는 이 땅의 방언들로 예수님이 찬미를 받으시는 것이, 우리가 가진 최고의 꿈이 되어야 한다. 하나님의 영광이 온 땅을 뒤덮어야 한다. 하나님께서는 성자 예수님께서 열방 중에 높임을 받으시기를 간절히 열망하신다.
- 사도적인 사람들은 열정을 분발시키는 일을 하도록 부름 받았다. 당신이 원하기만 한다면, 과감한 포기도 필요하다. 결정을 내리고 전략들을 구상함에 있어서도, 늘 사도적인 것에 초점을 맞춰야 한다. 온 땅에 하나님의 영광을 확산시키는 일에 철저히 헌신된 사도적인 기도가 필요하다. 심지어 죽음까지도 불사해야 한다.
- 열정이란 무언가를 위해 기꺼이 고통을 당하는 것을 뜻한다. 사도적인 사람들은 기꺼이 어떤 대가라도 치를 준비가 되어 있는 사람들이다. 그들은 끊임없이 스스로에게 질문을 던진다. '과연 나의 믿음은 무언가 중요한 일을 지지하고 있는가?'
- "사도들이 큰 권능으로 주 예수의 부활을 증언하니 무리가 큰 은혜를 받아"(행 4:33).
- '증거'(witness)에 해당하는 헬라어는 '마르투리온'(marturion)이다. 바로 이 말로부터 '마터'(martyr, 순교자)라는 단어가 유래되었다. '마터'란 죽음까지도 불사하고 하나님을 위해 증언하는 사람을 뜻한다. 모든 증거하는 행위가 반드시 죽음을 요구하는 것은 아니다. 그러나 사람들에게 요지를 이해시키기 위해 필요하다면, 그들은 무슨 일이든 서슴지 않고 행할 것이다.

- 사도적인 사람들은 내면에 떠나고자 하는 열망을 갈고닦아야 한다. 그러나 아울러 그들은 기꺼이 머물러 있으려는 마음도 가지고 있어야 한다.
- 당신이 있는 곳이 어디든지, 바로 그곳에서 변화를 가져오는 자가 되라. 그 변화를 가져오기 위해 무슨 일이라도 하겠다는 의지를 지니라.
- "예수께서 또 이르시되 너희에게 평강이 있을지어다 아버지께서 나를 보내신 것 같이 나도 너희를 보내노라"(요 20:21).
- 보내심을 받고, 구별되고, 경계선에 의해 뚜렷이 구분되는 것, 즉 사도적인 사람들 안에서 확고한 영토를 구축하고 뚜렷한 경계선을 긋는다는 것은, 온전한 권위를 가지고 활동함을 의미한다.
- 우리는 우리가 있어야 할 자리가 어디인지를 찾아내야 한다. 그리고 현재 우리가 서 있는 곳 혹은 보내심을 받은 그 땅, 하나님께 속해 있는 그 영토를 위해 헌신해야 한다.
- "외치는 자의 소리여 이르되 너희는 광야에서 여호와의 길을 예비하라 사막에서 우리 하나님의 대로를 평탄하게 하라"(사 40:3).
- 부흥의 비결은 우리가 사탄의 견고한 진들을 뿌리째 뽑기 위한 비밀들을 열심히 노력하여 찾아내고자 하느냐, 아니냐에 달려 있다. 부흥은 하늘로부터 시작된다. 그러나 부흥의 발사대는 반드시 사람의 마음속에서 발견된다. 부흥을 가져오기 위해서는 하나님의 뜻과 인간의 준비 사이에 언약이 체결되어야 한다.
- 하나님은 언제나 약속을 주심으로써 주님의 백성들 안에 변화를 일으키신다. 그런 다음 주님은 그들에게 다시 무언가를 요구하신다. 마치 하나님께서 이렇게 말씀하시는 것과 같다. "내가 너에게 나의 모든 것을 주겠다. 만일 네가 너의 모든 것을 내게 준다면 말이다."
- 한나는 하나님께서 이스라엘 땅을 위한 선지자를 절실히 필요로 하고 계심을 알고 있었다. 그녀는 자신이 아무리 아들을 낳지 못해 비통해한다 한들, 선지자를 절박하게 찾으시는 하나님의 고통보다는 덜하다는 사실을 인지하고 있었다(삼상 1장).
- "언약은 하늘의 슬픔과 이 땅의 슬픔이 한데 어우러짐으로써 태동된다."
- 사도적인 사람들은 언제나 끊임없는 찬미와 희생으로 하나님의 짐을 해결해드리는 한 세대의 남녀들이다(시 50편).
- 예언적인 메시지는 주님의 짐을 실어 나른다. 주님의 짐은 예언적 메시지를 통해 그것을 받는 가운데 실질적인 것으로 변화된다.

- 구약성경에서 선지자는 주님의 메시지를 선포해야 할 때가 되면, 하나님의 손이 자신을 내리누르는 것을 느꼈다.
- 하나님께서 선지자를 내리누르던 손을 들어올리실 때, 주님은 사람들 위에 주님의 짐과 메시지에 대한 인상을 각인시켜 놓으신다. 이제 그 메시지를 풀어놓고 성취하기 위해 길을 모색해나가는 것은 그들의 책임이 된다.
- 부르심에 관한 예언적 메시지는 한 사람의 일생을 바꿔놓을 수 있고, 하나님의 짐을 풀어놓는다.

www.purenard.co.kr

춤추는 하나님의 손

The Dancing Hand of God

by James Maloney

Copyright ⓒ 2008 by James Maloney

Published by Dove on the Rise International
P. O. Box 1166
Argyle, Texas 76226-1166

Korean translation Copyright ⓒ 2014 by Pure Nard
2F 16, Eonju-ro 69-gil, Gangnam-gu, Seoul, Korea

The Korean edition is published by arrangement with Dove on the Rise International.
All rights reserved.

본 제작물의 한국어판 저작권은 Dove on the Rise International과의 독점 계약으로 한국어 판권은 '순전한 나드'가 소유합니다.
저작권자의 허락 없이 이 책의 일부 또는 전체를 무단 복제, 전재, 발췌하면 저작권법에 의해 처벌을 받습니다.

춤추는 하나님의 손(2권)

초판발행| 2014년 1월 10일
2쇄인쇄| 2018년 10월 8일

지 은 이| 제임스 말로니
옮 긴 이| 임정아

펴 낸 이| 허철
총   괄| 허현숙
편   집| 김혜진
디 자 인| 이보다나
인 쇄 소| 예원프린팅

펴 낸 곳| 도서출판 순전한 나드
등록번호| 제2010-000128
주   소| 서울 강남구 언주로 69길 16 (역삼동) 2층
도서문의| 02) 574-6702
편 집 실| 02) 574-9702
팩   스| 02) 574-9704
홈페이지| www.purenard.co.kr

Printed in Korea

ISBN 978-89-6237-152-9 04230

2권
춤추는 하나님의 손

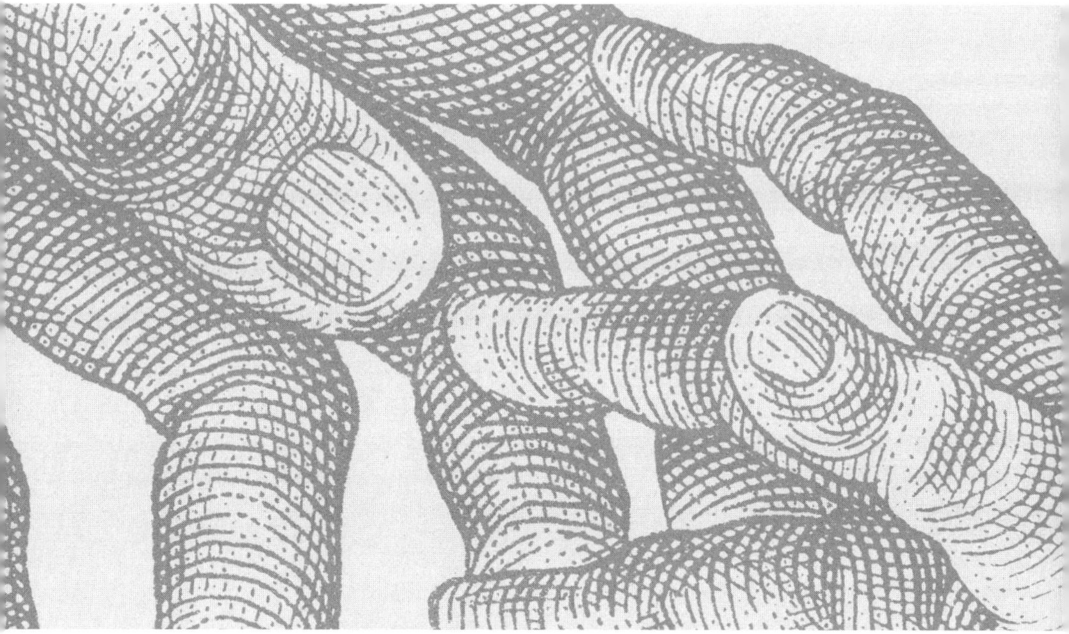

제임스 말로니 지음 | 임정아 옮김

The Dancing Hand of God

목차

2권

The Dancing Hand of God

CHAPTER 6 **하나님의 영광** _8

주님의 영광이란 주님의 은총과 명성이 우리 위에 임하시는 것임을 기억하라. 하나님의 얼굴은 우리를 향하고 계신다.

CHAPTER 7 **하나님의 통치** _82

하나님께서 당신의 교회의 표층구조를 벗겨내시고, 근육 이면의 것을 드러내셔야 한다. 당신은 강력한 돌풍과도 같은 순전한 성령의 운행하심이 당신의 회중을 관통함으로 그들이 회복되기를 원해야 한다.

CHAPTER 8 **하나님의 가용성** _144

우리는 삶 속에서 무한대로 하나님의 도우심을 누리며 살아갈 수 있다. 이것은 우리가 알아차릴 수 있는 수준을 훨씬 더 능가한다!

CHAPTER 9 **하나님의 거룩하심** _194

우리가 예수 그리스도의 몸에 접목됨으로써 '하나님과 같음'을 지니게 되었다는 사실을 인정하는 것은 결코 교만이 아니다. 실제로는 이런 사실을 인정하지 않는 것이 잘못이다. 그러나 경건에 속한 모든 것을 얻으려면 대가를 치러야 한다.

The Dancing Hand of God

CHAPTER 6

하나님의 영광

주님의 영광이란 주님의 은총과 명성이 우리 위에 임하시는 것임을 기억하라. 하나님의 얼굴은 우리를 향하고 계신다. 우리는 주님께 받아들여진 존재들이다. 주님이 보시기에 우리는 기뻐하실 만한 자들이다.

우리는 주님의 영광의 충만하심 안에서 충만해져야 한다(골 2:10). 그리하여 예수님에 관한 증언이 다시금 견고해지도록 해야 한다(고전 1:6). 하나님은 우리 가운데 주님의 영광이 머무실 수 있는 영원한 거처를 만들기 원하신다.

금촛대와의 만남

브랜트 베이커가 이끈 기적의 집회에서 치유를 경험하고 그로 인해 주님의 일꾼이 되겠다고 하나님과 언약을 맺은 후, 나의 고향인 캘리포니아 주 아이딜와일드에서의 삶은 말하자면 좀 이상해졌다. 이제는 내가 이제까지의 사역을 통해 목격했던 모든 일들 중 가장 핵심이 되는 이야기를 해야 할 시점에 이르렀다. 먼저 하나님께 큰 영광과 존귀를 올려드린다. 유례를 찾아볼 수 없는 이 기념비적인 사건은 내가 기억을 더듬어 올라가서 다음과 같이 말할 수 있는 역사적인 순간이었다. "모든 것이 바로 그때로부터 시작되었다."

다시 말하지만, 내가 이 이야기를 소개하는 이유는 결코 나 자신을 뽐내기 위해서가 아니다. 나에게는 특별한 구석이 조금도 없다. 내가 이 이야기를 나누는 것도 이 때문이다. 부디 이런 체험들이 그리스도의 몸 전체를 위한 것임을 알아주었으면 한다. 이제껏 내가 온갖 형태로 경험해온 주님과의 만남들은, 결국 다른 이들의 덕을 세워주기 위한 목적을 가진 것들이다. 내가 이 체험들을 당신에게 소개하는 것은 당신도 주님과 이러한 만남과 체험들을 시작할 수 있기를 바라는 마음 때문이다.

하나님께서는 불과 몇 년 전에 나로 하여금 이 체험에 관해 공개적으로 전할 수 있게 허락해 주셨다. 이 일을 통해 나는 우리가 그리스도의 몸 된 교회에 엄청난 권능과 영광이 더해지는 시기를 향해 점점 더 가까이 가고 있음을 알게 되었다. 그럼에도 불구하고 여전히 이 이야기를 나누는 것이 매우 조심스럽다. 다만 나는 하나님으로부터 부여받은 진중한 임무를 이행하는 것일 뿐이다. 하나님께서는 지금 주님의 영광이 지닌 새로운 속성을 우리에게 계시해주시기를 간절히 열망하신다. 주님의 영광의 속성은 언제나 나를 깜짝 놀라게 할 뿐 아니라, 늘 겸손 가운데로 이끌어준다.

이 이야기는 내 마음속에서 아주 특별한 자리를 차지하고 있다. 이것을 나누려 할 때마다 매번 가슴이 먹먹해져서 눈물이 나오려고 한다.

본론으로 들어가기에 앞서, 우선 나 같은 하찮은 사람을 통해서도 이러한 체험을 당신에게 들려주기 원하시는 하나님께 깊은 감사와 경의를 표해드리고 싶다. 이제부터 나는 하나님께서 이 세상에 보내주신 최고로 훌륭한 몇몇 사람들을 당신에게 소개해주려고 한다. 그들은 바로 금촛대(Golden Candlestick)라고 불리는 모임이다.

17살 때의 일이다. 당시 우리 집은 높은 산 중턱에 있어서 나는 우편물을 수거해오기 위해 집에서 마을까지 걸어 내려갔다. 우체국을 나서려던 순간, 나이가 지긋한 한 여인이 어디선가 갑자기 나타나서는 나에게 말을 걸어왔다. 돌연 내 앞에 모습을 드러낸 그 여인은 뼈만 앙상하게 남은 굽은 손가락을 내 얼굴 앞에서 흔들어대며 말했다.

"자네가 그 젊은이군!" 그녀의 목소리는 다소 침울했다.

순간 목덜미를 타고 냉기가 쫙 흘러내렸다. 나는 당황하며 주변을 둘러보았다. 나는 속으로 이렇게 생각했다. '오, 세상에! 내가 방금 무슨 실수를 한 걸까? 이 작은 마을에서는 무엇 하나도 숨길 수가 없구나!' 그녀에게서는 매우 이상한 기운이 발산되고 있었는데, 그것이 나를 몹시도 불안하게 했다.

당시 내가 살던 마을은 남부 캘리포니아의 신비주의와 신비사술의 중심지 중 하나였다. 그런 환경에서 열광적인 기독교 원리주의자가 되는 것은 그리 대단한 일이 아니었다. 숲속에 살고 있는 히피족들, 주변을 배회하는 배낭여행자들, 지역의 은둔적인 특성 등 이 모든 요소들이 어우러져 도시생활의 스트레스를 떨쳐내기 원하는 로스앤젤레스 '괴짜'들에게 이곳은 매우 매력적인 곳이었다.

그 마을은 형이상학적 과학의 근거지였다. 그곳에는 흰색의 긴 가운을 입고 긴 머리를 늘어뜨린 이상한 무리들이 실제로 이곳저곳을 배회하고 있었다. 아울러 그곳은 폭주족들의 집결장소가 되기도 했다. 이 정도면 그곳의 풍경이 과연 어떠했을지 충분히 상상할 수 있을 것이다!

그곳에는 심령술과 뉴에이지 철학뿐 아니라 사탄숭배의식 등도 상당히 만연되어 있었다. 아마도 그 지역은 특별한 능력이나 다른 잡다한 기운들이 소용돌이치는 곳, 혹은 연결점이었던 듯하다. 쉽게 말해, 그곳에는 강한 기운(Force)이 맴돌고 있었다.

신비사술이 횡행하는 분위기에서 살아가고 있었기에, 그런 상황 속에서 기괴한 일들을 목격하거나 듣는 것은 결코 이상한 일이 아니었다. 종종 숲에는 제물로 바쳐진 짐승들의 사체가 나뒹굴었고, 사람들은 마녀나 마법사처럼 옷을 차려입고 주변을 배회했다. 그들은 아주 먼 옛날사람 같은 차림으로 사람들에게 '예언'을 해주며 지나가곤 했다. 그들은 상대가 무슨 생각을 하고 있는지, 그가 받은 편지의 내용이 무엇인지까지 말해주었다. 마을 분위기가 어느 정도였는지 이제 좀 이해가 되는가?

귀신의 세력들은 끊임없이 나를 농락했다. 이제껏 살면서 온전한 형태를 갖춘 유령들을 목격한 적도 몇 차례 있었다. 유령들은 공중에 둥둥 떠다니다가는 갑자기 사라지곤 했다. 당신도 알고 있는지 모르겠지만, 한 가지 재밌는 사실이 있다. 귀신이 언제나 흉측하고 기괴한 모습으로만 나타나는 것은 아니다. 어떤 귀신들은 꽤 아름다운 모습으로 나타나는 능력을 가지고 있었다(그것들이 사람들을 거짓된 평안으로 유혹할 수 있는 이유도 바로 이 때문이다). 한편, 유령들은 의자들을 움직이거나, 서랍장을 열거나, 나이프와 스푼과 포크들을 마구 헝클어놓거나, 벽을 박박 긁거나, 문을 쾅쾅 두드리기도 했다. 귀신들이 출현하는 방식은 그야말로 성가시고 섬뜩할 정도였다.

감사하게도 나는 한 번도 신비사술에 참여하거나 신비주의에 관여한 적이 없었다. 이 모든 것이 하나님의 구속적인 은혜 덕분이다. 주님의 은총이 나를 귀신의 억압으로부터 지켜주셨다. 그러나 온통 그러한 상황에 젖어서 살아가다 보니, 내 안에는 신비주의와 신비사술에 대한 예민함이 각인되고 있었다. 사실 이러한 예민함은 나의 사역 전반에 걸쳐 오히려 유익을 주어, 나는 '친숙한 영'(familiar spirit, 이를테면, 귀신을 말한다. 혹시라도 당신이 나의 진의를 파악하지 못했을까봐 덧붙인다)이 역사하고 있는 것인지, 아니면 진정한 하나님의 가시적인 임재인지를 구분해내는 명민한 분별력을 가지고 있다.

"그렇군. 바로 자네군! 자네가 그 젊은이야." 여전히 그 여인은 구부러진 손가락을 내 얼굴 앞에서 흔들어대면서 낮은 목소리로 중얼거리듯 말했다. 그녀의 말은 나를 당황스럽게 했다. 하지만 그녀에게서는 마을에 있는 다른 마녀나 마법사들한테서 느껴지던 '역겨움' 따위는 감지되지 않았다. 그녀는 뭔가 남달랐다.

나는 그 여인의 곁을 비껴가면서 아마도 다음과 같이 투덜거렸던 것 같다. "아주머니, 사람 잘못 보셨습니다." 그러고는 부리나케 우체국을 빠져나왔다. 나이가 지긋해 보이던 그 여인은 다행스럽게도 나를 따라오지는 않았다.

그날 밤새도록 나는 혹시 누군가가 나의 부모님에게 전화를 걸지는 않을까 걱정했다. 아주 오래전에 내가 그 여인의 꽃밭에 무심코 쓰레기를 버렸거나 혹은 다른 사소한 실수 때문에 전화라도 걸어 이야기하는 건 아닐까 하는 생각이 들었다. 나는 머리를 싸매고 계속해서 생각해보았다. "도대체 내가 무슨 짓을 저질렀을까?"

나는 애써 잠을 청하며 밤새 엎치락뒤치락 자다 깨다를 반복하고 있었다. 그러나 나의 턱 바로 밑에서 흔들거리던 그 주름투성이에 뼈만 앙상했던 굽은 손가락의 이미지는 쉽게 떨쳐지지 않았다. "바로 자네군! 자네가 그 젊은이야!"

그로부터 며칠이 지났다. 여전히 그 이미지는 나의 뇌리 속에서 사라지지 않고 따라다니고 있었다. 그 무렵 주님 안에서 친구가 된 한 분으로부터 전화를 받게 되었다. 그녀는 나에게 그날 저녁에 특정한 장소를 찾아가라고 말했다. "그곳에 가면 내가 형제에게 꼭 만나게 해주고 싶은 몇몇 훌륭한 사람들이 기다리고 있을 거야." 결국 나는 그녀의 조언에 따라 그 장소를 찾아갔다.

알고 보니 그곳은 매우 외딴 곳에 위치해 있었다. 나는 속으로 생각했다. '오, 이런, 도대체 그녀는 나에게 어디를 가라고 한 거야?' 나는 그 집의 문을 두드린 다음, 잠시 기다렸다. '내가 어쩌자고 여기까지 온 것일까?' 도저히 의구심을 떨쳐버릴 수가 없었다. 드디어 문이 열렸다. 문간에 서서 나에게 들어오라고 손짓하는 사람이 누구였는지 아는가?

그렇다. 바로 뼈만 앙상한 손가락을 흔들던 그 작은 여인이었다.

"들어오세요. 우리는 당신이 와주실 줄 기대하고 있었어요."

'뭐라고? 내가 올 줄 기대하고 있었다고?' 나는 용기를 내어 그녀를 따라 거실로 들어갔다. 그곳에는 20명 남짓 되는 사람들이 모여 있었다(남자들도 여럿 있었지만, 대부분은 여자들이었다). 그들은 기대감에 찬 눈빛으로 나를 바라보며 집안을 왔다 갔다 하고 있었다. '내가 어쩌다가 여기까지 왔을까.' 도통 아무런 생각도 나질 않았다.

그 여인(나중에야 비로소 그녀의 이름이 프란시스 메트컬프인 것을 알게 되었다)은 나에게 그들이 여기 모여서 무슨 일을 하고 있는지에 관해 설명해주기 시작했다. 그녀가 내게 들려준 이야기들의 순서는 정확히 기억나지 않지만, 대략적인 내용을 인용해보면 다음과 같다. 물론 대략적이긴 하지만, 아래에 소개하는 내용들은 모두 그녀의 설명 안에 포함되어 있었던 것들이다.

"우리는 우리 자신을 금촛대라고 부르고 있습니다. 우리가 처음에 모였을 때만 해도 45-50명가량 되었습니다. 그러나 그 사람들 중 몇 명은 현재 본향으로 돌아가서 예수님과 함께 살고 있습니다. 벌써 40년 남짓 세월이 흘렀군요. 그때 우리는 모두 신학교 학생들이었습니다. 각자 나름대로 다양한 사역들을 준비하고 있었죠. 그 무렵에 주님께서 우리 각자에게 말씀을 들려주셨습니다. 그분은 우리의 삶을 향한 또 다른 계획을 갖고 계셨던 거예요. 주님은 우리에게 대중사역에 대한 온갖 야망들을 포기할 수 있느냐고 물어보셨어요. 그러고는 단지 지속적으로 함께 모여 차원 높은 찬양과 깊은 중보기도 사역에 전념하면서 주님을 경배하라(이것은 요한계시록 5장 8절에 근거하여 '거문고와 금대접' 사역이라고 일컬어진다)고 말씀하셨어요.

주님은 우리의 육신적인 필요들을 채워주시겠다고 약속하셨어요. 그 대신에 어마어마한 주님의 권능이 온 땅에 운행하시도록 우리의 중보기도를 사용하기 원하셨지요. 그리하여 그때 이후로 수십 년간 계속해서 이곳에 모여 주님을 경배하고 있답니다. 일주일에 대략 4-5일은 밤을 새곤 하죠. 6시에 시작하면, 끝나는 시간은 일정치 않답니다. 우리가 하는 일은 단순히 함께 모여서 주님을 경배하는 것이에요. 우리 중 어떤 이들은 일을 해요. 그래서 주님은 우리를 통해 수천 달러가 주님의 나라로 흘러들어가도록 허락해주셨어요. 우리는 전 세계의 선교사역을 지원하고 있답니다. 우리는 하나님을 찬양하고, 영 안에서 귀신의 세력들에 대항하여 전쟁을 벌이며, 주님의 목적들이 성취될 수 있도록 하늘로부터 내려온 전략들을 사람들과 나누기도 합니다. 우리는 선택받은 언약의 집단이에요."

그녀의 말은 매우 간단명료했다. 단순히 사실만을 진술하고 있었다.

"와!" 그녀의 말을 다 듣고 난 후에 내가 보일 수 있는 반응은 단지 이 정도의 감탄사밖에 없었다.

메트컬프 부인은 고개를 끄덕인 다음, 계속해서 말했다.

"몇 년 전의 일이에요. 우리는 아주 강력한 중보기도를 드리고 있었지요. 우리들 중 한 사람이 주님께 큰 소리로 부르짖었어요. 분노해서가 아니라 주님의 인도하심 가운데 부르짖은 것이었죠. 그는 주님께 그동안 우리가 해온 숱한 분량의 희생을 기억해달라고 구했어요. 우리가 개인의 사역을 모두 포기하고 이 부르심에 응답했기 때문이죠. 그동안 우리는 언제나 다른 사람들, 다른 사역단체들, 다른 문제들만을 위해 기도해오고 있었어요. 그러나 이번에는 오직 한 가지를 위해서 간구했어요. 주님께서 우리에게 갚아주시기 원하신다는 단 한 가지 제목을 위해서요.

이제 우리 고향 출신의 누군가가 세상에 파송될 거예요. 앞으로 그는 우리가 이제껏 주님께 드려온 모든 간구와 기도를 유산으로 물려받는 사역을 감당하게 될 거예요. 다시 말해, 이 사람은 우리가 주님을 섬기기 위해 포기했던 온갖 다양한 사역의 영역 속으로 들어가게 되는 거예요. 그에게는 하나님의 마음을 세상 사람들에게 열어놓는 기름부음이 임할 거예요. 얼마 전 우리는 불덩이 하나가 우리 산을 타고 내려가는 환상을 보았어요. 그 불덩이는 우리를 에워싼 세상 속으로 '텀벙' 하고 빠졌지요. 이것이 바로 우리가 주님께 구한 바예요. 우리는 이 불덩이가 될 단 한 사람을 구했어요."

순간 나의 전 존재에 전류가 관통하고 지나갔고, 그녀의 눈에서는 왈칵 눈물이 솟구쳐 올랐다. 그녀는 울기 시작했다. 그러고는 다시 한 번 그 손가락을 내 얼굴 쪽으로 가까이 쳐들고 말했다.

그녀는 눈물을 흘리고 있었다. "짐, 당신이 바로 그 젊은이에요!"

그녀가 이 말을 하는 동안, 나는 카펫 위에 무릎을 꿇고 양손으로 얼굴을 감싼 채 울음을 터뜨렸다. 강력한 기름부음이 나를 완전히 압도해버렸다. 나는 몸을 움직일 수가 없었다. 말조차 할 수가 없었다. 그 순간에 경험한 겸손이란, 도저히 글로 표현해낼 수 없는 그 무엇이었다. 그때 무슨 일이 일어나고 있었는지 여러분에게 묘사해줄 만한 기교가 내게는 없다. 어떻게 표현해야 좋을지 모르겠다.

그때는 내 인생 가운데 나의 정체가 무엇인지 밝히 드러나는 순간이었다. 그동안 내게 일어난 모든 사건들은 바로 이 순간을 위한 전주곡에 불과했다. 나 자신이 이러한 부르심을 받을 만큼 대단한 존재가 아님을 깨달을 때처럼 경악스러운 경우도 없다. 우리 안에는 이런 은혜의 선물을 받을 만큼 '충분한 선함'이 없다. 그러나 내가 그 자리에 있었다. 그곳에 있던 남녀가 마치 어린아이처럼 울어대는 나를 위해 기도해 주었다. 그들은 수십 년 후에 내가 행하게 될 일들에 관해 예언해주었다. 하나님께서는 이전에 그들이 각자 보았던 환상과 꿈들을 앞으로 펼쳐질 나의 사역들을 보증해주는 도구로 삼으셨다.

이제 당신은 내가 어떻게 해서 오늘과 같은 모습이 되었는지 알게 되었다. 이제는 되돌아갈 수 없다. 나는 초자연적인 것으로부터 돌이킬 수 없다. 내가 이렇게 하는 것은 결코 나 자신을 위해서가 아니다. 나는 주님을 위해, 또한 금촛대를 기리는 뜻에서 그렇게 한다. 그들은 이 땅 위에서 이루어지는 나의 행위들로 말미암아 계속해서 보물과 보상을 받고 있다. 어떤 의미에서 나는 '그들의' 사역에 동참하고 있는 것이다. 이러한 사실이 사람을 얼마나 겸손하게 하는지 당신은 모를 것이다. 나는 정말이지 그들을 조금이라도 슬프게 하고 싶지 않다.

잠시 후에(실제로 얼마나 많은 시간이 지났는지는 잘 모르겠다), 메트컬프 부인이 내게 이렇게 말했다. "댈러스에 한 성경학교가 있습니다. 그 학교에서는 지금 어마어마한 부흥이 일어나고 있습니다. 당신은 그곳에 가서 '열방을 위한 그리스도 협회'(Christ for the Nations)에 들어가야 합니다. 하나님은 그곳에서 당신을 위해 특별한 일들을 시작하기 원하십니다."

"예, 알겠습니다. 부인." 나는 흐느껴 울면서 겨우 중얼거리듯 대답했다.

이후로 나는 여러 해 동안 지속적으로 금촛대선교회 사람들과 연락을 주고받으며 그들에게 이러저러한 일이 어떻게 일어났는지에 관해 자초지종을 들려주곤 하였다. 주님과 함께 행한 사역 중에서 가장 인상적이었던 일들, 즉 그들이 나에게 예언해주었던 내용들이 어떻게 풀어지고 있는지에 대해 나누었다. 그들은 나의 아내와 자녀들을 만났고, 나의 친구들도 만났다.

지금은 그들 모두가 세상을 떠났다. 이 위대한 사역의 마지막 일원은, 바로 몇 해 전에 본향으로 돌아가서 주님과 함께 있다. 그녀의 이름은 도라로 당시 나이가 80세 정도 되었다. 내가 캘리포니아에 위치한 어느 교회에서 설교를 하고 있을 때 그녀는 기름병을 가지고 앞으로 나와 나에게 기름을 부어주었다. 내 말은 그녀가 실제로 기름 한 병을 모조리 나에게 쏟아부었다는 뜻이다! 덕분에 입고 있던 양복이 기름에 흠뻑 젖고 말았다!

그녀는 나를 축복해주며 몇 가지에 관해 이야기해주었다. 그 내용에 관해서는 여기에 소개하지 않으려고 한다(매우 개인적인 것이기 때문이다). 그런 다음 그녀는 나에게 다음과 같이 말했다. "이제야 제가 본향으로 돌아가서 주님과 함께할 수 있게 되었습니다. 늘 신실하십시오, 짐! 신실하게 우리의 기름부음을 이 세대뿐 아니라 다음 세대에도 전달해 주십시오." 이렇게 말한 후에 그녀는 몸을 돌려 내게서 멀어졌고, 얼마 지나지 않아 세상을 떠났다. 잠자는 동안에 아주 평온하게 죽음을 맞이했다고 한다.

그때 당시만 해도 나는 금촛대의 기름부음을 다음 세대의 사역자들 안에 재생시켜야 한다는 것이 무슨 뜻인지 계시적인 개념을 갖고 있지 못했다. 단지 나 자신의 사역 안에서 그들의 기름부음으로 행하고 있을 뿐이었다. 그들이 나의 유업이었다.

그러나 불과 몇 해 전부터, 주님께서는 나를 통해 이 세대뿐 아니라 다음 세대에까지 이 사도적인 임파테이션을 전달해주고 계신다. 이 책을 쓰게 된 동기도 바로 여기에 있다. 당신에게 이런 기름부음을 풀어놓는 것이 바로 이 책의 목적이다! 도라와 금촛대 멤버들은 그들의 기름부음을 세상을 변화시킬 다음 세대들에게 전해주도록 나에게 도전의식을 북돋워주었다. 나는 바로 당신이 이 기름부음을 소유하게 되기를 원한다! 친애하는 친구들이여, 내가 이러한 생각을 할 때마다 흥분되듯이 여러분도 흥분되기를 바란다!

사실 이 기억이 얼마나 중요한지 강조하기 시작하려면 아직도 멀었다. 만일 성령께서 당신의 영에 무언가를 안겨주시지 않는다면, 나로서는 과연 당신이 그분의 뜻을 이해할 수 있을지조차 의문이다. 금촛대 멤버들이 자신들의 기름부음을 어느 정도 내 안에 재생시켜 준 후로, 나는 그 기름부음을 다른 사람들 안에 재생시켜 주어야 할 사명을 부여받았다. 내가 이 책을 쓰는 이유도 여기에 있다.

이 체험은 당신을 위한 것이다. 하나님의 영광의 속성을 밝히 드러내고, 하나님께서 예비해두신 일에 착수할 수 있도록 당신 안에 부르심에 대한 감각을 태동시키기 위함이다. 당신이 포기하지 않고 계속해서 밀고 들어가기만 한다면, 하나님께서 당신과 나누기 원하시는 체험을 하게 될 것이다.

이 책은 나의 이야기가 아니다. 바로 당신에 관한 이야기다! 나는 당신의 부르심이 무엇인지는 알지 못한다. 당신이 배관공인지, 아니면 변호사인지, 아니면 복음전도자인지 전혀 모른다. 그러나 우리 각자는 금촛대 멤버들만큼이나 중요한 사람들이다. 우리 각자에게는 반드시 세상 사람들과 나누어야 할 일정한 체험의 수준이 있다.

내가 금촛대 멤버들로부터 배운 것이 있다. 그들은 하나님의 임재가 머무는 자리를 만들어내는 일에 사용된 사람들이다. 말하자면 그들은 일종의 열린 하늘문이었고, 하나님은 그들을 통해 지속적으로 방문하실 수 있었다. 그들은 가끔이 아니라 매일매일 정기적으로 자신들의 삶을 나누었다. 캘리포니아에 위치한 그 산은 온갖 주술사들이 집결되어 있는 장소였음에도 불구하고, 그들 덕분에 복을 받았다. 창세기 28장에 나오는 야곱의 사다리처럼, 그 지리적인 장소에는 하늘과 땅을 연결하는 영속적인 통로가 존재하고 있었다.

나는 하나님 아버지께서 이러한 열린 하늘문을 지구 곳곳에 점점 더 많이 구축하기 원하신다고 믿는다. 이러한 하늘문은 주님의 영광에 관한 계시로부터 비롯된다. 또한 이러한 계시는 백성들 사이에 거처를 마련하고 계신 주님으로부터 온다.

거처를 만들다

준비하라. 당신도 곧 알게 되겠지만, 이번 장에서 우리는 좀더 '충실한' 내용을 다룰 것이다. 이 책에는 다른 장들보다 풍부한 통찰을 담고 있는 장들도 있고, 또 어떤 장들은 당신이 수행해야 할 약간의 과제를 요구하기도 할 것이다. 이후 몇 페이지를 통해 당신은 사도적인 정신 형성에 도움이 되는 매우 강력한 정보들을 얻게 될 것이다. 잠시 시간을 내어 머리를 맑게 하라. 차나 음료를 한 잔 마셔도 좋다. 하나님의 영광을 보다 심오하게 밝혀내기 위하여, 당신의 마음을 활짝 열고 성경을 펴라.

'베일'(veil)이라는 말은 헬라어 '칼룹시스'(kalupsis)에서 유래되었다. 이는 '감추다, 은폐하다, 포장하다'라는 의미를 지닌다. '계시'(revelation)라는 말은 '칼룹시스'에 헬라어 접두어인 '아포'(apo)를 덧붙여서 만든 단어로, '밝혀내기, 혹은 벗겨내기' 등과 같은 뜻을 내포하고 있다. '요한계시록'(Revelation)이나 '묵시문학'(Apocalypse) 등의 경우처럼 말이다. 좀 정리가 되는가?

이번 장에서 나는 하나님의 영광의 비밀을 밝혀내는 작업을 수행하려고 한다. 나는 주님의 위대하심을 온 세상에 드러내기 원한다. 이 일은 부분적으로는 주님께서 우리 안에 거처를 마련하심으로써, 다시 말해 열린 하늘문이 확립됨으로써 가능해진다. 나는 하나님께서 나를 방문해주실 때마다 얼마나 감사한지 모른다. 나는 이러한 주님의 방문이 주님의 백성들 안에 보다 영속적인 거처를 만드시려는 주님의 작업이심을 잘 알고 있다.

철자도 매우 길고 발음하기도 상당히 까다로운 '카토이케테리온'(katoiketerion)이라는 헬라어가 있다. 이 단어는 '집' 혹은 '거주지', 즉 '머무는 장소'라는 의미를 지닌다. 우리는 이 단어를 에베소서 2장 18-22절에서 찾아볼 수 있다.

'카토이케테리온'으로부터 우리는 다음과 같은 정의를 추론할 수 있다. "우리는 삶 속에 존재하는 재능들과 동기들이 무엇인지 확인해보았다. 성령님은 우리를 성령의 열매와 은사들로 무장시켜 주셨다. 따라서 우리는 세상으로 나아가 예수님의 모습을 비추는 자들이 되고, 우리도 문자 그대로 마치 예수님께서 사람들에게 사역하시는 것처럼 사역한다."

도대체 이 말이 무슨 뜻이란 말인가? 당신이 눈으로 목격한 바, 당신이 귀로 들은 바, 당신이 분별한 바대로 당신도 그렇게 변화되어 간다. 당신은 주님께서 사역하신 방식을 그대로 보여준다.

주님의 임재의 거처를 만드는 일이 왜 그리 중요한지 이해되는가? 먼저 이사야서의 말씀을 보자.

> 여호와께서 이와 같이 말씀하시되 하늘은 나의 보좌요 땅은 나의 발판이니 너희가 나를 위하여 무슨 집을 지으랴 내가 안식할 처소가 어디랴 나 여호와가 말하노라 내 손이 이 모든 것을 지었으므로 그들이 생겼느니라 무릇 마음이 가난하고 심령에 통회하며 내 말을 듣고 떠는 자 그 사람은 내가 돌보려니와 (사 66:1-2)

하나님께서 오늘날 우리에게 제기하시는 몇 가지 질문들이 있다. "내가 거주할 자리는 어디냐? 내가 안식할 처소는 어디냐? 나는 너희들 안에 처소를 마련하기 원한다. 그리하여 나 자신을 너희에게 표현하기를 바란다. 너희에게 나의 충만함을 주고 싶다. 너희가 나의 은총을 받은 자들이 되기 원한다."

기억하라. 주님의 영광이란 주님의 은총과 주님의 명성이 우리 위에 임하시는 것이다. 하나님의 얼굴은 우리를 향하고 계신다. 우리는 주님께 받아들여진 존재이다. 주님이 보시기에 우리는 기뻐하실 만한 자들이다. 히브리어 '바라크'(barak)는 '복을 받다'라는 의미를 지닌 말이다. 창세기에서 '하나님이 그들에게 복을 주시며'라는 구절이 언급될 때마다 바로 이 단어가 사용되었다.

우리는 주님의 영광에 의해 복을 받았다. 예를 들어보자. 우리들 대부분은 '여호와-라파'(Jehovah-Rapha, Yaweh-Ropheka)라는 합성어를 잘 알고 있을 것이다. 우리는 하나님의 이 이름을 '나는 너희를 치료하는 여호와'(출 15:26)라고 번역한다. 이것은 '나는 너희의 의사인 하나님'이라고 바꾸어 말할 수 있다. 나에게 의사란, 아픈 사람의 시중을 들어주고 건강해질 때까지 잘 보살펴주는 사람이라는 개념으로 이해된다. 의사가 허약한 사람 곁에서 회복될 때까지 섬겨주는 모습은 얼마든지 쉽게 떠올릴 수 있지 않은가?

나는 우리가 성경의 범위를 벗어나서는 안 된다고 믿는다. 따라서 우리는 '여호와-라파'를 '나 여호와는 무릎을 꿇고 너를 위해 치유를 베풀어줄 것이다' 혹은 '나는 너를 치유함으로 섬길 것이다'라고 번역하는 편이 좋다. 이렇게 보면, 이름의 의미가 약간 달라지지 않는가? 내가 말하고자 하는 요지는, 이것이 복이요 은총이라는 사실이다. 주님께서 무릎을 꿇고 우리를 섬겨주신다(이 경우에는 치유를 통해서 말이다). 이것이 바로 주님의 영광이 우리에게 머무신다는 의미다.

주님의 영광의 충만하심 안에서 우리도 충만해져야 한다(골 2:10). 그리하여 우리는 예수님에 관한 증언이 다시금 견고해지도록 해야 한다(고전 1:6). 하나님께서는 사도적인 사람들 사이에 주님의 영광이 머무실 수 있는 영원한 거처를 만들기 원하신다.

하지만 나는 현재 우리가 주님과 주고받고 있는 관계의 수준에서는 하나님의 충만하심을 경험할 수가 없다는 사실에 모두가 동의할 것이라 생각한다. 그렇지 않은가? 물론 이런 사실이 우리를 우울하게 만들지는 않으나, 단지 우리가 주님의 영광을 보다 심오한 수준으로 드러내야 한다는 필요성만은 시사해준다. 우리에게는 하나님이 누구시고, 어떤 분이신지에 관해 충만하게 드러내 보여줄 계시가 필요하다.

이보다 훨씬 더 기쁜 소식이 있다. 그것은 우리가 하나님의 가장 심오한 영광에 에워싸여 있다는 사실이다. 오늘날 사도적인 개혁이 사람들 안에 주님의 임재가 머무실 수 있는 확고부동한 거처를 만들어내고 있다. 돌파의 기름부음이 하늘에 있는 주님의 처소와 이 세상에 있는 우리의 마음 사이를 가로막고 있던 휘장을 조각내고 있다.

주님의 거처는 주님이 누구신지에 관한 참된 지식에서 비롯된다. 우리가 주님을 아는 믿음을 소유할 때, 주님의 말씀을 지키는 자가 된다. 믿음은 하나님의 참된 인격에 관한 계시가 있을 때에야 비로소 작동할 수 있다. 돌파의 기름부음은 사람들로 하여금 하나님의 약속들을 영으로 믿는 법과 앞에 놓인 장애물들을 분별하여 파쇄시키는 법을 터득할 수 있게 분위기를 형성시켜 놓는다.

나는 이것을 '파르헤지아 원리'(Parrhesia Principle)라 부른다. '파르헤지아'는 '담대함'이라는 의미를 지닌 헬라어로, 사도행전 4장 31절에서도 사용되었다. '담대함'에 관해서는 이후에 좀더 자세히 살펴보기로 하겠다. 다만 여기서는 담대함이 비겁함의 반대되는 말이라는 것만 밝혀두기로 한다. 하나님의 노예나 사생아가 아닌 하나님의 아들과 딸들에게 거저 주시는 진정한 하나님의 영광의 비밀이 밝히 드러날 때, 우리는 비로소 담대해질 수 있다.

사도적 기름부음은, 의심하고 믿지 않으려는 사람들에게 드리워져 있던 베일을 찢어버린다. 베일이 벗겨질 때, 그들은 그리스도 안에서 자신들이 마땅히 있어야 할 자리가 어디인지를 순간 깨닫게 된다. 그 자리에서 그들은 담대하게 하나님의 보좌로 나아가(엡 3:12) 너그러우신 하나님 아버지께 자신들이 받아야 할 유산과 주님의 무한하신 복을 요구할 수 있다. 정말 놀랍지 않은가! 그곳에는 정말 좋은 것들이 있다!

민수기 14장에서 모세는 백성들의 죄악을 위하여 중보기도를 드린다. 하나님의 명성을 보호하려는 열정이 그의 중보기도를 통해 확고하게 드러났다. 그는 하나님의 말씀대로 주님의 선하심을 드러내 보이고자 단호히 결심했다. 20절에서 우리는 주님께서 그들의 죄악을 사해주시는 모습을 보게 된다. 그러나 여전히 대가를 치러야 했다. "너희가 내 영광은 볼 수 없을 것이다."

무슨 말인지 알겠는가? 죄는 용서받을 수 있다. 그러나 문제를 바로 잡지 않으면, 주님은 우리 안에 처소를 마련하실 수가 없다. 사람은 용서받을 수 있다. 그러나 그렇다고 해서 주님께서 애초에 원하시던 수준으로 그들 사이에 거하신다는 의미는 아니다.

킹제임스 성경 고린도전서 16장 13절에는 성경 전체를 통틀어 가장 이상한 구절 중 하나가 등장한다. 이것은 우리가 사용하는 현대 언어로는 정말 이해하기 어려운 표현이다. "남자답게 강건하여라"(Quit ye like men). 개정판 킹제임스 역본에서는 이를 다음과 같이 번역하고 있다. "용감하십시오." 나는 최초의 역본에 언급된 구절에 관해 잠시 생각해보았다. "남자답게 강건하여라." 도대체 이게 무슨 뜻일까?

마치 하나님께서 다음과 같이 말씀하시는 것만 같다. "얘야, 어깨를 움츠리고 나를 피해 달아나지 마라. 겁을 먹고 뒷걸음질치지 마라. 용기를 내라! 움찔하지 마라." 좀더 구체적으로는 이렇게 말씀하시는 것 같다. "내가 손을 뻗쳐 너를 만지려 할 때, 흠칫 놀라서 갑자기 돌아서지 마라. 남자답게 강건하여라. 나는 그렇게 하는 것을 좋아한다!"

반복적으로 불신에 빠지지 마라. 그렇게 되면 하나님의 만져주심을 통해 맛볼 수 있는 자유를 경험할 수 없게 된다. 하나님은 화가 잔뜩 나서 고된 일을 시키시는 분이 결코 아니다. 당신의 어깨에 손을 얹으시고는 과중한 책임을 완수하라고 강요하시는 분이 결코 아니다. 하나님은 아버지의 사랑으로 당신을 이끌어 영광을 포용하도록 해주시는 분이다. 주님을 피해 달아나지 마라. 남자답게 강건하라!

마태복음 11장 28-30절은 다음과 같이 선포한다. "수고하고 무거운 짐 진 자들아 다 내게로 오라 내가 너희를 쉬게 하리라 나는 마음이 온유하고 겸손하니 나의 멍에를 메고 내게 배우라 그리하면 너희 마음이 쉼을 얻으리니 이는 내 멍에는 쉽고 내 짐은 가벼움이라 하시니라." 주님의 궤는 운반하기 쉽다. 주님이 부여해주시는 과제들을 수행하는 것은 그리 어렵지 않다. 그렇다. 주님은 당신으로 하여금 무언가를 성취하게 하실 것이다. 그러나 그 순간에도 여전히 주님은 당신의 어깨 위에 손을 얹고 계신다.

그러나 예수님은 당신이 적절한 반응을 보이기를 원하신다. 당신이 자꾸 꽁무니를 빼면, 하나님도 당신을 사용하실 수가 없다. 그렇게 되면, 이스라엘 백성들처럼 우리들도 불모의 광야에 그대로 엎드러지고 말 것이다.

어떤 이들은 죽음에 임박해서야 초자연적인 일을 경험하기 원한다. 다시 말해, 죽음은 그들의 힘으로 통제할 수 없는 무엇을 의미한다. 이 땅에서 경험하는 초자연적인 일은 우리에게 특별한 반응을 요구하기 때문이다. 우리는 제발 이런 사람들처럼 되지 말자.

아무도 당신의 얼굴을 가리지 못하게 하라

우리는 이사야서에서 예언적인 중보기도와 결부되어 나타나는 사도적 기름부음의 비결을 찾아볼 수 있다. "또 이 산에서 모든 민족의 얼굴을 가린 가리개와 열방 위에 덮인 덮개를 제하시며"(사 25:7).

출애굽기 34장 29-35절에서는 모세가 하나님의 임재 가운데 머물러 있을 때마다, 그의 얼굴이 영광으로 인해 환하게 빛나곤 하였음을 보게 된다. 그러나 그는 이스라엘 백성들에게 말을 할 때에는 얼굴에 수건을 덮어쓰곤 하였다. 왜 그랬을까? 이스라엘 백성들도 주님의 영광이 계시되는 모습을 보고 싶어 하지 않았을까?

이 사안과 관련하여 바울은 우리에게 고린도후서 3장 12-18절을 통해 통찰을 주고 있다.

> 우리가 이 같은 소망이 있으므로 담대히 말하노니 우리는 모세가 이스라엘 자손들에게 장차 없어질 것의 결국을 주목하지 못하게 하려고 수건을 그 얼굴에 쓴 것 같이 아니하노라 그러나 그들의 마음이 완고하여 오늘까지도 구약을 읽을 때에 그 수건이 벗겨지지 아니하고 있으니 그 수건은 그리스도 안에서 없어질 것이라 오늘까지 모세의 글을 읽을 때에 수건이 그 마음을 덮었도다 그러나 언제든지 주께로 돌아가면 그 수건이 벗겨지리라 주는 영이시니 주의 영이 계신 곳에는 자유가 있느니라 우리가 다 수건을 벗은 얼굴로 거울을 보는 것 같이 주의 영광을 보매 그와 같은 형상으로 변화하여 영광에서 영광에 이르니 곧 주의 영으로 말미암음이니라

나는 바울의 나머지 말씀을 그대로 인용하지 않을 수 없다. 바울은 정말 천재적인 언변을 지닌 사람이다!

비록 바울처럼 세상을 뒤흔들어 놓을 만큼은 아닐지라도, 나의 요지는 다음과 같다. 아무도 당신의 얼굴을 가리지 못하게 하라! 사람들의 두려움과 종교적인 불신들이, 당신으로 하여금 주님의 영광에 반응할 수 없도록 가로막는 방해물이 되지 못하게 하라. 전통과 제도들이 우리를 종교적인 속박에 가두어놓을 수 있다. 이것들은 우리를 통제하는 근원이 되고, 사람들은 속임수의 저주에 빠져든다.

갈라디아서 2장은 바울과 베드로 사이에 벌어진 언쟁에 관해 기록한다. 베드로는 위선적인 태도로 유대인들이 보지 않는 동안에는 이방인들과 함께 어울리다가 유대인들이 도착하자, 황급히 율법의 조항으로 되돌아갔다. 이에 바울은 베드로를 불러 꾸짖었다. 바울의 질책이 악의에 의한 것이었다고는 말하기 어렵다. 다만 그는 베드로가 율법주의자들로 하여금 자신의 자유를 억누르게 그대로 방치해둔다면, 베드로의 그림자에 깃들어 있던 영광마저 희생시키는 결과가 초래될 수도 있다는 것을 잘 알고 있었다!(행 5:15)

바로 다음 장인 갈라디아서 3장에서, 우리는 경탄스러울 정도로 고상한 바울의 변론을 훨씬 더 많이 접하게 된다. 이 주제에 관해서는 다음 장에서 보다 집중적으로 논의하도록 하겠다. 다만 여기서는 다음 성경구절을 한 번 읽어보라.

어리석도다 갈라디아 사람들아 예수 그리스도께서 십자가에 못 박히신 것이 너희 눈 앞에 밝히 보이거늘 누가 너희를 꾀더냐 내가 너희에게서 다만 이것을 알려 하노니 너희가 성령을 받은 것이 율법의 행위로냐 혹은 듣고 믿음으로냐 또는 믿음으로 들음에서냐 너희가 이같이 어리석으냐 성령으로 시작하였다가 이제는 육체로 마치겠느냐 (갈 3:1-3)

정말 훌륭하지 않은가! 지금 나는 매우 가벼운 어조로 이 글을 쓰고 있지만, 여기서 내가 진지하게 주목하고 싶은 한 단어가 있다. 바로 '꾀더냐'(bewitched)라는 말이다. 실제로 갈라디아 교인들은 저주 아래 머물러 있었다. 그들은 사악한 눈을 가진 대용품(Evil Eye of Substitution)에 미혹되어 있었다. 이것은 내가 앞서 언급한 바와 같이, 주님의 임재에 대한 무관심의 속임수에 사로잡혀 있는 형국이기도 하다. 이제 당신은 다음과 같은 질문에 대답할 수 있어야 한다. "나는 꾐을 당하고 있는가? 무언가가 내 얼굴을 가리고 있지는 않은가?" 이것에 관해 잠시 생각해보라. 미혹에 관해서는 나중에 좀더 상세하게 논하도록 하겠다.

지금 여기서 우리가 유념해야 할 것은, 다른 사람들의 두려움이나 종교적 의심 때문에 당신이 주님의 가시적 임재에 반응하거나 응답하는 일이 방해받아서는 안 된다는 점이다! 우리에게는 주님의 임재가 필요하다. 우리는 철저히 베일이 제거된 주님의 임재를 필요로 하고 있다. 그래야만 살아 계신 하나님의 말씀을 조금도 의심하지 않고 깨달을 수 있다. 말라기 4장 2절은 다음과 같이 말씀한다.

내 이름을 경외하는 너희에게는 공의로운 해가 떠올라서 치료하는 광선을 비추리니 너희가 나가서 외양간에서 나온 송아지 같이 뛰리라(But to you who fear

My name the Sun of Righteousness shall arise with healing in His wings; and you shall go out and grow fat like stall-fed calves)

다시금 나는 메시아를 가리키는 비범한 호칭인 '의로운 해'(the Sun of Righteousness)에 관해 연구해보았다. 그리고 히브리어 '쉐메쉬'(shemesh)라는 단어를 찾아내었다. 존 웨슬리 주석은 빛의 광선 혹은 빛줄기, 치유의 은총을 내포하고 있는 태양광선 등으로 설명한다. 이 견해에 관해 곰곰이 생각하던 끝에, 나는 '치료하는 광선'(healing in His wings)이라는 구절을 다음과 같이 번역하기에 이르렀다. 광선이라는 말 자체에 내포된 바와 같이, 광선은 완벽한 조화를 이룬 상태로 비춤으로써 아픈 사람에게 치료나 치유를 가져온다. 태양으로 비유되는 주님은 사람들을 건강한 상태로 회복시켜 주신다. 의로운 해가 사람들 위에 떠오를 때, 이제껏 하나님과 부조화를 이루고 있던 모든 것들이 다시금 균형과 조화의 상태로 되돌아갈 것이다.

자연법칙은 환경을 구성하는 모든 요소들과 더불어 항상성을 유지하려는 속성이 있다. 달리 말해, 모든 생명체들 간에는 특수한 조화와 질서가 존재한다. 정치가와 과학자들이 당신의 투표권이나 돈 이외에도 생태계와 지구온난화에 관심을 기울이는 이유가 여기에 있다. 이러한 현상들은 환경이 부조화를 이루고 있음을 보여주는 가시적인 증거들이다. 그러나 여기서 지구온난화 등에 관한 사안들을 논의하고 싶지는 않다. 이러한 논의는 이 책의 범위를 벗어나는 것이다. 다만 내가 이러한 개념들을 사용하는 이유는 당신의 머릿속에 자연계와 마찬가지로 영적인 영역에 대한 이미지를 불러일으키기 위함이다(고전 15장). 요지는 우리의 영적 생태계도 조화로움을 상실할 수 있다는 것이다.

원수는 이처럼 어그러진 사안 하나하나를 빌미로 삼아 침입하고 공격한다. 이 범주 안에는 신체적인 질병으로부터 정신적이거나 정서적인 결함과 재정의 악화 등이 모두 포함된다. 사람들이 질서에서 어긋나도록 만들어놓는 것들은 얼마든지 많다.

사도적인 사람들은 각자 자신들의 교회가 조화를 필요로 하고 있음을 인식해야 한다. 그러나 모두가 고통스러울 정도로 잘 알고 있듯이, 오늘날 너무나도 많은 교회들이 조화로움과는 거리가 먼 상태에 처해 있다. 해결책은 공의로운 해가 떠올라서 치료의 광선을 비추는 것이다. 하나님의 임재가 이러한 교회들의 현장에 가시적으로 나타나야 한다. 연합은 오로지 영광 안에서만 진정으로 회복된다! 영광에 관해서는 내가 들려줄 수 있는 메시지가 있다. 내가 생각하기에 그 메시지는 꽤 훌륭하다. 그것에 관해서는 나중에 중점적으로 다뤄보기로 하겠다.

사실 우리가 영광(가시적으로 나타나는 하나님의 무게)을 필요로 하는 이유도 이 때문이다! 영광은 우리 안에 확신과 영속적인 변화를 가져온다. 우리는 동일한 목적에 한마음이 되어 연합하며 주님의 임재 가운데로 들어가서 기도하고 경배한다. 그리고 주님은 우리에게 응답해주신다. 변화는 이러한 주님과의 만남을 통해 임한다. 그러면 우리의 영적 생태계 안에 무질서한 상태로 있던 것들이 서둘러 제자리를 찾아간다.

마귀의 비난을 경계하라. 원수가 주로 사용하는 최고의 책략이 무엇인지 아는가? 당신으로 하여금 결코 변화될 수 없다고 확신시키는 것이다. 원수는 당신이 지금 고장 나 있으며, 이 상태가 영원히 계속될 것이라고 믿게 한다. "네 아버지는 술주정뱅이에 위선자였지. 그러니 너도 네 아버지와 마찬가지일 거야! 너는 평생 그렇게 열등하게 살아갈 거야. 하나님도 너를 변화시키실 수 없어!"

　당신의 인격에 살아 계신 하나님을 부르지 못하도록 가로막는 베일을 드리우지 마라. 하나님은 말씀하시는 분이고, 거짓말하지 않으신다. 만약 주님이 당신에게 주님과의 만남을 통해 영광에서 영광으로 변화될 수 있다고 말씀하신다면, 그 말씀을 액면 그대로 받아들이고 확신해도 좋다. 그러나 당신이 영광에 베일을 드리우는 순간, 당신의 생각은 흐려지고 마음은 가려진다.

　이쯤에서 한 가지 사실을 말해두고 싶다. 아마 이 말은 적잖은 동요를 불러일으킬 것이다. 지금은 사도적인 개혁이 이루어지고 있는 시기다. 나는 주님께서 사역자들에 대해 다음과 같은 일을 작정해두셨다고 믿는다. 사역자들 중에서 영광의 가시적인 나타나심을 허용치 않는 이들, 사람들로 하여금 하나님과 함께하는 이 전환의 시기 안으로 들어가지 못하게 가로막는 이들은 이제 위험스럽게도 하나님의 뜻에 맞서는 자들이 될 것이다. 나아가 이런 사람들은 주님의 교정을 받게 될 것이다. 궁극적으로, 여전히 주님을 피해 달아나는 자들은 그동안 누리던 권세의 자리마저 완전히 박탈당하게 될지도 모른다. 나는 더 나은 길이 무엇인지 잘 알면서도, 가로막는 사람들에 관해 이야기하고 있다. 더 나은 길을 전혀 알지 못하는 사람에 관해 이야기하는 것이 아니다.

　요한계시록의 말씀을 상기해보라. 어린 양은 그들의 촛대를 옮기겠다고 말씀하신다. 주님은 그들의 행위들을 시험하여 그들이 거짓말쟁이인지, 거짓 사도들인지 드러내셨다(계 2:1-7). 사도적인 사람들은 반드시 하나님의 영광을 가시적으로 나타내는 자들이 되어야 한다. 그들은 하나님의 역사하심에 결코 미적지근한 태도를 보여서는 안 된다.

우리는 성령 충만한 교회의 지도자들로서, 그 어떤 베일도 우리의 보살핌을 받고 있는 사람들 위에 드리워지도록 방치해두어서는 안 된다. 그렇게 하다가는 자칫 우리가 섬기는 하나님께 미움을 살 수도 있다. 나는 이 교훈을 다른 사람들에게 하듯이 나 자신에게도 들려주고 있다. 하나님의 영광은 우리를 통하지 않더라도 언제나 가시적으로 나타날 수 있다는 사실로부터 교훈을 얻도록 하자.

이사야 40장 5절은 다음과 같이 말씀한다.

> 여호와의 영광이 나타나고 모든 육체가 그것을 함께 보리라 이는 여호와의 입이 말씀하셨느니라

하나님은 교만의 죄를 범하지 않고도 스스로를 뽐내실 수 있는 유일한 분이다. 영광이 계시된다 함은 하나님께서 스스로를 세상에 드러내신다는 의미이다. 나는 이러한 말이 몇몇 종교적인 사람들 안에 반향을 불러일으키고 있음을 잘 안다. 하지만 계속해서 이 책을 읽어 보라.

하나님은 자신을 주권적으로 입증해 보이신다. 주님께서 그분의 성품과 마음을 모든 육체에게 드러내실 때, 본질적으로 그분의 위대하심을 온 세상에 '뽐내시는' 것이다. 이런 말이 다소 낯선 개념으로 들릴 수도 있다. 그러나 존재하는 모든 피조물들 중에서, 자기 자신을 찬송할 수 있는 권한을 지신 분이 창조주 하나님 외에 달리 누가 있겠는가? 만일 주님께서 모든 생명의 원천이시라면, 주님의 피조물들 안에서 마음껏 기뻐하며 즐기는 것도 결코 오만한 모습이 아닐 것이다. 내 말이 타당하게 들리는가?

하나님은 자신을 당신에게 드러내 보여주기 원하신다. 주님은 그분의

소중한 소유물들에게 주님의 위대한 가치를 과시하기 원하신다. 주님은 훌륭하게 만들어진 피조물들을 자랑스럽게 여기신다. 주님의 영광은 우리 사이에서 흥겹게 춤을 추면서 그분의 위대함을 드러낸다. 그뿐만이 아니다. 주님의 영광은 무질서해진 것들을 올바른 자리로 회복시켜 준다.

우리는 주님의 영광이란 '카보드'(kabod), 즉 주님의 명성이 우리 위에 임하는 것임을 잘 알고 있다. 주님은 그분의 무게로 우리를 내리누르기 원하신다. 이것은 마치 주님이 이렇게 말씀하시는 것과도 같다. "내가 나의 가치를 너희 모두 위에 임하게 하겠다." 하나님께서는 이러한 영예를 통해 주님의 백성들을 은총 안에 붙들고 계신 것을 기꺼이 드러내 보이실 뿐 아니라, 또한 그렇게 하기를 간절히 바라시는 분이다.

> 사람들이 너를 일컬어 거룩한 백성이라 여호와께서 구속하신 자라 하겠고 또 너를 일컬어 찾은 바 된 자요 버림 받지 아니한 성읍이라 하리라 (사 62:12)

우리는 하나님의 은총을 받은 백성이다. 주님은 우리를 매우 소중히 여기시며 열렬히 찾아내신다.

나는 하나님께서 '영광'을 다음과 같이 정의하실 수도 있다고 생각한다. "나의 얼굴에서 베일이 벗겨졌고, 내 마음은 너희를 향해 계시되고 드러나 있다." 다시 말해, 주님의 얼굴은 은총을 입은 자들인 우리를 향하고 계신다. 헬라어 '독사'(doxa)는, 주님의 영광, 곧 좋은 평판 위에 임해 계신 하나님의 영예를 의미한다. 달리 표현하자면, 하나님은 우리를 통해 주님의 명성을 세상에 나타내신다. 그것이 바로 은총(favor)이다.

우리는 이미 3장에서 하나님의 영광이란 우리 위에 임해 계신 주님의 명성이라는 사실을 배웠다. 예수님은 지상사역을 수행하시는 동안 이러한 하나님의 명성을 현실 속에 가시적으로 나타내 보여주셨다(요 14장).

여기서 우리는 다시금 이전과 동일한 질문에 맞닥뜨린다. "당신은 하나님의 명성이 당신을 통해 나타나시도록 자신을 기꺼이 내어드릴 수 있는가?" 이것은 사도적인 사역에 있어서 가장 중요한 부분이기도 하다. 당신은 기꺼이 하나님의 거룩한 백성이 되기 원하는가? 당신은 하나님의 크신 은총을 입은 자가 되기 원하는가? 하나님의 얼굴이 언제나 당신을 향해 계시기를 원하는가? 주님의 영광(doxa)은 머물러 계실 만한 사람을 찾아내셨는가?

> 모세가 회막으로 나아갈 때에 구름 기둥이 내려 회막 문에 서며 여호와께서 모세와 말씀하시니 (출 33:9)

이 얼마나 큰 은총을 입은 모습인가! 사도적인 사람들은 자신들의 삶과 사역 속에서 이와 동일한 수준의 은총을 입기를 열망한다. 그들은 스스로에게 다음과 같이 말한다. "이보게, 내가 저 구름 기둥에 덮일 수만 있다면, 무슨 일이든 상관없이 모든 것이 가능해진다네! 내가 원하는 게 바로 저것이야!"

구름 기둥은 하나님의 영광을 상징한다. 주님께서 그분의 친구들과 더불어 이야기를 나누기 위해 내려오신다. "사람이 자기의 친구와 이야기함 같이 여호와께서는 모세와 대면하여 말씀하시며"(출 33:11). 우리는 기적이 일어나기를 바란다. 그런데 이 기적을 일으키는 비결이 바로 주님의 영광의 구름 가운데서 발견되는 하나님의 은총이다. 주님은 영광의 구름 속에서 우리와 더불어 친구처럼 대화를 나누신다!

모래사막에서 체험한 방문

1979년도에 있었던 일이다. 나는 고향 근처인 남부 캘리포니아의 모래사막에서 놀라운 열린 하늘의 체험을 하게 되었다. 물론 그 당시만 해도 '열린 하늘'(open-heavens)이라는 표현이 사용되고 있다는 사실조차 알지 못했다. 그러나 지금에 와서 그 사건을 돌이켜 생각해보니, 그것은 의심할 나위 없는 열린 하늘의 체험이었다. 나는 한 교회로부터 집회를 인도해달라는 부탁을 받았다. 집회는 주일부터 그 다음 주일까지 장장 8일간에 걸쳐 열릴 예정이었다.

그 교회의 목사님은 귀한 하나님의 사람이었다. 그에게는 고물차 한 대가 있었는데, 친구들이여, 내가 하는 말을 믿어주기 바란다. 그의 자동차는 차라리 폐차시키는 편이 나아 보였다. 새로운 차로 바꿀 때가 지난 지 이미 오래되었던 것이다.

나는 키가 큰 편이다. 운전면허증에 기재된 바에 따르면, 약 2미터 정도다. 사실 키가 조금이라도 큰 사람이라면, 이 앙증맞을 정도로 작은 차를 곱지 않은 시선으로 바라보는 것이 당연한 일일 것이다. 내 눈에 그 차는 마치 수프 깡통만한 크기로 보였다.

목사님이 그 차로 나를 데리러 오셨을 때, 나는 속으로 이렇게 생각했다. '과연 내 몸이 저 차 안에 들어갈 수나 있을까!' 그러나 어찌어찌 해서 나는 몸을 최대한 압축시켜 차 안으로 밀어넣었다. 종종 서커스에서 작은 미니카들이 멈춰서고 그 안에서 50명의 어릿광대들이 나오는 장면을 볼 수 있다. 내가 탄 자동차가 마치 그 미니카들 중 하나인 듯한 형국이었다. 내가 무슨 말을 하려는지 이해하겠는가? 나의 양 무릎은 앞쪽으로 돌출되어 턱 바로 밑까지 치켜올려져 있었다. 갑자기 묘기를 부리는 곡예사가 된 것 같았다.

그 목사님은 내 모습을 재밌다는 듯 보았지만, 나는 전혀 그렇지 못했다.

우리는 줄곧 시속 8마일 정도의 속도로 움직였다. 지금 생각해보니, 그 부실한 자동차는 우리를 태운 채 최소한 두 차례나 시동이 꺼질 뻔했다. 게다가 날씨는 엄청 더웠다. 캘리포니아의 모래사막이니 더위가 오죽했겠는가. 털털거리는 에어컨은 '펑펑' 하고 소리를 냈다. 엔진에서도 쇳소리가 났다. 계기판은 고장이 나 있었다. 그것은 영적인 분위기와는 전혀 거리가 먼 상황이었다. 나는 속으로 이 자동차가 우리를 안전하게 교회까지 데려다주기만을 기도했다. '기운을 내라, 가련한 차야! 넌 할 수 있어!'

우리는 점차 교회를 향해 접근해가고 있었다. 바로 그 무렵 내 양발이 닿아 있던 승용차 바닥에서부터 정체불명의 연기가 모락모락 피어오르기 시작했다. 물론 나는 내 두 발이 무엇을 딛고 있는지조차 제대로 볼 수 없었다. 나는 속으로 생각했다. '와, 굉장하군! 차에 화재가 났구나! 완벽해! 이제 차가 교회 앞에서 폭발해버리려나 보다!'(내가 늘 영적인 사안들에 관해서만 생각하는 사람이라고 생각하지는 마라.)

그런데 자세히 보니 그것은 연기가 아니었다. 그리고 차체에서 피어오르는 것도 아니었다. 그 순간 갑자기 하나님의 임재가 나를 사로잡았다. 그때 과연 그 목사님도 그 연기를 목격했는지는 잘 모르겠다. 내가 그에게 물어본 기억은 없다. 다만 우리가 탄 자동차가 관성의 힘으로 겨우 달려가고 있는 동안, 믿을 수 없을 만큼 놀라운 하나님의 임재가 차 안에서 우리를 감싸고 있음을 느꼈다. 연기가 몽글몽글 피어올라 차 안을 가득 채우고 있었다. 어찌나 뿌연지 심지어 차창 너머의 풍경이 거의 보이지 않을 정도였다. 그 정도로 짙은 연기였다.

나는 고개를 돌려 그를 바라보며 물었다. "목사님도 이것을 느끼고 계십니까?"

그는 고개를 끄덕였다. "예." 그는 이를 드러내고 싱긋 웃으며 대답했다. 자동차는 도로 위에서 약간 비틀거리며 좌우로 흔들렸다. 나는 연기를 차 밖으로 좀 빼내기 위해 차창을 아래로 내렸다. 하지만 전혀 창밖으로 빠져나갈 기미도 보이지 않았다. 자동차가 계속해서 경로를 이탈하는 동안, 한 가지 생각이 퍼뜩 머리를 스치고 지나갔다. '혹시라도 경찰관이 이 연기를 보면 어쩌지? 우리 차가 이렇게 도로 위에서 비틀거리는 모습을 들키기라도 하면 어쩌나? 경찰관은 이 연기가 하나님의 임재라는 것을 알 턱이 없는데, 분명히 그는 뭔가 다른 일이 일어난 것이라고 생각할 거야!' 그러나 다행스럽게도, 우리를 본 경찰관은 없었다.

나는 그 목사님이 어떤 초자연적인 체험을 하고 있었는지는 모르겠다. 단지 주님께서 그를 위해 무슨 일을 행하고 계셨다는 것만은 확실하다. 주님의 향기와 기름부음이 그 연기 속에서 몽글몽글 피어오르고 있었다. 주님의 기름부음이 우리 두 사람을 온전히 뒤덮고 있었다.

자동차는 교회 건물에서 약 2백 야드 안 되는 지점부터 툴툴거리는 소리를 내며 나아갔다. 기적적으로 연기는 창밖 풍경을 넘겨다볼 수 있을 정도로 걷혀 있었고, 눈앞에 교회 건물이 보였다. 바로 그 순간 나는 환상을 보았다.

보랏빛을 띤 거대한 버섯모양의 구름 기둥이 돔형의 건물 위에 내려앉아 있었다. 이것이 이상야릇한 현상이라고 생각할지도 모르겠지만 그것을 보는 동안 출애굽기 33장 9절 말씀이 뇌리를 스치고 지나갔다. 그리고 내 뒤쪽에서 한 음성이 들려왔다.

그때 내가 무슨 생각을 했는지 똑똑히 기억하고 있다. '어? 이상하다. 내 얼굴은 이렇게 차창 안쪽에 있고, 이 차는 쇼핑카트 크기밖에 안 되는데… 심지어 우리가 트렁크에 짐을 어떻게 집어넣었는지조차 기억이 나지 않아. 그런데 어떻게 이 목소리가 내 뒤쪽에서 들려오는 걸까? 주님, 어떻게 이 좁은 차 안에 끼어 들어오신 거죠?' 물론 이것이 사람이 하나님의 음성을 들을 때 보이는 전형적인 반응이 아니라는 것은 나도 잘 안다. 그러나 그냥 순간적으로 내 머릿속에 그런 생각이 들었을 뿐이다. 미안하다. 나도 뭔가 실제로 매우 영특하고 영적인 생각을 했다고 말해줄 수 있다면 얼마나 좋을까 하는 바람은 있다. 예를 들면 이런 식의 반응처럼 말이다. "말씀하십시오, 주님. 당신의 종이 듣겠습니다!"

그러기는커녕 나의 태도는 다음과 같았다. '아니, 잠깐만. 도대체 하나님이 이 차 안에 어떻게 끼어 들어오셨지? 정말 말도 안 돼. 주님이 앉아 계실 자리가 어디냔 말야.'

만약 주님께서 이처럼 어리석은 일련의 생각을 아셨다 할지라도, 그로 인해 나를 비웃거나 하지는 않으셨다. 오히려 주님은 이렇게 말씀하셨다. "앞으로 8일 동안, 이 장소를 나의 영이 머무는 처소가 되게 하겠다. 누구든지 믿음 안에서 나의 안식 안으로 들어오기를 힘쓰는 자들은, 모두가 구원을 받고 치유를 받고 축사를 경험할 것이다. 여기에 결코 예외가 없다."

이상은 주님께서 말씀해주신 내용을 그대로 옮겨 적은 것이다. 그 목소리는 내 귀로 들을 수 있을 만큼 생생했다. 그 목사님도 이 음성을 들었을 것이라고는 생각하지 않는다. 왜냐하면 그는 자신만의 체험에 푹 빠져 있었기 때문이다.

아무튼 자동차는 무사히 우리를 교회까지 데려다주고 집회는 예정대로 차질 없이 진행되었다.

이후 8일간에 걸친 집회일정을 통해 우리가 목격한 것들을 묘사하려면 엄청난 분량의 지면이 할애되어야 할 것이다. 그 집회에서 우리가 경험한 것은 단순한 방문(visitation) 이상의 것이었다. 그것은 주님의 거주(habitation)였다. 하나님께서 사람들 가운데 머무셨다. 모든 방문들의 궁극적인 목적은 하나님의 영의 거주하심에 있다. 이것이야말로 진정으로 확립된 열린 하늘이다. 정말이지 말할 수 없을 만큼 놀랍고 극적인 체험이었다! 집회에 대한 광고를 거의 하지 않았음에도 불구하고, 그 한 주간 마치 수백 명의 인파가 교회 문으로 쏟아져 들어온 듯했다.

실제로 각 사람이 무슨 필요를 가지고 있었는지는 전혀 문제가 되지 않았다. 다만 그들이 교회 안으로 발을 들여놓기만 하면, 거의 자동적으로 치유를 경험했다. 모든 형태의 근디스트로피, 뇌성마비들이 치유되었다. 없던 내장기관들이 생겨났고, 온갖 장애들이 회복되었으며, 치아가 메워졌다. 사람들은 마치 물 만난 고기처럼 마음껏 기적을 체험하고 있는 듯했다. 치유의 기적들이 폭발적으로 일어났다.

사람들은 천사와의 만남도 경험했다. 이따금씩 성령의 향기를 맡을 수도 있었다. 수많은 사람들이 성령의 권능 아래서 쓰러지면, 그 상태로 2시간이든 3시간이든 누워 있곤 했다. 우리는 그들을 한쪽 구석에 따로 모아놓아야 할 지경이었다. 심지어 사람들이 머리에 안수 받는 것을 원하지 않을 정도가 되었다. 안수를 받고 성령 안에서 쓰러지면, 당장 하나님께서 일하고 계신 모습을 목격할 수 없기 때문이었다.

특별히 한 여성의 경우가 떠오른다. 그녀는 발에 매우 기괴한 모양의 장애를 가지고 있었다. 그곳에 참석한 빈야드(Vineyard) 십대들과 청년들이 그녀를 둘러쌌다. 그들이 그녀를 위해 사역하는 동안, 가로 3인치에 세로 2인치 크기의 광선이 그녀의 발 부위에서 빠르게 움직이다가 약 15초 후에 사라져버렸다. 그 후 광선을 쬔 부위가 완벽한 형태로 회복되었다. 잠시 후 그 광선은 그녀의 다른 발 위에서 반짝거렸다. 물론 이번에도 광선이 지나간 부위는 온전해졌다. 두 발의 기형이 실제로 귀에 들리는 소리를 내면서 교정되었다. '탁! 치직! 빵!'

다른 여인은 팔꿈치 부분이 반대방향으로 꼬여 있어 매번 자신의 팔을 깔고 앉아야 했다. 그런데 그녀의 팔꿈치가 모든 사람들이 보는 앞에서 정상적인 위치로 돌아왔다!

또 다른 여성은 치아를 빼는 것을 몹시 두려워하고 있었다. 그녀의 치아는 이미 썩을 대로 썩어 있었다. 그런데 주님께서 그녀를 위해 전혀 새로운 치아를 심어주셨다. 실제로 수많은 사람들이 치아가 새롭게 생겨나는 기적을 체험했다. 단지 금니와 은니로 변한 것이 아니라, 치아 전체가 완전히 새로워진 것이다. 참으로 낯선 광경들이었다!

한번은 예수님께서 나타나셨다. 주님은 경배와 찬양에 흠뻑 젖어 계신 것 같았다. 천사들도 이따금씩 모습을 드러냈다. 예배당 안은 마치 비가 내리고 있는 듯한 느낌이었다. 마치 비를 맞으며 젖어가는 것 같았다. 물론 실제로 젖은 것은 아니지만 말이다. 일어나는 모든 일들이 창조적인 것이었다. 사람들은 흐느껴 울기도 하고, 웃기도 했다. 철저한 침묵과 겸손 가운데 앉아 있다가도, 활력이 넘치는 큰 소리로 하나님을 찬미하였다. 이 모든 일들이 8일 동안의 집회기간에 일어났다. 말 그대로 열린 하늘이었다.

나는 사람들에게 누구든지 믿음 안에서 어떻게 해서든 주님의 거처 안으로 들어오기만 하면, 구원을 받을 것이라고 말해주었다. 어느 부부가 내가 선포한 메시지를 마음으로 받아들였다. 그들에게는 십대인 아들이 있었는데 그는 집에서 자기 방문을 자물쇠로 걸어 잠그고 지냈다. 그 부부는 집으로 돌아가 아들의 방문을 부수고 들어갔다. 그리고 아들의 손발을 꽁꽁 묶어 자동차 뒷자석에 태우고 교회에 데려왔다. 그런 다음 그들은 교회의 로비 안쪽에 아들을 아무렇게나 던져놓고는, 손발을 풀어준 뒤 달아났다.

그 아들은 눈물을 흘리며 예배당 안으로 들어와 고함을 지르기 시작했다. "내가 이놈의 설교자를 죽여버리고 말겠어!"

그 모습을 보며 나는 혼자 빙그레 웃었다. 왜냐하면 그의 키는 정확히 150센티미터에, 체중은 63킬로그램 정도였기 때문이다. 당신도 알다시피, 내 키는 약 2미터에 체중도 제법 나가는 편이다. 한마디로 나는 그보다 훨씬 더 체격이 좋았다. 나는 속으로 이렇게 생각했다. '아가야, 너는 날 죽이지 못해. 내 엄지손가락 하나로도 너를 제압할 수 있거든!'

그러나 나는 그를 제압할 필요가 전혀 없었다. 그는 앞쪽으로 달려 나오다가 결국 성령에 압도당하고 말았다. 침을 내뱉으며 씩씩거리기 시작하더니 귀신들이 비명을 지르며 그에게서 나왔다. 그리고는 정상으로 회복되었고, 마침내 구원을 받았다. 나는 이런 경우를 '콧물범벅의 회심'이라고 부른다. 이런 유의 회심에서, 사람들은 엉엉 울며 흘러내리는 콧물을 소매로 훔쳐내면서 용서를 구하는 모습을 보여준다.

이상은 그 교회에서 일주일간 이루어진 집회의 풍경이다. 8일간의 일정을 마칠 무렵이 되었을 때, 구름이 걷혔다.

계속해서 다음 집회일정에 들어가면서, 내 안에 이런 생각이 들었다. '드디어 목표점에 도달했구나.' 그러나 집회 가운데 드리는 예배들이 훌륭하고 주님께서 사람들 사이에서 운행해주시긴 했지만, 이전의 규모와 수준에는 미치지 못하였다. 이 점이 내 마음에 걸렸다. 그리하여 나는 기도에 들어가 주님께 왜 지난 번 사막에서의 체험이 일반적인 것이 될 수 없느냐고 여쭤보았다.

좀더 구체적으로 말해보자면 이렇다. 사막에서의 체험 이후로 내 사역은 일정기간은 그와 유사한 수준으로 전개되었다. 수년 내내 그러한 기간들이 찾아오곤 했다. 때때로 그 기간은 한 번에 2-3주, 또는 4주 동안 지속되었다. 이런 기간에는 성령님의 거주하심이 지난번과 동일한 수준으로 이어졌다. 성령님이 머무시는 동안, 모든 사람들이 치유를 받고, 모든 사람들이 구원받고, 모든 사람들이 축사를 경험하는 듯하였다. 그러나 그러한 기간이 끝나면, 주님의 임재의 구름도 걷히곤 했다.

캘리포니아에서의 첫 번째 방문 이후로, 나는 뭔가 잘못된 것은 아닌지 염려하기 시작했다. 그런데 주님께서 나에게 다음과 같이 말씀해주셨다. "이제 앞으로 나의 거주가 정기적으로 이루어지는 시기가 도래할 것이다. 이런 일은 너의 사역뿐만 아니라, 나의 온 교회 안에서 전반적으로 이루어질 것이다. 지금 이런 식으로 나의 임재의 거처가 되기 위해 내 백성들이 준비되고 있다. 그날이 도래하고 있다."

나는 이 책이 그러한 주님의 거하심을 촉진시키는 촉매제가 되었으면 좋겠다. 이 책을 읽는 사람들이 주님의 거하심이 시작되기를 바라는 기대감으로 충만해지기를 바란다. 사도적인 사람들은 그런 유의 방문이 정기적이고 지속적으로 이루어지는 모습을 보기 위해, 어떠한 권세와 능력이 필요한지를 이해하기 시작했다. 주님의 집에 매우 짜릿하고 흥분된 시기가 도래할 것이다!

기둥에 관한 꿈

열린 하늘 체험과 관련된 또 한 번의 만남에 관하여 소개하겠다. 몇 년 전에 나는 하나님으로부터 매우 생생하고 초자연적인 꿈을 받은 적이 있다. 이것이 꿈이었음을 명심하라. 나는 그런 유의 꿈을 자주 꾸지는 않는다. 그러나 일단 그런 꿈을 꾸면, 그 꿈이 다른 평범한 꿈과는 차원이 다르다는 것을 금방 알아차릴 수 있다. 내 안에서 영이 마구 뛰고, 모든 것들이 매우 명료하고 선명하다. 그리고 꿈에서 깨자마자 방언으로 기도하면, 무슨 꿈을 꿨는지 모두 정확하게 기억해낼 수 있다. 마치 머릿속으로 영화를 보고 있는 것처럼 말이다.

아무튼, 이 꿈에서 나는 3백여 명이 모인 어느 교회에 서 있었다(나는 꿈에서 본 교회가 앞으로 내가 가게 될 실제 교회라기보다는, 훨씬 더 상징적인 의미를 담고 있다고 본다). 꿈에서 나는 으레 그러하듯, 사역하기 위해 청중석 아래로 내려왔다.

당신이 염두에 두어야 할 사실이 있다. 기본적으로 나는 사랑으로 사역한다. 그러나 많은 경우에 내 사역은 직면시키는 성격을 띠곤 한다. 나는 믿음의 행동의 일환으로서 사람들에게 앞으로 나오도록 요청할 때도 있다. 그렇게 하는 이유는, 사람들 안에 기대감을 불러일으키기 위해서다.

나는 체격이 큰 사람이므로, 사람들이 보기에 위협적인 존재로 여겨질 수도 있다. 따라서 나는 매우 자연스럽고 이따금씩은 매우 우스꽝스러운 방식으로 사역을 해야 한다. 사람들의 긴장을 풀어줌으로써 그들이 하나님께서 말씀하시는 바를 귀 기울여 들을 수 있도록 하기 위해서이다. 이는 오랜 기간 사역해오면서 터득한 바이기도 하다.

초창기만 해도 나는 으스스한 선지자의 눈초리로 사람들을 바라보았다. 아마도 그런 나의 모습은 마치 '제3의 눈'(Outer Limits) 시리즈에 나오는 동굴 안에 살고 있던 한 우주비행사와도 같지 않았을까? 후에 나는 그러한 눈초리가 오히려 사람들을 겁에 질리게 만들었음을 알게 되었다. 사람들은 뒷걸음질쳐 뒷문으로 빠져나가곤 했다. 나의 표정은 언제나 심각했고, 종종 고개를 홱홱 돌렸으며, 강대상을 오르내리며 발끝으로 조심스럽게 살금살금 걸어 다녔다. "하나님께서 지금 여러분에 관해 계시해주시는 것이 무엇인지 아십니까? 음하하하!"

하나님께 감사드린다. 그때에 비하면, 지금의 내 모습은 조금은 더 성숙했다. 그렇지 않은가?

주님은 나에게 그냥 본연의 모습 그대로 자연스럽게 행동하라고 가르쳐주셨다. 그리하여 나는 어느 정도 재미있게 농담도 하면서 설교하기 시작했다. 설교를 재미있게 하는 것이 나의 의무였다. 하나님은 꽤 재미있는 분이시다. 당신도 이런 사실에 관해 생각해본 적이 있는가?

다시 본론으로 돌아가자. 나는 지혜의 말씀이나 지식의 말씀, 혹은 예언의 메시지가 회중 가운데 믿음의 분위기를 조성할 수 있다고 믿는다. 믿음의 분위기가 형성되면, 사람들은 잘 받아들일 수 있게 된다. 그래서 나는 사례를 보여주기 위해, 어느 특정한 사람을 앞으로 불러내곤 한다. 내가 그 사람에 대한 사전지식이 전혀 없는 채로, 그 사람의 상황에 관해 주님께서 알려주시는 매우 구체적인 내용들을 나누면 오히려 다른 사람들 안에 나의 직접적인 도움이 있든 없든 자신들도 기적을 체험하기 바라는 믿음이 생겨난다. 나는 그동안 사람들이 나와는 상관없이 각자가 주님과의 만남을 통하여 기적을 체험하게 되었다는 이야기를 수없이 많이 들어왔다. 그것 자체만으로도 훌륭한 일이다. 나로서는 시간과 에너지를 절약할 수 있으니 말이다!

예를 들어 수천 명이 운집한 장소에서 집회를 할 경우, 그곳에 모인 사람들 모두에게 내가 일일이 안수해줄 수는 없다. 이때 나는 15-20명 남짓의 사람들을 불러내어 구체적인, 혹은 독특한 메시지를 나눈다. 이렇게 함으로써 온 회중 사이로 돌파의 기름부음이 번져가게 되고, 이제 성령님은 그곳에 모인 모든 이들 안에서 대대적으로 역사하기 시작하신다.

이쯤에서 다시 나의 꿈 이야기로 되돌아가보도록 하자. 나는 청중석 아래로 걸어 내려가서 어느 여성을 앞으로 불러내고, 그 여성의 이마에 내 손을 얹었다. 내가 흔히 그렇게 하듯이 말이다. 바로 그때 내 뒤쪽으로부터 어떤 음성이 들려왔다. 왜 항상 목소리가 내 뒤쪽에서 들려오는지는 잘 모르겠다. 어쨌든 그 음성의 내용은 이랬다. "내 아들아, 위를 바라보아라."

나는 위를 쳐다보았다. 그랬더니 금 기둥 모양의 기름부음이 주 안에서 자매 된 이 여성과 내 위에 내려오고 있는 것이 아닌가. 이 기둥의 특징은 속이 비어 있지 않았다는 점이다. 매우 두꺼운 기둥으로 튜브처럼 속이 비어 있는 것이 아니라, 마치 두루마리와도 같았다. 그 금 기둥은 단지 우리 위에 임한 것이 아니라 우리를 관통하고 있었다. 그 기둥이 어찌나 두터웠던지, 나머지 회중들의 모습마저 보이지 않았다.

그때 문득 어떤 생각이 내 머리를 스치고 지나갔다. 그것은 외부로부터 이 기둥을 뚫고 들어와서 나를 방해할 수 있는 것은 아무것도 없다는 생각이었다. 동시에 그 기둥은 나를 관통하고 있었으므로, 안쪽에도 그 기름부음의 흐름을 방해할 수 있는 것은 전혀 존재하지 않았다. 성령께서 나를 통제하고 계신다는 것이 매우 강력하게 느껴졌다. 따라서 내 영으로부터 나오는 것이 무엇이든지, 무슨 메시지가 흘러나오든지 간에, 나는 그것이 하나님으로부터 온 것임을 확신할 수 있었다. 나는 말로 형용할 수 없을 정도로 담대함을 느꼈다.

그리하여 나는 이 귀한 여성에게 메시지를 들려주기 시작했다. 그녀가 지금 어떤 상황에 처해 있는지, 그녀의 출신지가 어디인지, 여러 해 전에 그녀에게 일어난 사건이 무엇이었는지(그녀는 교통사고를 당한 적이 있었다) 등에 관해 이야기해주었다. 그때의 메시지는 이제껏 내가 사람들에게 전달해왔던 예언의 메시지들 중 가장 구체적인 내용들을 담고 있었다. 그 메시지는 약 1분 동안 내 영으로부터 거침없이 풀려나왔다. 그와 동시에 그녀에게서 무언가가 끊어져나가고 있었고, 마침내 그녀는 자유케 되었다.

내 영으로부터 흘러나오던 메시지가 마무리되자, 즉시로 그 기둥도 걷혔다. 그 자매와 내게서는 빛이 발산되고 있었다. 그녀는 하나님을 찬미하며 자리로 돌아가 앉았다. 그런 다음 나는 또 한 명의 남성을 불러냈다. 이번에도 방금 전과 동일한 현상이 일어나고 있었다. 그 기둥이 내려와서 우리 두 사람을 관통하여 덮었다. 나는 그에게도 매우 강력하고 구체적인 메시지를 들려주었다. 그도 자유함을 얻었고, 잠시 후 기둥은 다시 걷혔다.

이 꿈을 꾼 뒤 나는 주님께 꿈의 의미에 대해 여쭤보았다. 주님은 이번에도 내 뒤쪽에서 대답해주셨다. "앞으로 네가 나와 함께 사역을 행하는 동안 이런 일이 일상적으로 일어나는 때가 올 것이다. 네가 그 일에 준비되기만 하면, 나의 명성과 영광이 마치 그 금 기둥처럼 네 위에 임할 것이다. 그러나 너는 우선 내가 누구인지를 알아야 한다."

이 책이 담고 있는 여러 가지 약속들 중 하나는 다음과 같다. 그것이 누구든지 내가 하나님과 함께 체험했던 모든 방문들, 꿈들, 혹은 계시들을 각자의 체험과 이해를 위한 것으로 바꾸어 표현할 수 있다는 것이다. 최소한 어느 정도까지는 말이다. 하나님과 함께했던 이 모든 순간들은 단지 한 사람을 위한 것이 아니라, 집단적인 수준에서 그리스도의 몸 전체를 위해 이식되고 재생되고 변화되고 풀어질 수 있다.

나는 하나님이 오직 한 사람만을 위해 초자연적인 체험들을 허락하시는 분이라고는 생각하지 않는다. 이러한 수준의 하나님의 기름부음은 가장 심오한 차원에서 주님을 알기 위해 적절히 준비된 모든 사람들을 위한 것이다. 비록 완전히 동일한 체험은 아닐지라도, 나는 당신도 이와 유시한 체험을 기대할 수 있다고 생각한다. 당신이 원하기만 한다면 말이다. 여기에는 훈련이 필요하고, 대가지불이 요구된다. 그러나 내가 장담할 수 있는 사실은, 그러한 체험은 정말로 해볼 만한 가치가 충분하다는 것이다.

예수님 위에 펼쳐진 열린 하늘

기적을 일으키는 비결은 바로 하나님의 거주다. 우리는 예수님의 지상 사역 속에서도 하나님의 거주에 관한 이해를 찾아볼 수 있다. 요한복음 1장 51절은 예수님의 말씀을 다음과 같이 전하고 있다.

진실로 진실로 너희에게 이르노니 하늘이 열리고 하나님의 사자들이 인자 위에 오르락내리락하는 것을 보리라

아마도 거의 모든 사람들이 요한복음 3장 16절을 인용할 수 있을 것이다. 우리에게 너무나도 익숙한 말씀이기도 한 그 구절을 다음과 같은 관점으로 생각해보라. 하나님은 이 세상을 너무도 사랑하셨기에 성자 예수님을 보내주셨다. 예수님은 하나님의 눈부신 은총과 영광 속에서 세상에 (성부) 하나님의 명성을 드러내기 위해 오셨다. 예수님이 어디를 가시든지, 주님 위에는 언제나 하늘문이 열렸다. 예수님은 항상 성부 하나님과 교통하셨다.

성부 하나님과의 소통은 주님이 십자가에 달리시기까지 줄곧 계속되었다. 십자가 처형의 순간은 예수님이 하늘에 계신 성부 하나님과의 분리를 경험하신 유일한 때였다. 이때 하나님께서는 모든 죄악을 예수님의 몸에 쏟아부으시고 얼굴을 돌리셨다. 이 순간에 예수님은 이렇게 부르짖으셨다. "나의 하나님, 나의 하나님, 어찌하여 나를 버리셨나이까"(마 27:46, 막 15:34, 시 22:1).

우리 위에 열린 하늘을 두고 있는 것이야말로 기적으로 나아가는 비결이다. 열린 하늘 밑에서 우리는 성부 하나님과 끊임없이 소통하면서 기쁨을 누린다. 또한 주님의 천사들이 우리 위로 오르락내리락한다. 야곱이 꿈에서 본 하늘 사다리의 모습처럼 말이다(창 28:12). 이것이 바로 열린 하늘의 원리다. 우리의 위대한 모범은 바로 예수님이시다.

그리스도가 하늘로부터 강림하신 목적이기도 한 구원은, 비단 죽음 이후의 영생만을 위한 것이 아니다. 오해하지 마라. 물론 이것은 그리스도

께서 이 세상에 오신 주된 목적이다. 그리스도는 사람들 안에 의로움을 회복시키시고, 하나님 아버지와의 소통을 회복시키시기 위해 오셨다. 그러나 주님께서는 또 다른 목적이 있으셨다. 그것은 바로 그리스도의 강림과 승천으로 구원받은 사람들을 위해, 하늘과 땅 사이에 영속적인 연결점을 구축하는 일이었다.

주님은 십자가에서 죽으시고 부활하심으로써 우리에게 구원의 은총을 베풀어주셨다. 그러나 주님은 하늘과 땅 사이를 오가시는 모습을 통하여, 주님 안에 거하는 모든 사람들에게 하늘문이 열려 있음을 보여주는 좋은 본을 보여주셨다. 나의 이야기가 타당하게 들리는가?

요한복음 3장 13절에 소개되어 있는 예수님의 선포는 우리에게 다소 낯설게 들린다. "하늘에서 내려온 자 곧 인자 외에는 하늘에 올라간 자가 없느니라." 당신은 이 구절을 한 번이라도 읽어본 적이 있는가? 어떻게 예수님은 자신이 하늘에서 내려왔다고 말씀하실 수 있었을까? 이미 주님은 하늘에 계신 분인데 말이다. 여기서 예수님은 다음과 같이 말씀하셨다고 볼 수 있다. "나는 이렇게 여기 땅에 서 있다. 하지만 동시에 나는 하늘에도 서 있다."

어떻게 예수님은 두 자리에 동시에 존재하실 수 있었을까? 해답은 이것이다. 예수님은 열린 하늘 아래에 서 계셨다. 성부 하나님은 언제나 끊임없이 성자 예수님께 계시되셨다. 성자 예수님과 성부 하나님 사이를 가로막는 베일 따위는 전혀 존재하지 않았다. 따라서 예수님은 이 땅을 딛고 서 계시면서도, 여전히 하늘에 계실 수 있었다. 주님이 하늘에 계신 아버지께서 행하시는 모습 그대로 행하셨던 이유도 여기에 있다(요 5:19). 예수님은 이 땅에 내려오셨지만, 여전히 하늘에 계셨다. 주님이 가시는 곳이면 어디든지 하늘도 함께 존재했다. 좀 이상한 이야기라고 생각되지 않는가?

예수님께서 지상에서 사역을 수행하실 당시, 하늘은 수세기 동안 닫혀 있었다. 초자연적인 것에 대한 인간의 합리화, 종교성, 율법주의, 배교 등 다양한 이유 때문이었다. 그러나 예수님을 통해 하늘문이 다시 열리게 되었다. 하늘문을 막아놓은 이러한 여러 방해요소들에 관해서는, 오늘날 당신의 교회 안에서도 얼마든지 들어본 적이 있을 것이다. 최소한 내 생각에는 그렇다.

예수님은 이곳저곳을 다니시며 하늘을 나누어주셨다. 이 얼마나 놀라운 발상인가! 하늘은 마치 구름처럼 내려와 예수님을 에워싸고 있었다. 예수님이 가시는 곳마다 하늘이 열렸으므로, 주님은 이를 다른 사람들에게 나누어주실 수 있었다. 예수님은 하늘을 통해 선포하셨고, 하늘을 통해 치유하셨다. 또한 하늘을 통해 다양한 필요를 가진 사람들을 만족시키시는 사역을 행하셨다. 하늘에 비축되어 있던 하나님의 영광이 예수님이라는 전달자를 통하여, 이 땅에 조금씩 나누어지고 있었다. 이제 우리도 예수님을 따라 행해야 하지 않겠는가?

내가 들으니 보좌에서 큰 음성이 나서 이르되 보라 하나님의 장막이 사람들과 함께 있으매 하나님이 그들과 함께 계시리니 그들은 하나님의 백성이 되고 하나님은 친히 그들과 함께 계셔서 (계 21:3)

우리는 자신을 예수님께 조율시킴으로써 열린 하늘 가운데로 들어갈 수 있다. 열린 하늘은 하나님이 우리와 함께 계시는 자리다. 주님이 계신 곳에는 주님의 놀라운 영광과 은총이 수반된다.

나는 사도적인 영의 목적이 무엇보다도 기적적인 일을 회복시키는 것에 있다고 생각한다. 내가 이 책 전반에 걸쳐 언급해온 바와 같이, 사도적인 사람들은 단순히 기적을 행하는 자들이 아니다. 그러나 기적 행함은 사도적인 기름부음이 지니는 속성 가운데서도 가장 드물게 사용되어온 것 중 하나다. 이 책의 전체적인 취지는 하늘나라의 열쇠들을 제시하고, 충만하신 하나님의 성품을 드러내주는 권능의 통치수단들을 제공하는 것이다.

그리스도가 하나님의 아들이심을 계시해주는 성경구절이 있다. 이 구절에서 예수님은 시몬(베드로의 다른 이름)을 칭찬하셨다. 그가 하나님 아버지로부터 온 계시를 영으로 받아들였기 때문이다. 주님은 그러한 계시를 받은 제자에게 다음과 같이 보상해주셨다.

> 내가 천국 열쇠를 네게 주리니 네가 땅에서 무엇이든지 매면 하늘에서도 매일 것이요 네가 땅에서 무엇이든지 풀면 하늘에서도 풀리리라 하시고 (마 16:19)

'하늘'(heaven)은 헬라어로 '우라노스'(ouranos)다. 이 말은 원래 '하늘들'(heavens)이라는 복수형태다. 따라서 '하늘들의 열쇠들'(keys of heavens)이라는 표현을 통해 성령 안에는 계속 비밀을 벗겨내야 할 보다 심오한 수준들이 존재한다고 추론할 수 있다. 실제로 하늘은 여러 수준들로 이루어져 있다. 나는 이것이 한 번 깊이 생각해봄직한 주제라고 생각한다.

예수님은 이렇게 말씀하고 계셨다. "네가 이 땅에서 무엇을 금지하든지 나는 너를 도와주어 하늘에서도 그 일을 금지시키겠다. 또한 네가 이 땅에서 무엇을 허락한다면, 나는 너를 위해 하늘문을 열고 그것을 내려보내겠다." 여기에는 하나님 나라에 들어갈 수 있는 매우 강력한 두 개의 열쇠가 제시되고 있다. 바로 묶기(binding)와 풀기(loosing)이다.

전반적으로 볼 때, 은사주의는 묶기와 관련하여 매우 친숙하다. 우리는 거의 모든 것들을 묶는다. 묶기의 이면에는 원수를 속박하여 그의 활동을 중단시키고, 영향력을 행사하지 못하게 만드는 힘이 존재한다. 이를테면, 우리는 어떤 특정 상황 가운데 마귀의 활동들을 무기력하게 하고 파쇄시켜 버린다. 당신이 은사주의적인 집회에 잠시라도 참석해 보았다면, 아마도 사역자가 누군가의 질병을 위해 기도하면서 "우리는 예수 그리스도의 이름으로 너를 묶노라"고 선포하는 것을 들어본 적이 있을 것이다. 적절한 상황 가운데 이러한 묶기의 선포는 매우 놀라울 만큼 효과적이다!

예수님께서 우리를 위해 성취하신 승리로 인해, 우리는 주님처럼 강한 자를 결박하고 그의 집을 약탈할 수 있는 권능 가운데서 활동할 수 있게 되었다. 우리는 사역의 이러한 측면을 결코 간과해서는 안 된다. 그러나 우리에게 나란히 두 개의 열쇠들(묶기와 풀기)이 주어져 있음을 기억하라. 묶기는 반드시 성령 안에서의 풀기와 함께 조합되어야 한다. 이렇게 할 때 비로소 기적들이 일어나게 된다.

일반적으로 은사주의는 그동안 묶기만 지나치게 강조한 나머지, 풀기는 충분히 강조하지 못한 것이 사실이다. 이런 식의 태도로는 통치의 사고방식(dominion mentality)을 확보할 수 없다. 통치의 사고방식은 주님의 몸 된 교회 전반에 걸쳐 반드시 계발되어야 한다. 성령님의 운행하심(풀기)은 사도적인 개혁 안에서 발견된다. 이러한 풀기가 수반될 때 비로소 묶기가 온전해진다.

결론을 말하자면, 우리는 더 많은 풀기를 행해야 한다는 것이다! 사도적인 사람들이 개입해야 할 지점도 바로 여기다.

종종 우리는 묶기만을 강조하면서 풀기는 소홀히 하는데, 묶기와 풀기가 온전한 조합을 이루어 기능하게 해야 한다. 묶기가 중요한 만큼 풀기도 중요하다. 예수님의 사역은, 원수를 묶는 것과 함께 사람들 안에 하나님 나라를 풀어놓는 것이 얼마나 중요한지를 공표해주셨다. 이러한 주님을 따라가자!

한편, 고린도전서 1장 6절에는 그리스도의 증거를 확증해주는 내용이 언급되고 있다. 사도적인 운동은 주님의 증언을 온전히 회복시켜 놓는다. 사도적인 운동은 단지 원수를 묶기만 하는 것이 아니라, 사람들에게 성령님을 풀어놓기도 한다.

> 나는 너와 및 예수의 증언을 받은 네 형제들과 같이 된 종이니 삼가 그리하지 말고 오직 하나님께 경배하라 예수의 증언은 예언의 영이라 (계 19:10)

'예인의 영'(spirit of prophecy)은 무엇을 의미할까?

예수님의 증언은 '현재'의 메시지다. 바로 오늘, 지금 이 순간에 적절한 메시지라는 뜻이다. 예수님의 증언은 지금 발화되어, 온갖 표적과 기사와 이적들을 통해 하나님의 충만하심을 확증시키기 위해 활력을 얻는다. 예언은 성령님의 영감에 따라 행하게 하며(담대하게 행동함), 하나님이 풀어지시도록 만드는 계기가 된다. 예언을 선포하는 것은 우리의 권리를 주장하는 일이다. 예언은 사람들이 사역할 수 있도록 춤추는 하나님의 손을 풀어놓는다. 또한 표현된 예수님의 증거이며, 사도적인 풀어짐의 정점이다. 따라서 예언은 사도적인 사역에 있어서 매우 중요한 측면이다.

예언이 없다면, 주님의 몸 된 교회는 불완전한 승리와 부분적인 이김으로 고통을 받게 된다. 우리는 묶기만 할 뿐 풀어놓지는 않는다. 풀기를 통해 성령님은 궁핍한 상황에 처해 있는 사람들에게 도움을 베푸신다. 성령은 사람들을 위해 기적들을 행하신다.

갈라디아 교회의 경우를 생각해보라. 그들은 사악한 미혹의 눈길에 홀려 신기루를 경험하고 있었다. 하나님의 운행하심에 대한 종교적인 냉담함과 율법주의에 근거한 무관심에 도취되어 있었다. 결국 그들은 하나님의 기름부음의 대용품을 만들어내고 말았다. 그들은 묶여 있었고 풀리지 않은 상태였다.

오늘날 우리 각 사람도 교회들에 관하여 유사한 동기들을 품고 있을 것이다. 안타깝게도 이 교회들은 신실한 모습이 되려는 의도를 가지고 있음에도 불구하고, 여전히 성령님이 풀어지지 못하게 짓누르고 있는 경우가 많다. 그들은 예언의 영을 종교의 영으로 대체시킨다. 그들은 마법과 같은 주문으로 사람들을 낙심시켜 그리스도의 자유와 하나님의 기적적인 활동들 안으로 돌파해 들어가지 못하게 가로막는다. 이렇게 함으로써 겨우 현상유지는 할지 모르나, 결과적으로 사람들의 필요를 채워주는 일에는 실패하고 만다. 정말 놀랍지 않은가! 나 자신이 이렇게 말하고도, 이 얼마나 두려운 말인지 모르겠다!

이것이 정말 엄청난 진술일 수도 있지만, 바라기는 사람들을 일깨워 하나님 나라의 열쇠들을 사용하기에 부적절한 자신의 모습을 볼 수 있게 되기를 바란다. 사도적인 기름부음은 사람들을 하나님의 영광이 보다 놀랍게 가시적으로 나타나는 흐름 속으로 밀어 넣는다. 하나님의 무게가 우리를 내리누르셔야 한다는 사실이 모두에게 밝히 드러나야 한다! 주님이 권세를 지니신 분이라는 증거가 우리에게 계시되어야 한다!

두나미스 원리

나는 그것을 '두나미스 원리'라 부른다. '메가두나미스'(megadunamis)는 '놀라운 권능'을 의미하는 합성어다. 우리는 이 단어를 사도행전 4장 33절에서 찾아볼 수 있다. 역동(dynamic), 다이너모(dynamo), 다이너마이트(dynamite)에 관해 생각해보라. 또 '메가'(mega)라는 접두어에도 주목해야 한다. 그것은 대용량 세제(mega-detergent), 대용량 비타민(megavitamins), 대형교회(mega-church), 거액의 돈(mega-bucks) 등과 같이 쓰이고 있다.

이 두 가지를 종합하면 '메가두나미스'는 폭발적인 권능, 엄청난 에너지를 말한다. 이것은 임무를 충분히 완수하고도 남을 만큼 많은 에너지다. 메가두나미스는 자체적으로 재생 가능한 권능, 더 많은 권능을 만들어내는 권능이다.

기능면에 있어서 두나미스는 가시적으로 표현되는 권세의 풀어짐이다. 어떤 특정한 상황에 엄청난 분량의 영향력과 통치가 풀어지는 것이다. 두나미스는 명령할 수 있는 능력이다. 예를 들어, 만일 당신이 치유사역을 행한다면, 아픈 사람들을 치유하기 위해 두나미스를 발휘하는 것이다. 혹은 예언을 예로 들어보자. 당신이 예언사역을 하는 사람이라면, 당신의 사역은 예언의 권능으로 뒷받침을 받는다. 동일한 이치가 사도적인 사역에도 그대로 적용된다.

열왕기하 2장에 등장하는 엘리사의 경우를 살펴보자. 여기서 엘리사의 전임자인 엘리야가 이제 막 회오리바람에 휩싸여 하늘로 올라가려 하고 있다. 엘리야는 이제 벧엘로 가야 한다면서, 엘리사에게는 길갈에 머물러 있으라고 말한다. 물론 엘리사는 이 요청을 거절하였고, 두 사람은 함께 길을 떠난다. 이와 동일한 상황이 엘리야가 여리고로 떠나야 하는 순간에 다시금 재현된다. 이번에도 엘리사는 강경한 태도로 엘리야와 함께 가겠다고 주장한다. 세 번째로, 요단 강에 이르렀을 때, 엘리야는 엘리사에게 뒤에 남아 있으라고 말하지만, 이번에도 엘리사의 대답은 마찬가지였다. 두 선지자가 요단 강에 도착했을 때, 엘리야는 자신의 겉옷을 취하여 물을 쳤고, 두 사람은 마른 땅으로 강을 건넜다. 그 후에야 엘리야는 자신의 후계자에게 매우 적절한 질문을 던진다.

"구하라! 내가 네게서 데려가심을 당하기 전에, 내가 너를 위해 무엇 해주기를 바라느냐?"

이때 엘리사는 매우 멋진 대답을 한다. "당신의 성령이 하시는 역사가 갑절이나 내게 있게 하소서."

"네가 어려운 일을 구하는도다. 그러나 나를 네게서 데려가시는 것을 네가 보면 그 일이 네게 이루어지려니와, 그렇지 아니하면 이루어지지 아니하리라."

여기서 '어려운 일'(hard thing)은 다소 애매모호한 번역이다. 문자 그대로 옮기면 엘리야는 다음과 같이 대답하였다고 할 수 있다. "네가 참 희한한 것을 구하는구나"(존 웨슬리의 주석노트[John Wesley's Explanatory Notes]와 존 길의 주석[John Gill's Exposition]을 참조하라). 이 단어에는 실제로 '고집이 센'이라는 의미가 있다. 엘리야는 엘리사가 갑절의 영감을 구한 것을 꾸짖은 게 아니라, 다만 다음과 같이 말한 것이다. "이보게, 자네는 정말로 엄청난 것을 구하고 있다네. 그러나 수많은 이들이 그것을 얻지 못하고 있지."

이 구절과 관련하여 매튜 헨리는 자신의 주석서에서 다음과 같이 말했다. "영적인 축복을 받을 만반의 준비를 갖춘 사람이란, 영적인 축복의 가치를 가장 예민하게 감지할 뿐 아니라, 자신은 그 축복을 받기에는 전혀 무가치한 자임을 알고 있는 사람이다." 달리 말해, 엘리사가 갑절의 영감을 받았다면, 그것은 그와 하나님 사이에서 일어난 일이다. 그가 갑절의 영감을 받느냐의 여부는 엘리야가 아니라, 엘리사 자신에게 달려 있었다.

내가 이상의 내용을 모두 소개하는 데는 이유가 있다. 언젠가 나는 엘리야가 '어려운 일'이라고 표현한 까닭은 그 기름부음이 모든 사람을 위한 것이 아니라는 증거라고 해석하는 사람을 본 적이 있다. 그러나 사실은 그렇지 않다. 여기서 말하는 어려운 일이란, 우리가 반드시 구해야 하는 '본질적인 것'을 의미한다. 또한 우리는 하나님으로부터 그것을 기필코 받아내기 위해 무슨 일이든지 기꺼이 감수해야만 한다.

아무튼 우리는 이 이야기가 어떻게 전개되었는지 잘 알고 있다. 엘리사는 실제로 엘리야가 회오리바람을 타고 하늘로 낚아 채이듯 올라가는 모습을 지켜본 후, 멘토의 겉옷을 주워들고 요단 강 언덕으로 돌아온다. 그는 그 겉옷으로 물을 치며 매우 놀라운 권위를 가지고 수사학적으로 외친다. "엘리야의 하나님 여호와는 어디 계시니이까." 그러자 물이 갈라졌고, 엘리사는 이번에도 마른 땅으로 요단 강을 건넜다.

엘리사는 매우 드물지만 본질적인 것을 유산으로 받았다. 그가 물려받은 것은 갑절이나 되는 권세였다. 이것을 사도적인 사람들은 '메가두나미스'라고 부를 것이다. 사도적인 영은 이러한 위대한 권능의 표현 안에 깃들어 있다. 이것을 위해 우리도 엘리사처럼 끝까지 견뎌야 한다. 머물러 있어서는 안 된다. 하나님의 권위의 겉옷을 받기를 기대하면서, 요단 강을 향하여 계속해서 밀고 들어가야 한다.

고린도후서 12장 12절의 말씀을 기억하라. 사도임을 보여주는 표지는, 표적과 기사와 능력 행함과 모든 참음이다. 이것은 정말 놀라운 개념이다. 그러나 잠시 또 다른 측면을 들여다보도록 하자. 만일 어떤 사람이 자신에게 사도적인 기름부음이 있다고 말하면서도 정작 이를 뒷받침해줄 만한 권능이 나타나지 않는다면, 그 사람의 권위가 의문시되지 않겠는가? 이 문제의 해결책에 관해서는 잠시 후에 다루도록 하겠다.

여기서 나는 결코 신실한 신앙을 가진 어떤 사람을 공격하려는 것이 아니다. 우리 모두는 가장 높은 부르심이라는 목표를 향해 나아가기 위해 고군분투하고 있다. 온전함에 도달한 사람은 아직 아무도 없다. 그 누구보다도 내가 먼저 정직하게 이런 말을 할 수 있다. 왜냐하면 나는 나 자신이 어떤 사람인지 너무 잘 알기 때문이다! 그렇다고 해서 하나님께서 우리를 모으시기 위해 기준점으로 제시하시는 표준 자체를 부정하려는 것은 아니다. 사도적 기름부음은 권능과 권세를 사용하여 기적적인 일들을 행하기 위해 무제한적으로 주어지는 것임에 틀림없다. 사도적 기름부음은 온전히 묶고 풀기 위한 유일한 방법이며, 하늘나라의 열쇠들을 풀어놓고 하나님의 영광을 밝히 드러낸다.

여기서 다시 베드로의 고백으로 되돌아가보자. 베드로는 그리스도가 기름부음 받으신 하나님의 아들이라는 계시를 받았다(마 16:13-19). 나는 당신이 그리스도께서 주님의 교회를 세우시는 토대로 삼으신 반석이 무엇인지 주목하기 바란다. 기독교라 불리는 이 모든 운동은 과연 무엇을 근간으로 세워지는 걸까?

나는 우리가 이 성경구절을 베드로가 '주님의 몸 된 교회'의 창립자(심지어 가톨릭에서는 최초의 교황)라는 의미로 이해하고 있음을 알고 있다. 그의 이름은 사실 '작은 돌'(페트로스, petros)이지만, 예수님은 주님의 몸 된 교회의 토대에 관해 말씀하시면서 그를 '페트로스'(바위의 파편) 대신 '페트라'(petra, 큰 바위)라고 바꾸어 부르셨다. 따라서 베드로는 단지 일부일 뿐이다. 한편 우리는 이 성경구절에서 예수님이 자신을 교회의 반석이라고 말씀하셨다고 이해한다. 물론 이러한 이해도 타당하다. 그러나 예수님과 베드로의 대화를 전체적인 맥락 속에서 읽어보기 바란다.

교회의 반석이란 예수님이 기름부음 받으신 하나님의 아들이라는 계시를 말한다. 맞는가? 바로 이 반석, 곧 "주는 그리스도시요 살아 계신 하나님의 아들이시니이다"라는 고백 위에 예수님은 주님의 몸 된 교회를 세우신다. 내가 3장에서 소개한 척 플린의 가르침을 기억하는가? "기름부음이 임하면, 당신은 스스로를 훈련할 것이다. 그렇게 함으로써 당신은 갇힌 자들을 자유롭게 하는 메시지를 창조적으로 선포할 수 있게 된다." 베드로는 그리스도 위에 임한 이 기름부음에 관한 계시를 받은 것이다.

'이 반석 위에'라는 구절 다음에 곧바로 예수님은 베드로에게 무엇을 주셨는가? 바로 묶고 풀 수 있는 열쇠들이었다. 이것은 하나님 나라에 들어가는 열쇠들을 제시해주는 반석(바위)에 관한 계시다. 예수님은 마치 다음과 같이 말씀하셨던 듯하다. "네가 나의 기름부음에 관한 계시를 드러냈다. 이제 나는 그 기름부음을 이 땅 위에 풀어놓을 수 있는 열쇠들을 네게 주었다." 이것은 우리가 하나님의 영광의 충만하심 속에서 찾아볼 수 있는 사도적인 영이며 기적적인 일들이다.

기적은 크게 초대형(mega) 기적, 현저한(notable) 기적, 다양한(diverse) 기적, 특별한(special) 기적으로 분류할 수 있다. 초대형 기적과 특별한 기적에 관해서는 이미 앞에서 설명한 바 있다. 이제 우리는 좀더 깊이 탐구해 들어가도 좋은 시점에 이르렀다. 이 4가지 형태의 기적들은 열린 하늘의 주된 속성들이다. 그렇다고 해서 이 4가지 형태들이 오직 열린 하늘 안에서만 일어난다는 의미는 아니다. 하지만 당신이 이 네 종류의 기적들이 기능하는 모습들을 지켜본다면, 일반적으로 그것들이 열린 하늘과 연관되어 있음을 알 수 있을 것이다. 사도적인 기적들과 그 기능들에 관해서는 이야기해볼 만한 가치가 충분하다.

초대형 기적은 '메가두나미스'라는 말에서 비롯된다. 메가두나미스의 의미에 관해서는 이미 앞에서 이야기하였다. 이는 거대한 규모로 일어나는 기적들을 의미한다. 너무나도 간단하지 않은가? 메가두나미스란 엄청난 권능, 위대한 권능, 권능 위의 권능을 뜻한다. 어찌나 강력한지, 권능이 다른 사람들 위로 흘러넘친다. 따라서 만일 성경에서 하나의 기적이 기록되어 있고 메가두나미스가 사용되고 있다면, 우리는 그 기적의 현장에 수십, 수백, 수천 명까지도 치유할 만한 큰 권능과 권세가 나타나고 있었던 것으로 이해할 수 있다. 이것은 결코 지나친 비약이 아니다.

나는 예수님께서 초대형 기적을 행하신 분이었다고 생각한다. 만일 주님이 눈먼 사람 한 명을 치유하셨다면, 이는 백 명의 사람들이 잠재적으로 치유된 것이라고 이해할 수 있다. 그리스도께서 행하신 모든 기적들을 단 한 권의 책에 상세히 설명해놓는다는 것은 절대로 불가능한 일이다. 그러므로 성경의 저자들은 주님이 행하신 일들을 기술하기 위하여 종종 메가두나미스를 사용하였다. 이것은 다시 말해 집단적인 치유라고도 말할 수 있다. 혹시 당신은 이제껏 참석했던 집회에서 수십 명의 지체장애자들이 일시에 치유되는 모습을 본 적이 있는가? 그것이 바로 초대형 기적이다.

현저한 기적은 사도행전 4장에서 찾아볼 수 있다. 이런 기적들은 대중매체, 진리를 반대하는 자들, 비판하는 자들의 관심을 사로잡는다. 이런 종류의 기적들은 조금도 부정할 수 있는 여지를 남겨놓지 않는다. "30초 전만 해도 제게는 팔이 없었어요. 그런데 지금은 이렇게 팔이 있어요." 이것이 바로 현저한 기적이다. 세속적인 사람들은 가던 길을 멈추고 도대체 무슨 일이 일어났는지 주목한다. 이해되는가? '주목하게'(take note) 만들기 때문에 '현저하다'(notable)고 말하는 것이다.

다음으로, 기적들은 다양성을 지니고 있다. 뉴킹제임스 성경 히브리서 2장 4절은 이것을 '다양한 기적들'(various miracles)이라고 번역한다. 고린도전서 12장 4절에서는 이것이 '은사의 다양성'에 속한다. 하나님의 본성이 다양한 측면들을 지니고 계시고 감정과 표현의 범주가 무한대로 펼쳐지듯이 하나님의 기적들도 무지개 빛깔처럼 다양하다. 각각의 기적들은 다양한 등급으로 나타나면서 서로에게 침투되어 있다.

이전에 나는 다음과 같은 가르침을 받은 적이 있다. 그것은 기석의 다양성을 접하게 될 때, 참여자들 가운데 깜짝 놀랄 만한 일이 일어난다는 내용이었다. 다시 말해, 이처럼 다양한 기적들은 축제 분위기, 곧 하나님의 경이롭고 다양한 본성을 목격한 것으로 인해 감격과 기쁨을 가져온다. 이런 기적들을 목격할 때, 사람들은 소란을 피운다. 나는 이것이 상당히 멋진 개념이라고 생각한다.

한 발 더 나아가, 우리는 다음과 같이 말할 수도 있지 않을까? 은사의 다양성은 지극한 기쁨과 축제의 분위기를 자아낸다고 말이다. 은사의 다양성은 기적들 속에서 하나님과 파티를 벌이는 것이라고 말해도 결코 과인이 아닐 것이다.

틀림없이 당신은 그곳에서 종교적인 황소들을 살육할 것이다.

그러나 한 번 생각해보라. 하나님의 손이 사람들 사이에서 춤추는 동안에도 이와 같은 일이 벌어지지 않겠는가? 사람들 가운데 즐겁고 떠들썩하게 축제를 즐기고 싶은 마음이 들지 않겠는가? 물론 한 마디로 설명할 수 있는 것은 아니지만, 당신은 요지가 무엇인지 이해하였을 것이다. 언젠가 스페인에서 열린 기적의 집회에서 일어난 일이다. 그 집회의 타이틀은 '경축의 밤'(Night of Celebration)이었는데, 마치 다양한 방언들이 나타났던 사도행전 2장의 광경과도 흡사했다.

다락방에서 내려오는 신자들을 보면서, 사람들은 그들이 술에 취했다고 생각했다. 사람들은 단지 그들의 방언소리를 듣기만 한 것이 아니라, 실제로 그들의 모습을 목격하였다. 내주하시는 성령께서 마치 술에 취한 듯한 분위기를 만들어내고 계셨다. 이렇듯 도취된 분위기 속에서, 사도들과 그 주변에 있었던 사람들은 하나님의 임재를 경축하며 방언으로 파티를 벌였다. 이것이 바로 기적의 다양성이다. 거리거리를 가득 메운 사람들은 하나님께서 행하신 경이로운 업적들을 칭송하였다.

마지막으로 소개하려고 하는 것은 특별한 기적이다. 이것은 아마도 열린 하늘의 표지 중에서 가장 중요한 것일 수 있다. 사도행전 19장 11-20절에서, 하나님은 바울의 손을 통해 특별한 기적들을 행하셨다(뉴킹제임스 역본에서는 이를 '비범한'[unusual] 기적들이라고 번역하였다). 그것은 에베소를 에워싸고 있던 미혹의 영을 허물어뜨리신 기적이었다. 이 특별한 기적은 특정 지역 안에 하나님의 보호막을 확립했다.

헬라어 '우'(ou)와 '툭차노'(tugchano)는 '특별한'(special)으로 번역된다. 특히 관심을 끈 것은, '우'가 이중부정이라는 사실이다. 예를 들면, '절대로 그렇지 않다, 그럴 가능성이 전혀 없다' 등과 마찬가지로 말이다. '툭차노'는 '우연히 일어나는'이라는 뜻을 내포하고 있을 수 있다. 따라서 '우-툭차노'의 의미는 '우연히 일어날 가능성이 전혀, 절대로 없는'이라고 할 수 있다. 어떤 사람은 이것을 '보기 드문'으로 번역한다. 즉 이것은 '특별하거나 비범하다'라는 참으로 강력한 의미를 담고 있는 헬라어다.

사도행전 19장에서 '특별한'이라는 말은 어떤 구체적인 지리적 장소, 즉 에베소를 가리킨다. 당시 에베소가 처해 있던 상황에 관해 당신이 반드시 알아두어야 할 것이 있다. 에베소는 유혹적이고 미혹적인 영에 몹시 시달리고 있었는데, 바로 '다이애나'(Diana)라 불리는 여신을 숭배하는 사람들 때문이었다. 이 이방 여신은 성 도착, 방탕, 호색, 성적 부도덕 등의 숭배 행위를 요구했다. 쉽게 말하자면, 그들은 실제로 몸으로 느끼는 감각적인 것들에 익숙해진 사람들이었다. 그 영은 하나님에 관한 거짓된 이미지를 만들어냄으로써 사람들을 잘못된 경배로 인도해가고 있었다. 따라서 그들 위에 드리워져 있는 마법을 파쇄하기 위해서는 매우 특별한 무언가가 필요한 상황이었다. 그 지역에서 빚어지는 온갖 소동들을 진압할 수 있는 참되고 강력한 무언가가 말이다.

당시 에베소 근방에서는 무언가 대단한 일이 펼쳐지고 있었다. 사람들에게 특별한 기적들이 전해지고 있었던 것이다. 나는 그러한 기적을 가리켜 '한 지역을 확보하거나 얻게 해주는 것' 혹은 '특정한 영적 조직을 목표로 삼는 것'이라고 규정하고 싶다.

세이어의 헬라어 정의에 따르면, '에베소'(Ephesus)는 '허용된'이라는 의미다. 그리스 설화에 의하면, 헤라클레스가 아마조네스들이 도시 안에 살도록 '허용해주었다'고 한다. 물론 에베소라는 지역 명이 문자 그대로 여기서 유래된 것은 아닌 듯하지만 말이다. 그러나 영적인 관점에서 매우 흥미로운 사실이 있는데, 에베소가 '견고한 진들을 다루는' 혹은 오히려 '허용된 것과 허용되지 않는 것'을 의미할 수도 있다는 것이다. 바울이 행한 특별한 기적들은 다이애나의 마력이 발휘되는 것을 더 이상 '허용하지' 않았다.

하나님께서는 바울을 통해 초자연적인 활동을 가시적으로 행하심으로써, 에베소 사람들을 얽어매고 있던 견고한 진을 성공적으로 파쇄하셨다. 여기서 우리가 눈여겨보아야 할 사항이 있다. 그것은 기적들 자체가 다이애나의 영에 맞서 싸우는 전쟁의 무기로 사용되었다는 점이다. 초자연적인 만남 자체가 사람들을 일깨워놓았다. 각성된 사람들은 우상들이 참된 하나님의 권세 앞에 무력해진다는 사실을 깨달았다. 그들은 바울의 손을 통해 무슨 일인가가 일어나고 있음을 실제로 감지했다. 참된 능력이 가시적으로 나타나고 있었다. 이 능력이 그들의 왜곡된 오감에 전해짐으로써 상황을 명료하게 볼 수 있게 되었다.

사람들은 매우 극적인 표적과 기사, 임재를 신체적으로 느낄 수 있었다. 돌파의 기름부음은 대대적인 축사가 이루어지도록 해주었다. 나는 이 일이 사람들에게 충격을 줌으로써 영적인 깨달음으로 인도해갔으리라고 믿는다. 계속해서 사도행전 19장은 사람들이 그동안 가지고 있던 부적과 다양한 물건들, 책들을 가지고 와서 바울의 발치에서 불태우는 광경을 보여준다. 무언가가 계시되었고, 그들은 깨달음을 얻었다. 그 지역에 무언가가 새롭게 확립되었다. 그것은 바로 하나님의 보호막이었다.

이제 바울은 자신이 그리스도를 본받는 자가 되었듯이 우리에게도 그를 본받으라고 말한다(고전 11:1). 우리도 특별한 기적을 일으키는 일에 하나님께 쓰임 받아야 하지 않겠는가? 만일 당신이 사는 지역에서 특별한 기적이 일어난다면, 어떻게 되겠는가? 시카고 같은 도시 전체가 에베소 교회와 같은 곳이 되지 않겠는가? 런던이라면, 혹은 도쿄라면 어떻겠는가?

금촛대 멤버들을 생각해보라. 엄청난 성적 타락이 그들이 사는 산악마을 주변을 에워싸고 있었다. 이런 상황 속에서 그들은 마귀의 세력에 맞서 싸우는 일종의 열린 하늘로서의 위상을 확보하고 있었다. 그들을 그토록 특별하고 효율적인 존재가 될 수 있게 해준 것은 과연 무엇이었을까? 그것은 바로 그들이 일상적으로 행하던 특별한 기적들이었다. 이 기적들은 그 특수한 지리적 장소에 있는 신비사술의 견고한 진을 파쇄시켜 놓았다. 이 기적들은 문자 그대로, 하늘들에 구멍을 뚫어놓았다. 영적인 야곱의 사다리가 나의 고향에 놓인 것이다. 또한 이 기적들의 영향력(축복들)은 오늘날까지 계속되고 있다.

그 지역은 심한 어둠에도 불구하고 복을 받았다. 그것은 비단 금촛대 모임만을 위한 축복이 아니었다. 하나님이 갈망하시는 열린 하늘의 온갖 중만함 가운데로 들어가기 위해, 또 다른 역동적인 사역단체가 지속적인 사역을 수행해오고 있기 때문이다. 나의 절친한 친구들인 크리스틴과 웨이드 벤들린은 나의 고향에서 실로선교회(Shiloh Ministries)를 이끌고 있다. 그들은 그 지역사회의 매우 소중한 자산이다. 이제까지 그들은 그 지역 안에서 하나님의 운행하심을 목도하기 위해 매우 신실하게 사역해오고 있다. 만일 여러분이 그쪽으로 여행을 떠나게 된다면, 부디 잠시 그곳에 들러 그들에게 안부를 전해주기 바란다!

창세기 28장에서 이삭은 아들인 야곱을 축복해준다. 이때 이삭은 야곱에게 아브라함이 처음으로 하나님을 불렀던 장소인 벧엘로 돌아갈 것을 당부한다. 야곱이 그 특정 지리적 장소에 이르렀을 때, 그는 자신의 조부 아브라함에 의해 이미 확립된 무언가에 방아쇠를 당겼다. 그는 바로 그곳에서 꿈을 꾸었는데, 꿈에서 열린 하늘문과 사다리가 하나님이 계신 자리까지 잇닿아 있는 광경을 목격했다.

우리가 어디를 가든지 무조건 하나님의 임재가 우리와 함께하는 것은 아니다. 물론 이 말이 어느 정도 맞는 부분도 있다. 어디에 있든지 우리에게는 주님의 이름을 부를 수 있는 권리가 있기 때문이다. 그러나 어떤 의미로는 하나님께서 이 땅 가운데 특별히 임하시는 구체적인 지리적 장소가 존재한다는 개념도 있다.

이러한 장소에서는 무언가가 확립될 수 있다. 에베소에서 바울을 통해 이루어진 일들처럼 특별한 무언가가 구축될 수 있다. 에베소 교인들은 다른 몇몇 교회들과 어깨를 나란히 하여, 소아시아 중에서도 계시적인 특성이 가장 강력한 교회 중 하나가 되었음이 분명하다.

비록 바울은 몇몇 개인들을 대상으로 사역하고 있었지만, 그 지역의 문화 속에 무슨 일인가가 일어나고 있었다. 사람들은 바울의 손을 통해 행해진 가시적인 나타나심을 지켜보았다. 그들을 사로잡고 있던 귀신의 세력이 파쇄되는 순간, 각 사람들은 축사를 경험하였다. 공중에서 전쟁이 벌어지고 있었고, 사람들이 숭배해온 우상들은 먹이를 얻지 못해 굶주렸다. 공중의 권세 잡은 자들이 무너져 내렸고, 하늘이 정화되면서 하늘문이 활짝 열렸다!

이것은 단순히 기도 도해(prayer mapping)와 땅 밟기 기도(prayer walking) 등을 통해 견고한 진을 묶는 차원이 아니다. 나는 물론 이런 일들도 필요하다고 생각하는 사람이다. 그러나 매우 조심스럽게 이것에 관해 잠시 이야기를 나누도록 하겠다. 하나님께서 당신에게 네팔에 있는 어느 산 정상으로 올라가서 그 땅의 영을 묶으라는 명령을 내리셨을 때, 당신은 지극히 신중하고 지혜롭게 처신해야 한다. 이런 일은 특정한 권세와 능력을 요구하는 것이므로 매우 특별한 부르심이다. 그곳에 가서 그런 유의 일을 행하기 위해서는 반드시 레마(rhema)의 말씀이 필요하다. 주님의 보호하심과 기름부음이 당신을 덮어주지 않으면, 당신은 매우 강력한 영적 존재들의 표적이 될 수도 있다. 이런 영적 존재들은 당신으로서는 애초부터 만나리라고는 전혀 예상치도 못했던 것들이다. 나는 이로 인해 실제로 어떤 사람들이 심각한 문제에 봉착하게 된 모습도 보았다.

여기서 나는 좀더 솔직해지려고 한다. 성경에는 이런 종류의 묶기에 관해 그리 많은 사례를 소개하고 있지 않다. 다니엘이 왕국의 군주(principality)를 다루지 않았다는 점에 주목하라. 그는 기도와 금식 가운데 오직 주님께만 초점을 맞추었다. 정작 바사 왕국의 군주와 더불어 싸움을 벌인 것은 천사장 미가엘이었다(단 10장 참고).

내가 말하려는 요지는 이렇다. 사악한 지역을 장악하고 있는 어둠의 통치자에게 싸움을 걸기보다는, 오히려 당신의 지역 안에 열린 하늘을 구축시키는 일에 더욱 초점을 맞추라. 슬기롭게 행하라. 사람들이 모인 곳에 성령님이 더욱 풀어지시도록, 그 일에 더욱 관심을 쏟으라! 단순히 복음을 선포하기만 해도 하나님의 능력이 함께하신다. 단지 하나님 나라의 복음을 선포하라. 돌파의 기름부음 안에서 치유사역을 행하라. 그렇게 할 때, 하나님은 주님의 말씀을 반드시 확증해주실 것이다.

아울러 주님은 적절한 시점에 거대한 귀신의 통치자들을 직접 처리하실 것이다. 나는 이 점이 강조되어야 한다고 확신한다. 그럴 때, 복음을 선포하는 동안 기적들이 일어나는 모습을 보게 될 것이고, 정사들(principalities)은 무너져 내릴 것이다.

여기서 다시 핵심으로 돌아가자. 특정 장소에 열린 하늘을 만들어내는 특별한 기적 안에 한 가지 성경적 원리가 존재하고 있다. 나는 세계 전반의 수많은 장소들이 앞으로 금촛대선교회와 마찬가지로, 거문고와 금대접(harp and bowl) 형태의 중보기도자들로 구성된 찬양과 경배의 센터들이 될 것이라고 믿는다. 이런 중보기도자들은 주님의 파수꾼으로 세워진 사람들이다(사 62:6).

금촛대는 무수히 많은 중보기도, 그리고 하나님을 향한 차원 높은 찬양과 헌신을 통해 그들이 위치한 산악지역과의 특별한 연결점을 구축해 놓았다. 심지어 오늘날까지도 예민한 사람들은 금촛대선교회를 통한 기름부음의 영향력이 그 지역에 남아 있음을 감지한다.

특별한 기적은 열린 하늘을 만들어낸다. 그 지역에 열린 창, 문, 혹은 입구를 통해, 하나님은 매우 이례적인 무언가를 행하신다. 기적적인 일들과 관련하여 강조되어야 할 것은, 단지 묶기만 할 것이 아니라 풀어놓아야 한다는 것이다. 풀어놓기는 어둠의 세력들을 무력화시키는 무기로 사용된다. 출애굽기 7-11장을 보라. 우리는 이 내용을 애굽에 내린 10가지 재앙이라고 부른다. 그러나 실제로 그것은 특별한 기적들이다.

이러한 재앙들은 애굽을 장악하고 있던 영의 마법을 파쇄하기 위해 필요한 것이었다. 좀더 현실적으로 생각해보자. 사실 하나님은 이스라엘 백성들을 자유케 해달라는 모세의 첫 번째 요청을 거절한 바로를 곧바로 죽이실 수도 있었다. 그렇지 않은가? 그러나 10가지 기적들은 각각 애굽 사람들이 숭배하던 우상들을 철저히 무너뜨리고 해체하기 위해 사용되었다. 하나님은 그들이 신으로 떠받들던 귀신들에게 심판을 행하고 계셨다. 예를 들어, 애굽 사람들은 개구리를 신으로 섬겼다. 즉 하나님은 이렇게 말씀하신 것이다. "너희들은 개구리를 숭배하고 싶으냐? 좋다. 내가 너희에게 개구리들을 보내주마. 너희 모두에게 개구리들을 보내주겠다."

다시 말하지만, 특별한 기적과 기적적인 일들이 일어날 때 하늘의 문들이 열린다. 내가 여기서 무슨 신비주의적인 말을 하고 있는 것처럼 들리지 않기를 바란다. 기적이 언제나 특정 장소에서만 일어나는 것은 아니다. 기억하라. 당신은 어디에 있든지 주님을 부를 수 있다. 왜냐하면 당신은 하나님의 백성이기 때문이다. 하나님은 우리가 어디를 가든지 우리와 함께해주신다. 그러나 내가 강조하고 싶은 것은 열린 하늘 같은 기적들을 실현하기 위해서는 사도적인 사역이 필요하다는 것이다. 사도적인 사람들이 돌파의 기름부음 안에서 활동해야 하는 이유도 여기에 있다. 그들은 어둠으로 뒤덮인 하늘에 구멍을 뚫어놓음으로써 하늘들(heavens)이 계시되도록 해야 한다(사 25장 참조).

또 다른 예수님?

모든 사도적 기적들은 속임수들을 밝히 드러내는 일과 관련이 있다. 사도적 기적들은 하나님의 하나님 되심의 연장으로 주어지는 은사로, 속임수에 빠진 사람들의 왜곡된 관점을 바로잡아 준다. 하나님이 사도적 기적들을 베푸시는 목적은, 하나님의 인격을 계시해주시기 위함이다.

원수는 예수님이 그리스도이심을 은폐하려 애쓴다. 그는 돌파의 기름부음에 관한 계시를 억압하려 할뿐 아니라, 주님 안에서 이루어지는 경험들을 제한하려 한다. 나아가 사람들로 하여금 예수님께서 이전과는 다른 시다는 확신을 품게 하려고 노력한다. 즉, 주님이 또 다른 인격을 가지고 계신다는 것이다. 그러나 예수 그리스도는 어제나 오늘이나 영원토록 동일하시다(히 13:8).

계속해서 9절은 다음과 같이 말씀한다. "여러 가지 다른 교훈에 끌리지 말라"(Do not be carried about[away] with various and strange doctrines). 이 구절을 통해 그리스도께서 달라지셨다는 말은 다른 교훈임을 알 수 있다. 이러한 교훈을 경계하라!

그리스도께서 행하시는 방식이 과거와 지금이 동일하지 않다고 말하는 가르침은, 당신이 결코 따라서는 안 되는 다른 교훈이다. 만일 주님이 2천 년 전에 치유를 행하셨다면, 그분은 오늘날에도 치유하신다. 만일 주님이 2천 년 전에 귀신들을 쫓아내셨다면, 오늘날에도 쫓아내신다. 이 전제는 매우 간단하다.

속임수의 베일을 드리우는 것은 원수의 소행이다. 원수는 또 다른 예수님, 또 다른 복음, 또 다른 영이 있다고 속인다.

만일 우리의 복음이 가리었으면 망하는 자들에게 가리어진 것이라 그중에 이 세상의 신이 믿지 아니하는 자들의 마음을 혼미하게 하여 그리스도의 영광의 복음의 광채가 비치지 못하게 함이니 그리스도는 하나님의 형상이니라 (고후 4:3-4)

뱀이 그 간계로 하와를 미혹한 것 같이 너희 마음이 그리스도를 향하는 진실함과 깨끗함에서 떠나 부패할까 두려워하노라 만일 누가 가서 우리가 전파하지 아니한 다른 예수를 전파하거나 혹은 너희가 받지 아니한 다른 영을 받게 하거나 혹은 너희가 받지 아니한 다른 복음을 받게 할 때에는 너희가 잘 용납

하는구나 (고후 11:3-4)

이러한 속임수를 밝히 드러내기 위해서는 진리가 가시적으로 나타나야 한다. 다시 말해, 능력을 수반한 진리가 표현되어야 하는 것이다.

이에 숨은 부끄러움의 일을 버리고 속임으로 행하지 아니하며 하나님의 말씀을 혼잡하게 하지 아니하고 오직 진리를 나타냄으로 하나님 앞에서 각 사람의 양심에 대하여 스스로 추천하노라 (고후 4:2)

진리를 알지니 진리가 너희를 자유롭게 하리라 (요 8:32)

초자연적인 일이 일어나지 않을 때 어떤 공백이 형성되고, 그 공백 안에서는 진리가 가시적으로 나타나기는커녕 오히려 하나님에 관한 잘못된 개념이 들어선다. 이것이 바로 '경건의 모양'(form of godliness)이다(딤후 3:5). 경건의 모양은 있으나, 하나님의 참된 모습은 실제 그대로 보이거나 들리지 않는다. 하나님이 어떤 분이신지(곧 사랑이신 하나님, 평강이신 하나님, 기쁨이신 하나님, 치유이신 하나님 등)를 적절하게 가시화시켜 보여주는 일들이 일어나지 않고 있다. 친애하는 독자들이여, 경건의 모양은 잠재적으로 우상숭배로 치닫게 될 가능성이 있다! 귀신들은 하나님의 이미지를 다르게 왜곡시켜 놓는다. 기만에 빠진 사람들은 주님을 경배하는 대신 귀신들이 만들어놓은 왜곡된 하나님의 이미지를 숭배한다.

하나님을 알되 하나님을 영화롭게도 아니하며 감사하지도 아니하고 오히려 그 생각이 허망하여지며 미련한 마음이 어두워졌나니 … 썩어지지 아니하는 하나님의 영광을 썩어질 사람과 새와 짐승과 기어다니는 동물 모양의 우상으로 바꾸었느니라 … 이는 그들이 하나님의 진리를 거짓 것으로 바꾸어 피조물을 조물주보다 더 경배하고 섬김이라 주는 곧 영원히 찬송할 이시로다 아멘 … 또한 그들이 마음에 하나님 두기를 싫어하매 하나님께서 그들을 그 상실한 마음대로 내버려 두사 합당하지 못한 일을 하게 하셨으니 (롬 1:21, 23, 25, 28)

이것이 바로 바리새파의 교리다. 이러한 교리는 그리스도가 이전과 다르게 행하신다고 말하는 개념을 통해 오늘날에도 여전히 편만해 있다. 사도적인 사람들은 표적을 행함으로써 진리를 가시적으로 나타내주어야 한다. 예수님은 결코 변하실 수도 없고, 변하지도 않으신다! 기적적인 일들을 통해 하나님의 변함없는 말씀이 입증될 때, 하나님의 영광이 밝히 드러난다. 하나님의 영광은 열린 하늘들을 통해 나타난다. 역사적으로 사도들과 사도적인 사람들이 가는 곳마다 열린 하늘도 함께 수반되었다.

좋다. 이 정도면 충분하다. 이번 장의 분량은 이미 충분히 두꺼워졌다. 여기에는 우리가 이해해야 할 정보들이 많이 들어 있다.

이제, 이어지는 다음 장은 이번 장과 정확하고 긴밀한 조화를 이룰 것이다. 사실 이번 장과 다음 장은 원래 하나였다. 그러나 이번 장의 내용이 다소 방대해진 감이 있기 때문에 두 개의 장으로 나누기로 했다. 나는 이 정도로도 충실한 내용을 다루었다고 믿는다. 여기서 잠깐 휴식을 취한 다음, 계속해서 하나님의 통치에 관한 계시로 나아가도록 하자.

CHAPTER 6 하나님의 영광

| 거처를 만들다

- '베일'(veil)이라는 말은 헬라어 '칼룹시스'(kalupsis)에서 유래되었다. 이는 '감추다, 은폐하다, 포장하다'라는 의미를 지니고 있다.
- '계시'(revelation)라는 말은 '칼룹시스'에 헬라어 접두어인 '아포'(apo)를 덧붙여서 만들어진 단어로, '밝혀내기 혹은 벗겨내기' 등의 뜻을 내포하고 있다.
- '거처'(Dwelling Place)는 헬라어 '카토이케테리온'(katoiketerion, 엡 2:18-22)에서 유래되었다.
- "여호와께서 이와 같이 말씀하시되 하늘은 나의 보좌요 땅은 나의 발판이니 너희가 나를 위하여 무슨 집을 지으랴 내가 안식할 처소가 어디랴 나 여호와가 말하노라 내 손이 이 모든 것을 지었으므로 그들이 생겼느니라 무릇 마음이 가난하고 심령에 통회하며 내 말을 듣고 떠는 자 그 사람은 내가 돌보려니와"(사 66:1-2).
- 하나님이 오늘날 우리에게 제기하시는 몇 가지 질문들이 있다. "내가 거주할 자리는 어디인가? 내가 안식할 처소는 어디인가? 나는 너희들 안에 처소를 마련하기 원한다. 그리하여 나 자신을 너희에게 표현하기를 바란다. 너희에게 나의 충만함을 주고 싶다. 너희가 나의 은총을 받은 자들이 되기 원한다."
- 사도적 기름부음은 사람들 안에 주님의 임재가 머무실 확고한 거처를 만들고 있다.

| 아무도 당신의 얼굴을 가리지 못하게 하라

- 출애굽기 34장 29-35절에서, 우리는 모세가 하나님의 임재 가운데에 머물러 있을 때마다, 그의 얼굴이 영광으로 환하게 빛나곤 하였음을 보게 된다. 그러나 그는 이스라엘 백성들에

게 말을 할 동안에는 얼굴에 수건을 덮어 가렸다.

- 아무도 당신의 얼굴을 가리지 못하게 하라! 사람들의 두려움과 종교적 불신이 당신으로 하여금 주님의 영광에 반응할 수 없게 방해하지 못하게 하라. 전통과 제도들이 우리를 종교적인 속박에 가두어놓을 수 있다. 이것들은 우리를 통제하는 원천이 되고, 사람들은 속임수의 저주에 빠져든다(고후 3:12-18).
- "어리석도다 갈라디아 사람들아 예수 그리스도께서 십자가에 못 박히신 것이 너희 눈 앞에 밝히 보이거늘 누가 너희를 꾀더냐 내가 너희에게서 다만 이것을 알려 하노니 너희가 성령을 받은 것이 율법의 행위로냐 혹은 듣고 믿음으로냐 너희가 이같이 어리석으냐 성령으로 시작하였다가 이제는 육체로 마치겠느냐"(갈 3:1-3).
- 실제로 갈라디아 교인들은 저주 아래 머물러 있었다. 그들은 사악한 눈을 가진 대용품에 미혹되었다.
- 이제 당신은 다음과 같은 질문에 대답할 수 있어야 한다. "나는 꾐을 당하고 있는가? 무언가가 내 얼굴을 가리고 있지는 않은가?"
- "내 이름을 경외하는 너희에게는 공의로운 해가 떠올라서 치료하는 광선을 비추리니 너희가 나가서 외양간에서 나온 송아지 같이 뛰리라"(말 4:2).
- '치료하는 광선'(healing in His wings)은 완벽한 조화를 이룬 상태로 비춤으로써 아픈 사람에게 치료나 치유를 가져온다.
- 사도적인 사람들은 각자 자신들의 교회가 조화를 필요로 하고 있음을 인식해야 한다.
- 당신의 인격에 살아 계신 하나님을 부르지 못하도록 가로막는 베일을 드리우지 마라. 하나님은 말씀하시는 분이고, 거짓말하지 않으신다. 만약 주님께서 당신에게 주님과의 만남들을 통해 당신이 영광에서 영광으로 변화될 수 있다고 말씀하신다면, 당신은 주님의 말씀을 액면 그대로 받아들이고 확신해도 좋다.
- "여호와의 영광이 나타나고 모든 육체가 그것을 함께 보리라 이는 여호와의 입이 말씀하셨느니라"(사 40:5).
- 하나님은 교만의 죄를 범하지 않고도 스스로를 뽐내실 수 있는 유일한 존재이시다. 영광이 계시된다는 것은, 하나님께서 스스로를 세상에 드러내시는 것을 의미한다.
- 하나님은 자신을 주권적으로 입증해 보이신다. 주님이 그분의 성품과 마음을 모든 육체에게 드러내실 때, 이것은 본질적으로 주님이 그분의 위대하심을 온 세상에 '뽐내시는' 것이다.

- 하나님은 자신을 당신에게 드러내 보이기 원하신다. 주님은 그분의 소중한 소유물들에게 주님의 위대한 가치를 과시하기 원하신다. 주님은 훌륭하게 제작된 피조물들을 자랑스럽게 여기신다. 주님의 영광은 우리 가운데서 흥겹게 춤을 추면서 그분의 위대함을 드러낸다. 그뿐만 아니라 무질서해진 것들을 올바른 자리로 회복시켜 준다.
- "사람들이 너를 일컬어 거룩한 백성이라 여호와께서 구속하신 자라 하겠고 또 너를 일컬어 찾은 바 된 자요 버림 받지 아니한 성읍이라 하리라"(사 62:12).
- 나는 하나님께서 '영광'을 다음과 같이 정의하실 수도 있다고 생각한다. "나의 얼굴에서 베일이 벗겨졌고, 내 마음은 너희를 향해 계시되고 드러나 있다." 다시 말해, 주님의 얼굴은 은총을 입은 자들인 우리를 향해 있다.
- '독사'(doxa)란, 주님의 영광, 곧 좋은 명성 위에 임해 계신 하나님의 영예를 의미한다.
- "모세가 회막에 들어갈 때에 구름 기둥이 내려 회막 문에 서며 여호와께서 모세와 말씀하시니"(출 33:9).
- 사도적인 사람들은 자신들의 삶과 사역 속에서 이와 동일한 수준의 은총을 입기를 열망한다. 그들은 스스로에게 다음과 같이 말한다. "이보게, 내가 저 구름 기둥에 덮일 수만 있다면, 그것이 무슨 일이든지 모든 것이 가능해진다네! 내가 원하는 게 바로 저것이야!"
- "사람이 자기의 친구와 이야기함 같이 여호와께서는 모세와 대면하여 말씀하시며"(출 33:11).
- 기적을 일으키는 비결은, 주님의 영광의 구름 가운데서 발견되는 하나님의 은총이다. 주님은 영광의 구름 속에서 우리와 친구처럼 대화를 나누신다!

| 예수님 위에 펼쳐진 열린 하늘

- "진실로 진실로 너희에게 이르노니 하늘이 열리고 하나님의 사자들이 인자 위에 오르락내리락하는 것을 보리라"(요 1:51).
- 예수님께서 어디를 가시든지, 주님 위에는 언제나 하늘문이 열렸다. 예수님은 항상 성부 하나님과 교통하셨다.
- 우리 위에 열린 하늘을 두고 있는 것이야말로 기적으로 나아가는 비결이다. 열린 하늘 밑에서 우리는 성부 하나님과 끊임없이 소통하면서 기쁨을 누린다. 또한 주님의 천사들이 우리 위로 오르락내리락한다. 야곱이 꿈에서 본 하늘 사다리의 모습처럼 말이다(창 28:12).

- "하늘에서 내려온 자 곧 인자 외에는 하늘에 올라간 자가 없느니라"(요 3:13).
- 어떻게 예수님은 두 자리에 동시에 존재하실 수 있었을까? 해답은 이것이다. 예수님은 열린 하늘 아래에 서 계셨다. 성부 하나님은 언제나 성자 예수님께 계시되셨다. 성자 예수님과 성부 하나님 사이를 가로막는 베일 따위는 전혀 존재하지 않았다.
- "내가 들으니 보좌에서 큰 음성이 나서 이르되 보라 하나님의 장막이 사람들과 함께 있으매 하나님이 그들과 함께 계시리니 그들은 하나님의 백성이 되고 하나님은 친히 그들과 함께 계셔서"(계 21:3).
- 우리는 자신을 예수님께 조율시킴으로써 열린 하늘 가운데로 들어갈 수 있다. 열린 하늘은 하나님이 우리와 함께 계시는 자리다. 주님이 계신 곳에는 놀라운 주님의 영광과 은총이 함께 수반된다.
- "내가 천국 열쇠를 네게 주리니 네가 땅에서 무엇이든지 매면 하늘에서도 매일 것이요 네가 땅에서 무엇이든지 풀면 하늘에서도 풀리리라 하시고"(마 16:19).
- 예수님은 이렇게 말씀하고 계셨다. "네가 이 땅에서 무엇을 금지하든지, 나는 너를 도와 하늘에서도 그 일을 금지시키겠다. 또한 네가 이 땅에서 무엇을 허락한다면, 나는 너를 위해 하늘문을 열고 그것을 내려 보내주겠다."
- 묶기의 이면에는 원수를 속박하여 활동을 중단시키고 영향력을 행사하지 못하게 만들어놓는 힘이 존재한다. 이를테면, 우리는 어떤 특정 상황 속에서 마귀의 활동들을 무력하게 하고 파쇄시켜 버린다.
- 묶기는 반드시 성령 안에서의 풀기와 함께 조합되어야 한다. 이렇게 할 때, 비로소 기적들이 일어나게 된다.
- 성령님의 운행하심(풀기)은 사도적인 개혁 안에서 발견된다. 풀기가 수반될 때 비로소 묶기가 온전해진다.
- "나는 너와 및 예수의 증언을 받은 네 형제들과 같이 된 종이니 삼가 그리하지 말고 오직 하나님께 경배하라 예수의 증언은 예언의 영이라"(계 19:10).
- 예수님의 증언은 '현재'의 메시지다. 바로 오늘 지금 이 순간에 적절한 메시지라는 뜻이다. 예수님의 증언은 지금 발화되어, 온갖 표적과 기사와 이적들을 통해 하나님의 충만하심을 확증시키기 위해 활력을 얻는다. 예언은 성령님의 영감에 따라 행하게 하며(담대하게 행동함), 하나님이 풀어지시도록 만드는 계기가 된다. 예언을 선포하는 것은 우리의 권리를 주장하는

일이다. 예언은 사람들이 사역할 수 있도록 춤추는 하나님의 손을 풀어놓는다. 예언은 표현된 예수님의 증거며, 사도적인 풀어짐의 정점이다.

| 두나미스 원리

- '메가두나미스'는 폭발적인 권능, 엄청난 에너지를 말한다. 이는 임무를 충분히 완료하고도 남을 만큼 많은 에너지다. 메가두나미스는 자체적으로 재생 가능한 권능, 더 많은 권능을 만들어내는 권능이다.
- 기능면에 있어서 두나미스는 가시적으로 표현되는 권세의 풀어짐이다. 이는 어떤 특정한 상황에 엄청난 분량의 영향력과 통치가 풀어지는 것이다. 두나미스는 명령할 수 있는 능력이다.
- "나를 네게서 데려감을 당하기 전에 내가 네게 어떻게 할지를 구하라 엘리사가 이르되 당신의 성령이 하시는 역사가 갑절이나 내게 있게 하소서 하는지라 이르되 네가 어려운 일을 구하는도다 그러나 나를 네게서 데려가시는 것을 네가 보면 그 일이 네게 이루어지려니와 그렇지 아니하면 이루어지지 아니하리라"(왕하 2:9-10).
- 엘리야의 대답은 다음과 같았다. "네가 본질적인 것을 구하였구나."
- 엘리사는 본질적인 것을 유산으로 받았다. 그가 물려받은 것은 갑절이나 되는 권세였다. 이것을 사도적인 사람들은 '메가두나미스'라고 부른다. 사도적인 영은 이러한 위대한 권능의 표현 안에 깃들어 있다.
- 만일 어떤 사람이 자신에게 사도적 기름부음이 있다고 말하면서도 정작 그것을 뒷받침해줄 만한 권능이 나타나지 않는다면, 그 사람의 권위가 의문시되지 않겠는가?
- 사도적 기름부음은 기적적인 일들에 권능과 권세를 사용하기 위해 무제한으로 주어지는 것임에 틀림없다. 사도적 기름부음은 온전히 묶고 풀기 위한 유일한 방법이다. 사도적 기름부음은 하늘나라의 열쇠들을 풀어놓고 하나님의 영광을 밝히 드러낸다.
- "이르시되 너희는 나를 누구라 하느냐 시몬 베드로가 대답하여 이르되 주는 그리스도시요 살아 계신 하나님의 아들이시니이다 예수께서 대답하여 이르시되 바요나 시몬아 네가 복이 있도다 이를 네게 알게 한 이는 혈육이 아니요 하늘에 계신 내 아버지시니라 또 내가 네게 이르노니 너는 베드로라 내가 이 반석 위에 내 교회를 세우리니 음부의 권세가 이기지 못하리라 내가 천국 열쇠를 네게 주리니 네가 땅에서 무엇이든지 매면 하늘에서도 매일 것이요

네가 땅에서 무엇이든지 풀면 하늘에서도 풀리리라 하시고"(마 16:15-19).
- 교회의 반석이란 예수님이 기름부음 받으신 하나님의 아들이라는 계시를 말한다. 바로 이 반석 곧 "주는 그리스도시요 살아 계신 하나님의 아들이시니이다"라는 고백 위에 예수님은 주님의 몸 된 교회를 세우신다.
- 이는 하나님 나라에 들어가는 열쇠들을 제시해주는 바위에 관한 계시다.
- 예수님은 마치 다음과 같이 말씀하신 것이다. "네가 나의 기름부음에 관한 계시를 드러냈다. 이제 나는 그 기름부음을 이 땅 위에 풀어놓을 수 있는 열쇠들을 네게 주었다."
- 기적들은 크게 4가지 항목으로 분류될 수 있다. 그것은 초대형(mega), 현저한(notable), 다양한(diverse), 특별한(special) 기적이다.
- 초대형 기적은 '메가두나미스'라는 말에서 비롯되었다. 메가두나미스란 엄청난 권능, 위대한 권능, 권능 위의 권능을 뜻한다. 이것은 권능이 다른 사람들 위로 흘러넘칠 정도로 강력한 것을 말한다. 따라서 만일 이러한 초대형 기적이 성경에 기록되어 있다면, 그 현장에는 수천 명을 치유할 수 있는 권능과 권세가 나타나고 있었다는 의미다.
- 현저한 기적은 대중매체, 진리를 반대하는 자들, 비판하는 자들의 관심을 사로잡는다. 이런 종류의 기적은 결코 부정할 수 있는 여지를 남겨놓지 않는다. "30초 전만 해도 제게는 팔이 없었어요. 그런데 지금은 이렇게 팔이 있어요." 이것이 바로 현저한 기적이다.
- 다양한 기적들은 축제의 분위기, 하나님의 경이롭고 다양한 본성을 목격한 것으로 인한 흥분을 자아낸다. 이러한 기적들은 굉장한 기쁨과 축제의 느낌을 자아낸다. 이는 마치 기적들 가운데 하나님과 더불어 축제를 벌이는 것이라고 말할 수 있다.
- 사도행전 19장에서 하나님께서는 바울의 손을 통해 특별한 기적들을 행하셨다.
- 특별한 기적은 특정한 지리적 장소를 위한 것이다. 특별한 기적은 사람들 위에 드리워진 마법의 영향력을 깨뜨리고, 하나님의 주권적 권세와 사람들을 향한 사랑을 밝히 드러낸다.
- 특별한 기적은 영적 전쟁의 무기로 사용될 수 있다.
- '특별한 기적'의 의미는 다음과 같다. 바울의 손을 통해 무슨 일인가가 일어났고, 사람들은 실제로 그것을 느낄 수 있었으며, 돌파의 기름부음이 대대적인 축사를 가져왔고, 사람들은 충격을 받아 갑작스런 영적 깨달음을 얻게 되었다.
- 사람들은 바울의 손을 통해 행해지고 있는 어떤 가시적인 현상을 지켜보았다. 그들을 사로잡고 있던 귀신의 세력이 파쇄되는 순간, 각 사람들은 축사를 경험하였다. 공중에서 전쟁이 벌

어졌고, 사람들이 숭배해온 우상들은 먹이를 얻지 못해 굶주렸다. 공중의 권세 잡은 자들이 무너져 내렸고, 하늘이 정화되면서 하늘문이 활짝 열렸다!
- 특별한 기적은 특정한 지리적 장소 안에 열린 하늘을 구축시킨다.

| 또 다른 예수님?

- "예수 그리스도는 어제나 오늘이나 영원토록 동일하시니라"(히 13:8).
- 그리스도께서 행하시는 방식이 과거와 지금이 동일하지 않다고 말하는 가르침은 결코 따라서는 안 되는 다른 교훈이다.
- "만일 우리의 복음이 가리었으면 망하는 자들에게 가리어진 것이라 그중에 이 세상의 신이 믿지 아니하는 자들의 마음을 혼미하게 하여 그리스도의 영광의 복음의 광채가 비치지 못하게 함이니 그리스도는 하나님의 형상이니라"(고후 4:3-4).
- "뱀이 그 간계로 하와를 미혹한 것 같이 너희 마음이 그리스도를 향하는 진실함과 깨끗함에서 떠나 부패할까 두려워하노라 만일 누가 가서 우리가 전파하지 아니한 다른 예수를 전파하거나 혹은 너희가 받지 아니한 다른 영을 받게 하거나 혹은 너희가 받지 아니한 다른 복음을 받게 할 때에는 너희가 잘 용납하는구나"(고후 11:3-4).
- 이러한 속임수를 밝히 드러내기 위해서는 진리가 가시적으로 나타나야 한다. 다시 말해 능력을 수반한 진리가 표현되어야 하는 것이다.
- "이에 숨은 부끄러움의 일을 버리고 속임으로 행하지 아니하며 하나님의 말씀을 혼잡하게 하지 아니하고 오직 진리를 나타냄으로 하나님 앞에서 각 사람의 양심에 대하여 스스로 추천하노라"(고후 4:2).
- "진리를 알지니 진리가 너희를 자유롭게 하리라"(요 8:32).
- 초자연적인 일이 일어나지 않을 때 어떤 공백이 형성되고, 그 공백 안에서는 진리가 가시적으로 나타나기는커녕 오히려 하나님에 관한 잘못된 개념이 들어선다. 이것이 바로 '경건의 모양'(form of godliness)이다.
- 귀신들은 하나님의 이미지를 다르게 왜곡시켜 놓는다. 기만에 빠진 사람들은 주님을 경배하는 대신 귀신들이 만들어놓은 왜곡된 하나님에 관한 이미지를 숭배한다.

- 사도적인 사람들은 표적을 행함으로써 진리를 가시적으로 나타내주어야 한다. 예수님은 결코 변하실 수도 없고 변하지도 않으신다! 기적적인 일들을 통해 하나님의 변함없는 말씀이 입증될 때, 하나님의 영광이 밝히 드러난다.

CHAPTER 7

하나님의 통치

하나님께서 당신의 교회의 표층구조를 벗겨내시고, 근육 이면의 것을 드러내셔야 한다. 당신은 강력한 돌풍과도 같은 순전한 성령의 운행하심이 당신의 회중을 관통함으로 그들이 회복되기를 원해야 한다. 이는 오직 하나님 안에 안식하는 교회의 리더십으로부터만 말미암는다. 그들은 하나님께서 자신들을 잘못된 길로 이끌지 않으실 줄을 잘 알고 있다. 따라서 그들은 하나님께서 원하시는 대로 운행하실 수 있도록 허용해드린다.

고장난 주님의 몸

오늘날 주님의 몸 된 교회의 구조는 전반적으로 어딘가 고장이 나 있다. 우리는 하나님께서 보다 위대한 기적들을 일으키시며 운행하시는 모습을 지속적으로 목격하지 못하고 있다. 물론 나는 만사에 때가 있음을 이해한다. 하나님의 방문이 이루어지는 카이로스(kairos)가 존재한다는 것이다. 그러나 나는 기적적인 일들이 일반적인 기준에서 예외적인 것이 되어서는 안 된다고 확신한다. 왜냐하면 오늘날 너무나도 많은 사람들이 하나님의 만져주심을 필요로 하고 있기 때문이다.

나는 국가적으로나 전 세계적으로 이 축복의 계절이 초자연적인 것에 있어 훨씬 더 심오한 색채를 띠어야 한다고 믿는다. 그리스도는 결코 변하지 않으신다. 그러므로 나는 1세기의 교회가 '우리보다 훨씬 더 탁월한' 일들을 행했다고 무조건 믿어버리는 태도를 거부한다. 하나님은 1세기 교회에 놀라운 권능과 은혜를 베풀어주셨다. 또한 주님은 우리에게도 그와 같은 놀라운 권능과 은혜를 부어주기 원하신다. 만일 이것이 진정으로 주님의 갈망이라면, 이제 문제는 우리 쪽에 있지 주님 쪽에 있지 않다.

그렇다면 오늘날 주님의 몸 된 교회가 사도행전에 등장했던 성도들과 달리 놓치고 있는 것은 과연 무엇일까? 오늘날의 교회들은 근본적인 구조 자체에 무언가 고장이 나 있다. 감사하게도 지금 주님은 사도적인 무리들을 일으켜 세우고 계신다. 그들은 이런 사안들을 처리해냄으로써, 주님의 몸 된 교회가 다시금 정상적으로 작동하게 만들어놓을 것이다. 그렇게 될 때 비로소 우리는 주님께서 보다 큰일들을 행하시는 모습을 목격할 것이다.

'교회 질서'와 관련하여 우리는 사고의 패러다임을 전환해야 한다. 여기서 내가 말하는 '무언가가 고장 나 있다'는 표현을 오해하지 말기 바란다. '고장 나 있다'는 것이 반드시 '잘못되었다'거나 '죄악된 것'을 의미하는 것은 아니다. 단지 온전치 못한 상태임을 뜻할 뿐이다. 사역의 표현에 있어서 사도적인 사람들이 모든 것이고 궁극적인 목적은 아니다. 주님의 몸 된 교회가 지속적으로 정상궤도를 달리기 위해서는, 오중사역 모두가 총체적으로 필요하다.

복음주의적인 기독교신앙 안에서 사도적인 사람들이 새롭게 주목받고 있다고 해서, 성도들을 구비시키는 다른 직임의 중요성이 무효화되는 것은 아니다. 나는 나머지 다른 직임들을 모두 배제하고 오직 사도적인 사람들만을 지지하는 것이 아니다. 그동안 주님은 전 세계 천여 개의 사역들을 통해 매우 강력한 방법으로 은혜롭게 역사해주셨다. 이 일에 목사, 복음전도자, 교사, 선지자들이 쓰임 받았다. 그러나 내가 매우 깊이 확신하는 바가 있다. 이제는 평범한 신도들이 견지하고 있는 집단적 사고방식, 즉 포도주부대가 변화되어야 할 시점이 되었다는 것이다.

이제까지 대부분의 사람들이 사도적 직임에 대해 간과해왔던 것이 사실이다. 이것은 아마도 사람들이 사도를 일종의 '원맨쇼'를 하는 사람처럼 여기기 때문인 듯하다. 마치 카우보이 론 레인저가 교회 안으로 들어와서 그 지역과는 실제적으로 아무런 연관이 없는 정부의 법령들을 유창하게 쏟아놓기 시작하는 것처럼, 자신의 주장을 뒷받침해줄 만한 초자연적 기름부음은 전혀 나타나지도 않고 있으니 말이다. 그동안 실제로 이런 일들이 버젓이 행해져 왔다. 이로 인해 결국 교회에 다니는 사람들은 씁쓸함만 느끼게 되었다.

이제 사도적인 사람들을 '하나님의 사람들'로 바라보는 관점에 있어서 개념의 변화가 일어나야 한다. 실제로 사도적인 사람들은 보다 광범위한 집단의 한 측면이면서 동시에 토대를 형성하는 측면이기 때문이다. 사도적인 사람들이 다른 사람들보다 더 탁월한 것은 아니다. 그러나 그들은 에베소서 4장 11절이 기록될 당시만큼이나 오늘날의 교회 안에서도 여전히 매우 중요한 존재들이다.

엄격한 성직계급주의를 주장하고자 함이 아니다. 나는 모든 교회에 적용되는 공식적인 패턴이 존재한다고는 믿지 않는다. 다만 수많은 교회들이 (내가 종종 용기를 내어 말해온 바이기도 하지만) 사도적인 사람들을 소홀히 여기거나 최소한 그들의 중요성을 하찮게 여겨온 것은 사실이다.

성경 말씀은 오늘날에도 여전히 유효하다.

하나님이 교회 중에 몇을 세우셨으니 첫째는 사도요 둘째는 선지자요 셋째는

교사요 그 다음은 능력을 행하는 자요 그 다음은 병 고치는 은사와 서로 돕는
것과 다스리는 것과 각종 방언을 말하는 것이라 (고전 12:28)

잠시 여담을 해보려고 한다. 아마 어떤 이들은 목사와 교사는 동의어이므로, 결국 '사중사역'이라고 해야 맞다고 할지도 모른다. 에베소서 4장 11절을 보면, '목사'와 '교사' 사이에는 쉼표가 찍혀 있지 않다. 실제로 이것은 의미론에 관한 문제가 될 수도 있다. 한곳에 상주하지 않고 이곳저곳을 순례하는 교사들도 있다. 나는 그들이 교사의 직임에 속해 있는 사람이라고 믿는다. 또 모든 교사들에게는 자신들의 가르침을 뒷받침해주는 표적과 기사들이 수반되어야 한다고 생각한다. 다시 말해 그들에게 말로 가르치는 내용을 훨씬 능가하는 돌파의 기름부음이 필요하다는 뜻이다.

이것은 모든 오중(혹은 사중)사역자들에게 동일하게 해당되는 원칙이다. 나는 사람들이 어떤 가시적이고 구체적이며 초자연적인 기름부음은 수반하지도 않은 채, 단지 '나는 교사다' 혹은 '나는 선지자다' 혹은 '나는 목사다'라고 말하는 것이 하나님께서 의도하신 바라고는 생각지 않는다. 물론 사람들의 관심을 사로잡는 사려 깊은 설교로 가르친다는 것은 정말 대단한 일이다. 그러나 나는 언제나 주님께서 현재 내가 가르치고 있는 내용이 참으로 하나님으로부터 온 것임을 입증할 수 있는 어떤 능력을 드러내 주시기를 원한다. 집회에 참석하여 설교를 유창하고 설득력 있게 전한 후에, 그냥 자리로 돌아가 앉고 싶지는 않다. 나는 사람들이 방금 전 내가 전한 메시지를 뒷받침해줄 만한 무언가를 실제로 목격할 수 있기를 바란다.

다시 말하지만, 나는 목사와 교사를 동일하게 보는 관점이 틀렸다고 생각한다. 선지자들도 가르쳐야 한다. 사도들도 가르쳐야 한다. 나아가 나

는 그들 모두의 가르침에 기름부음이 수반되어야 하며, 표적과 기사들도 함께 나타나야 한다고 생각한다. 물론 나의 이 견해가 대중적인 지지를 받을 만큼 보편적이지 않을 수도 있다. 또한 모든 사람들이 견지하고 있는 철학을 하나하나 철저하게 뒤엎어놓고자 함도 아니다. 그러나 이 내용은 우리 모두가 곰곰이 생각해볼 만한 것이다. 깊이 숙고해볼 필요가 있는 주제다.

한편 나는 앞서 소개한 고린도전서 12장 8절의 '능력을 행하는'이라는 표현이 복음전도자와 관련이 있다고 개인적으로 생각한다. 기적적인 일들은 구원받지 못한 사람들에게 복음을 전하는 도구로 사용될 수 있기 때문이다.

고린도전서 12장 28절의 요점으로 되돌아가보자. '사도를 싫어하는 사람들'(apostle-phobes)에 따르면, 본문에 사용된 '첫째'는 단지 목록 중에서 1번임을 가리키는 것일 뿐이라고 한다. 중요성의 문제와는 상관없이, 단순히 첫째, 둘째, 셋째로 순서를 매겼을 뿐이라는 것이다. 물론 나는 그들의 철학을 이해한다. 그것은 조화를 이루며 기능하고 있는 오중사역 전체에 대한 적절한 태도일 수도 있다. 정말로 그렇다. 사도는 연속적으로 언급되는 목록들 가운데 하나일 뿐이다. 그러나 '첫 번째 것들에 관한 법'(Law of First Things, 성서해석학에 관한 웹페이지들을 찾아보라)에 따르면, 첫 번째 것이 온전히 도래해야만 비로소 다음 것들이 풀어질 수 있다.

따라서 우리는 '첫째는 사도요 둘째는 선지자요 … '에 관해서도 동일한 논의를 할 수 있을 것이다. 실제로 '첫째'는 헬라어 '프로톤'(proton)에 해당하는 말이다. 이 말은 '프로토타입'(prototype, '원형'이라는 뜻)이라는 단어 안에서도 발견된다. '프로톤'은 가장 먼저는 양성자, 그 다음은 중성자, 그 다음은 전자로 짜여 있는 분자의 원자 방출을 위한 하나의 구성요소다. 하나님의 교회는 가장 먼저 사도들과 선지자들이라는 토대에 뿌리를 내리고 세워진다. 이는 교회의 삶이 역동성을 지니기 위한 것이며, 그리스도께서는 이 건물의 중요한 모퉁이돌이시다(엡 2:20).

달리 말해 '첫 번째 것들에 관한 법'에 의하면, 교회 안에서 사도적인 기능과 선지자적인 기능이 가장 먼저 온전히 확립되어야 한다. 이렇게 될 때, 비로소 나머지 표현들이 용이하게 풀어질 수 있기 때문이다. 이것이 바로 초대교회 안에 확립되어 있던 방식이다. 오늘날 하나님께서는 이 방식을 다시금 회복시키시는 중이다. 이런 방식은 오늘날의 교회 안에도 반드시 풀어져야 한다.

그러나 친애하는 독자들이여, 현재 여러분이 살고 있는 지역의 교회들 중에서 사도와 선지자들의 토대 위에 세워져 있는 교회들이 과연 얼마나 되는가! 그런 교회를 많이 찾아볼 수 없다면, 혹시라도 무언가가 고장 나 있거나 혹은 불완전한 상태인 것은 아닐까? 이것은 가능성이 매우 높은 질문이다.

대부분의 경우 우리들이 경험해온 교회들은 주로 목회적이고 복음전도적인 특성을 띠고 있었다. 특히 미국의 경우에 그러하다. 사도행전에 소개된 초대교회의 모습을 잠시 살펴보라. 실제로 초대교회는 우선 사도들의 터 위에 세워졌고, 다른 모든 이들은 그들 옆에 나란히 서 있었다. 그렇다고 해서 나머지 사람들이 추종적인 역할 혹은 부차적인 역할을 감당했다는 말이 아니다. 다만 하나의 벽돌이 다른 벽돌 위에 놓여 있는 모습과 비슷하다고 이해하면 된다. 각각의 벽돌은 나란히 있는 다른 벽돌만큼 중요하다. 그러나 사도들과 선지자들은 나머지를 단단히 뒷받침해주는 역할을 한다. 조심스럽게 나의 견해를 말하자면, 나는 이것이야말로 '올바른 교회 건축 매뉴얼'이라고 생각한다.

다시 말하지만, 내게 있어서 "첫째는 사도요 둘째는 선지자요 …"라는 표현은 어떤 엄격한 위계질서를 의미하는 것이 아니다. 위계질서 안에서는 특정 신분이 다른 신분보다 훨씬 더 우월하다. 그러나 이 구절은 결코 '사도인 내가 너보다 훨씬 더 중요한 존재다'라는 식의 생각을 표현하는 것이 아니다. 사실상 가장 큰 자는 가장 작은 자가 되어야 한다(눅 9:48).

우리가 진정한 사도나 선지자를 검증해내는 방법도 바로 이것이다. 과연 그들은 다른 사람들이 세워질 수 있는 디딤돌의 역할을 하고 있는가? 그들은 일상생활 속에서 교회 내 '평균적인' 사람들이 몸 사역을 위해 구비되도록 섬기고 있는가? 그들은 다른 이들이 저마다 자신들의 부르심을 향해 나아가도록 풀어주고 있는가?

사도적인 사람들과 선지자적인 사람들은 엄청난 능력과 놀라운 은총을 받은 자들이다. 그렇기에 그들은 더더욱 주님의 몸 안에서 (넓은 의미로 생각했을 때) 가장 겸손한 자들이 되어야 한다. 겸손을 잃어버린 그들은 더 나은 선을 위해 봉사하는 것이 아니므로 마땅히 제거되어야 한다. 여기서 내가 말하는 '제거'란 버린다는 것이 아니라, 그들을 '바로잡아야 한다', '콧대를 꺾어놓아야 한다' 등을 의미한다. 당신이 이러한 나의 의도를 잘 이해해주리라 믿는다.

여담이지만, 중요한 것 한 가지를 잠시 말해보겠다. 내가 '사도'를 강조하는 이유는, 그들의 타이틀보다는 오히려 그들의 기능 때문이다. 나는 현재 내가 사도적인 흐름 속에서 활동하고 있다고 믿는다. 그러나 '사도'라는 칭호는 사용하지 않는다. 사도로서의 역할만 제대로 감당하고 있다면, 그것으로 족하다. 나는 그들이 무슨 호칭으로 불리든지 전혀 신경 쓰지 않는다. 다만 그들이 주장하는 바를 뒷받침해줄 수 있는 초자연적 기름부음이 나타나는 모습을 보고 싶을 뿐이다. 혹시 당신은 감독인가? 훌륭하다. 혹시 선지자인가? 정말 대단하다. 혹시 당신이 사도적인 동기를 지닌 선지자나 복음전도자라고 해도 괜찮다.

언젠가 나는 스스로를 '사도, 선지자, 복음전도자, 목사, 교사'라고 칭하던 한 남자와 함께 사역한 적이 있다. 그런데 그의 말이 다소 과하다는 생각이 들었다. 그는 마치 자신이 사역을 통하여 그리스도의 충만함을 나타내고 있는 것처럼 말하였다. 아무튼 여기서 나의 강조점은 사람의 '기능'이지 그들의 '호칭'이 아니다. 어쩌면 당신의 교회에는 사도적인 기능을 나타내면서도 여전히 스스로를 사도적인 사람이라고는 부르지 않는 사람이 있을 수도 있다. 그것만으로도 충분하다. 백문이 불여일견이란 말도 있지 않은가.

계속 진행하기 전에, 마지막으로 한 가지만 짧게 이야기하고 넘어가겠다. 사도적인 사람들과 팀을 이루어 사역하는 선지자적인 사람들과 관련하여, 최근에 나는 어떤 교회들이 선지자적인 사람들을 무시하고 곧장 사도적인 사람들에게 향하는 경향이 있다는 사실에 주목해왔다. 이런 경향성은 바로 은사주의적인 교회들 안에서 매우 유행하고 있다.

그런데 이런 모습은 잘못된 것이다. 교회는 복음전도적인 영향력 혹은 목회적인 영향력이 없이는 잠재가능성을 온전히 발휘할 수 없다. 이와 마찬가지로, 우리가 '사도적인 사람들'을 얻으려면, 교회라는 환경 속에서 선지자의 직임(office)과 예언적 운동을 부정해서는 안 된다. 어쩌면 이 문제는 몇몇 사도적인 사람들로 인해 불거지고 있을지도 모른다. 자신들을 선지자적인 사람들보다 우위에 있다고 여김으로써 그들의 입지를 최소화시키는 사람들이 있다.

나의 요지는 다음과 같다(이 책이 사도적인 책이라는 점을 잊지 마라). 교회 안에서 사도건 선지자건 각각의 위상이 최대한 활용되어야 한다. 선지자의 형태는 다양할 수 있다. 그러나 그것이 어떤 형태든지, 예언은 교회 안에서 사도적인 기름부음에 지극히 중요하다.

유창한 예언적인 메시지는 하나님으로부터 오는 환상을 보는 가운데 흘러나온다. 선지자적인 사람은 성령 안에서 하나님께서 행하기 원하시는 바를 깨닫는다. 그들은 사도적인 사람들과 협력한다. 사도적인 사람들은 하나님께서 원하시는 바를 행하실 수 있도록 돌파의 기름부음으로 길을 닦는다. 복음전도자들은 선지자들을 통해 받은 환상을 들고 거리로 달려나간다. 그들은 실제로 표적과 기사들을 행함으로써 사람들에게 그 환상을 입증시켜 보여준다. 목사와 교사(목회적인 사람들과 가르치는 사람들)는 복음전도자들을 통해 인도된 사람들을 잘 먹이고 양육한다. 그들을 초자연적 기름부음으로 구비시켜 줌으로써, 지금까지의 모든 순환주기가 이어지도록 돕는다. 이것은 마치 비누칠하고, 헹구고, 또다시 이를 반복하는 것과 같다. 우리는 사도적인 사람들을 중요시하느라 선지자적인 사람들을 소홀히 여겨서는 안 된다.

교회 정부에 관하여

교회의 법을 전반적으로 다루는 것이 이번 장의 목표는 아니다. 이 주제와 관련해서 다루어야 할 과제들이 문자 그대로 수백, 수천 가지나 된다. 교회 정부에 관해 '설교'하는 것은 이 책의 범위를 벗어나는 일이다. 다만 나는 여기서 사도적 기름부음을 풀어놓는 일과 관련된 몇 가지 사안들에 대해서만 논해보고자 한다.

> 그러나 우리는 분수 이상의 자랑을 하지 않고 오직 하나님이 우리에게 나누어 주신 그 범위의 한계를 따라 하노니 곧 너희에게까지 이른 것이라 (고후 10:13)

나는 사도적인 사람들이 아무런 권세도 풀어놓지 않을 뿐더러 하나님으로부터 아무런 승인도 받지 못하고 혹은 교회 내 대다수 사람들의 승인도 받지 못하면서, 은근히 교회 구조 속에 뿌리내리려 애쓰고 있다는 소식을 종종 전해 듣곤 한다. 조심스럽게 말하자면, 이러한 모습은 문제를 불러일으키기 쉽다. 친구들이여, 요지는 다음과 같다. 하나님께서는 위임해주신 권세를 통해 활동하신다. 여기서 권세란 '하나님께서 사람에게 대여해주신 통치수단'이라고 정의할 수 있다.

지금까지 주님의 지혜 안에서 각각의 사역을 구분 짓는 경계선들이 측량되어 왔다. 영토의 경계선들이 가동되어온 것이다. 경계선 안에서 사람은 각각 영향력을 행사할 수 있는 구체적인 영역을 확보한다. 만일 복음전도자나 목사, 혹은 선지자나 사도가 이러한 영역으로부터 벗어나려고 한다면, 그로 인해 어려움이 생기고, 사람들이 상처를 받을 수도 있다.

게다가, 은사주의적인 교회 안에서 사도적인 개혁이 새롭고 참신한 일로 부각됨에 따라, 문자 그대로 수천 명의 사람들이 자신이 사도적인 사람으로 부름 받았음을 깨닫고 있다. 어쩌면 그들은 이미 여러 해 동안 사도적인 흐름 안에서 활동해 왔으나, 단지 그것을 어떻게 지칭해야 할지 알지 못했을 수도 있다. 나는 이것이 정말 굉장한 일이라고 생각한다! 모든 것이 함께 정리되는 것은 사도적인 개혁에 뒤따르는 긍정적인 효과이다! 이것이야말로 사도적인 개혁의 목적이기도 하다! 목사들과 복음전도자들, 선지자들 중에는 자신들이 사도적인 직임으로 '승진되고'(내가 생각하기에 이것은 실제로 그리 적절한 표현이 아니다) 있다고 느끼는 이들이 있는데, 많은 경우가 절대적으로 타당하다.

그러나 어떤 이들은 여러 해 동안 예언적인 은사, 복음주의적이거나 목회적인 은사를 발휘하면서 활동해오다가, 이제 사도적인 직임으로 부르심을 받게 된 경우도 있다. 표적과 기사야말로 그들의 은사를 확실히 입증해 줄 것이다. 그러나 어떤 이들은 처음에 자신들이 부름 받은 은사의 영역에 머물러 있어야 한다(고후 10:13). 들리는 소문에 의하면, 어떤 이들은 매우 훌륭한 목사 혹은 선지자 혹은 교사인데, 갑자기 사도적 영역에 포함되었다고 한다. 나는 속으로 생각했다. '그냥 목사나 선지자로 지내는 것이 뭐 그리 잘못된 일이라고?' 여러분, 나는 그저 사역에 몸담고 있을 수 있다는 것만으로도 행복하다. 당신이 나를 뭐라고 부르든 나는 상관없다.

이런 일이 문제시되는 데는 이유가 있다. 어떤 이들은 실제로 자신들이 부름 받지 않은 영역인데도 부름 받았다고 느끼고 있기 때문이다(물론 거듭 말하지만, 여기에는 수백여 개의 예외들이 있으며, 내 말이 총괄적인 진술은 아니다). 이런 경우, 그들은 하나님께서 부르신 자리에 그대로 머물러 있어야 한다. 선지자든 목사든 복음전도자든 집사든, 그 무엇이든 말이다. 그들은 '새 일'에 휘말려 들어가서는 안 된다(또한 친애하는 독자들이여, 사도적인 것이라는 말도 실제로는 '새 일'이 아니다). 만일 그들이 새 일에 휘말려든다면, 혼란을 초래할 수 있다. 그들의 기름부음이 사도적인 줄기에서 나온 것이 아니기 때문에 사람들이 상처를 입을 수도 있기 때문이다. 이런 일들로 인해 어떤 사람들은 사도적인 것에 대해 완전히 흥미를 잃고 싫증을 느끼게 된다. 결국 초자연적인 돌파의 기름부음은 그들의 삶 속에서 대수롭지 않은 것으로 여겨지고 만다. 나는 그러한 일에 대한 책임까지 지고 싶지는 않다. 당신도 그렇지 않은가?

나는 사람들이 그릇되거나 사악한 이유로 사도적 부르심의 자리로 옮겨 가는 것이라고 말하려는 것이 결코 아니다. 아마 그들은 진정으로 자신들이 부름 받았다고 느끼고 있을 수도 있다. 그러나 나는 그들이 단지 인정이라는 미명 아래, 또한 하나님이 행하시는 '새 일'과 동일시되기를 바라는 마음에서 사도적인 시류에 훌쩍 편승하는 일이 없기를 바란다. 그렇게 되면 그들 자신은 물론, 그들의 영향을 받고 있는 사람들에게도 문제가 생긴다.

만일 우리가 하나님께서 부여해주신 영향력의 범위 안에 머물러 있다면, 모든 면에서 훨씬 더 행복할 것이다. 또 어떤 이가 사도적 영역으로 부름 받았고, 주체할 수 없을 만큼 엄청난 분량의 기름부음을 지니고 있다면, 표적과 기사와 이적들이 그의 부르심을 입증해줄 것이다. 그럴 때 우리 마음속에는 아무런 의구심도 들지 않을 것이다. 그런 자가 바로 사도적인 사람이다!

단지 그동안 여러 교회들을 세웠다거나, 혹은 영적 아들과 딸들로부터 아버지나 어머니로서 존경을 받고 있다는 이유만으로 사도적인 사람이 되는 것은 아니다. 목사들도 교회를 세울 뿐 아니라 그들에게도 영적 아들과 딸들이 있다.

사도적인 권위에 대한 입증은, 단순히 귀신들을 쫓아내는 축사사역을 행하는 것을 훨씬 뛰어넘는다. 물론 축사사역 자체가 매우 중요한 것이기는 하지만, 사도적 권위는 귀신들을 쫓아내는 것보다 훨씬 더 심오하게 움직여야 한다. 사도적 기름부음을 통해 축사사역을 행하거나 혹은 축사의 기름부음에 수반된 표적과 기사들을 일으키기 위해서는, 다양한 사역들을 통해 나타나는 기적적인 예리함이 요구된다.

나는 사도적인 사람들이 가지고 있는 극도의 공격성을 언제나 경계한다. 그동안 목격해온 바에 의하면, 진정 사도적인 사람들은 그들을 통해 나타나는 사역들에 지나칠 정도의 겸손을 보이는 경향이 있다. 그렇다고 해서 내가 그들에게서 지도력이 결여된 모습을 보기 원한다는 말이 아니다. 사실은 그와는 정반대다. 나는 온유함과 참된 섬김의 지도자로서의 마음을 품고 있는 사도적인 사람들을 보기 원한다. 어떤 일이 마땅히 되어야 할 방식을 알고 있기에 독단적으로 자기고집을 내세우기는 하지만, 정작 그 특정 영역에서 요구되는 초자연적인 기름부음은 전혀 수반되지 않고 있는 남녀를 원하는 게 아니다. 다시 말하지만, 백문이 불여일견이다 (나는 이 속담을 너무나 좋아한다!).

나는 늘 사역자들의 삶 가운데 겸손함이 나타나고 있는지 눈여겨본다. 당신이 지금까지의 사역을 통해 무엇을 해왔는지 보여라. 매일의 삶 속에서 어떤 열매를 맺고 있는지 살펴보게 해달라. 당신이 과연 자신의 사역보다 이 소중한 사람들을 더 사랑하고 있는지 보여달라. 당신의 사역을 통해 지속적으로 행하고 있는 기적적인 일들을 나도 경험할 수 있게 해달라. 사도적 표지들이 성취된 모습을 보여달라. 그렇게 될 때 비로소 당신은 주님의 교회의 토대가 될 수 있을 것이다.

나는 노파심에서 이런 말을 하는 것이지 두려움으로 이런 말을 하는 것이 아니다. 신중함에서 우러나온 말이지, 포기하려는 의도로 하는 말이 아니다. 다음 사실에 주목하라. 사도적 은사들이 풀어지면 환경 안에 그리스도의 분량이 증대되며, 그것은 주님 안에서 이루어지는 체험의 경계선들을 확장시켜 준다. 사도적인 사람들은 이런 일을 촉진시킬 수 있는가? 아니면 그는 무엇을 해야 하는지를 아는데, 당신은 모른다면서 속상해하고 있는가?

나의 요지는, 사도적인 것에 관한 과대망상을 줄이고 대신 교회의 기능에 있어서 분별력을 증대시키자는 것이다. 내 경험에 비추어볼 때, 오늘날 주님의 몸 된 교회에 가장 심각하게 결여되어 있는 은사들 중 하나가 바로 분별력이다.

목사들이 자신이 돌보고 있는 양 무리들을 보호하고 싶어 하는 것은 당연한 일이다. 그렇게 하는 것이 그들의 임무다. 그러나 보호가 반드시 사도적인 것을 차단시키거나(apostolic embargo, 이것도 일종의 신조이다), 혹은 예언적인 것을 중단시켜야 함(prophetic moratorium)을 의미하는 것은 아니다. 양 무리를 보호한다고, 그리스도의 초자연적 능력이 뒤따르는 참된 만남까지 희생시켜서는 안 된다.

내 말을 들어보라. 우리가 살아가는 이 세상은 온전치 못한 곳이다. 사실 세상에는 양의 옷을 입은 이리들이 있다. 그들은 주님의 몸 된 교회에 해를 끼칠 수도 있다. 비록 악의에서 나온 것은 아닐지라도, 그들은 자신들의 정체를 숨기기 위해 그렇게 할 수 있다. 새롭게 나타나는 온갖 일시적 유행들과 변덕에 휘말리지 말고 참되고 편견이 없는 분별력을 발휘하라. 진정으로 잘 통제되고 초자연적인 활동으로 뒷받침되는 사도적인 권위가 무엇인지 분별하여 알라.

사도적인 사람들은 교회를 치리해야 하는가? 이 물음에 대한 간단명료하고 포괄적인 답은 없다. 그렇다. 나는 그들이 선지자들과 더불어 교회의 토대가 되어야 한다고 믿는다. 그들의 영향력은 회중 가운데서 나타나야 한다. 교회의 다양한 문제들과 관련하여 자문해 줄 수 있어야 한다. 그렇다고 해서 이것이 목회자의 역할을 무효화시키는 것은 아니다. 결코 그렇지 않다. 오히려 나는 그럴수록 좋은 목회자의 필요성이 더욱 증가될 뿐이라고 생각한다. 교회 안에 그리스도의 충만함이 보다 온전한 모습으로 풀어지기 위하여, 우리는 이 세 사람이 모두 필요하다. 나머지 다른 이들과 조화를 이루지 못한 채 한두 사람만이 두드러지게 기능하는 모습이 연출되어서는 안 된다.

선지자는 하나님께서 지금 당장 행하고 계신 바를 보거나 듣는다. 사도적인 사람들은 돌파의 기름부음을 통해 영적인 길을 닦아놓는다. 이렇게 함으로써 선지자의 메시지를 성취하기 위해 필요한 전략을 계발해낸다. 그런 다음, 목사는 이러한 새로운 하나님의 운동에 어떻게 응답해야 하는지에 대해 가르친다. 이 모든 것이 이루어진 후에야, 비로소 사람들은 구비되고 능력을 부여받아 보냄을 받는다. 각각 독특한 개성을 지닌 전사들로 파송 받은 사람들은 필요할 때마다 베이스캠프로 돌아와 재충전을 받거나 혹은 세상에서 승리한 이야기들을 보고한다.

만일 교회 안에 선지자나 사도적인 사람이 없다고 잘못되었다고 말할 수 있을까? 꼭 그런 것은 아니다. 다만 하나님께서 주님의 백성들에게서 발견하기 원하시는 온전함이 결여되어 있을 따름이다. 하나님께서 원하시는 온전함이 결여되어 있으면 기름부음도 결여될 수 있다. 사람들은 적절하게 구비되거나 활성화되지 못하다. 그들은 좌절과 피곤의 늪에 빠져 있을 수도 있고, 성장 또한 지체된다. 부르심과 은사와 관련하여, 여전히 유아기적 단계에 영속적으로 머물러 있을 수도 있다.

만일 사도적 은사가 풀어짐으로써 그리스도의 분량이 증가되고 주님 안에서 이루어지는 체험의 경계들도 확장된다면, 정반대의 상황에 해당된다. 사도적인 기름부음이 지체될 때, 주님 안에서 이루어지는 체험도 방해를 받는다. 하나님의 통치(rule)와 하나님의 영광도 지체된다. 왜냐하면 하나님의 통치와 하나님의 영광은 사도적인 기름부음과 선지자적 기름부음에 기반을 둔 교회의 토대 가운데 밝히 드러나기 때문이다. 사도적인 기적들은 예수님의 법과 영광을 드러내는 도구이자, 세상 사람들을 위해 주님의 충만하신 증거를 회복하는 도구로 사용된다.

사도적인 사람들이 행하는 모든 표적과 기사, 이적, 강력한 일들은 크게 세 가지 항목으로 분류된다. 첫 번째 항목은 생명(life)의 기적들이다. "이는 그리스도 예수 안에 있는 생명의 성령의 법이 죄와 사망의 법에서 너를 해방하였음이라"(롬 8:2). 이 기적들은 생명의 부활에 관한 것이다. 사도적인 사람들과 선지자적인 사람들은 생명과 충만한 생명을 제한하거나 방해하는 온갖 속임수들을 밝히 드러낸다. 그들은 죽은 상태로 남아 있을 수밖에 없는 상황과 사람들 가운데 신선한 생명력을 불어넣음으로써, 원수의 배신행위들을 제거해낸다.

두 번째 항목은 창조(creation)의 기적들이다. "태초에 하나님이 천지를 창조하시니라 땅이 혼돈하고 공허하며 흑암이 깊음 위에 있고 하나님의 영은 수면 위에 운행하시니라"(창 1:1-2). 이 기적들은 재건에 관한 것이다. 이를 통해 형체도 없고 공허한 상황들이 질서정연해질 수 있다. 목적성을 가지고 창조적으로 새롭게 세워지는 것이다. 혼돈하고 공허하고 쓰레기로 가득 차 있고 아무런 쓸모도 없던 난잡한 장소가 다시금 새롭게 '고상해진다.' 이는 하나님의 영광이 사도적인 사람들과 선지자적인 사람들을 통해 밝히 드러날 때, 가능해지는 일이다. 이때 창조성을 가로막고 있던 장애물도 함께 제거된다.

세 번째 항목은 정복(conquest)의 기적들이다. 잠시 시간을 내어 여호수아 3-6장을 읽어보라. 본문은 처음으로 가나안을 정복한 이야기를 다루고 있다. 그런 다음 사도행전 19장 1-20절과 열왕기하 2장도 읽어보라. 이 모든 성경구절들은 그동안 잃어버렸던 것을 도로 되찾는 것에 관해 다루고 있다. 사도적인 기적들이 풀려나면 통치의 권세를 방해하고 있던 것들이 제거된다.

사도행전 19장 11절에서 바울이 행한 '특별한' 기적들을 떠올려보라. 사도들의 손에서 풀려나온 두나미스(dunamis)로 인해, 지역을 사로잡고 있던 귀신의 권세가 사라지고, 그리스도께서 영광을 받으셨다. 사도적인 정복의 기적들에 관해 더 많이 알기 원한다면, 사도행전 8장 1-18절도 함께 읽어보라.

이런 유의 기적적인 사역을 수행하는 사람들 중에는, 하나님의 영광을 밝히 드러내기 위해 필요한 돌파의 기름부음을 가진 자들이 있다. 이들이 바로 사도적인 사람들이다. 하나님이 행하시는 기적들을 통해, 그들은 큰 권능과 큰 은혜의 교회를 세워간다.

큰 권능과 큰 은혜 회복하기

6장과 이번 장을 읽으면서, 중간중간 휴식시간을 갖기 바란다. 특별히 집중해서 읽어야 할 내용들, 시간을 충분히 들여 깊이 생각해야 하는 사상과 진리들을 매우 많이 다루고 있기 때문이다. 6장과 7장, 그리고 다음에 이어질 8장은 이 책의 나머지 부분을 위한 일종의 도약대임을 알게 될 것이다. 이 세 장은 이 책에서 말하고 있는 바를 온전히 이해할 수 있게 돕는 가장 중요한 내용들을 담고 있다. 잠시 짬을 내어 깊이 숙고도 해보고, 차를 한잔 마셔도 좋다. 여기서도 우리는 계속해서 밭을 갈아엎는 작업을 해나갈 것이다. 당신은 정말 잘 따라오고 있다!

지금 이 책을 읽고 있는 이들 중에 그동안 살아오면서 주님께 한번도 불평해본 적이 없는 사람이 있는가? 오, 전혀 없다고 하지 말라! 당신이 그동안 하나님 앞에 투덜대면서 지내온 사실을 잘 알고 있다. 나 역시도 그랬다!

목회 초년에, 나는 하나님 앞에서 줄곧 다음과 같이 불만을 토로하곤 했다. "주님, 제가 어떻게 해야 주님을 위해 큰 교회를 세울 수 있을까요?" 미국 중서부에 있는 작은 공동체에서는 목사가 전혀 낯선 사람들 앞에서 설교할 수 있는 기회가 그리 많지 않다. 1년 중 가장 큰 절기는 부활주일이다. 매번 부활주일이 되면 모든 사람들이 예배에 참석한다. 1년 중 사람들로 인해 교회의 출입구가 가려져 보이지 않는 유일한 날이기도 하다. 따라서 나는 예배가 시작되기 전에 으레 이렇게 기도했다. "오, 하나님, 제발 오늘은 뭔가 이상야릇한 일이 일어나지 않게 해주십시오. 그저 평범한 예배가 될 수 있게 해주십시오!"

늘 그렇듯이 그날도 어떤 마녀(주술을 거는 진짜 마녀를 뜻한다)가 갑작스럽게 출현하여 찬양과 경배 가운데 길길이 날뛰었다! 그녀는 헛구역질을 하며 비명을 지르기 시작했다. 장로들은 다만 나를 쳐다보고 한숨을 내쉬며 고개를 흔들었다. 그렇다. 저런 모습은 방문자들에게 아주 깊은 인상을 줄 것이다.

사람들이 그 마녀를 앞쪽으로 데려왔다. 그런 경우 나는 그녀에게서 귀신을 쫓아내기 위해 약 15분을 소요했다. 그녀는 게거품을 문 채 바닥을 데굴데굴 굴러다녔고, 방문자들의 눈은 접시만큼 커졌다. 한참을 그런 후에 그 마녀는 구원을 받았다. 마귀가 나가고 하나님께서 들어오셨다. 그 후 나머지 예배순서가 진행되는 내내, 나는 갈팡질팡했다. 마침내 축도가 끝나자, 그 순간은 마치 엄청난 출애굽의 시간과도 같았다. 내가 이렇게 표현하는 데는 이유가 있다. 실제로 낯선 광경에 놀란 사람들이 뒷문으로 쏜살같이 달아나곤 했기 때문이다(이건 농담이 아니다). 그야말로 끔찍한 광경이었다.

그러면 나는 하나님께 불평을 늘어놓기 시작했다. "오, 주님, 자꾸 이런 일들을 일어나게 하시면, 제가 어떻게 주님의 교회를 큰 교회로 성장시킬 수 있겠습니까? 교회에 부두교 여자가 들어와 게거품을 물고 있는데, 어떻게 사람들이 머물 수 있겠습니까!"

나의 불평에 대한 하나님의 응답은 매우 간단했다. "그래도 너는 새로운 교인을 한 명 얻지 않았느냐?" 이때 나의 두 눈은 카펫 위에서 흐느끼고 있는, 한때 마녀였던 여자에게 향했다. '저 마녀는 아니야. 얼마나 힘든 일인데! 나는 그 의사를 우리 교회에 등록시키고 싶었어.'

그러나 하나님께서는 지역에서 가장 큰 교회를 갖고 싶어 하는 나의 바람에는 전혀 관심이 없으셨다. 주님의 관심은 오직 교회가 큰 권능과 큰 은혜를 회복하는 데 있었다. 다시 말해 마녀를 변화시켜 하나님의 기적적인 통치를 입증하는 교회야말로 주님의 관심사였다.

하나님은 지금 주님의 교회 가운데 큰 권능과 큰 은혜를 회복시키시는 중이다. 사도행전 4장 33절의 말씀을 들어보자. "사도들이 큰 권능으로 주 예수의 부활을 증언하니 무리가 큰 은혜를 받아." 안디옥 교회를 다른 교회들을 위한 일종의 모범으로 사용해보자.

여기에 내가 임마뉴엘 캐니스트라시로부터 들은 몇 가지 내용에 관해 소개하고자 한다. 그는 안디옥 교회의 몇몇 특징들을 개괄적으로 요약해 놓았다. 이 단락 끝부분에 관련성구 목록을 첨부하겠다. 원하는 사람들은 나중에 직접 찾아보아도 좋다. 안디옥에 있던 교회는 훈련, 은혜로움, 선행, 성실, 은사 사용, 가르침, 예언, 경배, 기도, 구조, 친밀함, 나아가 궁극적으로는 사도적 기름부음으로 유명하였다(행 11:23, 26, 29-30, 13:1-3).

사도적인 영은 큰 권능과 큰 은혜를 회복시켜 놓는다. 사도적인 영은 은혜로 충만한 교회, 장엄한 권위와 통치로 영위되는 교회를 만들어낸다. 여기서 우리가 주의해야 할 것이 있다. 비단 사도들만이 아니라 사도적인 영향권 아래 있는 사람들도 이런 특질들을 가져왔다. 사도들이 성도들을 구비시켜 유사한 일들을 재생산할 수 있게 하는 일에 부르심 받았다고 말하는 이유도 여기에 있다.

이러한 특질들은 안디옥 교회가 어떻게 그토록 성공적일 수 있었는지에 관해 말해준다. 안디옥 교회는 매력적이고, 열심이 있으며, 재생산과 증가가 이루어지는 곳이었다. 오순절에 성령으로 충만함을 받은 후에(행 2장), 교회의 신도는 하루에 3천 명이나 늘어났다. 참으로 인상적인 성장곡선이 아닐 수 없다. 당신이 보기에도 그렇지 않은가?

메가두나미스(큰 권능)에 관해서는 이미 앞에서 살펴보았다. 이제는 '큰 은혜'(great grace)에 관하여 생각해보자. '큰 은혜'에 해당하는 헬라어는 '메가카리스'(megacharis)다. '메가'(mega)의 의미가 무엇인지는 이미 알고 있으리라 믿는다. 한편 우리가 사용하는 '카리스마'(charisma)나 '은사주의적인'(charismatic)이라는 단어들은 모두 '카리스'에서 유래된 것이다. 이 말을 번역하면 '하나님이 거저 베풀어주시는 은혜'라고 할 수 있다. 이 은혜는 사람들이 일상적인 삶을 영위해가는 동안에 가시적으로 나타난다.

사람들이 교회에 찾아와 머물며 성장하는 것은, 당신의 교회에서 드려지는 예배 가운데 어느 정도의 권능과 은혜가 역사하고 있느냐와 직접적인 관련이 있다. 단지 당신의 공동체가 프로그램을 통해 얼마나 많은 사람들에게 영향력을 주고 있느냐에 관한 것만은 아니다(물론 이런 프로그램들은 지극히 중요하다. 결코 그것들을 중단해서는 안 된다). 또한 찬양과 경배가 얼마나 멋지고 끝내주는지에 관한 것도 아니며(그것도 결코 중단해서는 안 된다), 신중하게 고안된 3개월 멤버십 프로그램에 관한 것도 아니다(그것도 중단하지 말아야 한다).

궁극적으로는, 이상에 언급한 모든 요소들이 함께 어우러지게 하면서, 동시에 예배 안에 예언적이고 사도적인 기름부음이 두드러진 위상을 차지하도록 내어줄 것이냐 아니냐는 당신의 바람에 달린 문제다. 당신은 집회 가운데 하나님이 지속적으로 정당하게 표현되기를 간절히 바라는 열망을 품어야 한다.

하나님께서 당신의 교회의 표층구조를 벗겨내시고, 근육 이면의 것을 드러내셔야 한다. 다시 말해 주님의 몸, 주님의 양무리을 통하여 그분의 권능이 사도적인 방식, 선지자적인 방식으로 운행하셔야 한다. 강력한 돌풍과도 같은 순전한 성령의 운행하심이 당신의 회중을 관통하는 모습이 회복되기를 원해야 한다. 이것은 오직 하나님 안에서 안식하는 교회의 리더십으로부터 말미암는다. 그들은 하나님께서 자신들을 잘못된 길로 이끌지 않으실 것을 잘 알고 있다. 따라서 그들은 하나님이 원하시는 대로 운행하실 수 있도록 허용해드린다.

예배 가운데 이런 유의 활동이 허용될 때, 그 사람은 다른 동료들로부터 특정 수준의 수용과 인정을 얻게 된다. 달리 말해, 그들의 교회에서 받는 영광이 그들 주변의 사람들에게까지 영향을 미친다. 가정에서든, 일터에서든, 식료품점에서든, 어디서든 상관없이 말이다. 본질적으로, 권능 있는 그리스도인들은 세상 사람들이 보기에도 지극히 매력적인 사람이다. 사람들은 그들의 거룩한 매력에 이끌려 와서는 이렇게 말한다. "나도 당신이 가지고 있는 것을 갖기 원합니다!"

그렇게 되면, 사람들이 당신의 교회로 몰려와서 머물며 성장해갈 것이다. 증가는 재생산의 부산물이기 때문이다. 하나님의 은혜와 권능이 가시적으로 나타나는 모습에 매력을 느낀 사람들은, 떠나지 않고 계속 머물며 남아 있을 것이다. 이렇게 될 때, 지역교회는 지역사회 안에서 매우 매력적인 모습으로 비춰실 것이다. 사람들이 회중들 가운데 나타난 영광을 볼 것이기 때문이다.

그렇다. 처음에는 회심자의 게거품 정도는 기꺼이 감내해야 할지도 모른다. 그러나 일단 그들이 자유케 되면, 그들 중에 하나님께 크게 쓰임 받을 위대한 거물들이 있을지도 모른다. 나는 당신에 관해서는 아는 것이 없으나, 이런 부류의 사람들이야말로 내가 원하는 바다.

실험에로의 도전

그동안 수많은 목회자들이 내게 들려준 이야기가 있다. 그들은 예배

도중 누군가가 방언으로 말하거나 혹은 예언의 메시지를 선포하는 것을 두려워했다. 왜냐하면 그 자리에 있는 몇몇의 경험이 부족한 사람들이 불편함을 느끼고 교회를 영영 떠나갈 수도 있기 때문이다. 나는 이들이 토로하는 염려가 무엇인지를 잘 이해한다. 이런 일은 실제로 일어날 수 있다. 따라서 우리는 지혜를 발휘해야 할 필요가 있다. 그러나 현실 자체는 그대로 남아 있다. 그 사람이 암에 걸려 죽어가고 있거나, 혹은 그 사람의 친구가 알코올중독을 떨쳐내지 못하고 있을 때, 그는 이렇게 말할 것이다. "여보게, 나는 그 일을 원치는 않지만 만일 정말 치유를 원한다면, 혹은 상담을 필요로 한다면, 그 교회에 한 번 가보게. 당신이 지금 필요로 하고 있는 그 무언가가 그 교회에는 있기 때문이라네." 이제 당신은 그들을 낚아채기만 하면 된다.

이사야 62장 11-12절 말씀을 기억하라. 주님이 구속하신 사람은 '찾은 바 된 자'라 일컬음을 받을 것이다. 한 번 직접 찾아서 확인해보라.

나는 사람들 중에 흥미를 잃고 떠나가는 이들보다는 참되고 구체적인 하나님의 만져주심을 구하며 찾아오는 이들의 수가 훨씬 더 많을 것이라고 생각한다. 세상은 지금 사랑을 기반으로 한 주권과 실체의 표현을 애타게 찾고 있다. 그러니 제발 그들에게 찾고 있는 것을 좀 제공해주라!

나는 교회가 일종의 실험을 시도하는 모습을 보기 원한다. 예배시간에 초자연적인 일들이 가시적으로 나타나도록 허용해보라. 그리고 그 일로 인해 얼마나 많은 수의 사람들이 몰려드는지를 지켜보라. 내가 참 재미있게 생각하는 사실이 있다. 오늘날 수백만의 사람들이 마술사들의 최신 마술을 시청하기 위해, 혹은 심령술사들의 쇼를 보기 위해 TV를 켜고 있다.

그러나 정작 교회들은 누가 사람들을 앞으로 불러내어 다음과 같이 말하기라도 하면, 일반인들이 깜짝 놀랄지도 모른다며 두려워하고 있다. "2년 전에 발병한 암이 사라졌습니다. 주님이 당신의 목숨을 살려주셨습니다. 주님은 당신을 주님의 사랑과 자비의 대변자가 되도록 부르셨습니다. 주님은 당신이 스프 조리장에서 일하기를 원하십니다. 왜냐하면 그곳에는 당신과 동일한 질병을 앓고 있는 사람들이 수십 명이나 되기 때문입니다. 주님은 당신에게 치유의 기름부음을 부어주셨습니다. 그리고 당신이 그에게 다가가 손을 내밀어주기를 원하십니다." 그러면 당신은 계속해서 빵을 만들어 판매하고, 마을의 농산물 품평회에 참석하고, 온천욕도 다녀올 수 있다. 왜 반드시 둘 중의 하나여야만 하는가? 양쪽 모두는 안 되는가? 친애하는 친구들이여! 초자연적인 일은 그렇게 무서운 것이 아니다!

'해리 포터'가 그토록 유명한 이유는 무엇인가? 왜 그토록 수많은 TV 프로그램들과 영화들이 초자연적인 나타남에 관한 주제들을 다루고 있는가? 여러분은 내가 지금 과장하고 있다고 생각하는가? 지금 당장 TV를 한번 켜보라! 대부분의 경우, 사람들은 초자연적인 것에 대해 그렇게 혼비백산하며 놀라지 않는다. 만일 사람들이 참된 초자연적인 활동을 목격하게 된다면, 바보상자를 꺼버리고 해리 포터 전집도 한쪽으로 치워놓은 후 하나님의 얼굴을 대면하기 위해 교회로 오지 않겠는가?

참된 초자연적인 활동은 성령님의 구애와 주님의 몸 된 교회의 사랑과 온유함과 은혜의 뒷받침을 받는다. 왜냐하면 어찌됐든 성령님이 사람들을 끌어당기셔야 하기 때문이다. 감히 단언하건대, 초자연적인 일에 흥미를 잃은 사람들 가운데 적어도 2명 이상은 초자연적인 것을 원하고 있다고 말할 수 있다. 최소한 내 경험에 비추어보면 그렇다.

좋다. 큰 은혜란 가시적으로 나타난 권능의 '질'(quality)이고 '양'(quantity)

이며 '유기적'(organic) 흐름을 말한다. 여기서 '유기적'이라는 것은 특정 지역에 모여 몸을 이루고 있는 회중 가운데 육성되고 표현되며 발견되는 생명을 일컫는다. 사도적이고 선지자적인 영향력 아래 있는 교회는 하나님의 생명을 산출한다.

다시 말하지만, 하나님의 생명은 교회를 지극히 매력적인 존재로 만들어준다. 안디옥 교회의 경우를 한 번 생각해보라! 안디옥 교회는 하나님의 은총을 받는 교회였다. 주님이 보시기에 은혜를 입은 교회였다. 그런 까닭에, 마치 알을 까듯 세계 전역에 수많은 교회들을 산란시킬 수 있었던 것이다. 거듭 말하지만, 이것은 비단 사도적인 사람들이나 선지자들에 관한 이야기만이 아니다. 이것은 회중 전체에 관한 이야기다. 당시 성도들 각자가 하나님으로부터 부여받은 은사들을 대표하면서 자신만의 고유한 정체성을 드러냈다. 이것이 바로 춤추는 하나님의 손이다!

> 그런즉 형제들아 어찌할까 너희가 모일 때에 각각 찬송시도 있으며 가르치는 말씀도 있으며 계시도 있으며 방언도 있으며 통역함도 있나니 모든 것을 덕을 세우기 위하여 하라 (고전 14:26)

이것이 바로 가족의 기름부음이다. 이 모든 것들이 수많은 대중들에게 하나님을 표현함으로써 주님의 몸 된 교회를 '세워간다.' 사람들은 이제 더 많은 것을 보고 배우기 위하여 주님의 몸 된 교회 안으로 들어온다. 그리고 파송되어 동일한 일을 수행한다. 이러한 가시적인 나타나심은 비단 이미 가족에 속해 있는 사람들만이 배타적으로 경험할 수 있는 것이 아니다. 그것은 교회 밖에 있는 사람들을 위한 체험이기도 하다.

보라. 가족의 기름부음은 '파송시키는' 특질을 지니고 있다. 사람들을 각각 구별하여 회중 앞으로 또는 세상 사람들에게 파송하는 것이다. "아버지께서 나를 보내신 것 같이 나도 너희를 보내노라"(요 20:21). 거듭 말하지만, 이러한 은사들은 언제나 하나님을 일반대중들 앞에서 표현한다는 맥락 가운데 있어야 한다. 이렇게 하는 것은 단순히 유익하기 때문이 아니라, 반드시 따라야 할 명령이기 때문이다!

보라. 하나님은 영혼들을 얻기 원하신다. 이것은 매우 간단명료한 사실이다. 하나님께서는 주님의 교회가 주님의 교회를 두려워하지 않기를 원하신다. 내가 무슨 말을 하려는지 이해되는가? 주님은 주님의 몸 된 교회 안에서 일하시는 것을 두려워하지 않으신다. 그러니 우리가 이를 두려워할 이유가 어디 있겠는가?

> 대저 여호와께서 브라심 산에서와 같이 일어나시며 기브온 골짜기에서와 같이 진노하사 자기의 일을 행하시리니 그의 일이 비상할 것이며 자기의 사역을 이루시리니 그의 사역이 기이할 것임이라 (사 28:21)

그러니 이제 주님께서 주님의 일을 하시도록 허용해드리지 않겠는가?

대사의 기름부음

만일 고린도전서 12장 28절에 언급된 '첫째'가 원형(prototype 원자성분들이 하나로 조립되어 하나의 고체를 만들어내는 것을 의미함)을 말한다면, 또한 순서적으로 첫째가 온전히 오고 나서야 비로소 다음 것들이 풀어진다면, 이제 우리는 사도적 기름부음을 어떤 역동성이 다른 사람들에게 흘러들어가도록 조금씩 주입시켜 주는 것이라고 말할 수 있다. 표현의 다음 단계로 나아가는 연결고리이자, 사도행전의 후반부로 안내해주는 사도행전 전반부라는 말이다. 그러므로 사도적인 사람들은 '보냄을 받은 자들'로서 하나님 아버지로부터 위임받은 대사의 권세, 가시적으로 나타나는 하나님의 통치와 영광을 몸에 지니고 있다.

'대사'(ambassador)라는 단어는, 그리스-로마의 세속적인 용어에서 유래되어 성경적 원리로 발전하였다. 이는 원래 다른 이를 대신하여 보냄을 받은 사람을 의미하였다. 문자 그대로 이 말은 '보냄을 받다'라는 뜻이다. 현대적인 용법에 있어서, 대사는 왕국이나 제국을 확장하기 위해 보냄을 받은 일종의 특사를 가리킨다.

먼저는, 예수님께서 보냄을 받으셨다. 그리고 이제는 우리가 주님의 이름으로 주님을 대신하여 보냄을 받았다. 주님은 우리를 보내시면서 전적인 지원과 권위로 뒷받침해주신다(요 20:21). 세속적인 실례를 들어 설명해보자면, 사도적인 영(실제로 이는 사도행전의 영이기도 하다)은 세 가지 속성을 가진다. 이 세 가지 속성들은, 이른바 로마 황제의 이름으로 보냄을 받은 대사에게서도 나타날 수 있는 것들이다. 이런 방식으로 내게 설명해준 사람은 바로 나의 친구이자 동료인 래리 힐 박사다. 그의 설명방식은 실제로 나로 하여금 논점을 충분히 이해할 수 있도록 도와주었다. 당신을 위해 여기에 그의 견해들을 함께 나누고자 한다.

첫째로, 대사는 주권자의 이름으로, 주권자의 권위를 가지고 왔다. 실제로 로마의 온갖 권력이 그를 떠받쳐주고 있었다. 둘째로, 대사는 전략을 가지고 왔다. 이는 사람들에게 로마식 생활방식을 확고하게 주입시킬 가치들을 고취시키기 위함이었다. 셋째로, 대사는 자원들을 가지고 왔다. 대사는 필요가 제기될 때면, 전쟁을 수행하고 정복하고 복종시키기 위해 파송할 사람들과 장비들을 구비하고 있었다.

사도적인 대사의 기름부음도 이와 동일하다. 이 개념을 이처럼 명료하게 이해할 수 있도록 구체적인 설명을 해준 힐 박사에게 감사드린다.

사도적인 영을 가진 우리는 누룩 없는 의로운 덩어리다(고전 5:7). 우리는 사람들로 하여금 하나님 나라의 사고방식을 가진 자들이 되도록 가르치고 교훈하고 구비시키기 위해 보냄을 받았다. 우리는 전술의 대가이신 주님의 전략들을 사용하여, 하나님 나라에 맞서 대항하는 온갖 저항세력들을 복종시킨다.

우리의 전쟁수단과 세상적인 나라의 전쟁수단에는 차이가 있다. 우리는 사람들을 자유로 이끌어주는 대사의 은혜와 권위를 가지고 있다. 여기서 자유는 자신을 하나님께 표현할 수 있는 자유, 자신을 다른 사람들에게 표현할 수 있는 자유, 나아가 가장 중요한 것으로 하나님께서 우리에게 주님을 표현하실 수 있는 자유를 말한다. 이것이 바로 사도적 기름부음을 통해 계시된 하나님의 통치와 영광이다.

자유는 매우 중요한 개념이므로, 앞으로 다시 살펴보게 될 것이다. 이것은 앞에서 간략하게 언급한 바 있는 파르헤지아 원리(Parrhesia Principle)와도 일맥상통한다. 자유를 풀어놓는 일은 사도적 기름부음의 중대한 측면이므로, 이것에 관해서는 나중에 좀더 시간을 들여 구체적으로 논하겠다.

전투의 기름부음

너희도 아는 바와 같이 우리가 너희 각 사람에게 아버지가 자기 자녀에게 하듯 권면하고 위로하고 경계하노니 이는 너희를 부르사 자기 나라와 영광에 이르게 하시는 하나님께 합당히 행하게 하려 함이라 (살전 2:11-12)

사도적인 영으로 충만하고 은혜로 충만한 강력한 교회가 지닌 속성들은, 강력하고 전투적인 사도적 리더십의 전형적인 예가 된다. 우리는 '전투적인'(military)이라는 말을 두려워하는 경향이 있다. 마치 조종을 암시하는 파시스트의 의미를 담고 있는 듯하기 때문이다. 그러나 진정한 전투력은 전쟁의 기술을 탁월하게 갈고닦은 명장들의 지휘를 받으며, 자유라는 대의명분을 위해 싸우는 사람들 안에서 발견되는 것인지도 모른다.

이러한 사도적 기름부음은 아버지들을 일으키고 장군들을 배출한다. 이들은 전투에서 승리하고 사람들의 마음을 설득시켜 얻어 내는 초자연적 전략과 통치의 영을 지닌 자들로, 단순히 하나님의 나라를 선포하는 사람들이 아니다. 그들은 하나님의 나라를 실제적이고 가시적으로 증명해 보이는 사람들이며, 군인다운 용맹을 지닌 남녀들이다. 군사작전(이를테면, 잃어버린 자들을 되찾아오기)의 성공을 극대화하기 위해 이 연대를 저리로 이동시키고 저 연대를 이리로 이동시키는 일에 잘 훈련되고 구비된 사람들이다.

군인들은 통찰력 있고 언제라도 싸울 준비가 되어 있는 명장들에게 기꺼이 순종하려 할 것이다. 마찬가지로 자녀들도 아버지들이 수용적인 자세에 건전한 판단력과 참된 권위를 가지고 있을 때, 기꺼이 그들에게 순복한다. 제대로 구비되지 못한 장군은 부하들을 죽음으로 몰아넣고 만다. 제대로 준비되지 못한 아버지들은 자녀들이 떠나가도록 그냥 내버려둔다.

지금은 사도적인 개혁의 시대다. 오늘날에는 부성적인 돌봄의 기름부음뿐만 아니라 전투의 기름부음도 아울러 풀어지고 있다. 생명력과 역동성으로 이루어진 이 기름부음을 통해, 궁극적으로 주님의 몸 된 교회가 당면해 있는 여러 사안과 갈등들이 종지부를 찍게 될 것이다. 만일 그리스도의 몸에 이러한 기름부음들이 얼마나 필요한 것인지 잘 이해할 수만 있다면, 또한 이것들을 하나님이 주님의 백성들을 위해 예비해두신 것으로 포용할 수만 있다면, 헤아릴 수 없이 많은 문제들이 묶임을 당하고 성령님이 우리 위에 거침없이 풀어지실 것이다.

다음 사실을 명심하자. 은혜와 권능이 충만한 교회의 지도자들은, 믿음에 있어서 장군들이 되고 아버지들이 될 것이다. 우리는 이런 사람들과 같은 태도를 취하고 이들에게 복종해야 한다.

우리는 기독교신앙이 결코 민주주의가 아니라는 사실을 잘 이해해야 한다. 기독교신앙은 몇 가지 견해들을 견지한 남녀들로 구성되어 있는 공화국이 아니다. 기독교신앙은 각각 자기 나름의 아젠다(agenda)가 있고, 자신만의 해석과 콤플렉스가 있는 공화국과는 다르다. 기독교신앙은 신본주의(theocracy), 곧 하나님의 통치일 뿐 결코 다른 무엇이 아니다!

우리가 하나님의 통치를 알 수 있는 유일한 길은 하나님의 말씀을 통해서다. 따라서 우리는 말씀에 부당한 영향력을 행사해서는 안 된다. 우리가 좋아하지 않는 내용이라고 해서 빼거나 더해서도 안 되며, 명명백백한 말씀을 상황과 자신의 필요에 따라 변개해서도 안 된다.

오늘날 '상황윤리'(Situational Ethics)라고 하는 것이 있다. 이것은 도덕성이 각각 고유한 상황에 처해 있는 개인들의 결정에 의해 좌우된다는 것이다. 이 논리에 따르면, 한 사람에게는 타당한 것이, 또 다른 상황에 있는 사람들에게는 타당하지 않은 것이 될 수도 있다. 이렇게 되면 무정부상태가 초래되어, 궁극적으로 파멸에 이르게 된다. 영광과 기름부음에 관한 한, 성경은 하나님의 뜻에 '회색지대'를 허용하지 않는다. 우리가 누구관대 감히 하나님의 뜻을 바꾸려 하는가?

목사들이여, 당신들의 교회는 전투적인 교회가 되어야 한다. 물론 동시에 사랑이 많은 교회여야 한다. 이곳저곳에서 서로 포용하고 입을 맞추는 친밀함과 감정적인 아가페가 이루어지는 사랑 많은 교회도 되어야 한다. 당신의 교회는 지역사회 안에서 서로를 가장 잘 포용해주고, 가장 많이 사랑하는 교회가 되어야 한다.

그러나 전투상황을 거리로 들고 나가는 일마저 양보하면서 그렇게 해서는 안 된다. 하나님께서는 팬지만 가득한 교회를 원하시는 것이 아니다. 당신은 내 이야기의 출처가 어디인지를 잘 알고 있을 것이다. 당신이 고개를 절레절레 흔드는 모습이 눈에 선하다. 아마 당신은 이런 생각을 하고 있으리라. '아니, 저자가 방금 사용한 단어는 기독교 도서에 나오는 팬지들을 말하는 건가?!?'

지금은 나를 너무 종교적인 사람으로만 보지 말아주기 바란다. 손자들이 즐겨 보는 만화 중에 '마다가스카'(Madagascar)가 있다. 나는 이 만화를 좋아한다. 이 만화에는 사자, 얼룩말, 기린, 하마 등이 등장한다. 하루는 작은 다람쥐 녀석과 덩치 큰 동물들이 아주 조그만 거미 앞에서 긴장하는 모습을 목격하게 된다. 그 다람쥐는 매우 진지한 표정으로 다음과 같이 빈정거리며 말한다. "쟤들은 단지 많은 팬지들의 무리에 불과해." 특유의 기막힌 억양을 사용해서 말이다. 정말 재밌는 만화다!

아무튼, 요지로 되돌아가자. 여기서 나는 당신에게 싸움을 걸자고 이런 말을 하는 것이 결코 아니다. 다만 당신의 교회가 사랑으로 충만하면서 동시에 능력으로도 충만해질 수 있음을 보여주기 위해 애쓰고 있을 따름이다. 당신은 전투의 기름부음 안에서 활동하도록 부름 받았다!

강력하고 전투적인 사도적 기름부음은, 하나님의 최첨단 권능을 활용하여 교회의 복음전도에 필요한 전략들을 만들어낸다. 교회는 마땅히 이런 방식으로 성장해가야 한다. 이것은 혁명(revolution)으로의 움직임을 창출해낸다. 단순한 갱신(renewal)이나 부흥(revival)이 아니다. 갱신과 부흥도 물론 중요하지만, 이것들은 궁극적으로 당신이 속한 교회의 환경만을 변화시켜 놓을 뿐, 당신이 속한 지역사회의 변화로까지 귀결되는 것은 아니다.

우리에게는 지역사회를 복음화시키는 방법과 관련하여 모종의 통찰을 제시해줄 돌파의 기름부음이 필요하다. 왜냐하면, 지금 이 시점에서 우리가 세상 사람들에게 기독교를 제시하고 있는 방식이 그리 좋지는 못하기 때문이다.

이쯤에서 요점을 말해보도록 하자. 교회를 성장시키기 위한 최상의 방법은, 지역사회 안에 사도적인 통찰을 적용하는 것이다. 사람들의 핵심적인 관심사들 가운데 기적을 일으키는 방법을 사용해보라. 이를테면, 시의 지도자가 에이즈를 치유 받는 경우를 예로 들 수 있다. 이런 사건은 나머지 다른 지역사회 주민들을 자극시킨다. 그들은 이제 밖으로 뛰쳐나와 이 대소동이 과연 무엇인지를 직접 눈으로 확인해본다. 우리에게는 현재 당면해 있는 상황 속에서 사람들에게 문화적으로 감동을 줄 수 있는 기적들이 필요하다.

우리는 교회라는 제한된 울타리 안에서 경험하고 있는 바들을, 교회 밖의 사람들이 이해할 수 있게 바꾸어 제시해줄 수 있어야 한다. 주님의 몸 된 교회는 너무나도 오랫동안 성령님의 가시적인 나타나심을 특정 방식으로만 계시해온 것이 사실이다. 구원받지 못한 사람들이야 어찌되든 상관없이 말이다.

물론 나는 주님 안에서 우리끼리 즐거워하는 것이 나쁘다고 말하려는 것이 결코 아니다. 그러나 우리는 상처 입은 다수들, 죽어가는 무리들에 대해서도 관심을 기울여야 한다. 나는 성령님의 웃음이 앞 못 보는 사람의 눈을 뜨게 해주는 힘으로 변환되는 모습을 보고 싶다. 그리하여 눈멀었던 사람들이 가족들에게 돌아가서 이렇게 말하는 모습을 보았으면 한다. "나한테 무슨 일이 일어났는지 한 번 맞춰볼래요? 당신들도 오시면 이런 일을 경험하실 수 있어요!"

횡령하여 취한 기름부음

이제까지 나는 나만의 부당한 해석을 가미하지 않은 채, 하나님의 문자적인 말씀에 기초하여 하나님의 통치가 위임된 권위를 통해 실제화된다는 사실을 잘 소개해 주었다고 믿는다. 여러분은 나의 설명을 잘 이해했을 수도 있고, 그렇지 못했을 수도 있다! 당신은 전투의 기름부음 혹은 대사의 기름부음을 결코 꾸며낼 수 없다. 그것들은 하나님께서 당신에게 부어주셔야만 한다. 탁월함의 영은 쉽게 꾸며낼 수 있는 것이 아니라, 춤추는 하나님의 손으로부터 빌려오는 것이다. 탁월함의 영은 점점 더 증가되는 친밀함 가운데 주님을 아는 지식으로부터 말미암는다.

그러나 사도적 기름부음을 조작하려고 애쓰는 사람들은 항상 큰 권능이나 큰 은혜를 단계적으로 이용하거나 제거하려고 할 것이다. 왜냐하면 궁극적으로 그들은 애초부터 하나님으로부터 권위를 위임받은 적이 없이 무언가를 약탈하고 있는 사람들이기 때문이다.

진정으로 하나님으로부터 위임받은 권위야말로 그리스도의 몸 안에 혁명을 일으킬 수 있다. 부성적인 돌봄을 특징으로 하는 이 권위, 정부적이고 전투적인 이 권위는 부르심을 받은 수많은 남녀들에 의해 표현될 것이다. 그렇게 될 때 비로소 권능의 폭발이 수반되는, 교회의 복음전도를 위한 강력하고 사도적인 전략이 나타날 것이다.

은혜와 권능으로 충만한 교회는 비록 모든 사람이 사도적인 사람이 되어야겠다는 동기부여는 받을 수 있어도, 그들 모두가 사도적인 사람은 아니라는 사실을 잘 이해한다. 우리는 사도적인 운동을 전적으로 지지할 수는 있다. 그러나 우리 모두가 장군이나 대사로 부름 받은 것은 아니다. 따라서 우리는 양자 간의 차이를 구분하는 분별력을 키워야 한다.

그러나 당신이 사성장군이기보다는 겨우 중위나 대위에 불과하다는 사실에, 혹은 고조부라기보다는 젊은 부모에 불과하다는 이유로 기분 나빠하기 전에, 반드시 관심을 기울여야 할 사실이 있다. 당신은 참된 사도적 권위에 자신을 조율시킴으로써 무슨 일이 가능해지고, 무슨 일이 일어나게 되는지를 잘 알아야 한다. 현재 당신의 교회 안에서 무슨 일들이 벌어지고 있는지에 초점을 맞춰서는 안 된다. 만일 당신이 진정 신본주의 통치에 복종하여 살아가고 있다면, 기적적인 일들이 나타남으로 후원을 받고 있는 돌파의 기름부음을 누가 지니고 있는지 물색해보라. 사소해 보이는 이 행위가 결국은 당신의 교회, 바라기는 나아가 당신의 지역사회 안에 혁명을 불러오는 움직임으로 이어질 것이다.

> 사람들에게서 난 것도 아니요 사람으로 말미암은 것도 아니요 오직 예수 그리스도와 그를 죽은 자 가운데서 살리신 하나님 아버지로 말미암아 사도 된 바울은 함께 있는 모든 형제와 더불어 갈라디아 여러 교회들에게 … 형제들아 내가 너희에게 알게 하노니 내가 전한 복음은 사람의 뜻을 따라 된 것이 아니니라 이는 내가 사람에게서 받은 것도 아니요 배운 것도 아니요 오직 예수 그리스도의 계시로 말미암은 것이라 (갈 1:1-2, 11-12)

참된 사도적 권위는 하나님의 임재와 경이로운 만남들을 확고한 것으로 만들어준다. 그러나 사도적 권위를 갈취해온 사람들 안에서는 궁극적으로 하나님의 임재의 표현이 점점 약화되고 말 것이다. 그들은 혼합물을 만들어낸다. 만일 혼합물의 상태가 심각하게 불량하다면, 그로 인해 거짓되게 하나님을 나타내는 문마저 열리게 된다. 이는 결코 좋은 일이 아니다.

하나님 아버지께서는 사도적 권위를 사용하시어 주님과 만나게 해 주신다. 그런 다음 주님은 뒤로 물러나 계시면서 사람들이 어떻게 반응하는지 지켜보신다. 성도들 중에 어떤 이들은 아직 구원받지 못한 사람들을 희생하면서까지 이러한 만남들을 은폐시키려고 애를 쓴다. 그러나 결국 하나님의 통치는 언젠가 돌파를 이루어낼 것이다. 아무도 이러한 만남들 만큼 구원받지 못한 사람들에게 매우 매력적인 다른 방법들을 더 이상 찾아내지 못할 것이다.

사도적인 영은 사람들이 행동하도록 촉구하는 영이다. 사도적인 영은 사람들을 현재의 위치에 풀어놓음으로써 반응하게 한다. 기적적인 일들은 아직 구원받지 못한 사람들에게 강력한 영향력을 끼친다. 단순히 신체적으로 영향을 미칠 뿐 아니라, 영적인 영향력, 정신적인 영향력, 문화적인 영향력까지 행사한다. 그들이 하나님의 통치권 아래 들어오면 그들이 몸담고 있던 부패한 사회구조 자체가 변화된다. 세상을 살아가는 수백만 명의 사람들은 매일매일 일상적으로 처리해야 하는 오물 때문에 몸살을 앓고 있다. 따라서 어떠한 변화라 할지라도 그들에게는 유익이 된다.

변화를 촉진시키는 일에 유익을 끼치는 사람들 편에 속하라. 결코 변화를 질식시키는 사람들 편에는 서지 마라! 제발 하나님의 권위 아래 머물라. 하나님의 권위를 도둑질하지 마라!

전쟁의 계절

우리는 지금 전투적인 것을 주제로 이야기를 나누고 있다. 동일한 맥락에서, 기적들을 조준기라고 생각해보라. 무기들(성령의 은사들)을 가지고 원수에 대한 '손상'을 극대화시킬 수 있게 도와주는 조준기 말이다. 기적들이 없다면 우리는 "사격 준비, 조준, 발사!"를 위한 올바른 위치에 서 있을 수 없다.

지금 우리는 은사들이 풀어지기를 기다리는 불쌍한 사람들의 필요를 충족시켜 주기 위해 선봉에 서지 못하고 있다. 성령께서 마치 다음과 같이 말씀하고 계신 듯하다. "만일 네가 나로 하여금 세상 사람들이 처해 있는 가장 혹독한 상황에 정확히 겨냥할 수 있게 해준다면, 나는 기적적인 표현을 방출하는 발전소가 되어 그 상황을 완전히 파쇄시켜 버리겠다! 그러나 만일 네가 나로 하여금 피둥피둥 살쪄 있는 기독교인을 겨냥하게 한다면, 나는 점점 사라지고 말 것이다."

보라, 우리에게는 기적들이 필요하다. 그러나 우리는 늘 올바른 과녁을 겨냥하고 있어야만 한다. 그렇지 않으면 결국 기적을 잃어버리고 말 것이다.

은사주의 계열에 속해 있는 우리들 대부분은 그동안 수많은 예언적 메시지를 받아왔다. 어쩌면 우리 중에는 자신의 귀에서 비롯된 예언적 메시지를 받고 있는 사람이 있을지도 모른다(물론 이것은 포괄적인 진술이 아니다. 우리 중에는 절박한 태도로 하나님으로부터 오는 메시지를 조금이라도 더 많이 들으려 하는 이들도 있다). 나는 하나님의 음성을 듣고 있는 하나님의 사람들을 시기하는 마음이 눈곱만큼도 없다. 결코 그렇지 않다. 우리에게는 더 많은 메시지가 필요하다!

은사주의적인 교회에 출석하는 신자들이 그동안 하나님으로부터 받은 메시지는 너무나도 많다. 그러나 저 길 모퉁이에 있는 불쌍한 영혼은 단 하나의 메시지도 받은 적이 없다. 이러한 사실이 좀 애석한 일이라고 생각되지 않는가? 기름부음을 조금 더 넓게 확산시켜 보는 것은 어떠하겠는가? 기적적인 권능의 초점을 불특정한 개인을 향해 겨냥하면 무슨 일이 일어날까? 만일 당신이 거리에서 누군가에게로 다가가서 하나님으로부터 받은 참되고 진실한 메시지를 전해준다면, 십중팔구 그들은 당신의 이야기를 귀 기울여 들으며 이렇게 말할 것이다. "그렇습니다. 저는 하나님께서 주시는 메시지를 듣고 싶습니다!" 그러면 당신은 그들을 낚아채기만 하면 된다.

그렇게 하지 않으면 기적적인 일들은 허비되고 점차 약화되기 시작한다.

인도에서 돌아온 복음전도자가 마을을 구원시켰다는 심장이 멎을 만큼 놀라운 이야기를 들으면서 화가 났던 적이 있는가? 그런 일들이 왜 당신이 살고 있는 도시에서는 일어나지 않는지 의아스러웠던 적은 없는가?

여기에는 이유가 있다. 인도에서는 대부분의 경우, 기적을 바라고 기독교 예배에 참석한다면, 우리가 기적의 집회에 참석하는 목적은 축복을 받기 위해서다. 양자의 차이점이 이해되는가? 이제껏 기적들이 줄곧 잘못된 대상들을 겨냥해왔으므로 점차 쇠퇴해가고 있는 것이다.

기적들을 잃어버리면 거룩한 신적 질서도 함께 상실하게 된다. 기적들은 사도들이 행하는 통치적인 가르침을 입증해준다. 사도들이 가져오는 메시지의 타당성이 권위의 가시적인 나타남(기적들)에 의해 증명되는 것이다. 이것에 관하여 고린도후서 12장 12절과 사도행전 2장 22절을 참고하라.

그리스도의 몸 가운데 기적들이 상실된 예를 한 가지 들어보겠다. 갱신의 표현들에서 축사(deliverance)와 관련하여 도대체 무슨 일이 일어난 것일까? 나는 지금 주류사회에서 눈에 띄게 일어나고 있는 놀라운 축사, 전략적인 영향력을 지닌 축사에 관해 말하는 것이다. 이것은 구원받지 않은 사람들이 거리로 쏟아져 나와 귀신의 억압(혹은 귀신들림이나 귀신의 압제 등)으로부터 자유케 되는 것을 뜻한다. 이는 정말 대단한 광경이 될 것이다. 그렇지 않은가?

물론 나도 이런 일이 어느 정도는 일어나고 있음을 알고 있다. 그러나 한 번 생각해보라. 당신이 살고 있는 마을의 회계담당자가 당신의 교회에 출석했다가 귀신들을 축사 받았다고 가정해보자. 월요일이 되어 그가 직장으로 돌아가 자신에게 일어난 일을 사람들에게 들려준다면, 그 이야기가 당신의 지역사회에 미칠 파급효과는 과연 어떠하겠는가?

제발 기름부음을 단지 구원받은 이들만을 위해 소진시키지 마라! 권능의 일부를 아직 구원받지 못한 사람들을 위해 남겨 놓으라. 나는 지역사회 안에서 수많은 사람들을 위한 극적인 집단적 축사가 폭발적으로 일어나는 모습을 정말로 보고 싶다. 물론 성령 안에서 울고, 웃고, 침묵하는 것도 아울러서 말이다.

그러나 염려하지 마라! 혁명이 중보기도의 형태로 도래하고 있다. 믿음의 영이 중보기도자들 위에 임할 것이다. 중보기도자들 사이에서 매우 놀라운 기도의 합주회가 일어날 것이다. 포효하는 기도를 드리고, 왕이신 하나님을 향해 큰 함성을 지를 것이다. 그들은 왕께 임하셔서 구원받은 자들과 구원받지 못한 자들 모두를 위한 기적을 회복시켜 달라고 부르짖을 것이다. 거룩한 기적들을 통해 거룩한 신적 질서가 회복될 것이다. 또한 우리는 여기서 계속 언급하고 있는 바와 같은 종류의 축사들도 목도하게 될 것이다. 전 세계에서 몰려온 수천 명의 사람들이 저주에서 벗어나 축복 안으로 들어올 것이다!

> 야곱의 허물을 보지 아니하시며 이스라엘의 반역을 보지 아니하시는도다 여호와 그들의 하나님이 그들과 함께 계시니 왕을 부르는 소리가 그중에 있도다 하나님이 그들을 애굽에서 인도하여 내셨으니 그의 힘이 들소와 같도다 (민 23:21-22)

당신도 알다시피, 지금 그리스도의 몸에 속한 신자들은 예수님의 재림이 임박했다고 이야기하고 있다. 당신이 제발 알아주기를 바라는 것이 있다. 나는 주님이 머지않아 곧 재림하실 것이라고 믿는다. 그러나 동시에 내가 확언하고 싶은 것은, 그리스도께서는 온 열방의 족속들이 가시적이고 폭발적인 하나님 나라의 역사를 대면하기 전까지는 결코 오시지 않을 것이라는 점이다. 나는 지금 단순히 구원계획이 선포되는 일에 관해 이야기하는 것이 아니다. 특히 제1세계 나라들에 살고 있는 대부분의 사람들은 이미 하나님의 구원계획에 관해 들었다. 그러나 바울 시대 이래로, 구원 이면에서 역사하던 권능의 가시적인 나타남(이를테면, 표적과 기사와 이적들)은 현격히 감소되어 버렸다.

하나님 나라의 복음은 가시적인 형태로 입증되어 나타난다. 아울러 기적들의 부산물로 사람들이 구원받는 역사가 일어난다. 여기서 '부산물'이라는 표현에는 품격이 떨어진다는 뉘앙스가 조금도 내포되어 있지 않다. 오히려 지극히 탁월하고 중요한 것이다. 부산물이 없다면, 가시적인 나타남은 아무 소용도 없다.

"이 천국 복음이 모든 민족에게 증언되기 위하여 온 세상에 전파되리니 그제야 끝이 오리라"(마 24:14). 예수님이 말씀하신 '이'(this) 복음이란 무엇을 뜻하는가? 예수님의 복음은 어떤 것이었는가? 친애하는 독자들이여, 예수님의 복음은 표적과 기사와 이적들이었다! 주님의 모든 가르침과 모든 선포는 기적들을 통해 실제적인 행동으로 구체화되었다. "나는 하나님의 아들이다. 나는 구원이다. 이를 네게 증명해 보여주겠다. 자, 병자를 내게 데려오라."

한편 주님의 제자들도 이리저리 다니면서 이와 동일한 일을 수행하였다. "예수님은 참된 구원이십니다. 이를 증명해 보이겠습니다. 병든 사람들을 우리에게 보내주십시오." 이것이 바로 예수님께서 말씀하신 '이'(this) 하나님 나라의 복음이다. 이 복음이 일종의 증거로서 온 열방에 선포되어야 한다. 이러한 사실은 사람들이 무언가를 증거해야 함을 암시하고 있다. 그리고 오직 그럴 때에야 비로소 끝이 올 것이다.

그러므로 여러분이여, 우리에게는 얼마간의 시간이 남아 있다. 이라크에는 이 복음을 아직 목격해본 적이 없는 사람들이 살고 있다. 북한에도 이 복음을 아직 목도한 적이 없는 이들이 있다. 또한 감히 말하건대, 미국이라는 집단에 속한 사람들도 아직 하나님께서 뜻하시고 원하시는 수준에서 이 복음을 목격하지 못했다. 나는 지금 온 인류, 심지어 나라들에 관해 말하고 있다. 물론 나는 이들 지역에서 이미 여러 해 동안 얼마간 성공을 거두어온 사람들도 있음을 안다. 그러나 원주민 전체가 이 복음과 대면하여 만난 적은 아직까지 없다.

보라! 그리스도께서 부활하신 지 2천 년이라는 세월이 흘렀고, 우리는 여전히 여기에 이렇게 살고 있다. 다시 말해 우리에게는 수행해야 할 과업이 주어져 있다. "예수님은 구원이십니다. 오셔서 구원을 받으십시오. 만일 원치 않으시면 말고요." 만일 복음이 단순히 이렇게 말하는 것이었다면, 아마도 우리는 이미 오래전에 본향으로 돌아갔을 것이다. 지금 그리스도께서는 주님의 몸 된 교회가 구원이신 주님을 온 세상에 '보여주기'(show)만을 기다리고 계신다. 즉, 세상 사람들은 단지 무언가를 듣기만 하는 것이 아니라, 실제로 무언가를 눈으로 보아야 한다.

당신의 교회에 속해 있는 이들이야말로, 세상의 다양한 인종들에게 이런 종류의 가시적 나타나심으로 영향을 줄 사람들이다. 내가 그 일을 대신 해주기를 기다리지 마라. 혹은 빌리 그래함이나 베니 힌이 와서 그 일을 해줄 것이라고 기대하지 마라. 당신의 교인들이 구비되어서 이 복음을 증명해보이기 위해 파송되어야 한다. 실제로 그들은 전쟁을 위한 군사들로 지음 받은 사람들이다.

이쯤에서, 내게 잘못된 꼬리표가 붙기 전에 말해둘 것이 있다. 나는 결코 '극단적 통치신학'(ultra-dominion theology)을 찬성하는 사람이 아니다. 당신은 이 용어의 의미를 알고 있는가? 내가 이해하는 바에 의하면, 극단적 통치신학자들은 기본적으로 다음과 같이 믿는다. 즉 하나님이 문자 그대로 이 세상에서 다스림과 통치라는 명목 아래 주님의 백성들을 사용하여 행하시고자 의도하신 모든 일들이 주님의 재림 이전에 반드시 이루어진다는 것이다.

나는 여기에 훨씬 더 많은 의미가 내포되어 있음을 안다. 이런 내용은 기본적인 전제에 불과할 따름이다. 그들의 견해가 전적으로 틀린 것은 아니지만, 온전한 교리를 확립하기에는 불완전한 근거라고 여겨진다. 물론 나도 하나님의 통치(dominion)를 믿는다. 그러나 궁극적인 통치는 이 자연적인 지구상에 이루어진 그리스도의 통치에서 비롯된다고 믿는다.

지극히 부족하지만 나의 의견을 말해보겠다. 예수님께서 왕으로서 온 세상을 통치하는 모습은 주님이 감람산 위에 발을 디디시고 실제로 천년 동안 지구를 다스리실 때 궁극적으로 표현된다(계 20장 참고). 당신은 이 말의 의미를 잘 이해하지 못할 수도 있다. 하지만 나는 실제로 천년왕국이 실현될 것이라고 믿는다. 어떤 이들은 이 견해에 동의하지 않을지도 모른다. 나는 예수님께서 이 지구상에 주님의 통치권을 확립하시기 위해 문자 그대로 재림하신다는 사실을 옹호한다. 내가 여기서 '문자 그대로'라는 표현을 지나칠 정도로 자주 사용하고 있음에 주목하라.

나는 하나님의 말씀을 해석하는 일에 있어서는 문자주의자다. 나는 하나님의 말씀 이면에 숨겨진 깊은 뜻을 탐구하기에 앞서, 우선은 구절들이 지니고 있는 명명백백한 문자적인 의미를 살펴본다. 그러므로 발람의 당나귀가 실제로 말을 했다는 말씀도 그대로 믿는다. 그것은 단순히 발람의 머릿속으로 들려온 음성이 아니었다(민 22장). 나는 에덴동안에 있었던 것도 진짜 뱀이었다고 믿는다. 일반적으로 사탄의 궁극적인 사악함을 상징하는 어떤 원형적인 것을 여자들이 싫어하는 한 피조물의 형태로 인격화였다고는 생각하지 않는다(창 3장). 와우! 이제 막 나는 매우 중요한 이야기를 단 몇 마디로 정리했다!

기본적으로, 내가 관찰한 바에 의하면, 극단적 통치신학에서는 이 땅에서 이루어지는 예수 그리스도의 온전한 통치는 전적으로 주님의 백성들을 통해 말미암는다고 주장한다. 그들은 이러한 통치가 주님의 재림과는 별도로 혹은 주님의 재림 이전에 이루어진다고 믿는다. 물론 나도 대체로 이들의 주장을 믿는다. 실제로 나는 그리스도의 재림 이전에, 온 도시와 인종들이 주님께로 나아올 것이라고 믿는다. 이것은 정말 경탄스러운 일이 아닐 수 없다! 지금까지 선교적인 모험을 해오는 동안, 나는 실제로 마을 전체가 구원받는 모습을 목도한 적도 있다. 그러나 궁극적으로는 문자 그대로 그리스도께서 이 땅에서 통치하시는 순간이야말로, 그리스도의 통치권이 가장 온전하게 표현되는 때일 것이다.

그렇다고 해서 그들에게 표적과 기사와 이적들이 수반된 '이' 복음을 전하는 우리의 역할이 무효화되는 것은 결코 아니다. 주님이 문자 그대로 재림하시기 전까지, 하나님 나라의 복음은 사람들의 마음을 개혁시켜 놓아야 한다. 사회 전체가 변화되기 전에 우선 마음이 변화되어야 한다. 그러므로 우리의 통치, 곧 하나님 나라의 표현은, 하나님의 사람들의 마음 안에서 찾아볼 수 있다. 지금 현재 우리가 누리고 있는 것은 영적인 하나님 나라다. 언젠가 우리는 문자 그대로의 하나님 나라에서 살게 될 것이다. 현재 주님의 통치는 주님께서 실제로 새 예루살렘에서 보좌에 앉으셔서 행하시는 것이 아니라, 우리들의 삶을 통해 표현되고 있다. 그러나 나는 이러한 실제적인 보좌의 통치도 믿는다.

사도적인 복음을 선포하고 이를 실제로 입증해보이면, 그것이 사람들을 대면시켜 놓는 계기가 되어 그들의 마음속에 하나님의 통치가 이루어지도록 불을 붙인다. 그들은 이제 결단하지 않을 수 없게 된다. 내가 알게 된 바에 의하면, 중동에서 무슬림들에게 복음을 전할 수 있는 최선의 방법은 하나님의 권세를 가시적으로 입증해 보여주는 것이다. 다시 말해 그들에게 기적을 일으켜 보이는 것이다. 이것은 실제로 내가 무슬림들을 통치한다는 말이 결코 아니다. 무슨 뜻인지 이해가 되는가?

내가 이 모든 이야기를 나누는 이유는 균형을 제시하기 위함이다. 그렇다. 사도적인 사람들은 철학에 있어서도 통치권을 행사해야 한다. 그들은 속히 휴거가 일어나 주님께서 구조해주시기만을 기다리는 도피주의자나 무저항주의자가 되어서는 안 된다. 만일 그들이 휴거를 믿고, 환난 전 휴거설(pre-tribulation)이든, 환난 후 휴거설(post-tribulation)이든, 환난 중 휴거설(mid-tribulation)이든 무엇이라도 믿고 있다면 말이다.

나는 주님의 재림 이전에 온 세상이 하나님의 통치권 아래 들어올 것이라고는 믿지 않는다. 그러나 이사야 60장 1-3절의 말씀을 믿는다. "일어나라 빛을 발하라 이는 네 빛이 이르렀고 여호와의 영광이 네 위에 임하였음이니라 보라 어둠이 땅을 덮을 것이며 캄캄함이 만민을 가리려니와 오직 여호와께서 네 위에 임하실 것이며 그의 영광이 네 위에 나타나리니 나라들은 네 빛으로, 왕들은 비치는 네 광명으로 나아오리라."

나는 통치복음(표적과 기사와 이적들을 통한 구원)이 언젠가는 사회적인 규모로 모든 사람들 앞에 제시될 것이며 우리가 세상을 변화시킬 수 있다고 믿는다. 그것은 한 번에 한 영혼씩 변화시킴으로 가능해진다. 그러나 극단적 통치신학은 그리스도의 몸에 좌절을 야기하는 요인이 될 수 있다. 왜냐하면 우리는 마땅하다고 여기는 모습 그대로 주님의 통치가 이루어진 모습을 보고 있지 못하기 때문이다.

이 지구상의 인구 6명 중 1명은 인도에서 살고 있다. 인도는 대략 텍사스 주 정도의 땅덩어리를 가지고 있다. 내가 생각하기에, 이 사람들 중 90퍼센트가량은 이제껏 표적과 이사가 수반된 기적을 경험한 적이 한 번도 없었다고 해도 과언이 아닐 것이다. 또한 미국에 살고 있는 기독교인 중 약 90퍼센트가 표적과 기사를 동반한 복음전도를 목격한 적이 전혀 없다!

그렇다고 해서 여기서 용기를 잃지는 마라! 나는 대면을 일으키는 기름부음이 있다는 사실에 동의한다. 한때는 잃어버린 수천 수백만 명의 사람들의 마음속에 영적인 하나님 나라를 풀어놓을 기름부음이 존재하고 있음을 지지한다. 지금 우리는 교회들과 사람들의 마음에 불을 붙여놓을 사도적인 영이 엄청난 분량으로 증가하는 시기를 향해 다가가고 있다. 마음에 불이 붙은 교회들과 사람들은, 이제 일터에서 살아가는 수많은 세상 사람들에게 하나님의 통치를 보여줄 것이다. 이때는 교회사를 통틀어 가장 흥미진진하고 활기찬 시기 중 하나가 될 것이다!

나는 성도들 사이에 섬김의 정신을 회복시키고 수확물을 보존케 하는 제자도 안에 매우 강력하고 전투적인 기름부음이 있음을 지지한다. 이것이 바로 은혜로 충만한 교회가 지닌 핵심적인 속성이다. 즉, 사람들을 구원시킬 뿐 아니라, 구원받은 자들로 하여금 계속해서 구원을 지켜 가도록 도와주는 교회 말이다. 이런 교회는 사람들을 사역에 동참시키고, 그들이 열매를 맺을 수 있도록 돕는다. 사실 모든 사람들이 어떤 형태로든 사역을 수행하도록 부름 받았으므로, 교회는 이를 위하여 성도들을 구비시킨다.

사도적인 영은 사람들로 하여금 행동하도록 촉구한다. 그리고 사람들이 실제로 행동할 때, 가장 위대한 교회의 표현은 주일 아침 혹은 일회성 기적의 집회를 대신할 것이다. 기적이 일어나는 문화가 일상적인 생활방식으로 굳어질 것이다.

지금 나는 극단적 제자도 운동에 관해 말하고 있는 것이 아니다. 극단적 제자도 운동에서는 담임목사에게 아침에는 무슨 색깔의 양말을 신고 혹은 무슨 종류의 차를 몰아야 한다는 식의 내용을 설교하도록 강요한다. 몇 개 안 되는 단락들을 분맥과는 상관없는 내용을 다루느라 허비하는 일이 없도록 하라. 이 책 전체의 주제가 무엇인지를 염두에 두라. 나는 지금 사람들이 행동하도록 일깨우고 촉구하는 참된 사도적인 제자도에 관해 말하고 있다. 이러한 제자도는 사람들로 하여금 영적인 일꾼이 되게 해주며, 전쟁에 적합한 자들이 되도록 몰아간다.

> 그해가 돌아와 왕들이 출전할 때가 되매 다윗이 요압과 그에게 있는 그의 부하들과 온 이스라엘 군대를 보내니 그들이 암몬 자손을 멸하고 랍바를 에워쌌고 (삼하 11:1)

이스라엘 백성들에게는 반드시 전쟁에 나가야 하는 특별한 계절이 있었다. 참된 사도적인 제자도는 사람들을 그러한 전쟁의 계절에 적합한 자들로 준비시킨다. 사람들은 전쟁을 수행하기 위하여 부름 받고 훈련받고 활성화된다. 이것을 일종의 3중 기름부음으로 생각해보라. 즉, 제사장적이고(부름 받다), 선지자적이고(훈련받다), 왕 같은(활성화되다) 기름부음 말이다.

이제 이러한 원리를 보편적인 성도들에게 적용시켜 보라. 당신은 일터 사역의 기름부음이 어디에서 말미암을지 아는가? 사람들은 적절히 훈련을 받은 후에, 적절한 계절이 되면 전쟁을 위해 파송을 받는다. 내가 지금 말하고 있는 것은 단순히 조화로운 통치학, 제자도 신학을 훨씬 더 능가하는 개념이다. 부실하게 구비된 군인들을 한겨울에 닥치는 대로 전쟁터로 보내서는 안 된다. 그러다가는 결국 그들을 굶어죽이거나 원수의 칼날에 목숨을 잃게 만들 수도 있다.

당신은 어떻게 하면 당신의 셀 그룹들이 번영하게 될지 알고 싶지 않은가? 그렇다면 이런 유의 사도적 기름부음을 실행시켜 보라. 적절한 권위 아래서, 기적적인 일들의 든든한 지원을 받아 하나님의 통치를 향해 기세 좋게 달려들라는 말이다. 그리고 나서 무슨 일이 일어나는지 지켜보라. 당신이 잊지 말아야 할 것이 있다. 사역은 저 바깥 세상 속에서 이루어진다! 그것은 단지 사면이 벽으로 둘러싸인 당신의 성소 안에서만 이루어지는 것이 결코 아니다.

우리에게는 분산시키는 작업이 필요하다. 이제는 주일 아침 예배에 집중하는 것에서 벗어나, 교회 밖의 일터로 눈을 돌려야 한다. 일터는 우리가 월요일부터 금요일까지 줄곧 시간을 보내는 자리다. 북미를 비롯하여 전 세계 많은 곳에서, 몸 사역을 위한 시간들을 온통 주일 예배에만 사용해온 것이 사실이다. 이러한 모습은 반드시 변화되어야 한다!

주일이 주님의 시간인 것은 분명한 사실이다. 그러나 주님의 날은 사람들이 이전 한 주 동안에 경험한 하나님의 역사하심을 함께 모여 기념하는 시간이 되어야 한다. 단순히 일주일 중에서 각각의 그리스도인들이 가져온 문제들을 돌보아주는 유일한 요일이 되어서는 안 된다. 혹은 구원받지 못한 사람들을 향해 강단 앞으로 나오라고 초청하는 유일한 시간이 되어서도 안 된다. 내 말의 취지는 이렇다. 실제로 사도적인 영은 잃어버린 자들을 이끌어오는 일에만 몰두하는 태도를 갖게 한다. 영혼들의 추수가 단순히 호흡(breathing)으로 인한 부산물이 되는 것이다!

사도적인 영은 진취적인 영이다. 이 개척적인 영은 자체적으로 주변의 온갖 야생적인 것들을 온순하게 길들여 놓는 추동력을 지니고 있다. 이로 인해 사람들은 진보하고, 마침내 다른 사람들을 함께 이끌어올 수 있게 된다.

이 말은 만일 당신의 교회가 사도석이고 진취적인 영을 소유하고 있다면 완벽해진다는 의미일까? 절대로 그렇지 않다. 이유가 뭔지 알고 싶은가?

왜냐하면 교회는 사람들로 이루어져 있기 때문이다. 내 말 좀 들어보겠는가? 내가 하는 사역도 결코 온전치 못하다. 왜냐하면 그것이 나의 사역이기 때문이다! 그렇다고 해서 세상 사람들에게 보여주기 위해 복음을 좀더 온전히 전하고자 하는 우리의 열망마저 부정하는 것은 아니다. 우리는 닫혀 있는 사람들의 잠재가능성을 열어야 한다!

메가두나미스와 메가카리스 그리고 교회가 큰 권능과 큰 은혜를 토대로 하고 있다는 맥락에서 우리는 사도적 기름부음이 기적의 사역을 만들어내고, 이 기적의 사역이 또 다른 기적의 사역들을 창출해내는 모습을 지켜보아야 한다. '탁월함의 영'을 가진 사람들은 다른 이들을 혁신적인 사람, 곧 궁극적으로 주님의 위대한 명령을 성취하는 일에 있어 생산성을 발휘할 사람들로 만들어낸다.

탁월함의 영이 다니엘 위에 임해 있었음을 기억하는가? 그는 지식과 총명의 소유자였고, 꿈을 해석할 수 있었다. 그뿐 아니라, 불확실한 것들을 풀어내는 능력도 지니고 있었다. 어려운 문장들의 의미를 제시하였고, 복잡하게 얽히고설킨 문제들을 풀어냈다(이 구절들은 킹제임스 구본에 보면 나온다).

> 내가 네게 대하여 들은즉 네 안에는 신들의 영이 있으므로 네가 명철과 총명과 비상한 지혜가 있다 하도다 … 내가 네게 대하여 들은즉 너는 해석을 잘하고 의문을 푼다 하도다 그런즉 이제 네게 이 글을 읽고 그 해석을 내게 알려 주면 네게 자주색 옷을 입히고 금 사슬을 네 목에 걸어 주어 너를 나라의 셋째 통치자로 삼으리라 하니 (단 5:14, 16)

이러한 속성들은 다니엘 안에서 매우 두드러지게 나타났다. 심지어 그는 사자 굴에서도 죽지 않고 구원을 받았다. 결국 다리오 왕은 다음과 같은 조서를 발행하였다.

> 내가 이제 조서를 내리노라 내 나라 관할 아래에 있는 사람들은 다 다니엘의 하나님 앞에서 떨며 두려워할지니 그는 살아 계시는 하나님이시요 영원히 변하지 않으실 이시며 그의 나라는 멸망하지 아니할 것이요 그의 권세는 무궁할 것이며 그는 구원도 하시며 건져내기도 하시며 하늘에서든지 땅에서든지 이적과 기사를 행하시는 이로서 다니엘을 구원하여 사자의 입에서 벗어나게 하셨음이라 하였더라 (단 6:26-27)

탁월함의 영은 닫혀 있던 사람들의 잠재가능성을 열어놓는다! 사도적 기름부음은 심지어 왕들로 하여금 하나님의 통치가 무엇인지를 알게 해준다. 탁월함의 영을 가진 사람들은 온갖 도전들을 두려워하지 않는다. 여기서 우리가 유념해야 할 사실이 있다. 그것은 탁월한 사람이라고 해서 언제나 세상 사람들의 이해를 받는 것은 아니라는 점이다. 대부분의 사람들은 이런 사도적인 축복들을 받아 누리는 수혜자들이 되고 난 다음에야, 비로소 탁월한 사람들을 이해하기 시작한다. 교회를 통해 주님의 큰 은혜와 큰 능력이 적절하게 드러날 때, 마침내 하나님의 통치도 밝히 계시된다.

이상의 모든 내용들을 하나의 간단한 생각으로 종합해보자. 당신의 교회는 일종의 훈련센터가 되어야 한다. 그저 먹이를 공급해주는 하나의 영적 외양간 같은 곳이 되어서는 안 된다. 대사의 기름부음, 전투의 기름부음, 사도적 기름부음이 함께할 때, 당신의 교회는 교인들을 전쟁의 계절에 적합한 자들로 구비시킬 수 있다. 사람들은 목적과 갈망과 적절한 본능을 발견하고, 나아가 교회는 도시와 마을에서 살아가는 세상 사람들에게 매력적인 존재가 될 것이다. 그동안 당신이 무슨 이야기를 들어왔고 어떻게 여겨져 왔는지는 상관없다. 당신의 교회는 군사들을 전쟁터로 파송하는 전투적인 교회가 되어야 한다!

자, 당신은 이 세상에 살면서 온갖 기름부음을 다 지니고 있을 수도 있다. 그러나 당신이 사람들을 세상으로 파송하지 않는다면, 기름부음을 통해 아무에게도 유익을 끼칠 수 없다. 십일조와 헌물을 창고에 들여놓는 것이 그토록 중요한 이유가 여기에 있다. 역시 이것도 동일한 지침을 따라야 한다. 당신의 교회에는 지극히 탁월한 재능을 가진 사람들이 있을 수도 있다. 그러나 만약 당신에게 그들을 거리로 내보낼 수 있을 만큼의 돈이 없다면, 그들은 하나님이 그들에게 원하시는 수준만큼 주변 환경에 영향력을 행사하는 사람이 될 수 없다.

물론 나는 목사들이 언제나 줄곧 부르짖는 소리를 듣는다. "오, 주님, 우리에게 백만장자를 보내주십시오!" 나도 그런 기도를 드려본 적이 있으니 그들의 말에 동의한다. 그러나 당신이 반드시 알아두어야 할 것이 있다. 현재 당신의 교회에 출석하는 사람들은 이미 독특한 자질과 재능들을 충분할 정도로 가지고 있다. 바로 그들이 백만장자가 될 것이라고 믿으라. 그들이 각각 자신들의 은사를 활용할 수 있도록 훈련시키고 구비시키라. 그렇다면, 당신의 교회에도 백만장자들이 생기게 될 것이다. 지금 당신의 교회에 다니고 있는 이들이야말로, 비전을 포착하고 대위임명령을 성취할 사람들이다.

라이트 주교의 이야기가 이와 유사하다. 나는 이 이야기가 사실일 것이라고 생각한다. 1800년대 후반 무렵의 일이다. 그는 자신의 두 아들을 데리고 한 집회에 참석했다. 그곳에서는 한 예언사역자가 머지않은 미래에 인류는 새처럼 두 날개를 가지고 하늘을 날게 될 것이라고 선포하고 있었다. 또한 그는 사회에 혁명이 일어날 것이라는 메시지도 선포하였다. 그 올곧은(right) 라이트(Wright) 주교는 그 메시지를 이단이라고 단정 짓고는 두 아들을 데리고 집으로 돌아왔다. 그는 메시지를 선포했던 그 선지자의 비전을 전혀 이해하지 못했던 것이다. 사람이 하늘을 날다니, 어리석기 짝이 없는 말이었다.

결국 그는 그 비전이 실제로 이루어진 모습을 보지 못했다. 그러나 그의 두 아들들은 그것을 볼 수 있었다. 그들의 이름은 각각 오빌과 윌버였다. 최초로 비행기를 발명한 '라이트 형제'가 바로 그들이다.

　이 정도면 하나님의 통치에 대해 충분히 생각해본 것 같다. 이 장을 마무리하기 전에 마지막으로 한 가지 개념만 더 살펴보도록 하자. 사도적 기름부음은 대단히 전투적인 찬양과 강력한 경배를 창출해낸다. 나아가 이런 찬양과 경배는 예언적인 분위기를 형성시켜 놓는다. 하나님의 은혜로 우리는 밝고 강력하게 울려 퍼지는 새로운 천국의 소리를 표현해내야 한다. 이러한 천상의 소리는 사람들의 마음을 사로잡을 것이다. 이 소리로 인해 사람들은 단지 신분적으로뿐만 아니라 경험적으로도, 마치 천상의 장소에 있는 것처럼 앉거나 걷거나 말하게 될 것이다. 그들은 완전히 하나님의 영광 속으로 사로잡혀 들어갈 것이고, 바로 그 자리로부터 예언적인 부르심들이 풀어질 것이다.

　우리에게는 하나님 아버지와의 활기찬 관계를 회복시켜 줄 새로운 소리가 필요하다. 우리는 단지 경배가 아니라 찬양을 필요로 한다. 그렇다고 해서 내가 하나님 아버지와의 관계성 가운데서 이루어지는 경배의 시간들을 과소평가하는 것은 결코 아니다. 우리에게는 양자 모두가 필요하다. 그러나 그동안 교회들은 경배 쪽에 훨씬 더 높은 비중을 두었던 듯하다. 종종 우리는 생명을 기념하는 일을 잊고 살아가곤 한다! 당신도 알다시피, 우리는 감사함으로 주님의 문들에 들어가고 찬송함으로 주님의 궁정에 들어간다(시 100:4).

　당신이 찬양과 감사의 제사를 드릴 때, 기념하는 자의 영(사도적인 영)이 풀어지고, 당신은 경배 가운데로 들어갈 준비를 갖추게 된다. 당신이 예배를 드리러 올 때 짊어지고 있었던 온갖 정서적인 짐들이 제거되기 때문이다. 다시 말하지만, 균형을 유지하라. 그러나 마음껏 즐기는 것을 잊지 마라!

하나님의 통치에 대한 친밀감이 회복될 때, 거룩한 만남들이 회복된다. 이러한 만남은 사람들을 철저히 변화시켜 놓기에, 더 이상 아무도 이전과 같은 모습을 찾아볼 수 없을 것이다. 당신의 교회에서도 이런 일을 한 번 시험해보라!

CHAPTER 7 하나님의 통치

| 고장난 주님의 몸

- 오늘날 주님의 몸 된 교회의 구조는 전반적으로 어딘가 고장이 나 있다. 따라서 우리는 하나님이 보다 위대한 기적들을 일으키며 운행하시는 모습을 지속적으로 목격하지는 못하고 있다.
- "하나님이 교회 중에 몇을 세우셨으니 첫째는 사도요 둘째는 선지자요 셋째는 교사요 그 다음은 능력을 행하는 자요 그 다음은 병 고치는 은사와 서로 돕는 것과 다스리는 것과 각종 방언을 말하는 것이라"(고전 12:28).
- 첫 번째 것들에 관한 법 : 첫 번째 것이 온전히 도래해야 비로소 다음 것들이 풀어질 수 있다.
- 따라서 우리는 '첫째는 사도요 둘째는 선지자요'에 관해서도 동일한 논의를 할 수 있을 것이다. 실제로 '첫째'는 헬라어 '프로톤'(proton)으로, 이 말은 '프로토타입'(prototype, '원형'이라는 뜻)이라는 단어 안에서도 발견된다. '프로톤'은 가장 먼저는 양성자, 그 다음은 중성자, 그 다음은 전자로 짜여 있는 분자의 원자 방출을 위한 하나의 구성요소다.
- 하나님의 교회는 가장 먼저 사도들과 선지자들이라는 토대 안에 뿌리를 내리고 세워진다. 이는 교회의 삶이 역동성을 지니기 위한 것이며, 그리스도께서는 이 건물의 중요한 모퉁이 돌이시다(엡 2:20).

| 교회 정부에 관하여

- "그러나 우리는 분수 이상의 자랑을 하지 않고 오직 하나님이 우리에게 나누어 주신 그 범위의 한계를 따라 하노니 곧 너희에게까지 이른 것이라"(고후 10:13).
- 하나님은 위임해주신 권세를 통해 활동하신다. 여기서 권세란 '하나님께서 사람에게 대여해

주신 통치수단'이라고 정의할 수 있다.
- 사도의 은사가 풀어짐으로써 그리스도의 분량이 증가되고, 주님 안에서 이루어지는 체험의 경계들도 확장된다.
- 사도적 기름부음이 지체될 때, 주님 안에서 이루어지는 체험도 방해를 받는다. 하나님의 통치(rule)와 하나님의 영광도 지체된다. 왜냐하면 하나님의 통치와 하나님의 영광은 사도적 기름부음과 선지자적 기름부음에 기반을 둔 교회의 토대 안에서 밝히 드러나기 때문이다.
- 사도적인 기적들은 예수님의 법과 영광을 드러내는 도구이자, 세상 사람들에게 주님의 충만하신 증거를 회복시키는 도구로 사용된다.
- 사도적인 사람들이 행하는 모든 표적과 기사, 이적, 강력한 일들은 크게 세 가지 항목으로 분류된다.
- **생명(life)의 기적들**: 사도와 선지자들은 생명과 충만한 생명을 제한하거나 방해하는 온갖 속임수들을 밝히 드러낸다. 그들은 죽은 상태로 남아 있을 수밖에 없는 상황들과 사람들 안에 신선한 생명력을 불어넣음으로써, 원수의 배신행위들을 제거해낸다.
- "이는 그리스도 예수 안에 있는 생명의 성령의 법이 죄와 사망의 법에서 너를 해방하였음이라"(롬 8:2).
- **창조(creation)의 기적들**: 이로 인해 형체도 없고 공허한 상황들이 질서정연해질 수 있다. 창조적으로 목적성을 가지고 새롭게 세워지는 것이다. 혼돈하고 공허하고 쓰레기로 가득 차 있고 아무런 쓸모도 없던 난잡한 장소가 다시금 새롭게 '고상해진다.' 이는 하나님의 영광이 사도적인 사람들과 선지자적인 사람들을 통해 밝히 드러날 때 가능해지는 일이다. 이때 창조성을 가로막고 있던 장애물도 함께 제거된다.
- "태초에 하나님이 천지를 창조하시니라 땅이 혼돈하고 공허하며 흑암이 깊음 위에 있고 하나님의 영은 수면 위에 운행하시니라"(창 1:1-2).
- **정복(conquest)의 기적들**: 사도적인 기적들이 풀려나면서 통치의 권세를 방해하고 있던 것들이 제거되고, 잃어버렸던 땅을 되찾는다.

큰 권능과 큰 은혜를 회복하기

- "사도들이 큰 권능으로 주 예수의 부활을 증언하니 무리가 큰 은혜를 받아"(행 4:33).

- 안디옥에 있던 교회는 훈련, 은혜로움, 선행, 성실, 은사 사용, 가르침, 예언, 경배, 기도, 구조, 친밀함, 나아가 궁극적으로는 사도적 기름부음으로 유명하였다(행 11:23, 26, 29-30, 13:1-3).
- 이러한 속성들은 매력적이고 열심이 있고 재생산과 증가가 이루어지는 교회의 특징이다.
- '큰 은혜'에 해당하는 헬라어는 '메가카리스'(megacharis)다. 이 말의 의미는 '하나님께서 거저 베풀어주시는 은혜'이다. 이 은혜는 사람들이 일상적인 삶을 영위해가는 동안에 가시적으로 나타난다.
- 사람들이 당신의 교회에 찾아오고 머물고 성장하는 이유는, 당신의 교회에서 드려지는 예배 안에 어떤 수준의 권능과 은혜가 역사하고 있느냐와 직접적인 관련이 있다.
- 앞으로 사람들이 당신의 교회로 몰려들어 머물며 성장해갈 것이다. 증가는 재생산의 부산물이기 때문이다. 하나님의 은혜와 권능이 가시적으로 나타나는 모습에 매력을 느낀 사람들은 떠나지 않고 계속 머물며 남아 있을 것이다.
- 지역교회는 지역사회 안에서 매우 매력적인 모습으로 비춰질 것이다. 회중들 가운데 나타난 영광을 사람들이 볼 것이기 때문이다.

실험에로의 도전

- 큰 은혜란 가시적으로 나타난 권능의 '질'(quality)이고 '양'(quantity)이며 '유기적'(organic) 흐름을 말한다. 여기서 '유기적'이라는 말은 특정 지역에 모여 몸을 이루고 있는 회중 가운데서 육성되고 표현되며 발견되는 생명을 일컫는다. 사도적이고 선지자적인 영향력 아래 있는 교회는 하나님의 생명을 산출한다. 다시 말하지만, 하나님의 생명은 교회를 지극히 매력적인 존재가 되도록 만들어준다.
- 이것은 비단 사도적인 사람들이나 선지자적인 사람들에 관한 이야기만이 아니라 회중 전체에 관한 이야기다. 각자가 하나님으로부터 부여받은 은사들을 대표하면서 자신만의 고유한 정체성을 드러내고 있었다.
- "그런즉 형제들아 어찌할까 너희가 모일 때에 각각 찬송시도 있으며 가르치는 말씀도 있으며 계시도 있으며 방언도 있으며 통역함도 있나니 모든 것을 덕을 세우기 위하여 하라"(고전 14:26).
- 이 은혜는 '파송시키는' 특질을 지니고 있다. 사람들을 각각 구별하여 회중 앞으로나 세상

사람들에게로 파송시키는 것이다.
- "아버지께서 나를 보내신 것 같이 나도 너희를 보내노라"(요 20:21).
- 이러한 은사들은 언제나 하나님을 일반대중들 앞에 표현한다는 맥락 가운데 위치해 있어야 한다. 이렇게 하는 것은 단순히 유익하기 때문이 아니라, 반드시 따라야 할 명령이기 때문이다!
- "대저 여호와께서 브라심 산에서와 같이 일어나시며 기브온 골짜기에서와 같이 진노하사 자기의 일을 행하시리니 그의 일이 비상할 것이며 자기의 사역을 이루시리니 그의 사역이 기이할 것임이라"(사 28:21).
- 이제 주님께서 주님의 일을 하시도록 허용해드리지 않겠는가?

대사의 기름부음

- 사도적인 사람들은 '보냄을 받은 자들'로 하나님 아버지로부터 말미암은 대사의 권세, 가시적으로 나타나는 하나님의 통치와 영광을 몸에 지니고 있다.
- '대사'(ambassador)라는 단어는 그리스-로마의 세속적인 용어에서 유래되어 성경적 원리로 발전하였다. 본래 다른 이를 대신하여 보냄을 받은 이를 의미하며, 문자 그대로 '보냄을 받다'라는 뜻이다. 현대적인 용법에 있어서, 대사는 왕국이나 제국을 확장하기 위해 보내진 일종의 특사를 가리킨다.
- 대사는 주권자의 이름으로, 주권자의 권위를 가지고 온다. 왕이 가진 모든 권력이 그를 뒷받침해준다.
- 대사는 전략을 가지고 온다. 여기서 전략이란 사람들의 생활방식을 사고의 틀 안에 확고하게 주입시켜 줄 가치들을 말한다.
- 대사는 자원들을 가지고 온다. 그들은 전쟁을 수행하고 정복하고 복종시키는 일에 파송할 수 있는 사람들과 장비들을 구비하고 있다.
- 우리의 전쟁수단과 세상적인 나라의 전쟁수단 사이에는 차이가 있다. 그것은 우리가 사람들을 자유로 이끄는 대사의 은혜와 권위를 가지고 있다는 점이다.
- 여기서 말하는 자유는 자신을 하나님께 표현할 수 있는 자유, 자신을 다른 사람들에게 표현할 수 있는 자유, 나아가 가장 중요한 것으로 하나님께서 우리에게 주님을 표현하실 수 있는 자유를 말한다.

전투의 기름부음

- "너희도 아는 바와 같이 우리가 너희 각 사람에게 아버지가 자기 자녀에게 하듯 권면하고 위로하고 경계하노니 이는 너희를 부르사 자기 나라와 영광에 이르게 하시는 하나님께 합당히 행하게 하려 함이라"(살전 2:11-12).
- 진정한 전투력은 전쟁의 기술들을 탁월하게 갈고닦은 명장들의 지휘 아래, 자유라는 대의명분을 위해 싸우는 사람들 안에서 발견될 수 있는 것인지도 모른다.
- 이러한 사도적 기름부음은 아버지들을 산출시키고, 장군들을 배출시킨다. 이들은 군인다운 용맹을 지닌 남녀들로, 군사작전의 성공을 극대화하기 위해서 이 연대를 저리로 이동시키고, 저 연대를 이리로 이동시키는 일에 잘 훈련되고 구비된 사람들이다.
- 군인들은 통찰력이 있고 언제라도 싸울 준비가 되어 있는 명장들에게 기꺼이 순종하려 할 것이다. 마찬가지로 자녀들도 아버지들이 수용적인 자세를 가지고 건전한 판단력과 참된 권위를 가지고 있을 때, 기꺼이 그들에게 순복한다. 제대로 구비되지 못한 장군은 부하들을 죽음으로 몰아넣고 만다. 또한 제대로 준비되지 못한 아버지들은 자녀들이 떠나가게 내버려둔다.
- 기독교신앙은 민주주의도, 몇 가지 견해들을 견지한 남녀들로 이루어진 공화국도 아니다. 기독교신앙은 자기 나름의 아젠다가 있고, 자신만의 해석들이 있고, 자신만의 콤플렉스가 있는 공화국과는 다르다.
- 기독교신앙은 신본주의(theocracy), 곧 하나님의 통치이지 결코 다른 무엇이 아니다!

횡령하여 취한 기름부음

- 당신은 전투의 기름부음 혹은 대사의 기름부음을 결코 꾸며낼 수 없다. 그것들은 하나님께서 당신에게 부어주셔야만 한다. 탁월함의 영은 쉽게 꾸며낼 수 있는 것이 아니라, 춤추는 하나님의 손으로부터 빌려오는 것이다. 탁월함의 영은 점점 더 증가되는 친밀함 가운데 주님을 아는 지식으로부터 말미암는다.
- 사도적 기름부음을 조작하려고 애쓰는 사람들은 항상 큰 권능이나 큰 은혜를 단계적으로 이용하거나 제거하려고 할 것이다. 왜냐하면 궁극적으로 그들은 애초부터 하나님으로부터 권위를 위임받은 적이 없이 무언가를 약탈하고 있는 사람들이기 때문이다.

- 은혜와 권능으로 충만한 교회는, 비록 모든 사람이 사도적인 사람이 되어야겠다는 동기부여는 받을 수 있어도, 그들 모두가 사도적인 사람은 아니라는 사실을 잘 이해한다. 우리는 사도적인 운동을 전적으로 지지할 수는 있다. 그러나 우리 모두가 장군이나 대사들로 부름 받은 것은 아니다. 우리는 양자 간의 차이를 아는 분별력을 키워야 한다.
- 만일 당신이 진정으로 신본주의의 통치 아래 복종하며 살아가고 있다면, 기적적인 표현들로 후원을 받고 있는 돌파의 기름부음을 누가 지니고 있는지 물색해보라. 사소해 보이는 이 행위가 결국은 당신의 교회, 바라기는 나아가 당신의 지역사회 안에 혁명을 불러오는 움직임으로 이어질 것이다.
- 참된 사도적인 권위는 하나님의 임재와의 경이로운 만남들을 확고한 것으로 만들어준다. 사도적인 권위를 갈취해온 사람들 안에서는 궁극적으로 하나님의 임재의 표현이 점점 약화되고 말 것이다. 그들은 혼합물을 만들어낸다.
- 하나님 아버지께서는 사도적인 권위를 사용하시어 주님과 만나게 해 주신다. 그런 다음에 주님은 뒤로 물러나 계시면서 사람들이 어떻게 반응하는지 지켜보실 것이다.

전쟁의 계절

- 기적들을 잃어버릴 때, 우리는 거룩한 신적 질서도 함께 상실하게 된다. 기적들은 사도적인 사람들이 행하는 통치적인 가르침을 입증해준다. 그들이 가져오는 메시지의 타당성이 권위의 가시적인 나타남(기적들)에 의해 증명되는 것이다.
- 거룩한 기적들을 통해 거룩한 신적 질서가 회복될 것이다.
- 혁명이 중보기도의 형태로 도래하고 있다. 믿음의 영이 중보기도자들 위에 임할 것이다. 중보기도자들 사이에서 매우 놀라운 기도의 합주회가 일어날 것이다. 포효하는 기도를 드리고, 왕이신 하나님께 큰 함성을 지를 것이다. 그들은 왕께 임하셔서 구원받은 자들과 구원받지 못한 자들 모두를 위한 기적을 회복시켜 달라고 부르짖을 것이다.
- 하나님 나라의 복음은 사람들의 마음을 개혁시켜 놓아야 한다. 사회 전체가 변화되기 전에 우선 마음이 변화되어야 한다. 그러므로 우리의 통치, 곧 하나님 나라의 표현은 하나님의 사람들의 마음 안에서 찾아볼 수 있다.
- 사도적인 복음을 선포하고 그것을 실제로 입증해보일 때, 이 일은 사람들을 대면시켜 놓는

계기가 되어, 그들의 마음속에 하나님의 통치가 이루어지도록 불을 붙여놓는다. 그들은 이제 결단하지 않을 수 없게 된다.
- 사도적인 사람들은 철학에 있어서도 통치권을 행사해야 한다. 그들은 속히 휴거가 일어나 자신들을 구조해주기만을 기다리는 도피주의자나 무저항주의자가 되어서는 안 된다.
- "일어나라 빛을 발하라 이는 네 빛이 이르렀고 여호와의 영광이 네 위에 임하였음이니라 보라 어둠이 땅을 덮을 것이며 캄캄함이 만민을 가리려니와 오직 여호와께서 네 위에 임하실 것이며 그의 영광이 네 위에 나타나리니 나라들은 네 빛으로, 왕들은 비치는 네 광명으로 나아오리라"(사 60:1-3).
- "그해가 돌아와 왕들이 출전할 때가 되매 다윗이 요압과 그에게 있는 그의 부하들과 온 이스라엘 군대를 보내니 그들이 암몬 자손을 멸하고 랍바를 에워쌌고"(삼하 11:1).
- 참된 사도적인 제자도는 사람들을 전쟁의 계절에 적합한 자들로 준비시켜 준다. 사람들은 전쟁을 수행하기 위하여 부름 받고 훈련받고 활성화된다.
- 이것은 일종의 3중 기름부음, 제사장적이고(부름 받다), 선지자적이고(훈련받다), 왕 같은(활성화되다) 기름부음이다.
- 우리에게는 분산시키는 작업이 필요하다. 이제는 주일 아침 예배에 집중하는 것에서 벗어나, 교회 밖의 일터로 눈을 돌려야 한다. 일터는 우리가 월요일부터 금요일까지 줄곧 시간을 보내는 곳이다.
- 사도적인 영은 진취적인 영이다. 이 개척적인 영은 자체적으로 주변의 온갖 야생적인 것들을 온순하게 길들여놓는 추동력을 지니고 있다. 이로 인해 사람들은 진보한다.
- 큰 권능과 큰 은혜를 기반으로 하는 교회는 기적의 사역을 수행하는 가운데 사도적 기름부음을 나타낸다. 이런 기적의 사역은 또 다른 기적의 사역들을 창출시킨다.
- '탁월함의 영'을 가진 사람들은 다른 이들을 혁신적인 사람들, 곧 궁극적으로 주님의 위대한 명령을 성취시키는 일에 있어 생산성을 발휘할 사람들을 만들어낸다.
- 탁월함의 영은 닫혀 있던 사람들의 잠재가능성을 열어놓는다!

The Dancing Hand of God

CHAPTER 8

하나님의 가용성

우리는 삶 속에서 무한대로 하나님의 도우심을 누리며 살아갈 수 있다. 이것은 우리가 알아차릴 수 있는 수준을 훨씬 더 능가한다! 우리가 얼마든지 주님의 도우심을 받을 수 있다는 사실과 관련하여 우리의 이해가 새로워져야 한다. 이러한 이해는 고립의 벽을 가루로 만들어놓는 사도적 돌파의 기름부음으로부터 말미암는다.

우리는 주님의 생명에 접근할 수 있는 권한을 가졌다. 우리가 주님께 가까이 나아간다면, 주님의 은혜를 이용할 수 있다. 그렇다, 하나님께서는 당신이 그분을 이용하기를 원하신다! 그렇지 않고서야 주님께서 왜 독생자를 당신에게 주셨겠는가?

중단 없이 전진해가다

양아버지는 미식축구를 그만두겠다는 나의 결정을 그리 달갑게 여기지 않으셨다. 나는 그동안 다니던 해군사관학교를 떠나 텍사스 주 댈러스에 있는 한 성경학교에 등록하기로 결심했다. 나는 양아버지의 마음을 충분히 이해한다. 솔직하게 말하자면, 사실 나조차도 당시 내가 무슨 일을 하고 있는 건지 전혀 깨닫지 못했으니 말이다.

나는 어느 날 갑자기 캠퍼스에 나타나 등록 사무실 바깥쪽에 앉아 있었다. 짐이라고는 여행가방 하나와 성경책 한 권이 전부였다. 저축해둔 돈도 거의 없었고, 직장도 없었고, 차비조차 없었다. 얼마 전에 알게 된 어느 나이든 여성으로부터 들은 한 마디의 조언이 내가 가진 전부였다. 그럼에도 불구하고, 여기가 바로 하나님께서 내가 있기를 원하시는 자리임을 알

앉다. 그래서 가까스로 마련한 등록금을 방금 전 지불하고 나온 상황이었다. 너무도 간단했다.

'열방을 위한 그리스도 협회'(CFNI)는 당시 성령께서 모든 학생들 사이에서 놀랍게 운행하시는 모습을 목격하고 있었다. 그때는 1970년대였다. 우연의 일치로, 마침 캘리포니아 남부에서는 예수운동(Jesus Movement)이 일어나고 있었다. 예수운동은 점점 강력해지면서 은사주의적인 갱신으로 변화되어갔다. 문자 그대로 수천 명의 히피들이 구원을 받고 성령 충만함을 받았다.

당시를 회고해 보면, 사람들은 과연 치유와 축사가 오늘날에도 일어난다는 사실을 믿어야 할지 말아야 할지를 고민조차 할 필요가 없었다. 거리를 헤매던 대마초 중독자들이 지극히 멀쩡한 정신으로 회복되었다. 그들은 회개하고, 구원을 받고, 방언을 말했다. 그야말로 흥미진진한 시기였다! 나는 1960년대를 휩쓸던 온갖 쓰레기들을 제거하시는 것이 하나님의 예정된 섭리였다고 믿는다. 이로 인해 미국은 다소간 균형을 회복할 수 있었다. CFNI는 그러한 성령의 물결에 휘말려 들어가고 있었다. 부흥이 캠퍼스에서 번져가고 있었다.

당시 나는 찢어지게 가난했다. 어떻게 해서 등록금은 마련할 수 있었지만, 변변한 음식을 사먹을 돈조차 내게는 없었다. 그래서 자연스럽게 금식도 자주 했다. 강력한 수업들을 들으면서 매일 성경을 40장씩 읽는 것이, 내가 할 수 있는 유일한 일이었다. 하지만 실제로 내가 이해할 수 있는 것은 아무것도 없었다. 어린 시절에 겪은 영양실조로 인해, 나는 약간의 학습장애를 가지고 있었다. 그렇다고 아주 멍청한 사람은 아니었다. 하지만 고등학생 시절 평균수준의 성적을 유지하기 위하여 대부분의 학생들에 비해 훨씬 더 많은 노력을 기울이지 않으면 안 되었다.

그런데 성경책을 읽는 동안 생각이 새로워지기 시작했다. 나는 실제로 뇌의 시냅스들이 활력을 띠기 시작하는 것을 느낄 수 있었다. 학기가 진행되어감에 따라 나는 점차로 학습장애들을 극복하기 시작했다. 내가 읽고 있는 내용의 의미를 깨닫기 시작한 것이다.

주님은 나의 내면 아주 깊은 곳에서부터 작업을 시작하고 계셨다. 아주 어린 시절의 경험으로 인해 초래된 여러 가지 문제들과 불안감에 관해 말씀해주셨고 내가 오랫동안 묻어두고 잊어버렸다고 생각했던 일들을 지적해주셨다. 마치 주님께서 손가락으로 내 삶의 한 영역을 가리키며 이렇게 속삭이시는 것만 같았다. "우리 이 문제를 좀 다뤄보기로 하자."

물론 나로서는 결코 마음 편한 시간들이 아니었다. 나는 끊임없이 기도하고 금식해야 할 필요를 느끼고 있었다. 마치 기도와 금식 자체가 학교처럼 여겨졌다. 내가 이렇게 할 수 있었던 까닭은, 달리 시간을 들여 할 일이 없었기 때문이다. 나는 알람시계를 새벽 4시에 맞춰놓고, 7시까지 계속해서 방언으로 기도했다. 수업은 8시부터 시작이었다.

여러 주가 지났지만, 나는 아무것도 느끼지 못하고 있었다. 기름부음도 주님의 임재도 전혀 느끼지 못했다. 마치 내 생각과 영혼 안에 벽이 존재하는 것만 같았다. 나는 성실한 자세로 기도실(당시 욕실이 나의 기도실이었다)로 들어가곤 했다. 그곳에서 벽을 마주하고 서서 방언으로 기도했다. 때론 비참한 기분이 들었다. 내가 서 있어야 했던 데에는 이유가 있었다. 변기 위에 앉으면 으레 잠들어버렸기 때문이다. 혹시라도 내 소리에 룸메이트가 잠에서 깨어날까 봐 무척이나 조심했다. 룸메이트는 매우 친절한 청년으로, 나의 온갖 개성들을 모두 감내해주었다. 랜디, 자네에게 주님의 축복이 함께하기를 비네!

이런 생활이 3-4개월 동안이나 지속되었다. 나는 한밤중에 일어나 육신은 십자가에 못 박아두고, 돌파하기까지 계속해서 밀고 들어갔다. 그러나 아무리 해도 돌파될 기미는 보이지 않았다. 당시 나는 워치만 니의 《자아가 죽을 때》(The Release of the Spirit)라는 책을 읽고 있었다. 그것은 마음의 동기와 태도, 혼적인 삶을 통한 억압들에 관해 다루고 있는 책이었다. 이런 요인들이 성령님의 운행하심을 가로막을 수 있었다. 책을 읽으면서 속사람이 드러나게 하려면 나에게 돌파구가 절실히 필요하다는 것을 알게 되었다.

나는 점점 더 절박해지기 시작했다. 여전히 돌파는 이루어지지 않고 있었다. 아무리 열심히 노력해도 소용이 없었다. 내가 학교생활에 잘 적응하지 못하고 있는 듯한 느낌마저 들었는데, 이렇게 느끼는 데에는 이유가 있었다.

당시 주로 성령님의 폭발적인 나타나심 가운데 사람들이 웃고 즐거워하는 수업들을 들었는데, 그 시간에 나는 항상 다른 사람들과는 정반대의 반응을 보였다. 사람들은 큰소리로 환호하며 소리를 질러댔지만, 나는 비탄에 잠기거나 굴욕감으로 충만한 채 눈물을 흘리며 훌쩍이거나 정죄감에 빠지는 등 깨어진 사람의 모습 그 자체였다. 이 모든 것들이 나를 깊은 혼란에 빠뜨렸다.

상황은 점점 악화되어가고 있었다. 마치 절망의 구렁텅이로 소용돌이치며 빠져들어가는 느낌이었다. 마침내 나는 진지하게 일정기간 금식기도를 드려야겠다는 결심을 하게 되었다. 내가 지나치게 영적인 사람처럼 보일 수도 있겠지만, 사실 당시만 해도 변변찮은 식당조차 없었다. 물론 먹을 것을 사먹을 돈도 없었다. 따라서 금식이야말로 내가 선택할 수 있는 유일한 것이었다!

그럼에도 불구하고 하나님께서는 그것을 사용하셨다. 주님은 내 마음을 잘 이해하고 계셨다. 처음에는 7일 동안 금식했다. 그런 다음 일주일 정도 지난 후에, 다시 8일 동안 금식했다. 그 다음에는 14일 동안 금식했다. 금식을 연달아 4-5번을 했다. 금식을 하다 보니 몸무게도 현저하게 줄었고 모습도 좀 이상하게 변했다. 그래도 달라진 것은 없었다.

하나님과 좀더 친밀한 관계로 들어가고 싶어 할 때마다, 매번 장벽과도 같은 무언가가 나의 혼적인 생명 안에서 고개를 쳐들었다. 확실히 단정지어 말할 수 없는 그 무엇이었다. 내 힘으로는 그것을 도저히 떨쳐버릴 수가 없었다. 그것은 도대체 무엇일까? 이 장벽의 정체는 과연 무엇이란 말인가?

나는 하나님의 말씀을 연구했다. 성경에 이런 구절이 있다.

> 하나님을 가까이하라 그리하면 너희를 가까이하시리라 죄인들아 손을 깨끗이 하라 두 마음을 품은 자들아 마음을 성결하게 하라 … 주 앞에서 낮추라 그리하면 주께서 너희를 높이시리라 (약 4:8, 10)

그러나 나로 하여금 주님께로 가까이 나아갈 권리나 힘이 없다고 느끼게 하는 무언가가 여전히 내 안에 존재하고 있었다. 아무리 마음을 낮추고 몸부림치며 노력해도 소용이 없었다. 내 삶에 남아 있는 모든 문제들, 거절감, 정신적인 장애, 자존감 부족 등으로 인해, 나도 다른 사람들처럼 하나님과의 친밀함을 누릴 자격이 있다는 것을 확신할 수가 없었다.

내가 과연 누구이기에 주님께서 나를 더 잘 알기 원하실 것이라고 생각할 수 있단 말인가? 나는 정서적 무능력자이며 그야말로 엉망이었다!

나는 정말로 절박해졌다. 14일 동안 특별금식을 하던 어느 날의 일이다. 그날도 평소와 마찬가지로 새벽 4시에 일어나 욕실에 가서 하나님께 울부짖기 시작했다. 도대체 내 안에 무엇이 잘못된 것일까? 학교를 그만두고 싶은 마음도 있었다. 나는 속으로 이렇게 생각했다.

'하나님, 이 장벽의 정체가 무엇인지 제게 알려주십시오. 이 장벽이 나와 주님의 사이를 가로막고 있습니다. 제게 주님의 마음을 계시해주십시오. 주님이 알려주시지 않으면, 저는 아무것도 모릅니다. 더 이상 앞으로 나아갈 힘도 없습니다. 이제 제 힘으로는 견딜 수가 없습니다. 주님과 처음 만났을 때처럼, 제게 주님을 계시해주십시오. 저의 무엇이 잘못되었는지 좀 알려주십시오!'

이 기도를 드린 후, 내 속에서 무언가가 뜯겨져 나오는 것 같은 느낌이 들었다. 그것은 바로 내 감정들로부터 거칠게 분리되었다. 마치 하나님께서 손을 내밀어 내 안에 붙어 있던 무언가를 떼어내신 것만 같았다. 다음 순간 나는 그동안 내 삶을 줄곧 고통스럽게 해왔던 그 무언가를 볼 수 있게 되었다.

거절이라는 악몽

나는 이 꿈을 평생 반복해서 꾸었다. 여러 해 동안 반복적으로, 몇 개월에 한 번씩, 잘 때나 깨어 있을 때나 거듭 되풀이되는 이 악몽이 나를 괴롭혔다. 나는 언제나 무의식의 덮개를 꾹꾹 눌러두고 있었다. 그러나 그것은 어김없이 또다시 나타나 나를 물고 늘어질 뿐이었다. 꿈은 언제나 정확하게 동일한 내용이었다. 이상하게 들리는가? 똑같은 꿈을 계속해서 반복적으로 꾼다는 것이 이상하지 않은가?

꿈의 내용은 다음과 같다. 나는 파티에 참석하고 있는데, 아직 어린아이다. 대략 6살쯤 되었을까? 이 파티장소에는 나뿐만 아니라, 아주 많은 아이들이 함께 있다. 다들 모두 주름 없이 빳빳하게 다린 분홍색이며 노란색 바지와 드레스를 근사하게 차려입고 있다. 색상들이 매우 생생하다. 파티가 한창 무르익은 무도회장에는 밝은색 장식용 리본들이 흩날리고 있다. 음악이 흐르는 가운데 여기저기 풍선들도 보인다. 우리는 이리저리 마음껏 뛰어다니며 놀고, 춤추고, 빙빙 돈다. 그러나 웬일인지 우리는 서로를 만질 수는 없다.

이를테면 내가 한 남자아이에게 달려가지만, 나를 앞질러가는 그를 잡을 수는 없다. 음악은 계속해서 흐르고 우리는 조금 더 술래잡기를 하며 논다. 모두가 행복해 보인다. 그러나 한편으로는 외로워 보인다. 왜냐하면 서로를 만질 수 없기 때문이다. 손을 내밀어 닿을 수 있을 만큼 가까워지면 상대방은 갑자기 오른쪽으로나 왼쪽으로 방향을 틀어버린다.

다채로운 색상의 풍선들과 경쾌한 음악은 아이들에게 외관상의 행복을 선사해주려고 애를 쓴다. 그러나 우리는 각자 철저하게 고립되어 있다. 손을 뻗쳐 서로를 만질 수도 없고, 서로에 관해 진정으로 알 수도 없다. 우리는 이리저리 더듬거린다. 나는 남자아이 혹은 여자아이를 잡을 수 있을 만큼 가까이 다가간다. 내 손가락이 그 아이들의 옷을 가볍게 스친다. 그 순간 그들은 갑자기 속도를 내어, 내가 잡을 수 없는 곳으로 저만치 멀어진다.

그러면서 먹구름이 모습을 드러낸다. 이 거대한 검은 구름 속에서 괴물 같은 얼굴이 피어오르며 우리 위를 뒤덮는다. 너무나도 흉측한 얼굴이 뾰족한 이와 날카로운 발톱을 드러내며 으르렁거린다. 수많은 이빨과 검붉은 눈동자들이 보인다. 후루룩거리고 으르렁거리는 소리들이 끔찍한 소음을 만들어내고 있다. 우리는 모두 두려움에 사로잡혀 비명을 지르면서 황급히 사방으로 흩어진다.

그 사나운 모습에 나를 제외한 다른 모든 아이들은 허둥지둥 숨을 곳을 찾아 달아난다.

그러나 나는 얼어붙은 듯 그 자리에 서 있다. 그리고 아주 천천히 움직인다. 꿀이나 초강력 접착제로 붙여놓은 것만 같다. 도저히 버텨내지 못할 것 같다. 그 괴물이 숨을 내쉴 때마다 악취가 나고, 입에서는 열기가 뿜어져 나온다.

결국 그 괴물이 나를 집어삼킨다. 나는 그것의 뱃속 깊은 데로 내려간다. 검고 깊은 구덩이 속에서 숨이 막혀 죽을 것만 같다.

그러다가 비명을 지르며 잠에서 깨어난다. 침대는 온통 땀으로 젖어 있다. 나는 숨이 차서 헐떡거리며 울고 있다. 몸 전체를 관통하는 고통이 느껴진다. 마치 무언가가 나를 잡아먹으려고 했던 것 같다. 다시금 악몽이 나를 짓눌러버린 것이다.

하늘에 나 있는 구멍

그날 밤 욕실에 있는 동안, 내 안의 무언가가 뜯겨져 나갔다. 그것은 줄곧 내 감정을 괴롭혀오던 무언가였다. 실제로 나는 그것이 나에게서 뜯겨져 나가는 것을 느낄 수 있었다.

내 뒤편에서 하나님의 음성이 들려왔다. 주님은 이렇게 말씀하셨다. "고개를 들어보아라, 내 아들아."

나는 고개를 들고 하늘을 보았다. 그런데 그 괴물이 거기에 있었다. 눈이며 이빨이며 검은 구름이며 악몽에서 본 것과 동일한 귀신이었다.

하나님께서 또다시 내게 말씀하셨다. "이것은 거절의 영이다. 그것은 네가 어머니의 자궁 안에 있을 때, 네 안에 들어갔다."

몸에서 오싹 전율이 느껴졌다.

"네 손가락으로 그것을 가리키며 떠나가라고 명령해라. 내 이름을 들을 때, 그것은 떠나가지 않을 수 없다."

나는 그 혐오스런 괴물, 그 귀신을 향해 내 손가락을 치켜들었다. 그리고는 이렇게 소리쳤다. "거절의 영아, 너는 평생 동안 나를 괴롭혀왔구나! 그러나 더 이상은 그렇게 할 수 없다. 내가 예수님의 이름으로 명령한다. 지금 당장 내게서 떠나가라!"

내게 조금만 더 표현력이 있었더라면, 그 기괴한 얼굴에 드리워진 비열한 공포와 충격을 훨씬 더 잘 묘사할 수 있었을 것이다. 나의 선포 후에 벌어진 일에 대한 나의 소감은 내가 이제껏 한 번도 경험한 적이 없는 두려움 그 자체였다. 심지어 그것에 관해 어떻게 써야 할지 엄두조차 나지 않는다. 나는 아연실색하여 할 말을 잃고 말았다.

내가 묘사할 수 있는 것은 다음이 전부다. 나의 선포를 들은 그 귀신은 부풀어오르며 붉은 눈들이 공포로 튀어나오고 있었다. 그러더니 마치 거울이 수천 개의 조각들로 깨어지듯이 산산조각 나 버렸다.

귀신이 그렇게 사라지자마자, 천국이 내가 있던 욕실을 가득 채웠다. 영광이 임하여 내 영혼을 충만케 하였다. 나는 고개를 들고 하늘을 보았다. 마땅히 천장이 있어야 할 그곳에는 귀신이 폭발하고 난 후, 하늘에 구멍이 나 있었다. 그것은 마치 자줏빛 구름으로 만들어진 듯한 깔때기 모양의 구멍이었다(출 33:9).

하나님 아버지께서는 나에게 주님의 보좌가 있는 방을 살짝 보여주셨다. 그 방의 크기가 어느 정도였는지는 잘 모르겠다. 나는 그곳에서 몇 분 동안 이야기를 나눈 것 같은데, 그때 들었던 내용에 관해서는 어떻게 말을 꺼내야 할지 모르겠다. 그것은 이제까지 한 번도 들어본 적이 없는 음악이었다. 이 세상에서는 그런 유의 음악을 결코 들어본 일이 없다. 사람이 그런 음악을 작곡할 수 있을 것이라는 생각도 들지 않는다. 그것은 너무나도 아름다웠고 낯설게까지 느껴졌다. 그렇다고 해서 두려움을 불러일으키는 음악은 아니었다. 그 음악을 당신이 듣게 된다면, 그것은 당신의 마음속 깊은 곳에서 떠나지 않고 머물러 있을 것이다.

내가 천국을 묘사하기 위해 떠올릴 수 있는 최선의 단어는 바로 '시너지즘'(synergism, 다양한 요소들이 어우러져 조화를 이룸 - 역주)이다. 모든 것들이 음악과 완벽한 하모니를 이루면서 흘러갔다. 내가 본 색상들은 이곳 지구상에는 존재하지 않는 것들로, 생생하게 살아 있었다. 이치에 닿는 이야기인지는 모르겠지만 그랬다. 그것들은 음악의 하모니를 이루는 구성요소들이었다. 그곳은 고화질 상태로 모든 것을 3차원(3D)이면서도 절대적으로 선명하게 볼 수 있다. 모든 것들이 지극히 생생하다. 우리가 이 세상에서 보고 있는 색상들은 천국에 비하면 희미한 것들에 불과하다.

나는 하나님 아버지가 보좌에 앉아 계신 모습은 보지 못했다. 그러나 날개를 가진 생물들, 곧 스랍들이 쉬지 않고 주님을 경배하는 모습은 얼핏 보았다. 생물들의 날개들에는 온통 눈이 박혀 있었다. 매우 이상해 보이는 외양이었지만, 실제로는 매우 정돈된 모습이었다. 그 생물들을 어떻게 묘사해야 좋을지 모르겠다. 다만 그것들이 하나님 아버지의 창조성을 과시하고 있었다는 말만 할 수 있을 뿐이다.

내 눈으로 하나님 아버지를 직접 보지는 못했다. 그러나 필요할 때면 언제든지 내가 주님의 보좌가 있는 곳으로 완벽하고 온전하게 나아갈 수 있음을 즉각적으로 알 수 있었다. 마치 아들이 아버지의 방에 언제라도 들어가듯이 말이다. 나는 아버지의 방에 들어갈 수 있는 절대적인 권리를 소유하고 있었다.

다시금 주님의 음성이 들려왔다. "너는 내게 부르짖을 수 있는 온갖 권세와 능력을 가지고 있다. 내가 네게 그 권리를 주었다. 너와 나 사이에 더 이상 아무런 분리의 벽도 존재하지 않는다."

내가 사용할 수 있는 최고의 표현으로 묘사하자면, 주님의 음성은 마치 번개가 무수히 많은 날카로운 소리들을 일시에 발산하는 것처럼 들렸다. 소리들이 층층이 쌓여 있는 듯했다. 혹은 여러 개의 폭포들이 약 1000분의 1초 간격으로 연이어 떨어지고 있는 소리처럼 들리기도 했다. 그 소리들은 사실 메아리가 아니라 허밍이나 진동음에 가까웠다. 그 소리는 생명력을 지니고 있는 듯했고, 생명력 자체이기도 한 것 같았다. 이 설명이 그다지 정확하지 않을지도 모르지만, 아무튼 내가 받은 느낌은 그러했다. 그것에 관해 적절히 설명해내지 못하는 나를 양해해주기 바란다. 도대체 사람이 어떻게 모든 피조물의 하나님을 제대로 묘사해낼 수 있단 말인가?

계속해서 주님의 음성이 들려왔다. "네가 나에게 바라는 바가 무엇이냐?"

나는 뭐라고 대답해야 좋을지 몰라 쩔쩔매고 있었다. 주님께서 나에게 질문을 던지셨다. 하나님께서 온전히, 전적으로 나에게만 관심을 쏟고 계셨다. 그 순간에는 다른 어떤 일도 일어나지 않았다. 오직 주님과 나와의 대화만 이루어지고 있었다. 내 앞에 하나님이 계셨다. 모든 피조물의 통치자, 별들을 하늘에 두신 분, 지구를 정확한 속도로 일정하게 회전하게 하신 분, 땅에 떨어지는 참새의 수마저 헤아리시는 분, 모든 사람들의 머리카락 수까지 세시는 분이 내 앞에 계셨다. 심지어 그분이 시간을 내어 나와 이야기하고 계신다.

나는 주님을 개인적으로 뵈었다. 그런데 그 중요한 순간에 정작 무슨 말을 해야 좋을지 몰랐다. 이 얼마나 아둔한 모습인가. 하나님께서 당신에게 개인적으로 질문을 던지신다. 그런데 당신이 어떻게 대답해야 할지를 알지 못하고 있다면 어떻겠는가!

"네가 바라는 것들이 무엇인지 나에게 이야기해 주겠니?" 주님은 재촉하시며 다시금 주의를 환기시키셨다. "너는 인생에 대해 어떤 소원을 가지고 있니? 네가 꼭 성취하고 싶은 것은 무엇이지? 너로 하여금 창조성을 발휘하도록 해주는 것은 무엇이니? 나는 네가 오로지 내 생각들에 관해서만 이해하기를 원치 않는단다. 네 마음의 바람들을 모두 나에게 내어맡기겠니? 그러면 내가 반드시 그것들을 다시 네게 돌려주마. 나는 너를 어마어마한 잠재가능성을 가진 사람으로 지었단다."

평생을 살아오면서 나는 이러한 하나님의 말씀이 믿어진 적이 한 번도 없었다. 나는 언제나 말이 없었고, 발육 부진으로 인해 탁월함과는 거리가 멀었다. 나 자신을 창조적으로 표현해내지도 못하며 살아왔다. 미식축구를 수단으로 삼아 사람들에게 인정받기 위해 고군분투하기도 했지만, 그것만으로는 역부족이었다.

이 모든 것이 내가 유년기에 받은 양육 때문이었다. 아장아장 걸어 다닐 무렵, 나는 물병 하나와 더러운 삼베 기저귀 한 장과 함께 옷장 속에 갇혀 있었다. 원수의 속임수에 의해 이후로도 줄곧 내가 아직도 그 옷장 속에 있다고 확신하며 지내왔다. 영적으로나 감정적으로나, 나는 여전히 그 옷장 속에 갇혀 있었다. 도저히 그 옷장을 깨부수고 나올 수가 없었다. 악몽에서 보는 귀신으로 인한 발작적인 두려움과 공포가 연신 나에게 심한 괴로움을 주었다.

나는 아무짝에도 쓸모없는 존재라는 믿음이 나를 방해하고 있었다. 당신도 나와 유사한 생각을 해본 적이 있는가? 살아오면서 무언가에게 받은 상처로 인해 공황상태에 빠지고, 이제 더 이상 아무런 가치도 없는 사람인 것처럼 느껴진다. 실제로는 그렇지 않은데도 말이다.

그날 밤 하나님 아버지께서 내게 들려주신 말씀이 있다. 사람은 누구나 창조성과 어마어마한 잠재가능성, 은밀한 바람들, 엄청나게 혁신적인 것을 지니고 태어난다고 한다. 주님은 모든 사람들이 자신을 주님께 굴복시키고 그분을 점점 더 알아가면서 삶 가운데 그러한 능력들을 계발시키기 바란다고 말씀하셨다.

주님께서 내게 물으셨다. "너는 네 안에 있는 이러한 능력들을 더욱 촉진시키기 위해 내가 어떻게 도와주었으면 좋겠니?"

마침내 나는 사역에 대한 바람들과 개인적으로 열매 맺기 원하는 바에 관해 주님께 말씀드리기 시작했다. 내가 주님의 이름으로 성취하기 원하는 일들, 주님의 영광을 확산시키기 위해 원하는 일들에 관해서 말씀드렸다. 하나하나 주님께 이야기할 때마다, 주님은 "음, 음" 하며 반응을 보이셨다. 어떤 것에 관해 이야기할 때는 "알았다"라고도 하셨고, 또 다른 것에 대해서는 "좋다"라고 말씀하셨다.

이 일을 내가 어떻게 설명해야 좋을지 잘 모르겠다. 그것은 내가 평생토록 한 번도 경험해본 적이 없는 최고의 대화시간이었다. 한마디로 정말 굉장했다. 나의 표현력은 어쩜 이렇게 부족할까.

아무튼 나의 욕실이 다시 모습을 드러낸 이후부터, 나는 전혀 딴 사람이 되었다. 내 삶은 이전과는 완전히 다른 모습으로 변화되었다. 그날 아침 학교에 갔다. 수업시간에 나는 다른 사람들이 웃을 때 함께 웃었고, 다른 사람들이 울 때 나도 함께 울었다.

영원한 생명 앞에 포효하라

오직 사랑 안에서 참된 것을 하여 범사에 그에게까지 자랄지라 그는 머리니 곧 그리스도라 그에게서 온 몸이 각 마디를 통하여 도움을 받음으로 연결되고 결합되어 각 지체의 분량대로 역사하여 그 몸을 자라게 하며 사랑 안에서 스스로 세우느니라 그러므로 내가 이것을 말하며 주 안에서 증언하노니 이제부터 너희는 이방인이 그 마음의 허망한 것으로 행함 같이 행하지 말라 그들의 총명이 어두워지고 그들 가운데 있는 무지함과 그들의 마음이 굳어짐으로 말미암아 하나님의 생명에서 떠나 있도다 그들이 감각 없는 자가 되어 자신을 방탕에 방임하여 모든 더러운 것을 욕심으로 행하되 오직 너희는 그리스도를 그같이 배우지 아니하였느니라 진리가 예수 안에 있는 것 같이 너희가 참으로 그에게서 듣고 또한 그 안에서 가르침을 받았을진대 너희는 유혹의 욕심을 따라 썩어져 가는 구습을 따르는 옛 사람을 벗어 버리고 오직 너희의 심령이 새롭게 되어 하나님을 따라 의와 진리의 거룩함으로 지으심을 받은 새 사람을 입으라
(엡 4:15-24)

매우 긴 성경구절을 인용했다. 가장 먼저 "각 마디를 통하여 … 연결되고"(fitly joined together)를 보자. 나는 이 표현이 매우 아름답다고 생각한다. 이 말씀은 다음과 같이 이해할 수 있다. "만일 내가 움직이면, 너는 내 움직임을 느낀다. 만일 네가 움직이면, 나는 네 움직임을 느낀다." 달리 표현하여, 내가 무언가를 향해 나아갈 때, 당신은 나와 동일한 움직임을 경험한다. 그 반대도 마찬가지다. 당신이 축복을 받을 때, 나도 축복을 받는다. 내가 상처를 입을 때, 당신도 상처를 입는다.

'각 마디'란, 온몸을 자라게 하며, 몸이 사랑 안에서 스스로 세워지게 해주는 관계성을 지칭하는 표현이다. 우리는 각 마디를 통해 연결되어 있는 사람들이기에, 나와 당신은 계속해서 자라가고 있다. 오, 주님, 우리를 자라게 해주십시오!

18절의 '떠나 있도다'(alienated)에 동그라미를 쳐라. 괜찮다. 하나님은 주님의 책에 표시를 하는 것에 대해 전혀 괘념치 않으신다. 또한 22절의 '벗어 버리고'(put off)와 24절의 '입으라'(put on)에는 밑줄을 그으라. 이 구절들에 관해서는 나중에 다시 살펴볼 것이다. 앞으로 몇 페이지 정도는 인내심을 가지고 읽어주기를 바란다.

나는 이 구절이 주님의 성품에 관한 또 다른 계시를 밝혀주고 있다고

믿는다. 주님은 우리에게 사도적 기름부음을 허락하고 계신다. 이 기름부음은 우리가 언제라도 주님의 도움을 받을 수 있음을 깨닫지 못하게 방해하는 격리의 벽을 제거한다.

나는 너무도 오랜 세월 동안 무지 가운데 거절에 관한 악몽에 시달렸다. 내가 하나님과의 관계에서 어떠한 신분을 가진 사람인지를 깨닫지 못하고 지내온 것이다. 그런데 당신이 아는 사람들, 어쩌면 당신도 이와 유사한 방해물로 인해 고통스러워하고 있을 가능성이 매우 높다.

조금도 숨기지 않고 솔직하게 말하겠다. 수많은 사람들의 삶 속에 하나님의 충만한 생명이 흐르지 못하게 방해하는 무언가가 있다. 우리 모두가 각 마디를 통해 연결되어 있기에, 한 사람이 내면의 장애물을 극복하지 못하고 있다면, 그로 인해 다른 누군가가 장애물을 극복하는 일에 어떤 식으로든 악영향을 받고 있을 수 있다. 우리는 마땅히 우리 몫이 되어야 하는 돌파를 목격하지 못하고 있다. 그러나 지금은 상황이 달라지고 있다! 사람들은 계시적인 사건을 필요로 하고 있다. 계시적인 사건을 경험할 때, 그들은 하나님의 생명을 선택할 수 있게 될 것이다.

친애하는 독자들 가운데 이 말의 의미를 아직 잘 이해하지 못하는 이들도 있을 것이다. 하지만 당신에게는 생명을 선택할 수 있는 여지가 있다.

> 내가 생명과 사망과 복과 저주를 네 앞에 두었은즉 너와 네 자손이 살기 위하여 생명을 택하고 (신 30:19)

하나님께서는 당신에게 선택할 수 있는 여지를 남겨놓으셨다. 당신은 생명을 선택할 수도 있고, 죽음을 선택할 수도 있다. 복을 선택할 수도 있고, 저주를 선택할 수도 있다. 그러므로 무지해서는 안 된다. 생명을 선택하라! 확실히 이것은 우리의 선택에 달린 문제다. 그렇지 않은가?

> 아버지께서 죽은 자들을 일으켜 살리심 같이 아들도 자기가 원하는 자들을 살리느니라 (요 5:21)

여기서 하나님 아버지와 성자 예수님께서 주시는 '생명'은 '영원한 생명'이다. 영원한 생명은 다름 아닌 하늘에서 말미암는다. 우리가 거듭날 때, 이 영원한 생명이 우리 안에 머물게 된다. 우리는 이 사실을 알고 있다. 이 생명이 우리 안에 있을 때, 우리는 사자처럼 포효하게 된다! 이 말은 분명한 성경적인 근거를 가지고 있다. "이 백성이 암사자 같이 일어나고 수사자 같이 일어나서 움킨 것을 먹으며"(민 23:24). 그러나 많은 그리스도인들이 사자처럼 '포효'하기보다는 '야옹' 하고 우는 소리를 내고 있다. 그렇지 않은가? 지금 사도적인 기적들이 가까이 다가오고 있다. 이제 사람들이 포효하는 소리가 지구상 이곳저곳에서 들려올 것이다!

> 우리 살아 있는 자가 항상 예수를 위하여 죽음에 넘겨짐은 예수의 생명이 또한 우리 죽을 육체에 나타나게 하려 함이라 (고후 4:11)

예수님의 생명이 당신 안에서 온전히 나타날 때, 당신은 포효하지 않을 수 없을 것이다. 그러므로 계속 열심을 내라. 당신도 알다시피, 당신은 포효하기를 원하고 있다!

문제는 '이 세상의 신'이 믿지 않는 자들의 마음을 '혼미하게' 만들어 놓았다는 것이다(고후 4:4). 바로 이런 이유로 그들은 죽음을 선택하게 되었다. 너무나도 많은 사람들이, 심지어 스스로 그리스도인이라고 부르는 이들마저도, 원수로부터 말미암은 '마음을 혼미케 하는 것들'에 사로잡힌 채 살아가고 있다. 그렇다고 해서 너무 안달복달하지는 마라. 그리스도 예수 안에는 생명의 성령의 법이 있기 때문이다(롬 8:2).

나는 오늘날 이 세상에 기본적으로 세 개의 법들이 작동하고 있다고 가르친다. 첫째, 육체의 법이다. 이것은 반드시 십자가에 못 박아야 한다. 육체를 다룰 수 있는 유일한 길이 십자가다. 나의 처남인 데이비드 알소부룩은 육체와 죄와 귀신들에 관해 매우 재치 있게 가르치고 있다. 승리의 비결은 바로 '3C'다. 즉, 깨끗케 하기(clean), 십자가에 못 박기(crucify), 내어 쫓기(cast out)이다. 그는 죄는 깨끗하게 씻어내야 하며, 육체는 십자가에 못 박아야 하고, 귀신은 내어 쫓아야 한다고 가르친다.

그런데 우리는 종종 이 세 가지를 완전히 뒤바꾸어 생각할 때가 많은 듯하다. 내가 가는 곳마다 사람들은 육체를 깨끗케 하려 하거나, 죄를 내어 쫓으려 하거나, 귀신을 십자가에 못 박으려 한다. 하지만 끈적끈적한 마귀는 십자가 위에 그대로 머물러 있지 않는다! 우리는 문제에 따라 정확하고 바르게 'C'를 사용해야 한다.

아무튼 다시금 세 개의 법으로 돌아가보자. 먼저 육체의 법이 있고, 그 다음 사망의 법이 있다. 사망의 법은 죄와 불순종으로 말미암아 초래되었다(롬 5:12-21). 죽음은 불가피한 일이다. 아무도 죽지 않고 영원히 살 수는 없다. 나는 직설적인 표현을 싫어하지만, 이번에는 부딪혀보기로 하

자. 언젠가 우리는 모두 죽게 된다(히 9:27). 죽음은 죄가 에덴 동산에 들어왔을 때 야기된 저주의 일부다.

한편 내가 확고하게 믿는 바가 있다. 그것은 우리가 주님 안에서 부여받은 부르심을 성취하기 위해, 죽음이 연기될 수도 있다는 것이다. 따라서 우리는 이 땅에서 연수를 충만히 누릴 수 있다. 그러나 죽음은 일종의 법이다. "당신의 몸을 죽음에 처하도록 요구하는 법이 존재하듯이, 죽음의 법도 당신의 영혼을 죽음에 처하도록 요구한다"(잔 G. 레이크).

감사하게도 우리는 그 법을 무효화시킬 수 있다. 왜냐하면 우리에게는 세 번째 법이 있기 때문이다. 바로 그리스도 예수 안에 있는 생명의 성령의 법이다! 우리는 주님의 생명을 선택할 수 있고, 그것을 우리 자신의 소유로 만들 수도 있다. 우리 몸은 결국 죽게 된다. 그러나 우리의 영혼은 주님 안에서 영원토록 살아간다. 그리스도께로 나아오는 것이야말로, 우리 영혼 안에서 진행되고 있는 죽음의 과정을 중단시킬 수 있는 유일한 힘이다.

사람들이 영혼을 잃어버리는 이유가 무엇인지 아는가? 이는 그들이 끔찍한 죄인들이어서가 아니라, 태어나면서부터 무심한 사람들이기 때문이다. 그들은 그리스도를 거절한다. 또 그리스도로 '옷 입고 있지' 않다. 우리는 거듭날 때 처음 그리스도로 옷 입는다. 그런 다음 일평생 지속적으로 그리스도로 옷 입고 있다. 나는 지금 일종의 진행상황에 관해 설명하기 위해 애를 쓰고 있다.

헬라어는 현재시제만 사용하지 않고, 현재진행형도 사용한다. 여기 사례 한 가지를 들어보겠다.

그런즉 누구든지 그리스도 안에 있으면 새로운 피조물이라 이전 것은 지나갔

으니 보라 새 것이 되었도다 (고후 5:17)

옛것들은 소멸되고 있다('passing' away). 보라, 만물이 새로워지고 있다('becoming' new). 헬라어는 양쪽의 의미를 모두 가지고 있다. 즉 새로운 피조물이 되면, 다른 한편으로는 그 새로운 피조물의 충만한 생명력 속으로 점점 더 풀어지게 되는 것이다. 단지 처음에 죄의 원칙에서 자유케되었을 뿐 아니라, 죄의 원칙으로 인한 영향력들로부터도 자유케 된다. 죄로 인해 최초로 부패가 생겨났다. 부패는 질병과 죽음이며 환멸이다. 그러나 그리스도의 생명을 선택할 때, 당신은 해독제를 얻게 된다. 그러므로 이제 그리스도로 '옷 입으라.' 생명의 법이 작동할 때 죽음의 법은 무효화된다. 지금은 다시 포효해야 할 때다. "오, 주님, 나의 생명이 되어주십시오!"

주님의 생명이 없다면, 도대체 우리는 어디에서 우리 자신을 찾을 수 있을까? "하나님의 생명에서 떠나 있도다"(엡 4:18). 성경에서 '떠나 있도다'(alienation)라는 단어를 사용한 것은 매우 흥미로운 일이다. 이 단어가 의미하는 바는 정확히 무엇일까? 내 식대로 새롭게 표현해보자면 이렇다. '떠나 있음'은 고립을 초래한다.

그동안 나는 선한 뜻을 품은 그리스도인들이 하나님의 가용성으로부터 고립된 채 살아가는 모습을 보아왔다. 나의 경우, 고립은 귀신적인 것에 뿌리를 두고 있었다. 여기서 나는 그 누구의 신학적인 견해도 건드리고 싶지 않다. 다만 나는 그것이 사고방식, 혹은 감정적인 외상과 상처에 근거할 수도 있다고 말하고 싶을 뿐이다. 그것들은 모두 속임수를 은폐하는 도구들이다. 상황은 매우 다양할 수 있다. 그러나 우리는 그것을 예수님의 이름으로 깨뜨려버려야 한다. 고립의 벽을 허물어뜨리자.

고립의 벽

하나님의 사랑을 받을 때 우리는 받아들여짐을 경험한다. 기억하라. 받아들여짐이 있을 때, 가까이 나아감도 가능해진다(엡 2:18). 우리는 언제라도 하나님께로부터 필요한 도움을 받을 수 있다. 하나님의 입장은 언제나 변함이 없으시다. 나는 야고보서 4장 8절을 늘 기억하고 있다. 그러나 우리가 반드시 유념해야 할 것이 있는데, 하나님께 가까이 나아갈 때, 주님이 실제로 이동해 오시는 것은 결코 아니라는 것이다. 주님은 언제나 같은 자리에 계셨으나, 우리의 부담, 죄악, 사고방식, 은폐도구들로 인해, 마치 하나님이 우리에게서 멀어지신 것처럼 느껴졌을 따름이다.

당신을 향한 하나님의 태도는 언제나 변함이 없다. 하나님은 한 번도 당신에게서 멀어진 적이 없으시다. 당신이 잘 되기를 바라시는 하나님의 마음은 결코 달라지지 않았다. 이번 장의 핵심은 다음과 같다. "하나님께서는 성자 예수님을 받아주신 것과 동일한 수준의 열정으로 당신을 받아주신다." 하나님은 예수님을 위해 기꺼이 또한 신속히 개입해주신 것처럼, 마찬가지로 당신을 위해서도 기꺼이 또한 신속히 개입해주실 것이다. 이 사실을 당신이 얼마나 제대로 이해하느냐가 도전거리다.

원수의 거짓말은 우리를 하나님의 생명으로부터 떠나 있게 하고 고립시켜 놓는다. 그러므로 지금 무언가가 하나님의 생명을 가로막고 있는 것이 분명하다. 나는 당신의 상황에 관해서는 아무것도 모르지만, 그 '무언가'의 정체는 알기 원한다! 그것은 정신을 옥죄는 것으로 반드시 제거되어야 한다. 우리가 아무리 설교하고 가르치고 예언하고 있음에도 불구하고, 여전히 우리에게 맞서서 흉악한 모습을 드러내고 있는 그 장애물이 과연 무엇인지를 알고 싶다.

그렇다. 우리 모두는 그리스도인으로서 엄청난 성공들도 목격하고 있다. 나는 이런 일들까지 대수롭지 않은 것으로 과소평가하지는 않는다. 나는 누군가의 삶 가운데 영원한 가치를 지닌 일들이 일어나는 것으로 인해 매우 감사드린다. 어느 수준의 치유든 상관없이, 치유는 가치 있는 일이다. 아무리 사소한 치유라 하더라도 내가 원한다고 해서 가능해지는 것은 아니다! 무엇을 치유하든지 간에, 반드시 그리스도의 생명이 있어야 한다. 제발, 제발 여기서 나의 요지를 오해하지 말기 바란다.

그러나 훨씬 더 많은 것들이 있다! 하나님 안에는 그동안 우리가 접해 본 적 없는 생명의 수준들이 존재하고 있다. 그런데 그것을 우리가 경험하지 못하고 있는 것은 부분적으로 고립의 벽으로 인한 결과다. 나는 그 벽의 정체가 무엇인지 규정하고, 그것을 허물어뜨리고, 지속적으로 점점 더 많이 그리스도로 옷 입기 원한다. 당신도 그렇지 않은가?

사도 바울은 다음과 같이 말했다.

> 하나님의 성령을 근심하게 하지 말라 그 안에서 너희가 구원의 날까지 인치심을 받았느니라 (엡 4:30)

'근심하게 하다'라는 단어를 기반으로 하여 다음의 구절을 추론해보자. "당신 안에서 살고 계신 하나님의 온갖 다루심과 내면의 작업들을 억제시키는 일을 조금도 허용하지 마라." 무엇이든지 내면적으로 경험되는 것은, 반드시 일어나서 외부로 밀고 나아가기 마련이다. 그러나 우리는 성령님을 외적으로 표현하는 일에 대한 확신이 결여되어 있을 때가 너무도 많다. 무언가가 우리에게 거짓말을 속삭이고 있다. 그 거짓말이 우리를 하나님의 생명으로부터 고립시켜 놓았다. 왜냐하면 우리를 받아주시는 하나님의 태도는 조금도 변함이 없기 때문이다.

> 온갖 좋은 은사와 온전한 선물이 다 위로부터 빛들의 아버지께로부터 내려오나니 그는 변함도 없으시고 회전하는 그림자도 없으시니라 (약 1:17)

하나님은 주님의 백성들에게 후하고 아낌없이 복을 베풀어주기 원하시는 분이다. 주님의 눈은 의로운 사람들을 향하시며, 그분의 귀는 사람들의 울부짖음에 맞춰져 있다.

> 모든 사람의 눈이 주를 앙망하오니 주는 때를 따라 그들에게 먹을 것을 주시며 손을 펴사 모든 생물의 소원을 만족하게 하시나이다 (시 145:15-16)

우리는 삶 속에서 무한대로 하나님의 도우심을 누리며 살아갈 수 있다. 이것은 우리가 알아차릴 수 있는 수준을 훨씬 더 능가한다! 우리가 얼마든지 주님의 도우심을 받을 수 있다는 사실과 관련하여 우리의 이해가 새로워져야 한다. 이러한 이해는 고립의 벽을 가루로 만들어놓는 사도적 돌파의 기름부음으로부터 말미암는다.

우리는 창세기 4장 11-16절에 등장하는 가인처럼 되어서는 안 된다. 가인이 동생을 죽이고 난 후에, 주님은 가인을 주님의 임재로부터 고립시키셨다. 그 결과 가인은 어떻게 되었는가? 우선, 그는 이리저리 떠도는 방랑자가 되었다. 둘째로, 그는 안식을 얻지 못하게 되었다. 창세기 4장 16절은 가인이 '놋 땅에 거주'했다고 말씀한다. 놋 땅은 문자적으로 '안식이 없는, 혹은 이리저리 헤매는' 땅을 의미한다. 셋째로, 그는 견딜 수 없을 만큼 혹독한 형벌로 인해 울부짖었다. 마지막으로, 그에게는 두려움이 임했다. 하나님으로부터 멀어지게 된 까닭이었다.

우리는 수천수만 명의 사람들에게 악영향을 끼치고 있는 고립의 벽의 존재를 인식해야 한다. 이는 교회 밖 세상 사람들뿐 아니라 그리스도의 몸 안에서도 동일하게 적용되는 사실이다. 우리는 하나님과의 관계를 신뢰하지 못한 채, 목적도 없이 쉴 곳을 찾지 못하고 두려움에 떨며 자유를 찾아 이리저리 헤매고 있다. 나아가 이러한 두려움은 우리와 다른 사람들과의 관계에도 영향을 미친다. 위협감 때문에 하나님께서 우리 존재의 유전자코드 안에 넣어주신 갈망들 안에서 창조적으로 활동하지 못한 채 질식되고 만다. 따라서 우리는 고립의 벽을 반드시 허물어뜨려야 한다! 위협감을 소멸시켜 버려야 한다!

너무나도 많은 이들이 생명의 법과 활기찬 관계성을 누리는 것을 쓸데없는 노력이라고 느낀다. 그리하여 그들은 단순히 '생존 모드'로 돌입하여 근근이 살아가는 것이다. 수많은 사람들이 '삶을 영위하지' 못하고 있다. 그들은 단지 목숨을 부지하고 있을 뿐, 풍성한 생명력이 무엇인지 전혀 이해하지 못한 채, 그저 단순히 흉내만 내며 살아간다. 나는 삶의 이러한 사안들을 과소평가하지 않는다. 하나님의 말씀은 분명한 약속의 말씀이다.

내가 온 것은 양으로 생명을 얻게 하고 더 풍성히 얻게 하려는 것이라 (요 10:10)

예수님의 말씀은 거짓이거나 참이거나 둘 중의 하나다. 나는 우리 모두가 주님을 충분히 신뢰할 만한 분이라고 생각할 줄 믿는다. 그러므로 문제는 우리가 다뤄야 할 범위 내에 있는 것이 분명하다.

그렇다. 우리 삶에는 '먹고 살아야 할 문제'가 상존하고 있다. 반드시 충족되어야 할 욕구들이 있는 것이다. 생존을 위해 신체적으로나 정서적으로, 그리고 영적으로 반드시 구비되어야 할 필수품들도 있다. 우리 앞에는 싸워야 할 여러 가지 이해관계들이 놓여 있다. 그러나 친애하는 친구들이여, 우리는 단순히 먹고 사는 문제를 뛰어넘어야 한다. 성경은 이렇게 말씀한다.

> 예수께서 대답하여 이르시되 기록되었으되 사람이 떡으로만 살 것이 아니요 하나님의 입으로부터 나오는 모든 말씀으로 살 것이라 하였느니라 하시니 (마 4:4)

다시 말하지만, 예수님은 언제나 진실만을 말씀하신다. 따라서 우리는 이 말씀도 진리로 믿어야 한다. 지금 사도적인 사람들이 내부로부터 일어나 인생의 먹고 사는 문제들을 던져버리고 있다. 그들은 하나님과의 친밀함에 근거를 둔 생명의 법을 단단히 붙잡고 있으며, 주님은 그들의 필요를 언제나 만족시켜 주실 것이다. 왜냐하면 주님의 백성들이 번영하는 것이 주님의 뜻이기 때문이다. 사람들이 고립의 벽으로 인해 모든 면에서 풍성한 삶을 목격하지 못하는 일은 더 이상 없을 것이다! 이러한 사고방식은 우리가 반드시 견지하고 있어야 하는 것이다.

하나님은 우리가 정신적인 학대나 정서적인 외상으로 신음하기를 바라지 않으신다. 이런 것들은 우리를 주님으로부터 멀어지게 만든다. 주님은 우리가 온전한 건강을 누리기 원하신다. 주님은 비단 우리들만 건강해지는 것이 아니라, 우리를 통해 다른 사람들도 건강해지기를 바라신다. 주님의 백성들이 평생토록 겨우 목숨만 부지하는 상태로 살아간다면, 예수님의 권세를 제대로 증거하지 못하게 된다. 우리는 반드시 일어나야 한다!

우리 모두가 이와 동일한 경험을 해보았고 하고 있다. 종종 여러 가지 문제들로 인해 스스로 하나님께 가까이 나아갈 수 없다고 느낀다. 이런 헛된 생각(이런 생각은 실제로 헛된 것이다)은 자체적으로 우리를 공허의 구렁텅이 속에 빠뜨려 창조성과 열정이 결여된 채 근근이 목숨만 부지하면서 살아가게 한다. 나아가 이러한 생각은 평범함, 내향성, 방종, 중독적 행위, 손쉬운 해결책을 추구하는 자들과 현실도피적인 사고를 지향하는 온갖 오락들을 양산해낸다.

오늘날 이 세상은 깜짝 놀랄 정도로 수많은 종류의 위기들에 봉착해 있다. 그러나 정직 사람들은 무엇에 관심을 쏟고 있는가? 할리우드의 유명인사가 젊은 여배우와 데이트한다는 따위의 기사에만 흥미를 보이지 않는가! 만일 우리가 우리 안에 있는 자원들과 잠재가능성들을 사용하지 않는다면, 이제 우리는 다른 사람들의 경험을 간접적으로 경험하면서 살아가게 될 것이다.

비유적으로 말하자면, 우리는 고립의 벽 위에서 뛰어내려 그 밑에 놓여 있는 유명무실(nominalization)이라는 바위들에 부딪쳐 죽어가고 있다. 그러나 나는 이러한 상황이 지금 변화되고 있다고 확신한다. 사도적인 하나님의 사람들이 길을 가로막고 있는 온갖 벽들을 깨끗이 제거해낼 수 있는 다이너마이트를 가져오고 있다. 그들은 하나님께 가까이 나아가 도움을 얻을 수 있도록 우리에게 온갖 기회들을 제공해줄 것이다. 그 무엇도 그들을 막을 수 없을 것이다.

이 고립의 벽이야말로 사람들의 삶에 존재하는 최고의 문제일 가능성이 대단히 크다. 이 고립의 벽이야말로 이 책 전체의 적(거절, 두려움, 정서적 소원함, 하나님 아버지와의 거리감 등)이다. 이것들은 모두 어떤 오해, 하나님과 인간 사이에 존재한다고 인지된 격차, 앞에서 언급한 '마음을 혼미하게 만드는 것들'에서 기인한다. 사람의 마음을 밝히 드러내기 위해서는 돌파의 기름부음이 필요하다. 그렇다. 사역의 다른 측면들도 함께 조화를 이루어야 하지만, 고립의 벽을 근본적으로 뒤흔들어놓기 시작하는 것은 바로 돌파의 기름부음이다.

나쁜 것을 깨부수고 좋은 것을 들고 일어서라

이 모든 내용들을 크게 2중적인 문제로 종합해보도록 하자. 이렇게 함으로써 우리는 부정적인 것을 극복하고 긍정적인 것을 향해 나아갈 수 있게 될 것이다. 당신도 알다시피, 긍정적인 것도 물론 존재한다! 이 책은 좋은 소식을 전하는 책이지, 결코 나쁜 소식을 전하는 책이 아니다. 그러나 우리가 좋은 것을 통해 나쁜 것을 정복하기 위해서는, 우선 나쁜 것이 무엇인지부터 규명해야 한다.

그러므로 우리가 다루어야 할 문제는 크게 두 가지다. 하나는, 수많은 사람들이 공허함으로 가득 찬 삶을 살아가고 있다는 것이다. 하나님으로부터 고립된 삶을 살아가는 사람들은 자기 자신에 대해서도 고립되어 있다. 그들은 자신들이 소유하고 있는 충만한 잠재가능성을 감지하지 못하고 있다. 따라서 그들은 실패지향적인 삶을 산다. 그들은 염세적이고 우유부단하다. 그들은 쉽게 낙심하며, 반대신호를 한 번만 봐도 금방 패배를 인정해버리고 만다.

두 번째로, 수많은 사람들이 상처 입은 채로 살아가고 있다는 것이다. 상처를 입었다는 표현은 그동안 많은 이들이 사용해왔다. 그들은 고통과 괴로움, 분노, 억울함, 자기 자신과 타인들에 대한 적대감으로 가득 차 있다. 잘 믿으려 하지 않고, 내성적이며, 다른 사람들을 두려워하고, 정반대의 감정들 사이에서 두 마음을 품고 있으며, 분열되어 있고, 깨어져 있으며, 자제력을 상실한 상태이다. 그들은 내면에서 스스로를 호되게 몰아세우기도 하고, 남에게 비굴하게 굽실거리기도 한다. 설상가상으로 그들은 수치와 죄책감으로 괴로워한다. 상황이 이 정도라면, 하나님의 생명이 자유자재로 흐르지 못하는 것이 전혀 이상한 일이 아니다!

도끼를 나무뿌리에 갖다 대듯이, 하나님의 말씀이 우리 위에 놓여야 한다(마 3:10). 이제는 다양한 증상들만 다루는 일은 그만하자! 단순히 고통이 진정되도록 사람들과 함께 기도만 하고 있기보다는, 상처 입은 나무들을 뿌리째 뽑아내야 한다. 이는 묶기에 관한 개념, 묶은 이후에 있을 성령님의 풀어지심에 관한 개념으로 거슬러 올라간다. 마태복음 12장 29절은 강한 자를 묶은 후에야 세간을 강탈할 수 있다고 말씀한다.

당신이 구약성경에 소개된 왕들에 관해 연구해본다면, 일반적으로 "각 왕은 2-3차례의 큰 전쟁을 맞이하곤 했다"(빌 해몬)는 사실을 알 수 있을 것이다. 그들이 이 전투에서 이긴다면, 나머지 치리기간 동안에는 번영을 누릴 수 있었다. 물론 그렇다고 해서 몇몇 소규모 접전들까지 모조리 배제시킨다는 것은 아니다. 어떤 의미에서 사탄은 한 신자의 삶 가운데 혹은 한 사역단체 안에서도 반드시 이러한 원리와 결합되어 있다.

당신의 삶을 한 번 돌이켜보라. 아마 당신의 삶에도 반드시 정복해야 했던 2-4명 정도의 강한 자들이 있었을 것이다. 일단 당신이 그 강한 자를 묶기만 했어도, 현재 당신이 주님과 동행하는 특정 수준 안에서 다음 경로로 나아가는 삶이 풀리지 않았겠는가? 잠시 곰곰이 생각해보라. 그리고 용기를 내라! 아마 여러분 대부분은 그동안 두서너 명의 강한 자들을 이미 통과해왔을 것이다. 어떤 이들은 수십 명의 강한 자들을 생각하고 있는 중인지도 모르겠다!

내가 확신하는 바가 있다. 당신은 이 책을 완독한 후에 분명 새로운 차원의 승리를 향해 나아갈 추동력을 얻게 될 것이다. 당신이 이 책의 내용을 믿음과 잘 결부시키면, 이 강한 자들은 반드시 묶임을 당한다. 주님 안에서 당신 앞에 밝은 미래가 기다리고 있다!

지금 우리는 교회사 중에서도 가장 위대한 시기를 향해 나아가고 있다! 여기에 그 촉매제가 있다. 이를테면 해답 말이다. 이제 우리는 무엇을 벗어 버려야 하는지 알고 있다. 한편 여기서 우리가 반드시 입어야 할 옷이 있다. 에베소서 4장 23절은 이렇게 말한다. "오직 너희의 심령이 새롭게 되어."

우리 삶의 모든 일들이 선택과 관련이 있다. 삶의 모든 것이 태도와 관련된다. 따라서 삶이 바뀌려면 당신의 생각이 새로워져야 한다! 당신은 무능력하고 한심한 사람으로 머물러 있기로 선택할 수도 있고, 혹은 일어나기로 선택할 수도 있다!

나는 주님과 동행하는 삶에서 바로 이 핵심적인 요지를 이해해야 했다. 내가 거절의 영을 정복할 수 있었던 비결의 90퍼센트가 바로 여기에 있다. 축사는 오히려 수월했다. 나아가 나는 일어나기로 선택하고 이렇게 외쳐야 했다. "나는 더 이상 이것을 허용하지 않겠다! 나는 더 이상 아무 것도 허용하지 않겠다. 내 안의 또 다른 인격이 내게 대항하여 저지르는 죄악을 용인하지 않겠다. 원수의 거짓말을 더 이상 용인하지 않겠다. 하나님께서 나로 하여금 경험할 수 있도록 예비해두신 충만함 가운데로 들어가지 못하게 방해하는 온갖 것들을 더 이상 허용하지 않겠다!"

성령 안에서 당신의 마음을 새롭게 한다는 것이 무엇을 의미하는지 규정해보자. 그것은 일종의 은혜의 작용이자 활동이며, 성령님께서 당신의 마음 안에서 감동하시고 휘저어놓으시고 운행하시는 것이다. 또한 계시의 본질이다. 당신은 마음의 분량이 확장되어야 한다는 사실을 알고 있는가? 어쩌면 당신은 마음의 한 영역에서는 온전한 승리를 경험하고 있을 수도 있다. "이 영역에 있어서 저는 역사하시는 하나님의 권능을 절대적으로 믿습니다." 그러나 또 다른 영역에서는 어떠한가? 별로 그렇지 못한가? 그렇다면, 기억하라. 당신이 온전히 승리해야 할 선생터는 바로 낭신의 마음이다. 하나의 전투에서 승리를 거두었을지라도, 또 다른 전투를 치러야만 한다.

우리는 모두 반드시 끊어버려야 할 특정한 멍에들, 은폐시켜 놓은 것들을 가지고 있다. 기억하라. 진정 사도적인 기적들은 한결같이 사람들 안에 숨겨져 있었던 것들을 끊어낸다. 그런 다음에는 기름부음이 그 마음속 영역으로 주입되어 들어간다. 마음이 점점 확장되어감에 따라, 그 사람은 하나님을 언제라도 가까이 다가가 도움을 요청할 수 있는 분으로 이해하게 된다. 주님의 영광, 주님의 초월성 등에 관해서도 깨닫게 된다. 기적 자체가 계시를 촉진시킬 뿐 아니라, 경우에 따라 당신의 마음속에서 혹은 당신의 몸 안에서 전쟁을 수행하기도 한다. 우리가 오늘날 기적들을 필요로 하는 이유도 바로 여기에 있다!

당신은 이 특정 영역에서는 결코 하나님께 가까이 나아갈 수 없다고 말하는 원수의 비난이 이제는 지겹지도 않은가? 어쩌면 그것은 당신이 양육과정 중 받은 거절감, 상처, 중상모략 등에서 기인했을지도 모른다. 당신의 부모가 당신에게 부정적인 말을 했을 수도 있다. 모든 말은 이미지로 이루어져 있는데, 부정적인 말은 사람을 부정적인 이미지로 변화시켜 놓는다. "온순한 혀는 곧 생명나무이지만 패역한 혀는 마음을 상하게 하느니라"(잠 15:4).

당신은 속사람이 깨어지는 경험을 해보았는가? 그렇다면 이제 사도적 기름부음을 통해 당신이 가장 높으신 하나님의 아들 혹은 딸임을 이해하기를 바란다! 당신의 깨달음에 계시가 임해야 한다. 당신의 마음이 새로워져야 한다! 하나님을 당신의 아버지로서 알라. 하나님을 아버지로서 아는 것은, 당신이 이 땅에서 성공하기 위해 반드시 풀어놓아야 할 유일하고도 최고로 위대한 일이다. 주님 안에서 당신의 아들 됨 혹은 딸 됨을 알 때, 당신은 이 땅에서 직면하는 온갖 강한 자를 정복하기 위해 가장 필요한 확신을 얻게 될 것이다.

어쩌면 당신은 성장 과정 가운데 그토록 중대한 확신을 얻지 못했을 수도 있다. 그렇다면 이제 당신은 하나님의 나라 안으로 들어와야 한다! 당신의 과거나 부모님의 실수와 실패가 당신의 미래를 좌우하게 허용해서는 안 된다!

불운했던 과거에 대해 기독교적인 해답을 말해보겠다. 당신은 그 해답이 무엇인지 아는가? 성령님은 현재시제다! 과거가 아무리 불운했다 할지라도, 당신이 위대해지지 못하게 막을 수는 없다. 당신이 그렇게 되도록 허용하지만 않는다면 말이다. 이제 일어나라!

영접하는 자 곧 그 이름을 믿는 자들에게는 하나님의 자녀가 되는 권세를 주셨으니 (요 1:12)

당신은 반드시 이 사실을 유념해두어야 한다. 또한 그리스도 안에서의 삶이라는 맥락에서, 다음 말씀을 명심해야 한다.

아버지께서 아들을 사랑하사 자기가 행하시는 것을 다 아들에게 보이시고 또 그보다 더 큰 일을 보이사 너희로 놀랍게 여기게 하시리라 (요 5:20)

당신은 더 큰 일을 행하는 사람이다. 당신으로 인해 우리는 놀라게 될 것이다! 하나님 아버지는 당신이 구원을 받기 전에도, 구원을 받았을 때에도, 구원을 받은 이후에도 여전히 당신을 사랑하신다. 하나님은 예수 그리스도를 받아들이신 것과 동일한 수준의 열렬함으로 당신을 받아주신다. 하나님은 독생자 예수님을 사랑하신 것과 동일한 열정으로 당신을 사랑하신다. 당신은 이 사실을 반드시 알아야 한다!

그러나 마귀는 거짓말로 우리를 고립시키려 한다. 마귀의 거짓말을 결코 믿지 마라. 고립의 벽을 헐어버리라.

이제는 고립의 벽을 치워버리고 기세 좋게 사도적인 사역에 착수하자. 고립의 벽은 그리스도의 몸 안에서 창조적인 기적들을 목도하지 못하도록 방해하는 가장 큰 장애물 중 하나다. 왜냐하면 우리는 누군가가 전혀 치유 받지 못하고 있는 상황을 손놓고 지켜보고만 있기 때문이다. 그가 앓고 있는 질병이 무엇이든 간에, 어쩌면 그는 매우 절망적인 상태에 있는지도 모른다. 다시 말해, 그의 상황은 이 세상의 힘으로는 결코 극복할 수 없다. 우리는 하나님이 어떤 분이신지를 알고 있다. 주님께서는 모든 것이 똑같다. 주님께서는 말기암 환자를 고쳐주시는 일이나 멍든 새끼발가락을 고쳐주시는 일이 매한가지다.

그러나 지금 무슨 일이 일어나고 있는가? 말기암 환자가 우리 앞에 서 있으면, 우리는 압도당하고 만다. 즉 우리가 믿음을 사용하려고 시도할 때, 무언가가 올라온다. 이 모든 일은 우리 마음속에서 일어난다. 하나님 편에서는 아무것도 달라진 것이 없다. 우리는 언제라도 주님께 나아가 도움을 받을 수 있다. 이는 90초 전이나 지금이나 여전히 마찬가지다. 그러나 우리는 이렇게 생각한다. '과연 나는 이것을 주님께 요청할 자격이 있는가? 혹시 내 안에 미처 고백하지 못한 죄라도 있는 것은 아닌가? 나와 주님과의 관계는 암을 정복하는 권세를 보장해 줄 만큼 충분히 좋은 상태인가? 혹시 나는 필연적으로 나을 수밖에 없는 환자임에도 불구하고, 괜히 하나님의 생명과 은총 덕분이라며 어리석게 착각하고 있는 것은 아닌가?'

자, 여기서 문제는 질병이 아니다. 하나님의 마음속에서 그 사람은 이미 치유되었다. 그들의 치유는 이미 갈보리에서 성취되었다. 문제는 바로 그 장벽, 곧 고립의 벽이다. 나는 그 벽이 너무나도 싫다!

이제는 입장을 바꾸어 생각해보자. 그 말기암 환자가 동일한 고립의 벽에 봉착했다. '과연 나는 하나님께 이것을 요청할 자격이 있는가? 주님이 나를 치유해주신다고 기대할 권리가 있는가? 지난 6개월 동안의 타락한 삶은 어떻게 해야 하나? 지금 나는 나 자신이 좋은 그리스도인이라고

생각하고 있지만, 혹시라도 그렇지 못하면 어떡하지?'

그러나 하나님은 성자 예수님을 사랑하신 것과 동일한 열정으로 우리를 사랑하신다! 나는 이 말을 다음과 같이 이해한다. 즉 예수님께서 지상 사역을 수행하시는 동안, 주님은 언제라도 성부 하나님께 나아가 도움을 요청하실 수 있었다. 그리스도께서 죽은 소녀를 앞에 두셨을 때, 나병환자를 대면하셨을 때, 다리 저는 사람 앞에 서셨을 때, 언제라도 주님은 하나님의 도움을 받으실 수 있었다. 이러한 사실은 그리스도께서 새끼발가락을 치유해주실 때라고 해서 조금도 달라지지 않았다(나는 주님이 새끼발가락도 치유해주셨을 것이라고 믿는다. 새끼발가락 두 개가 늘 아프다고 생각해보라. 아마도 마음이 간절해질 것이다).

우리가 다 그의 충만한 데서 받으니 은혜 위에 은혜러라 (요 1:16)

나는 이 성경구절이 다음과 같은 의미를 지닌다고 생각한다. 일단 당신이 사역을 수행하는 순간에 충분한 분량의 은혜를 받았다면(이를테면, 병자를 치유하기 위한), 당신은 그 기적이 온전히 이루어지는 모습을 지켜봄으로써 하나님의 충만하심을 경험한다. 그런 다음에 또 다른 상황으로 이동해 간다. 당신은 누군가의 삶 속에 존재하는 또 다른 상황과 필요에 직면한다. 이제는 전보다 훨씬 더 큰 은혜를 받음으로써 하나님의 충만하심을 경험하게 된다. 이는 마치 은혜 위에 은혜 위에 은혜 위에 은혜를 더하는 듯한 형국이다. 하나의 은혜로부터 또 다른 은혜를 향해 도약해가는 것이다.

우리가 하나님의 충만하심을 경험하기 위해서는 은혜를 받아야 한다

(이를테면, 사람이 삶에서 필요로 하는 온갖 종류의 해답을 말한다). 우리가 어떤 구체적인 필요를 채우기 위해 하나님의 은혜를 요구하는 상황들은 각각 다르다. 각자가 처한 상황 속에서, 그 특정 순간에 당신에게 결여되어 있는 것이 무엇이든 간에, 당신은 필요를 충만하게 공급받을 수 있다. 그 필요가 충족되었을 때, 당신은 다음 단계의 환경을 향해 나아갈 것이고, 그곳에서도 당신이 필요로 하는 충만한 은혜를 받게 될 것이다. 이것은 짧지만, 실제로 매우 강력한 의미를 담고 있는 말씀이다!

주님이 우리를 받아주시기만 하면, 우리는 언제라도 주님께 나아가 필요를 채움 받을 수 있다. 우리에게는 주님의 생명에 접근할 수 있는 권한이 있다. 우리가 주님께 가까이 나아가면, 주님의 은혜를 이용할 수 있다. 그렇다, 하나님은 당신이 그분을 이용하기를 원하신다! 그렇지 않고서야 주님이 왜 독생자를 당신에게 주셨겠는가? 그러므로 주님을 이용하라. 종교적인 최고의 겸손을 억제하고, 가서 주님이 당신을 위해 주신 권능을 이용하라. 그저 당신은 합법적으로 원래 당신의 몫인 것을 취하고 있을 뿐이다!

당신은 하나님께서 친히 무슨 말씀을 하고 계시는지 아는가? "이스라엘의 거룩하신 이 곧 이스라엘을 지으신 여호와께서 이같이 이르시되 너희가 장래 일을 내게 물으며 또 내 아들들과 내 손으로 한 일에 관하여 내게 명령하려느냐"(사 45:11).

이 구절은 과연 무슨 뜻인가? 당신이 질문해주어서 무척 기쁘다. "내게 명령하려느냐?"라는 구절은 달리 말하자면 다음과 같다. "내가 옳다는 걸 입증해라! 나를 시험해보라! 내 마음에 말을 걸어보라!"

친애하는 친구들이여, 이제 우리는 이 계시의 의미를 깨달아야 한다. 우리 중 어떤 이들은 하나님이 무슨 일을 해주시기만을 기다리고 있다. 우리는 빈둥거리면서 기다리는 일에만 너무도 많은 시간을 소비하고 있다. 사실 그것은 하나님의 주권에 관한 잘못된 개념이다. 우리는 보통 무언가를 구하기 위해 하나님께 나아갈 때, 그분께서 이렇게 말씀하신다고 생각한다. "나를 감동시켜라!" 맞다, 겸손이 중요하다. 분별력도 필요하다. 균형, 또한 필요하다. 그렇다, 온유함도 필수적이다. 그러나 연약함은 아니다. 주님께서 당신을 위해 몸소 보혈을 흘려 합법적으로 값을 치르고 사신 것을 그냥 놓쳐버려서는 안 된다. 주님의 보혈을 헛되게 만들지 마라!

그렇다. 나는 하나님이 주권적인 분이심을 안다. 그러나 어떤 면에 있어서 하나님은 우리의 반응, 우리의 동참 여부에 따라 주님의 주권 표현을 제한하신다. 주권적인 분이 그렇게 못하실 까닭이 무엇이겠는가? 이것은 매우 타당한 논리다. 주님은 매우 주권적인 분이시므로, 굳이 주권을 행사하지 않으실 수도 있다. 마치 주님께서 이렇게 말씀하고 계신 듯하다. "나는 변하지 않는다. 나는 여기에 있다. 나는 움직이지 않았다. 네가 나를 향해 나아왔다! 와서 내 도움을 동원시켜라!" 이것이 바로 하나님의 가용성이다!

당신이 나에 대해 오만하고 주제 넘는 믿음의 치유자라는 꼬리표를 붙이기 전에, 이 문제에 관한 한 나의 견해가 왜 옳은지, 그 이유를 말해주겠다. 이 말을 들으면 당신은 반드시 나를 믿게 될 것이다. 왜냐하면, 내가 당신을 정말 깊이 사랑하기 때문이다. 아울러 내가 모르는 것이 너무나 많기 때문이다. 그러나 이것을 하나의 사실로서 이해하고 있다. 그 이유는 다음과 같다.

딸을 키우게 되다

나는 인도 여자아이를 입양해서 키우고 있다. 언젠가 그 가난한 나라에 선교여행을 떠났을 때의 일이다. 어느 고아원에 들어갔다가 작고 가녀린 여자 아기를 보게 되었다. 체중은 기껏해야 1.3킬로그램쯤 될까. 태어난 지 며칠 되지 않은 신생아였다. 그 아이는 딱 내 손바닥 크기였다. 아이의 엄마는 노숙자였고, 글을 읽을 줄 몰랐으며, 미혼이었다(특정 인도문화에서는 매우 비난받을 만한 조건들이었다). 그러나 그녀는 대체로 많은 사람들이 그러하듯이 자신의 아이를 쓰레기통에 던져버리지는 않았다. 오히려 아이를 고아원에 맡기기로 결심했다.

그 여자아이를 품에 안았을 때, 내 심장이 마구 뛰기 시작했다. 나와 내 아내를 위한 아이라는 사실이 그냥 깨달아졌다. 그래서 나는 그 아이를 달라고 요구했다. 나는 나지막한 소리로 기도했다. "주님, 이 아이를 주십시오."

미국으로 돌아온 후, 나는 그 아이를 입양하기 위한 절차에 착수했다. 그것은 비용도 많이 들 뿐 아니라 시간도 엄청나게 소요되는 과정이었다. 그 아이가 우리 집에 오기까지 거의 11개월이 걸렸다. 이 기간에 우리는 한 통의 전보를 받았는데, 대부분의 시간을 여행하고 있었기에, 이미 여러 날이 지난 후에야 그 내용을 확인할 수 있었다. 아울러 인도의 통신능력은 내가 다니는 훨씬 외딴 지역들에 비해서도 한참이나 뒤떨어져 있었다.

전보의 내용은 다음과 같았다. "아기는 지금 이질에 걸려 있으며, 정맥 주사를 맞았습니다. 그리고 입원해 있는 동안 혼수상태에 빠졌습니다." 당신이 유념해야 할 것이 있다. 캘리포니아의 한 호텔에 머물고 있던 우리가 이 전보를 받았을 때는, 편지가 처음 발송된 시점으로부터 이미 2주가 지난 시점이었다. 이때쯤이면 아마도 그 아이는 이미 죽었을 가능성이 컸다. 이질은 인도에서 아동사망을 야기하는 가장 큰 요인이다. 인도는 유아사망률이 50퍼센트에 달하는 나라이다. 자연적으로 볼 때, 그 아이가 생존해 있을 가능성은 거의 없었다.

그날 아침에 받은 전보로 낙심한 마음을 그대로 안은 채, 나는 아들과 함께 저녁집회에 가기 위해 집을 떠났다. 아내 조이(Joy)는 중보기도를 하기 위해 숙소에 남아 있기로 했다. 내내 비참한 기분을 떨쳐버릴 수가 없었다. 그래도 집회는 내 기분과는 상관없이 매우 은혜롭게 진행되었다.

우리는 집회에 참석한 사람들에게 아기를 위해 기도해달라고 요청했다. 사실 그 아이가 아직 살아 있는지 죽었는지조차 알 수 없는 상황이었다. 그날 우리는 거의 13시간 동안 집중적으로 중보기도를 드렸다. 우리 딸을 위해 생명과 죽음 사이에서 씨름을 벌인 것이다. 중보기도는 나와 아들이 그날 밤 늦게 호텔방으로 돌아올 때까지 지속되었다.

방문을 열었을 때, 방 안에서 발산되는 빛으로 인해 아내의 모습을 제대로 볼 수 없었다. 나는 조심조심 방 안으로 걸어 들어가 조이의 얼굴을 보았다. 그녀는 아주 밝고 환하게 웃고 있었다. 방 안 가득한 하나님의 영광이 손에 잡힐 듯했다.

"우리 딸은 반드시 살 거예요." 이렇게 말하는 아내는 만면에 미소를 띠고 있었다. "하나님께서 제게 이렇게 말씀해주셨어요. '확실히 그 아이는 죽었어야 했다. 그러나 너희가 내게 요청하였으므로, 그 아이는 반드시 살고, 죽지 않을 것이다. 내가 너희를 위해 그 아이를 살려주었다.'"

우리가 보낸 답신에 대한 응답은 그로부터 3주나 더 지난 후에야 도착했다. 자연적으로 볼 때, 그 기간은 상상할 수 없을 정도로 매우 끔찍한 시간들이 될 수도 있었다. 딸의 생사조차 확인할 수 없는 상황이었으니 말이다. 그냥 한 번 상상해보라. 그러나 그 시간 동안 우리는 이 세상에서 가장 행복한 사람들이 될 수 있었다. 우리의 하늘 아버지께서 딸이 건강하게 살아 있다는 확신을 주셨기 때문이다. 우리는 아기처럼 편안히 잠들었다.

아니나 다를까, 우리가 미국의 한 지역에서 집회를 인도하고 있는 동안, 또 한 통의 전보를 받았다. 그 내용은 다음과 같았다. "의사들은 기적이 일어났다고 말합니다! 정확히 00월 00일 00시에 아기가 혼수상태에서 깨어나 울기 시작하였습니다. 아기는 건강한 상태로 퇴원하여 고아원으로 돌아왔습니다." 아내는 이런 변화가 일어난 순간이 언제인지를 계산해보았다. 그렇게 확인한 결과, 우리 딸이 혼수상태에서 깨어난 시각은 아내가 하나님의 음성을 들은 순간과 정확히 일치하였다.

내 앞에서 우리가 하나님의 손을 춤추게 할 수 없다고 말하지 마라!

생명의 관점을 유지하라

이제 당신은 믿음으로 고립의 벽을 계속 돌파해가야 한다. 아무것도 당신의 앞길을 가로막지 못한다. 당신이 방해물을 그대로 방치해두지 않는 한은 그렇다. 만일 그 일이 당신이 생각한 시간에 이루어지지 않는다고 할지라도, 그 고립의 벽 속에 숨어 이렇게 말하는 일이 없기 바란다. "음, 그 일은 하나님의 뜻이 아닌 게 분명해." 지금은 우리 모두가 성장해가야 할 때다. 이 이야기는 당신뿐만 아니라 나 자신을 향한 것이기도 하다.

사람이 더 이상 하나님의 얼굴을 바라보지 않을 때(기억하라. 하나님의 얼굴을 바라보는 것이 주님의 은총이자 가용성이다), 그는 인생에 대한 하나님의 관점을 잃어버리고 만다. 이제 그 사람은 점점 더 내성적인 성향이 되고, 마침내 삶 자체로부터 고립되기 시작한다. 그러나 이 사도적이고 선지자적인 시대에, 하나님의 얼굴은 언제나 그 자리에 있어주신다. 주님의 얼굴은 크신 은총으로 우리를 향하고 계신다. 따라서 우리는 늘 주님과 눈을 맞춰야 한다!

지금까지 나는 온갖 종류의 영적 훈련들을 통과해왔다. 수많은 금식 기간들(그렇다고 해서 하나님께서 당신을 금식하도록 이끄시는 경우까지 과소평가하려는 건 아니다), 수많은 집중기도 시간들(물본 이것도 소중하다)이 있었다. 그러나 내게 있어 금식이나 집중기도는 보다 위대한 기적들을 목격하기 위한 방편으로 사용되곤 했다. 내가 조금 더 금식한다면, 내가 조금 더 기도한다면, 그러한 일들이 일어날 것이라고 여겼던 것이다. 어떤 의미에서 볼 때, 그런 일에도 원리가 있다고 생각한다. 우리는 자신을 따로 구별하여, 오직 하나님을 더욱더 많이 알아가는 일에 전념해야 한다.

그러나 내가 어렵사리 터득하게 된 교훈이 하나 있다. 때로 나는 밤낮 가리지 않고 온종일 강력한 기도에 몰입하여 하루 종일 아무것도 먹지 않은 적도 있었다. 강대상 뒤에서 일어날 때쯤에는, 마치 하나님께서 선물을 주시는 것처럼 느껴졌다. 그러나 아무 일도 일어나지 않았다. 그런 다음 저녁이 되면 근처 식당에서 가장 두꺼운 스테이크를 먹고, 설교하는 내내 트림을 하곤 했다. 그래도 하나님께서는 회중들 사이를 마치 폭풍처럼 관통하시며 역사해주셨다. 주님께서 그런 식으로 역사하시는 모습을 보면 참 재미있다.

하나님 아버지를 우러러보면, 내가 주님의 아들임을 쉽게 알 수 있다. 예수님께서 그러신 것처럼, 나도 언제든지 하나님께 나아가 도움을 받을 수 있다. 내가 원하기만 하면, 주님 안에 있는 권능과 권세는 동일하게 내 소유가 될 수 있다. 기적들이 일어나는 순간도 바로 이런 때이다.

여러분이 하나님의 아들들임을 반드시 잘 이해해야 한다. 여성들이여, 나를 성차별주의자처럼 여기지 말기 바란다. 여성들도 마찬가지로 하나님의 아들들이다. 이 점을 잘 극복하라. 이것은 정말 너무나도 심오한 계시다.

아무튼, 우리는 아들들이다. 이러한 사실은 우리와 하나님 아버지와의 친밀감을 암시한다. 아들들은 하나님 아버지께, 또한 예수님께 가까이 나아가야 한다. 그러나 당신이 아무런 열매 없이 하나님과의 친밀함을 경험하던 시대는 이제 끝이 날 것이다!

한나의 이야기를 기억해보라. 한나는 친밀감에 만족하지 않았다. 그녀는 하나님과 친밀감을 누리던 사람이다. 그녀가 주님께 무언가를 요청할 수 있다고 느낀 이유도, 친밀감을 누리고 있었기 때문이다. 그러나 그녀는 친밀감 이상의 것을 원했다. 그녀가 원한 것은 아들이었다. 그녀는 열매를 원했다. 한나처럼 이제 당신도 열매를 원해야 한다.

어떤 이들은 진리와 계시들을 확실히 소유하고 있을 수도 있다. 당신은 그것들이 모두 실제로 효과를 발휘하는 모습을 보았을 수도 있다. 그것은 정말 대단한 일이다. 그러나 도심의 코카인 밀매 장소에서 살아가는 아동성희롱 피해자는 어떻게 해야 하는가? 또는 5번가에서 깊은 적개심을 품고 휠체어에 앉아 구걸하고 있는 베트남 참전용사는 어떻게 해야 하는가? 혹은 술에 거나하게 취한 상태로 퇴근하여 자녀들을 때리는 사람의 경우는 어떻게 해야 할까? 당신은 성령의 기름부음 아래서 고립의 벽을 탈출하여, 상처 입고 살아가는 사람들을 향해 스스럼없이 다가가고 있는가? 그리하여 당신의 머리 위에 펼쳐진 열린 하늘을 조금이나마 그들에게 나누어주고 있는가?

나는 당신의 마음을 불편하게 하려는 것이 아니다. 나도 어떻게 반응해야 좋을지 도무지 알 수 없는 다양한 상황들에 처해 봤다. 때로는 승리하기도 했지만, 때로는 엄청나게 실패하기도 했다. 요지는 이렇다. 우리는 그 고립의 벽을 계속해서 긁어내야 한다. 끊임없이 밀고 들어가라. 우리는 하나님의 생명이라는 관점을 늘 잃지 말아야 한다.

이 모든 것들이 무지와 관련되어 있다. 이 불쌍한 사람들도 무지하고, 당신도 무지할 수 있다. 하나님이 사람들에게 실제적인 분이 되게 하려면, 우선 주님이 우리를 위해 얼마나 실제적인 분인지를 잘 알아야 한다. 하늘로부터 임하는 사도적인 지식이 필요하다. 이러한 지식이 임할 때, 당신은 성희롱 피해자와 술주정뱅이, 지체부자유자에게 어떤 반응을 보여야 할지 정확히 알게 된다.

만일 거리에서 만난 평범한 사람이 하나님의 성품에 관한 엄청난 진리를 계시 받았다면(그것은 당신이 그들에게 성령의 감동으로 제시해준 지식의 말씀일 수도 있고, 깜짝 놀랄 만한 표적과 기사, 혹은 눈에 띄는 기적일 수도 있다), 그들은 아마도 예수님을 영접하게 될 것이다. 그런 상황에서 주님을 거절한다는 것은 말도 안 되는 소리이다.

물론 어떤 이들은 여전히 어리석음의 영(나는 이것이 매우 실제적인 영일 수도 있다고 생각한다)을 그대로 지니고 있으려 할 것이다. 설사 예수님이 그들 앞에 서 계신다 해도, 그들은 여전히 자기 방식을 선택할 것이다. 그러나 이런 이들은 상처 입고 아파하는 세상 사람들 중에서 극히 소수에 불과하다. 지금 상처 입은 세상 사람들은 당신과 나를 통해 하나님이 실제적인 분으로 알려지기만을 절박하게 기다리고 있다.

내가 대다수의 사람들을 하나님께로 인도하는 방법을 어떻게 터득하게 되었는지 아는가? 당신이 그들에 비해 훨씬 더 자격이 된다는 생각을 하게 된 까닭은 무엇인가?

다시 한 번 말하겠다. 모든 것이 무지, 그 장애물, 그 벽, 하나님의 올바른 성품을 은폐시켜 놓는 것과 관련이 있다. 사역에 종사하는 사람으로서(평신도이든 그렇지 않든 간에) 직면해야 할 가장 큰 두려움은, 누군가에게 사역하는 순간에 당신이 필요로 하고 있는 바를 얻지 못하게 되는 것이다. 바로 이 경우도 그 벽 때문이다!

우리는 새로워져야 한다. 우리에게는 성령님의 작업이 필요하다. 성령께서 우리 머릿속에 들어 있는 지식(우리가 하나님의 아들들이라는 사실)을 취하여 그것이 실제로 중요한 의미를 지니게 되는 우리의 영 안에 잘 확립시켜 주셔야 한다. 우리 삶 속에 존재할 수 있는 결함들, 정신적인 문제들, 연약함은 전혀 문제되지 않는다. 그것들 때문에 주님 안에서 누리는 우리의 신분이 달라지는 것은 아니다. 우리가 언제라도 주님께 나아가 도움을 얻을 수 있다는 사실은 영원토록 불변하다. 우리의 관점은 늘 생명에 고정되어 있어야 한다!

CHAPTER 8 하나님의 가용성

| 영원한 생명 앞에 포효하라

- "각 마디를 통하여 … 연결되고"(fitly joined together 엡 4:16)의 의미는 다음과 같다. "만일 내가 움직이면, 너는 내 움직임을 느낀다. 만일 네가 움직이면, 나는 네 움직임을 느낀다."
- '각 마디'는 온몸을 자라게 하고 몸이 사랑 안에서 스스로 세워지게 해주는 관계성을 지칭한다. 우리는 각 마디를 통해 연결되어 있는 사람들이기에, 나와 당신은 계속해서 자라가고 있다.
- 사도적 기름부음은 우리가 언제라도 주님의 도움을 받을 수 있음을 깨닫지 못하게 방해하는 격리의 벽을 제거한다.
- 수많은 사람들의 삶 속에 하나님의 충만한 생명이 흐르지 못하게 방해하는 무언가가 존재하고 있다. 우리는 모두 각 마디를 통해 연결되어 있는 까닭에, 한 사람이 자기 내면의 장애물을 극복하지 못하면, 다른 누군가가 장애물을 극복하는 일에 어떤 식으로든 악영향을 받을 수 있다.
- 이들에게는 계시적인 사건이 필요하다. 계시적인 사건을 경험할 때, 그들은 하나님의 생명을 선택할 수 있게 된다.
- "내가 생명과 사망과 복과 저주를 네 앞에 두었은즉 너와 네 자손이 살기 위하여 생명을 택하고"(신 30:19).
- "아버지께서 죽은 자들을 일으켜 살리심 같이 아들도 자기가 원하는 자들을 살리느니라"(요 5:21).
- 하나님 아버지와 성자 예수님께서 주시는 '생명'은 '영원한 생명'이다. 영원한 생명은 다름 아닌 하늘에서 말미암는 것이다.

- "이 백성이 암사자 같이 일어나고 수사자 같이 일어나서 움킨 것을 먹으며"(민 23:24).
- 사도적인 기적들이 가까이 다가오고 있다. 이제 사람들의 포효하는 소리가 지구상 곳곳에서 들려올 것이다!
- "우리 살아 있는 자가 항상 예수를 위하여 죽음에 넘겨짐은 예수의 생명이 또한 우리 죽을 육체에 나타나게 하려 함이라"(고후 4:11). 예수님의 생명이 당신 안에 온전히 나타날 때, 당신은 포효하지 않을 수 없을 것이다.
- 문제는 '이 세상의 신이' 믿지 않는 자들의 마음을 '혼미하게' 만들어놓았다는 것에 있다(고후 4:4).
- 너무나도 많은 사람들이 원수로부터 말미암는 '마음을 혼미케 하는 것들'에 사로잡힌 채 살아가고 있다. 그렇다고 해서 너무 안달복달하지는 마라. 그리스도 예수 안에는 생명의 성령의 법이 있기 때문이다(롬 8:2).
- 육체의 법은 반드시 십자가에 못 박아야 한다. 육체를 다룰 수 있는 유일한 길이 십자가다.
- 사망의 법은 죄와 불순종으로 말미암아 야기되었다(롬 5:12-21). 이 법은 그리스도 예수 안에 있는 생명의 성령의 법에 의해 무효화된다.
- 주님의 생명이 없다면, 우리는 자신이 '하나님의 생명에서 떠나 있음'을 알게 된다.

| 고립의 벽

- 하나님의 사랑을 받을 때 우리는 받아들여짐을 경험한다. 기억하라. 받아들여짐이 있을 때, 가까이 나아감도 가능해진다(엡 2:18). 우리는 언제라도 하나님께로부터 필요한 도움을 얻을 수 있다. 하나님의 입장은 언제나 변함이 없으시다.
- 하나님께서는 성자 예수님을 받아주신 것과 동일한 열정으로 당신을 받아주신다.
- 원수의 거짓말은 우리를 하나님의 생명으로부터 떠나 있게 하고 고립시켜 놓는다. 그것이 고립의 벽이다.
- "하나님의 성령을 근심하게 하지 말라 그 안에서 너희가 구원의 날까지 인치심을 받았느니라"(엡 4:30).
- '근심하게 하다'라는 단어는 다음과 같은 의미를 지닐 수 있다. "당신 안에서 살고 계신 하나님의 온갖 다루심과 내면의 작업들을 억제시키는 일을 조금도 허용하지 마라."

- 무엇이든지 내면적으로 경험되는 것은 반드시 일어나서 외부로 밀고 나오기 마련이다. 그러나 우리는 성령님을 외적으로 표현하는 일에 확신이 없을 때가 너무도 많다. 무언가가 우리에게 거짓말을 속삭이고 있다. 그 거짓말이 우리를 하나님의 생명으로부터 고립시켜 놓았다. 왜냐하면 우리를 받아주시는 하나님의 태도는 조금도 변함이 없기 때문이다.
- "온갖 좋은 은사와 온전한 선물이 다 위로부터 빛들의 아버지께로부터 내려오나니 그는 변함도 없으시고 회전하는 그림자도 없으시니라"(약 1:17).
- "모든 사람의 눈이 주를 앙망하오니 주는 때를 따라 그들에게 먹을 것을 주시며 손을 펴사 모든 생물의 소원을 만족하게 하시나이다"(시 145:15-16).
- 우리는 언제라도 하나님께 나아가 도움을 받을 수 있다. 이와 상반된 내용은 거짓말이다. 사도적 기름부음은 고립의 벽을 부서뜨린다.
- 너무나도 많은 이들이 생명의 법과 활기찬 관계성을 누리는 것을 쓸데없는 노력이라고 느낀다. 그리하여 그들은 단순히 '생존 모드'로 돌입한다. 아주 근근이 살아가는 것이다. 수많은 사람들이 '삶을 영위하지' 못하고 있다. 그들은 단지 목숨을 부지하고 있을 뿐이다.
- 하나님은 우리가 정신적인 학대나 정서적인 외상으로 인해 신음하기를 바라지 않으신다. 이런 것들은 우리를 주님으로부터 멀어지게 한다. 주님은 우리가 온전한 건강을 누리기 원하신다. 주님은 비단 우리들만 건강해지는 것이 아니라 우리를 통해 다른 사람들까지도 건강해지기를 바라신다. 주님의 백성들이 평생토록 겨우 목숨만 부지하는 상태로 살아간다면, 예수님의 권세는 제대로 증거되지 못하게 된다.
- 고립의 벽이야말로 사람들의 삶에 존재하는 최고의 문제일 가능성이 매우 크다. 이 고립의 벽이야말로 이 책 전체의 적(거절, 두려움, 정서적 소원함, 하나님 아버지와의 거리감 등)이다. 이것들은 모두 어떤 오해, 하나님과 인간 사이에 존재한다고 인지된 격차에서 기인한 것이다.
- 사람의 마음을 밝히 드러내기 위해서는 돌파의 기름부음이 필요하다. 고립의 벽을 근본적으로 뒤흔들기 시작하는 것이 바로 돌파의 기름부음이다.

나쁜 것을 깨부수고 좋은 것을 들고 일어서라

- 오늘날 수많은 사람들이 공허함으로 가득 찬 삶을 살아가고 있다. 하나님으로부터 고립된 삶을 살아가는 사람들은 자기에 대해서도 고립되어 있다. 그들은 자신들이 소유하고 있는

충만한 잠재가능성을 감지하지 못하여 실패지향적인 삶을 산다. 그들은 염세적이고 우유부단하다.

- 수많은 사람들이 고통과 괴로움, 분노, 억울함, 자기 자신과 타인에 대한 적대감으로 가득 차 있다. 잘 믿으려 하지 않고, 내성적이며, 다른 사람들을 두려워하고, 정반대의 감정들 사이에서 두 마음을 품으며, 분열되어 있고, 깨어져 있으며, 자제력을 상실하고 있다. 그들은 내면에서 스스로를 호되게 몰아세우기도 하고, 남에게 비굴하게 굽실거리기도 한다. 설상가상으로 그들은 수치와 죄책감으로 괴로워한다.
- 도끼를 나무뿌리에 갖다 대듯이, 하나님의 말씀이 우리 위에 놓여야 한다(마 3:10). 이제 더 이상 다양한 증상들만 다루는 일은 그만하자! 단지 고통을 진정시키기 위해 사람들과 함께 기도만 하기보다는, 상처 입은 나무들을 뿌리째 뽑아내야 한다.
- 구약성경에 등장하는 왕들은 일반적으로 2-4차례의 큰 전쟁을 치렀다. 그들이 이 전투에서 이긴다면, 나머지 치리기간 동안에는 번영을 누릴 수 있었다. 물론 그렇다고 해서 몇몇 소규모 접전들까지 모조리 배제시킨다는 것은 아니다.
- "오직 너희의 심령이 새롭게 되어"(엡 4:23).
- 삶의 모든 일들이 선택과 관련이 있다. 삶의 모든 것이 태도와 관련된다. 따라서 당신의 생각이 새로워져야 한다!
- 성령 안에서 당신의 마음을 새롭게 한다는 것은, 일종의 은혜의 작용이자 활동이며, 성령님이 당신의 마음 안에서 감동하시고 휘저어놓으시고 운행하시는 것이다. 그것은 계시의 본질이다.
- 사도적인 기적들은 한결같이 사람들 안에 숨겨져 있는 것들을 끊어낸다. 그런 다음에는 기름부음이 마음속의 그 영역으로 주입되어 들어간다. 마음이 점점 확장되어감에 따라, 그 사람은 하나님을 언제라도 다가가 도움을 청할 수 있는 분으로 이해하게 된다. 또한 주님의 영광, 주님의 초월성 등에 관해서도 깨닫게 된다.
- "영접하는 자 곧 그 이름을 믿는 자들에게는 하나님의 자녀가 되는 권세를 주셨으니"(요 1:12).
- "아버지께서 아들을 사랑하사 자기가 행하시는 것을 다 아들에게 보이시고 또 그보다 더 큰 일을 보이사 너희로 놀랍게 여기게 하시리라"(요 5:20).
- 하나님은 독생자 예수님을 사랑하신 것과 동일한 분량의 열정으로 당신을 사랑하신다.

- 고립의 벽은 그리스도의 몸 안에서 창조적인 기적들을 목도하지 못하도록 가로막는 가장 큰 장애물 중 하나다.
- 사역자는 속으로 이렇게 생각한다. '과연 나는 이것을 주님께 요청할 자격이 있는가?'
- 사역을 받는 자는 속으로 이렇게 생각한다. '과연 주님이 나를 치유해주실 것이라고 기대할 만한 권리가 내게 있는가?'
- 이것은 일종의 속임수다. 왜냐하면 하나님은 이미 당신에게 권리를 허락해주셨기 때문이다.
- "우리가 다 그의 충만한 데서 받으니 은혜 위에 은혜러라"(요 1:16).
- 주님이 우리를 받아 주시기만 하면, 우리는 언제라도 주님께 나아가 필요를 채움 받을 수 있다. 우리에게는 주님의 생명에 접근할 수 있는 권한이 있다. 우리가 주님께 가까이 나아가면, 주님의 은혜를 이용할 수 있다.
- "이스라엘의 거룩하신 이 곧 이스라엘을 지으신 여호와께서 이같이 이르시되 너희가 장래 일을 내게 물으며 또 내 아들들과 내 손으로 한 일에 관하여 내게 명령하려느냐"(사 45:11).
- "내게 명령하려느냐?"라는 구절은 달리 말하자면 다음과 같다. "내가 옳다는 걸 입증해라! 나를 시험해보라! 내 마음에 말을 걸어보라!"
- 주님께서 당신을 위해 보혈을 흘려 합법적으로 값을 치르시고 사신 것을 그냥 놓쳐버려서는 안 된다. 주님의 보혈을 헛되게 만들지 마라!
- 어떤 면에 있어서 하나님은 우리의 반응, 우리의 동참 여부에 따라 주님의 주권 표현을 제한하신다.

생명의 관점을 유지하라

- 사람이 더 이상 하나님의 얼굴을 바라보지 않을 때(기억하라. 하나님의 얼굴을 바라보는 것이 주님의 은총이자 가용성이다), 그는 인생에 대한 하나님의 관점을 잃어버리고 만다. 이제 그 사람은 점점 더 내성적인 성향이 되고, 마침내 삶 자체로부터 고립되기 시작한다.
- 그러나 이 사도적이고 선지자적인 시대에, 하나님의 얼굴은 언제나 그 자리에 있다. 주님의 얼굴은 크신 은총으로 우리를 향하고 계신다. 우리는 늘 주님께 눈을 맞추어야 한다!
- 고립은 무지와 관련이 있다. 사람들도 무지하고, 당신도 무지할 수 있다. 하나님이 사람들에게 실제적인 분이 되게 하려면, 우선 주님이 우리를 위해 얼마나 실제적인 분인지를 잘 알아

야 한다.
- 평범한 사람이 하나님의 성품에 관한 엄청난 진리를 계시 받았다면(그것은 당신이 그들에게 성령의 감동으로 제시해준 지식의 말씀일 수도 있고, 깜짝 놀랄 만한 표적과 기사, 혹은 눈에 띄는 기적일 수도 있다), 그들은 아마도 예수님을 영접하게 될 것이다. 그 상황에서 주님을 거절한다는 것은 말도 안 되는 소리이다.
- 사역에 종사하는 사람으로서(평신도이든 그렇지 않든 간에) 직면해야 할 가장 큰 두려움은, 누군가에게 사역하는 순간에 당신이 필요로 하고 있는 바를 얻지 못하게 되는 것이다. 이것이 바로 고립의 벽이다.
- 우리는 새로워져야 한다. 우리에게는 성령님의 작업이 필요하다. 성령께서 우리 머릿속에 들어 있는 지식(우리가 하나님의 아들들이라는 사실)을 취하여 그것이 실제로 중요한 의미를 지니게 되는 우리의 영 안에 잘 확립시켜 주셔야 한다. 우리 삶 속에 존재하는 결함들, 정신적인 문제들, 연약함은 전혀 문제되지 않는다. 주님 안에서 누리는 우리의 신분은 결코 달라지지 않는다. 우리가 언제라도 주님께 나아가 도움을 얻을 수 있다는 사실은 영원토록 불변하다. 우리의 관점은 늘 생명에 고정되어 있어야 한다!

CHAPTER 9
하나님의 거룩하심

우리는 거듭 난 그리스도인들로서 하나님의 성품에 참여하는 자들이다. 다시 말해, 하나님께서 친히 우리 안에서 살아가신다. 십자가를 통해 예수 그리스도께서 베풀어주신 구원으로 말미암아, 우리에게는 생명과 경건에 속한 모든 것(godliness 정확하게 말하자면, '하나님과 같음'[God-like-ness]이다)이 수어졌다. 우리가 예수 그리스도의 몸에 접목됨으로써 '하나님과 같음'을 지니게 되었다는 사실을 인정하는 것은 결코 교만이 아니다. 실제로는 이런 사실을 인정하지 않는 것이 잘못이다. 그러나 경건에 속한 모든 것을 얻으려면 대가를 치러야 한다.

철야기도모임에서의 특별한 경험

거절의 영으로부터 자유로워지고, 나의 권세 있는 명령에 고립의 벽이 허물어지는 모습을 목격한 이후로, CFNI에서의 삶은 내 인생에 있어서 가장 강력한 시간들을 누리기 시작했다. 나는 사람들에게 예언을 선포하라는 부르심을 느끼고 있었다. 학교의 지도자들도 내 안의 은사들이 고군분투하며 이제 막 나타나고 있음을 알아차렸다. 그들은 내 삶 가운데 예언의 은사가 잘 개발되도록 도와주었다. 나는 몇몇 다른 학생들과 함께 제한된 환경 아래서 학생들에게 집단적으로 예언할 수 있었다. 이를테면 그들을 대상으로 예언을 훈련한 것이다. 그 밖에 달리 배울 수 있는 방법이 없었다.

아무튼 당시 수업들은 매우 역동적이었다. 나의 교리적인 지식은 기하

급수적으로 성장하고 있었다. 기도나 경배시간을 통해 내가 하나님 아버지와 누리는 친밀감이 그때만큼 강력했던 적은 없다. 하나님과 나 사이에 맺은 언약을 삶 속에서 지속적으로 지켜가는 가운데 사역에 착수하라는 주님의 부르심이 느껴졌다. 주님은 내가 금촛대(Golden Candlestick)를 위해 일하기를 바라고 계셨다. 당시 기름부음이 내 안에서부터 콸콸 솟아오르고 있었다. 한창 주님 안에서 성장해가는 동안, 주님은 나에게 또 다른 주님의 속성에 관해 계시해주셨다. 그것은 바로 주님의 거룩하심이었다.

그즈음 나를 포함하여 약 50-60명의 남학생들이 도서관 위층에 모여 철야기도모임을 가지곤 했다. 이 기도모임에서 우리는 집중적으로 뚫고 들어가는 간구를 주님께 드렸다. 주님의 인도하심에 따라 중보기도를 드릴 수 있는 더할 나위 없이 좋은 기회였다. 사실 우리는 밤새 깨어서 기도하는 것 외에 달리 방도가 없었다. 왜냐하면 관리자가 밤 10시만 되면 건물의 모든 문을 삼가 놓았다가, 이튿날 아침 6시가 되어서야 다시 열어놓았기 때문이다. 70년대만 해도, 소방규정이 다소 느슨했다.

그러던 어느 날 밤의 일이다. 처음에 우리는 마치 영 안에서 무언가에 대항하여 전쟁을 벌이고 있는 듯했다. 열렬한 기도와 전쟁과도 같은 방언기도의 물결이 우리 모두를 휩싸곤 했다. 기도모임 내에는 연합이 이루어지고 있었다. 우리는 연합된 채로 성령님의 운행하심을 느끼면서 한 마음 한 뜻이 되어갔다. 하나의 그룹을 이룬 채 우리가 기도해야 할 다음 기도제목이 무엇인지를 느낀다는 것은 참으로 굉장한 감동이었다.

그리고 새벽 4시 무렵이 되면, 우리는 마침내 돌파를 이루어 성령 안에서 보다 강도 높은 영역에 도달하곤 했다. 방 안은 황홀감으로 가득 찼다. 바로 그 순간 50명 남짓이었던 우리 모두는 성령 안에서 쓰러졌고, 대략 20분 동안 마치 죽은 사람처럼 누워 있었다. 그 시간이 지난 후, 2-3명의 다른 학생들에게 혹시 나와 같은 체험을 했는지 물어보았다. 그들은 실제로 나와 동일한 것을 체험했다고 응답했다. 지금 생각해보면, 나머지 모든 학생들이 그와 동일한 경험을 했던 것 같다. 그러나 그들 모두에게 일일이 물어본 것은 아니기에 확실하게 단정지을 수는 없다.

우리가 바닥에 누워 있는 시간이야말로, 가장 강력한 경배의 마음이 방 안을 가득 메우고 있었다. 모두가 엎드린 채 침묵 가운데 기도하고 있었고, 눈조차 뜰 수 없었다. 도저히 몸을 움직일 수가 없었다. 주님의 임재가 그 장소에 임하여 계셨고, 우리 모두는 경외감과 숭고함을 느끼며 권능 아래 쓰러져 있었다. 우리의 모임 장소가 도서관 위층이었음을 기억하라. 우리가 누워 있던 장소까지 올라오려면 20-25개 정도의 계단을 통과해야 했다.

그런데 갑자기 누군가가 계단을 올라오는 소리가 들려왔다. 문득 정말 이상하다는 생각이 들었다. 나는 여전히 그곳에 누워 있었고, 조금도 몸을 움직일 수가 없었다. 두 눈도 꼭 감고 있는 상태였다. '이상하다, 문이 잠겨 있을 텐데. 아무도 들어올 수 없을 텐데.' 그럼에도 불구하고 내 귀에는 누군가(Someone)가 터벅터벅 계단을 올라오는 소리가 들려왔다. 아마도 그때는 10월 하순이나 11월 초순쯤이었던 것으로 기억된다.

나는 속으로 저 발자국 소리의 주인공이 왜 요즘 같은 계절에 샌들을 신고 있는 것인지에 대해 의아해하고 있었다. 나는 딸각거리며 계단을 올라오던 샌들소리가 아직도 생생하게 기억한다. 한 번에 한 발자국씩, 다소 천천히 올라오는 소리였다. 마치 그(He)는 매우 신중한 태도로 걷고 있는 듯했다.

드디어 하나님의 아들이 방 안으로 들어오셨다. 우리는 그분이 예수님 이심을 직감적으로 알 수 있었다. 주님은 샌들을 신고 긴 겉옷을 입고 계셨다.

주님이 내 발치에 오셔서 2-3분가량 서 있다가 지나가셨는데, 주님께서 내 옆으로 오셨을 때, 주님의 옷자락이 발끝에서부터 머리끝까지 내 온몸을 덮는 것이 느껴졌기 때문이다.

그 후 주님께서 나처럼 바닥에 쓰러져 있는 다른 사람에게 다가가셔서, 나에게 하신 것과 동일한 일을 하고 계신 것이 느껴졌다. 이 일은 약 20분 동안 지속되었다. 예수님은 사람들에게 다가가 잠시 머무시면서 그들을 주님의 옷자락으로 덮어주셨다(다른 이들도 동일한 경험을 하였노라고, 이후에 나에게 말해주었다). 우리는 거의 숨조차 쉴 수 없었다. 아무도 몸을 움직이지 않았고, 입을 열어 말하는 이도 없었다.

이처럼 매우 독특한 행동을 하신 후에, 예수님은 다시 조용히 계단을 걸어 내려가셨다. 그동안 한 말씀도 하지 않으셨다.

주님이 방을 떠나신 후, 우리는 몸을 움직이고 눈도 뜰 수 있게 되었다. 우리는 비틀거리며 일어나 방금 전 일어난 일들에 관해 이야기를 주고받았다. 그것은 분명 매우 기이한 종류의 사건이었다. 그러나 예수님이 우리들 사이를 지나다니신 일을 계기로 우리는 서로에게 간증을 들려주기 시작했다. 우리가 그동안 무엇에 속박되어 있다가 자유케 되었는지, 지금까지 떨쳐버리기 위해 고군분투해온 죄의 문제들이 무엇인지 등에 관해, 매우 사적이고 개인적인 고백들을 서로에게 털어놓았다. 주님의 옷자락이 우리를 덮었을 때, 어떤 특정 문제나 죄에 대해 하나님이 다루기 원하신다는 강한 느낌이 우리 마음에 새겨졌다.

내가 처리해야 할 것은 신성모독이었다.

우리는 잘못된 동기와 태도들, 그동안 힘들게 싸워온 부담감, 두려움, 거절감 등을 모두 고백하였다. 우리는 서로 용서를 구하기도 했다. 그렇게 잘못된 동기들을 바로잡고, 마음의 순결을 회복하였다.

그날의 철야기도모임에 나타나신 그리스도로 말미암아, 우리는 하나님께서 왜 우리에게 거룩하라고 말씀하셨는지를 분명히 알게 되었다. 우리는 절로 주님이 거룩하신 것처럼 거룩해지고 싶다는 마음이 들었다. 예수님은 하나님의 거룩하심을 계시해주는 돌파의 기름부음을 우리에게 부어주셨다. 그날 이후로 우리는 이전과는 완전히 다른 사람으로 변화되었다.

거룩성 vs 세속성

나는 주님의 몸 된 교회 안에 있는 수많은 사람들이 어떻게든 하나님의 마음은 이해하고 있을지라도, 여전히 주님의 거룩성에 대면한 적은 없을 것이라고 생각한다. 아마 당신도 내 생각에 동의할 것이다. 우리 모두는 경외감 넘치는 주님의 거룩하심에 관한 계시를 밝히 깨달아야 한다. 그런데 너무나도 많은 이들이 아직 이러한 계시를 받은 적이 없다. 그런 까닭에 주님의 백성들이 현저하게 인격적으로 부족하고 성실함도 결여된 모습으로 살아가고 있다. 나는 이 말이 매우 과격한 표현임을 알고 있다. 또한 이러한 상황을 사랑 안에서 바로잡아야 한다는 것도 안다. 그러나 당신도 인정해야 할 것이 있다. 사실 오늘날 전반적으로 주님의 몸 된 교회 안에 거룩성과 세속성이 지나칠 정도로 혼재되어 있지 않은가?

이 책의 첫 장부터 상기해보라. 초자연적인 대면의 목적은 '주님을 더욱 잘 아는 것'이다. 우리는 단지 주님의 사랑과 자비에 관해서만 아는 것이 아니라, 주님의 거룩하심, 주님의 주권적인 의로우심에 관해서도 알아야 한다. 나는 우리가 종종 하나님을 두려워하는 마음으로 숭배하는 모습이 부족할 때가 많다고 생각한다.

우리는 빛의 왕국 안에서 너무나도 많은 죄를 묵인하며 살아가고 있다. 죄로부터 구속해주어야 할 사람들을 통해 오히려 죄를 받아들이고 있는 형국인 것이다. 너무나도 많은 복음전도자들이 습관적인 죄악에 빠져 있다. 너무나도 많은 목사들이 불법적인 것이든 의사의 처방전에 따른 것이든 마약이라는 올가미에 걸려들고 있다. 또한 너무나도 많은 선지자들이 간음죄를 범하고 있다. 신앙인 중 너무나도 많은 이들이 구원받기 전의 옛 생활방식을 고수하며 살아가고 있다.

이처럼 우리 안에 너무나도 많은 혼합물이 존재하고 있다. 철저히 거룩하고 구별되어야 할 것 안에, 하나님 나라의 가시적인 표현 안에, 너무나도 많은 세속성이 뒤섞여 있다.

이 책 전반에서 내가 자주 반복하는 말이지만, 여기서 나는 어느 누구를 향해 돌팔매질하려는 것이 아니다. 다만 "먼저 네 눈 속에서 들보를 빼어라"(마 7:5)는 말씀처럼, 우리 자신에 대해 철저하게 다뤄보고 싶을 따름이다. 판단하는 것이 목적이 아니다. 나의 요지는, 우리가 반드시 다뤄야 할 사안이 무엇인지 밝혀보자는 데 있다. 이 일은 이 마지막 시대에 보다 더 큰 기적들을 회복한 교회의 모습을 지켜보기 위해 반드시 필요하다.

다시 말하지만, 나도 온전한 사람이 아니다. 당신에게 거룩해지라고 몰아칠 만큼 그렇게 대단한 사람은 아니다. 내 안에도 내보일 만한 것이 아무것도 없다. 그러나 내 안에 살아 계신 성령께서, 우리에게 선한 것과 사악한 것을 구분하라고 요구하신다. 주님은 지금 내게 이러한 몇몇 모순들을 지적하신 후 거룩성의 회복에 대한 그분의 바람을 함께 나누라고 명령하고 계신다. 이 책은 희망과 해답의 책이지, 결코 비관적이고 절망적인 책이 아니다.

하나님 아버지께서는 사도적인 사람들로 하여금 거룩성과 세속성의 차이가 무엇인지, 정결한 것과 부정한 것의 차이가 무엇인지를 주님의 백성들에게 가르치라고 요구하고 계신다(겔 44:23). '거룩하다'(holy)는 헬라어 '하기오스'(hagios)로, '하나님처럼 되다, 하나님께서 거룩하게 구별해놓으신 것을 하나님처럼 거룩하게 구별해놓다'로 번역할 수 있다. 이 단어는 문자적으로 정확히 '경외심을 불러일으키는 어떤 것'(an awful thing)이라는 의미를 담고 있다. 여기서 '경외심을 불러일으키는'(awful)에 해당하는 말은, 현대어적인 용법에서 사용되는 의미보다는 '경외감으로 가득 차 있는, 엄숙한, 근접하기 어려운'과 같이 고풍적인 의미로 이해되어야 한다.

예를 들어보겠다. 결혼제도가 거룩한 것임을 알고 있는 사람이 과연 얼마나 될까? 당신이 말로 서약한 내용들은 하나님 앞에서 거룩하다. 하나님께서 그 언약을 거룩하다 하시므로, 당신도 그것을 거룩하게 여겨야 한다. 따라서 어떤 이유에서든 이런 언약들을 깨뜨릴 때, 우리는 거룩한 것과 속된 것을 뒤섞어버리는 죄를 저지르게 된다.

언젠가 아이버나 톰킨스도 가르쳐준 적이 있는 내용이지만, 세속적인 사람은 다음과 같이 말한다. "나는 내가 원하는 바가 내가 원하는 때에 이루어지기를 바란다. 그 일로 인해 누가 다치든 말든 나는 상관하지 않는다. 나의 이기적인 방식을 고수하기 위해 누군가를 함부로 대하게 되더라도 아무렇지 않다." 이것이 바로 에서의 문제였다. 에서는 세속적인 사람이었다.

"한 그릇 음식을 위하여 장자의 명분을 판 에서와 같이 망령된 자가 없도록 살피라"(히 12:16). 에서는 자신의 장자권을 하찮은 것으로 여겼다. 장자권은 그가 아버지의 집에서 누리던 위상으로 인해 합법적으로 부여받은 축복이었다. "내가 죽게 되었으니 이 장자의 명분이 내게 무엇이 유익하리요"(창 25:32).

이 털 많은 친구는 단지 배가 고팠을 따름이다. 어쩌면 그는 배가 고파 죽을 지경이었는지도 모른다. 그 순간 그에게는 배부르게 먹는 것만큼 중요한 일이 없었다. 그는 자신의 결정이 이스라엘 백성들에게 어떤 영향을 미칠지에 대해서는 전혀 상관하지 않은 채, 이렇게 말했다. "자, 여기 있나. 내 장자권을 가져가라. 내게는 장자권보다 음식 한 그릇이 너 중요하니까." 우연하게도 그 한 그릇의 음식은 팥죽과 빵 조금이었다. 필경 나였다면, 그런 음식은 절대 먹지 않았을 것이다! 내 배 하나를 채우기 위해 수천 년 동안 한 민족 전체를 망쳐놓을 요량이라면, 최소한 필레 미뇽(filet mignon 원통형으로 두껍게 자른 소의 허리부위 - 역주) 정도는 요청해야 하지 않겠는가?

내가 이렇게 익살스럽게 쓰고 있는 이유는, 결코 깔보기 위해서가 아니다. 다만 나는 세속적인 사람이 얼마나 어리석을 수 있는지를 보여주려는 것이다. 에서는 하나님께서 거룩하다고 칭하신 것을 거룩하다고 부르기를 거절했다. 결과적으로 그 순간 이후 그의 후손들은 끊임없이 형제들과 대립하며 지내게 되었다.

그렇게 포만감을 채우고 난 후에야, 이 가련하고 어리석은 사람은 자신이 거저 줘버린 것이 무엇인지를 깨달았다. 그제야 그는 자신의 장자권을 되찾으려고 애를 썼다. 그렇다고 해서 그가 진정으로 경건한 회개를 한 것도 아니었다. 왜냐하면 에서의 관심은 오로지 자신이 잃어버린 것에만 쏠려 있었기 때문이다. 하나님께서 거룩하게 하신 것을 자신이 모독했다는 사실에 대해서는 아무런 관심도 없었다(창 27장 참조).

하나님은 절대적으로 거룩하신 분이다. 따라서 하나님은 세속적인 것에 맞서 대항하신다. 최대의 적수인 이 두 개의 속성은 이미 오랫동안 서로 어울릴 수 없는 관계였다. 사도적인 사람들이 행하는 표적과 기사의 역할 중 하나는, 주님의 몸 된 교회 안에 세속성의 정체를 밝히 드러내는 일이다. 그들은 사람들을 향해 거룩해질 것을 촉구한다. 이렇게 함으로써 그리스도의 거룩하심을 이 세상에 가시적으로 표현하는 사도적인 무리가 형성된다.

오늘날 우리의 문제는 너무나도 많은 교회지도자들과 순회사역자들이 과도하게 이기심을 드러내고 있다는 데 있다. 나는 이것을 가리켜 '프리마돈나(Prima Donna)의 영'이라는 노골적인 표현을 사용한다. 사실 나는 주님 안에서 이들 설교자들을 사랑하지만, 여전히 고개를 흔들지 않을 수가 없다. 가장 최근에, 한 사역자가 교회의 관리인에게 집회장의 실내온도가 3도가량 높다고 욕설을 퍼부었다는 당혹스런 이야기를 전해 들었다.

이런 이야기를 들을 때면, "오, 제발!"이라는 말밖에는 안 나온다. 그들이 그렇기 때문에 성령께서 역사하실 수 없는 것이다(당신은 내가 지나치게 과장하고 있다고 생각할지 모른다). 성령께서 집회 장소의 온도가 어느 정도인지 신경 쓰시는 분이란 말인가! 나는 인도에 갈 때 이런 사람들을 함께 데려갔으면 좋겠다. 그들에게 더운 맛을 좀 보여주게 말이다!

인도의 기온은 섭씨 43도에, 습도는 99퍼센트에 달한다. 아이들은 발치의 먼지 구덩이 속에서 소리를 지르며 울고 있다. 소나기가 한바탕 퍼부어주기만을 노심초사 기다리는 2천 명의 힌두교도와 무슬림들이 기적을 바라며 당신 앞에 줄지어 서 있다. 이런 상황 가운데 주님의 향기를 맡을 수 있을 것이라고는 기대되지 않는다. 그러나 웬일인지 성령님은 매우 강력하게 역사하신다!

그뿐만이 아니다. 설상가상으로 당신은 저녁식사로 개고기 카레요리를 한 그릇 먹어야 하고, 어느 가난한 목회자의 집 헛간 바닥에 누워 잠을 청해야 한다. 뿐만 아니라 내일 저녁식사용 음식이 놓여 있는 곳에 생쥐들이 들락거린다. 이런 데서 사는 사람들은 압도적인 기적들을 목격하고 있는 데 반해, 우리는 전혀 그러지 못하고 있다는 것이 얼마나 안타까운 사실인가.

친구들이여, 나는 여러분을 사랑한다. 그러나 우리는 이런 '싱싱한 꽃다발 증후군'(Fresh-Cut Flower Syndrome)에 맞서 싸워야 한다. 내 말이 무슨 뜻인지 이해되지 않는다면, 간단히 설명하겠다. 나는 이 세상에 온전한 사람이 한 명도 없음을 인정한다. 하지만 계속 이런 지도자들의 모습을 보고 있자니 넌덜머리가 난다. 이들은 사역을 통해 매우 강력한 일들을 행하고 있고, 강대상에서는 겸손하고 배려하는 모습을 보여준다. 그러나 집회 후에 이들을 호텔로 태워다주는 임무를 맡은 가난한 사람은, 이 하나님의 사람으로부터 호텔방에 왜 날마다 싱싱한 꽃다발을 배달해 주어야만 하는지에 대해 귀가 따갑도록 잔소리를 듣는다. 이번에도 내 말은 결코 과장이 아니다. 사실 우리에게는 하나님의 거룩하심에 관한 계시가 필요하다. 이제 좀 이해하겠는가?

　최근에 한 사역자에 관한 이야기를 들은 적이 있다. 그 사역자는 강단 초청 시간에 몰래 집회 장소를 빠져나간 한 남성을 향해, 2천여 명 앞에서 질책을 퍼부었다. 다시 말해, 그 남성을 엄하게 꾸짖었다! 그 남성을 10살짜리 아이를 대하듯 큰소리로 나무랐다. 나아가 마치 그 남성이 훼방을 놓았기 때문에 결국 아픈 사람들이 치유를 받지 못하게 되었다며 소리쳤다. 그의 말에 의하면, 사람들이 질병을 고침 받지 못한 채로 집회 장소를 떠나가게 된 이유가 바로 그 남자의 과실 때문이라는 것이다. 과연 그런가?

　이 일은 그 남자를 그렇게 지나치게 비난할 만한 근거가 되지 못한다. 자, 한 번 살펴보자. 나는 그 자리에 있지 않았다. 어쩌면 그 남자는 마음이 산만해진 상태였는지도 모른다. 어쩌면 단순히 화장실에 가려고 했는지도 모른다. 내 요지는 이렇다. 성령님은 그 정도의 방해가 있다 해도 얼마든지 역사하실 만큼 크신 분이다. 성령님은 화장실 가는 사람들이 아무리 시끄럽게 해도, 조금도 개의치 않고 그곳에 있는 사람들을 치유해주실 수 있는 분이다.

　그 불쌍한 남성에게 말해주고 싶은 것이 있다. 혹시 우연찮게 그가 이 글을 읽게 될지 누가 아는가. "선생님, 사역자 형제를 대신하여 사과드립니다. 그 사람들은 화장실에 가야 하는 당신이 있든 없든 상관없이 치유를 받을 수 있었습니다."

　이번 장으로 인해, 어쩌면 나는 많은 이들로부터 극심한 비난의 화살을 받게 될지도 모른다. 이것을 이 책에 넣을까 말까를 놓고 살짝 고민했던 게 사실이다. 약 5초 동안 말이다. 바라기는, 당신이 이 책의 요지를 통해 내 마음을 조금이나마 이해했으면 좋겠다. 또한 나의 확신들이 당신의 삶 속에서 기적적인 일들이 일상적으로 일어나는 모습을 보길 바라는 (이 책에서 그토록 강조하고 있는) 참된 갈망에서 비롯된 것임을 알아주었으면 한다.

나는 여기서 그 사역자를 겁쟁이라고 말하려는 것이 아니다. 다만 우리가 기적적인 일들이 일어나는 모습을 목격하지 못하는 이유를 구체적인 사례들을 통해 알기 원할 따름이다. 우리는 마땅히 교회 전반에 대대적으로 기적들이 일어나는 모습을 볼 수 있어야 함에도 불구하고, 실제로는 그러지 못하고 있다. 그 이유로 하나님의 거룩성에 대한 무지, 인간의 세속성과 거룩성 사이의 전쟁 등도 꼽을 수 있다.

여기서 나는 사람이 어떻게 세속적일 수 있는지에 관해 하나의 사례를 통해 설명하고자 한다.

앞 못 보는 아기

콜로라도에 있는 한 교회에서 집회를 인도하고 있을 때의 일이다. 나는 예정된 시간을 훨씬 더 초과하여 집회를 마쳤다. 자칫하다가는 그곳을 떠나기 위해 예약해 두었던 비행기를 놓칠 것만 같았다. 사역을 하다 보면 이런 일이 매우 빈번하게 일어난다. 순회사역자의 삶은 언제나 어느 장소로든지 서둘러 뛰어가는 모습인 듯하다. 일단 집회를 모두 마친 후, 나는 교회 뒤쪽으로 재빨리 빠져나와야 했다. 얼른 승용차를 타고 전속력으로 공항으로 달려가 제 시간에 비행기를 타기 위해서였다.

이동을 위해 통로 쪽으로 걸어 내려오는데 의자에 앉아 있는 한 여인의 모습이 보였다. 그녀의 무릎 위에는 여자아기가 잠들어 있었다. 나중에 안 사실인데, 그녀는 그 아이의 이모였다. 그녀가 내 쪽으로 와서 나를 멈춰 세우며 이렇게 말했다. "부탁이 있는데요, 혹시 이 아기를 위해서 기도 좀 해주시겠어요?"

솔직히 말하자면, 그때 나는 혹시라도 비행기를 놓칠 수도 있다는 생각에 굉장히 불안하고 조급해하고 있었다. 그래서 사실 그 아기에게 무슨 문제가 있는지 집중해서 살펴볼 만한 여유가 없었다. 그럼에도 불구하고 몸을 구부려 아기의 머리에 손을 얹고 이렇게 기도했다. "주님, 이 아이에게 필요한 창조적인 기적을 일으켜 주십시오." 그 기도내용은 내 영 안에서 튀어나온 것만 같았다. 기도를 마친 나는 그 여인에게 빙그레 웃어준 뒤 곧장 그곳을 떠났다.

나를 공항까지 태워다준 남자는 마리오 안드레티(주요 대회에서 수차례 챔피언을 획득한 유명한 카레이서 - 역주)의 먼 친척이라도 되는 듯이 달렸다. 덕분에 나는 예정대로 비행기를 탈 수 있었고, 그 여자아기에 관한 일은 나의 기억에서 사라져버렸다.

알고 보니 그 여자아기는 태어날 때부터 눈동자(안구의 홍채)가 없었다. 다시 말해, 그 아기의 눈에는 오로지 흰자위만 있었다. 눈동자와 홍채가 아예 선천적으로 없었던 것이다. 그 아기는 완벽한 맹인이었다.

내가 기도해준 바로 다음 날 아침, 아기가 누워 있던 침대에서 울음을 터뜨렸다. 아기의 엄마는 방으로 들어가 아기를 들여다보다가 비명을 질렀다. 이어서 아기 아빠도 혼비백산하여 아기 방으로 뛰어들어갔다.

아기는 반짝반짝 생기가 넘치는 푸른 눈으로 그들을 올려다보고 있었다! 하나님께서 밤사이 그 아기를 위해 눈동자와 홍채를 창조해주신 것이다! 이 소식을 그날 나에게 기도를 부탁했던 아기의 이모가 편지로 전해주었다. 그녀는 편지에 이 모든 내용들을 구체적으로 기록하였다. 얼마쯤 세월이 흐른 뒤, 나는 다시 그 지역에 갔다가 이 여인을 만날 기회가 있었다. 우리는 깜짝 놀랄 만한 이 기적에 함께 뛸 듯이 기뻐했다. 잠시 이야기를 나눈 후, 나는 주위를 돌아보며 이렇게 물었다.

"그런데 아기는 어디에 있습니까? 아기의 부모님은 어디에 있고요?"

그러자 그 여인은 풀이 죽어서 대답했다. "오, 그들은 여기에 오지 않을 겁니다. 그들은 주님과 동행하는 삶을 살고 있지 않아요."

나는 충격을 받지 않을 수 없었다.

"뭐라고요? 하나님께서 그들을 위해 그런 일을 행하셨는데, 여전히 주님을 따르지 않고 있다고요?"

"예."

아기의 부모는 마약과 알코올에 중독된 사람들이었다. 만일 당신이었다면, 당연히 그토록 경이로운 일을 마약이나 술보다 훨씬 더 중요하게 여겼을 것이다. 그렇지 않은가? 만일 그런 일이 내 딸에게 일어났다면, 나는 이 하나님이 도대체 어떤 분이신지 궁금해하며 몸소 찾아 나섰을 것이다. 나라면 최소한 주님께 감사는 드렸을 것이다. 당신이라면 그렇지 않겠는가?

아기의 부모가 세속적인 사람들이었다고 말하니 좀 울적해진다. 이처럼 사람이 기적을 목격했다고 해서 하나님을 향한 마음마저 자동적으로 부드러워지는 것은 결코 아니다. 아기의 부모는 하나님의 은혜를 받았음에도 불구하고 여전히 자신들의 이기적인 생활양식을 고수하기로 선택했다. 그 어린 아기를 위해 주님께서 그토록 놀라운 일을 행하셨는데도 말이다. 이것이 바로 세속적인 모습입니다.

나는 그들이 언젠가는 변화되기를 기도한다. 혹은 최소한 그 여자아기만이라도 자신의 부모들처럼 세속적인 사람이 되지 않기를 바란다.

신성에 참여하는 자들

CFNI의 도서관에서 기도모임을 가진 날 밤, 예수님께서 우리들 가운데 걸어 다니셨을 때, 나는 주님이 얼마나 거룩하신 분인지에 관해 매우 놀라운 계시를 받았다. 주님은 내가 훌쩍거리며 우는 체하는 것과 지나친 영적 오만을 더 이상 묵인하지 않겠다고 하셨다. 주님께서는 향후 약 60년간 이어질 나의 사역에 좋지 못한 흔적으로 남을 수 있는 무가치한 세속적 혼합물을 제거하기 원하셨다.

만일 하나님 아버지의 거룩하심에 관한 계시가 없다면, 우리는 기적의 사역을 추구하는 진정한 목적성을 상실한 채 신적 권능의 모조품을 만들어내고, 강대상 뒤에서 모종의 구역질나는 거래를 수행할 수도 있다.

> 하나님과 우리 주 예수를 앎으로 은혜와 평강이 너희에게 더욱 많을지어다 그의 신기한 능력으로 생명과 경건에 속한 모든 것을 우리에게 주셨으니 이는 자기의 영광과 덕으로써 우리를 부르신 이를 앎으로 말미암음이라 이로써 그 보배롭고 지극히 큰 약속을 우리에게 주사 이 약속으로 말미암아 너희가 정욕 때문에 세상에서 썩어질 것을 피하여 신성한 성품에 참여하는 자가 되게 하려 하셨느니라 그러므로 너희가 더욱 힘써 너희 믿음에 덕을, 덕에 지식을, 지식에 절제를, 절제에 인내를, 인내에 경건을, 경건에 형제 우애를, 형제 우애에 사랑을 더하라 (벧후 1:2-7)

우리는 거듭난 그리스도인들로서 하나님의 성품에 참여하는 자들이다. 하나님께서 친히 우리 안에서 살아가신다. 십자가를 통해 예수 그리스도께서 베풀어주신 구원으로 말미암아, 우리에게 생명과 경건에 속한 모든 것(Godliness 정확하게 말하자면, '하나님과 같음'[God-like-ness]이다)이 주어졌다. 우리가 예수 그리스도의 몸에 접붙여짐으로 '하나님과 같음'을 지니고 있다는 사실을 인정하는 것은 결코 교만이 아니다. 오히려 이런 사실을 인정하지 않는 것이 잘못이다. 그러나 경건에 속한 모든 것을 얻으려면 대가를 치러야 한다.

하나님이 거룩하시다면, 우리도 거룩해야 한다. 거룩해지는 것 외에 다른 모든 것들은 더러움을 야기할 뿐이다. 특히 강대상에 서야 하는 사람들의 경우, 우리의 더러움은 다른 사람에게 옮겨질 수 있다. 마치 우리 안에 있는 하나님의 기적적인 능력이 다른 사람들에게 전이될 수 있듯이 말이다.

달리 말하자면 이렇다. 만일 어떤 이가 더럽혀진 상태로 당신에게 다가와 예언의 메시지를 들려주었다고 가정해보자. 이때 당신은 하나님께서 의도하신 메시지만 받는 것이 아니라, 그 선지자의 이면에 있는 온갖 더러움도 함께 받아들일 수 있다. 그러면 모든 게 한데 뒤섞이게 된다. 만일 하나님으로부터 말미암지 않은 메시지가 당신의 영 안에 놓인다면, 또한 당신이 그것을 하나님으로부터 온 메시지로 받아들인다면, 그 도구(선지자) 안에 들어 있던 더러움이 당신 안으로 들어올 수 있다.

다행히도 당신에게는 선택권이 있다. 받아들일 것이냐, 거부할 것이냐에 대한 선택이다. 올바른 선택을 할 수 있으려면 반드시 분별력을 가져야 한다. 이와 관련하여 한 가지 사례를 소개하겠다.

그 도시의 '장로'

한번은 어느 대도시에서 사역을 한 적이 있었다. 그때 몇몇 교회 지도자들이 나를 찾아와서, 인근에 있는 70-80명가량의 목회자들을 대상으로 하는 집회에 와달라고 부탁하였다. 그 교회 지도자들은 모두 특별한 한 사람을 중심으로 결집되어 있었다.

내가 처음 그 사람을 만났을 때, 그가 자신의 이름을 소개한 후에 가장 먼저 한 말은 다음과 같았다. "나는 이 도시를 관장하는 장로요."

그 도시는 인구가 백만 명 이상되는 큰 지역이었다. 그가 그렇게 말하자마자, 순간적으로 내 영 안에서 경고음이 울리기 시작했다. 나는 이 사람에게 뭔가 잘못된 부분이 있음을 알아차렸다. 당시 여러 동료들이 내 곁에 있었는데, 그들 중에는 이전에 나와 함께 집회를 인도한 이들도 있었다. 그런데 모두가 이 남자를 엄청난 기름부음을 가진 사람으로 믿어 의심치 않고 있었다. 그래서 나는 미소 지으며 고개를 끄덕이기만 했다.

내가 말했다. "정말 굉장하시군요."

그 남자는 계속해서 말을 이어갔다. "제가 당신을 위해 예언해드리고 싶습니다."

나는 주님으로부터 오는 메시지를 듣기 위해 늘 귀를 열어놓고 있다. 그는 내 몸에 손을 얹더니 이제까지 내가 받아본 것들 중에서 최고로 구체적인 예언의 메시지를 쏟아놓기 시작했다. 수많은 세월동안 나 역시 예언의 메시지를 전하는 자로 쓰임 받아왔을 뿐 아니라, 다른 사람들로부터 예언의 메시지를 받기도 했다. 그러나 그 남자의 메시지처럼 구체적이고 상세한 내용을 받은 경우는, 그때가 정말 처음이었다. 그는 내 나이 6살

때 일어났던 일들, 십대 시절에 겪은 사건들, 몇 주 전에 아내와 함께 나눈 대화 내용들, 사역을 하면서 일어난 여러 가지 사건들 등에 관해 이야기하였다.

그러나 결정적으로 그가 이야기를 해줄 수록, 그 내용이 얼마나 구체적이냐에 상관없이 내 기분이 점점 더 비참해졌다. 판단의 무게가 나를 무겁게 짓눌러 오면서 심지어 위가 아파오기 시작했다. 내 영도 슬퍼하고 있었다. 나는 어둠을 느꼈다. 그의 메시지는 나에게 희망을 준 것이 아니라, 오히려 끔찍한 느낌이 들게 하고 있었다!

그가 계속해서 말하는 동안, 문득 그가 세속적인 사람이라는 것이 감지되기 시작했다. 어떠한 더러움이 그 사람 안에 있었고, 그는 점술(divination)의 영으로 기능하고 있었다. 그가 예언의 메시지를 전하는 동안, 그의 안에 있던 더러움이 내 안으로 조금씩 스며들어오고 있었다.

마침내 그가 말을 끝마쳤다. 나는 처참해진 기분으로 여전히 그 자리에 서 있었다. 나 자신이 더럽혀진 듯한 느낌이 들었다.

그는 여전히 내 양 어깨에 자신의 양손을 얹은 채, 내 두 눈을 바라보면서 물었다. "저의 이 예언의 메시지를 받아들이십니까?"

이 말을 했을 때, 나는 그의 눈 속에서 더러움의 귀신이 번쩍 하는 것을 보았다. 명백하게 드러난 것은 아무것도 없었다. 단지 아주 짧게 번쩍했을 뿐이지만, 확실히 있었다! 찰나였지만, 나는 결정을 해야 했다. 만일 내가 이 교회 지도자들 앞에서 체면을 지키기 위해 "예"라고 대답한다면, 이제 나는 그가 은폐하고 있는 온갖 것들과 그의 모든 더러움 안으로 들어가게 될 것이다. 이것을 '전이의 법칙'(Law of Transference)이라고 부른다.

아마도 대부분의 은사주의자들은 이 메시지를 흔쾌히 받아들였을 것이다. 평화를 위해서라도 그렇게 하는 편을 택할 것이다. 또한 메시지가 이렇게도 구체적인 걸 보니, 틀림없이 경건한 것이지 않겠는가?

그러나 나는 그의 메시지를 받아들일 수 없었다. 나중에 몇몇 다른 동료 사역자들의 도움을 받고서야 겨우 그것을 털어버릴 수 있었다.

그 도시의 사역자들이 내가 그의 메시지를 거부했다는 소식을 전해 듣고는, 대부분이 내가 그곳에서 사역하지 못하도록 방해하고 막았다. 그들은 내가 '그 도시의 장로'에게 저항했다는 이유로, 그곳에서 나를 의도적으로 소외시켰다.

정말 안타까운 일이지만, 그로부터 몇 년 후 그 남자와 한통속이었던 교회 지도자 대다수가 더 이상 사역을 할 수 없게 되었다. 많은 이들이 파산하였다. 심지어 가정까지 잃어버린 이들도 있었다. 한편 가장 최근에 전해들은 바에 의하면(이 말을 하기가 참 고통스럽지만), 그 '장로'는 바로 얼마 전에 매우 극심한 고통 가운데 세상을 떠났다고 한다. 정말이지 정신이 번쩍 드는 이야기가 아닌가?

사랑하는 친구들이여, 우리가 더러움이나 세속성과 연합할 때, 끔찍한 대가를 치르게 될 수도 있다. 그러니 조심하라!

허영의 도구들

설사 당신에게 메시지를 전하는 도구가 아무리 진실한 의도를 지니고 있다 할지라도, 그들이 영적·정서적·정신적인 응어리를 계속해서 그대로 방치해둔다면, 그들 안에 허영심을 불러들이는 원인이 될 수도 있다. 나아가 그 도구는 마침내 거룩한 기름부음이 점점 감소되다가, 결국 변질되고 더러워지고 만다. 한때 거룩했던 것의 모조품이 되어버리는 것이다. 여기서 주목해야 할 것은 바로, 그 도구의 허영이다. 허영은 사람의 경건한 본성을 망가뜨리는 것을 받아들이려는 이기주의에 불과하기 때문이다.

이것에 관해서는 아무리 말해도 부족하다. 우리 중에 온전한 사람은 아무도 없다. 우리는 모두 극복해야 할 문제들을 안고 있다. 그러나 여기서 나는 우리의 연약한 부분을 통해 일정 기간에 걸쳐 끊임없이 혹은 지속적으로 이루어지는 습관적인 타락에 관해 이야기하는 것이다. 이러한 습관적인 타락은 마침내 거룩한 것의 모조품을 만들어낸다. 이것은 매우 단순하지만, 많은 사람들이 보편적으로 알고 있는 사실은 아니다.

만일 우리가 우리를 성화시켜 주시는 성령님의 작업을 계속해서 부인한다면, 우리를 통해 하나님의 능력이 가시적으로 나타나는 일도 점점 퇴색되고 말 것이다. 죄 자체가 더러움을 유발하기도 하지만, 죄를 품고 있는 것도 더러움을 유발한다. 습관적인 죄를 벗어날 수 있는 전적인 '자유 시간'이란 결코 존재하지 않는다. 더러움이 어느 틈에 들어올지 과연 누가 알겠는가? 따라서 우리는 아예 처음부터 그런 지점으로는 가지 말아야 한다!

사랑하는 독자들이여, 여기서 우리는 균형을 잃지 말아야 한다. 일회성으로 짓는 죄와 영속적인 죄의 상태는 다르다. 일회성으로 짓는 죄도 반드시 고백해야 하지만, 영속적인 죄의 상태는 더러움을 가져온다. 어떤 사역자가 당신에게 손을 얹더라도, 이 원리를 생각하며 화들짝 놀라거나 무서워하지는 마라. 어느 누구에게나 약점은 있기 마련이기 때문이다. 다만 그 사람의 삶 속에 끊임없이 존재하고 있는 연약한 부분에 대해서는 경계심을 가지라. 이는 분별력을 요하는 일이다. 더러움 자체가 전이되지는 않을지라도, 그 더러움과 결부되어 있는 압박감이 당신에게 전이될 수 있다. 이러한 압박감도 충분히 나쁜 것이다!

다시 핵심으로 돌아가자. 허영이란, 얼마든지 죄에 오염된 상태로 살아도 괜찮다고 생각하는 태도다. 잠시 시간을 내어 에스겔 13장을 읽어보라. 이 책을 읽는 동안 성경책을 펼쳐보는 것도 당신에게 좋은 훈련이 될 것이다. 가장 중요한 것은 이 책의 내용이 아니라 성경 자체이기 때문이다. 게다가 나는 선지자들보다 훌륭하게 표현해낼 자신이 없다! 모조품을 만들어내는 인간의 허영심과 관련하여 좀더 신랄한 구절 몇 개를 살펴보기로 하겠다.

> 여호와께서 말씀하셨다고 하는 자들이 허탄한 것과 거짓된 점괘를 보며 사람들에게 그 말이 확실히 이루어지기를 바라게 하거니와 그들은 여호와가 보낸 자가 아니라 (겔 13:6)

그야말로 허탄한 모습이 아닌가! "오, 주님, 제가 전하는 이 메시지가 반드시 이루어지기를 바랍니다." 이것은 진정 잘못된 생각이다.

> 그러므로 주 여호와께서 이같이 말씀하셨느니라 너희가 허탄한 것을 말하며 거짓된 것을 보았은즉 내가 너희를 치리라 주 여호와의 말씀이니라 (겔 13:8)

다시 말하지만, 그들의 허영심은 변명의 여지가 없다. 실제로 주 하나님은 그런 자들을 대적하신다. 내 말을 믿으라. 주님께서 당신을 치시도록 만드는 것은 나쁜 일이다.

요컨대, 사도적인 사람들은 하나님께 영감을 받은 것과 거룩함을 흉내낸 모조품을 분별할 줄 알아야 한다. 몸으로서의 교회가 교회문화 속에 통합시켜야 하는 가장 중요한 은사들 중 하나가 영분별이다. 그러나 애석하게도 대부분의 계열에서 영분별은 심각할 정도로 활용되지 못하고 있다. 이런 현상은 '하나님께 영감 받은' 것이라는 미명 아래 만연해 있는 초자연적인 것의 오용으로 인해 보편화되고 있다. 그렇다고 거룩성을 흉내낸 모조품들이 모두 귀신적인 것에 뿌리를 두고 있다고 말하려는 것은 아니다. 그러나 대체로 그것은 경건한 것과 육체적인 것을 혼합하려는 노력에서 기인할 때가 많다.

세상은 지금 하나님으로부터 오는 것들을 찾아다니며 부르짖고 있다! 그러나 안타깝게도, 그들이 얻는 것은 모조품일 때가 많다. 이런 모습은 하늘 높은 줄 모르고 날뛰는 신비사술의 관행이 일상생활 속에 '보편화되고' 있다는 사실만으로도 확인할 수 있다. 거짓된 '초자연적인 것'(실제로는 '불가사의한 것'이라고 해야 한다)을 분별하고 그 정체를 밝히 드러내기 위해서는, 사도적인 돌파의 기름부음이 필요하다. 참된 초자연적인 것은 하나님 아버지께서 활동하시는 영역 안에서만 발견된다.

킴 클레멘트는 신성한 것이란 '가시적으로 나타난 하나님의 성품 혹은 본질'이라는 매우 탁월한 정의를 소개했다. 교인들을 주님의 사역자들로 배출시키기 위해 우리는 사도적인 사람들로서 하나님 아버지의 참된 본질과 성품을 가시적으로 드러내야 한다.

그러므로 형제들아 내가 하나님의 모든 자비하심으로 너희를 권하노니 너희 몸을 하나님이 기뻐하시는 거룩한 산 제물로 드리라 이는 너희가 드릴 영적 예배니라 너희는 이 세대를 본받지 말고 오직 마음을 새롭게 함으로 변화를 받아 하나님의 선하시고 기뻐하시고 온전하신 뜻이 무엇인지 분별하도록 하라 (롬 12:1-2)

하나님의 선하시고 기뻐하시고 온전하신 뜻은 오직 한 가지다. 바로 주님의 백성들이 거룩한 제물로 변화되는 것이다. 그 외의 다른 모든 것들은 주님의 목적에 속하지 않는다. 우리는 하나님의 본질(거룩함)로 변화되어야 한다. 이 세대를 '본받는 것'이란, 하나님의 뜻이 아닌 것들과 연합하거나 관계를 맺는 것을 의미한다.

친애하는 독자들이여, 당신이 숭배하는 것이 바로 현재 당신의 모습이다! 만일 당신이 하나님의 뜻 밖에 있는 이 세상의 체제에 동조한다면, 당신은 하나님의 성품을 닮은 자로 변화될 수 없다. 하나님의 성품은 거룩함이며, 특별한 일을 위한 구별됨이다. 하나님의 성품은 현실에 안주하려는 성향에 저항한다.

사도적인 사람이 되려면, 점술(divination)과 신성(divinity)을 분별할 수 있어야 한다. 사도행전 8장 9-10절에 나타난 마술사 시몬의 예를 생각해보자. "그 성에 시몬이라 하는 사람이 전부터 있어 마술을 행하여 사마리아 백성을 놀라게 하며 자칭 큰 자라 하니 낮은 사람부터 높은 사람까지 다 따르며 이르되 이 사람은 크다 일컫는 하나님의 능력이라 하더라."

이 마법사(남성 주술사)는 발람의 영(이번 장 후반부를 참조하라)의 영향을 받으며 기능하고 있었다. 이 영은 혼적인 영역을 들락날락하는 친숙한 영(fa miliar spirit)이다. 실제로 이 영은 어느 정도 능력을 지니고 있다. 시몬이 그 나라 전반에 걸쳐 명성을 얻을 수 있었던 것도 이 때문이었다. 사람들은 그를 그토록 칭송할 만한 무언가를 목격했음이 틀림없다.

계속해서 사도행전은, 시몬이 세례를 받고 사도들이 행하는 참된 성령의 역사들을 믿었다고 말씀한다. 그러나 그의 죄 가운데 가장 심각한 것은, 성령의 능력을 마치 돈을 주고 사고팔 수 있는 것처럼 믿었다는 점이다. 그는 자신이 거룩하지 못한 사람이라는 사실에 전적으로 동의하지 않았다. 모조품(주술)을 만들어냈던 일을 회개하고 철저히 주님께로 돌아온 것이 아니었다. 시몬은 하나님의 다루시고 겸손케 하시는 손길을 원하지 않았다. 이 과정은 그가 참된 하나님의 능력의 도구로 변화되기 위해 반드시 필요한 것이었는데도 말이다. 그는 하나님의 능력을 손쉽게 얻을 수 있는 지름길이 있을 거라고 믿었다. 베드로는 그런 그를 다음과 같이 책망하였다. "내가 보니 너는 악독이 가득하며 불의에 매인 바 되었도다"(행 8:23).

그동안 나는 시몬과 같은 유형의 사역자들을 생각보다 훨씬 더 많이 목격했다. 이런 글을 쓰려니 마음이 참 아프다. 그러나 좋은 소식이 있다. 현재 사도적인 사람들이 파송되어 이처럼 혼합된 사람들의 의도들을 분별해내고 있다. 그들은 친숙의 영이 하는 일이 무엇이며, 참된 성령께서 하시는 일이 무엇인지 큰소리로 외쳐 알려준다. 성령님은 어떤 것에도 희석되지 않으신 채로 사람들 가운데 풀려나신다.

> 내 백성에게 거룩한 것과 속된 것의 구별을 가르치며 부정한 것과 정한 것을 분별하게 할 것이며 송사하는 일을 재판하되 내 규례대로 재판할 것이며 내 모든 정한 절기에는 내 법도와 율례를 지킬 것이며 또 내 안식일을 거룩하게 하

며 (겔 44:23-24)

하나의 초자연적인 행위를 하나님께 속한 것이라고 말할 수 있으려면, 단순히 '깜짝 놀랄 만한' 수준만으로는 부족하다. 시몬도 깜짝 놀랐다. "그 나타나는 표적과 큰 능력을 보고 놀라니라"(행 8:13). 그러나 깜짝 놀라는 것이 진정한 변화로 이어지는 충분조건은 아니다. 심지어 사마리아 사람들도 시몬이 행하는 마술을 보며 깜짝 놀랐다. 그러나 시몬의 생활양식에서는, 하나님의 온전하신 뜻에 따라 변화된 사람에게서 찾아볼 수 있는 사랑과 회개, 죄에 대한 각성 등의 모습이 보이지 않았다. 우리가 신성을 드러낼 수 있으려면 반드시 하나님의 승인(이것이 바로 기름부음이다)을 받아야 한다(킴 클레멘트).

그러나 내가 알려주고 싶은 것이 있다. 만일 당신이 어느 더럽혀진 사역자의 공격을 지속적으로 받고 있다면, 그것이 당신을 압도하도록 허용치 말라. 속히 그것을 떨쳐버리라! 데살로니가전서 5장 19-20절은 다음과 같이 말한다. "성령을 소멸하지 말며 예언을 멸시하지 말고."

성령님이 아니라 발람의 영에 의해 영감 받은 부정적인 예언의 메시지에 '데인 적'이 있는 사람들은, 초자연적인 것에 대해 아예 관심을 끊어버리는 경우가 너무도 많다. 그러나 이는 우리가 지녀야 할 적절한 태도가 아니다. 대신 분별력을 키워가라. 그 사람이 하나님의 승인을 받은 자인지, 아닌지 살펴보라. 만일 당신이 오염된 것을 받았다면, 그것을 속히 가볍게 떨쳐버리라. 과거에 나쁜 인상을 받은 적이 있다는 이유로, 초자연적인 것에 대해 아예 마음을 닫아버리는 일은 없도록 하라. 단지 그것을 떨쳐버리면 된다!

비록 빈틈없이 온전하지는 못하더라도, 사역 가운데 하나님의 승인을 적절히 드러내는 진실한 남녀들이 적지 않다. 오염된 것이 존재한다면, 틀림없이 좋은 것들도 존재한다! 그렇다면 우리는 사도적인 사람들로서 어떻게 그러한 승인을 받을 수 있을까?

출애굽기 30장 22-33절에는, 우리가 사역에 있어서 하나님의 승인을 받을 수 있는 핵심적인 원리가 제시되어 있다. 이 단락은 기름부음을 위한 거룩한 관유에 관해 이야기한다. 하나님의 승인이란, 사람의 삶에 가시적으로 나타나는 하나님의 기름부음을 말한다. 내가 이 두 개의 속성들을 얼마나 멋지게 연관시키는지, 또한 자연적인 사례와 영적인 사례를 어떻게 결부시켜 설명하는지 한 번 보라.

"(관유를) 사람의 몸에 붓지 말며"(출 30:32). 원리는 다음과 같다. 관유를 사람의 육체에 쏟아부어서는 안 된다. 육체는 악하다. 육체에는 선한 것이 없다. 육체는 반드시 십자가에 못 박아야 한다! 육체 안에는 죄가 있다. 죄는 언제나 우리를 더러움으로 인도해간다. 육체적인 더러움은 모조품으로 이어지고, 속된 것을 거룩하게 하려고 애씀으로써 혼적인 더러움이 전이된다. 더러움은 늘, 언제나, 항상 점술로 이어진다(내가 같은 말을 여러 차례 반복하고 있음에 주목하라).

점술은 거룩한 신성의 모조품이다. 이것은 나쁜 것이다. 기억하는가? 점술은 더 심각한 더러움을 야기한다. 즉, 사람은 더러움을 통해 무언가를 전이받는다. 그것이 바로 우리가 말하는 '부정'(iniquity)이다. 부정은 죄에 이끌리는 특별한 경향성을 일컫는다.

간단히 말하자면, 신성에 대한 모조품은 더러움을 야기하고, 더러움은 점술로 이어진다. '더럽혀진다'는 것은 '더러워지고 오염되고 때 묻다'는 뜻이다. 부정은 더럽혀짐을 통해 전이되는 어떤 것이다. 그것은 죄의 기만성이요, 자백하지 않는 동안 우리 마음을 강퍅하게 만드는 습관적인 죄다. 기억하라. 우리는 이것을 '전이의 법칙'이라 부른다.

설명이 다소 장황한 듯하다. 하지만 이 내용을 다시 한 번 끝까지 읽어 보고, 내가 전하려는 메시지가 무엇인지 이해하기 바란다. 거룩한 것과 속된 것이 혼합될 때, 사악한 순환주기가 영속화된다. 육체적인 것과 신적인 것이 함께 기능할 수 있다고 우리에게 속삭이는 기만의 베일을 걷어내려면, 사도적 기름부음이 필요하다. 두 마리 토끼를 동시에 잡을 수는 없다.

자, 이제는 내가 꾼 꿈 이야기를 당신에게 들려주겠다.

나의 꿈 이야기

친애하는 독자들이여, 부디 집중해 주기 바란다. 이제 내가 꾼 꿈 이야기를 소개하려고 한다. 이것은 실제로 일어난 일은 아니다.

그러나 지극히 생생한 꿈이었다. 일반적으로 나는 꿈을 꿔도 그 내용을 거의 기억하지 못한다. 대개는 정글을 가로질러 가다가 숲에서 들려오는 자동차 경적소리를 듣고, 알람이 울리는 소리에 퍼뜩 잠에서 깨어나곤 한다. 혹은 하늘을 나는 슈퍼영웅이 될 때도 있다.

그러나 이 꿈은 사뭇 달랐다. 하나님께서 영감을 주신 예언적인 꿈을 꾼 경우에는 그 내용을 당신에게 들려줄 수 있다. 왜냐하면 그런 꿈은 항상 매우 명료할 뿐 아니라, 색채와 소리에 생동감이 있기 때문이다. 그런 경우, 나는 잠에서 깨어난 뒤 즉각적으로 온갖 세세한 꿈 내용들을 기억해낼 수 있다. 이런 꿈을 꾼 횟수는 평생 동안 그리 많지 않았다. 그만큼 매우 드물게 꾸는 꿈이다. 이 꿈의 내용을 모두 기록해 놓는 이유는 내가 배트맨으로 등장하는 꿈들과는 완전히 다른 꿈임을 보여주기 위해서다.

아무튼 꿈 내용은 다음과 같다. 꿈에서 나는 어느 근사한 건물 안으로 들어갔는데, 그곳은 매우 화려한 호텔이었다. 나는 안내데스크 쪽으로 가서 입실체크를 했다. 내가 앞으로 설교하게 될 집회들을 후원하는 누군가가 아무래도 나에게 깊은 감동을 주기 위해 일부러 이처럼 화려한 특급 호텔에 머물게 해준 모양이었다. 화초와 분수들, 대리석 타일로 장식된 입구는 숨이 멎을 만큼 아름다웠다. 정말 멋졌다.

입실체크를 하고 있는 동안, 안내인이 내 왼쪽에 나타나더니 나의 짐과 가방들을 들고 방으로 나를 데려다주었다. 고개를 돌려 쳐다보니, 그 안내인은 굉장히 매력적인 여성이었다. 매우 아름다운 그녀는 나를 향해 미소를 지으며, 의미 있는 눈빛을 보내고 있었다. 내 말이 무슨 뜻인지 알겠는가? 확실히 그녀는 자신의 바람기를 조금도 숨기려 들지 않았다.

자, 여러분, 이것이 꿈이었음을 기억하라. 실제로 일어난 일이 아니었다. 이 점은 아무리 강조해도 지나치지 않다.

"저는 10시에 일을 마쳐요." 그녀는 차분하게 암시를 주었다.

오, 이제 알겠다. 그녀는 나에게 수작을 걸고 있었다! 나는 그녀에게서 관능의 영이 발산되고 있음을 느낄 수 있었다.

그 순간 문득 내가 이제까지 한 번도 가본 적이 없는 낯선 도시에 있음을 알아차렸다. 나는 몇 주간 계속해서 가족들과 떨어져 있었고 아내가 그리웠다. 게다가 피곤하고 지친 상태였다. 그런데 여기에 이렇게 예쁜 여자가 내게 추파를 던지고 있다.

다시 말하지만, 이것은 꿈이다. 실제로 일어난 일이 아니다.

꿈속에서 나는 갑자기 전면적인 유혹(temptation)에 맞닥뜨렸다. 당신도 알다시피, 유혹은 단순히 당신의 머릿속에서 생겨난 한 줄기 생각이 아니다. 그것은 당신의 오감 전체를 자극할 수 있고, 문자 그대로 당신을 삼켜버릴 수 있다. 유혹은 단지 머릿속으로 생각하는 바가 아니라, 당신이 보고, 듣고, 맛보고, 냄새 맡고, 느끼는 것이다. 게다가 이 여자는 결코 매력이 없지 않았다!

이 유혹은 마치 홍수처럼 내 안으로 밀려들어왔고, 여러 가지 생각들이 머릿속에서 어지럽게 교차했다. '이봐, 넌 그렇게 해도 돼! 그렇게 해도 벌 받지 않을 수 있어! 네가 여기 이 도시에 있는 줄 그 누가 알겠어? 아무도 모르잖아. 딱 한 번이면 돼. 평생 동안 딱 한 번이라니까. 나중에 회개하면 되는 거잖아. 하나님이 너를 용서해주시리라는 걸 잘 알고 있지? 하나님은 은혜가 풍성한 분이기 때문에, 이런 일 따위는 별로 문제가 되지 않아! 한 번 해봐.'

이것이 바로 그리스도의 몸 된 교회 안에 있는 수많은 사람들이 가진 문제다. 그들은 이렇게 생각한다. '언제나 은혜가 존재한다. 하나님은 우리를 용서해주셔야 한다. 그러니, 한 번 해보자. 그것은 우리가 생각하는 것만큼 그리 나쁜 일이 아니다.' 사랑하는 친구들이여, 이것이 값싼 은혜다. 우리에게는 모두 부족한 점이 있다. 사람들은 누구나 약점이 있다. 나는 용서라는 개념에 대찬성이다. 그러나 은혜는 결코 값싸게 임하는 것이 아니다! 원하는 대로 마음껏 죄를 지어도 나중에 용서받으면 된다는 식의 사고방식이나 태도는 철저하게 도려내야 한다!

솔직하게 말해야겠다. 그 여자가 내 방 쪽으로 걸어가는 동안, 그 유혹은 계속해서 내 오감을 뒤흔들고 있었다. 내가 서서히 굴복하기 시작하는 것이 느껴졌다. 유혹은 내 생각 속으로 깊이 들어왔고, 그냥 그렇게 한 번 해볼까 하는 생각도 잠깐 들었다.

바로 그 순간, 우리는 호텔의 대연회장 옆을 지나게 되었다. 그 호텔에는 크리스탈 샹들리에와 크고 둥근 탁자로 꾸며진 화려한 회의실들이 갖추어져 있었다. 나는 걸음을 돌려 회의실 안쪽을 들여다보았다. 그곳에서는 수백 명의 사람들이 모인 거대한 컨퍼런스가 열리고 있었다. 그 여자는 나의 팔을 어루만지며 내 방 쪽으로 가자고 자꾸만 재촉했다. 그녀에게서 향수냄새가 풍겨 나오고 있었다.

그 회의실에서는 은사주의 집회가 열리고 있었다. 나는 메시지를 전하는 사람이 누구인지도 알 수 있었다.

사실 그 강사는 매우 유명한 사람이다. 그렇다고 해서 내가 그 사람의 이름까지 밝히지는 않겠다. 세발 물어보지 마라. 실제로 내가 그동안 사역하러 방문했던 교회들 중에는, 이 사역자가 바로 2-3주 전에 다녀간 경우가 여러 차례 있었다. 교만한 소리로 들릴 수도 있다는 위험을 무릅쓰고 말하겠다(당신이 내 마음을 알아주리라 믿는다).

말하자면, 나는 언제나 그 사람이 다녀간 후에 남겨진 것들을 청소하는 역할을 담당했다. 일단 그가 다녀간 교회에 방문할 때마다, 매번 큰 소동이 벌어져 있는 상태였다. 나는 그 사람이 사용한 기괴한 농담이며 별난 신학을 다시금 명확하게 정리하는 작업을 해주어야 했다. 사실 나는 이 사람이 가진 문제가 무엇인지 이미 오래전부터 분별해오고 있었지만, 그것을 단지 마음속에 품은 채 주님께 기도만 드리고 있던 터였다. 내가 틀릴 수도 있고, 또 그가 다른 누군가를 통해 변화될 가능성도 있었기 때문이다.

다시 꿈 이야기로 돌아가자. 지금 여기에 그 사역자가 있다. 꿈에서도 나는 그 사람 안에 현실에서와 같은 부정이 있음을 느낀다. 그럼에도 이따금씩 그는 매우 강력하게 사역하고 있었다. 어떤 이들은 은혜를 받았고, 치유와 축사, 자유케 됨을 경험했다. 물론 나는 그 사람들이 뭔가 잘못되었다고 말하려는 것이 아니다. 그들은 영적인 것에 굶주려 있었고, 하나님께서는 이 세속적인 사역자를 통해서라도 사람들의 갈망에 응답해 주셨을 뿐이다.

그러는 동안 여자는 자신과 함께 호텔 방으로 가자고 자꾸 나를 유혹하고 있었다.

그 사역자는 매우 강력한 메시지를 선포했다. 그는 지식의 말씀, 지혜의 말씀을 사용하고 있었다. 그리고 사람들이 기도를 받기 위해 줄지어 서 있는 데로 내려가 안수해주기 시작했다. 사람들은 권능 안에서 바닥에 쓰러졌다.

그러나 그의 사역은 엉터리에 마구잡이식이었다. 온전치 못한 기름부음이었다. 권능이 원활하게 흐르지 못하도록 가로막는 어떤 방해요소들과 결함들이 존재하고 있었다. 어떤 예언적 메시지는 진실하게 들렸지만, 또 다른 메시지들은 별난 소리로 들렸다. 일관성이 전혀 없었다. 예측불허였다. 어떤 사람들은 치유를 받았지만, 또 어떤 사람들은 그렇지 못했다. 뒤죽박죽이었다. 신비주의와 육체적인 정욕이 어렴풋이 보였다. 그가 전하는 메시지가 분명 틀린 것은 아니었음에도 불구하고, 왠지 부정으로 인해 균열이 나 있음을 알 수 있었다.

한편으로는, 사역자의 어떠함에도 불구하고 자비로우신 하나님께서 사람들의 필요에 맞게 역사하고 계셨다. 또 한편으로, 그 사역자는 자신의 육체성을 기반으로 기능하고 있었다. 성령께서 강하게 역사하실 때, 그의 육체성은 잦아들었다. 그러나 또 한편으로는 원수가 철저하게 혼란을 야기하고 있었다. 매우 산만하고 통탄스러운 상황이었다.

설상가상으로, 불쌍한 사람들은 하나님의 역사하심을 목격하기를 얼마나 간절히 원하던지, 이 사역자의 활동이 얼마나 혼란스러운지 전혀 분별하지 못하고 있었다. 사람들을 생각하니 정말 처참한 기분이 들었다.

'이 얼마나 공허한 사람인가!' 나의 마음은 동정심과 경멸이 한데 뒤섞였다. '영혼이 어떻게 이토록 쇠약할 수 있단 말인가!'(시 106:15)

내가 이런 생각을 하는 동안, 갑자기 예수님께서 나타나시더니 나와 그 사역자 사이에 서셨다. 나는 그 여자의 손을 얼른 떨쳐버렸다.

꿈에서 주님은 들을 수 있는 음성으로 나에게 말씀하셨다. 나는 주님의 입술이 움직이는 모습을 보았고, 주님의 목소리도 들었다.

"너는 이 여자와의 일에 대한 처벌은 면할 수도 있을 것이다." 주님은 이렇게 말씀하시면서 그 여자를 가리키셨다.

나는 당혹감과 부끄러움을 느끼면서 그 아름다운 여자를 내려다보았다.

"그러나 그로 인해 저런 결과들이 초래될 것이다."

이번에 주님은 그 사역자를 손으로 가리키셨다.

나는 화들짝 놀라 잠에서 깨어났다. 온몸이 땀으로 범벅된 채, 가쁜 숨을 몰아쉬었다. 친구들이여, 포도원 전체를 망가뜨린 것은 바로 작은 여우들이다(아 2:15). 문을 걸어 닫고 지었던 작은 죄들, 혹은 우리가 '작은 죄'에 불과하다고 해명하는 것들이, 마침내는 당신의 공적인 사역에 악영향을 미치게 된다.

부정의 부산물

요엘서는 선지자들이 탄식하는 모습을 잘 보여준다. 선지자들은 온 이스라엘 백성들, 즉 장로들, 자녀들, 아기들, 남자들, 여자들(이렇게 하면 거의 모든 사람들을 아우르게 된다)을 향하여, 제사장들(오늘날의 사역자들에 해당한다)과 관련하여 책망과 교훈의 목소리를 높였다. "제사장들은 낭실과 제단 사이에서 울며 이르기를"(욜 2:16-17). 다시 말해, 이는 기도하고 금식하고 회개하며, 낭실(사람이 사적인 자리에서 실제로 행동하는 모습)과 제단(사람이 공적인 자리인 강대상에서 행동하는 모습) 사이에서 이루어지는 일에 관해 염려하라는 촉구였다. 제사장의 품성은 현관에서나 강대상에서나 언제나 동일해야 한다.

사람들이 생각하는 당신의 모습과 실제 당신의 모습 사이에 불일치하는 것이 존재해서는 안 된다.

물론 나는 어느 누구를 집중적으로 비난하기 위해 이런 말을 하는 것이 결코 아니다. 우리 모두는 극복해야 할 약점들을 가지고 있다. 모두가 유혹과 여러 가지 문제들로 갈등하며 고군분투하고 있다. 완벽한 사람은 아무도 없다. 용서와 회복은 비틀거리고 넘어지는 사람들을 위한 것이다. 그러나 내가 여기서 말하려고 하는 것은 마음의 동기이다. 마음 깊은 곳에서 우리가 진정으로 얻기 위해 애쓰며 믿고 있는 바가 무엇인가 하는 것이다. 즉, 하나님의 거룩함이라는 기준 말이다. 이는 태도에 관한 사안이며, 낭실에서든 제단에서든 동일한 수준의 도덕적 탁월함을 유지하기 위해 열심히 애쓰는 모습이다.

우리는 예수님과 친밀함을 누리는 수준에 이르기 위해 열심히 노력하며 나아가야 한다. 이것은 우리가 항상 힘써야 할 유일한 목적이 되어야 한다. 만일 우리가 거역의 씨앗들을 허용한다면, 혹은 무관심의 씨앗이 심겨져 발아되도록 내버려둔다면, 또 생각을 통해 그것들에게 물을 주고 그것들의 독성을 품고 있다면, 이제 그것들은 어느 순간 믿을 수 없을 만큼 파괴적인 잡초들로 자라날 것이다. 이 잡초들은 우리를 통해 하나님 아버지께서 온전히 드러나시지 못하게 억압시켜 버릴 것이다.

상호 책임성 있는 관계들이 그토록 중요한 이유가 바로 여기에 있다. 우리는 다른 사람들이 우리의 삶에 대해 말해주도록 허락해야 한다. 그 반대도 마찬가지다. 사람들로 하여금 우리가 가진 온갖 맹점들, 우리의 삶에서 스스로는 볼 수 없는 특정 영역들에 관해 이야기해 줄 수 있게 허용하라. 물론 이는 판단하기 위해서가 아니라(말이 행동보다 쉽지만), 하나님과의 친밀함을 보다 높은 차원으로 끌어올리기 위해서다.

이것은 선지자적인 사람들에게 특히 더 중요할 뿐 아니라, 사도적인 사람들이 선지자적인 사람들과 협력해야 하는 핵심적인 이유 중 하나다. 원수는 어두운 환경에 무작위로 노출되어 있는 외로운 사역자들보다, 책임적인 관계 안에 있는 자를 공격하기가 훨씬 더 힘들다. 언젠가 나는 이 개념에 관해 보다 구체적으로 다루는 책을 한 권 쓰려고 한다.

선지자들의 사역도 다른 오중사역과 마찬가지로, 성경적이고 신학적으로 타당하며 균형 있을 수 있다. 그러나 선지자들은 극단에 치우치기가 훨씬 쉽다. 이것은 그들이 가진 우화적인 속성 때문이다. 이를테면, 그들은 하나님의 '감정들'이다. 그들은 성령 안에서 이루어지는 일들을 매우 민감하게 감지한다.

때로는 예언적인 것의 본질상, 선지자가 하나님께서 주시는 어떤 특별한 부담에 너무 초점을 맞춘 나머지, 표현상의 다른 중요한 측면들은 간과

하고 옆길로 새는 경우가 있다. 혹은 재빨리 초자연적인 방법으로 일을 다루기 시작할 수도 있다. 특히 비밀에 부쳐진 수치스런 일들이 존재하는 경우에 말이다(감히 말하지만, 당신도 숨을 쉬고 살아가고 있다면 틀림없이 수치스런 일이 한두 가지 있을 것이다). 따라서 사도적이며 목양적인 은사들은 반드시 협력해야 한다. 이는 선지자가 느끼고 있는 것이 무엇인지 명확하게 규정하기 위해서다. 통제하려는 것이 아니라, 상호 간에 책임성을 주고받기 위함이다.

그러나 안타깝게도 너무나도 많은 선지자적인 사람들이 단독으로 기능하고 있다. 이들은 다른 사역자들과 상호 책임 있는 관계들을 계발하기를 거절함으로써 균형을 잃어간다(나는 여기서 반드시 선지자적인 사람들만 지적하는 것이 아니다. 그러나 내가 선지자적인 사람인 만큼 더욱더 여기서 그들을 거론하는 것이다).

우리 모두에게는 믿을 수 있는 견고한 관계성을 함께 계발해갈 진실한 그리스도인 친구들이 필요하다. 혹시라도 무슨 일이 생겼을 때, 서로 의견을 나누기 위해서다. 혼합물을 멀리하고 불필요한 극단에 치우치지 않기 위해서다. 다른 모든 사역의 표현에 있어서처럼, 혼합물은 결코 용인되어서는 안 된다. 혼합물은 어김없이 부정으로 이어지고, 나아가 신성에 대한 모조품을 만들어내기 때문이다.

그렇다면, 부정(iniquity)이란 무엇인가? 부정이란, 친숙의 영, 범죄, 부담감들(이는 굳이 습관적인 죄라고는 할 수 없다. 그러나 당신의 영을 살지게 하고 당신을 하나님의 형상으로 변화시켜 주는 일에는 도움이 되지 않는 것들을 말한다), 잘못된 태도들("나는 예언을 멸시한다" 등과 같은), 숨은 동기들("주님, 제게 기름 부으심을 허락해 주십시오. 그래야 저도 부자가 될 수 있지 않겠습니까?" 이것은 시몬이 가진 문제이기도 했다) 등을 의미한다.

부정의 부산물들에는 무엇이 있는가? 한 번 주님께 여쭤보도록 하자.

"주님, 부정의 부산물들에는 도대체 무엇이 있습니까?"

내 백성을 유혹하는 선지자들은 이에 물 것이 있으면 평강을 외치나 그 입에 무엇을 채워 주지 아니하는 자에게는 전쟁을 준비하는도다 이런 선지자에 대하여 여호와께서 이르시되 그러므로 너희가 밤을 만나리니 이상을 보지 못할 것이요 어둠을 만나리니 점 치지 못하리라 하셨나니 이 선지자 위에는 해가 져서 낮이 캄캄할 것이라 선견자가 부끄러워하며 술객이 수치를 당하여 다 입술을 가릴 것은 하나님이 응답하지 아니하심이거니와 (미 3:5-7)

"감사합니다, 주님!"
본문에서 주님은 혼합된 사람들은 밤과 어둠을 만나고 비전을 잃게 될 것이라고 말씀하신다. 이것은 무지, 속임수, 은폐, 밤에 빛이 없음으로 인해 이리저리 비틀거림, 침대 모서리에 발가락을 부딪침 등을 말한다. 무슨 뜻인지 이해하였는가?

입에서 나오는 것들은 마음에서 나오나니 이것이야말로 사람을 더럽게 하느니라 (마 15:18)

자, 나는 지금 분위기를 가볍게 만들어보려고 애쓰고 있다. 내가 지금 유머를 사용하는 것은 단지 기분을 누그러뜨리기 위해서다. 세상 사람들이야 길을 잃고 방황하든 상처를 입든 상관없이 초자연적인 것에 대한 오용이 역겨울 정도로 만연되어 있는 현실을 비웃기 위해 유머를 사용한다고 오해하지는 마라.

사역자들이여, 세속적인 삶을 중단하라! 나는 당신에게 설교하는 만큼 나 자신에게도 설교한다. 우리는 하나님께서 거룩하게 지키라고 요구하시는 것이 경건치 못한 것에 접촉되도록 허용해서는 안 된다! 당신의 부정을 떨쳐버리라. 하나님의 기름부음을 희석시키지 마라. 삶 속에서 참된 하나님 아버지의 권능을 맛보기만을 간절히 원하는 불쌍한 영혼들에게 마치 진짜를 주고 있는 것처럼 행세하지 마라.

오, 사도적인 사람들이여, 분별력을 가지고 출동하라. 사람들에게 초자연적인 것을 존중하고 무시하지 말라고 가르치라! 사람들이 하나님의 거룩하심에 관한 깨달음을 얻도록 훈계하라. 사람들을 향한 하나님의 온전하신 뜻이 무엇인지 알려주라! 사도적인 사람들은 앞에 서 있는 사역자가 삶 가운데 숨겨진 더러움을 가지고 있는지 분별해야 한다. 그들은 사역자의 기능 이면에 역사하는 것이 성령님인지(혹은 다른 영들인지)를 인식할 수 있어야 한다.

나는 여기서 판단하고 비난하는 태도를 옹호하고 있는 것이 아니다. 이런 태도는 언제나 사역자가 가진 잘못을 찾아내려고 혈안이 되어 있다. 그러나 그런 모습도 경건치 못한 것이다! 그러나 다른 한편으로, 사도적인 사람들은 쉽게 속아 넘어가는 사람이 되어서도 안 된다.

사도행전 16장에서는, 점치는 귀신 들린 여종의 이야기를 상술함으로써 혼합물 문제에 관한 보다 심화된 사례를 제시하고 있다. '점치는 귀신'이라는 단어는 문자적으로 '비단뱀'(python)을 의미한다. 이는 위축시키는 무언가로, 피토(Pytho) 지역에서 숭배되던 신의 이름에서 유래되었다. 다행스럽게도 바울은 이 여종이 점치는 귀신에 들려 있음을 간파하고, 그 흉악한 귀신을 그녀에게서 내쫓을 수 있었다.

실제로 그 여종이 정확한 내용을 말하고 있음을 아는 사람은 얼마나 되는가? "이 사람들은 지극히 높은 하나님의 종으로서 구원의 길을 너희에게 전하는 자라"(행 16:17). 그러나 문제는 그녀가 기름부음의 뒷받침을 받지 못한 상태에서 분별의 은사를 사용하려 했다는 점이다. 그녀에게는 자신이 진술한 내용을 선포할 자격이 없었다. 아무리 그 내용이 참된 것이라도 말이다.

요지는 이렇다. 그녀는 하나님의 승인을 받지 못하고 있었다. 그럼에도 자신의 혼합된 '은사'를 마치 사도적인 것처럼 위장하고, 바울 일행의 환심을 사기 위한 교묘한 아첨의 도구로 사용하려 했다. 그녀가 사용한 것은 거룩성을 흉내낸 점술에 불과했다. 바울은 '심히 괴로운'(18절) 나머지, 더 이상 그녀를 그냥 방치해둘 수가 없었다. 바울은 영분별을 통해 그 여종이 참된 기름부음 아래서 기능하고 있지 않음을 인식할 수 있었다. 그리하여 그녀를 심하게 꾸짖었다. 결국 이 일로 인해 바울과 실라는 다소 곤경에 처하게 되었다(그들은 매를 맞고 감옥에 갇혔다). 그러나 하나님의 기름부음을 받은 거룩성을 지키기 위해 치른 대가로 이 정도는 미미한 것이었다.

만약 바울이 계속해서 귀신이 아첨의 말을 늘어놓도록 허용했다면, 그로 인해 바울과 실라의 참된 기름부음까지 오염되고 말았을 것이다. 아울러 그들은 그 여종이 살아오면서 저지른 죄악에 따른 억압을 함께 전이 받았을 것이다.

요지는 이렇다. 거룩한 것과 속된 것의 혼합물을 용인할 때, 속된 사람이 지니고 있는 온갖 더러움들로 인해 초래되는 고통도 함께 전달받을 가능성도 활짝 열린다는 것이다. 동시에 이러한 억압은 기름부음의 흐름을 가로막는다. 사도적인 사람들이 부름 받은 목적은 이런 일에서 질서를 회복하기 위함이다. 하나님의 가시적인 나타나심이 제한되는 사람은 멍에에 메여 있을 수 있다. 우리가 마땅히 우리 몫이 되어야 할 치유의 기적들을 목격하지 못하고 있는 여러 가지 이유들 중 하나가 바로 여기에 있다.

> 너희는 신접한 자와 박수를 믿지 말며 그들을 추종하여 스스로 더럽히지 말라 나는 너희 하나님 여호와이니라 (레 19:31)

우리는 이러한 무당의 영들이 침입하지 못하도록 우리의 성소를 지켜내야 한다. 무엇이 회중을 더럽힐 수 있는지 정확히 규정해야 할 책임이 우리에게 있다. 에스겔 8장 9절에서 주님은 선지자에게 다음과 같은 명령을 위임하신다. "또 내게 이르시되 들어가서 그들이 거기에서 행하는 가증하고 악한 일을 보라 하시기로." 또한 주님은 계속해서 다음과 같이 말씀하신다. "인자야 너는 전심으로 주목하여 내가 네게 말하는 바 여호와의 성전의 모든 규례와 모든 율례를 귀로 듣고 또 성전의 입구와 성소의 출구를 전심으로 주목하고"(겔 44:5). 주님의 몸 된 교회의 사도와 선지자와 목회자들이, 누구를 받아들이고 누구를 떠나보내야 할지 정확하게 표시해두는 것은 지극히 중대한 일이다.

킴 클레멘트는 주님의 가족 안으로 받아들일 만한 사람의 3가지 속성을 분별하는 법에 관하여 가르친 적이 있다. 물론 그 밖에도 더 많은 속성들이 있는 것이 분명하지만, 나는 이 3가지야말로 핵심을 훌륭하게 요약·정리해주고 있다고 생각한다. 그 내용은 다음과 같다. 첫째, 그는 마음과 육체에 할례를 받은 사람인가? 다시 말해, 그는 주님을 위해 성별된 사람인가? 둘째, 그는 하나님과의 언약 및 사람과의 언약을 잘 지키고 있는가? 셋째, 그는 지나칠 정도로 의존적인 사람은 아닌가?

사도적인 사람들은 한 사람 안에 있는 이러한 속성들을 적절히 분별함으로써, 거룩한 것과 한데 뒤섞이기를 절실하게 바라는 세속성을 솎아낼 수 있다. 거룩한 것에 대한 모조품을 정확하게 큰소리로 거론할 때에야, 비로소 사도적인 사람들은 교회를 향해 다음과 같이 말할 수 있을 것이다. "야곱을 해할 점술이 없고 이스라엘을 해할 복술이 없도다"(민 23:23). 이것은 주님의 몸인 우리가 애써 추구하고 있는 복된 소식이다. 그렇지 않으면, 하나님의 사람들은 이탈하여 배교에 빠지고 말 것이다.

> 그러나 성령이 밝히 말씀하시기를 후일에 어떤 사람들이 믿음에서 떠나 미혹하는 영과 귀신의 가르침을 따르리라 하셨으니 자기 양심이 화인을 맞아서 외식함으로 거짓말하는 자들이라 (딤전 4:1-2)

여기서 '어떤 사람들'이 믿음에서 떠날 것이라는 표현에 주목하라. 이 말은 당신은 아닐 수도 있다는 말이다! 믿음에서 떠난다는 것이, 반드시 공공연히 타락하거나 자신의 구원을 저버리는 것을 뜻하지는 않는다(물론 그럴 수도 있긴 하지만 말이다). 오히려 일반적으로 이 말은 건전한 기독교의 교리를 거부하는 것을 의미한다. 이런 일이 이 마지막 시대에 일어나고 있다. 따라서 우리는 성경이 확실하게 가르치고 있는 바에서 벗어나지 않도록 늘 주의해야 한다.

훨씬 이전에 주어진 고린도후서 11장 4절에서는, 다른 영(적그리스도)을 받아들이는 또 하나의 세대에 관해 언급하고 있다. '다른 영'(different spirit)은 육체적이거나 귀신적인 특성을 갖는다. 이것을 내 식대로 고쳐서 표현해 보자면 '표독스런 기능(비단뱀을 기억하는가?)을 동원하여 비난함으로써 누군가를 제어하고, 영적인 죽음을 초래하고, 다른 영의 유익을 위해 온통 골몰해 있음'이라고 할 수 있다. 간단히 말하자면, 이것은 기름부음이 수반되지 않은 채 은사들을 사용하려는 노력을 말한다. 이 마지막 시대에 사도적인 사람들이 맞서 싸우고 있는 것이 바로 이것이다.

우리는 참된 그리스도 예수님께 온전히 구별되어 있어야 한다. 예수님이야말로 참된 기름부음으로 참된 표적과 기사들을 행하시는 분이다. 다시 말하지만, 거룩한 것을 드러내기 위해서는 하나님의 승인이 필요하다. 참된 기름부음을 손쉽게 얻을 수 있는 지름길은 없다. 그 밖의 모든 것들은 모조품이기 때문이다. 따라서 우리는 성령 안에서 이러한 혼합물과 맞서 싸워야 한다.

우리는 기름부음이 흐르지 않는다고 해서 그것을 위조해내서는 안 된다. 그런 기능은 단지 혼적인 것일 뿐, 영속적인 효과를 기대할 수 없다. 권능이 임해 있지 않음에도 불구하고 치유나 권능 아래서 쓰러지는 흉내를 내는 것도 중단해야 한다. 내가 당신에게 강력하게 권고하는 바가 있다. '단지 당신 옆에 있는 사람과 보조를 맞추기 위해' 짐짓 꾸며낸 반응으로 넘어지지 않도록 하라! 당신이 뒤로 넘어지지 않는다면, 그냥 선 채로 은혜를 받으라. 사역자가 당신을 밀쳐 넘어뜨리려고 애를 쓰거든, 친절하게 뒤로 물러서서 고개를 저어 거부하라.

더러움을 넘겨받다

더러움을 넘겨받은 한 사람의 사례를 소개하려고 한다. 내가 CFNI에 다니던 학생 시절의 일이다. 당시 한 지역교회에서 열린 특별집회에 참석한 적이 있다. 그 집회에서는 어떤 순회전도자가 자신이 하나님께 강력하게 쓰임 받고 있다고 주장하고 있었다. 아마도 그는 이전에 유명했던 사역자로부터 권위의 겉옷을 받은 듯했다. 특히 그 사역자는 매우 정확한 지식의 말씀으로 유명했다.

나는 집회가 시작되기 약 1시간 전에 교회에 도착했다. 좋은 자리를 잡기 위해서였다. 그 사역자의 집회는 매일 밤 발 디딜 틈이 없을 정도로 사람들로 붐볐다. 그곳에 갔을 때 가장 먼저 나를 놀라게 한 장면이 있었다. 나는 정면에 있는 현관 쪽으로 걸어가는 중이었다. 출입문 부근에는 10명가량의 사람들이 서서 들어오는 모든 이들에게 인사를 건네고 있었다. 그 모습 자체는 결코 이상하지 않았다. 그러나 단순히 정상적이라고 할 수 없는 것이 있었다. "어서 오세요! 안녕하세요?"라는 인사와 함께, 그들은 사람들에 매우 구체적인 몇 가지 질문들을 던졌는데, 방문자들의 '이메일 주소록'을 작성하기 위해서였다.

"저쪽에 계신 분, 안녕하세요? 성함이 어떻게 되시죠? 주소를 좀 알려주시겠어요? 혹시 기도제목 같은 게 있나요?"

'음, 이 메모지의 빈 칸을 모두 기입해서 내면 되나?' 무례를 범하지 않으려고 처음 온 사람들은 자신들이 가진 사적인 갈등과 고민들을 이 안내 팀에게 상당히 많이 털어놓았다. 그런 다음, 그들은 참가자들을 각자의 자리로 안내해주었다. 나에게는 그 모습이 약간 이상하게 보였다. 나는 그냥 몸을 숙이고 안쪽으로 들어가 스스로 자리를 잡고 앉았다. 앞에서도 이야기했지만, 그때는 집회가 시작되기 약 1시간 전인 저녁 7시였다.

그런데 사역자는 9시 45분이 되도록 나타나지 않았다! 아마도 그 사역자가 타고 오는 비행기가 연착이라도 된 모양이었다. 무료한 시간을 때우기 위해, 우리는 모두 주님을 찬양하며 경배하기로 했다. 여기까지는 전혀 문제가 없었다. 그러나 집회 시작이 거의 2시간가량 지연되고 있을 때, 내 영 안에서 경고음이 울리기 시작했다.

나는 약간 혼란스러웠다. 강단에 서 있는 사람이 사역을 위한 다양한 명목의 재정적 필요들에 관해 너무나도 자주 언급하고 있었기 때문이다. 그는 재정적 필요에 대해 몇 번이나 거듭해서 말했다. 사역자가 도착하기 전까지, 헌금을 걷는 시간이 최소한 서너 차례나 있었다. 농담이 아니다. 모든 상황이 매우 극적으로 진행되고 있었다. "하나님의 사람이 이곳으로 오고 계십니다! 여러분은 놀라운 일들이 일어날 것을 기대하십니까? 조금 있으면 그분이 도착하실 겁니다. 이번에는 OOO을 위해 헌금하도록 합시다."

사실 이 모든 이야기는 얼마든지 악의 없는 모습으로 들릴 수 있다. 단 한 가지 사실을 제외하고 말이다. 그날 내가 앉은 자리에서는 강단 옆쪽으로 난 문을 볼 수 있었다. 그런데 장장 2시간 가까이 마라톤처럼 진행된 '헌금시간' 동안, 나는 당연히 연착되는 비행기 안에 있어야 할 그 사역자가 문틈으로 살짝 고개를 내밀고 얼마나 많은 사람들이 모여드는지 확인하는 모습을 몇 번이나 목격했다. 설마 내가 실없는 소리를 하겠는가?

모여든 사람들로 점점 북적대기 시작할 무렵, 또 한 차례의 헌금이 거두어지려던 찰나, 마침내 9시 45분이 되어서야 비로소 그 사회자는 하나님의 사람이 도착했다고 선언했다! 그러나 나는 이 시점부터 부아가 치밀어 오르기 시작했다. 왜냐하면 이미 그 키 작은 남자가 문틈으로 고개를 들이미는 모습을 지난 2시간 동안 무려 여섯 차례나 목격했기 때문이다!

그 하나님의 사람은 자신의 인격을 지극히 현란한 모습으로 과장한 채 점잖을 빼며 무대 위로 걸어나왔다. 마치 이렇게 말하고 있는 듯했다. "여러분 모두가 내가 오기를 기대하고 있었습니까? 기다리게 해서 정말로 죄송합니다!" 그는 들고 있던 성경을 강대상 위에 내려놓더니 펼쳐볼 생각도 하지 않았다. 하나님의 말씀인 성경구절을 전혀 가르치지도 않을 뿐 아니라, 성경을 존경하는 모습조차 보이지 않았다. 대신 그는 사람들을 앞으로 불러내기 시작했다. 그의 태도와 방식은 이미 상식을 벗어나고 있었다. 자잘한 몸짓 하나하나가 극도로 과장되어 있었다. 자신의 격앙된 성격적 특성들을 사용하여 사람들에게 강한 인상을 심어주려 애쓰는 그의 모습을 지켜보는 것 자체가 나에게는 엄청난 고통이었다. 순간 '쇼'라는 단어가 머릿속에 떠올랐다.

그는 한 사람을 불러 세우고는, 마치 엘비스 프레슬리를 연상시키는 포즈로 킥킥 웃어가며 이렇게 말했다. "당신은 이름이 OOO죠? 주소는 OOO OOOO이구요. 맞습니까?"

"어머나, 맞아요. 정확해요!"

앉아 있던 사람들로부터 환호성이 터져 나왔다. "와~!" "우~~!" "아하~~!"

이때 내 안에 이런 생각이 들었다. '잠깐만, 저건 사람들이 자리를 배정받기 전에 안내팀에게 제공해준 정보랑 똑같은 거잖아!' 내가 세상에서 가장 명석한 사람은 아닐지라도, 정말 내 말이 믿기지 않는가? 이제 나는 상황들을 종합하기 시작했다. 그 사역자가 문틈으로 고개를 내밀고 모인 무리들을 확인해보던 이유도 이 때문이었다. 과연 어디어디 출신의 아무개가 빨간색 티셔츠와 카키색 바지를 입고 그 자리에 앉아 있는지를 확인하고 있었던 것이다.

이것만으로도 충분히 기분이 언짢았다. 그러나 나의 심기를 불편하게 만든 또 한 가지가 있었다. 그는 몇 명에 한 번 꼴로 일부 세세한 부분들을 의도적으로 틀리게 말했는데, 어떤 사항들은 아주 약간 빗나간 것이었다. 그렇다. 그는 그런 식으로 자신의 겸손을 과시하고 있었다. 자신도 얼마든지 틀릴 수 있는 인간이라는 것을 내보이기 위함이었다. 뭐, 그건 나쁠 게 없다. 아무도 완벽할 수는 없으니까 말이다.

여기서 한 가지 말해둘 것이 있다. 사실 그도 어느 정도는 계시를 받고 있었다. 그러나 그가 받은 계시는 허풍스런 태도와 뒤섞여 있었다. 점치는 방법이 아니었다면, 또한 안내팀을 통해 제공받은 내용들이 없었다면, 아마도 그는 사람들의 구체적인 문제들에 관해 결코 알지 못했을 것이다. 이미 오래전에 일어난 자잘한 일들이며, 현재 씨름하고 있는 생각과 불안에 관해서도 몰랐을 것이다. 물론 허위성이 있긴 했지만, 여전히 그에게는 지식의 은사가 있었다. 어떤 영으로부터 받은 것인지는 모르겠지만 말이다. 굳이 성령님으로부터 받은 은사라고 할 수도 없었다.

집회 장소에는 나를 포함하여 천여 명이 모여 있었다. 나는 사람들 사이에 앉아서 그저 어안이 벙벙한 채로 그를 지켜보고 있었다. 그는 과시하는 듯한 말투와 재정을 지나치게 강조하는 통제적인 태도로 이리저리 왔다 갔다 하고 있었다.

내가 그곳에 계속 앉아 있었던 이유는, 거짓된 계시 때문도, 종종 정확한 정보를 전해주었기 때문도 아니었다. 그가 사역하는 동안 실제로 나는 어떠한 임재를 느낄 수 있었는데, 그것은 주님의 참된 기름부음과 너무나도 비슷했다. 그러나 그것은 아주 조금, 매우 근소하게 빗나가 있었다. 온전히 참된 것이라고는 볼 수 없는 무언가 있었다. 아주 조금 어긋나 있었다. 도대체 그것을 무슨 말로 표현해야 좋을까? 신비적인? 매혹적인? 그렇다. 바로 그거다.

앞에서 내가 한 이야기를 기억하는가? 내가 어린 시절을 보낸 캘리포니아 남부는 신비주의와 심령술의 중심지였다. 이것에 대해 나는 주님께 특별히 감사드린다. 그런 쓰레기더미 속에서 살아가는 동안, 나는 신비주의적이고 매혹적인 것과 참된 성령님의 가시적인 나타나심의 차이를 민감하게 분별해내는 능력을 터득하게 된 듯하다. 그런데 이 사역자의 경우는 결코 참된 성령님의 가시적인 나타나심이 아니었다. 그것은 지나칠 정도로 육체적이었다.

그러나 그 집회 장소에 앉아 있던 (최소한 내가 본) 사람들 중에는 이런 차이를 분간할 줄 아는 사람이 없었다. 그들은 거룩한 것이 무엇이고, 속된 것이 무엇인지 구분하지 못하고 있었다. 지금 벌어지는 상황이 거룩함의 모조품임을 깨닫지 못하고 있는 그들의 모습이 정말 안타까웠다. 그들이 사역자의 부패한 모습을 볼 수 있었으면 하는 나의 바람은 시간이 지날수록 처참히 무너졌다.

이때 퍼뜩 다음과 같은 생각이 떠올랐다. '일어서라! 부리는 영(familiar spirit)을 꾸짖어라!' 동시에 하나의 성경구절이 생각났다. "예언하는 자는 둘이나 셋이나 말하고 다른 이들은 분별할 것이요"(고전 14:29).

나는 혼자 나지막한 소리로 이렇게 기도했다. "주님, 주님께서 제게 분별의 영과 예언의 영을 주셨음을 믿습니다. 주님의 말씀에 의지하여, 저는 저 선지자가 예언하고 있는 바를 분별하려 합니다. 나는 예수님의 이름으로 저 부리는 영을 꾸짖습니다!"

내가 중얼거리듯 기도를 마치자, 갑자기 그 사역자는 말을 중간에 멈추었다. 그의 양손은 여전히 또 한 명의 희생자 위에 얹혀 있었다. 그 상태로 그는 고개를 돌려 나를 쏘아보았다. 그리고 한창 기도해주던 사람을 내버려둔 채, 정확히 내 좌석이 있는 구역 쪽으로 거드름을 피우는 듯한 자세로 걸어오기 시작했다.

"지금 이 상황을 하나님의 참된 나타나심이라고 여기지 않는 분들이 여기에 몇 명 있습니다." 노여워하는 빛이 역력한 그의 두 눈이 나를 뚫어지게 바라보고 있었다. 식은땀이 등줄기를 타고 흘러내렸다! "조심하십시오." 그는 씩씩거리며 손가락을 들어 나를 가리켰다. "당신은 하나님의 심판을 받게 될 것입니다!"

지금도 그때의 일만 생각하면 '윽' 소리가 저절로 나온다. 그는 그렇게 화를 낸 뒤 다시금 사역을 계속하려고 애를 썼다. 그러나 이미 사역에 균열이 생겨 있었다. 그는 해야 할 말을 제대로 생각해내지 못하고, 이전보다 훨씬 더 '빗나가기' 시작했다. 자연스러움을 잃어버린 채, 눈에 띌 정도로 심하게 동요하고 있었다.

나는 그렇게 약 10분 정도 더 앉아 있다가, 마침내 내 성경을 조용히 집어 들었다. 그것은 지금까지 거의 4시간 동안이나 한 번도 펼쳐보지도 못한 채 방치되어 있었다. 그리고 의자에서 살며시 일어났다. CFNI에서 온 몇몇 다른 친구들도 나와 함께 자리에서 일어났다. 우리가 통로 쪽으로 걸어나오는 동안, 그 사역자의 찌르는 듯한 눈초리가 등 뒤에서 느껴졌다. 사람들은 문자 그대로 나를 향해 야유를 퍼부어댔다. 심지어 나에게 욕설을 해대기 시작했다. 나는 지금 그때의 정황을 조금도 과장하지 않고 묘사하고 있다. 그들은 나를 저주했다!

나는 아랑곳하지 않고 계속해서 걸어나갔다. 나의 두 눈은 출구라고 쓰인 표지판 쪽을 정면으로 바라보고 있었다. 통로를 지나가는 동안, 사람들이 내 신발에 침을 뱉었다.

이후에 나는 이 사역자의 멘토였던 사람이 1940~1950년대에 매우 유명한 인물이었음을 알게 되었다. 그는 이 멘토로부터 '권위의 겉옷'을 받았다. 물론 그의 이름을 당신에게 알려주지는 않을 것이다. 제발 묻지 마라. 그런데 이미 잘 알려진 사실이지만, 그 멘토는 사역의 말년 무렵부터 약간 이상해졌다고 한다. 몇몇 사안들과 관련하여 반복되는 죄를 지음으로써 더럽혀진 것이다. 어느 날 밤인가, 그 멘토는 이(나의 등 쪽을 뚫어질 듯이 쏘아보았던) 사역자(자료에 의하면 당시 그는 술에 취해 있었다고 한다)에게 양손을 얹고 이렇게 말하였다. "나의 기름부음을 네게 주노라. 나의 권위의 겉옷을 네게 주노라."

이렇게 함으로써 이 사역자는 그의 권위의 겉옷을 물려받았다. 물론 그의 더러움도 함께 물려받았다. 결국 이 일은 거룩한 것을 흉내내는 모습으로 이어졌다. 여러분이여, 우리는 반드시 분별력을 가져야 한다! 사도적인 사람들이여, 당신들은 반드시 거룩해야 한다! 당신 안에 있는 기름부음과 육체의 친숙성을 거듭 혼합시킴으로써 세속적인 사람으로 변질되지 않도록 주의하라.

덧붙이자면, 그 사역자의 말과는 달리, 나는 하나님의 심판을 받지 않았다. 사실 나의 삶과 사역은 그동안 엄청난 축복을 받았다. 모든 영광을 주님께 돌린다!

구별의 원리

앞에서 소개한 에스겔 44장 23-24절의 말씀을 통해 확인한 바와 같이, 거룩한 것은 반드시 속된 것과 구별시켜 놓아야 한다. 사사기 13-16장에 나타난 삼손의 모습을 살펴보자. 그는 양극단의 것을 동시에 사랑한 사람의 실례를 보여준다.

삼손은 초자연적인 임신을 통해 출생하였다. 그는 나실인으로 서약한 사람이었다. 나실인이란 '헌신된, 성별된' 등의 의미를 가진다. 나실인으로서, 그는 머리카락을 자르지 않고, 술을 멀리하며, 시체를 만지지 않겠다고 서약했다. 그에게는 어느 때건 갑자기 주님의 영이 임하시곤 했다. 그럴 때면 그는 기름부음 안에서 엄청난 권능을 행사하였다.

사역자로 기름부음 받은 사람이라면, 누구나 핵심적인 강점과 함께 들릴라와 같은 약점을 가지고 있다(짐 골). 원수는 우리의 약점만 찾아내려 골몰하는 게 아니라, 우리의 강점도 열심히 찾아내려고 한다. 삼손에게 있어 가장 심각한 문제는, 자신이 발 딛고 살아가는 이 세상을 사랑했다는 것이다. 그는 성령님과 세상(거룩한 것과 속된 것)을 모두 갈망했다.

결국 들릴라가 그의 머리털을 밀어냈고, 성경은 다음과 같이 말씀한다. "여호와께서 이미 자기를 떠나신 줄을 깨닫지 못하였더라"(삿 16:20). 그의 세속성으로 말미암아 성령님이 그를 떠나버리셨다. 그런데 오로지 삼손만이 이 사실을 깨닫지 못하고 있었다. 결국 그는 블레셋 사람들과 맞서 싸우러 나갔다가 두 눈이 뽑히고 말았다. 이 얼마나 슬픈 이야기인가!

삼손은 기름부음 받은 사람이었음에도 불구하고 세속성에 속아 넘어가고 말았다. 그렇다. 우리는 기름부음 아래 있는 순간에도, 여전히 세속성에 속아 넘어갈 수 있다. 또한 주의하지 않으면, 자신에게서 성령님이 떠나가셨다는 사실조차 인식하지 못할 수도 있다. 아마도 삼손은 잠시 동안 이것을 깨닫지 못했던 듯하다. 들릴라가 삼손의 머리카락을 가지고 노는 동안, 그는 기름부음을 가지고 놀았다(물론 '논다'는 말은 우화적인 표현이다. 실제로 들릴라가 삼손의 머리카락을 가지고 놀지는 않았으리라고 생각한다). 그러면서도 더럽혀진 다른 수많은 하나님의 사람들과 마찬가지로, 스스로 이렇게 확신하고 있었다. "나는 원하는 것은 무엇이든 할 수 있어!"

나는 이런 모습을 가리켜 '슈퍼맨 신드롬'(Superman Syndrome)이라고 부른다. 그들은 어쩐지 자신들은 하나님의 기준에서 예외라도 된 것처럼 여기는 속임수에 빠져 있다. "하나님은 내가 저지른 간음을 그렇게 편협한 마음으로 바라보시지 않는 것이 분명해. 내가 인도하는 집회에서 사람들이 치유 받는 기적들이 여전히 일어나고 있잖아!"

한편 나는 이를 '메시아 콤플렉스'(Messiah Complex)라고도 부른다. 그들은 자신들의 영향력 있는 신분을 실제보다 훨씬 높게 과장하거나 조작하고 있다. 마치 자신들은 하나님의 법을 초월해 있기라도 한 양 말이다. 그들은 '값싼 은혜'를 지지한다. "오늘 이렇게 행동했어도, 내일 회개하면 되잖아. 하나님은 나를 용서해주실 수밖에 없어."

사람들은 더럽혀진 사역자의 삶에서 은사가 세속적으로 과시되고 있음을 감지할 만큼 분별력이 깊지 못하다. "음, 틀림없이 그는 경건한 사람일 거야. 저걸 봐! 저 사람도 방금 치유를 받았잖아." 그들은 사역자가 더럽혀져 있음에도 불구하고 하나님께서 그 사람을 치유해주셨을 것이라고는 전혀 생각하지 않는다.

나아가 분별력이 없는 사람들은 이제 그 사역자가 자신의 사적인 '계시'를 성경말씀과 동등한 위치로 끌어올릴지라도 그대로 묵인한다. 심지어 이렇게 말한다. "오, 이 세상에 온전한 사람은 단 한 명도 없습니다. 우리는 형제님을 용서합니다." 그러고 나서 그 사람은 심각한 죄에 가담했음에도 불구하고, 90일만 지나면 다시 강단으로 복귀한다(이것이 그렇게 지나친 사례는 아니라고 본다. 나는 이전에 실제로 이런 일이 일어났음을 알고 있다). 이런 일을 생각하면, 정말 절망스럽다! 지금 그들은 그 사역자의 더럽혀짐으로 초래된 괴로움을 몸소 당하고 있다!

내 말을 오해하지 말기 바란다. 나는 회복을 전적으로 찬성하는 사람이다. 나는 용서도 믿고, 은혜도 믿는다. 또한 유혹으로부터 자유로운 사람은 아무도 없음을 알고 있다. 조심하지 않으면 우리도 얼마든지 죄의 늪에 빠질 수 있다. 그러나 하나님의 거룩하심의 기준을 더 이상은 낮출 수 없다. 옳은 것도 있고 틀린 것도 있다. 속된 것도 있고 거룩한 것도 있다. 그러나 어떤 회색지대라도 존재하고 있는 양 생각하지 마라! 값싸게 은혜를 받을 수 있다고 말하는 속임수의 정체를 밝혀내려면 사도적인 사람들이 필요하다.

친애하는 친구들이여, 결코 두려워하지 마라! 속아 넘어갈까 봐 두려워한다고 해서, 속임수로부터 보호받을 수 있는 것은 아니다. 당신이 예수님과 더불어 누리는 친밀감이야말로, 속임수로부터 보호받을 수 있는 비결이다! 모든 것은 결국 당신과 하나님과의 관계로 소급되어 올라간다. 나는 당신이 주님을 아프게 하지 않기를 원한다. 당신의 삶과 사역 안에 더럽혀짐을 허용함으로써 주님의 보혈을 값싼 것으로 만들어버리지 않기를 원한다.

이번 장의 취지는 두려움, 혹은 사람들을 비난하는 것에 있지 않다.

다만 여기서 나는 메시아로 칭함을 받으시기에 합당한 유일하신 분과 보다 심오한 수준에서 친밀감을 누리자고 촉구하는 바다.

　분별할 줄 아는 눈과 귀는 하나님의 아들이신 주님을 사랑 안에서 포용함으로써 계발된다. 주님께 붙어 있으라. 그러면 결코 실패하지 않을 것이다! 오직 주님만을 위해 구별된 삶을 살아가라. 그러면 성령님은 결코 당신을 떠나지 않으실 것이다. 하나님의 아들이신 주님의 옷자락으로 당신을 덮으라. 온갖 은밀한 부담과 죄악들을 자백하라. 속된 것은 벗어버리라! 당신의 기름부음이 더럽혀지지 않게, 주님을 위해 성별된 삶을 살라.

　스스로에게 질문해 보라. '혹시 내가 거룩함의 모조품을 물려받지는 않았는가?' 만일 그렇다면, 우리는 그 더럽혀짐에서 자유케 되고 하나님의 참된 부요를 받아 누리기 위한 기도를 드려야 한다. 이번 장의 나머지 부분에서는 이런 참된 부요하심이 무엇인지를 살펴보려고 한다. 우선 아주 조금이나마 실세적인 부요를 소개하사면 다음과 같다. "너희가 만일 불의한 재물에도 충성하지 아니하면 누가 참된 것으로 너희에게 맡기겠느냐"(눅 16:11).

번영에 관한 약속

　가난은 교훈에 따르기를 거절하고 불순종하며 감사치 못함으로 초래된 일종의 저주일 수 있다. 잠언 13장 18절은 다음과 같이 말한다. "훈계를 저버리는 자에게는 궁핍과 수욕이 이르거니와 경계를 받는 자는 존영을 받느니라." 혹시 신명기 28장을 아직 읽어보지 않았다면, 지금 잠시 읽어 볼 것을 권한다. 본문은 축복과 저주의 목록을 알기 쉽게 소개하고 있다.

반면에, 이 지구상에는 세상적인 부요함을 거의 누리지 못하며 살아가는 사람들도 있다. 그들의 가난이 반드시 불순종이나 불신앙으로 인해 초래된 것이라고 보기는 어렵다. 야고보서 2장 5절의 말씀을 들어보자. "내 사랑하는 형제들아 들을지어다 하나님이 세상에서 가난한 자를 택하사 믿음에 부요하게 하시고 또 자기를 사랑하는 자들에게 약속하신 나라를 상속으로 받게 하지 아니하셨느냐."

물질적인 부요가 있든지 없든지 간에, 우리는 거룩한 무리가 되어야 한다. 나는 물론 번영이 좋은 것이라고 생각하지만, 당신이 서구의 수많은 교회들 안에 마구잡이로 번져 있는 위험스런 물질주의적인 가치관보다 조금은 더 균형 잡힌 관점을 갖기를 바란다. 아울러 성경에는 우리에게 희망을 안겨주는 분명한 약속들이 제시되어 있다. 나는 우리가 믿음을 가질 때, 돈 자체를 사랑하는 죄에 빠지지 않고도 얼마든지 물질적인 번영을 누릴 수 있다고 확신한다.

우리에게는 번영에 대한 약속이 주어졌다. '번영'(prosperity)의 문자적인 의미를 '평생 동안 즐겁게 인생여정을 살아가는 것'이라고 정의해도 좋을 것이다. 이것이 반드시 물질적인 부요와 연관된 것이라고는 말할 수 없다. 물론 즐거운 인생여정에 물질적인 부요도 한몫한다는 것은 틀림없는 사실이다. 번영의 약속은 관대한 사람들, 의롭고 거룩한 사람들, 하나님의 율법을 묵상하는 사람들을 위한 것이다. 이런 사람들에게는 이 세상을 살아가는 동안에도 번영을 누릴 수 있다는 약속이 주어졌다.

시편 1편에는 주님의 율법을 즐거워하는 사람을 위한 번영의 약속이 명확하게 소개되어 있다.

그는 시냇가에 심은 나무가 철을 따라 열매를 맺으며 그 잎사귀가 마르지 아니함 같으니 그가 하는 모든 일이 다 형통하리로다 (시 1:3)

우리가 번영을 위해 기도하는 것은 결코 잘못된 모습이 아니다.

은혜와 긍휼과 평강이 하나님 아버지와 아버지의 아들 예수 그리스도께로부터 진리와 사랑 가운데서 우리와 함께 있으리라 (요이 3)

나의 의를 즐거워하는 자들이 기꺼이 노래 부르고 즐거워하게 하시며 그의 종의 평안함을 기뻐하시는 여호와는 위대하시다 하는 말을 그들이 항상 말하게 하소서 (시 35:27)

하나님은 주님의 백성들이 번영을 누리게 해주심으로써 찬송 받으시기를 기뻐하신다.

하늘의 하나님이 우리를 형통하게 하시리니 (느 2:20)

하나님은 실제로 우리에게 부요를 얻을 수 있는 능력을 주셨다.

네 하나님 여호와를 기억하라 그가 네게 재물 얻을 능력을 주셨음이라 (신 8:18)

부와 귀가 주께로 말미암고 (대상 29:12)

또한 어떤 사람에게든지 하나님이 재물과 부요를 그에게 주사 능히 누리게 하시며 제 몫을 받아 수고함으로 즐거워하게 하신 것은 하나님의 선물이라 (전 5:19)

아브람에게 가축과 은과 금이 풍부하였더라 (창 13:2)

우스 땅에 욥이라 불리는 사람이 있었는데 그 사람은 온전하고 정직하여 하나님을 경외하며 악에서 떠난 자더라 … 그의 소유물은 양이 칠천 마리요 낙타가 삼천 마리요 소가 오백 겨리요 암나귀가 오백 마리이며 종도 많이 있었으니 이 사람은 동방 사람 중에 가장 훌륭한 자라 (욥 1:1, 3)

그럼에도 불구하고 우리가 반드시 명심해야 할 것이 있다. 성경은 부요와 번영을 언제나 물질적인 관점으로만 규정하고 있지는 않다. 번영은 물질적인 부요와 관련이 있을 수도 있지만, 그렇지 않을 수도 있다.

혹 네가 하나님의 인자하심이 너를 인도하여 회개하게 하심을 알지 못하여 그의 인자하심과 용납하심과 길이 참으심이 풍성함을 멸시하느냐 (롬 2:4)
또한 영광 받기로 예비하신 바 긍휼의 그릇에 대하여 그 영광의 풍성함을 알게 하고자 하셨을지라도 무슨 말을 하리요 (롬 9:23)
그의 영광의 풍성함을 따라 그의 성령으로 말미암아 너희 속사람을 능력으로 강건하게 하시오며 (엡 3:16)

이처럼 수많은 성경구절들을 인용하여 말하고 싶은 요지는 이렇다. 번영은 단지 지갑 속에 돈이 많다고 해서 누릴 수 있는 것이 아니다. 우리는 하나님의 영광의 풍성함 안에서도 번영을 누려야 한다.

깊도다 하나님의 지혜와 지식의 풍성함이여, 그의 판단은 헤아리지 못할 것이며 그의 길은 찾지 못할 것이로다 (롬 11:33)

우리는 그리스도 안에서 그의 은혜의 풍성함을 따라 그의 피로 말미암아 속량 곧 죄 사함을 받았느니라 … 너희 마음의 눈을 밝히사 그의 부르심의 소망이 무엇이며 성도 안에서 그 기업의 영광의 풍성함이 무엇이며 … 이는 그리스도 예수 안에서 우리에게 자비하심으로써 그 은혜의 지극히 풍성함을 오는 여러 세대에 나타내려 하심이라 … 모든 성도 중에 지극히 작은 자보다 더 작은 나에게 이 은혜를 주신 것은 측량할 수 없는 그리스도의 풍성함을 이방인에게 전하게 하시고 (엡 1:7, 18; 2:7, 3:8)

하나님이 그들로 하여금 이 비밀의 영광이 이방인 가운데 얼마나 풍성한지를 알게 하려 하심이라 이 비밀은 너희 안에 계신 그리스도시니 곧 영광의 소망이니라 … 이는 그들로 마음에 위안을 받고 사랑 안에서 연합하여 확실한 이해의 모든 풍성함과 하나님의 비밀인 그리스도를 깨닫게 하려 함이니 (골 1:27, 2:2)

이상은 우리가 추구해야 할 가치 있고 참된 부요들이다. 이는 시간을 초월하여 영원토록 가치 있는 보물들이다. 우리는 세속성과 더럽혀짐과는 별개로 이런 유의 부요함을 누리기 위해 거룩함을 추구해야 한다. 결국 물질적인 부요는 도둑들에게 빼앗기고, 좀먹고, 녹슬고, 썩어버릴 수 있다. 그러나 참된 부요들은 영원토록 남는다!

메시아께서 이런 부요함을 가져오시기 전에, 모세는 곤핍한 상황 속에서도 믿음을 잃지 않았다.

> 믿음으로 모세는 장성하여 바로의 공주의 아들이라 칭함 받기를 거절하고 도리어 하나님의 백성과 함께 고난 받기를 잠시 죄악의 낙을 누리는 것보다 더 좋아하고 그리스도를 위하여 받는 수모를 애굽의 모든 보화보다 더 큰 재물로 여겼으니 이는 상 주심을 바라봄이라 (히 11:24-26)

참된 부요는 바로의 집 안에 가득한 수많은 금은보화로 이루어지는 것이 아니다. 보다 위대한 부요를 물려받기 위하여, 우리도 그리스도께서 당하신 수욕을 선택해야 한다!(랄프 마호니) 앞에서 소개한 바와 같이 철야기도 모임에 예수님이 찾아오신 이후로, 우리는 이러한 참된 부요를 추구하기 시작했다. 우선은 우리 안의 더럽혀진 모습들을 떨쳐버리려고 애를 썼다. 그때 경험했던 단 한 번의 만남이 오랜 세월 동안 나의 뇌리에 남아 있다. 예수님을 알고 주님의 능력을 아는 것이야말로 참된 부요다.

> 베드로가 이르되 은과 금은 내게 없거니와 내게 있는 이것을 네게 주노니 나사렛 예수 그리스도의 이름으로 일어나 걸으라 하고 (행 3:6)

> 너희는 더욱 큰 은사를 사모하라 (고전 12:31)

라오디게아 교회는 후일 그리스도께서 재림하시기 전에 존재할 주님의 몸 된 교회의 모습과 매우 흡사하다. 지금이 바로 이 시기에 해당한다. 예수님은 이런 유형의 교회에 관해 다음과 같이 말씀하셨다.

> 네가 말하기를 나는 부자라 부요하여 부족한 것이 없다 하나 네 곤고한 것과 가련한 것과 가난한 것과 눈먼 것과 벌거벗은 것을 알지 못하는도다 내가 너를 권하노니 내게서 불로 연단한 금을 사서 부요하게 하고 흰옷을 사서 입어 벌거벗은 수치를 보이지 않게 하고 안약을 사서 눈에 발라 보게 하라 (계 3:17-18)

이런 유형의 교회는 세상적인 면에서 물질적으로는 부요하지만, 위에서 소개한 참된 부요에 있어서는 빈곤한 상태. 라오디게아인들이 스스로에 관해 생각하고 있던 바는, 그리스도께서 그들을 바라보시는 관점과는 정반대였다.

나는 긍정적인 고백에 찬성한다. 그리스도께서는 친히 다음과 같이 말씀하셨다. "예수께서 그들에게 대답하여 이르시되 하나님을 믿으라 내가 진실로 너희에게 이르노니 누구든지 이 산더러 들리어 바다에 던져지라 하며 그 말하는 것이 이루어질 줄 믿고 마음에 의심하지 아니하면 그대로 되리라"(막 11:22-23). 그러나 주님의 가르침은 번영신학에서 말하는 '선포하고 취하라'는 식의 사고방식을 뒷받침해주는 것이 결코 아니다.

본문에서 산은 단순히 물질적인 빈곤만을 가리키는 것이 아니다. 오히려 산이란 반드시 극복해야 할 지극히 힘든 장애물이나 문제를 의미한다. 자, 균형을 유지하라. 어떤 사람들은 가난을 자신들의 삶에 놓여 있는 산으로 여기며 반드시 바다에 빠뜨려야 한다고 생각한다. 그러나 올바른 가르침을 통해, 하나님을 믿음으로써 그 산이 제거되는 모습을 지켜볼 수 있다.

나는 그리스도인들이 굶주리고 빈핍한 생활을 하는 것은 하나님의 의도하심이 아니라고 본다. 사실상 대부분의 그리스도인들이 훨씬 더 많은 돈을 가졌으면 좋겠다. 과연 우리는 전 세계적으로 주님의 몸 된 교회에서 상당 부분을 차지하고 있는 가난한 성도들, 고난당하는 성도들을 단지 경제적 빈곤을 이유로 들어 '믿음이 없는' 이들로 감히 범주화할 수 있겠는가? 신중하게 생각해 보자.

나는 하나님의 말씀을 문자적으로 믿는 사람이다. 만일 그리스도께서 단지 세상적인 부요만을 의도하셨다면, 아마도 다음과 같이 말씀하셨을 것 같다. "누구든지 이 돈을 향해 '나에게 와서 내 지갑 속으로 들어가라'고 선포한다면 …." 다시 말하지만, 지금 나는 요지를 명확히 하기 위해 약간 냉소적인 어법을 사용하고 있다.

이러한 맥락은 오늘날의 기독교신앙 안에서도 찾아볼 수 있다. 어떤 이들은 돈 자체를 향해 자신들에게 오라고 직접적으로 선포하고 명령함에 있어, 만약 그 사람의 믿음만 충분하다면, 그 돈은 반드시 순종하게 되어 있다고 확신한다. 그러나 나는 이들의 확신을 뒷받침할 만한 충분한 성경적 근거를 발견해내지 못하겠다. 물고기의 입속에 돈이 들어 있는 경우는 있었다. 그러나 이 경우에 물고기 안에 들어 있던 돈은 단순히 재물을 얻기 위해서가 아니라, 특별한 목적을 위한 것이었다(마 17:24-27).

우리의 고백은 탐욕과 자기중심성을 동기로 삼아서는 안 된다. 그렇게 된다면, 우리도 라오디게아 교인들처럼 결국 그리스도의 입에서 내쳐짐을 당하고 말 것이다. 그렇다. 우리는 번영과 축복을 선포할 수 있다. 당연한 일이다! 계속해서 그렇게 해야 한다. 그러나 먼저 당신의 동기가 무엇인지 점검하라. 세속적인 동기를 품지 않도록 주의하라. 세상적인 재물은 그리스도의 신비 안에 있는 당신의 참된 부요함으로 인한 부산물에 불과하기 때문이다.

번영을 누리는 삶이 반드시 화려하고 안락한 모습으로 나타나는 것은 아니다. 바울의 경우를 생각해보라. 그가 참된 부요를 누리지 못했다고 주장할 수 있는 이는 하나님의 사람들 중 아무도 없었다. 사도행전 22-28장을 숙독하라. 그리고 사도 바울이 과연 어떤 종류의 '부요'를 누렸는지 살펴보라! 예루살렘으로 올라갈 때, 그는 결박당한 채 고통받고 있었다. 그는 감옥에도 갇혔다. 타고 가던 배가 조난을 당하기도 하고 독사의 공격도 받으면서 3개월이 지난 후에야 비로소 목적지에 도착할 수 있었다. 그러나 그는 보물도 받았다. 그 보물이란 바로 멜리데 섬 사람들이 구원받게 된 사건이었다! 이것이야말로 참된 부요가 아니던가!

어쩌면 번영을 누린다는 것은 거절과 거짓된 비난, 고난에 직면해야 함을 의미하는지도 모른다. 요셉의 경우를 상기해보라. 창세기 37-47장을 숙독하고, 요셉이 과연 어떤 종류의 '부요한' 여정을 누렸는지 이해하라! 그의 형제들은 그를 구덩이 속에 던져 넣고, 그의 겉옷을 빼앗았으며, 아버지에게는 그가 짐승에게 잡아먹혔다고 거짓말을 하고, 마침내는 그 불쌍한 영혼을 노예로 팔아 버렸다. 그러나 이 모든 고난에도 불구하고, 성경은 다음과 같이 말한다.

> 여호와께서 요셉과 함께하시므로 그가 형통한 자가 되어 그의 주인 애굽 사람의 집에 있으니 그의 주인이 여호와께서 그와 함께하심을 보며 또 여호와께서 그의 범사에 형통하게 하심을 보았더라 (창 39:2-3)

요셉은 물질적인 축복도 받았는가? 그렇다. 그러나 그것은 형제들의 사악함과 음란한 여인에 대한 거절로 인한 누명, 거짓된 비난을 모두 통과한 이후의 일이었다. 설상가상으로 그는 12-13년 동안 옥살이를 해야 했다! 그는 부자가 되려는 목적으로 애굽에서 고통의 시간을 견딘 것이 아니었다. 그의 동기는 언제나 순수했다. 그의 도덕적 기준은 한결같았고, 하나님과도 성실하고 올바른 관계를 유지했다.

그리스도의 불로 연단한 금을 사는 것은 어쩌면 당신 안에 슬픔을 가져올 수도 있다. 질문하겠다. 당신은 그것이 당신을 더 좋게 만들거나 더 나쁘게 만들도록 기꺼이 허용하겠는가?

너무나도 많은 그리스도인들이 로마서 8장 28절을 잘못 전달하고 있다. 이는 그들이 바로 다음 구절을 그냥 건너뛰어 버리기 때문이다.

> 우리가 알거니와 하나님을 사랑하는 자 곧 그의 뜻대로 부르심을 입은 자들에게는 모든 것이 합력하여 선을 이루느니라 하나님이 미리 아신 자들을 또한 그 아들의 형상을 본받게 하기 위하여 미리 정하셨으니 이는 그로 많은 형제 중에서 맏아들이 되게 하려 하심이니라 (롬 8:28-29)

'선'(good)은 악해 보이는 것에 대한 적절한 반응에서 비롯된다. 이런 식으로 반응해 감에 따라 당신은 그리스도의 형상과 점점 일치되어 갈 수 있다. 그럴 때 비로소 모든 것이 합력하여 선을 이룬다. 실제로 어떤 그리스도인들은, 모든 것이 합력하여 선을 이루지 못하고 있다. 여러분 가운데 이런 사실을 아는 이들이 얼마나 되는가? 아마도 그들의 반응은 거룩하지 못한 것과 혼합되어 있는 듯하다. 거룩해진다는 것은 연단하는 불에 적절히 반응하는 것을 의미한다.

믿음을 갖는다는 것은, 당신을 성화시켜 주는 고난들을 기꺼이 포용하기 위해 믿음의 은사를 사용하도록 요구받는 상태를 의미한다. 바울과 요셉도 이러한 고난을 잘 견뎌냈다. 오직 믿음으로만 당신은 올바른 반응을 하고자 하는 희망을 품을 수 있다. 심지어 가난과 시련을 통과하는 동안에도 우리는 믿음을 사용한다. 이와 관련하여 히브리서 11장 33-40절을 참고하라.

뿐만 아니라, 곤궁한 상황 속에서도 나누어줄 때 부요한 영이 창출된다. 쉽게 말하자면, 당신의 사고와 감정이 부요하다는 뜻이다. 당신은 돈의 사용처나 가지고 싶은 것과 관련하여 보다 경건한 결정을 내리며 살아간다. 잠언은 다음과 같이 선포한다.

> 흩어 구제하여도 더욱 부하게 되는 일이 있나니 과도히 아껴도 가난하게 될 뿐이니라 구제를 좋아하는 자는 풍족하여질 것이요 남을 윤택하게 하는 자는 자기도 윤택하여지리라 (잠 11:24-25)

나는 지금 꾸며낸 말을 하고 있는 것이 아니다!

당신이 잘 베푸는 마음을 계발시킨다면, 분명 영적이고 참된 부요로 보상받게 된다. 경제적으로 어려운 시기에도 계속해서 내적인 힘을 키워나갈 수 있다. 당신이 허용하기만 한다면 말이다. 빈핍함에도 불구하고 나누어줌으로써 당신은 세상을 조금은 다른 시각으로 바라보기 시작한다. 당신의 인생관은 사뭇 달라진다. 당신은 진정한 사랑에서 우러나 베푸는 사람이 된다. 당신보다 어려운 과정을 통과하고 있는 사람들에게 훨씬 더 깊은 긍휼의 마음을 품게 된다(당신보다 훨씬 더 비참한 사람들은 언제든지 있기 마련이다).

선한 눈을 가진 자는 복을 받으리니 이는 양식을 가난한 자에게 줌이니라 (잠 22:9)

베푸는 마음을 계발하라. 다른 사람들에게 심으라. 그리할 때, 당신은 전 세계 인류의 필요에 보다 더 예리한 분별력을 갖게 될 것이다. 곤궁한 상황에도 심을 줄 아는 적절한 태도로 말미암아 당신의 삶에 축복과 번영이 임한다. 나아가 이것은 참된 부요를 받기 위한 토대를 형성한다. "회오리바람이 지나가면 악인은 없어져도 의인은 영원한 기초 같으니라"(잠 10:25).

이상은 참된 부요를 비축하는 지극히 단순하고 실용적인 원리들이다. 이해하기는 어렵지 않지만, 그것을 적용하는 일은 매우 심오하다. 하나님의 거룩하심이 우리의 삶에 밝히 계시될 때, 부요해질 수 있는 분위기가 형성된다. 당신의 행위가 하나님을 복되게 하였으므로, 당신도 복을 받는다. 그러나 긍정적인 것이 있는 한, 반드시 부정적인 것도 있다. 이제부터는 번영이 지닌 몇몇 위험들에 관해 생각해보기로 하자. 이러한 위험요소들은 우리를 더러움으로 인도한다.

번영이 지닌 위험들

믿기 어렵겠지만, 사람을 시험하는 것은 대체로 역경의 시기라기보다는 오히려 축복과 성공, 번영의 시기들이다. "미련한 자의 안일은 자기를 멸망시키려니와"(잠 1:32). "자기를 위하여 재물을 쌓아 두고 하나님께 대하여 부요하지 못한 자가 이와 같으니라"(눅 12:21). 매우 단순한 이야기처럼 들릴지 모르나, 사도적인 풀어짐의 비결은 그저 '미련한 자가 되지 않는데' 있다.

> 그러나 자족하는 마음이 있으면 경건은 큰 이익이 되느니라 우리가 세상에 아무것도 가지고 온 것이 없으매 또한 아무것도 가지고 가지 못하리니 우리가 먹을 것과 입을 것이 있은즉 족한 줄로 알 것이니라 부하려 하는 자들은 시험과 올무와 여러 가지 어리석고 해로운 욕심에 떨어지나니 곧 사람으로 파멸과 멸망에 빠지게 하는 것이라 돈을 사랑함이 일만 악의 뿌리가 되나니 이것을 탐내는 자들은 미혹을 받아 믿음에서 떠나 많은 근심으로써 자기를 찔렀도다 (딤전 6:6-10)

아마 바울 시대의 사역자들도 우리 시대의 사역자들과 같이 스스로 곤경에 처해 있다고 여긴 듯하다. 참으로 기묘한 일이다. 마치 바울이 예언 비슷한 것을 한 것 같다.

나의 번영신학은 상당히 기초적이다. 나는 돈을 소유하는 것 자체가 잘못되었다고는 생각하지 않는다. 그러나 혹시 돈이 당신을 소유하고 있지는 않은가? 사실 이 표현은 예수님의 말씀을 거의 그대로 베껴온 것이다.

> 집 하인이 두 주인을 섬길 수 없나니 혹 이를 미워하고 저를 사랑하거나 혹 이를 중히 여기고 저를 경히 여길 것임이라 너희는 하나님과 재물을 겸하여 섬길 수 없느니라 (눅 16:13)

사랑하는 친구들이여, 이것은 회색지대에 관한 것이 아니다. 오늘날 주님의 몸 된 교회 안에는 혼합물이 존재하고 있다. 너무도 많은 사람들이 두 주인을 겸하여 섬기려 하고 있다. 두 주인을 섬긴다는 것 자체가 불가능한 일인데도 말이다. 그래서 사람들은 '작은 기름부음 받은 자들'로서, 다른 사람들에게 그리스도를 대표하는 일에 더럽혀져 있고 경건치 못한 행동을 한다.

갈수록 더 빈번하게 물질적인 번영을 강조함으로써 오류에 빠진다. 당신은 돈이 반드시 행복을 보장해주거나 모든 욕구를 만족시켜 주지는 않는다는 이야기를 들어왔다. 이것은 심지어 세속적인 사회에도 잘 알려진 사실이다. 그러나 주님의 몸에 속한 우리는 몇 세기 동안이나 계속해서 이 문제와 씨름하고 있다. 아마도 예수님과 바울에게 이것은 매우 중요한 개념이었던 것이 틀림없다. 성경에 기록해 둘 정도였으니 말이다. 우리는 사도적인 기름부음으로 이해력을 확장시켜야 한다. 우리는 물질적인 것들에 대한 사랑과 관계된 이 문제를 반드시 다뤄야 한다. 우리는 물질적인 부요를 지나치게 강조하는 모습을 떨쳐버려야 한다.

> 은을 사랑하는 자는 은으로 만족하지 못하고 풍요를 사랑하는 자는 소득으로 만족하지 아니하나니 이것도 헛되도다 (전 5:10)

우리가 기억해야 할 것이 있다. 헛됨은 악한 것이다.

> 위의 것을 생각하고 땅의 것을 생각하지 말라 (골 3:2)

> 이 세상이나 세상에 있는 것들을 사랑하지 말라 누구든지 세상을 사랑하면 아버지의 사랑이 그 안에 있지 아니하니 (요일 2:15)

이 구절은 생각할수록 참으로 냉혹한 표현이 아닐 수 없다. 문자 그대로 지도자의 마음이 세상에 대한 사랑에 골몰해 있다면, 하나님 아버지의 사랑이 그 안에 있지 않다는 의미인가? 이 책에서 줄곧 강조하고 있는 사도적인 것에 관해 상기해보라. 하나님 아버지의 사랑에 관해 다루었던 이전 장들도 살펴보라. 그러면서 본문의 의미를 곰곰이 생각해보라. 혹시 이것이야말로 표적과 기사와 이적과 치유와 축사 등과 같은 참된 부요를 가로막는 장애물은 아닐까?

"재물이 늘어도 거기에 마음을 두지 말지어다"(시 62:10). "그들에게 이르시되 삼가 모든 탐심을 물리치라 사람의 생명이 그 소유의 넉넉한 데 있지 아니하니라 하시고"(눅 12:15). 이것은 그리스도의 가르침이다. 이 말씀에 근거하여 내가 담대히 말하고자 하는 바가 있다. 하나님 나라와 사도적인 부요 가운데로 들어가기 위하여, 우리는 기꺼이 자신의 재물을 처분해야 한다. 다시 말해, 물질적인 부요에 대한 우리의 감정적인 애착이 반드시 끊어져야 한다. 나는 사람들의 재물을 시샘하지 않는다. 그러나 그들의 재물에 대한 애착에는 반대한다.

혹시 누가복음 18장 18-25절의 내용을 잘 모르는 사람은 잠시 한 번 읽어 보라. 본문에서 예수님은 부자가 되려는 것과 하나님 나라에 들어가는 것에 관해 매우 명확하게 설명해 주신다. 나는 예수님께서 부자가 하나님 나라의 축복을 누리는 것을 전혀 불가능한 일로 여기셨다고는 믿지 않는다. 다만 하나님 나라에 들어가려면 우선 재물과 밀착되어 있는 속박부터 제거해내야 한다는 것이다.

우리는 우선 돈을 사랑하는 마음에서 자유로워져야 한다. 그렇게 한 후에야 비로소 하나님의 나라 안에서 참된 부요를 누리며 살아갈 수 있다. 예수님과 말씀에 대한 사랑은, 우리가 얻을 수 있는 온갖 세상적인 이익보다 우선시되어야 한다.

이제 이 모든 것들을 다시 사도적인 사람들과 결부시켜 생각해 보도록 하자. 사도적인 사람들은 사람들에게 돌파의 기름부음을 풀어내는 일에 있어 단호한 태도를 지닌다. 물질적인 부요를 획득하는 일은, 사람이 품고 있는 마음의 동기(그 사람이 초점을 맞추는 바)를 직접적으로 다룬다. 사도적인 사람들은 삶의 모든 영역에 사람들을 자유케 해주는 기름부음을 풀어놓아야 한다. 따라서 번영에 수반되는 여러 위험요소들의 정체를 밝히 드러내주는 기름부음이 풀어져야 하는 것은 당연하다. 사도적 기름부음은 단지 사람들의 신체적, 감정적, 정신적 필요들을 채워주기 위한 것만이 아니다. 사도적 기름부음은 전략과 경건한 생각들을 풀어놓음으로써, 사람들을 돈에 대한 사랑뿐 아니라 가난해지는 것으로부터도 자유케 해준다.

우리는 왜 우리가 물질적인 부요를 얻기 원하는가에 대해 적절한 동기와 명분을 가지고 있어야 한다. 하나님은 주님의 백성들이 백만장자가 되는 것을 싫어하시는 분이 아니다. 다만 그들의 마음이 돈에 고정되어 있지 않은 것을 전제로 해서 말이다.

나는 베드로를 비롯한 초대교회의 사도들이 그러했던 것처럼, 하나님께서 앞으로 수없이 많은 사도적인 사람들에게 이 세상의 재물을 맡기실 것이라고 믿는다(행 4:34-35). 하나님은 베드로가 엄청난 재물을 맡겨도 될 만큼 믿음직스러운 사람임을 알고 계셨다. 왜냐하면 사도 베드로의 초점은 사람들에게 있을 뿐, 자신의 개인적인 유익을 위해 재물을 비축해두는 것에 있지 않았기 때문이다. 그는 재물을 필요한 사람들에게 올바로 분배할 수 있는 사람이었다.

　이 주제와 관련하여, 나는 성령께서 어떤 사람들에게는 다소 경고의 소리로 들릴 수도 있는 몇 가지 이야기를 나누기 원하신다고 믿는다. 나는 그저 주님께 순종하려고 한다. 약간은 경고조로 이야기하는 나의 의도를 주님께서 잘 입증해 주시리라 확신한다.

　이제부터 하려는 이야기는 나의 개인적인 견해다. 이것은 30년 이상의 순회사역을 통해 얻게 된 결론이기도 하다. 현재 대다수의 사역자들이 재정적으로 마땅히 받아야 할 수준의 보수를 받지 못하고 있다. 솔직히 말하자면, 그들은 올바른 보수를 받지 못하고 있다. 물론 언제나 예외는 존재한다. 그러나 내가 경험한 바에 의하면, 상당수의 교회들이 외부 사역자들에게 마땅히 주어야 할 분량을 제대로 주지 않고 있다.

　이 부분에 있어서 나의 의도를 오해하지는 마라.

　이러한 결핍으로 말미암아, 수많은 사도적인 계열 사이에 하나님께서 의도해 두신 방식을 침해하는 경향이 나타나고 있다. 하나님은 사도와 선지자, 복음전도자들이 협력하고 있는 교회들 안에서 어떻게 재정적인 돌봄을 받아야 할지를 이미 정해두셨다. 좀더 자세히 설명해 보겠다.

　나는 모든 사도적인 사람들과 선지자적인 사람들이 지역교회의 중요성을 옹호하고 믿는 자들이어야 한다고 생각한다. 사람들은 지역적인 정황 속에서 교회에 와서 십일조와 헌물들을 드린다. 왜냐하면 교회는 지역사회에 대한 그리스도의 사역을 표현하는 수단 혹은 유기체를 상징하기 때문이다. 그들에게 있어서 교회는 그들의 창고다.

사도적인 사람들과 선지자적인 사람들, 순회사역자들은 지역교회와 교제하며 책임을 짊어져야 한다. 그러나 일반적으로 십일조로 처리해야 할 일들이 너무나도 많다. 교회예산도 세워야 하고, 봉급도 지불해야 하고, 지역을 위한 봉사활동 등도 행해야 하기 때문이다. 이렇게 하다 보면 순회사역자들에게 주어야 할 헌금은 거의 남지 않게 된다. 헌금이야말로 순회사역자들의 주된 수입원임에도 불구하고 말이다.

오늘날 너무나도 많은 교회들이 재정적인 면에서 자체적인 필요들을 충족시키기에만 급급해하고 있다. 그리하여 마땅히 지역교회가 행사해야 할 사도적인 영향력, 선지자적인 영향력, 복음전도자적인 영향력의 중요성을 소홀히 여길 때가 많다. 그럼에도 불구하고, 순회사역자로서 나는 지역교회와 더불어 공동으로 기능을 수행하는 것을 강력히 지지하는 사람이다.

해답은 물질적인 부요를 축적하는 것에 대한 주님의 관점이 무엇인지를 밝히 드러내주는 사도적인 돌파의 기름부음에 있다. 나는 지금 하나님께서 일터에서 사도적인 동기, 선지자적인 동기, 복음전도자적인 동기를 가진 기름부음 받은 남녀들을 일으켜 세우시는 중이라고 굳게 확신한다. 이 남녀들은 하늘의 전략들을 가지고 하나님 나라 안에 부요를 풀어놓기 위해 준비하고 있다. 그러나 반복해서 말하지만, 이런 일은 반드시 지역교회와 함께 공동으로 수행되어야 한다.

그렇다. 사도적인 사람들과 순회사역자들이 재정적으로 고군분투하고 있다는 사실은 여전히 남아 있다. 어쩌면 당신은 수천 명을 자유케 해 줄 만한 가장 역동적인 기름부음을 소유하고 있을 수도 있다. 하지만 당신에게 온갖 필요들이 난무하고 있는 거리로 나아갈 자금이 없다면, 그러한 기름부음을 어떻게 풀어놓겠는가?

그렇다면 사도적인 사람이나 순회사역자가 하는 일은 무엇인가?

이제 여러분 중에는 지금 내가 말하는 내용을 이해하는 이들도 있을 것이다. 자, 나는 사도적인 네트워크를 믿는다. 그러나 또한 전체적인 주님의 몸 된 교회라는 포도주부대가 변화되어야 한다고 생각한다. 다시 말해, 일반적으로 사도적인 연합이 기능해온 방식 자체가 개정되어야 한다. 우리는 주님의 몸 된 교회를 좀더 보편적인 관점에서 바라볼 필요가 있다.

사도적인 계열 안에서 지역교회를 회피한 채 재정을 위한 새로운 장소들을 만들어내려는 불안스런 추세가 드러나고 있다. 나는 하나님 나라가 단순히 지역교회의 수준을 벗어나 확장되어 가야 함을 잘 알고 있다. 하지만, 동시에 거리 모퉁이에 서 있는 교회의 중요성도 결코 무시할 수는 없다. 물론 여러 가지로 좌절감이 들뿐 아니라 재정적으로도 결핍된 상황일지라도, 사도적인 사람들은 하나님께서 배치해두신 수단(이를테면, 지역교회)에 대해 영성을 가장한 번영운동이라는 미명 아래, 마음대로 참견하고 간섭하지 않도록 주의해야 한다.

어떤 기구들은 일터에서 영향력을 행사하고 있는 핵심적인 사람들을 끌어모은다. 단도직입적으로 말해서, 이들은 의사, 변호사, 기업가 등과 같은 평신도 백만장자들이다. 이들은 지역교회에 드리는 헌금 이외에도 네트워크를 위해서도 헌금하도록, 혹은 많은 경우에 있어서는 지역교회에는 하지 말고 네트워크에만 헌금하도록 강요당한다.

사도적인 사람들은 지역교회를 과소평가하거나 얕잡아보아서는 안 된다! 굳이 말하자면, 사도적인 동기를 가지고 일터에서 일하는 사람들은 각각 자신들이 창고로 여기는 교회에 십일조를 내는 것을 중단해서는 안 된다. 그런 다음에 여력이 되는 대로 네트워크를 위해서도 헌금을 해야 한다. 물론 이 일을 행함에 있어서 개인들은 나름대로 자신만의 균형을 잘 유지할 수 있어야 한다.

우리는 과연 각 사람의 창고가 무엇인지에 관해 새로운 계시를 필요로 한다. 우리의 창고가 사도적인 네트워크라는 테두리 안에 존재한다는 것은 거의 확실하다. 그러나 우리는 지역교회의 중요성과 소중함을 언제나 잊지 않도록 명심해야 한다. 자신의 창고가 무엇인지를 규정함에 있어서, 지역교회를 망각하지 않고 주님의 인도하심을 받기 위해 늘 주의해야 한다.

사도적인 네트워크들은 재정적인 욕구를 채우기 위해 탐욕스러워지지 않도록 매우 조심해야 한다. 그들은 하나님의 말씀의 권위를 가로챌 뿐 아니라, 하나님께서 만들어놓으신 구조(즉, 한 지역사회 안에 존재하는 지역교회를 말한다. 지역교회의 활동은 세상이라는 경기장에서 하나님의 통치를 확립하는 일이다)를 벗어날 수도 있는 위험을 무릅쓴다. 사실 사도적인 네트워크들이 이런 방식으로 도움을 주기도 하지만, 지역교회와 함께하는 공동사역이라는 맥락을 벗어나지 말아야 한다.

나는 사도적인 네트워크들을 전적으로 지지하는 사람이긴 하지만, 그것들이 지역교회를 대체할 수는 없다. 사도적인 네트워크를 위한 안전장치, 혹은 사도적인 네트워크가 균형을 유지하는 길은 지역교회 및 목사들과의 협력관계를 늘 유지하는 데 있다. 이런 이유로 나는 모든 사도, 모든 선지자, 모든 복음전도자, 모든 가족들이 목사를 필요로 한다고 생각한다. 단지 자신들과 동일한 부르심을 받은 동료들만 필요한 것이 아니다.

다시 말하지만, 사도적인 사람들은 이 영역에서 균형을 유지할 수 있도록 자신만의 방법을 찾아내야 한다. 이 모든 사항들에 관해서는, 교회

정부에 관해 다룬 이전 장과 같은 맥락에서 생각해주기 바란다. 하나의 부르심이 다른 부르심을 지배하지는 않는다. 상호 책임성이라는 요소를 결코 간과해서는 안 된다. 특히 재정적인 사안들에 관한 한, 사역자는 신중에 신중을 기해야 한다.

나는 순회사역자들이 복을 받는 것이 하나님의 뜻이라고 믿는다. 주님은 그들이 재정적인 돌봄을 받기를 원하신다. 그러나 지역교회를 희생시키면서까지 그렇게 하는 것은 주님의 뜻이 아니다. 물론, 개중에는 순회사역자들을 적절히 축복하는 일이 얼마나 중요한 일인지 밝히 깨달아야 하는 지역교회들도 있다. 이것에 대해 나를 오해하지 말아 달라.

포도주부대의 변화는 교회 편에서도 진행되고, 네트워크 편에서도 진행된다. 그러나 사도적인 사람들은 지역교회의 중요성을 결코 폄하해서는 안 된다. 그들은 교회가 가능한 가장 지혜로운 방식으로 자금을 운용할 수 있도록 격려해 주어야 한다. 나는 지역교회의 존재가치를 믿는다.

예를 들어 설명하면, 내가 23살의 순회사역자였을 때의 일이 떠오른다. 물론 그때 나는 재정적인 문제로 매우 힘들어하고 있었다. 그러나 또한 열린 하늘의 은총이 놀랍게 부어지는 계절을 지나고 있었다. 앞에서 소개한 모래사막 교회의 경우처럼 말이다. 나는 그때야말로 내 사역이 최고의 절정에 이른 시기였다고 생각한다.

그러던 중, 어느 특별한 집회를 마치고 난 후의 일이다. 그 집회에서는 매우 강력한 일들이 일어났다. 참석한 모든 이들이 치유를 받고, 모든 이들이 구원을 받고, 모든 이들이 축사를 경험한 듯했다. 집회를 마친 후에 어느 매우 유명한 사역자의 대리인이 나에게 다가와서 이렇게 말했다.

"제가 알기로는, 복음전도자 OOO씨가 당신의 사역을 재정적으로 후

원하는 일에 매우 호의적인 태도를 보일 것입니다. 당신처럼 젊은 분이 이렇게 굉장한 일들을 하는 모습을 본 것은 이번이 처음입니다."

'아하, 인사치레구나!' 그러나 친구들이여, 솔직하게 고백하겠다. 무슨 말인가 하면, 나는 유혹에 넘어갔다. 정말 놀랍지 않은가? 이 복음전도자는 유명한 사람이었다. 세계적으로 유명한 사람 중의 하나였다. 그들은 이 복음전도자가 내 사역을 위해 전적으로 재정을 지원하는 일에 관심이 있을 것이라고 생각했다. 당신이었어도 귀가 솔깃하지 않겠는가?

그 대리자는 계속해서 말을 이었다. "만일 그분이 당신의 사역을 전적으로 지원해 주시려고 할 경우, 당신은 지역교회의 일은 잊으시고, 오로지 사람들이 몰려오는 대강당 사역에만 전념하셔야 합니다. 광고문제는 저희들이 처리하겠습니다. 당신은 단지 무대에 서시기만 하면 됩니다."

당시 나는 주님의 인도하심에 따라 대강당 사역을 하는 것에 전혀 문제가 없었다. 이미 직접적으로 수많은 경험을 해왔기 때문이다. 그러나 지역교회를 철저히 무시해야 한다는 발언이 나의 심기를 불편하게 했다. 어떻게 목사들을 아무렇지도 않게 무시해버릴 수 있단 말인가?

처음 사역을 시작할 때부터, 나는 주님께서 나에게 지역교회를 지원하고 목사들을 도와주라고 말씀하시는 것처럼 느꼈다. 그런데 내가 오로지 무대에서만 사역한다면, 어떻게 주님의 말씀에 순종할 수 있겠는가? 비록 주님의 말씀에 순종하는 것이 최대인원을 결집시키는 데 훨씬 더 많은 시간이 걸릴지라도, 주님은 내가 이 길을 선택하기를 바라시는 듯했다 (다시 말하지만, 주님이 나에게 원하시는 방식이 반드시 모든 사람들에게 동일하게 적용되는 것은 아니다). 그러나 지역교회 목사를 존중함으로써, 궁극적으로 내 사역의 결과는 훨씬 더 풍성해질 뿐 아니라, 미래 세대들에 대한 영향력도 훨씬 더 강력해질 것이다.

그리하여 나는 그 대변자의 친절한 제안을 정중하게 거절했다. 사실 당시에는 찌르는 듯한 아픔을 느꼈다. 실제로 나는 스스로에 대해 죽어야만 했다.

친구들이여, 여기서 우리는 균형을 잘 잡아야 한다. 컨퍼런스나 대강당에서, 경기장이나 중립지대에서 사역하는 것 자체가 잘못이라는 것이 아니다. 그리스도의 몸의 사역들이 모두 교회라는 테두리 안에 국한되는 것은 아니기 때문이다. 이러한 취지는 이미 7장에서 다루었다고 본다.

우리는 사역의 목적을 모든 영역에서 하나님 나라를 확장시키기 위한 것으로 보는 관점을 견지해야 한다. 우리는 일터로 들어가고, 거리로 나가야 한다. 하지만 그렇다고 해서 지역교회라는 맥락을 소홀히 여겨서는 안 된다. 하나님은 지역교회를 사랑하신다. 지역교회는 하나님의 목적과 기름부음에 근접해 있는 주님의 백성들의 모임이다. 교회는 그들을 구별하여 구비시키고 준비를 갖추게 한 후에 파송한다.

사도적인 사람들과 순회사역자들은 재물을 모으고자 하는 마음의 동기를 늘 경계해야 한다. 그렇게 하지 않으면, 발람의 영으로 기능하게 될 위험이 크다.

발람의 영

위대한 교사이자 사도적 사역자인 랄프 마호니가 발람에 관해 가르쳐 준 몇 가지 통찰들을 여기서 나누고자 한다. 그의 견해에 나의 생각도 약간 추가하여 소개할 것이다.

발람은 주님의 선지자였지만, 이스라엘 백성은 아니었다. 그럼에도 불구하고 그는 하나님으로부터 참된 계시를 받았다. 그러나 그는 세속적인 데다가 더럽혀진 사람으로 간간이 정당한 초자연적인 권위를 넘나들며 거룩한 것에 대한 위조품을 만들어냈다. 이렇게 된 것은 일차적으로 그가 물질적인 이득을 탐했기 때문이다. 쉽게 말해, 그의 동기는 돈이었다. 게다가 그는 매우 유명한 사람이었다. 발람의 이름은 성경 66권 중 최소한 8권의 57개 구절에서 60회가량이나 언급된다. 만일 이 사람에 대해 잘 모른다면, 민수기 22-25장, 31장을 찾아 읽어보라.

발람은 상당히 수수께끼 같은 인물이다. 그가 어디 출신인지는 알려져 있지 않다. 그의 계보는 신비에 싸여 있다(오직 브올이 그의 아버지였다는 것만 알 수 있을 뿐이다). 우리가 아는 사실은, 그가 브돌 땅에 살고 있었다는 것이 전부이다(민 22:5).

그의 예언의 정확도는 100퍼센트였다. 또한 언어구사력도 구약성경에 나타난 모든 선지자들을 통틀어 최고였다. 풍부한 시적 감성과 탁월한 비유 사용 능력을 지니고 있었고, 실제로 선지자로서의 재능에 있어서 모세에 버금가는 인물이었다. 그는 하나님과 더불어 대화를 주고받았다. 그런데 돈과 명예에 대한 사랑에 걸려들고 말았다. 그는 결국 점쟁이가 되어버렸다. 하나님께서 축복하신 것을 저주하기 위해 마법과 점술을 이용했다. 그리하여 마침내 야훼 하나님의 노여움을 사고 말았다. 기억하라. 이것은 좋지 못한 일이다.

만일 계속해서 진실했더라면, 하나님은 그를 높여주셨을 것이다. 이랬던 사람이 어떻게 결국 하나님을 배신한 자로, 또한 의를 미워하고 공공연히 음란을 부추긴 자로 이스라엘 백성의 손에 죽임을 당한단 말인가? 그에게 있어 재물과 명예의 유혹이 얼마나 대단했던지, 도저히 극복할 수 없을 정도였다. 그는 번영에 수반되는 위험에 걸려들어 모든 걸 잃고 말았다.

모압의 왕, 발락을 떠올려보자. 그의 왕국은 유대 민족이 진을 치고 있는 곳 북동쪽에 있었다. 그는 자신의 군주정치가 이 유대인들에게 위협받고 있다는 사실을 감지할 만큼 상황 판단이 빨랐다. 그러나 요술의 힘을 신뢰하지 않을 정도로 빈틈 없는 사람은 아니었다.

발락은 요술이야말로 이스라엘 백성들을 패배시킬 유일한 방법이라고 생각했다. 그리하여 그는 자신의 원수들을 향해 저주를 퍼붓기 위해 세상에서 가장 강력한 예언자를 고용하는 일에 착수했다. 이런 모습을 통해 우리는 이 더럽혀진 왕의 가치체계가 무엇이었는지 알 수 있다. 바로 "돈이면 무엇이든 살 수 있다. 모든 사람에게는 각각 가격이 붙어 있다!"는 것이 그가 신뢰하는 바였다. 그런데 정말 안타깝게도, 빌림에 대해서는 그의 견해가 옳았다.

사실 처음에 발람은 거절했다. 발락이 보낸 첫 번째 무리는, 발람에게서 이스라엘을 저주해 주겠다는 허락을 받아내지 못했다. 그들은 발람의 진실함을 뒤흔드는 데 실패했다. 그리하여 모압 왕은 발람을 살살 구슬리기 위해, 이전보다 더 많은 사람들을 보냈다. 이번에 온 대사들은 훨씬 기품이 있었다. 민수기 22장 15-17절에는 발락이 발람 선지자에게 기본적으로 백지수표를 건네주고 있는 모습을 보게 된다. "이보시오, 당신이 얼마짜리인지 말해 보시오. 당신이 얼마를 원하든 기꺼이 지불하겠소. 그러니 제발 오시어 나를 위해 이 사람들을 저주해 주시오."

첫 번째 라운드에서 하나님은 발람에게 이렇게 말씀하셨다. "안 된다.

너는 그곳에 가서는 안 된다. 그들은 복을 받은 백성들이다. 그러니 가지 마라"(민 22:12). 그러나 두 번째 라운드에서, 발람은 점술의 보상에 탐심을 품기 시작했다. 그래서 다시 한 번 이 문제에 관해 하나님께 묻는다. 하나님의 응답은 다음과 같았다. "좋다. 하지만 내가 네게 일러주는 말만 하도록 조심해야 한다. 내가 하는 말에서 조금도 더하거나 빼서는 안 된다. 알겠느냐?"(민 22:20)

발람 선지자는 당나귀 등에 안장을 지우고 여행을 떠났다. 그의 머릿속에서는 돈이 어른거리고 있었다. 하나님은 재정적인 보상을 받는 일에 혈안이 되어 있는 이 사람의 태도에 화가 나셨다. 그리하여 천사를 보내어 그를 죽이려 하셨다.

당신은 아마 이 부분을 읽으면서 다소 이상하게 여겼을 수도 있다. 그렇지 않은가? 하나님께서 그에게 가라고 허락해 주시고는, 이제 와서 가고 있는 그를 죽이려 하시다니 말이다. 하나님은 도대체 왜 이렇게 행동하시는 걸까? 주님께서 그에게 엄중한 경고를 주기 원하셨기 때문이다.

"잘 들어라. 너는 탐심과 사역을 혼합시키고도 그로 인한 결과를 면할 수 있을 것이라고 생각하지 마라. 다시 말하자면, 나는 너를 죽이고 저 나귀는 살려둘 계획이었다"(민 22:33).

하나님은 왜 발람을 죽이려 하셨을까? 발람이 사악한 길을 걷고 있었기 때문이다. 물질적인 부요를 탐내는 그의 갈망은 하나님의 길과는 상반된 것이었다(민 22:32). 그러나 나귀가 가던 길을 돌이켰기 때문에 그나마 목숨을 건질 수 있었다.

로마서 1장 27-28절과 데살로니가후서 2장 11-12절에 따르면, 하나님은 악한 사람들에게 강력한 망상을 보내심으로써 죄 자체가 그들을 징벌하도록 허락하신다. 그들이 저지른 행위들은 속임수로 향하는 문을 열어 놓는다. 그러나 하나님은 불의한 사람들에게는 범죄 자체가 형벌이 되도록 내버려두신다. 주님께서 어느 정도 죄가 징벌하도록 허용하고 계시는 까닭에, 마치 주님이 친히 징벌을 보내시는 것처럼 보이기도 한다. 또한 주님께서 망상을 보내고 계신 까닭에, 우리는 마치 주님이 몸소 불의한 자들이 속아 넘어가도록 내버려두고 계신다고 생각할 수도 있다.

이것은 많은 그리스도인들 사이에서 매우 민감하게 다뤄지고 있는 신학이다. 나는 여기서 그 누구의 심기도 불편하게 하고 싶은 마음이 없다. 그러나 발람의 경우를 보면 하나님이 실제로 그렇게 행하고 계신다(시편 106편, 특히 15절을 참조하라).

어찌 됐든, 사역 안에 존재하는 혼합물에 대한 반대 입장을 표명하기 위해, 우리는 다음과 같이 말할 수 있을 것이다. 처음에 하나님께서는 발람에게 분명 '안 된다'고 말씀하셨다. 그러나 그 선시사가 두 번째로 하나님을 찾아가 재촉했을 때, 주님은 그에게 이렇게 대답하신다. "가라." 그 후 주님은 손에 칼을 빼어든 사자를 보내어 그를 죽이려 하셨다. 그가 이득을 탐할 뿐 아니라 사역을 마치 장사처럼 생각했기 때문이었다. 만일 발람이 탐욕에 눈이 멀지 않았더라면, 아마 정상적인 상황에서는 그가 천사의 모습을 볼 수도 있었을 것이다.

선지자 사무엘도 이런 종류의 눈멂에 관해 이야기하고 있다.

> 내가 여기 있나니 여호와 앞과 그의 기름부음을 받은 자 앞에서 내게 대하여 증언하라 내가 누구의 소를 빼앗았느냐 누구의 나귀를 빼앗았느냐 누구를 속였느냐 누구를 압제하였느냐 내 눈을 흐리게 하는 뇌물을 누구의 손에서 받았

느냐 (삼상 12:3)

본문에서 사무엘은 뇌물(돈)을 취함으로 눈이 멀 수도 있다는 사실을 지적하고 있다. 오늘날 주님의 몸 된 교회 안에 있는 수많은 사람들의 눈이 멀어 있다. 그들은 탐욕과 재물에 대한 사랑으로 눈이 멀었다.

> 세상의 염려와 재물의 유혹과 기타 욕심이 들어와 말씀을 막아 결실하지 못하게 되는 자요 (막 4:19)

여기서는 재물의 유혹과 기타 욕심(정욕) 사이에 연관성이 있음을 보여준다. 속임수는 눈멂이다. 눈이 멀면 하나님의 천사를 볼 수 없게 된다.

> 오호라 두 용사가 엎드러졌으며 싸우는 무기가 망하였도다 하였더라 (삼하 1:27)

> 오직 오늘이라 일컫는 동안에 매일 피차 권면하여 너희 중에 누구든지 죄의 유혹으로 완고하게 되지 않도록 하라 (히 3:13)

우리는 발람처럼 속임수로 인해 마음이 강퍅해지는 일이 없도록 늘 주의해야 한다!

왜 우리는 번영에 수반되는 여러 가지 위험요소들을 소홀히 여기는가? 이유를 설명해 보라는 요구에 발람은 다음과 같이 말한다. "내가 범죄하였나이다 당신이 나를 막으려고 길에 서신 줄을 내가 알지 못하였나이다 당신이 이를 기뻐하지 아니하시면 나는 돌아가겠나이다"(민 22:34). 자신을 죽이기 위해 칼을 들고 찾아온 천사에게 심한 꾸중을 들은 후에도, 발람이 여전히 얼마나 가고 싶어 하는지 주목하라. "제가 죄를 지었습니다. 그러나 만일 여전히 당신이 나를 보내지 않기 원하신다면, 가지 않겠습니다."

주님의 사자가 고개를 절레절레 흔드는 모습이 상상된다. "그 사람들과 함께 가라 내가 네게 이르는 말만 말할지니라"(민 22:35).

골로새서 3장 5절은 우리에게 다음과 같이 경고한다.

> 그러므로 땅에 있는 지체를 죽이라 곧 음란과 부정과 사욕과 악한 정욕과 탐심이니 탐심은 우상숭배니라

발람의 경우에서 볼 수 있듯이, 탐심(우상숭배)과 음란(부도덕) 사이에는 분명한 연결점이 존재한다. 이스라엘 백성들이 다른 신들을 섬기는 모습을 보시던 하나님께서 이를 '행음'이라고 표현하신 까닭도 여기에 있다(렘 3:6).

발락 왕은 발람에게 화가 났다. 그는 발람이 예언적 능력들을 이스라엘을 저주하는 점술과 요술에 사용하기를 기대했다. 물론 발람도 발락의 요구대로 해주려고 여러 번 시도했지만, 그럴 때마다 결국은 이스라엘을 축복할 수밖에 없음을 깨닫곤 했다.

그럼에도 불구하고, 민수기 25장에서 이스라엘은 모압 사람들과 더불어 매춘행위를 벌였다. 모압의 여인들은 발락(그리고 미디안 사람들)과 한통속이 되어, 이스라엘 남자들로 하여금 풍요의 신인 바알을 숭배하는 '거룩한' 행위로서 음란을 저지르도록 유혹했다. 이들의 사악한 행위에 하나님은 심히 분노하셨고, 결국 이 일로 2만 4천 명이 염병으로 죽었다.

자, 나는 방금 그들의 행위가 사악한 것이라고 말했다.

발람이 자신의 예언적 은사를 통한 점술로 하지 못했던 일이, 이스라엘 백성들의 정욕으로 말미암아 가능해졌다. 이로 인해 하나님의 진노가 이스라엘에게 임하였을 것은 불 보듯 자명한 일이다. 만일 아론의 손자인 비느하스가 아니었다면, 어쩌면 주님은 이스라엘 백성들을 모조리 죽이셨을지도 모른다. 그는 자신의 의로운 질투뿐 아니라 하나님의 질투까지 함께 품고 있었다.

버가모 교회는 발람의 영을 품고 있다는 이유로 책망을 받았다. 나는 오늘날 너무나 많은 교회들이 버가모 교회처럼 발람의 영의 은신처가 되었다고 생각한다.

> 그러나 네게 두어 가지 책망할 것이 있나니 거기 네게 발람의 교훈을 지키는 자들이 있도다 발람이 발락을 가르쳐 이스라엘 자손 앞에 걸림돌을 놓아 우상의 제물을 먹게 하였고 또 행음하게 하였느니라 (계 2:14)

물질적인 것들을 탐하는 모습은 부도덕을 저지르는 것과 마찬가지다. "네 이웃의 집을 탐내지 말라"(출 20:17). 계속해서 성경은 우리가 탐내서는 안 될 수많은 물질적인 것들의 목록을 소개한다.

주님의 몸 된 교회는 더 이상 발람의 영을 받아들여서는 안 된다. 사도적 기름부음이 풀어져 주님의 사자의 모습을 드러내야 한다. 이렇게 함으로써 사람들에게 참된 회개를 촉구하고, 잘못된 길에서 돌이키며, 은사들을 가지고 점치는 데 사용하는 매춘 행위를 중단하도록 바로잡아야 한다!

바울이 디모데를 훈계한 것과 마찬가지로, 우리는 "마음이 부패하여지고 진리를 잃어버려 경건을 이익의 방도로 생각하는 자들의 다툼"(딤전 6:5)을 그만두어야 한다.

하늘에서 떨어진 금가루와 보석들

오늘날 하늘에서 금가루와 보석들이 떨어지는 일과 관련하여, 은사주의 계열 안에 새로운 움직임이 나타나고 있다. 이러한 가시적 표현들에 관해서는 사고의 흐름이 기본적으로 크게 두 갈래로 나뉜다. 먼저는 금가루와 보석이 사람들로 하여금 주님께로 나아오게 하는 하나의 수단이라는 의견이다. 주님은 이 땅 위에 주님의 권능을 아낌없이 표현하신다. 두 번째는 금가루와 보석들이 떨어지는 일은 성령과는 무관하며, 단지 참된 초자연적 영역을 잠깐씩 넘나드는 마법에 의한 것으로 불가사의하고 혼적인 영역과 관련되어 있다는 것이다.

나는 이 두 가지 견해 중 첫 번째 노선 쪽으로 치우쳐 있다. 왜냐하면 직접 체험하면서 그것이 참되고 경건한 가시적인 표현들임을 믿게 되었기 때문이다. 그러나 솔직히 털어놓자면, 나는 이 일이 이따금씩은 두 번째 견해 쪽과 일치될 수도 있다는 생각을 한다.

나는 우리가 살아가는 이 물질계 너머에 존재하는 체험의 영역이 크게 두 가지라고 믿는다. 여기서 나는 스타트렉(Star Trek)이나 양자물리학 같은 것까지 다루고 싶지는 않다. 다만 하나님께서 존재하시는 신적인 영역이 있고, 마귀(부리는 영)가 거하고 있는 유사영적/혼적인 영역이 있는데, 흔히 이 영역을 불가사의한 영역이라고 부른다는 것이다.

발람은 양쪽 영역을 모두 조금씩 드나들었다. 당신은 TV에서 거짓 예언자들과 요술가들을 만나볼 수 있다. 그들도 모종의 능력을 가지고 있다. 물론 그들의 능력이 점술적이고 세속적이긴 하지만 말이다. 그들도 거짓된 표적과 기사들을 만들어낼 수는 있다. 그러나 이러한 표적과 기사들은 사람들을 잘못된 길로 인도하여 하나님을 경배하지 못하게 만든다. 믿기 어렵겠지만, 어떤 심령술사들은 신비한 정보를 받고 있을 수도 있다. 그러나 성경은 이런 일을 해서는 안 된다고 말씀한다. 그들이 사용하고 있는 것은 부리는 영이다. 이런 심령술사들은 불가사의한 영역을 기반으로 기능한다.

참되고 경건한 선지자들도 주의하지 않으면 자칫 그러한 영역에 살짝 발을 담글 수 있다. 그로 인해 이처럼 불필요한 표적들이 나타날 수도 있다. 언젠가 어느 집회에서 한 선지자가 실제로 나의 주민등록번호와 내 지갑 속 돈의 액수를 알아맞힌 적이 있다. 사람들은 '와~' 하고 탄성을 지르며 감탄했다. 그러나 당시 나는 이렇게 생각했다. '도대체 이런 정보가 무슨 쓸모가 있단 말인가?' 그 집회와 관련하여 제일 이상했던 점은, 그 선지자가 실제로 주님으로부터 기름부음이 있는 메시지들을 어느 정도 받고 있었다는 사실이다. 실제로 사람들은 그 메시지들로 인해 은혜도 받았다. 그러나 기름부음의 흐름이 혼합되어 있었다. 나는 그 선지자가 영적인 영역과 불가사의한 영역을 넘나들며 기능하고 있었다고 믿는다.

당신이 하나님의 사람이라고 해서 당신이 행하거나 경험하는 모든 일이 반드시 하나님으로부터 말미암았다고 보는 것은 잘못된 생각이다. 사도적인 사람들로서 우리는 언제나 주 예수님과의 친밀하고 거룩한 관계를 유지해야 한다!

최근 예배시간에 금가루 등이 내려오는 현상에 대한 추세와 관련하여, 나의 질문은 다음과 같다. 과연 우리가 한계선을 그어야 할 지점은 어디인가? 어떤 가톨릭 신자들은 '성흔'(stigmata)을 하나님이 주신 진정한 표적과 기사라고 믿는다. 여기에 대부분의 은사주의자들은 동의하지 않을 것이다. 손바닥에서 기름이 흘러나오는 사람들의 경우는 어떠한가? 비둘기 깃털이 떨어져 내리는 현상에 대해서는 어떻게 생각하는가? 빛이 번쩍거리고, 연기가 피어오르고, 수증기가 발생하고, 천둥번개가 치는 일은 어떻게 받아들여야 하는가? 내 말이 무슨 뜻인지 이해할 수 있을 것이다.

어떤 이들은 금가루와 보석들도 하나님의 참된 가시적인 나타나심의 한 형태라고 믿는다. 그러나 내가 말하려는 요지는 이렇다. 이런 종류의 가시적인 나타나심이 과연 초자연적인 현상인지 아니면 불가사의한 현상인지를 점검하려면 엄청난 분별력이 요구된다는 사실이다. 이전에도 언급한 바 있으나, 분별력은 늘 그리스도의 몸 된 교회에 심각하게 결핍된 것이었다.

만일 그것들이 하나님의 참된 가시적인 나타나심이라면, 그것들 자체가 목적이 되지 않는다. 그것들은 반드시 사람들로 하여금 일상에서 만나는 여러 가지 곤경들을 통해 보다 위대한 권세로 나아가도록 인도해주어야 한다. 이제 나는 예배시간에 금가루와 보석들이 떨어졌다는 이야기를 듣는 것에 신물이 난다. 바로 옆에 암환자들이 즐비하고, 불쌍한 사람들이 휠체어에 그대로 묶여 있는데도 말이다. 가시적으로 나타난 영광은 반드시 사람을 구원시키는 권세로 이어져야 한다. 그렇지 않다면, 우리는 핵심을 놓치고 있는 것이다.

한 가지 예를 들어보겠다. 어느 교회에서 사역하는 동안 집회 중에 번쩍번쩍 휘황찬란한 50캐럿짜리 보석들이 하늘에서 떨어져 내렸다. 개인적으로 나는 그것이 참으로 천국의 보석이었다고 확신한다. 그것은 이 세상에 대한 하나님의 능력을 보여주는 참된 가시적인 나타나심이었다.

그곳에 모인 회중들은 보석을 이리저리 전달해서 보면서 소스라치게 놀라며 탄성을 질렀다. 바로 그 순간 누군가가 내 웃옷을 잡아당기는 느낌이 들었다. 고개를 돌려보니 뇌성마비의 한 여성이 나를 쳐다보고 있었다. 그녀의 눈에서는 줄줄 눈물이 흘러내리고 있었다.

"말로니 박사님." 그녀는 더듬거리며 내게 말했다. "죄송합니다만, 한 가지 여쭤봐도 되겠습니까?"

"물론입니다." 나는 그녀의 모습이 참 안 됐다고 느끼며 대답했다.

그녀는 용기를 쥐어짜내고 있었다. 누가 보더라도 그녀가 지금 입을 열어 말하려 하는 내용에 대해 매우 고심하고 있다는 걸 충분히 알 수 있었다. "제가 정말 궁금한 게 있어서요. 제 말이 비판적이거나 판단하려는 소리로 들리지 않기를 진심으로 바라요. 저도 이 보석이 참 아름답다고는 생각해요. 그 보석에 관해서 보고 듣는 모든 이야기들에 매우 감사하고 있어요." 이쯤 되었을 때, 그녀는 울음을 터뜨렸다.

"하지만 제가 알고 싶은 게 있어요. 만일 하나님이 보석을 보여주실 정도로 이곳에 그토록 강력한 능력과 권세가 나타나고 있다면, 왜 그것이 제 삶과 이 교회에서의 생활 속에서 보다 큰 믿음으로 이어지지 못하는 걸까요? 왜 저의 뇌성마비가 치유되는 모습은 목격할 수 없는 걸까요? 그동안 온갖 방법들을 모두 시도해 보았어요. 그런데도 저는 치유될 기미가 보이지 않아요. 하지만 이 보석은 의심할 나위 없이 놀랍기만 해요."

이제 그녀는 주체할 수 없을 정도로 엉엉 울고 있었다. 그러는 동안, 나는 그녀의 겸손과 괴로움에 압도당하여, 할 말을 잃고 옆에 서 있을 수밖에 없었다.

나는 당시 내 삶에 있어서 매우 획기적인 순간을 지나고 있었다. 나는 그녀를 위해 기도해 주었고, 주님은 실제로 그녀를 만져 주셨다. 그러나 이 보석들만으로는 충분치 못하다는 사실을 깨닫게 된 것은, 내게 굉장한 충격이었다!

지난 10여 년 동안 줄곧 우리는 금가루와 보석이 떨어지는 현상들을 경험해왔다. 그러나 여전히 나는 사람들의 삶 속에서 지속적으로 보다 심오한 수준의 하나님의 기적적인 권능이 가시적으로 나타나는 모습을 목도하지 못하고 있다. 사도적인 사람들이 이러한 상황들을 바로잡아야 한다. 만일 이러한 표적들이 참된 가시적인 나타나심이라면, 이런 일을 가능케 하신 그리스도의 권세와 동일한 수준으로 사람들을 자유케하는 권세도 나타나야 한다.

다시 말하지만, 예수님은 우리의 위대한 본이시다. 주님은 병든 자를 고쳐주셨고, 나병환자를 깨끗케 해주셨으며, 죽은 자를 살려주셨고, 사람들의 눈을 열어 보게 해주셨다. 금가루를 주님의 일로 변화시킬 방법을 찾아보라. 아니면 그냥 그것을 아예 없애고, 어렵게 거룩한 것과 속된 것을 분별해야 하는 어려움을 피하든지 하라. 내 입장에서는 그리스도의 사역으로 기록되어 있는 성경적인 표적과 기사들이야말로, 금가루 체험의 정당성을 입증해 주는 것들이다. 일리 있는 말이라고 생각되는가? 나는 보다 놀라운 초자연적 기적들을 원한다. 그러나 여전히 하나님의 말씀을 원한다.

내가 여기서 말하고자 하는 것은 균형과 분별력이지, 과대망상과 두려움이 아니다. 용기를 내라. 사랑 안에서 권고를 받으라. 그렇다. 훈계를 받으라. 당신은 주님의 천사가 당신을 추적하기를 바라지는 않을 것이다.

나는 결코 성령을 소멸시키기 원하는 것이 아니다. 다만 성령님이 성령의 은사들을 통해 주님의 백성들을 치유해 주시기를 원할 따름이다. 사실 나는 금가루와 보석들이 떨어지는 것에 대해서도 감사하게 생각한다. 그러나 설사 그것들이 떨어지지 않더라도, 그로 인해 밤잠을 설치며 고민하지는 않는다. 조금도 감추지 않고 솔직하게 말하자면, 예배시간에 사람들이 치유되고 축사를 받아 자유케 되기만 한다면, 금가루와 보석들에 대해서는 전혀 신경 쓰지 않는다. 바로 이것이 내가 추구하는 참된 부요들이다. 이런 부요들이야말로 금가루가 떨어지는 광경을 지켜보는 것보다 사람들의 삶에 훨씬 더 심오한 유익을 준다.

사도적인 돌파의 기름부음을 받아 하나님의 거룩하심을 잘 이해하도록 하라. 나아가 그 거룩하심이 삶을 변화시키는 기적의 능력으로 이어지게 하라! 아멘.

CHAPTER 9 하나님의 거룩하심

| 거룩성 vs 세속성

- 우리는 모두 경외감 넘치는 주님의 성스러움에 관한 계시를 밝히 깨달아야 한다. 그런데 너무나도 많은 이들이 아직 이러한 계시를 받지 못하고 있다. 그런 까닭에, 주님의 백성들이 현저하게 인격적으로 부족하고 성실함도 결여된 모습으로 살아가고 있다.
- 오늘날 우리 안에는 너무나도 많은 혼합물이 존재하고 있다. 철저히 거룩하고 구별되어야 할 것 안에, 하나님 나라의 가시적인 표현 안에, 너무나도 많은 세속성이 뒤섞여 있다.
- 하나님 아버지께서는 사도적인 사람들로 하여금 거룩성과 세속성의 차이가 무엇인지, 정결한 것과 부정한 것의 차이가 무엇인지를 주님의 백성들에게 가르치라고 요구하고 계신다(겔 44:23).
- '거룩하다'(holy)는 헬라어 '하기오스'(hagios)로, 다음과 같이 번역될 수 있다. '하나님처럼 되다, 하나님께서 거룩하게 구별하신 것을 하나님처럼 거룩하게 구별해 놓다.'
- 세속적인 사람은 다음과 같이 말한다. "나는 내가 원하는 바가, 내가 원하는 때에 이뤄지기를 바란다. 그 일로 인해 누가 다치든 말든 상관하지 않는다. 나의 이기적인 방식을 고수하기 위해 누군가를 함부로 대하게 되더라도 아무렇지 않다."
- "한 그릇 음식을 위하여 장자의 명분을 판 에서와 같이 망령된 자가 없도록 살피라"(히 12:16).
- 하나님은 절대적으로 거룩하신 분이다. 따라서 하나님은 세속적인 것에 맞서 대항하신다. 최대의 적인 이 두 속성은 이미 오랫동안 어울릴 수 없는 관계였다.
- 사도적인 사람들이 행하는 표적과 기사들 중 하나는 주님의 몸 된 교회 안에서 세속성의 정체를 밝히 드러내는 일이다. 그들은 사람들로 하여금 거룩해지라고 촉구한다. 이렇게 함으로써 이 세상을 향해 그리스도의 거룩하심을 가시적으로 표현하는 사도적인 무리가 형성된다.

| 신성에 참여하는 자들

- "하나님과 우리 주 예수를 앎으로 은혜와 평강이 너희에게 더욱 많을지어다 그의 신기한 능력으로 생명과 경건에 속한 모든 것을 우리에게 주셨으니 이는 자기의 영광과 덕으로써 우리를 부르신 이를 앎으로 말미암음이라 이로써 그 보배롭고 지극히 큰 약속을 우리에게 주사 이 약속으로 말미암아 너희가 정욕 때문에 세상에서 썩어질 것을 피하여 신성한 성품에 참여하는 자가 되게 하려 하셨느니라 그러므로 너희가 더욱 힘써 너희 믿음에 덕을, 덕에 지식을, 지식에 절제를, 절제에 인내를, 인내에 경건을, 경건에 형제 우애를, 형제 우애에 사랑을 더하라"(벧후 1:2-7).
- 우리는 거듭난 그리스도인들로서 하나님의 성품에 참여하는 자들이다. 다시 말해, 하나님께서 친히 우리 안에서 사신다. 십자가를 통해 예수 그리스도께서 베풀어주신 구원으로 말미암아, 우리에게는 생명과 경건에 속한 모든 것(godliness 정확하게 말하자면, '하나님과 같음'[God-like-ness]이다)이 주어졌다.
- 경건에 속한 모든 것을 얻으려면 대가를 치러야 한다. 하나님이 거룩하시다면, 우리도 거룩해야 한다. 거룩해지는 것을 제외한 다른 모든 것들은 더러움을 야기할 뿐이다. 특히 강대상에 서야 하는 사람들의 경우, 우리의 더러움이 다른 사람에게 옮겨질 수 있다. 마치 우리 안에 있는 하나님의 기적적인 능력이 다른 사람들에게 전이될 수 있듯이 말이다.

| 허영의 도구들

- 영적·정서적·정신적인 응어리를 그대로 방치해 둔다면, 이것은 그들 안에 허영심을 불러들이는 원인이 될 수도 있다. 나아가 그 도구는 점점 거룩한 기름부음이 감소되다가, 결국 변질되고 더러워지고 만다. 한때 거룩했던 것의 모조품이 되어버리고 마는 것이다.
- "여호와께서 말씀하셨다고 하는 자들이 허탄한 것과 거짓된 점괘를 보며 사람들에게 그 말이 확실히 이루어지기를 바라게 하거니와 그들은 여호와가 보낸 자가 아니라"(겔 13:6).
- "그러므로 주 여호와께서 이같이 말씀하셨느니라 너희가 허탄한 것을 말하며 거짓된 것을 보았은즉 내가 너희를 치리라 주 여호와의 말씀이니라"(겔 13:8).

- 사도적인 사람들은 하나님께 영감을 받은 것과 거룩함을 흉내낸 모조품을 분별해낼 줄 알아야 한다.
- 거짓된 '초자연적인 것'을 분별하고 그 정체를 밝히 드러내기 위해서는, 사도적인 돌파의 기름부음이 필요하다. 참된 초자연적인 것은 하나님 아버지께서 활동하시는 영역에서만 발견된다.
- 신성한 것이란 '가시적으로 나타난 하나님의 성품 혹은 본질'을 말한다.
- "그러므로 형제들아 내가 하나님의 모든 자비하심으로 너희를 권하노니 너희 몸을 하나님이 기뻐하시는 거룩한 산 제물로 드리라 이는 너희가 드릴 영적 예배니라 너희는 이 세대를 본받지 말고 오직 마음을 새롭게 함으로 변화를 받아 하나님의 선하시고 기뻐하시고 온전하신 뜻이 무엇인지 분별하도록 하라"(롬 12:1-2).
- 만일 하나님의 뜻 밖에 있는 이 세상의 체제에 동조한다면, 당신은 하나님의 성품을 닮은 자로 변화될 수 없다. 하나님의 성품은 거룩함이며, 특별한 일을 위한 구별됨이다. 하나님의 성품은 현실에 안주하려는 성향에 저항한다.
- 하나의 초자연적인 행위를 하나님께 속한 것이라고 말하려면, 단순히 '깜짝 놀랄 만한' 수준만으로는 부족하다.
- 우리가 신성을 드러내려면 반드시 하나님의 승인(이것이 바로 기름부음이다)을 받아야 한다.
- 관유를 사람의 육체에 쏟아부어서는 안 된다. 육체는 사악하다. 육체에는 선한 것이 없다. 육체는 반드시 십자가에 못 박혀야 한다!
- 신성에 대한 모조품은 더러움을 야기하고, 더러움은 점술로 이어진다.
- 부정은 더럽혀짐을 통해 전이된다(전이의 법칙).
- 거룩한 것과 속된 것의 혼합물을 용인할 때, 속된 사람이 지닌 온갖 더러움들로 인해 초래되는 고통도 함께 넘겨받을 가능성이 활짝 열린다.
- "너희는 신접한 자와 박수를 믿지 말며 그들을 추종하여 스스로 더럽히지 말라 나는 너희 하나님 여호와이니라"(레 19:31).
- "그러나 성령이 밝히 말씀하시기를 후일에 어떤 사람들이 믿음에서 떠나 미혹하는 영과 귀신의 가르침을 따르리라 하셨으니 자기 양심이 화인을 맞아서 외식함으로 거짓말하는 자들이라"(딤전 4:1-2).

부정의 부산물

- "제사장들은 낭실과 제단 사이에서 울며 이르기를"(욜 2:17).
- 사람들이 생각하는 당신의 모습과 실제 당신의 모습 사이에 불일치가 있어서는 안 된다.
- 우리는 다른 사람들이 우리의 삶에 관해 말하도록 허락해야 한다. 그 반대도 마찬가지다. 사람들로 하여금 우리가 가진 온갖 맹점들, 우리의 삶에서 스스로는 볼 수 없는 특정 영역들에 관해 이야기해 주도록 허용하라. 물론 이는 판단하기 위해서가 아니라(말이 행동보다 쉽지만), 하나님과의 친밀함을 보다 높은 차원으로 끌어올리기 위해서다.
- "내 백성을 유혹하는 선지자들은 이에 물 것이 있으면 평강을 외치나 그 입에 무엇을 채워 주지 아니하는 자에게는 전쟁을 준비하는도다 이런 선지자에 대하여 여호와께서 이르시되 그러므로 너희가 밤을 만나리니 이상을 보지 못할 것이요 어둠을 만나리니 점 치지 못하리라 하셨나니 이 선지자 위에는 해가 져서 낮이 캄캄할 것이라 선견자가 부끄러워하며 술객이 수치를 당하여 다 입술을 가릴 것은 하나님이 응답하지 아니하심이거니와"(미 3:5-7).
- "입에서 나오는 것들은 마음에서 나오나니 이것이야말로 사람을 더럽게 하느니라"(마 15:18).
- 하나님의 사도적인 사람들은 앞에 서 있는 사역자의 삶에 숨겨진 더러움이 있는지 분별해야 한다. 그들은 사역자의 기능 이면에 역사하는 것이 성령님인지(혹은 다른 영들인지)를 인식할 수 있어야 한다. 그러나 판단하고 비난하는 태도를 취하거나, 그렇다고 해서 쉽게 속아 넘어가서도 안 된다.
- 사도적인 사람들은 주님의 가족으로 받아들일 만한 사람의 세 가지 속성들을 분별한다. 첫째, 그는 마음과 육체에 할례를 받은 사람인가? 다시 말해, 그는 주님을 위해 성별된 사람인가? 둘째, 그는 하나님과의 언약 및 사람과의 언약을 잘 지키고 있는가? 셋째, 그는 지나칠 정도로 의존적인 사람은 아닌가?
- 사도적인 사람들은 한 사람 안에 있는 이러한 속성들을 적절히 분별함으로써, 거룩한 것과 한데 뒤섞이기를 절실하게 원하는 세속성을 속아낼 수 있다.

구별의 원리

- 우리는 기름부음 아래 있는 순간에도, 여전히 세속에 속아 넘어갈 수 있다. 또한 주의하지

않으면, 성령님이 자신을 떠나셨다는 사실을 인식조차 하지 못할 수도 있다.
- 속임수는 왠지 자신은 하나님의 기준에서 예외라도 된 것처럼 여기게 만든다.
- 당신이 예수님과 더불어 누리는 친밀감의 수준이 바로 속임수로부터 보호받을 수 있는 비결이다!
- 오직 주님만을 위해 구별된 삶을 살라. 그러면 성령님은 결코 당신을 떠나가지 않으실 것이다.

| 번영에 관한 약속

- "너희가 만일 불의한 재물에도 충성하지 아니하면 누가 참된 것으로 너희에게 맡기겠느냐"(눅 16:11).
- "내 사랑하는 형제들아 들을지어다 하나님이 세상에서 가난한 자를 택하사 믿음에 부요하게 하시고 또 자기를 사랑하는 자들에게 약속하신 나라를 상속으로 받게 하지 아니하셨느냐"(약 2:5).
- '번영'(prosperity)이란 '평생 동안 즐겁게 인생여정을 살아가다'라는 뜻이다.
- "그는 시냇가에 심은 나무가 철을 따라 열매를 맺으며 그 잎사귀가 마르지 아니함 같으니 그가 하는 모든 일이 다 형통하리로다"(시 1:3).
- "은혜와 긍휼과 평강이 하나님 아버지와 아버지의 아들 예수 그리스도께로부터 진리와 사랑 가운데서 우리와 함께 있으리라"(요이 3).
- "하늘의 하나님이 우리를 형통하게 하시리니"(느 2:20).
- "네 하나님 여호와를 기억하라 그가 네게 재물 얻을 능력을 주셨음이라"(신 8:18).
- "부와 귀가 주께로 말미암고"(대상 29:12).
- "또한 어떤 사람에게든지 하나님이 재물과 부요를 그에게 주사 능히 누리게 하시며 제 몫을 받아 수고함으로 즐거워하게 하신 것은 하나님의 선물이라"(전 5:19).
- "우스 땅에 욥이라 불리는 사람이 있었는데 그 사람은 온전하고 정직하여 하나님을 경외하며 악에서 떠난 자더라 … 그의 소유물은 양이 칠천 마리요 낙타가 삼천 마리요 소가 오백 겨리요 암나귀가 오백 마리이며 종도 많이 있었으니 이 사람은 동방 사람 중에 가장 훌륭한 자라"(욥 1:1, 3).
- "또한 영광 받기로 예비하신 바 긍휼의 그릇에 대하여 그 영광의 풍성함을 알게 하고자 하

- 셨을지라도 무슨 말을 하리요"(롬 9:23).
- "그의 영광의 풍성함을 따라 그의 성령으로 말미암아 너희 속사람을 능력으로 강건하게 하시오며"(엡 3:16).
- "깊도다 하나님의 지혜와 지식의 풍성함이여, 그의 판단은 헤아리지 못할 것이며 그의 길은 찾지 못할 것이로다"(롬 11:33).
- "하나님이 그들로 하여금 이 비밀의 영광이 이방인 가운데 얼마나 풍성한지를 알게 하려 하심이라 이 비밀은 너희 안에 계신 그리스도시니 곧 영광의 소망이니라 … 이는 그들로 마음에 위안을 받고 사랑 안에서 연합하여 확실한 이해의 모든 풍성함과 하나님의 비밀인 그리스도를 깨닫게 하려 함이니"(골 1:27; 2:2).
- "믿음으로 모세는 장성하여 바로의 공주의 아들이라 칭함 받기를 거절하고 도리어 하나님의 백성과 함께 고난 받기를 잠시 죄악의 낙을 누리는 것보다 더 좋아하고 그리스도를 위하여 받는 수모를 애굽의 모든 보화보다 더 큰 재물로 여겼으니 이는 상 주심을 바라봄이라"(히 11:24-26).
- "베드로가 이르되 은과 금은 내게 없거니와 내게 있는 이것을 네게 주노니 나사렛 예수 그리스도의 이름으로 일어나 걸으라 하고"(행 3:6).
- 산은 단순히 물질적인 빈곤을 가리키지 않는다. 오히려 반드시 극복되어야 할 지극히 힘든 장애물이나 문제를 의미한다.
- "우리가 알거니와 하나님을 사랑하는 자 곧 그의 뜻대로 부르심을 입은 자들에게는 모든 것이 합력하여 선을 이루느니라 하나님이 미리 아신 자들을 또한 그 아들의 형상을 본받게 하기 위하여 미리 정하셨으니 이는 그로 많은 형제 중에서 맏아들이 되게 하려 하심이니라"(롬 8:28-29).
- '선'(good)은 악해 보이는 것에 대한 적절한 반응에서 비롯된다. 이런 식으로 반응해감에 따라 당신은 그리스도의 형상과 점점 일치되어 갈 수 있다. 그럴 때 비로소 모든 것이 합력하여 선을 이룬다.
- "흩어 구제하여도 더욱 부하게 되는 일이 있나니 과도히 아껴도 가난하게 될 뿐이니라 구제를 좋아하는 자는 풍족하여질 것이요 남을 윤택하게 하는 자는 자기도 윤택하여지리라"(잠 11:24-25).

번영이 지닌 위험들

- "그러나 자족하는 마음이 있으면 경건은 큰 이익이 되느니라 우리가 세상에 아무것도 가지고 온 것이 없으매 또한 아무 것도 가지고 가지 못하리니 우리가 먹을 것과 입을 것이 있은즉 족한 줄로 알 것이니라 부하려 하는 자들은 시험과 올무와 여러 가지 어리석고 해로운 욕심에 떨어지나니 곧 사람으로 파멸과 멸망에 빠지게 하는 것이라 돈을 사랑함이 일만 악의 뿌리가 되나니 이것을 탐내는 자들은 미혹을 받아 믿음에서 떠나 많은 근심으로써 자기를 찔렀도다"(딤전 6:6-10).
- "집 하인이 두 주인을 섬길 수 없나니 혹 이를 미워하고 저를 사랑하거나 혹 이를 중히 여기고 저를 경히 여길 것임이라 너희는 하나님과 재물을 겸하여 섬길 수 없느니라"(눅 16:13).
- "은을 사랑하는 자는 은으로 만족하지 못하고 풍요를 사랑하는 자는 소득으로 만족하지 아니하나니 이것도 헛되도다"(전 5:10).
- "위의 것을 생각하고 땅의 것을 생각하지 말라"(골 3:2).
- "이 세상이나 세상에 있는 것들을 사랑하지 말라 누구든지 세상을 사랑하면 아버지의 사랑이 그 안에 있지 아니하니"(요일 2:15).
- "재물이 늘어도 거기에 마음을 두지 말지어다"(시 62:10).
- "그들에게 이르시되 삼가 모든 탐심을 물리치라 사람의 생명이 그 소유의 넉넉한 데 있지 아니하니라 하시고"(눅 12:15).

발람의 영

- 발람은 주님의 선지자였지만, 이스라엘 백성은 아니었다. 그럼에도 불구하고 그는 하나님으로부터 참된 계시를 받았다. 다만 세속적인데다가 더럽혀진 사람이었던 그는 간간이 정당한 초자연적인 권위를 넘나들며 거룩한 것에 대한 모조품을 만들어냈다.
- 그의 예언의 정확도는 100퍼센트였다. 또한 언어구사력도 구약성경에 나타난 모든 선지자들을 통틀어 최고였다. 풍부한 시적 감성과 탁월한 비유 능력을 지니고 있었다.
- 실제로 선지자로서 그의 재능은 모세에 버금가는 인물이었다. 그는 하나님과 더불어 대화

를 주고받았다. 그러나 돈과 명예에 대한 사랑에 걸려들고 말았다.

- "세상의 염려와 재물의 유혹과 기타 욕심이 들어와 말씀을 막아 결실하지 못하게 되는 자요"(막 4:19).
- "오직 오늘이라 일컫는 동안에 매일 피차 권면하여 너희 중에 누구든지 죄의 유혹으로 완고하게 되지 않도록 하라"(히 3:13).
- "그러므로 땅에 있는 지체를 죽이라 곧 음란과 부정과 사욕과 악한 정욕과 탐심이니 탐심은 우상숭배니라"(골 3:5).
- "그러나 네게 두어 가지 책망할 것이 있나니 거기 네게 발람의 교훈을 지키는 자들이 있도다 발람이 발락을 가르쳐 이스라엘 자손 앞에 걸림돌을 놓아 우상의 제물을 먹게 하였고 또 행음하게 하였느니라"(계 2:14).
- 물질적인 것들을 탐하는 모습은 부도덕을 저지르는 것과도 같다.
- "네 이웃의 집을 탐내지 말라"(출 20:17).
- 바울이 디모데를 훈계한 것과 마찬가지로, 우리도 "마음이 부패하여지고 진리를 잃어 버려 경건을 이익의 방도로 생각하는 자들의 다툼"(딤전 6:5)을 그만두어야 한다.

춤추는 하나님의 손

The Dancing Hand of God

by James Maloney

Copyright ⓒ 2008 by James Maloney

Published by Dove on the Rise International
P. O. Box 1166
Argyle, Texas 76226-1166

Korean translation Copyright ⓒ 2014 by Pure Nard
2F 16, Eonju-ro 69-gil, Gangnam-gu, Seoul, Korea

The Korean edition is published by arrangement with Dove on the Rise International.
All rights reserved.

본 제작물의 한국어판 저작권은 Dove on the Rise International과의 독점 계약으로 한국어 판권은 '순전한 나드'가 소유합니다.
저작권자의 허락 없이 이 책의 일부 또는 전체를 무단 복제, 전재, 발췌하면 저작권법에 의해 처벌을 받습니다.

춤추는 하나님의 손(3권)

초판발행 | 2014년 1월 10일
2쇄인쇄 | 2018년 10월 8일

지 은 이 | 제임스 말로니
옮 긴 이 | 임정아

펴 낸 이 | 허철
총   괄 | 허현숙
편   집 | 김혜진
디 자 인 | 이보다나
인 쇄 소 | 예원프린팅

펴 낸 곳 | 도서출판 순전한 나드
등록번호 | 제2010-000128
주   소 | 서울 강남구 언주로 69길 16 (역삼동) 2층
도서문의 | 02) 574-6702
편 집 실 | 02) 574-9702
팩   스 | 02) 574-9704
홈페이지 | www.purenard.co.kr

Printed in Korea

ISBN 978-89-6237-154-3 04230

3권
춤추는 하나님의 손

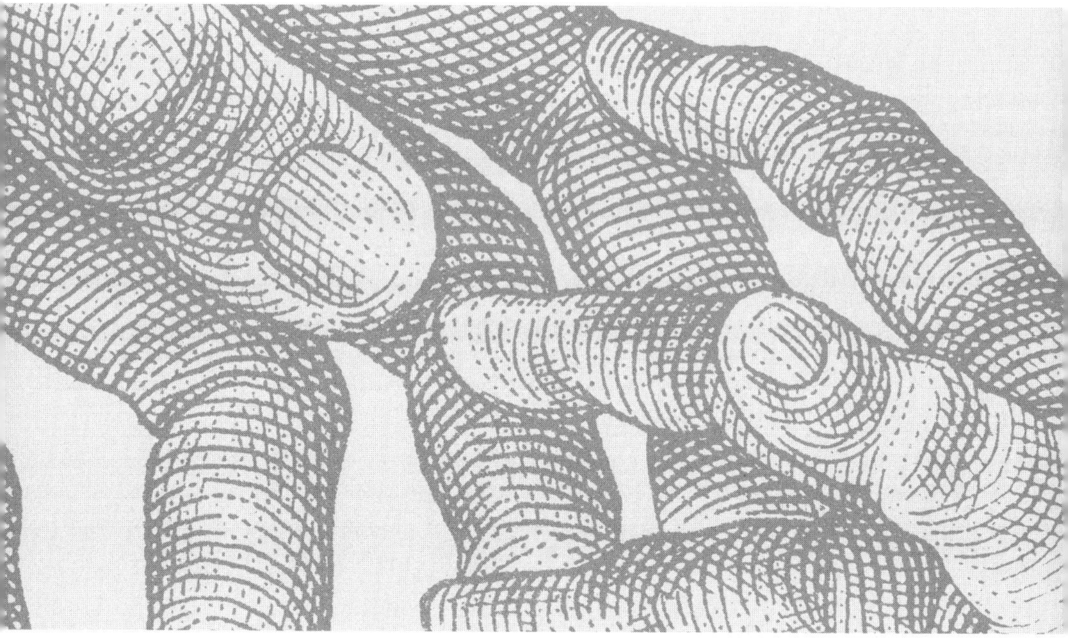

제임스 말로니 지음 | 임정아 옮김

The Dancing Hand of God

목차

3권

The Dancing Hand of God

CHAPTER 10 하나님의 믿음 _8

믿음은 영광스런 만남들을 통해 임한다. 당신이 하나님 아버지의 권세와 사랑과 영광과의 만남을 경험하면 할수록, 점점 더 큰 믿음을 얻게 된다

CHAPTER 11 하나님의 긍휼 _48

그리스도께서는 긍휼에 의해 움직이시는 분이다. 주님은 사람들의 삶을 만져주시고자 하는 간절한 열망으로 가득 차 계신다.

CHAPTER 12 하나님의 확신 _106

우리는 주의 일을 함에 있어서 반드시 담대함을 가져야 한다. 이 담대함은 오로지 성령님과의 관계로부터 말미암는다

CHAPTER 13 하나님의 권능 _164

하나님의 권능은 성령을 통해 계시된다. 성령님은 우리 안에 존재하는 다이너마이트를 폭발시키는 불꽃이시다.

CHAPTER 14 하나님의 축복 _220

우리는 축복을 이어받을 수 있는 능력을 가지고 있으며, 우리가 그리스도 안에서 세상 사람들에게 축복을 간증하는 것이 하나님의 뜻이다.

CHAPTER 15 하나님의 단순성 _266

초자연적이고 사도적인 표적과 기사와 이적들은 초대교회의 기본으로 돌아가는 것, 하나님께서 품으신 생각의 단순성으로 돌아가는 것이다.

The Dancing Hand of God

CHAPTER 10

하나님의 믿음

믿음은 영광스런 만남들을 통해 임한다. 당신이 하나님 아버지의 권세와 사랑과 영광과의 만남을 경험하면 할수록, 점점 더 큰 믿음을 얻게 된다.

기적이 기적을 낳는다. 믿음은 믿음을 낳는다. 시작은 아주 작은 믿음에서 출발하지만, 갈수록 점점 더 큰 믿음으로 변화되고, 머지않아 당신의 삶은 거대한 믿음의 영으로 넘실거릴 것이다.

요양원에서의 기적

　CFNI에 다니는 동안, 아웃리치사역에 참여하는 일은 필수적으로 이수해야 하는 커리큘럼의 일부였다. 그래서 나는 '요양원 사역'을 나가야겠다고 결심했다. 사실 그것이 매우 간단한 일이라고 생각했다. 연세가 지긋한 어르신들을 위해 노래도 부르고, 성경 이야기도 들려주는 조금도 대단할 것 없는 그런 일 말이다(지금 나는 약간 풍자적으로 말하고 있다). 사실 나는 요양원보다는, 질병으로 고통 받고 억압당하고 있는 우울한 사람들을 위해 어떻게 사역해야 할지 더 잘 배울 수 있는 곳을 원했었다! 이미 1970년대 초반부터 댈러스 포트워스 지역에는 백여 개의 요양원이 있어서, 한창 호황을 누리고 있었다.

　그리하여 나는 학교 부근에 있는 몇 군데의 요양원들을 방문하기 시작했는데, 나로서는 굉장한 경험을 할 수 있는 참으로 놀라운 기회가 되었다. 주님은 나에게 사역해주어야 할 사람들에 대한 민감성을 가르치기 시작하셨다. 현실적으로, 요양원에 있는 거의 모든 사람들이 모종의 치유를 필요로 하고 있다. 그렇지 않은가? 요양원에는 수십 개의 방이 있으며, 방마다 처지가 딱한 사람들로 가득 차 있다. 주일 오후에 방문할 경우에는 모든 사람들을 위해 일일이 기도해줄 방도가 전혀 없다! 이런 상황에서 당신은 무엇을 할 수 있겠는가? 이제 당신은 주님께서 쿡 찔러주시는 신호를 감지하기 시작한다. "이 사람을 위해 기도해줘라. 저 사람에게 안수해줘라. 그 사람은 축사가 필요하다!"

요양원 사역팀은 대략 12-15명이었다. 우리는 아침 일찍 모여 기도를 드린 다음, 사역할 곳으로 나아갔다. 이 방 저 방을 왔다 갔다 하면서, 주님께서 우리를 멈춰 세우시며 "이 사람이다. 이 사람을 위해 기도해줘라" 하고 말씀해주시기를 기다렸다. 이 방문 기간에 우리는 가장 놀랄 만한 몇 가지 기적들을 목격했다. 각각의 사건들을 상세히 설명하려면 또 하나의 장을 써야 할지도 모른다.

그중에서도 어느 90대 노인을 죽기 전날 밤에 주님께로 인도했던 일이 기억난다. 귀신들에게 시달리며 심히 괴로워하던 초로의 한 여성이 있었다. 그녀는 침대에 묶여 있었는데, 그녀가 몸부림치며 괴로움의 비명을 지를 때면, 몸에 이빨자국들이 드러나는 모습을 볼 수 있었다. 마치 귀신들이 실제로 그녀의 몸을 물어뜯고 있는 것만 같았다. 친애하는 독자들이여, 그녀는 귀신들린 상태였다! 그리하여 우리는 그 귀신들에게 권세 있게 명령했다. 그녀는 축사를 받았고 평온한 모습으로 잠이 들었다. 그렇게 편안히 잠든 것은 그녀로서는 몇 주일 만에 처음 있는 일이었다. 더불어 이

빨자국(아마도 이빨자국이 백 개 이상은 되었던 것 같다)도 순식간에 사라져버렸다. 요양원을 방문하는 동안 이런 유의 기적들이 종종 일어나곤 했다.

이와 비슷한 또 하나의 특별한 사건이 있다. 한번은 내가 병동 안에서 문이 활짝 열려 있는 방을 지나게 되었다. 그곳은 나이가 지긋한 여성들의 기숙사로 통하는 문이었다. 그런데 순간 하나님의 손이 내 멱살을 움켜쥐더니 그 방으로 던져 넣으시는 것만 같은 느낌이 들었다. 나는 조금의 과장법도 쓰지 않고 있다. 말 그대로 강제로 떠밀리듯이 방 안에 들어가 보니, 어머니 곁에서 공포에 질려 떨고 있는 딸의 모습이 눈에 들어왔다. 그녀의 어머니는 거의 숨이 막혀 죽기 직전인 것이 분명했다.

나중에 알고 보니, 그 딸은 어머니에게 음식을 먹여주고 있었다. 그런데 초로의 어머니가 기침을 심하게 하며 숨을 들이마시다가, 목 어딘가에 작은 닭 뼈 하나가 걸려 그대로 박혀버리고 만 것이다. 그녀는 거의 숨을 쉴 수조차 없었고, 얼굴은 끔찍할 정도로 창백해져갔다.

내가 갑자기 방 안에 던져졌을 때, 그 딸은 무릎을 꿇고 앉아 울부짖고 있었다. "하나님! 오, 하나님! 제발 제게서 엄마를 데려가지 마세요! 저는 엄마가 없이는 살아갈 수가 없어요!" 문득 내 존재를 알아차린 그녀는 눈물이 그렁그렁 맺힌 눈으로 불쑥 이렇게 말했다. "혹시 무언가 해주실 만한 일이 있으세요?"

말할 필요도 없이 나는 주저앉기 직전이 되었다. 내 안에 있던 온갖 힘과 능력과 믿음이 몸에서 점점 줄어들다가, 신발을 통해 빠져나가 바닥 속으로 남김없이 사라져버렸다.

나는 몹시 당황해하며 슬금슬금 방을 빠져나왔다. 방에서 나오자마자 오른쪽으로 가면 엘리베이터로 직행이었다. 엘리베이터 표지판이야말로 그 순간에는 더할 나위 없이 반갑게 느껴졌을 것이다. 그러나 나는 감사하게도 왼쪽으로 돌아서 복도 아래쪽으로 내려왔다. 이제 믿음이 빠져나가버린 자리에 서서히 정죄감이 채워지고 있었다. 내 머릿속에서 다음과 같은 음성이 날카롭게 들려왔다. "짐, 너는 실수했다! 너는 두 번 다시 사역자로 쓰임 받지 못할 거야. 이 겁쟁이야! 하나님께 영광 돌릴 수 있는 완벽한 기회였는데, 네가 날려버리고 말았다! 앞으로 주님은 너에 대해서 아무것도 믿지 못하실 거다!"

외마디 비명과도 같은 이런 음성들이 아주 짧은 순간에 내 머릿속을 스치고 지나갔다. 마치 두텁고 깜깜한 영적인 진흙탕 속을 걸어가고 있는 것만 같았다. 이루 말할 수 없는 정죄감이 나를 짓눌렀다. 나는 발을 질질 끌며 복도 끝까지 걸어갔다. 한발 한발 걸어갈수록 내 마음은 점점 더 비참해졌다.

나의 영은 그동안 내가 CFNI에서 배워왔던 가르침을 무시하고 있음을 느끼고 있었다. 우리는 반드시 각자 속사람을 활용하는 법을 배워야 했다. 모든 간호사들이 질식사 직전에 있는 여인의 방으로 뛰어가고 있었다. 나는 그들 앞에서 마치 전쟁이라도 하듯 큰소리로 방언기도를 시작했다. 내 영을 활성화시키기 위한 작업이었다. 여전히 내 기분은 조금도 나아지지 않았다. 그러나 순전히 의지력을 발동시켜, 가던 길을 멈추고 방향을 돌이켰다. 그리고는 그 영적인 진흙탕 속을 애써 헤쳐가며 그 여인의 방으로 되돌아갔다.

"맥박이 뛰지 않습니다!" 누군가의 외침소리가 들려왔다.

"의사는 어디 있습니까?"

간호사들은 그 불쌍한 여인의 가슴을 두드려대며 심폐소생술을 실시

하고 있었다. 이제 그녀의 얼굴은 지나칠 정도로 새파래져 있었다. 마치 죽은 것처럼 핏기라고는 찾아볼 수가 없었다. 나는 계속 큰소리로 열심히 방언기도를 드리고 있었다. 문득 이런 생각이 들었다. '아주 잘하고 있어, 짐. 이제는 어떻게 할 거니? 지금 또다시 너는 그녀의 방을 그냥 스쳐지나가려 하고 있구나!'

그런데 느닷없이(이 표현이 정말 적당하다) 내 영 안에서 무언가가 솟구쳐 올라왔다. 순간 마치 뜨거운 기름이 내 머리 위에 부어진 것만 같았다. 그 기름은 머리카락을 타고 줄줄 흘러내렸다. 기름은 나의 양 어깨를 타고 내려와 온몸을 덮었다. 동시에 온몸에서 저릿저릿한 온기가 느껴졌다. 무언가가 나를 꽉 붙들고 있었다. 뱃속에서 불이 타오르는 것 같았고, 액상의 유동적인 확신이 솟아오르는 듯했다. 다시 말하지만, 마치 전화부스 안에서 옷을 갈아입고 슈퍼맨으로 변신한 듯한 느낌이었다(무슨 뜻인지 알겠는가? 슈퍼맨 말이다).

그것은 바로 믿음이었다. 순수하고 희석되지 않은, 있는 그대로의 믿음이었다. 하나님의 믿음과도 같았고, 하나님 안에 있는 믿음과도 같았다. 하나님은 하나님이시기에 불가능한 일이 전혀 없으시다. 당신이 하나님의 자녀라면, 하나님의 믿음을 소유할 수 있다. 나아가 당신은 그 믿음을 다른 사람들에게 나누어줄 수도 있다. 그 순간에 주님께서 나에게 그런 믿음을 부어주신 것이다.

도대체 무슨 일이 일어나고 있는지 깨닫기도 전에, 눈 깜짝할 사이에 이런 초자연적인 경험을 했다. 나는 그 방으로 돌진해 들어갔다. 4명의 간호사들은 고개를 돌려 나를 보기도 전에 마치 홍해처럼 내 앞에서 양쪽으로 갈라져 섰다. 그들은 내 쪽으로 등을 돌리고 있었기 때문에 내가 방으로 뛰어 들어오는 모습조차 볼 수 없었다. 나는 그 여인의 침대 쪽으로 바싹 다가갔다. 내가 보기에 그녀는 죽은 것 같았다. 의학적으로 보면 정확히 죽은 상태라고는 말할 수 없지만 말이다. 최소한 그녀는 거의 숨이 멎기 직전인 것이 분명했다. 아무튼 그녀는 맥박도 뛰지 않았고, 호흡도 멈춰 있었으며, 몸은 뻣뻣해져 있었다.

나는 양손을 그녀의 이마에 대고 큰소리로 이렇게 외쳤다. "내가 죽음의 영을 꾸짖노라!"

그 순간 갑자기 그녀의 두 눈이 실룩거렸다. 그녀의 얼굴에 혈색이 돌기 시작했다. 그리고는 자리에서 일어나 앉으며 깊은 숨을 내쉬었다.

"무슨 일이죠?" 그녀는 주변을 돌아보며 나지막한 소리로 물었다.

당신도 그 간호사들과 딸의 얼굴을 보았어야 했다. 그들은 마치 내가 해적 옷이라도 입고 있는 것처럼 바라보고 있었다. 혹은 어쩌면 슈퍼맨 복장을 하고 있기라도 한 것처럼 말이다.

그런데 주님께서 나에게 서둘러 방에서 나가라고 말씀하시는 듯했다. 나는 그 방에 좀더 머물면서 그들에게 내 이름을 말해줄 수도 있었다. "여보세요, 당신들이 다니는 교회의 목사님께 나를 초청하라고 말해주세요! 저는 성경학교에 다니고 있습니다." 뭐 이런 내용들을 이야기했을지도 모른다. 그들이 입을 벌린 채로 그저 나를 빤히 쳐다보고 있는 사이에 나는 조용히 방을 빠져나왔다. 이번에는 오른쪽으로 돌아서 곧장 엘리베이터가 있는 곳으로 갔다.

엘리베이터를 타고 내려오는 동안에, 이 믿음의 은사가 내게서 걷히고 있는 것이 느껴졌다. 나는 바닥에 털썩 주저앉았다. '도대체 방금 전 저 위층에서 무슨 일이 있었던 거지?'

CHAPTER 10 하나님의 믿음 · 13

믿음의 영

내가 밤낮 간구하는 가운데 쉬지 않고 너를 생각하여 청결한 양심으로 조상적부터 섬겨 오는 하나님께 감사하고 네 눈물을 생각하여 너 보기를 원함은 내 기쁨이 가득하게 하려 함이니 이는 네 속에 거짓이 없는 믿음이 있음을 생각함이라 이 믿음은 먼저 네 외조모 로이스와 네 어머니 유니게 속에 있더니 네 속에도 있는 줄을 확신하노라 그러므로 내가 나의 안수함으로 네 속에 있는 하나님의 은사를 다시 불일듯 하게 하기 위하여 너로 생각하게 하노니 하나님이 우리에게 주신 것은 두려워하는 마음이 아니요 오직 능력과 사랑과 절제하는 마음이니 그러므로 너는 내가 우리 주를 증언함과 또는 주를 위하여 갇힌 자 된 나를 부끄러워하지 말고 오직 하나님의 능력을 따라 복음과 함께 고난을 받으라 (딤후 1:3-8)

야고보서 5장 15절은 우리에게 다음과 같은 사실을 알려준다. "믿음의 기도는 병든 자를 구원하리니." 더욱이 그것은 담대함의 영으로 드리는 믿음의 기도임이 틀림없다! 사도적인 돌파의 기름부음은 거짓 없는 믿음을 산출시킨다. 이것은 가식과 위선이 없는 믿음, 실제적인 결과를 기대하는 진정한 믿음이다. 단지 '마지못해 어쩔 수 없이 시늉만 하는' 그런 믿음이 아니라 참된 믿음이며 실질적인 믿음인 것이다! 실제로 우리의 믿음에 무언가가 더해진 것이다! 사도적인 기름부음이 가동되기 시작하는 지점이 바로 여기다.

히브리서 11장 1절은 다음과 같이 말씀하고 있다. "믿음은 바라는 것들의 실상이요 보이지 않는 것들의 증거니." 우리는 믿음을 일종의 실상

(substance 실현된 것)으로 생각하는 것이 적절하다. 다시 한 번 야고보서를 인용해보자.

> 그러므로 너희 죄를 서로 고백하며 병이 낫기를 위하여 서로 기도하라 의인의 간구는 역사하는 힘이 큼이니라 엘리야는 우리와 성정이 같은 사람이로되 그가 비가 오지 않기를 간절히 기도한즉 삼 년 육 개월 동안 땅에 비가 오지 아니하고 다시 기도하니 하늘이 비를 주고 땅이 열매를 맺었느니라 (약 5:16-18)

엘리야의 힘 있는 기도로 말미암아 심지어 구름조차 비를 내리지 않았다! 이것이 바로 진정한 믿음이다. 믿음은 실제로 역사한다! "그리스도 예수 안에서는 할례나 무할례나 효력이 없으되 사랑으로써 역사하는 믿음뿐이니라"(갈 5:6). 사랑 없는 믿음은 아무 소용이 없다. 오직 하나님의 사랑에 의해 역사하는 거짓 없는 믿음만이 기적을 일으킨다.

베드로후서 1장 1절은 다음과 같이 말한다. "예수 그리스도의 종이며 사도인 시몬 베드로는 우리 하나님과 구주 예수 그리스도의 의를 힘입어 동일하게 보배로운 믿음을 우리와 함께 받은 자들에게 편지하노니." 우리도 사도들과 '동일하게 보배로운 믿음'(이를테면, 동일한 가치의 믿음)을 받아야 한다. 다시 말해, 그들이 보았던 것을 볼 수 있는 믿음을 가져야 한다. 사랑이신 하나님은 또한 믿음이시다. 실상 혹은 물질로서의 믿음은 하나님의 존재로 인한 부산물일 따름이다. 하나님은 존재하신다. 따라서 믿음도 존재한다.

이 땅 위에 표현되고 드러나시는 하나님을 보게 될 때, 우리도 그리스도를 나타내는 모습으로 변화된다. 이것이 바로 역사하는 믿음이요, 보상

받는 믿음이다. 솔직히 말하면, 우리가 기적을 목격하는 것은 바로 이런 유의 믿음을 통해서다. 기적이 일어나는 모습을 지켜보는 것(믿음을 가동시키는 것)은, 우리가 하나님의 아들의 형상으로 변화되는 방법 중 하나다.

여기서 나는 초자연적인 활동에 관해서만 이야기하는 것이 아니다. 우리가 날마다 영위하는 실제적인 삶(이를테면, 당신의 일터, 가정, 결혼생활) 속에서 역사하는 믿음을 말하는 것이다. 당신이 열심히 일상을 살아가는 가운데 주님의 개입하심과 주님의 사랑이 역사하는 모습을 목격할 때, 당신은 믿음으로 말미암아 예수님을 나타내는 사람으로 변화될 것이다. 단지 기적적인 일들을 경험하는 데 그치는 것이 아니라, 온갖 도전과 필요들이 충족되는 것을 볼 수 있는 믿음을 갖게 된다.

사도적인 사람들은 믿음의 영으로 기능하면서 참된 믿음을 지속적으로 활용하며 살아가야 한다. 사도적인 사람들은 자신들의 믿음 위에, 표적과 기사와 이적들을 통하여 그리스도가 이 세상 가운데 계시되는 모습을 지켜보는 믿음을 더해야 한다. 이런 믿음은 단지 우리 자신만의 체험으로 얻을 수 있는 것이 아니다. 오히려 하나님께서 친히 우리에게 다운로드해주심으로써 얻게 되는 힘이다. 히브리서 12장 2절의 말씀과 같이, 예수님은 "믿음의 주요 또 온전하게 하시는 이"시다.

로마서 10장 17절은 우리가 어디서 믿음을 얻어야 하는지 제시해준다. "그러므로 믿음은 들음에서 나며 들음은 그리스도의 말씀으로 말미암았느니라." 이 말씀의 의미는 과연 무엇일까? 당신이 질문을 해주어서 나는 정말 기쁘다. 그동안 누군가에게 이 이야기를 얼마나 들려주고 싶었는지 모른다!

우리가 믿음을 받는 주된 방법은 크게 세 가지, 가르침(instruction), 영감(inspiration), 임파테이션(impartation)을 통해서이다.

하나님의 말씀을 올바르게 배움으로써 믿음이 생겨난다. 이것이 바로 가르침을 통한 믿음이다. 이 책의 맥락에서 볼 때, 성도들에게 하나님의 말씀을 적절하게 가르치는 것은 사도적인 사람들의 기능이다. 우리는 그들이 하늘에서 임하신 성령의 영향 아래서 가르치고 있다고 믿는다. "그의 신기한 능력으로 생명과 경건에 속한 모든 것을 우리에게 주셨으니 이는 자기의 영광과 덕으로써 우리를 부르신 이를 앎으로 말미암음이라"(벧후 1:3).

사도적인 사람들의 삶이 주님과의 직접적인 만남에서 우러나온 가르침과 선포와 영감으로 가득 차 있어야 한다는 사실이 그토록 중요한 이유도 여기에 있다. 그들은 비단 동료들과만 관계를 주고받는 것이 아니라, 주님께서 맺어주신 사람들과도 세대적으로 멘토로서 관계를 주고받는다. 그리하여 사도적인 사람들은 이들을 '동일하게 보배로운 믿음'을 가진 자들로 성장시킨다. 그들의 삶 속에 실제로 열매 맺힌 놀라운 믿음의 간증들을 들을 때, 우리의 믿음은 활력을 얻는다. 이것이 바로 영감이다. 내가 이 책 가운데 이 모든 간증들을 소개하는 것도, 당신의 믿음에 믿음을 더해주기 위함이다.

믿음의 영은 안수함으로써 전이될 수 있다. 이것에 관해서는 앞서 디모데후서의 말씀으로 언급한 바 있다. 내가 볼 때, 사도의 핵심적인 표현 중 하나는, 바로 믿음의 영을 전이시켜 주는 권세와 기름부음이다. 사도적인 기름부음은 다른 사람들의 삶 속에 믿음을 재생시키기 위한 기름부음이다.

그렇다면 우리는 어떻게 이 모든 내용들을 명료한 하나의 진술로 요약할 수 있을까? 이렇게 해보는 건 어떤가? 믿음은 영광의 만남들 가운데 임한다. 이것은 꽤나 정확한 표현이다. 당신이 하나님 아버지의 권세와 사랑과 영광과의 만남을 경험하면 할수록, 더 큰 믿음을 얻게 된다. 기적이 기적을 낳는다. 믿음은 믿음을 낳는다. 당신은 아주 작은 믿음에서 출발하지만, 갈수록 점점 더 큰 믿음으로 변화되고, 머지않아 당신의 삶은 거대한 믿음의 영으로 넘실거리게 될 것이다.

이제 내가 경험했던 영광의 만남들 중 하나를 소개하겠다.

메신저 천사의 방문

먼저 충고 한마디 하겠다. 우리는 천사들을 지나치게 강조해서는 안 된다. 천사와의 만남들은 (그것들이 참된 만남들인 경우에) 오직 예수 그리스도께 초점이 맞춰져 있어야 하며, 예수 그리스도의 거룩하심과 권세를 드러내는 것이어야 한다. 우리가 주도권을 쥐고 천사들과 소통을 시작해 보려고 애써서는 안 된다.

나는 최근 몇 년 동안 은사주의 계열 안에 '천사와의' 만남들이 걱정스러울 정도로 증가되는 모습을 지켜보고 있다. 이들은 마치 천사를 숭배하는 것처럼 보이는데, 사실 이것은 미혹이다(계 19:10, 히 1-2장). 천사들의 사역이 중요하다면, 우리는 심지어 천사들도 살펴보고 싶어 하는 보다 높은 차원의 계시에 참여하는 자들이라는 것을 기억하라(벧전 1:12). 그러니 이제부터 소개하는 내용을 읽는 동안, 부디 위 권고를 늘 유념해주기 바란다. 나의 관심의 초점은 결코 천사가 아니다.

1975년 3월 5일 오후 2시 50분경, 나는 하나님과의 매우 심오한 만남을 경험하는 중이었다. 그날 주님께서는 나에게 사람들의 믿음을 증가시켜 줄 기름부음을 풀어놓으라는 사명을 위임해주셨다. 지금 내가 이 방문에 관한 이야기를 당신에게 들려주는 것에는 목적이 있다. 그것은 바로 하나님의 믿음에 관한 계시를 온전히 드러내기 위해서다. 하나님은 주님의 백성들이 이런 믿음을 소유하기 바라신다. 언제나 그렇듯이, 이런 종류의 이야기를 나눌 때마다 사실 매우 조심스럽다. 나는 주님의 은총을 받는다는 것이 얼마나 우리를 겸손케 해주는가에 대해서만 드러나기를 간절히 바란다.

다시 말하지만, 그날 내게 일어난 일은 오직 나 한 사람만을 위한 것이 아니었다. 그 일은 하나님과 동행하며 살아가는 당신에게 유익을 끼치기 위한 것이기도 했다. 우리 모두는 삶 가운데 사도적인 영이 풀어지도록 힘쓰고 있는 자들이기 때문이다. 이 계시를 당신과 함께 나누도록 허락해 주신 하나님 아버지께 모든 영광과 존귀를 올려드린다. 나는 성령님에 대한 당신의 민감함과 분별력을 신뢰한다. 이 사건과 관련하여 주님께서 당신에게 나의 솔직함과 깨어진 마음을 전달해 주실 줄 믿는다. 그러나 이 사건은 실제로 일어난 일이다. 나는 하나님께서 바로 당신을 위해 이 이야기를 나누도록 나를 강하게 몰아가고 계신다고 믿는다.

이 사건이 일어났을 무렵, 나는 집중적인 기도와 금식 가운데 강도 높게 주님을 구하는 매우 높은 경지에 들어가 있었다. 그러던 어느 순간부터 주님께서 몇 가지 사항들에 관하여 나를 다루고 계신 듯한 느낌을 강하게 받았다.

이전 장들에서 이미 언급한 바 있으나, 내게는 성장과정과 관련하여 다루어야 할 여러 가지 영적·정서적 욕구들이 남아 있었다. 주님은 내 안

CHAPTER 10 하나님의 믿음 · 19

에 있던 고립의 벽들을 허물어뜨리기 위하여 몇몇 사안들을 뿌리째 뽑아내셔야 했다. 이 고립의 벽들은 나의 삶 속에 주님의 거룩한 은총이 보다 온전하게 흘러가지 못하게 방해하고 있었다.

간단하게 말하자면, 다른 모든 사람들과 마찬가지로, 내 안에도 깨끗이 제거되어야 할 쓰레기가 있었다. 언제나 그렇듯이, 주님의 집중적인 다루심을 받는 기간에는 마음이 불편하다. 그러나 이러한 다루심을 받는다는 것은, 언제나 정말 중요하고 귀하다!

그날 나는 집에서 기도하고 있었는데, 갑자기 어떤 어마어마한 무거움이 내 눈과 육체 위에 임하는 것이 느껴졌다. 나는 침대 위에 무너지듯이 쓰러지면서 납작 엎드렸다. 무거움의 강도가 점점 더해지면서, 내 얼굴은 한쪽 벽면을 향해 돌아갔다. 눈은 마치 납덩이 같았고, 육신은 그야말로 죽은 사람의 몸처럼 되었다. 온몸이 마비되어 근육 하나도 움직일 수 없었다. 하나님의 무게가 내 위에 임한 것이다. 나는 눈을 감고 있었는데, 도저히 뜰 수가 없었다.

두려움은 조금도 없었다. 손에 잡힐 듯이 구체적인 주님의 임재가 나를 완전히 짓누르시는 것이 느껴졌다. 거룩한 에너지가 분명하게 감지되었고, 수용과 사랑과 평강이 느껴졌다. 그러나 나를 내리누르는 임재가 얼마나 엄숙한지, 나는 주님의 영광 앞에 그대로 무너져 엎드릴 수밖에 없었다.

하나님의 무게에 왜 나는 눈조차 뜰 수 없는 것일까? 이런 의구심을 품고 있는 동안, 눈꺼풀 사이로 방 안에 가득한 매우 밝고 환한 빛을 '보았다.' 얼굴을 벽면으로 향하고 누워 있는 동안, 이 빛은 나의 오른쪽에 서 있었다. 그 순간 매우 충격적인 사실이 깨달아졌다. 그것은 내가 눈을 뜰 수 있었다면, 아마도 이 빛으로 인해 눈이 완전히 멀어버렸을지도 모른다는 것이었다. 눈을 꼭 감고 있었음에도 불구하고 그 빛은 견디기 힘들 정도로 강렬했다.

나는 침대 곁에 있던 그 빛 안에 누군가가 서 있는 것을 느낄 수 있었다. 게다가 그 존재는 나에게 전달할 메시지를 가지고 있었다. 내 영 안에서 이 계시가 떠오르고 머리로 깨달아지자, 곧바로 그 천사가 나에게 귀에 들리는 음성으로 말하기 시작했다. 그의 목소리는 매우 위엄스러웠다. (나는 그 천사를 '그'라는 일반적인 대명사로 지칭했으나, 천사의 '성별'은 여기서는 전혀 중요하지 않다.)

아마도 당신은 내가 그 천사에게 들은 이야기를 여기서 해 주었으면 하고 바랄 것이다. 맞는가?

그러나 애석하게도 내게는 지금 당장 그 천사가 말해준 내용을 모조리 소개할 수 있을 만큼의 자유가 없다. 천사에게 들은 내용 중 상당부분이 지금도 내 삶 속에서 그대로 이루어지고 있다. 그 천사가 내게 전해준 것들 대부분은 나에 관한 지극히 사적인 내용들이었다. 그중에는 이제껏 아무에게도, 심지어 아내에게 말하지 않은 것들도 있다. 그러니 당신은 전혀 소외감을 느낄 필요가 없다.

나중에 시계를 확인해보니 이 방문은 20분 동안 지속되었다. 초반에 그 천사는 다양한 핵심 성경구절들을 인용하기 시작했다. 그 성경구절들은 내가 이 세상에서 감당해야 할 사역과 삶에 관한 내용을 담고 있었다. 빌레몬서 6절도 그중 하나였다. 이 구절을 암송해보라. 그리 길지 않은 성구다. 그러나 이것은 사도적인 믿음의 영을 풀어놓는 매우 강력한 말씀이다. 이 구절을 잊지 마라. 나중에 이 구절을 다시 한 번 다룰 것이다.

이로써 네 믿음의 교제가 우리 가운데 있는 선을 알게 하고 그리스도께 이르도록 역사하느니라 (몬 6)

천사가 이 구절을 인용할 때, 그동안 나를 압박하던 무거움에서 풀려나 눈을 떴다. 순간적으로 성령의 초자연적 능력에 의해 몸이 공중으로 붕 떠오르더니, 어깨 위를 빙 돌았다. 그러는 동안 나는 줄곧 바닥에 엎드려 있었다. 그런 다음 몸이 저절로 움직여 침대 모서리에 걸터앉은 자세가 되었다.

나는 영적인 영역을 들여다보았는데, 마치 내 앞에 있는 벽 속에 구름이 있는 것 같았다. '성령님, 지금 제게 무엇을 보여주기 원하십니까?' 내가 이런 생각을 할 때, 갑자기 정면을 바라볼 수 있게 되었다. 그러나 여전히 나는 아래쪽, 바로 아래쪽을 바라보고 있었다. 그 상황을 어떻게 설명해야 좋을지 모르겠다. 내 눈은 정면을 향하고 있는데, 내가 바라보고 있는 곳은 아래쪽이었다. 이성적으로는 말이 안 되지만, 내 말을 좀 이해해 주기 바란다.

나는 눈이 열려 바깥 어둠의 세계를 볼 수 있었다. 1분 정도 귀신들의 계급과 지옥의 서류철을 볼 수 있게 허락된 것이다. 성경은 정사(통치자)와 권세들, 어둠의 세상 주관자들, 하늘에 있는 악의 영들이 존재하고 있다고 말씀한다(엡 6:12). 이제 나는 이 말씀의 의미를 안다. 이것은 일종의 귀신들의 카스트 제도다. 악의 계층구조에서 어떤 것은 다른 것들보다 우위에 있다.

나는 이런 귀신들의 겉모습과 목소리가 어떠한지에 관해 여러분에게 알려 주거나 묘사하고 싶은 마음이 없다. 아니, 그렇게 할 수 없다. 마치 그것들이 중요한 존재들인 것처럼 더 이상 시간을 할애하지는 않을 것이다. 다만 내가 말하고 싶은 핵심요지만 전달하려고 한다. 그것들을 묘사함에 있어, '혐오스러움'이나 '역겨움'은 약하기 그지없는 표현들이다.

내가 묘사할 수 있는 것은 철저한 혼돈과 파멸의 느낌이 온 지역에 배어 있었다는 사실이다. 귀신들은 문자 그대로 광적이고 혼란스런 모습으로 나를 향해 달려들면서 서로를 집어삼켰다. 그것들은 비명을 지르고 서로를 물어뜯고 할퀴며 야단법석을 떨었다.

문득 두려움을 느꼈다. 그것은 온몸이 마비되어버릴 듯한 두려움이었다. 눈 깜짝할 사이 1000분의 1초 동안 절망적인 소외감이 들었다. 두려움과 축축한 냉기가 나를 사로잡았다. 그것은 인간이 느낄 수 있는 감정 중 최고로 공포스러운 느낌이었다. 그들은 나를 해치려 했다!

갑작스럽게 두려움이 임하자 곧바로 나를 향한 주님의 음성이 들려왔다. "내 백성은 내 이름으로 원수의 모든 능력을 제어할 모든 권세를 가지고 있다."

잠시 멈춰 서서 다음과 같은 매우 단순하면서도 부인할 수 없는 진리를 선포해야겠다. 지옥에는 결코 당신이 두려워해야 할 귀신이 없다. 나는 두 눈으로 그들의 모습을 똑똑히 보았다. 당신은 하나님의 아들이요 딸로서, 주님의 이름으로 악한 자를 제압할 모든 온전하고 전적인 권세를 가지고 있다. 절대로 귀신을 두려워하지 마라! 그렇다. 지혜를 사용하고 하나님의 마음을 품으라. 불필요한 싸움에 말려들지 마라. 다만 하나님이 전권을 가지신 분임을 알라. 주님은 필요할 때마다 그 권세를 요청할 수 있는 권리를 우리에게 부여해 주셨다.

주님께서 말씀하시자, 즉각적으로 믿음이 내게 밀려왔다. 활력을 불어넣는 주권적인 믿음의 방패가 솟구쳐 올라와 온몸을 감쌌다. 이 믿음은 내 영에서 폭발적으로 터져 나왔다. 담대함과 따뜻함이 나를 관통해 흐르고 있었다. 나는 이 믿음의 방패가 나를 철저히 보호해주고 있음을 깨달았다. 내가 할 일은 오직 주님의 이름을 부르는 것뿐이었다. 주님의 이름만 부르면 나는 구원을 받을 수 있었다.

"내가 예수님의 이름으로 너를 꾸짖노라." 나는 손가락으로 나를 향해 괴성을 질러대는 악의 무리를 가리키며 큰 소리로 외쳤다.

그 즉시 모든 귀신들이 소멸되어 버렸다. 방금 전까지만 해도 그곳에 있었는데, 눈 깜짝할 사이에 감쪽같이 사라져버린 것이다. 내가 본 것은 환상이었다. 따라서 나는 그들이 정확히 어디로 가버렸는지 알 수도 없을 뿐더러, 사실 별로 관심도 없다. 요지는 이렇다. 원수를 제압하는 이 통치권이 어찌나 온전했던지, 즉각적으로 나는 침대 위에서 내가 철저하게 안전한 상태임을 깨닫게 되었다. 내 옆에는 여전히 천사가 서 있었고, 나는 믿음으로 으르렁거리고 있었다.

천사는 다시금 말을 이어가기 시작했다. 이때 천사로부터 들은 내용은 잠시 후에 이야기해 주겠다.

활력을 얻은 믿음

믿음은 활력을 얻어야 한다. 쉽게 말해, 우리 자신이 가진 믿음의 수준에서 덕(하나님의 권능, 혹은 기적들)의 풀어짐이 있어야 한다. 베드로의 말을 들어보자. "그러므로(1-4절을 보라) 너희가 더욱 힘써 너희 믿음에 덕을, 덕에 지식을"(벧후 1:5). 그런 다음 베드로는 계속해서 덕으로 충만해진 믿음을 통해 나오는 온갖 '선한 것들'을 나열하고 있다.

헬라어 '아레테'(arete)는 현대영어로 '덕'(virtue)이라는 말로 번역될 수 있다. '아레테' 자체는 여성형이지만, 남성다운 힘과 용기를 뜻하는 헬라어에서 유래되었다. 이것은 '어떤 사람에 관한 좋은 평판'을 의미한다고 말할 수도 있다. 도덕적이고 탁월하고 선하며, 어느 정도 본질적이고 영원한 가치를 지니고 있다는 뜻이다. 그런데 이 단어가 나중에 '기적적인 능력'이라는 뜻을 지니게 된다. 그것은 하나님의 기적적인 능력일 수도 있고, 하나님을 따르는 사람에게서 나타나는 기적적인 능력일 수도 있다. 이 말이 '두나미스'나 '카보드'와 얼마나 유사한지에 주목하라. 영광, 능력, 덕, 이것들은 모두 하나님의 속성들이다.

따라서 우리는 기적적인 능력이 우리의 믿음에 더해져야 한다고 말할 수 있다. 믿음에 기적적인 능력이 더해질 때, 비로소 지식과 절제, 인내와 경건, 형제 우애, 나아가 궁극적으로 베드로가 그토록 관심을 기울이던 사랑이 생겨난다.

사도적인 돌파의 기름부음을 얻고자 고군분투하는 나와 당신에게 이러한 사실은 과연 어떤 의미를 던져주는가? 만일 우리가 고결한 지식과 절제 등을 보다 강력하게 풀어내기 원한다면, 우리의 믿음에 반드시 기적이 더해져야 한다! 따라서 하나님과의 심오한 친밀함을 추구하는 일이 지극히 중대해진다. 하나님의 존재 자체에 대한 사랑, 주님과의 더할 나위 없는 친밀한 관계가 중요하다는 말이다.

이러한 친밀함을 통하여 우리는 주님과의 관계에서 안식 혹은 확신의 상태로 들어가며, 바로 이 상태로부터 우리의 믿음에 기적들이 더해지며 풀어진다. 즉 하나님과의 생동감 있는 친밀함이 우리의 믿음에 기적들을 더해준다. 실제 삶 가운데 하나님과의 심오한 친밀감이 결여되어 있는 상황이야말로, 기적적인 능력의 결핍과 상위의 '선한 특성들'의 결핍을 초래한 여러 이유들 중의 하나일 수도 있다.

따라서 기적은 우리와 하나님 아버지의 관계를 토대로 한 덕의 풀어짐이자, 믿음의 표현이다. 믿음이 적절히 활용됨으로 특정한 결과를 목격할 때, 덕이 가시적으로 드러날 뿐 아니라 원하던 결과도 얻게 된다. 이것은 사도적인 사람들이 지니는 놀라운 목적이자 책임이고 특권이다.

사도적인 사람들은 사람들을 일으켜 각자의 믿음을 표현하도록 유도하는 일에 익숙하다. 그들은 영적인 역동성을 가진 분위기를 창출하는 데 익숙하다. 사람들은 사도적인 사람들이 덕, 곧 돌파의 기름부음을 풀어놓는 모습을 봄으로써 각자의 믿음을 표현하려는 동기부여를 받게 된다. 바로 이때 기적들이 일어난다. 이러한 사도적인 역동은 집단적인 상황뿐 아니라, 일대일 사역에도 동일하게 적용된다.

활용되는 믿음

우리는 믿음이 일종의 덕으로, 하나님 아버지의 본질 자체의 표현임을 알고 있다. 믿음은 주님의 영광, 주님의 성품, 주님의 카리스마 안에서 울려 퍼진다. 우리의 믿음에 믿음(말하자면, 하나님의 믿음)을 더함으로써, 우리의 믿음을 통해 공급되는 덕의 분량도 증가되고, 마침내 기적들이 출산된다.

예수님은 아버지 하나님에 대한 믿음을 가장 중요하게 여기셨다.

하나님을 믿으라 내가 진실로 너희에게 이르노니 누구든지 이 산더러 들리어 바다에 던져지라 하며 그 말하는 것이 이루어질 줄 믿고 마음에 의심하지 아니하면 그대로 되리라 (막 11:22-23)

수많은 그리스도인들이, 본문을 예수님이 사람들에게 하나님의 팔을 비틀어서 그들에게 무언가를 해주시도록 만드는 어떤 '공식'(formula)을 제시해주신 것처럼 받아들인다. 그러나 이러한 이해는 무지하고 비성경적인 것이다. 이 땅에 표현된 예수님의 사역 전체가 믿음, 즉 덕의 원천이신 하나님을 추구하는 일과 깊이 연관되어 있었다. 주님의 사역은 하나님 아버지와의 최고로 친밀한 관계와 관련된 것이었다.

예수님의 선포에 무화과나무가 시들어버렸다. 이 일은 예수님이 하나님 아버지를 마치 어떤 우주적인 사환 정도로 생각하는 잘못된 개념을 품고 계셨기 때문에 일어난 것이 아니다. 오히려 예수님께서 하나님 아버지를 잘 이해하셨기 때문에 일어난 사건이었다. 예수님은 하나님 아버지와 날마다 깊고 확고한 관계를 영위하며 살아가셨다. 주님의 믿음에 덕이 더해지고 있었다. 사실 그것은 예수님의 말씀이라기보다는(물론 우리가 무엇을 말하느냐도 중요하지만), 주님이 내면 가장 깊은 곳에서 믿고 계신 바였다고 할 수 있다.

주님은 아버지께서 자신과의 관계 때문에 자신의 말씀을 반드시 들어주실 것임을 잘 알고 계셨다. 주님은 하나님을 믿으셨지, 하나님이 하실 수 있는 일만 믿으신 것이 아니다. 이처럼 예수님의 모든 사역은 단순히 하나님을 위한 것이라기보다는, 하나님 아버지 자체에 초점이 맞춰져 있었다. 이제 알겠는가? 나는 지금 훨씬 더 심오한 차원에 관해 말하고 있다.

이것은 사도적 기름부음이 풀어지기 위한 가장 중요한 비결들 중 하나다. 우리는 단지 주님을 위해 사역하는 법만 배워서는 안 된다. 오히려 그리스도의 인격을 가지고 주님을 위해 사역하는 자들이라는 이해를 견지하고 있어야 한다. 바로 이 점이 사도적인 사람들이 언제나, 변함없이 초점이요 뿌리로 삼아야 할 사항이다. 우리가 주님을 위해 무언가를 하려면, 반드시 그리스도의 인격 안에 머물러 있어야 한다.

수많은 사람들이 자신의 정체성의 근거를 오직 현재 주님을 위해 성취하고 있는 사역에만 두고 있다. 그들은 이렇게 말한다. "내가 이 일 혹은 저 일을 하면 주님께 받아들여질까?" 한편으로는 삶 가운데 동료들 사이에서 인정받고 받아들여지기 위해 끊임없이 애쓴다. 그들은 자신들이 그토록 얻기 원하는 모든 것들이 그리스도의 인격 안에서, 주 예수 그리스도를 위해 사역하는 데서 발견될 수 있음을 모르고 있는 듯하다. 이 계시를 잠시 묵상해보라. 온갖 사도적인 사역의 풀어짐은 예수님의 인격을 중심축으로 삼는다. 예수님께서 행하신 사역이 하나님 아버지를 중심축으로 삼고 있었듯이 말이다.

사도적인 사람들이 이 핵심적인 계시 안으로 들어가기만 하면, 그들은 동료들이나 주님의 인정과 수용을 얻기 위해 그토록 몸부림치며 애쓰는 일을 중단하게 될 것이다. 물론 얼마든지 사역을 통해 승인과 수용, 존경을 받게 될 가능성이 있다. 나를 오해하지 마라.

오늘날 너무나도 많은 이들이 인정과 수용을 받는 것을 사역의 추동력으로 삼고 살아간다. 그로 인해 끊임없는 좌절을 경험하게 되는데, 자신들의 사역이 마땅히 어떠한 수준에 도달해야 한다고 생각하고 있기 때문이다. 아무리 노력해도 결코 그 수준에 도달하지 못할 것 같은 현실을 보며 늘 좌절하지 않을 수 없는 것이다. 어쩌면 그들이 사역에 대해 품고 있는 기대감조차 처음부터 아예 잘못된 인식에 기초하고 있었을지도 모른다. 왜냐하면 그들은 그리스도 안에서 자신들이 할 수 있는 것이 아니라, 그리스도를 위해서 할 수 있는 것을 생각하기 때문이다.

달리 말해, 사도적 기름부음이 풀어지려면 모든 사역이 그리스도에 초점이 맞춰져야 하고, 그런 다음에야 비로소 그리스도를 위해 무언가를 할 수 있음을 깨달아야 한다. 만일 우리가 사역의 초점을 오직 주님께 맞추고 우리의 시간을 날마다 비워 둔다면, 우리가 그 일을 주님의 기준과 판단에 맡겨 드린다면, 또 우리가 주님께서 의도하신 수준에서 이제껏 충분히 사역해왔다면, 우리는 어마어마한 해방감과 풀어짐을 경험하게 된다. 심지어 주님 안에서 주님을 위해 사역하는 동안 즐거움마저 맛보게 될 것이다. 나는 이것이야말로 기적들을 풀어놓기 위한 중대한 열쇠라고 생각한다.

> 또 무엇을 하든지 말에나 일에나 다 주 예수의 이름으로 하고 그를 힘입어 하나님 아버지께 감사하라 (골 3:17)

사도행전에 등장하는 스데반의 모습을 살펴보자. 성경은 그를 가리켜 '믿음과 성령이 충만한 사람'(행 6:5)이었다고 기록한다. 사도들이 그에게 안수해 주었고(그의 믿음에 덕을 더해주었다. 이것이 바로 임파테이션이다), 성경은 계속해서 다음과 같이 전한다. "스데반이 은혜와 권능이 충만하여 큰 기사와 표적을 민간에 행하니"(행 6:8).

내가 여기서 지적하고 싶은 중요한 사실은, 스데반이 사도가 아니었다는 점이다. 그는 나나 당신과 같은 그저 '평범한' 사람에 불과했다(음, 평범하다는 것이 실제로 과연 무엇인가?). 그러나 그는 믿음과 능력으로 충만해 있었다. 그의 능력은 활력을 얻고 활용되는 믿음에서 말미암은 것이었다. 그는 사도들이 행하는 바를 실제로 목격했다. 나아가 자신도 그와 동일한 일을 할 수 있음을 영 깊은 곳에서부터 믿고 있었다. 또한 하나님께서도 그의 믿음을 인정해 주셨다.

나는 사도행전에 나오는 사도들이 실제적인 모범과 임파테이션을 통해 스데반의 삶에 영향을 주었으리라 생각한다. 실례와 임파테이션을 통해 믿음의 영이 스데반에게 이식되었다. 오늘날 사도적인 사람들도 이와 같은 방식으로 기능해야 한다. 사도적인 사람들은 '평범한' 사람들과 협력하면서 그들에게 안수해 주고, 주변 사람들의 삶에 어느 정도 믿음을 전이시켜 주어야 한다. 사도적 기름부음은 믿음의 영을 이식시켜 줌으로써 사도적인 사람을 보다 위대한 믿음의 사람으로 만들어준다.

빌립도 스데반과 함께 사도들에게 안수를 받았다. 사실 빌립도 '평범한' 사람이었다! 믿음의 활력을 얻은 빌립은 사마리아 성에 복음을 전함으로 자신의 믿음을 활용하기 시작했다. "무리가 빌립의 말도 듣고 행하는 표적도 보고 한마음으로 그가 하는 말을 따르더라"(행 8:6).

사람들이 기적들로 말미암아 빌립이 전하는 그리스도를 믿었다는 사실에 주목하라. 섬기는 복음전도자들인 우리는 스데반과 빌립을 주목해서 보아야 한다. 하나님의 기적들은 그리스도 예수 안에 있는 구원의 진리를 입증해 준다.

'평범하지만' 강력한 이 두 하나님의 사람들은 믿음의 덕이 안수함으로써 이식될 수 있음을 보여준 매우 강력한 실례이다. 모세의 경우를 한 번 보

라. 확실히 모세는 사도라는 개념이 등장하기 전부터 이미 사도적인 기능을 담당했던 사람이다. 하나님은 모세에게 다음과 같이 말씀하신다.

> 눈의 아들 여호수아는 그 안에 영이 머무는 자니 너는 데려다가 그에게 안수하고 … 네 존귀를 그에게 돌려 이스라엘 자손의 온 회중을 그에게 복종하게 하라 (민 27:18, 20)

여호수아 역시 보통사람이었다. 여호수아 안에 하나님의 영이 머물고 계셨다. 그러나 여호수아도 모세로부터 안수를 받음으로써 어느 정도 권세를 전이 받는 과정을 반드시 통과해야 했다. 모세는 여호수아의 믿음에 덕을 더해주었다. 모세가 죽고 난 후에, 여호수아가 일생동안 온갖 기적적인 위업들을 목격하며 살아가게 되리라는 것은 의심할 나위 없이 확실했다.

> 모세가 눈의 아들 여호수아에게 안수하였으므로 그에게 지혜의 영이 충만하니 이스라엘 자손이 여호와께서 모세에게 명령하신 대로 여호수아의 말을 순종하였더라 (신 34:9)

이스라엘 백성들은 왜 여호수아의 말에 순종하였는가? 그가 멋진 사람이었기 때문일까? 그렇다. 내가 생각하기에도 그는 멋진 사람이었던 것 같다. 그러나 그보다는 그의 믿음이 기적적인 능력을 가시적으로 보여주었기 때문일 것이다. 그에게는 지혜의 영이 임해 있었고, 그 지혜의 영은 안수를 통해 그에게 전이되었다. 만일 내가 그 시대에 살았어도 그를 따랐을 것이다!

효험 있는 믿음

그렇다면 우리의 믿음은 어떻게 해야 효험이 나타날까? 어떤 사람의 믿음이 덕으로 가득 차서 문자 그대로 터져 나올 것 같은 상태라고 가정해보자. 그것은 정말 굉장한 일이다! 하지만 아무리 덕으로 충만해 있어도, 그것이 가시적으로 전혀 드러나지 않는다면, 그 모든 덕이 과연 무슨 소용이 있겠는가? 그렇다! 아무 소용도 없다. 완전히 빵점이다.

믿음은 함께 공유되고 나누어질 때, 비로소 효험을 발휘한다. 덕스러운 믿음은 함께 나누지 않으면 아무런 소용이 없다. 당신의 믿음을 소통시킬 때, 비로소 표적과 기사와 이적들이 나타난다. 당신은 믿음에 덕을 더해왔다. 그러므로 이제는 그 덕이 가시적으로 나타나도록 해야 한다.

그렇다면 우리는 믿음을 어떻게 소통시킬 수 있을까? 앞에서 내가 언급했던 '3-I', 즉 영감(Inspiration), 가르침(Instruction), 임파테이션(Impartation)을 기억하는가? 당신이 소유하고 있는 것을 이제는 다른 사람들에게 나누어주어야 한다. 믿음은 세대를 통해 소통되고 전달된다. 디모데가 어머니로부터 믿음의 은사를 물려받은 경우와 마찬가지로 말이다. 나아가 디모데의 어머니는 할머니로부터 믿음의 은사를 물려받았다. 이것이 영감에 관한 파트다.

나는 스미스 위글스워스, 캐서린 쿨만, 브랜트 베이커 등으로부터 영감을 받았다. 그들이 행한 바를 보고 들음으로써, 나도 그들과 동일한 일을 행하고 싶다는 마음이 들었다. 이처럼 나 또한 당신에게 영감을 주는 사람이 되고 싶다. 혹시라도 당신이 나의 사역 현장에 참석하거나 또는 이 책을 읽음으로써 말이다. 내가 주님으로부터 영감을 받아 수행하려고 애쓰는 일들을 당신도 동일하게 행하기 바란다.

오늘날 이 세대 사람들의 문제는 영감이 부족하다는 점이다. 요즘 사람들은 위대한 일을 하고자 하는 의욕이 없다. 나는 당신이나 나와 같은 사도적인 사람들이 이러한 세태를 변화시킬 수 있다고 믿는다! "나를 통해 하나님이 행하신 일을 보라. 이 사람은 휠체어를 박차고 나와 걸을 수 있게 되었다. 이제 당신도 당신의 삶 속에서 이러한 일을 목격할 수 있다!"

빌레몬서의 말씀

앞에서 소개했던 천사의 방문 이야기를 기억하는가? 그때 천사가 나에게 들려준 성경구절 중 하나가 바로 빌레몬서 6절이었다. 내가 이 구절이 믿음의 영을 풀어놓는 강력한 성경말씀이라고 한 말이 생각나는가? 자, 다음 이야기를 들어보라.

빌레몬은 바울이 사랑하는 친구였다. 바울 사도는 그의 믿음에 무언가를 더해주었다. "내가 항상 내 하나님께 감사하고 … 이로써 네 믿음의 교제가 우리 가운데 있는 선을 알게 하고 그리스도께 이르도록 역사하느니라"(I thank my God … that the sharing of your faith may become effective by the acknowledgement of every good thing which is in you in Christ Jesus 몬 4, 6).

'선을 아는 것'(acknowledging every good thing), 이것은 가르침에 관한 파트다. 중요한 것은 당신이 무슨 가르침을 받고 있느냐다! 빌레몬은 바울처럼 위대하고 덕스런 믿음의 사람 밑에서 가르침을 받을 정도로 복 받은 사람이었다. 능력을 보여주는 믿음도 가르침을 통해 받을 수 있다. 믿음은 하나님의 말씀을 들음으로써 임한다. 만일 당신이 효험 있는 믿음을 진정으로 보여주는 사람에게 당신을 맞춘다면, 당신도 가르침을 통해 그와 유사하게 기능하는 자로 변화될 수 있다.

카우보이를 비유로 하여 설명해보겠다. 훌륭한 텍사스 공화국에서 수많은 세월을 살아온 어느 카우보이가 포드 트럭을 구입했다. 단순히 자신의 아버지가 언제나 포드 트럭을 사곤 했다는 이유였다. 이처럼 당신이 누구를 알고 있느냐가 당신의 현재 모습을 결정한다. 공화당원들은 으레 공화당원들을 뽑는 경향이 있다. 단순히 자신들의 부모가 공화당원들을 뽑는다는 이유로 말이다(물론 늘 그런 것은 아니다. 그러나 그런 경우가 빈번하다).

활동적인 믿음의 경우도 마찬가지다. 만일 당신이 활동적인 믿음을 가진 누군가와 함께 시간을 보낸다면, 당신도 활동적인 믿음을 소유하고 싶은 마음이 생겨날 것이다. 그러므로 당신 자신을 올바른 사람에게 맞추라!

효험 있는 믿음은 거룩한 활력을 부여받은 믿음이다. 이것에 관해서는 이미 앞에서 언급하였다. 그러나 반복적으로 다루는 이유는, 그것이 임파테이션에 관한 파트이기 때문이다. 따라서 만일 믿음이 거룩한 활력을 받을 수 있다면, 바꾸어 말해 믿음이 덮여 가려질 수도 있고 질식되거나 무용지물이 될 수도 있음을 반증한다. 우리는 사도적인 사람들로서 무슨 일이 있어도 이렇게 되지 않도록 막아야 한다!

돌파의 기름부음은 사람들의 믿음에 활력을 주며, 그들의 믿음에 덕을 더해준다! 믿음의 영이 그들 안에 배어들게 된다!

그동안 사역을 해오면서 줄곧 품어 온 이상이 있다. 나는 사람들의 믿음이 거룩한 활력을 받고 효험 있는 것이 되기를 원한다. 그리하여 그들도 예수님의 왕권의 타당성을 입증해주는 기적들을 목격하게 되었으면 좋겠다.

우리는 구원 받을 상속자들(히 1:14)로, 천사들도 우리를 섬긴다. 세대적으로 말하자면, 구원의 상속자인 나는 50여 년 전에 금촛대에서 양육받은 기적적인 믿음을 사람들에게 직접 연결시켜 주기 위해 항상 노력해왔다. 나는 당신의 믿음에 덕을 더해주기 원한다. 이것이 바로 이 책의 존재 목적이다!

> 이러므로 우리도 항상 너희를 위하여 기도함은 우리 하나님이 너희를 그 부르심에 합당한 자로 여기시고 모든 선을 기뻐함과 믿음의 역사를 능력으로 이루게 하시고 (살후 1:11)

내가 이 책을 쓰는 이유도 여기에 있다. 나는 하나님께서 당신의 믿음에 활력을 불어넣어 주셔서 능력으로 역사하는 믿음이 되게 해주시기를 바란다! 여러분이여, 당신들의 믿음에 덕을 더하라!

이제 다시 천사의 방문 이야기로 돌아가자. 어쩌면 당신은 내가 잊어버리고 있다고 생각했을지도 모른다!

귀신들의 무리가 예수님의 이름을 듣고 줄행랑을 친 후, 나는 다시금 침대 위에 있었다. 그리고 천사는 바로 내 옆에 서 있었다. 천사는 계속해서 나에게 메시지를 전해주었다. 그러는 동안 내 영 안에서 이 역동적인 믿음이 솟구쳐오르는 것이 느껴졌다. 천사는 언젠가 때가 되면 나의 사역을 통해 어떤 특별하고 구체적인 믿음의 은사의 임파테이션이 풀어질 것이며, 사람들의 믿음에 활력을 부여해주는 능력을 다른 사람들과 공유할 수 있게 될 것이라고 말해주었다.

그러면서 덧붙였다. "그러나 당신은 정한 때가 되기까지 기다려야 합니다."

따라서 나는 25년 동안이나 기다렸다. 그러던 어느 날, 그 천사가 다시 내게 나타나서 이렇게 말했다. "지금이 바로 그 정한 때입니다." 천사의 말을 듣는 순간, 내 머릿속에 빌레몬서 6절의 말씀이 떠올랐다.

지금 이 기름부음이 나를 통해 흐르고 있다. 활력을 부여받은 매우 강력한 믿음 말이다. 그 기름부음은 내 오른쪽 다리와 오른쪽 몸을 타고 올라와서 내 오른쪽 손을 통해 흘러나갔다. 당시만 해도, 나는 왜 유독 오른쪽 손이었는지 도통 알 수 없었는데, 나중에야 관련된 성경구절을 찾아낼 수 있었다(나는 어떤 체험을 한 후에는 반드시 그것을 입증해줄 수 있는 성경구절을 찾아보는 것을 좋아한다). 당신도 오른쪽 엄지손가락, 오른쪽 귀, 오른쪽 엄지발가락에 관한 성경구절을 알고 있을 것이다(레 14:14).

한편 그 천사는 만일 내가 주님의 방문을 받았음을 사람들로 하여금 믿게 할 수 있다면, 성령께서 이 기름부음을 나의 오른손을 통해 풀어주실 것이라고, 이 기름부음은 믿음의 흐름이 원활하지 못하도록 속사람을 방해하던 견고한 진과 멍에를 박살낼 것이라고 했다.

한 사람이 다루어야 할 견고한 진의 형태들은 매우 다양할 수 있다. 견고한 진이 반드시 귀신적인 것만은 아니다. 견고한 진은 감정적이고 혼적인 속박일 수도 있고, 둔감함의 외피, 마음의 냉담함, 혼란스런 생각, 정신적인 괴로움 등일 수도 있다. 나에게 있어서 '견고한 진'(stronghold)은, 간단히 말해 '우리가 앞으로 나아가지 못하게 가로막고 서 있는 어떤 것'을 의미한다. 견고한 진이란, 한 사람의 삶 속에서 원수가 장악하고 있는 특정 영역으로, 원수는 그곳에서 힘을 행사하여 당신을 제압하려 한다.

견고한 진은 몸 안에 있을 수도 있고, 정신이나 의지, 감정 안에도 있을 수 있다. 한줄기 의심스런 생각이 당신의 정신 속에 머물다가 견고한 진으로 바뀔 수도 있다. 실패에 대한 두려움, 정서적인 외상과 상처, 거절감 등을 예로 들 수 있다. 반복적으로 당신을 넘어뜨리는 신체적인 허약함도 견고한 진이 될 수 있다. 이제 이해되는가?

그날 주님의 천사는 특별히 내게 혼적인 견고한 진에 관해 말해 주었다. 혼적인 견고한 진은 사람의 정서와 정신, 의지의 영역 안에 존재한다. 그 천사의 말에 의하면, 사람들이 이 메시지를 믿음 안에서 받아들이고 믿을 때, 기름부음이 풀어져서 그들의 속사람을 억압하고 있던 견고한 진을 산산조각 내버릴 것이라고 했다.

사도적인 돌파의 기름부음은 한 사람의 삶에 드리워져 있던 베일을 찢어버린다. 그 사람 속에서 덕이 특정한 형태로 가시화되어 나타나지 못하게 가로막고 무용지물로 만들어놓았던 것이 바로 이 베일이다. 여기서 말하는 덕이란 역동적인 믿음의 능력을 말한다.

달리 말해, 우리는 믿음을 드러내거나 혹은 풀어놓음으로써(즉, 믿음의 활용을 통해서) 능력을 가시화한다. 이번 방문으로 얻게 된 기름부음은, 내 손에서 능력이 흘러나와 속사람으로 들어가게 함으로써, 속사람에 드리워져 있던 멍에를 깨뜨리고, 믿음에 활력을 부여한다. 그것은 아주 맹렬한 느낌이다! 문자 그대로 마치 폭발하듯이 내 손에서부터 터져 나온다.

이때 사람들이 보이는 반응과 태도들을 지켜보노라면, 상당히 흥미로울 때가 많다. 어떤 이들은 성령 안에서 취한 상태가 되는가 하면, 어떤 이들은 잔잔하면서도 강력한 믿음을 느낀다. 또 다른 이들은 다른 곳으로 실어 날라야 한다. 두 다리가 마비되어 움직일 수 없기 때문이다.

그들은 마치 충격을 받은 것 같다. 종종 많은 이들이 그 힘에 물리적으로 밀려난다. 한 가지 분명히 하고 싶은 것은, 이런 사역자는 사람들을 결코 밀쳐 넘어뜨리지 않는다는 것이다! 오히려 능력이 터져 나올 때에는, 순간적으로 손을 확 잡아당겨야 한다. 때로는 그렇게 하면 약간 아프기까지 하다. 마치 기름부음이 내 몸에서 왕복운동을 하는 것처럼 팔뚝 위로 다시 말려 올라간다.

나는 이런 상태 가운데 이루어지는 활동을 즐긴다. 왜냐하면 이런 사역은 언제나 나를 재충전시켜 주기 때문이다. 믿음도 고무될 뿐 아니라, 전혀 피곤하지 않다. 때로는 기름부음이 나를 온통 압도하는 바람에, 나마저도 뒤로 밀려가기도 한다! 실로 매우 충격적인 순간이다. 소문에 의하면, 심지어 어떤 사람은 기름부음으로 인해 손목시계가 멈추었다고 한다. 그게 사실인지 아닌지는 잘 모르겠지만 말이다. 하지만 나는 충분히 그런 일이 일어날 수 있다고 생각한다! 기름부음은 마치 손에 잡힐 듯 구체적일 뿐 아니라, 전기적인 성질도 매우 강하다.

언젠가 이 계시에 관해 일단의 사람들에게 들려준 적이 있었다. 그 사람들을 위해 사역하는 동안, 이 믿음의 능력이 가시적으로 나타나는 느낌을 매우 적절하게 표현하는 경우를 목격했다. 그곳에는 한 시골 노인이 있었다. 그런데 기름부음이 그 노인을 강타하자, 그는 눈을 동그랗게 뜨고 이렇게 말했다. "어이쿠, 마치 노새의 발에 가슴을 걷어차인 듯한 느낌인 걸!" 그렇다. 이것이 바로 적절한 표현이다. 고맙습니다, 형제님!

이처럼 믿음이 활력을 부여받는 사건이 일어난 이후, 사람들은 아주 빈번하게 하나님의 영광을 목격하곤 하였다. 수많은 사람들이 신체적, 정신적, 감정적인 치유를 받았다. 그 후 치유의 기름부음은 사람들 안팎으로 넘실대며 흘러넘쳤다. 몇몇 경우에 있어서, 사람들은 이미 오래전부터 기도해오면서 치유에 대해 믿었던 듯했다. 그래서 실제로 그들에게도 기름부음이 임했다.

그러나 어떤 유의 실망감, 삶에 남아 있던 몇몇 해결되지 못한 사안들, 베일 혹은 속임수 등으로 인해, 결국 치유의 과정이 좌절되기도 했다. 원수는 그들에게 다음과 같이 거짓말을 속삭였다. "하나님이 치유의 기름부음을 거둬가신 것이 틀림없어." 그러나 사실 혼적인 멍에가 고개를 쳐들고 능력의 풀어짐을 억제했을 따름이다. 치유의 기름부음은 여전히 그대로 남아 있었다. 그러나 본질적으로 그 기름부음은 활동을 중단한 채 그들의 영 안에, 혹은 치유를 필요로 하는 신체 부위에 휴면상태로 머물러 있었을 뿐이다. 일단 그들의 믿음이 활력을 부여받기 시작하면서, 그 기름부음은 다시금 활동을 재개하여 마침내 기적들로 이어졌다.

나의 요지는 이렇다. 이 사도적인 돌파의 기름부음은, 하나님의 사람들 위에 집단적으로 임해 있는 믿음의 영에 시동을 건다. 내가 깊이 확신하는 바가 있다. 당신이 이 책을 읽는 동안 당신의 믿음이 점점 고무되고, 당신이 가르침을 받고 믿음을 갖게 됨에 따라 이 기름부음의 속성이 당신의 삶에 전이될 것이다. 나아가 당신의 속사람을 얽어매고 있던 혼적인 멍에가 끊어져나가는 모습을 보게 될 것이다.

사도적인 방식으로 쓰임 받기 원하는 사역자들에게 해주고 싶은 조언이 있다. 당신 또한 이 특별한 메시지와 계시를 다른 사람들에게 가르치고 함께 나누라. 그런 다음 실제로 어느 정도의 가시적인 나타나심을 볼 수 있으리라 기대하라.

나는 그동안 경험해온 온갖 초자연적인 만남들이 나뿐만 아니라 당신을 위한 것이기도 하다고 믿는다. 이 책은 당신도 이러한 만남들을 실제로 체험할 수 있도록 당신의 믿음을 격려해주기 위한 것이다. 그러나 반드시 유념할 것이 있다. 그것은 이런 유의 메시지를 가르침으로써 얻는 초자연적인 권세와 그러한 기름부음을 풀어놓도록 천사로부터 위임받음으로써 얻는 권세의 수준이 서로 다르다는 것이다.

내가 이런 말을 하는 데는 이유가 있다. 천사로부터 위임을 받은 이후로, 이제까지 내가 인도해온 집회만 대략 천여 건은 될 것이다. 그런데 그동안 성령께서 내게 이 수준의 임파테이션이 풀어질 것이라고 말씀하시는 것처럼 느낀 경우는 백여 차례 정도였다. 이처럼 이 특별한 기름부음이 항상 나와 함께 머물러 있는 것은 아니다. 나는 주님께서 나를 풀어주실 때까지 기다린다. 때로는 사람들이 그 기름부음을 받을 준비가 되어 있지 않은 경우도 있다. 또한 이제까지 경험한 바에 의하면, 이 특별한 기름부음은 사람들이 집회 장소에 참석해 있는 동안에만 풀어졌다. 다시 말해, 사람들이 이 기름부음을 받기 위해서는 실제로 내 앞에 있어야 했다.

이 가시적인 나타나심과 관련하여 흥미로운 것이 있다. 그것은 우리 모두가 이미 알고 있듯이 기름부음의 형태는 다양하고 상이하지만, 오직 한 분의 성령님이 존재하신다는 사실이다. 일반적으로, 누군가가 기름부음(이를테면, 치유의 기름부음 혹은 예언의 기름부음) 안에서 기능할 때마다, 마침내 그 사람은 피곤을 느끼기 시작하고, 기름부음도 잦아든다. 그 사람도 육신의 몸을 가지고 있기 때문이다. 그러나 믿음에 활력을 부여해주는 기름부음의 경우는 다르다. 이 기름부음은 언제나 사역을 받는 첫 번째 사람으로부터 마지막 사람에 이르도록, 계속해서 집중적이고 강력한 상태를 그대로 유지한다. 마지막 사람을 위한 사역을 마친 후에야 비로소 이 기름부음이 걷힌다. 이것은 매우 특이한 현상이다.

주님께서 나를 이런 식으로 감동하고 계시는 것이 느껴지는 경우, 모인 사람들의 수가 많든 적든 전혀 문제가 되지 않는다. 기름부음의 영향력은 언제나 동일하다. 그동안 우리는 사역자들과 개인들로부터 깜짝 놀랄 만한 수많은 간증들을 전해 들었다. 그것은 기름부음으로 인해 회중 전체, 심지어는 지역 전체가 활력을 얻게 되었다는 소식이다. 이처럼 믿음의 은사가 하나님의 사람들 안에서 역사함에 따라 놀라운 성령님의 운행하심이 수반되곤 한다. 하나님께 영광을 돌린다!

정련된 인격

나는 이 마지막 시대에 사도적인 사람들이 하나님의 충만하심을 드러내기 위해서는, 바로 이런 유의 기름부음 안에서 흘러가야 한다고 믿는다. 또 하나님께서 나에게 이런 체험을 수신 이유들 중 하나는, 사도적인 사람들이 자신들도 사도적인 표적들 안에서 활동하고 싶다는 기대감을 계발시키고 성장시키고 심화시켜야 함을 깨닫게 해주기 위함이라고 믿는다. 이런 유의 기름부음 중 하나가 하나님 아버지의 믿음을 밝히 드러내는 돌파의 기름부음이다.

우리 모두는 사도적인 영을 통해 기적들이 일어나기를 갈망해야 한다. 참고 인내하면서, 보다 심오한 하나님의 활동 가운데로 들어가야 한다. 이를테면, 우리의 뿌리를 좋은 밭에 심어놓아야 한다. 우리가 가진 놀라운 깊이와 안정성을 세상 사람들에게 드러내 보여야 한다. 우리는 부르심을 받은 사람들이다. 우리는 단지 은사들만 가지고 사역할 것이 아니라 우리의 인격도 그리스도 안에서 새롭게 정련해야 한다.

사역의 초창기에 있는 수많은 사람들이 하나님의 은사와 부르심에는 후회하심이 없음을 너무나도 잘 자각한다(롬 11:29). 그들이 정서적·정신적·영적 문제들을 가지고 있음에도 불구하고, 하나님께서는 성령의 은사들을 통하여 세상 사람들을 만져주신다. 그러나 진정으로 사도적인 사람으로 성장해가기 위해서는, 반드시 성령의 은사의 수준을 넘어서야 한다. 이제는 그들의 실제적인 삶 자체가 그리스도를 대표하는 모습이 되어야 한다. 당신도 알다시피, 우리는 은사들을 통해 사역하는 것만큼 인격을 통해서도 사역해야 한다.

그러한 수준에 도달하려면 수많은 회개의 과정을 거쳐야 한다. 나도 아직 그 수준에는 이르지 못하였음을 잘 안다. 그러나 나는 사람들이 단지 내가 가진 은사만이 아니라, 내 안에 반영되어 있는 그리스도의 모습을 목격하게 되는 그 순간을 지금도 계속해서 추구하고 있다.

뭇사람이 읽는 살아 있는 편지(고후 3:2), 이것이 바로 사도적인 우리가 애써 추구해가야 할 바이다. 말씀이 세상 사람들을 위해 육신이 되셨다. 우리의 삶에 임한 믿음의 영은 이런 유의 인격적인 성장이 풀어지도록 도와준다.

이 책을 읽고 있는 지금 이 순간, 당신의 영이 활짝 열려 활력을 부여하는 이 믿음을 받게 되기를 기도한다. 당신도 믿음의 영이 가시적으로 나타나는 모습을 직접 목격하게 될 줄로 믿으라! 하나님 아버지께서는 당신의 의도에 반드시 응해주실 것이다. 당신은 고군분투하고 승리를 거두기도 하며 정련되는 과정을 통과할 것이다. 그리고 마침내 당신의 인격은 그리스도의 성품을 가시적으로 드러내게 될 것이다. 세상 사람들은 당신이 행하는 일들을 통해 주님의 모습을 보게 될 것이다.

CHAPTER 10 하나님의 믿음

| 믿음의 영

- "내가 밤낮 간구하는 가운데 쉬지 않고 너를 생각하여 청결한 양심으로 조상적부터 섬겨 오는 하나님께 감사하고 네 눈물을 생각하여 너 보기를 원함은 내 기쁨이 가득하게 하려 함이니 이는 네 속에 거짓이 없는 믿음이 있음을 생각함이라 이 믿음은 먼저 네 외조모 로이스와 네 어머니 유니게 속에 있더니 네 속에도 있는 줄을 확신하노라 그러므로 내가 나의 안수함으로 네 속에 있는 하나님의 은사를 다시 불일듯 하게 하기 위하여 너로 생각하게 하노니 하나님이 우리에게 주신 것은 두려워하는 마음이 아니요 오직 능력과 사랑과 절제하는 마음이니 그러므로 너는 내가 우리 주를 증언함과 또는 주를 위하여 갇힌 자 된 나를 부끄러워하지 말고 오직 하나님의 능력을 따라 복음과 함께 고난을 받으라"(딤후 1:3-8).
- 사도적인 돌파의 기름부음은 거짓 없는 믿음을 산출시킨다. 이것은 가식과 위선이 없는 믿음, 결과를 기대하는 진정한 믿음이다.
- "믿음은 바라는 것들의 실상이요 보이지 않는 것들의 증거니"(히 11:1).
- "그리스도 예수 안에서는 할례나 무할례나 효력이 없으되 사랑으로써 역사하는 믿음뿐이니라"(갈 5:6).
- 오직 하나님의 사랑에 의해 역사하는 거짓 없는 믿음만이 기적을 일으킨다.
- 사도적인 사람들은 믿음의 영으로 기능하면서 참된 믿음을 지속적으로 활용하며 살아가야 한다. 또 자신들의 믿음 위에, 표적과 기사와 이적들을 통하여 그리스도가 이 세상 가운데 계시되는 모습을 지켜보는 믿음을 더해야 한다.
- "그러므로 믿음은 들음에서 나며 들음은 그리스도의 말씀으로 말미암았느니라"(롬 10:17).
- 우리가 믿음을 받는 주된 방법은 가르침(instruction), 영감(inspiration), 임파테이션(impartation)

이 세 가지다.
- 하나님의 말씀을 올바르게 배움으로써 믿음이 생겨난다(가르침). 성도들에게 하나님의 말씀을 적절하게 가르치는 것은 사도적인 사람들의 기능이다. 우리는 그들이 하늘로부터 임한 성령님의 영향을 받아 가르치고 있다고 믿는다. "그의 신기한 능력으로 생명과 경건에 속한 모든 것을 우리에게 주셨으니 이는 자기의 영광과 덕으로써 우리를 부르신 이를 앎으로 말미암음이라"(벧후 1:3).
- 사도적인 사람들의 삶 속에 실제로 열매 맺힌 놀라운 믿음의 간증들을 들을 때, 우리의 믿음은 활력을 얻는다(영감).
- 믿음의 영은 안수함으로써 전이될 수 있다. 사도의 핵심적인 표현 중 하나는, 바로 믿음의 영을 전이해 주는 권세와 기름부음이다. 사도적 기름부음은 다른 사람들의 삶 속에 믿음을 재생시키는 기름부음이다(임파테이션).
- 믿음은 하나님 아버지와의 영광스런 만남들을 통해, 예수님을 통해, 성령님의 지도하심에 따라 임한다.

활력을 얻은 믿음

- "그러므로 너희가 더욱 힘써 너희 믿음에 덕을, 덕에 지식을"(벧후 1:5).
- 헬라어 '아레테'(arete)는 '덕'(virtue)이라는 말로 번역될 수 있다. '아레테' 자체는 여성형이지만, 남성다운 힘과 용기를 뜻하는 헬라어에서 유래되었다. 이것을 '어떤 사람에 관한 좋은 평판'을 의미한다고 말할 수도 있는데, 도덕적이고, 탁월하고, 선하며, 어느 정도 본질적이고 영원한 가치를 지니고 있다는 뜻이다. 이 단어는 이후에 '기적적인 능력'이라는 의미를 지니게 되었다. 그것은 하나님의 기적적인 능력일 수도 있고, 혹은 하나님을 따르는 사람에게 있는 기적적인 능력일 수도 있다. 이 말이 '두나미스'와 '카보드'와 얼마나 유사한가에 주목하라. 영광, 능력, 덕, 이것들은 모두 하나님의 속성들이다.
- 우리는 기적적인 능력이 우리의 믿음에 더해져야 한다고 말할 수 있다. 믿음에 기적적인 능력이 더해질 때, 비로소 지식과 절제, 인내와 경건, 형제 우애, 나아가 궁극적으로 베드로가 그토록 관심을 기울였던 사랑이 생겨난다.
- 따라서 하나님과 심오한 친밀함을 추구하는 일은 지극히 중대해진다. 하나님의 존재 자체에

대한 사랑, 주님과의 더할 나위 없는 친밀한 관계가 중요하다는 말이다. 이러한 친밀함을 통하여 우리는 주님과의 관계 가운데 안식 혹은 확신의 상태로 들어가게 되며, 바로 이 상태로부터 우리의 믿음에 더해지는 기적들이 풀려난다.

- 기적은 우리와 하나님 아버지의 관계를 토대로 한 덕의 풀어짐이자, 믿음의 표현이다. 믿음이 적절히 활용됨으로써 특정한 결과를 목격할 때, 덕이 가시적으로 드러날 뿐 아니라 원했던 결과도 얻게 된다. 그리고 우리는 기적들이 일어나는 모습을 보게 된다.
- 이것은 사도적인 사람들이 지니는 경탄스러운 목적이자 책임이고 특권이다. 사도적인 사람들은 사람들로 하여금 일어나 각자의 믿음을 표현하도록 유도하는 일에 익숙하다. 그들은 영적인 역동성을 가진 분위기를 창출해내는 일에 익숙해져 있다. 사람들은 사도적인 사람들이 돌파의 기름부음이라는 덕을 풀어놓는 모습을 봄으로써 각자의 믿음을 표현하려는 동기부여를 받게 될 것이다.

활용되는 믿음

- "하나님을 믿으라 내가 진실로 너희에게 이르노니 누구든지 이 산더러 들리어 바다에 던져지라 하며 그 말하는 것이 이루어질 줄 믿고 마음에 의심하지 아니하면 그대로 되리라"(막 11:22-23).
- 이 땅에서 표현된 예수님의 사역 전체가 믿음(덕의 원천이신 하나님을 추구하는 일)과 깊이 연관되어 있었다. 주님의 사역은 하나님 아버지와의 최고로 친밀한 관계와 관련하여 표현된 것이었다.
- 주님은 하나님을 믿으셨지, 하나님이 하실 수 있는 일만을 믿으신 것이 아니었다. 예수님의 모든 사역은 단순히 하나님을 위한 것이라기보다는, 하나님 아버지 자체에 초점이 맞춰져 있었다.
- 이것은 사도적인 기름부음이 풀어지기 위한 가장 중요한 비결들 중 하나다. 우리는 단지 주님을 위해 사역하는 법만 배워서는 안 된다. 오히려 스스로 그리스도의 인격을 가지고 주님을 위해 사역하는 자들이라는 이해를 견지하고 있어야 한다.
- 수많은 사람들이 자신들의 정체성의 근거를 오직 현재 주님을 위해 성취하고 있는 사역에만 두고 있다. 그들은 이렇게 말한다. "내가 이 일 혹은 저 일을 하면 주님 앞에서 받아들여질까?" 한편 그들은 삶 속에서 동료들 사이에서 인정받고 받아들여지기 위해 끊임없이 애쓴다.

그들은 자신들이 그토록 얻기 원하는 모든 것들은 그리스도의 인격 안에서, 주 예수 그리스도를 위해 사역하는 데서 발견될 수 있음을 잘 알지 못하는 듯하다.
- 온갖 사도적인 사역의 풀어짐은 예수님의 인격을 중심축으로 삼는다.
- 달리 말해, 사도적인 기름부음이 풀어지는 비결은 모든 사역에 그리스도에게 초점을 맞추고, 그런 다음에야 비로소 그리스도를 위해 무언가를 할 수 있음을 깨닫는 것이다. 만일 우리가 사역의 초점을 오직 주님께 맞추고 우리 자신의 시간을 날마다 비워둔다면, 우리가 그 일을 주님의 기준과 주님의 판단에 맡겨드린다면, 또 우리가 주님이 의도하신 수준에서 이제껏 충분히 사역해왔다면 그렇게 될 것이다.
- 이렇게 할 때 우리는 어마어마한 해방감과 풀어짐을 경험하게 된다. 심지어는 주님 안에서 주님을 위해 사역하는 동안 즐거움마저 맛보게 될 것이다. 나는 이것이야말로 기적들을 풀어놓기 위한 중대한 열쇠라고 생각한다.
- "또 무엇을 하든지 말에나 일에나 다 주 예수의 이름으로 하고 그를 힘입어 하나님 아버지께 감사하라"(골 3:17).

효험 있는 믿음

- 믿음은 함께 공유되고 나누어질 때 비로소 효험을 발휘한다. 덕스러운 믿음은 함께 나누지 않으면 아무런 소용이 없다. 당신의 믿음을 소통할 때, 비로소 표적과 기사와 이적들이 나타난다. 당신은 믿음에 덕을 더해왔다. 그러므로 이제는 그 덕이 가시적으로 나타나게 해야 한다.
- "이로써 네 믿음의 교제가 우리 가운데 있는 선을 알게 하고 그리스도께 이르도록 역사하느니라"(몬 6).

CHAPTER 11

하나님의 긍휼

그리스도께서는 긍휼에 의해 움직이시는 분이다. 주님은 사람들의 삶을 만져주시고자 하는 간절한 열망으로 가득 차 계신다. 우리는 이러한 하나님의 긍휼하심을 나타내 보여주는 자들이 되어야 하며, 성도들에게 거룩한 사랑의 흐름을 따라 살아가도록 가르쳐주어야 한다. 우리는 너무나도 많은 사랑을 절박하게 필요로 하고 있는 세상 사람들 앞에, 그리스도의 능력을 자유롭게 표현해내는 자들이 되어야 한다.

버스정류장의 술주정뱅이

1970년대로 거슬러 올라가 CFNI에 다니던 시절, 나는 교회들로부터 설교 청탁이 들어오기만을 초조하게 기다렸다. 그래서 요양원 봉사사역을 하며 병자들을 위해 기도해주는 것을 하나의 방편으로 활용하였다. 이것에 관해서는 이미 앞에서도 언급한 바 있다.

이 시기 동안에 주님은 매우 남다른 방식으로 주님의 성품을 다양한 측면에서 계시해주시기 시작했다. 주님은 내가 누구를 위해 기도해주어야 하는지 민감하게 그분의 인도하심을 따라갈 수 있도록 가르치셨다. 기도 대상자를 알아내는 방법은 내 영으로부터 도움을 필요로 하는 사람을 향해 봇물처럼 터져 나오는 사랑을 따라가는 것이었다. 혹자는 이를 가리켜 하나님의 사랑이 흘러나오는 것이라고도 한다.

어느 날 오후 무렵 나는 주 안에서 형제 된 이와 함께 성령께서 주시는 영감을 따라 사역하고 있었다. 하나님께서 우리를 통해 수많은 사람들을 구원시하시고 만져주셨다. 사역을 마친 후, 우리는 걸어서 버스정류장으로 갔다. 정류장에 도착하여 식당으로 향하는 30개 정도의 계단을 올려다보았다. 식당은 대합실 위쪽에 있었는데 중간 지점쯤에 이르렀을 때, 한 남자가 난간 위에 매달린 채 무언가를 게워내고 있었다.

우리는 그 남자의 문제가 무엇인지 즉각적으로 알아챘다. 그는 만취된 상태로 몸을 제대로 가누지도 못하고 있었다. 한 손에는 술병이 든 갈색 종이가방을 느슨하게 쥔 채로, 층계의 난간 너머로 구역질을 하고 있었다. 그의 옷은 너덜너덜한데다가 몹시 더러웠다. 아마도 수개월 동안, 아니 수년 동안이나 목욕을 하지 않은 것 같았다. 그의 눈은 충혈될 대로 충혈되어 있었다.

그는 계속해서 심하게 구역질을 하고 있었다. 그가 있는 위치에서는 입을 딱 벌리고 멍하니 바라보고 있는 우리의 모습이 보이지 않았을 것이다. 그는 손등으로 자신의 입을 쓱 문질러 닦았다. 눈은 흐리멍덩하고 초점이 없었다. 구역질을 하던 중 그는 이런 말을 내뱉었다.

"내 안에 있는 이 알코올 귀신을 쫓아낼 방법은 없을까?"

친구와 나는 정말 충격적이라는 표정으로 서로의 얼굴을 쳐다보았다. 도대체 그가 무슨 말을 한 것일까? 우리 두 사람은 서로 시선을 주고받았다. 하나님께서 예배해두신 상황이 틀림없었다. 우리는 상당히 이해력이 뛰어난 사람들이었기 때문이다.

그와 동시에, 내 영으로부터 이 남자를 향한 긍휼이 물줄기처럼 흘러나오기 시작했다. 그를 위해 사역해주어야 하는 순간이었다. 그것은 하나님의 사랑의 흐름이었다. 이 남자의 아픔에 대해 내 마음 깊은 곳에서부터 긍휼이 솟아나고 있었다. 그가 더할 나위 없이 불쌍하게 느껴졌다. 그를 어떻게 해서든 도와주고 싶은 마음이 간절했다.

그 순간 갑자기 우리는 환상을 보기 시작했다. 두 사람이 동시에 동일한 환상을 체험하는 것은 지극히 드문 일이다. 우리 앞에 보이던 계단이 시야에서 사라지고, 그 대신 그곳에 액체와도 같이 소용돌이치는 영광이 넘실거리고 있었다. 이것이 내가 묘사할 수 있는 전부다. 물처럼 흐르는 빛이 너무나도 두터웠기에, 우리는 계단을 기어서 올라가기 시작했다. 정말 계단이 그 자리에 있는지 확인하기 위해 발가락으로 느껴보아야 할 정도였다. 발 딛고 있는 바닥조차 보이지 않았다. 우리가 느낄 수 있는 것은 오직 난간뿐이었다. 그 영광은 발목에서 무릎 정도의 깊이였고, 층계를 기어오르는 우리 앞에서 물결처럼 굽이치고 있었다.

우리가 그에게 가까이 다가가고 있을 때, 갑자기 영광이 그를 강타했다. 그리고 아주 잠깐 사이에 그 영광이 그를 삼켜버렸다. 그의 모습이 사랑의 액체에 가려져 보이지 않았다. 잠시 후 그가 다시금 우리 앞에 모습을 드러냈는데, 똑바른 자세로 꼿꼿하게 서 있는 모습이었다.

"하나님이 이곳에 계신 것이 느껴진다!" 그가 큰소리로 외쳤다. 그리고 계속해서 회개했다. "하나님, 내 죄를 용서해주십시오! 나의 삶을 용서해주십시오! 내 인생을 주님께 드립니다!" 확실히 그는 만취하기 전에 구원에 관한 진리를 어느 정도 알고 있었던 게 분명하다.

순식간에 그는 맑은 정신을 되찾았다. 눈빛도 밝아졌고, 눈동자의 초점도 회복되었다. 그는 손에 쥐고 있던 갈색 가방을 바닥에 버려둔채 이렇게 외치기 시작했다. "나는 이 귀신으로부터 자유케 되었다! 할렐루야! 주님을 찬양합니다!"

그는 우리가 지켜보고 있다는 사실은 전혀 눈치 채지 못한 채, 우리 곁을 지나 층계 아래로 질주해 내려가면서 큰소리로 함성을 지르며 주님을 찬양했다. 나와 동료는 그를 위해 기도조차 해준 적이 없었다. 이제 계단 난간에 매달려 있는 쪽은 우리였다. 우리는 방금 전에 일어난 일로 인해 어안이 벙벙해진 채 성령의 영광에 온통 취해 있었다.

사랑의 행보

방금 전에 소개한 단 한 번의 체험을 통해, 나는 거룩한 사랑의 흐름을 따르는 법에 관해 배우게 되었다. 긍휼은 어떤 필요를 향해 투사되는 사랑이다. 나는 그리스도께서 긍휼에 의해 움직이시는 분임을 알게 되었다(마 14:14, 20:34; 막 1:41, 5:19, 6:34). 주님은 사람들의 삶을 만져주시려는 간절한 열망으로 가득 차 계신다. 우리는 사도적인 사람들로서 이러한 하나님의 긍휼하심을 보여주는 자들이 되어야 하며, 성도들에게 거룩한 사랑의 흐름을 따라 살아가도록 가르쳐야 한다. 우리는 너무나도 많은 사랑을 절박하게 필요로 하고 있는 세상 사람들 앞에, 그리스도의 능력을 자유롭게 표현해내는 자들이 되어야 한다.

앞에서도 언급한 바 있으나, 사도적 기름부음이 풀어지면 그리스도의 신부에게 자유가 임한다. 이것은 하나님 앞에서뿐 아니라 다른 사람들 앞에서도 마음껏 자신을 표현할 수 있는 자유이며, 아울러 하나님께서 친히 그리스도의 신부 앞에서 마음껏 주님을 표현하실 수 있는 자유이기도 하다. 하나님 아버지께서 이런 자유를 풀어주시는 데는 이유가 있다. 하나님은 주님의 신부가 주님을 보다 온전히 알고, 신랑(예수님)이신 주님을 철저히 이해하기 원하시기 때문이다.

창세기 24장에서 리브가는 그리스도의 신부를 상징한다. 그녀는 순결한 처녀로서 아버지와 본토를 떠나 이삭을 남편으로 맞이하였다. 우리는 신랑이신 주님을 맞아들이기에 합당한 신부가 되어야 한다. 그러면 옛 삶을 벗어버리고, 주님과 함께 새로운 삶을 시작해야 한다.

오늘날 여러 계열의 교회에서 종종 간과하고 있는 매우 단순한 개념이 있다. 우리는 일단 사람이 구원을 받으면, 이제까지의 낡은 삶의 방식들이 모두 사라져버린다고 생각한다. 그러나 사실은 그렇지 않다. 흔히들 말하듯이, 당신이 애굽(죄의 한 형태)에서 빠져나왔다고 해서, 반드시 당신의 혼적인 삶 속에 들어 있던 애굽에 관한 모든 것들이 빠져나오는 것은 아니다. 신랑의 품안에 들어가는 사랑의 행보는, 자연적이고 세상적인 것들을 모두 버려두고 떠나는 것으로부터 출발한다. 나아가 우리는 모든 관심을 우리의 신랑에게 쏟아야 한다. 시편 45편은 신부를 향해 다음과 같이 말하고 있다.

> 딸이여 듣고 보고 귀를 기울일지어다 네 백성과 네 아버지의 집을 잊어버릴지어다 그리하면 왕이 네 아름다움을 사모하실지라 그는 네 주인이시니 너는 그를 경배할지어다 (시 45:10-11)

요한의 권고를 상기해보자.

이 세상이나 세상에 있는 것들을 사랑하지 말라 누구든지 세상을 사랑하면 아버지의 사랑이 그 안에 있지 아니하니 이는 세상에 있는 모든 것이 육신의 정욕과 안목의 정욕과 이생의 자랑이니 다 아버지께로부터 온 것이 아니요 세상으로부터 온 것이라 이 세상도, 그 정욕도 지나가되 오직 하나님의 뜻을 행하는 자는 영원히 거하느니라 (요일 2:15-17)

우리의 신랑이신 주님은 신부에 대해 맹렬히 질투하시는 분이다. 주님은 신부를 그 누구와 공유하지 않으실 것이다.

내가 세상에 화평을 주러 온 줄로 생각하지 말라 화평이 아니요 검을 주러 왔노라 내가 온 것은 사람이 그 아버지와, 딸이 어머니와, 며느리가 시어머니와 불화하게 하려 함이니 사람의 원수가 자기 집안 식구리라 아버지나 어머니를 나보다 더 사랑하는 자는 내게 합당하지 아니하고 아들이나 딸을 나보다 더 사랑하는 자도 내게 합당하지 아니하며 (마 10:34-37)

사도적 기름부음은 우리가 신랑이신 주님 앞에서 스스로를 자유롭게 표현할 수 있게 해준다. 우리는 옛것들을 버리고 떠나 주님께 열정적으로 매달려야 한다. 세상을 버리고 떠나온 후에, 우리는 온전한 헌신과 자기포기와 숭배의 마음으로 주님을 사랑하고 있는 자신을 발견하게 된다. 요한이 언제나 끊임없이 주님만을 사랑했던 것처럼, 우리도 그래야 한다.

> 예수의 제자 중 하나 곧 그가 사랑하시는 자가 예수의 품에 의지하여 누웠는지라 (요 13:23)

예수님 당시, 이스라엘 사람들은 기대어 누워 음식을 먹었다. 그것은 머리부터 발끝까지 온몸으로 낮은 테이블을 둘러싸고 있는 듯한 자세였다. '의지하여'(leaning, 아나케이마이[anakeimai])라는 말에는 '기대다'의 의미도 내포되어 있다. 예수님 가장 가까이에 기대어 누운 사람은 상석을 차지하고 있었을 것이다. 그러나 요한은 예수님이 사랑하신 제자였던 자신의 이름을 밝히지 않는다. 그는 그만큼 겸손한 사람이었다.

요한은 여러 번 반복적으로 예수님의 품에 기대어 있었다. 이것이 바로 '우레의 아들'(막 3:17)을 '사랑받는 자'로 변화시켜 준 힘이었다. 여기서 중요한 것은 이것이 교리적으로 타당한지의 여부를 떠나서, 예수님의 사랑 안에 머물러 있음으로써 우리가 변화된다는 사실이다. 그리스도의 품에 거듭 기대어 있는 시간을 갖게 될 때, 우리는 신랑이신 주님을 진정으로 사랑하는 자로 변화된다.

예수님은 모든 제자들을 똑같이 사랑해주셨다. 그러나 요한은 조금이라도 주님께 더 가까이 있기 위해 특별히 애썼던 것으로 보인다. 또한 그로 인해 실제로 그의 마음도 변화되었다. 그는 오직 주님만을 향한 순전하고 순수한 갈망을 소유하게 되었다. 이것은 우리들도 반드시 계발해야 하는 갈망이다. 시편 기자의 말씀을 들어보자. "노래하는 자와 뛰어 노는 자들이 말하기를 나의 모든 근원이 네게 있다 하리로다"(시 87:7).

우리는 마르다의 누이였던 마리아처럼 되어야 한다. 마리아처럼 우리도 주님의 발치에 앉아 주님의 가르침에 온전히 몰입하여 경청해야 한다. 다른 데로는 눈길조차 돌리지 않고, 오직 주님의 가르침을 받는 일만 갈망해야 한다(눅 10:39). 우리는 항상 우리의 연인이신 주님만을 바라면서, 늘 만족스런 불만족의 상태로 살아가야 한다. 이 점에 관해서는 1장에서 언급한 바 있다.

> 내가 밤에 침상에서 마음으로 사랑하는 자를 찾았노라 찾아도 찾아내지 못하였노라 (아 3:1)

우리는 언제나 예수님을 찾고 또 찾아야 하며, 주님이 머지않아 재림하실 것을 간절히 열망해야 한다. 언젠가는 우리가 주님이 사랑하시는 신부임을 알게 됨으로써 만족할 때가 올 것이다. 그러나 현재 우리가 주님과 더불어 누리고 있는 친밀감의 정도나 수준은 만족스럽지 못하다. 우리는 늘 복스러운 소망과 우리의 크신 하나님 구주 예수 그리스도의 영광이 나타나기를 기다려야 한다(딛 2:13). 그 이유는 다음과 같다.

> 이와 같이 그리스도도 많은 사람의 죄를 담당하시려고 단번에 드리신 바 되셨고 구원에 이르게 하기 위하여 죄와 상관 없이 자기를 바라는 자들에게 두 번째 나타나시리라 (히 9:28)

> 이제 후로는 나를 위하여 의의 면류관이 예비되었으므로 주 곧 의로우신 재판장이 그 날에 내게 주실 것이며 내게만 아니라 주의 나타나심을 사모하는 모든 자에게도니라 (딤후 4:8)

사랑이 우리 안에 채워져야 한다. 우선은 사랑을 받아야 그것을 표현할 수가 있다. 이 사랑의 행보는 우리 편에서 떠나고, 사랑하고, 찾아다니면서 이루어진다. 떠나기와 사랑하기와 찾아다니기 모두 우리의 신랑이신 주님을 위한 것들이다. 이것이 바로 신부와 신랑을 위한 하나님의 놀라운 긍휼이 사도적인 방식으로 계시된 모습이다. 이로써 우리는 하나님 아버지로부터 받아 누리던 것을, 다시 하나님 아버지를 향해 마음껏 표현해드리는 자유를 선사받게 된다.

일단 사도적인 사람들이 이같이 하나님 아버지의 긍휼을 드러내 보일 때, 우리는 신적인 사랑의 흐름을 좀더 온전히 따라가는 자들로 구비된다. 사랑의 흐름을 따라 살아가는 모습이야말로, 우리가 세상 사람들에게 보여줄 수 있는 사역의 보증이다. 세상 사람들의 필요들이 충족되는 모습을 보기 위해, 우리는 사랑에서 우러나온 행동을 한다. 사랑의 행보를 기념함으로써 우리는 사역하는 동안 줄곧 결실을 거둘 수 있게 된다.

이 가르침에 관해 좀더 깊이 알기 원하는 이들을 위해 데이빗 알소부룩의 《사랑하는 법》(Learning to love)을 소개한다. 내가 여기서 언급한 견해들 중 몇 가지는 그의 책에서 통찰을 얻었다.

이제는 나의 경험들 몇 가지를 당신에게 이야기해주려고 한다. 특별히 역동적이었던 이 만남들을 통해, 우리는 사랑의 행보 가운데 어떠한 일들이 일어나는지 알게 될 것이다.

텍사스 주 박람회

텍사스 주 달라스는 연례적인 박람회(State Fair)로 특히 잘 알려져 있다. 그곳에서는 약 180센티미터 크기의 카우보이 인형이 다음과 같은 말을 큰소리로 반복한다. "여러분, 안녕하십니까? 텍사스 주 박람회에 오신 것을 환영합니다!"

사람들로 붐비는 박람회장에서 CFNI 학생들과 함께 사역을 하고 있을 때였다. 유독 한 벤치에 앉아 있는 젊은 여성이 내 눈에 띄었다. 즉각적으로 나는 그녀가 귀신에 시달리며 고통 받고 있음을 알 수 있었다. 갑자기 내 안에서 그녀를 향한 거룩한 사랑이 솟구쳤다. 성령께서 나를 확 잡아당기시는 듯했다. 나는 주체할 수 없는 긍휼의 마음을 가지고 그 불쌍한 여인 쪽으로 이끌려갔다. 한 자매님이 나와 함께 가주었다.

"안녕하세요?" 나는 그녀에게 먼저 인사를 건네면서, 우리가 CFNI에서 온 학생이라고 소개하였다. 그녀는 멍한 표정으로 우리를 쳐다보았다.

"혹시 저희가 기도해드릴 일이 있나요?"

나는 직설적으로 간단하게 물었다. 말을 빙빙 돌려보았자 무슨 소용이 있겠는가. 그녀는 우리를 조롱하는 대신, 울기 시작했다. 눈물을 흘리면서, 그녀는 애써 다음과 같이 털어놓았다.

"바로 얼마 전에 직장에서 해고를 당했어요. 저의 이런 상태가 이미 여러 해 동안 지속되어 왔기 때문이에요. 몸에서 출혈이 멈추지 않고 있는 까닭에, 제 건강은 몹시 쇠약해졌어요. 마침내 상사도 참다못해 저를 내보내기로 했어요. 제 남편도 제가 떠나기를 바라고 있어요. 제가 가진 문제들에 싫증이 났기 때문이죠. 저는 외톨이가 된 느낌이에요. 이제 조금 있으면 아파트도 잃게 될 거에요. 집세를 낼 돈이 없으니까요. 잘 모르겠어요. 늘 이렇게 아픈 것도 이제는 지겨워요. 지금 제 머릿속에는 '더 이상 이렇게 살아야 할까' 하는 생각만 맴돌고 있어요." 그녀는 계속해서 울었다.

이제 사랑의 행보를 따름으로써 또 하나의 거룩한 상황이 펼쳐지고 있었다. 당시 나는 아직 어린 학생이었음에도 불구하고, 궁핍한 상황에 처해 있는 사람들을 위해 하나님의 사랑에 민감하게 반응하는 법을 계발해가고 있었다. 긍휼의 흐름 따라가기, 이것은 언제나 나를 바른 길로 인도해주었다.

당시 나는 스미스 위글스워스의 책을 완독하고 난 직후였다. 그의 책 중 어느 장의 제목이 '네가 낫기를 바라느냐?'였다. 그는 기도해주기 위해 사람들에게 다가갈 때면, 유달리 직설적이고 퉁명스런 태도를 취하는 경향이 있었다. 만일 그가 그렇게 할 수 있다면, 나라고 못할 이유가 무엇인가?

"제가 당신을 위해 기도해 드리겠습니다." 내가 말했다. "제가 당신을 위해 기도할 때, 당신을 억압하고 있던 영들이 당신의 생각에서 떠나갈 것입니다. 당신을 위한 기도를 마친 후에, 저는 예수님의 이름으로 당신을 일으켜 세울 것입니다. 이제 당신의 정신은 온전해질 것입니다. 괜찮겠습니까?"

"네."

그런데 그때부터 나의 이성이 판단을 시작했다. '이 친구야! 여기서 너무 주제넘는 태도를 보이는 거 아냐? 그렇게 생각하지 않니?' 나는 이런 생각을 꿀꺽 삼켜버렸다. 다만 그 여인을 향한 사랑의 흐름만을 느끼며 나의 이성을 향해 이렇게 소리쳤다. '나는 하나님의 말씀만을 신뢰할 것이다!' 그리고 나서, 나는 예수님의 이름으로 그녀를 위해 기도해주었다.

일단 기도를 끝낸 후, 나는 동료와 함께 그녀를 자리에서 일으켜 세웠다. 그리고 서로의 손을 잡았다. 우리의 모습은 틀림없이 매우 우스꽝스럽게 보였을 것이다. 세 사람이 아이스크림 가게 바로 옆에서 작은 원을 만들고 서 있었으니 말이다. 우리 옆쪽에서는 몇몇 힌두교도들이 긴 예복을 입고 춤추고 노래하며, 지나는 행인들에게 꽃을 나눠주고 있었다.

바로 그때 하나님의 권능이 임했다. 하나님의 능력이 내 팔에 임하여 오른손을 통해 나오는 것이 느껴졌다. 갑자기 그 능력이 그 여인의 손으로 밀려들어가자, 그녀는 벤치 위에 무너지듯 주저앉았다. 친구들이여! 그녀는 바로 그 자리에서 성령의 능력으로 바닥에 쓰러져버린 것이다. 나도 능력으로 인해 비틀거리면서 2미터가량 뒤로 밀려났다.

나는 아주 잠깐 동안 정신을 잃었다. 잠시 후에 다시 의식을 회복하긴 했으나, 거의 제대로 서 있을 수조차 없었다. 바로 그 순간 이후부터, 내 두 손바닥, 특히 내 오른손에 무언가가 쌓였다. 이 두나미스(이 단어를 기억하는가?) 기름부음에 관해서는, 하나님의 권능에 관한 장에서 좀더 심도 있게 살펴보기로 하겠다.

"제가 치유되었어요! 치유되었다고요! 오, 하나님 감사합니다. 치유되었어요!" 그 젊은 여성이 소리를 지르기 시작했다. 내 안에 확신이 들었다. 나는 그녀가 귀신의 억압으로부터 완전히, 전적으로 자유케 되었다는 사실을 한 치도 의심하지 않았다. 성령에 온통 취해 있던 동료 자매도 자리에서 일어나기 위해 애를 쓰고 있었다.

우리는 비틀거리는 걸음으로 그곳을 떠나왔다. 여전히 그 여성은 함성을 지르며 기뻐하고 있었다. 그녀가 자신의 삶을 하나님께 드렸을 때, 주님은 그녀를 자유케 해주셨다. 힌두교도들도 입이 벌어진 채 가만히 서서, 도대체 방금 전 무슨 일이 일어났는가에 대해 의아해하고 있었다.

뇌성마비 소녀

이 사건 이후로 여러 해가 지난 뒤에 나는 어느 특별한 가정모임에서 사역하고 있었다. 그곳에는 어린 여자아이를 데려온 부모가 있었다. 아이는 5살가량 되어 보였다. 그 아이가 뇌성마비를 앓고 있음은 누가 보아도 알 수 있었다. 그 부모는 어린 딸을 전심으로 사랑했다. 그도 그럴 것이, 고통받는 아이를 생각하면 부모의 마음은 망연자실해지기 마련이다.

뇌성마비와 관련된 온갖 장애들 중에서도, 특히 이 여자아이의 경우 평형상태가 깨어 있었다. 그래서 걸을 때마다 심하게 뒤뚱거렸다. 만성적인 질병으로 아이가 고군분투하는 부자연스런 모습을 보는 것만으로도 참담하기 이를 데 없었다. 그 아이는 마치 늘 현기증을 느끼는 것처럼 곧잘 쓰러졌다. 그런 아이를 보는 내 마음은 찢어지듯 아팠다. 내 안에서 그 아이를 향한 긍휼의 마음이 복받쳐 흐르고 있었다. 마음이 몹시 아팠다.

아이에게 안수해주기 위해 가까이 다가가려고 하자, 성령께서 나를 저지하셨다. 주님이 내 안에 다음과 같은 감동을 주셨다. "그 아이에게는 기도가 필요 없다. 단지 아이를 안아 올리며 사랑을 표현해주어라." 그래서 나는 그 아이를 들어올리며 안아주었다. 회중들은 내 등 쪽을 바라보고 있었다.

나는 꼬마아이를 안고 흔들어주기도 하면서 단지 사랑을 표현해주기만 했다. 그러는 내내 내 영으로부터 주체할 수 없는 긍휼의 마음이 흘러나왔다. 나중에 듣게 된 사실인데, 나는 15분 동안이나 그 아이를 안아주었다고 한다. 그러나 내게는 그 시간이 그리 길게 느껴지지 않았다.

그 15분 내내 내 영에서 온통 사랑과 긍휼이 솟아올랐다. 마치 사랑과 긍휼이 아이를 완전히 뒤덮고 있는 듯했다. 아이가 그 사랑과 긍휼에 젖어 들수록, 그것은 점점 더 고조되었고, 마침내 터질 듯한 느낌이 되었다. 나는 아이를 위해 단 한마디도 기도하지 않았다.

그런데 어느 순간 사랑의 흐름이 더 이상 흘러나오지 않는 것이 느껴졌다. 나는 미소 띤 얼굴로 고개를 돌려 아이의 부모를 보았다. 그리고 안고 있던 아이를 바닥에 내려놓아 세워준 후에 이렇게 말했다. "자, 이제 엄마, 아빠가 계시는 데로 뛰어가렴."

그러자 그 작은 여자아이는 완벽하게 직선코스로 부모를 향해 달려갔다!

물론 온 집안은 흥분의 도가니로 변했다! 그 가정모임이 열렸던 지역에서 멀지 않은 곳으로 돌아온 후 몇 주가 지났을 때, 교회 주차장에서 우연히 그 아이의 부모를 만났다. 그들은 딸아이의 뇌성마비가 완전히 치유되었으며, 지금은 아이가 심지어 나무를 타고 놀 수 있게 되었다고 말해주었다! 그들은 모든 영광을 주님께 올려드렸다. 나도 큰 소리로 주님을 찬양했다! 할렐루야!

이제 당신은 왜 우리가 거룩한 사랑의 흐름을 따라가야 하는지 이해되는가?

우정의 행보

다윗이 사울에게 말하기를 마치매 요나단의 마음이 다윗의 마음과 하나가 되어 요나단이 그를 자기 생명 같이 사랑하니라 그 날에 사울은 다윗을 머무르

게 하고 그의 아버지의 집으로 다시 돌아가기를 허락하지 아니하였고 요나단
은 다윗을 자기 생명 같이 사랑하여 더불어 언약을 맺었으며 (삼상 18:1-3)

내 형 요나단이여 내가 그대를 애통함은 그대는 내게 심히 아름다움이라 그대
가 나를 사랑함이 기이하여 여인의 사랑보다 더하였도다 (삼하 1:26)

하나님의 긍휼이 드러날 때, 우리는 다른 사람들에게 우리 자신을 자유롭게 표현하게 된다. 상대방에게 친절히 대하고, 사랑을 주고받으며, 서로 돌보게 된다. '혼의 묶임'(soul-tie)이 반드시 사악한 것은 아니다. 사실, 모든 사람들이 친구를 필요로 한다. 문화와 인종, 사회의 테두리 안에 살아가면서 다른 이들과 관계를 주고받는 것은 인간의 조건이다. 우정을 통해 관계를 주고받는 가운데 우리는 벽을 허물어뜨리는 법을 배운다.

사도적인 사람들은 우정을 통해 인간성과 창조성을 표현하며, 이는 계속해서 사랑의 표현, 은혜의 가시적인 나타나심으로 이어진다. 우정이 형성되는 까닭은 사랑 때문이다. 사랑은 반드시 대상을 필요로 하며, 반드시 상호적인 것이어야 한다(데이비드 알소부룩).

하나님 아버지께서는 피조물인 인간과 우정과 친교를 주고받기 원하셨다. 창세기 1장 31절은 다음과 같이 말씀한다. "하나님이 지으신 그 모든 것을 보시니 보시기에 심히 좋았더라." 예수님도 제자들과 더불어 우정과 친교를 나누기 원하신다. 우리는 주님의 신부이지 노예가 아니다.

너희는 내가 명하는 대로 행하면 곧 나의 친구라 이제부터는 너희를 종이라 하지 아니하리니 종은 주인이 하는 것을 알지 못함이라 너희를 친구라 하였노니

내가 내 아버지께 들은 것을 다 너희에게 알게 하였음이라 너희가 나를 택한 것이 아니요 내가 너희를 택하여 세웠나니 이는 너희로 가서 열매를 맺게 하고 또 너희 열매가 항상 있게 하여 내 이름으로 아버지께 무엇을 구하든지 다 받게 하려 함이라 내가 이것을 너희에게 명함은 너희로 서로 사랑하게 하려 함이라 (요 15:14-17)

예수님은 우리를 종의 신분에서 친구의 신분으로 끌어올려 주셨다. 종에게는 제한된 정보와 권세만 부여된다. 그러나 주님은 친구들에게 모든 것을 알려주신다.

많은 친구를 얻는 자는 해를 당하게 되거니와 어떤 친구는 형제보다 친밀하니라 (잠 18:24)

체포당하기 불과 몇 시간 전에, 예수님은 미래의 사도들을 종의 위치에서 보다 높은 친구의 위치로 상승시켜 주셨다. 사실 주님은 그들을 친구라 부르시기 바로 직전에 주님의 위대한 계명을 말씀해주셨다.

내 계명은 곧 내가 너희를 사랑한 것 같이 너희도 서로 사랑하라 하는 이것이니라 사람이 친구를 위하여 자기 목숨을 버리면 이보다 더 큰 사랑이 없나니 (요 15:12-13)

그리스도께서는 우정을 중요하게 여기신다. 주님은 자신의 목숨을 친구들을 위해 내어놓으셨다. 이유가 뭘까? 주님께서 이렇게 하신 이유는 우리로 하여금 그 안에서 그분을 믿음으로 담대함과 확신을 가지고 하나님께 나아가게 하시기 위함이었다(엡 3:12).

이 책에서 나는 상당 분량을 하나님께 담대하게 나아가는 것에 관해 다루었다. 여기서는 조금 더 깊이 들어가 보도록 하자. 우정의 기름부음(friendship anointing)을 통하여 사도적인 사람들의 활동을 좀더 잘 이해하기를 바란다.

당신이나 나 하나님 아버지와 보다 친밀한 관계를 누리기를 갈망한다. 그렇지 않은가? 다시 말해, 우리는 사역에 있어서나 사적인 관계들에 있어서 보다 높은 차원의 열매를 맺기 바란다. 성령님은 우리의 믿음의 여정 가운데 '광야의 체험'과의 싸움이 끝나가고 있다고 말씀하신다. 따라서 성령님의 말씀에 기초하여 생각해볼 때, 열매 없이 친밀함만 누리는 시기가 이제 곧 막을 내릴 것이다! 이 얼마나 놀라운 사실인가!

하나님 아버지께서 우리에게 어마어마한 보물, 곧 주님의 명성을 위임해주셨다. 우리 위에 임하신 주님의 명성을 정의하는 또 다른 말이 있다. 바로 우리가 가진 주님에 관한 체험적 지식을 다른 사람들의 유익을 위해 바꾸어 표현하는 능력이다. 사도적 기름부음을 풀어놓는 중요한 비결 중 하나는, 하나님의 명성을 다른 사람들을 위해 실제적으로 가시화시켜 표현하려는 강력한 열망이다.

그리스도와의 가깝고 친밀한 우정을 통해, 우리는 담대하게 주님의 명성에 다가갈 수 있다. 나에게 '다가간다'(access)는 것은 '언제라도 그리스도의 은총과 도우심을 받으며 대화를 주고받을 수 있는 자유, 단순하게는 주님의 전적인 관심을 받는 것'이다. 이것은 당신이 실제적으로 하나님 아버지께 무언가를 간구하고, 간구한 대로 받는 일의 도입부에 해당한다.

당신이 하나님께 요청한 필요가 크든 작든 상관없다. 우리에게는 우정의 기름부음을 통하여 주님께 요청드릴 권리가 있다. 이것은 오직 우리가 예수 그리스도와 더불어 주고받는 관계가 어떠한지에 기반을 두고 있다. 우리는 종이 아니라 친구다. 친구는 친구가 가진 장점들을 이용할 수 있다. 우리는 하나님 아버지께 선한 은혜들이 무궁무진하다는 사실을 잘 알고 있다.

우리가 사도적인 우정의 기름부음이 기능하는 모습을 목격하지 못하고 있다면, 이는 능력이 부족해서가 아니라 오히려 주님의 권위 아래 있는 사람들, 스스로를 주님의 친구라 부르는 사람들에 대한 권세를 활용하지 못하고 있기 때문이다(요 15:14를 기억하라).

사도적인 사람들은 사람들이 최상의 형태로 하나님의 사랑을 경험할 수 있도록 돕는다. 사도적 기름부음은 하나님 아버지의 받아주심을 나타내 보여준다는 사실을 잊지 마라. "나는 나의 독생자를 받아들인 것과 동일한 수준의 열정으로 너를 받아들인다." 성부 하나님은 성자 예수님을 사랑하신다. 이런 표현을 어떻게 받아들일지 모르겠지만, 성부 하나님과 성자 하나님은 그야말로 가장 친한 친구 사이다.

'친구를 위하여 목숨을 버린다'는 맥락에서 생각해볼 때, 우리는 사람들을 위해 목숨을 주어야 한다. 우리가 하나님 안에서 경험한 모든 것들, 우리 안에 있는 온갖 좋은 것들을 그들에게 제시해주어야 한다. 우리의 체험들을 전해줌으로써 그들도 하나님과의 만남을 경험할 수 있도록 해주어야 한다. 이번 장의 취지에 맞게 설명하자면, 이는 하나님의 친구로 살아가면서 놀라운 계시를 받은 일단의 사람들을 일으켜 세우는 것을 의미한다.

심지어 성령님도 당신과의 우정을 갈망하신다. 고린도후서 13장 13절의 말씀을 들어보자. "주 예수 그리스도의 은혜와 하나님의 사랑과 성령의 교통하심이 너희 무리와 함께 있을지어다." 삼위일체의 하나님은 피조물과의 우정을 위해 함께 협력하신다. 지혜이신 하나님은 우리에게 친구가 필요하다는 사실을 너무도 잘 아신다. 왜냐하면 우리가 친구들 없이는 불완전할 수밖에 없는 존재로 만들어졌기 때문이다.

'친교'(communion)는 헬라어로 '코이노니아'(koinonia)다. 이 단어는 연합, 사귐, 상호 간의 나눔, 동역자 관계, 우정 등을 의미한다.

우리와 교제를 나누시기 위해, 그리스도께서는 마치 이렇게 말씀하고 계신 듯하다. "나는 네가 내 아버지께 언제라도 자유롭게 나아올 수 있도록 허락해주었다. 내가 아버지께 받은 것 중에서 네게 감추어둔 것은 조금도 없다. 나는 네게 모든 것을 알려주겠다! 내 주인이신 아버지의 목적과 계획들 가운데로 너를 인도해가겠다. 대신에 나는 너도 다른 사람들과 그러한 사귐을 주고받기 원한다."

그리스도 안에서 한마음이 된 다른 이들과의 우정을 통해서 주님은 다음과 같은 약속을 우리에게 주신다. "두세 사람이 내 이름으로 모인 곳에는 나도 그들 중에 있느니라"(마 18:19). 이것이 바로 집단적인 그리스도의 몸 위에 펼쳐진 열린 하늘이다. 이것은 당신이 형제들에게 베푸는 우정과 사랑의 수준과 직접적인 관련이 있다!

데이빗 알소부룩이 쓴 《사랑하는 법》에 따르면, 우정의 주된 목적은 크게 네 가지다. 이 내용은 전도서 4장 9-12절에서도 찾아볼 수 있다. 우정은 우리의 일(work), 우리의 행보(walk), 우리의 따뜻함(warmth), 우리의 전쟁(warfare)을 위한 것이다. 참으로 빈틈없는 교훈이지 않은가?

전도서 4장 9절은 우리의 일에 관한 것이다. "두 사람이 한 사람보다 나음은 그들이 수고함으로 좋은 상을 얻을 것임이라." 10절은 우리의 행보에 관한 것이다. "혹시 그들이 넘어지면 하나가 그 동무를 붙들어 일으키려니와 홀로 있어 넘어지고 붙들어 일으킬 자가 없는 자에게는 화가 있으리라." 11절은 우리의 따뜻함에 관한 것이다. "또 두 사람이 함께 누우면 따뜻하거니와 한 사람이면 어찌 따뜻하랴." 마지막으로 12절은 우리의 전쟁에 관한 것이다. "한 사람이면 패하겠거니와 두 사람이면 맞설 수 있나니 세 겹 줄은 쉽게 끊어지지 아니하느니라."

> 그들의 반석이 그들을 팔지 아니하였고 여호와께서 그들을 내주지 아니하셨더라면 어찌 하나가 천을 쫓으며 둘이 만을 도망하게 하였으리요 (신 32:30)

이처럼 하나님 아버지의 계시가 우리에게 우정을 추구하도록 요구하신다. 주님은 우리에게 원수를 정복하기 위해 다른 사람들 그리고 주님과 협력하라고 말씀하신다. 우리는 모든 것을 혼자의 힘으로 해내도록 지어진 존재들이 아니다. 사람들이 종종 실패하는 이유도 바로 여기에 있다.

예수님의 인성

예수님은 많은 형제 중에서 맏아들이시다(롬 8:29). 이제 주님은 우리를 친구라 부르시며(이것은 많은 형제들의 일부다), 우리에게 모든 것을 알려 주신다. 친구들끼리는 아무것도 감추지 않는다. 주님은 하나님 아버지로부터 들으신 모든 말씀을 우리에게 알려주신다. 이것이 바로 연합이며, 그리스도와 협력하는 것이다.

종종 '동역자'(co-laborer)라는 말을 사용하는데, 이는 체험을 함께 나누고, 하나님 아버지의 영광과의 만남과 표현들을 함께 나누는 것을 의미한다. 천국의 실체들이 우리 영에 알려지게 되는 것은, 우리가 친구이신 주님과 하나로 연합되었기 때문이다. 이제 우리는 그러한 천국의 실체를 다른 사람들이 볼 수 있게 표현한다.

사도적인 사람들은 그리스도의 능력을 간증함으로 인간성을 회복시키는 일에 능숙한 자들이다. 예수님은 온전한 인간이셨다(또한 물론 온전한 하나님이시기도 했다). 사도적인 사람들은 이러한 예수 그리스도의 인성을 가시적으로 드러낸다. 주님께서 아버지 하나님의 말씀을 들으시고, 영광의 만남들을 다른 사람들이 이해할 수 있도록 바꾸어 표현해 주신 것처럼 말이다.

이런 영광의 체험들은, 이해하기 쉽게 표현해주는 돌파의 기름부음이 없으면, 사람들이 보기에 매우 기괴하고 환각적인 거짓 종교적 표현이 되고 만다. 달리 말해, 만일 그리스도께서 돌파의 기름부음을 보여주시지 않았다면, 사람들은 주님의 기적적인 능력을 이해조차 할 수 없었을 것이다. "주님은 오로지 하나님이셨던 것이 분명해요. 우리는 확실히 하나님이 아니잖아요. 그러니 우리는 이러한 위업들을 결코 이뤄낼 수 없어요." 그렇게 되면 주님의 능력은 여전히 천상적이고 신비스런 형태로 남아 있을지도 모른다.

그러나 사도적인 사람들은 이러한 잘못된 철학을 무효화시키도록 부름 받았다. 인간성을 통해 가시화된 하나님의 능력은, 결코 신비주의적이거나 기상천외한 것이 아니다. 하나님의 능력은 지극히 실제적인 것으로 우리와 예수 그리스도 그리고 성부 하나님과의 관계를 토대로 하여 나타난다. 이러한 은혜와 하나님 체험, 하나님께 담대하게 가까이 나아감 등은 모두 사랑과 우정으로부터 말미암는 것들이다.

참으로 사도적인 사람들은 하나님 아버지의 긍휼을 밝히 드러내도록 부름 받은 자들이다. 물론 그것은 초자연적인 것이긴 하지만, 동시에 인간성과 함께 어우러져 있다. 하나님께서는 주님의 친구들과 협력하여 일하신다. 극단적인 종교 분파에서는, 이런 내용을 이단적이라고 여긴다. 그러나 사도적 기름부음은 이런 오해를 반전시켜 놓는다.

우리가 하나님의 친구로서 언제라도 주님께 나아갈 수 있다는 깨달음으로부터 담대함이 생긴다. 예수님이 하나님 아버지의 역사를 목도할 수 있다는 담대함과 확신을 드러내셨듯이, 우리도 동일한 일을 목격할 수 있다는 담대함과 확신을 가질 수 있다. 우리는 성부 하나님께서 예수님을 사용하셨듯이 우리도 사용해주실 것을 확실히 믿는다. 우리의 독특한 표현들을 함께 나눔으로써, 우리는 본연의 모습이 될 수 있다.

우리는 그저 평범한 인간일 뿐, 결코 초인간적이거나 신비주의적이거나 도깨비 같은 사람이 아니다. 우리의 위대한 본이신 예수님은 결코 이상야릇한 분이 아니시다. 주님은 인간이셨고 매우 인간적인 방식으로 기능하셨다. 유머감각도 있으셨고, 진지하기도 하셨고, 보통사람이셨다.

우리들과 마찬가지로, 사람의 아들로서 주님은 주님만의 독특한 개성, 주님만의 고유한 감정적 표현력, 주님만의 고유한 인격을 가지고 계셨다. 주님도 성령으로 기름부음을 받으셨다(히 1:9, 행 2:22).

주님은 그분의 능력과 권세를 사람들과 공유하신다. 사람들이 주님의 뜻에 복종할 때, 그들에게 성령으로 기름 부어주신다. 이것이 바로 질그릇 안에 가지고 있는 주님의 기름부음이라는 보배다(고후 4:7). 주님은 이렇게 하시면서 크게 기뻐하신다. 주님은 하찮은 먼지와 흙과 이야기하시고 함께 행하심으로써 자신을 나누어주기를 좋아하신다. 왜냐하면 그렇게 하시는 것 자체가 주님의 위대하심을 나타내는 것이기 때문이다.

기름부음이 임하여 우리의 인간성 안으로 들어간다. 우리를 사람들 앞에서 현실적인 존재로 만들어주는 힘이 바로 이것이다. 주님의 몸 된 교회의 문제는, 하나님께 쓰임 받는 일에 있어서 우리가 지나치게 많은 신비주의적인 요소를 가지고 있다는 사실이다. 우리는 밖으로 나가는 일을 과도하게 불안해한다. 지나치게 조바심을 낸다. 담대하게 나아가지 못하고 있는 것이다.

대부분의 사람들은 성숙의 수준에 관해 잘못된 개념을 견지한 채, 성숙한 수준에 이르기를 마냥 기다린다. 그들은 언젠가 자신들이 영적 권세를 사용할 수 있는 순간이 도래할 것이라고 생각한다. 그러나 실제로 영적 권세는 이미 그들의 몫이 되었다. 그들은 그리스도의 친구라는 신분에 근거하여 이 권세를 부여받았다.

그렇다. 인격도 반드시 계발되어야 한다. 나는 주님과 동행하는 삶에 있어서 성숙의 중요성을 과소평가하려는 것이 결코 아니다. 우리는 친구이신 주님과 누리는 친밀함과 지식과 깊이 면에 있어서 날마다 정도를 더해가야 한다. 그러나 하나님께서 행하신 대로 기능하는 것만큼 효과적으로 경건한 인격을 계발시킬 수 있는 방법이 있겠는가? 왜냐하면 우리는 먼 훗날이 아니라 바로 지금, 주님의 친구로 부름 받은 자들이기 때문이다.

원수는 이런 잘못된 개념을 일종의 비난의 형태로 사용해왔다. 하나님 안에서 충분히 성숙하지 않은 사람은 쓰임 받을 수 없다는 비난이었다. 원수는 사람들이 스스로를 쓸모없는 자로 여기게 만든다. 그러나 이것은 한낱 속임수의 베일에 지나지 않는다. 사도적 돌파의 기름부음은 이런 속임수의 베일을 제거해낸다.

나는 19살에 사역을 시작했다. 그때 이미 나는 현재의 사역과 동일한 수준의 기적적인 은총과 은혜를 목격하고 있었다. 물론 나도 그동안 주님과 동행하는 삶 가운데 보다 성장하고 깊어졌기를 바란다. 나도 성숙한 지점에 이르고 싶다. 그리하여 이런 유의 표적과 기사들이 보다 일관성 있게 나타나고, 단순히 예수님과의 관계성으로 누리는 신분이 아니라, 그야말로 경건한 인격에서 우러나오는 사역을 행하는 자가 되고 싶다.

나는 여기서 인격을 과소평가하는 것이 결코 아니다. 다만 이 우정의 기름부음을 강조함으로써, 우리가 얼마든지 본래의 자신이 될 수 있고 자연스러워질 수 있다는 것이다. 물론 표현을 성화시키는 것도 매우 중요하다. 나는 위엄을 매우 높이 평가한다. 강단에 서는 사람이라면 누구나 위엄을 갖추고 있어야 하며, 모든 면에서 의로워야 한다. 그러나 우리는 인간적인 약점에도 불구하고, 주님께서 우리를 받아주시고 언제라도 환영해주신다는 사실에 기초하여 늘 담대함과 확신을 잃지 말아야 한다.

오늘날 주님의 몸 된 교회 안에 있는 수많은 사람들의 문제점을 꼽으라면, 그들이 다른 누군가가 되려고 애를 쓰고 있다는 것이다. 그러나 하나님은 우리를 있는 그대로 받아주시는 분이다. 우리의 온갖 인간적인 특성과 한계에도 불구하고, 우리는 언제라도 주님께 나아가 주님의 은총을 간구할 수 있다. 주님은 우리가 한낱 인간에 불과하다는 사실도 수용하신다.

여기에 한 가지 주의사항이 있다. 나는 결코 죄를 합리화시키려고 이런 말을 하는 것이 아니다. 다만 하나님 아버지께서 우리의 인간성을 이해해주시는 분이라는 사실을 이야기하고 싶을 따름이다. 이것이 바로 주님의 치유사역에서 나타나는 동일시(identification)이고 받아주심(acceptance)이다. 이 부분은 하나님의 거룩에 관한 계시의 빛 안에서 늘 균형을 유지해야 한다.

사도적인 사람들의 인격과 삶을 통해 나타나는 사도적 돌파의 기름부음은, 반드시 인간을 향한 하나님의 사랑을 계시해주어야 한다. 한걸음 더 나아가서 인간을 향한 이러한 긍휼의 마음에는 반드시 부인할 수 없는 은혜와 은총도 수반된다는 사실을 밝히 드러내주어야 한다.

이쯤에서 예수님의 긍휼과 우정을 잘 보여줄 뿐 아니라, 인간성을 깊이 이해해주시는 주님의 모습이 함께 나타나는 사례를 소개해 보겠다.

켄터키에서 열린 컨퍼런스

1977년 봄 무렵의 일로 기억된다. 나는 켄터키 주에서 열린 어느 만찬 컨퍼런스에 참석하고 있었다. 그곳에 참석한 인원은 100명가량이었다. 우리는 이제 훌륭한 식사를 마친 직후였다. 모든 이들이 각자 시계를 들여다보면서 트림을 하거나 지루한 표정을 짓고 있었다. 낮잠을 자러 가면 딱 좋을 분위기였다. 요컨대, 기적의 집회를 하기에는 분위기가 그리 무르익지 않은 상태였다.

그들은 이미 상당히 늦은 시각이 되어서야 비로소 나에게 집회를 인도할 수 있는 권한을 넘겨주었다. 디저트를 먹는 데만 시간이 좀 걸렸다. 시간상의 제약으로 인해 나는 약간 불만을 느꼈다. 그때 짜증을 낸 것에 대해 이후로 줄곧 회개하고 있다.

마침내 나는 간증을 하기 위해 자리에서 일어났다. 그러나 기름부음이 조금도 느껴지지 않았다. 정말로 아무것도 느껴지지 않았다. 사람들은 호기심 어린 눈으로 살펴보거나, 냅킨에 대고 기침을 하거나, 테이블 위에 머리를 대고 엎어져 있거나 했다. 나는 실망감에 고개를 저으며 결국 성경책을 덮어버렸다.

기본적으로 나의 어조는 빈정거리는 투였다. 구원받은 체험에 관해 간단하게 들려준 후, 나는 다음과 같이 말했다. "여러분도 아시다시피, 지금 여기에서는 어떤 실제적이고 강력한 기름부음이 느껴지지 않습니다. 제 생각에는 우리가 이쯤에서 집회를 마무리해야 할 것 같습니다. 혹시 기도 받기를 원하시는 분이 있다면, 나중에 올라오시면 됩니다. 저는 저쪽에 앉아 있겠습니다." 정확히 이대로 말하지는 않았지만, 거의 이런 내용이었다.

나는 원래 앉아 있던 자리로 돌아가려고 했다. 이로 인해 당시 컨퍼런스 주최자들이 받은 충격은 이만저만이 아니었다.

그렇게 연단을 걸어서 내려오는데, 문득 회중석에 앉아 있는 어머니와 15살쯤 되어 보이는 그녀의 딸이 눈에 들어왔다. 내 추측에 의하면, 아마도 그 어머니는 딸이 기도 받을 기회가 사라져버렸다고 생각했던 모양이다. 그녀는 딸의 손을 잡고 천천히 출입구 쪽으로 걸어가고 있었다. 이때는 이미 나도 자리로 돌아가 사회자가 집회를 마치겠다는 광고를 해주기만 기다리고 있었다.

그녀의 딸이 극심한 고통을 느끼고 있다는 것은 누가 보더라도 명백했다. 그녀는 목에서부터 척추 맨 아랫부분까지 버팀목을 대고 있었다. 그녀의 척추는 거의 두 겹이 될 정도로 굽어 있는 상태였다. 나중에 알게 된 사실인데, 그녀의 척추는 반원모양으로 완전히 구부러져 있었다!

그녀는 문제를 해결하기 위해 온갖 종류의 의료적 처치를 다 받아보 았지만, 소용이 없었다. 매우 쇠약해진 상태에서 몸은 갈수록 악화되기만 했다. 그녀가 느끼는 고통은 그야말로 상상을 초월할 정도인 것이 분명했다! 그녀의 눈에서 그 고통을 볼 수 있었다. 내 마음이 그 아이에게로 향하고 있었다. 마침내 나는 자리에서 일어나 아이와 어머니가 있는 곳으로 갔다. 순간적으로 내 영에서 그 아이를 향한 긍휼의 마음이 흘러나왔다. 방금 전 먹은 바비큐로 인해 트림이 나오고 있었지만, 그래도 나는 손을 내밀어 그 아이의 이마에 가져다댔다.

그 순간 갑자기(이런 일은 내게 너무나도 흔하다!) 내 뒤쪽에서 매우 강력한 음성이 들려왔다. "그만! 그 아이에게 사역하지 마라."

내가 이런 유의 음성을 항상 듣는 것은 아니므로, 종종 이해하기 어려울 때도 있다. 당시 나는 그것이 원수의 음성이라고 생각했다. 그리하여 다시 한 번 손을 들어 아이의 이마에 대었다. 그러자 또다시 음성이 들려왔다. 이번에는 좀더 단호한 어조였다.

"그만하라고 했다. 아이에게 사역하지 마라!"

나는 속으로 원수를 꾸짖었다. 그리고는 손가락 하나를 뻗쳐 세 번째로 아이의 정수리에 대고 안수하려고 했다. 그러자 또다시 매우 권위적인 목소리가 들려왔다.

"그만해라! 그 아이에게 사역하지 마라!"

그때야 비로소 이것이 주님의 음성일 수도 있겠다는 생각이 들었다. 나는 지혜로운 사람이지 않은가. 나는 고개를 돌려 강당의 오른편 흰 벽면을 뚫어지게 쳐다보았다. 음성이 바로 그쪽에서 들려왔기 때문이다. 마치 내가 슬로 모션 속에 들어간 듯했다. 나는 갑자기 황홀경 비슷한 어떤 초월적인 체험을 하기 시작했다(행 22:17). 벽면 전체가 투명해지는 것 같았다. 벽면 너머, 깜빡거리는 빛줄기 하나가 빠른 속도로 나를 향해 오는 것이 보였다.

나는 그 불빛이 범상치 않은 종류라고 생각했다. 왜냐하면 그 불빛은 매우 빠른 속도로 달려오고 있을 뿐 아니라, 위아래로 꽤 높이 튀어 오르고 있었기 때문이다. 그것은 깡충깡충 뛰어서 내가 있는 방 안으로 들어왔다.

나는 그 불빛을 바라보면서 매우 독특한 인상을 받았다. 그것은 상당히 쾌활해보였고, 엄청나게 재미있었다. 마치 누군가가 빗물이 고인 물웅덩이에서 다른 웅덩이로 깡충거리며 뛰어다니는 듯한 모습이었다. 사랑하는 친구들이여, 이것은 내가 꾸며낸 이야기가 아니다. 나는 이 불빛을 육안으로 똑똑히 보았다. 이 체험 후에 들어보니, 다른 몇몇 사람들도 그 불빛을 목격했다고 한다.

그 음성이 내게 들려오던 순간, 방 전체가 하나님의 기름부음으로 촉촉이 젖어들었다. 그리고 사람들이 갑자기 울음을 터뜨리기 시작했다. 어떤 이들은 바닥에 무릎을 꿇고 엎드려 주님께 울부짖고 있었다. 다른 이들은 입을 꾹 다문 채 침울한 표정으로 앉아 있었다. 그 불빛이 방 안으로 들어왔을 때, 그것을 본 사람들은 큰소리로 부르짖으며 경배하기 시작했다. 그 빛 속에 어떤 분(Someone)이 계셨기 때문이다.

이 춤추는 불빛을 들여다보노라니 그 속에 주님과 비슷한 분이 서 계셨다. 영광으로 빛나는 예수님의 모습은 단지 윤곽만 볼 수 있었다(민 12:8). 친구들이여, 주님의 모습이 너무도 강력했다는 것 외에 달리 어떻게 묘사해야 할지 모르겠다. 나로서는 도무지 형언할 길이 없다. 주님은 더할 나위 없이 경탄스러운 분이셨다. 그것을 말로는 표현해낼 방법이 없다. 나의 육신이 극도로 무거워지면서 그대로 주저앉게 될까 봐 두려운 마음마저 들었다.

아주 잠시나마 나는 심장이 멎어버릴 것 같다는 생각을 했다. 주님으로부터 발산되어 나오는 능력이 그만큼 엄청났기 때문이다. 그러나 동시에, 예수님이 내 옆쪽에 서셨을 때, 나를 지탱시켜 준 것도 바로 그 능력이었다.

지금 주님께서는 혹시라도 내가 이 체험의 본질을 각색하지 않도록 도와주고 계신다. 당신은 다만 이 내용을 당신의 정신과 영 안에 잘 정리해두기만 하면 된다. 주님 안에서 본 능력이 어찌나 두려운지, 나는 목격한 내용에 관해 여기서 도저히 거짓말을 쓸 수가 없다.

주 예수님께서 내 옆으로 와 서시더니, 나를 바라보며 미소를 지어보이셨다. 그렇다. 주님이 실제로 나를 보며 웃으셨다. 주님은 이 모든 상황들을 매우 재밌어 하시는 것이 분명했다. 우리의 인간성이 적나라하게 드러난 상황을 헐뜯거나 비난하시는 듯한 태도가 아니라, 그냥 매우 즐거우신 듯했다.

주님께서 말씀하셨다. "미안하지만, 이 아이를 위한 사역은 내가 좀 해야겠다."

여러분, 부디 내 말을 믿어주기 바란다. 주님의 말씀을 듣고, 나는 한 걸음 뒤로 아주 멀찍이 물러났다. 예수님은 그 십대 소녀를 향해 고개를 돌리셨다. 여러분은 내 말을 주의해서 듣기 바란다. 내가 이렇게 한 까닭은 예수 그리스도 앞에서 최대한의 겸손을 표현하기 위해서였다. 그러나 이 모든 이야기를 통해 내가 전달하려는 요지는, 주님께서 매우 유머러스하셨다는 점이다.

주님께는 이 소녀를 위해 사역하시는 것이 굉장한 즐거움이었다. 이 경우에 주님의 유머감각은 거의 폭발했다고 표현할 수 있을 정도였다. 사실 이 단어도 그렇게 적절하지는 못한 듯하다. 주님은 매우 장난기 어린 태도로 행하셨다. 주님의 행동에서 조금이라도 빈정대는 듯한 모습은 찾아볼 수 없었다.

나중에 들어서 알게 된 사실인데, 그 순간 그 십대 소녀는 주님이 자기에게로 가까이 다가오시는 모습을 열린 환상으로 보고 있었다고 한다(눅 1:11). 주님은 그 소녀 쪽으로 고개를 돌리시면서, 잠시 어깨너머로 나를 바라보셨는데, 온화한 미소를 짓고 계셨다. 뿐만 아니라 주님의 두 눈은 흥분으로 반짝거리고 있었다. 마치 속으로 이런 생각을 하고 계신 듯했다. "자, 한 번 지켜봐라!"

주님은 오른쪽 집게손가락을 들어 아주 과장된 제스처로, 매우 느릿느릿한 동작으로, 더할 나위 없이 가볍게 그녀의 정수리 부분을 가볍게 터치하셨다.

이것으로 끝이었다. 주님은 아무 말씀도 하지 않으셨다. 기도해주지도 않으셨다. 이것이 전부였다. 주님은 빙그레 웃으며 다시 내가 서 있는 쪽으로 걸어오셨다. 나는 실제로 주님의 웃음 소리도 들었다. 주님이 내 곁으로 오시자, 순간 나는 뒤쪽으로 물러섰다.

주님은 내 옆으로 오셔서 주님의 손으로 내 허리를 꽉 감싸 안으셨다. 주님께서 내 쪽으로 서슴없이 다가오셨기에, 실제로 내 몸과 주님의 몸이 서로 부딪쳤다. 믿기지 않겠지만, 이것에 대해 하나님이 나의 증인이시다. 이 일은 내 평생 가장 놀라운 체험 중 하나가 되었다. 주 예수 그리스도께서 친히 팔로 나를 감싸 안아주신 것이다. 주님의 움직임 가운데 시종일관 쾌활함이 감지되었지만, 나를 안아주실 때는 힘 있는 강한 손길을 느낄 수 있었다. 다시 말해, 주님이 나를 세게 껴안아주셨다. 그 순간 성령께서 내 머릿속에 성경구절을 넣어주셨다. "많은 친구를 얻는 자는 해를 당하게 되거니와 어떤 친구는 형제보다 친밀하니라"(잠 18:24).

주님은 나를 꼭 껴안아주신 후에, 다시 한두 발자국 물러서시더니 내 눈을 바라보셨다. 어리석은 시도인 줄은 알지만, 주님의 눈이 어땠는지 묘사해보려고 한다. 나는 마치 액체로 된 사랑을 들여다보고 있는 것만 같았다. 나는 주님의 눈에서 영원, 불, 무한한 영광의 저수지를 보았다. 주님의 두 눈은 권위 있게 반짝반짝 빛나고 있었다. 나의 표현이 그렇게 나쁘지는 않다고 생각한다.

주님이 내게 말씀하셨다. "이제는 가서 네 치유집회를 마무리해도 좋다."
'감사합니다.'
"나는 너를 친구라고 부른다. 이 사실을 잊지 마라." 이렇게 말씀하시면서 주님은 최고로 따뜻한 표정으로 나를 향해 활짝 웃어주셨다. 그리고는 다시 벽면을 통과하여 걸어나가셨다.

이후로 사람들이 올라와서 치유받고 구원받고 축사 받는 일에 더 이상 아무런 문제가 없었음은 두말할 필요가 없다. 한편 그 십대 소녀도 질병에서 완전히 자유케 된 것이 분명했다! 그것은 너무나도 당연한 일이었다.

믿음의 행보

믿음이 없이는 하나님을 기쁘시게 하지 못하나니 하나님께 나아가는 자는 반드시 그가 계신 것과 또한 그가 자기를 찾는 자들에게 상 주시는 이심을 믿어야 할지니라 (히 11:6)

우리는 하나님의 사랑을 체험해야 한다! 하나님의 긍휼에 관한 계시가 밝혀짐으로써, 하나님께서는 자신을 우리에게 얼마든지 자유롭게 표현하실 수 있게 된다. 아울러 주님은 우리에게 초자연적인 일들로 보상해주신다. 그러나 육신의 생각은 하나님과 원수가 된다(롬 8:7). 우리는 주님 안에서 믿음을 추구해야 한다. 주님은 우리 안에 사랑을 주입시켜 주실 수 있는 분이다.

사랑을 표현하려면, 우선은 우리 안에 사랑이 채워져야 한다. 사람은 결코 사랑의 원천이 되지 못한다. 사람은 단지 사랑을 받고 그것을 표현할 수 있는 존재일 따름이다. 우리는 누군가 사랑을 받고 표현할 줄 알 때, 그가 하나님을 알고 있는 자라고 말할 수 있다.

사랑하지 아니하는 자는 하나님을 알지 못하나니 이는 하나님은 사랑이심이라 (요일 4:8)

그리스도께서는 다음과 같이 경고하셨다. "다만 하나님을 사랑하는 것이 너희 속에 없음을 알았노라"(요 5:42). 주님은 모든 사람이 하나님 아버지 안에서 사랑을 체험해야 함을 보여주셨다. 이것을 우리는 창조주 하나님의 '허그 테라피'(hug therapy)라는 용어로 표현해왔다. 다시 말해, 당신에게는 주님의 품에 꼭 안기는 주님과의 사랑의 만남이 필요하다. 당신의 마음은 주님의 사랑이 어떠한 것인지를 앎으로써 새로워진다.

예수님은 주님의 백성들을 향한 하나님 아버지의 사랑에 관해 이야기하시면서, 탕자의 비유로 우리에게 기쁨을 주셨다. 주님은 다음과 같이 말씀하셨다. "이에 일어나서 아버지께로 돌아가니라 아직도 거리가 먼데 아버지가 그를 보고 측은히 여겨 달려가 목을 안고(fell on his neck) 입을 맞추니"(눅 15:20).

본문 가운데 '안고'(fell)에 해당하는 헬라어는 '에피핍토'(epipipto)로 '와락 붙잡다, 포옹하다, 달려들다, 내리누르다' 등의 의미를 지니고 있다. 한편 사도행전 10장 44절에서도 이와 유사한 용법을 찾아볼 수 있다. "베드로가 이 말을 할 때에 성령이 말씀 듣는 모든 사람에게 내려오시니."

엄밀한 의미에서 성령님이 목을 감싸 안아주신다는 말이다. 일단 당신이 하나님으로부터 목을 감싸 안아주심을 경험하기만 하면, 이제 당신은 다른 사람들에게 그러한 허그 테라피를 표현해주는 사랑의 메신저가 될 수 있다. 사도적인 사람들은 다른 이들 안에 있는 충족되지 못한 사랑의 욕구들을 민감하게 감지하고, 채워주고자 하는 열망을 품어야 한다. 영적으로 말하자면, 세상 사람들의 목을 감싸 안아주어야 한다는 것이다.

요한은 사랑에 관해 다음과 같이 쓰고 있다. "또 사랑은 이것이니 우리가 그 계명을 따라 행하는 것이요 계명은 이것이니 너희가 처음부터 들은 바와 같이 그 가운데서 행하라 하심이라"(요이 6). 그러나 요한은 단순히 애매모호한 개념 이상의 것을 말하고 있다. 성경은 우리에게 '투사된'(projected) 사랑을 행하라고 명령한다. 이것은 다른 사람의 필요에 직접적으로 초점이 맞춰진 사랑이다.

하나님께서는 지금 사랑의 메신저들을 파견하고 계신다. 이 메신저들은 자신들이 주님께 받은 사랑을 가지고, 이제는 주님께서 만나게 해주시는 사람들의 필요에 초점을 맞추기 시작한다. 다음의 사실을 기억하라. 사랑이 투사될 때, 비로소 은혜가 가시적으로 나타나기 시작한다! 우리는 영광스런 나타나심으로 말미암아, 그리스도 안에서 온전해진 모습으로 마침내 한 바퀴를 돌고 제자리로 돌아온다(골 2:10).

연합이라는 요소

보라 형제가 연합하여 동거함이 어찌 그리 선하고 아름다운고 머리에 있는 보배로운 기름이 수염 곧 아론의 수염에 흘러서 그의 옷깃까지 내림 같고 헐몬의 이슬이 시온의 산들에 내림 같도다 거기서 여호와께서 복을 명령하셨나니 곧 영생이로다 (시 133)

사도적 기름부음의 목적은, 영생의 복이 보다 잘 전달되도록 하는 것에 있다. 영생의 복이란 하나님 아버지의 마음 안에 있는 풍성한 생명을 말한다. 이러한 영생의 원리는 형제들 간의 연합에서 발견된다.

그리스도께서 우리에게 주신 기름부음에 관한 계시에 바탕을 둔 묶기와 풀기의 비결들을 다시 한 번 생각해보자. 나는 마태복음 16장 17-19절을 통해 또 하나의 개념을 제시하기 원한다. 우선은 비교를 위해 마태복음 18장 18-20절을 찾아 읽어보자.

진실로 너희에게 이르노니 무엇이든지 너희가 땅에서 매면 하늘에서도 매일 것이요 무엇이든지 땅에서 풀면 하늘에서도 풀리리라 진실로 다시 너희에게 이르노니 너희 중의 두 사람이 땅에서 합심하여 무엇이든지 구하면 하늘에 계신 내 아버지께서 그들을 위하여 이루게 하시리라 두세 사람이 내 이름으로 모인 곳에는 나도 그들 중에 있느니라 당신이 수백 페이지를 다시 들춰보는 수고를 피할 수 있도록, 내가 요약해서 상기시켜 주고 싶은 내용은 다음과 같다. 기름부음을 통해 받은 그리스도의 인격에 관한 계시는 묶기와 풀기라는 진리 안에 존재한다. 즉, 기름부음을 통해 받은 계시에 입각하여, 우리가 땅에서 묶어두는 것은 무엇이든지 이미 하늘에서도 묶여 있다. 달리 말해, 당신이 시행한 묶기를 하늘이 지지해주고 있는 것이다. 마찬가지로 기름부음을 통해 받은 계시에 입각하여, 우리가 땅에서 풀어놓은 것은 무엇이든 이미 하늘에도 풀려 있다. 말하자면, 당신이 시행한 풀기를 하늘이 지지해주고 있는 것이다.

이 계시를 좀더 심화시켜 보도록 하자. 마태복음 18장 19-20절에 근거하여, 묶기와 풀기의 비결을 형제들 간의 연합에서 찾아볼 수 있다.

하나님의 뜻에 모두가 동의하는 것이 하나 됨의 흐름이다. 이것은 모두가 하나의 비전과 목적을 갖는 것, 연합 안에 머무는 것이다. 나는 '동의하다'(to agree)를 이렇게 정의한다. '서로 조화를 이루다, 함께 교향곡을 형성하다.' 대중적인 용어를 사용하여 표현하자면, 이것을 '시너지 효과'(synergy)라고도 할 수 있다. 다시 말해, 이는 그리스도의 몸이 하나의 단일체로서 한줄기의 강물처럼, 온전한 일치를 이루어 공통된 목적(기름부음을 풀어놓기)을 향해 함께 움직여가는 것을 뜻한다.

각각의 교회들이 적절한 질서 가운데 사도적이고 선지자적이며 목회적인 가르침과 복음전도적인 은총 안에서 흘러갈 때, 참된 연합이 그런 형제들의 무리 안에서 발견될 수 있다. 이를테면, 기름부음은 모든 피스톤들이 정확하게 발사될 때 비로소 풀려나온다. 하나의 속성 혹은 하나의 표현이 결여되어 있을 때, 온전한 연합을 이루는 것은 불가능해지며, 나아가 기름부음도 제대로 풀려나올 수 없게 된다.

이 책은 특히 사도적인 표현에 관해 다루고 있다. 그러나 이 연합에 관한 진리는 주님께서 몸 된 교회에 허락하신 모든 은사들에 동일하게 적용된다. 사도적인 사람들과 선지자적인 사람들이 자신들의 기름부음을 목회적인 가르침과 복음전도적인 표현 속에 풀어놓을 때, 성도들 사이에 연합 혹은 응집력이 형성된다.

연합을 이루기 위해서는 모든 표현들이 협력해야 한다. 지금 전체적인 주님의 몸 된 교회가 연합되어 있지 않다는 사실에 대해서는 모두가 동의할 것이다. 내가 확신하는 바로는, 이러한 상황은 사도와 선지자의 사역들과 관련하여 주님의 몸 된 교회가 고장나 있다는 사실에서 기인한다. 무질서한 상황에서는 성도들을 온갖 삶의 문제들로부터 자유케 해줄 수 있는 기름부음이 강력하게 풀려나올 수 없다. 또한 주님의 몸 안의 연합을 도적질해가고 있을지도 모르는 귀신의 시나리오를 제거해낼 수도 없다.

> 몸이 하나요 성령도 한 분이시니 이와 같이 너희가 부르심의 한 소망 안에서 부르심을 받았느니라 주도 한 분이시요 믿음도 하나요 세례도 하나요 하나님도 한 분이시니 곧 만유의 아버지시라 만유 위에 계시고 만유를 통일하시고 만유 가운데 계시도다 (엡 4:4-6)

> 두 사람이 뜻이 같지 않은데 어찌 동행하겠으며 (암 3:3)

예수님께서 지상사역을 하시는 동안 느끼신 가장 큰 부담들 중 하나도, 바로 연합과 일치에 관한 것이었다. 주님께서는 제자들에게 연합과 일치의 필요성을 전달해야 한다는 깊은 부담감을 안고 계셨다.

나는 세상에 더 있지 아니하오나 그들은 세상에 있사옵고 나는 아버지께로 가옵나니 거룩하신 아버지여 내게 주신 아버지의 이름으로 그들을 보전하사 우리와 같이 그들도 하나가 되게 하옵소서 … 아버지여, 아버지께서 내 안에, 내가 아버지 안에 있는 것 같이 그들도 다 하나가 되어 우리 안에 있게 하사 세상으로 아버지께서 나를 보내신 것을 믿게 하옵소서 … 곧 내가 그들 안에 있고 아버지께서 내 안에 계시어 그들로 온전함을 이루어 하나가 되게 하려 함은 아버지께서 나를 보내신 것과 또 나를 사랑하심 같이 그들도 사랑하신 것을 세상으로 알게 하려 함이로소이다 (요 17:11, 21, 23)

스스로 분쟁하는 나라마다 황폐하여질 것이요 스스로 분쟁하는 동네나 집마다 서지 못하리라 (마 12:25)

의심할 나위 없이, 그리스도께서는 연합과 일치에 관해 매우 단호한 입장을 표명하셨다. 이 세상을 향한 하나님 아버지의 사랑에 관한 계시는, 그리스도인들(당신과 나, 그리고 동료 성도들!)의 하나 됨을 통해 가시적으로 나타난다. 연합이 없으면 주님의 나라는 황폐해질 수밖에 없다. 여기서 '황폐해지다'란, '파괴되다, 아무짝에도 쓸모없게 되다' 등의 의미를 갖는다. 우리는 그리스도의 나라의 일들을 쓸모없는 것으로 만들어서는 안 된다. 그것을 지키는 것이 우리의 의무이다. 주님의 몸 안에서 이루어지는 연합이 얼마나 중요한지 이해되는가?

당신은 '삼위일체'(Trinity)와 '연합'(unity)의 유사성에 대해 생각해본 적이 있는가? 성부, 성자, 성령, 삼위일체의 하나님은 완벽한 연합과 일치 안에서 기능하신다. 단 하나의 생각이나 행동이라도 불협화음을 이루면, 영원토록 그분들 사이를 통과할 수 없다. 삼위일체 하나님의 하나 됨이 어찌나 견고한지, 그분들을 갈라놓는 것은 존재의 구조 자체를 망가뜨려놓는 일이 된다. 만일 그분들이 잠시라도 불일치된 상태로 기능한다면, 하나님의 나라는 '와르르' 무너져버리고 쓸모없는 것이 되고 말 것이다.

삼위일체 하나님의 나라(Kingdom)와 사탄의 '나라'(kingdom, 다시 말해 '세상의 체제') 간의 차이점도 바로 여기에 있다. 원수의 유일한 목적은 분리시키고, 갈라놓고, 불화시키는 것이다.

이 내용을 다음과 같이 생각해보라. 삼위일체를 이루는 구성원들은 서로를 섬긴다. 성부 하나님께서 성자 예수님을 섬기시고, 성자 예수님은 성부 하나님을 섬기시고, 성령님은 성자 예수님을 섬기신다. 이 모든 것들을 생각해보노라면 얼마나 놀라운지 모른다. '서로 상대방을 더 좋아하는 것', 이것이 바로 연합이다. 용기를 내어 감히 말하지만, 주님의 몸이 서로를 더 좋아해야 함에도 불구하고, 실제로 그런 모습은 거의 목격되지 않고 있다.

사도적 돌파의 기름부음이 임하면 이러한 분열상이 바로잡힌다. 교회의 생명의 비결, 곧 주님의 몸 안에 그리스도의 권능을 풀어놓기 위한 비결은 우리가 어떻게 연합되어 있느냐에 달려 있다.

> 사도들의 손을 통하여 민간에 표적과 기사가 많이 일어나매 믿는 사람이 다 마음을 같이하여 솔로몬 행각에 모이고 그 나머지는 감히 그들과 상종하는 사람이 없으나 백성이 칭송하더라 믿고 주께로 나아오는 자가 더 많으니 남녀의 큰 무리더라 심지어 병든 사람을 메고 거리에 나가 침대와 요 위에 누이고 베드로가 지날 때에 혹 그의 그림자라도 누구에게 덮일까 바라고 예루살렘 부근의 수많은 사람들도 모여 병든 사람과 더러운 귀신에게 괴로움 받는 사람을 데

리고 와서 다 나음을 얻으니라 (행 5:12-16)

주님의 몸 된 교회가 풍성한 삶을 누리기 위해서는, 우리의 초점이 각 교회들의 세포의 생명(cell life)에 맞춰져야 한다. 인간의 몸과 마찬가지로 수많은 경우에 있어서 교회의 급작스런 결함들은 고장 나서 제대로 작동하지 못하고 있는 한두 개의 세포와 연관이 있을 수 있다. 한두 개의 세포가 고장 나 있으면 교회 전체가 건강을 잃게 된다. 이처럼 세포 그룹들이 교회 안에서 담당하는 역할은 매우 중요하다.

글 솜씨가 매우 탁월한 바울은 골로새 교인들에게 보낸 편지에서 거듭난 사람의 특징들에 관해 항목별로 말해주었다.

이 모든 것 위에 사랑을 더하라 이는 온전하게 매는 띠니라 (골 3:14)

서로에 대한 긍휼, 자비, 겸손, 온유, 오래 참음, 용서 등 이 모든 것들이 건강한 교회가 지니는 훌륭한 속성들이다. 그러나 이것들은 모두 사랑이라는 단어로 요약될 수 있다. 사랑은 교회를 단단하게 일치단결시켜 주는 완벽한 접착제다.

바울 사도는 유사하게 에베소서에서도 새사람이 지니는 훌륭한 속성들에 관해 언급하고 있다.

평안의 매는 줄로 성령이 하나 되게 하신 것을 힘써 지키라 … 그에게서 온 몸이 각 마디를 통하여 도움을 받음으로 연결되고 결합되어 각 지체의 분량대로 역사하여 그 몸을 자라게 하며 사랑 안에서 스스로 세우느니라 (엡 4:3, 16)

머리를 붙들지 아니하는지라 온 몸이 머리로 말미암아 마디와 힘줄로 공급함을 받고 연합하여 하나님이 자라게 하시므로 자라느니라 (골 2:19)

이 얼마나 훌륭한 말솜씨인가! 나도 이렇게 좀 표현을 잘 했으면 좋겠다!

주님의 몸이 최고의 상태로 기능하기 위해서는, 모든 관절들과 인대들이 적절한 영양분을 공급받으면서 서로 협력해야 한다. 엉덩이가 아픈데, 어떻게 발로 걸어다닐 수 있겠는가? 팔꿈치가 지끈거리는데, 어떻게 손으로 쥘 수 있겠는가? 나는 지금 비유적인 표현을 사용하고 있다. 여기서 말하는 '관절들'이란 서로 간의 관계를 일컫는다. 또한 '인대들'이란 형제들 사이에 견지하고 있는 태도들을 말한다. 잠시 짬을 내어 당신 자신을 살펴보기 바란다. 불편한 관절들은 없는가? 인대가 늘어난 데는 없는가?

주님의 몸 안에서 활동하는 사도적인 사람들의 '세포들'이 지니고 있는 돌파의 기름부음은 원한과 상처들, 의구심들을 떨쳐버릴 수 있도록 도와준다. 주님의 몸 안에 거리낌과 제약이 적을수록 생명력의 수준은 그만큼 높아진다. 이를테면, 마음껏 움직이고 마라톤을 할 수 있는 자유와 해방을 얻게 된다는 것이다. 허리를 구부려 조간신문을 집어들 수도 있고, 정원을 가꾸는 일을 할 수도 있다. 예를 들자면 한이 없으나, 이쯤에서 마치도록 하겠다. 이제 당신은 내가 무슨 말을 하려는지 이해하였을 것이다.

연합에 선행되어야 하는 것이 거룩함(holiness)이다. 여기서 거룩함은 양심의 가책을 기반으로 한 것이지, 결코 진리에 타협함으로써 얻을 수 있는 것이 아니다.

무릇 마음이 가난하고 심령에 통회하며 내 말을 듣고 떠는 자 그 사람은 내가

돌보려니와 (사 66:2)

우리가 다 하나님의 아들을 믿는 것과 아는 일에 하나가 되어 온전한 사람을 이루어 그리스도의 장성한 분량이 충만한 데까지 이르리니 (엡 4:13)

자기 앞에 영광스러운 교회로 세우사 티나 주름 잡힌 것이나 이런 것들이 없이 거룩하고 흠이 없게 하려 하심이라 (엡 5:27)

주님의 몸을 구성하는 세포들이 아플 때, 그것은 티나 주름 잡힌 것이나 흠 등의 모습으로 가시화된다. 편의상 이것을 영적인 여드름이라고 하자! 이제는 얼굴에 여드름이 많이 난 교회들의 모습을 지켜보는 일에 신물이 난다. 우리에게는 일종의 클리어라실(Clearasil, 여드름치료제 - 역주)이 필요하다! 온갖 여드름으로부터 자유로운 삶을 살아가야 한다! 죄에 대한 증오, 하나님을 향한 강렬한 경외감의 형태로 나타난 치료제가 있어야 한다.

정의로운 판단

실제로 우리가 경계해야 할 것은 다음과 같다.

거짓을 말하는 망령된 증인과 및 형제 사이를 이간하는 자이니라 (잠 6:19)

주님의 몸 안에서 생명의 흐름을 차단시키는 두 가지 죄악은, 의심에 찬 사악한 눈과 부정한 것을 말하는 사악한 입이다. 우리는 이것들을 미워해야 한다! 이 두 가지 죄악은 사도적인 사람들이 끊임없이 다뤄야 할 매우 중대한 육신적인 사안들이다. 사도적인 사람들은 이런 죄악들이 언제 저질러지는지를 잘 분별하고 맞서 싸워야 하며, 사람들을 장악하고 있는 그것들의 권세를 깨뜨려야 한다.

이러한 사악함을 뿌리째 뽑아 치명타를 가하고 무리 사이에서 없애버리기 위해서는, 나머지 다른 사역들과 협력하는 사도적 기름부음이 필요하다. 우리는 사도적인 사람들로서, 이러한 죄악들이 발견될 때마다 근절시키기 위해 늘 경계를 늦추지 말아야 한다. 아울러 우리의 삶 속에서도 이런 죄악들을 정복하기 위해 주의를 기울여야 된다. 만일 우리가 사도적인 사람으로서의 부르심을 소홀히 여기고, 이러한 사악함을 그대로 방치해 둔다면, 우리가 차려놓은 식사를 마귀가 먹어치우고 말 것이다. 나아가 우리는 삶 가운데 하나님 아버지를 표현하는 일에 방해를 받게 될 것이다.

> 이는 우리로 사탄에게 속지 않게 하려 함이라 우리는 그 계책을 알지 못하는 바가 아니로라 (고후 2:11)

우리는 이러한 죄악들과 사탄의 활동에 관하여 결코 무지한 채로 살아가서는 안 된다. 원수는 유혹자(시험하는 자)다(마 4:3). '유혹자'(tempter)란 비유적으로 '뱀'(serpent)과 동의어다(살전 3:5). 우리는 사도적인 사람들로서, 기록된 하나님의 말씀을 고백함으로써 유혹을 이겨내야 한다!

사탄은 '속이는 자'(deceiver)다. 이 말은 비유적으로 '전갈'(scorpion)과 동의어다(눅 10:17-22). 예수님께서 "사탄이 하늘로부터 번개 같이 떨어지는 것을 내가 보았노라"(눅 10:18)고 하셨을 때, 이는 단지 사탄이 하나님의 은혜로부터 떨어지는 것을 가리키는 말씀이 아니었다(이것에 관해서는 성육신 이전의 영원하신 말씀이 확실히 증거하였을 것이다). 오히려 이 말씀은 사탄이 예수님의 이름으로 귀신들을 내쫓은 칠십 인의 손에 의해 떨어졌다는 의미였다.

우리는 사도적인 사람들로서, 주님의 권고를 연구함으로써 원수의 속임수들을 정복해야 한다. 진리를 왜곡하는 말들을 받아들이지 마라! 마귀가 무슨 말을 하든 상관없이, 우리는 '뱀과 전갈을 밟으며 원수의 모든 능력을 제어할 권능을'(눅 10:19) 가지고 있다. 그러므로 원수를 밟아 뭉개라!

한편 우리가 주목해야 할 구절이 있다. "그때에 예수께서 성령으로 기뻐하시며"(눅 10:21). 헬라어 원문에 의하면, 예수님은 문자 그대로 주체할 수 없는 기쁨을 펄쩍펄쩍 뛰고 춤추며 큰소리로 외쳐 표현하셨다. 이 구절의 의미가 완전히 새롭게 다가오지 않는가? 그러므로 전갈을 짓밟고 춤을 추라!

마귀는 '고소자'(accuser)며 '중상모략 하는 자'(slanderer)다. 이는 비유적으로 '용'(dragon)과 동의어다(계 12:7). '고소자, 중상모략 하는 자'에 해당하는 단어는 법정 등에서 고발하는 자, "나는 탄핵하노라!" 하며 손가락질하는 자를 묘사하는 데 사용된다. 사탄은 믿는 자들을 하나님 앞에서 고발한다. 또 믿는 자들을 향해 하나님에 관해 고발하고 다른 그리스도인들을 믿는 자들에게 고발한다. 이처럼 원수는 분주한 용이다! 욥기 1장에서 볼 수 있듯이, 사탄은 하나님 앞에서 우리를 고발한다.

그러나 우리에게는 우리를 위해 변호해주시는 분이 계시다. 그분은 물어뜯으려고 달려드는 야수의 입에 재갈을 물리는 일을 대단히 즐거워하신다. 예수님께서 하늘에서 이 고발자를 정복하셨듯이, 우리도 이 땅에서 그를 정복해야 한다! 그러므로 용의 입에 재갈을 물려라!

형제가 형제를 고발하는 일과 관련하여, 사탄은 너무도 자주 우리 입을 도구로 불화와 불만의 씨앗을 뿌려놓는다. 이렇게 함으로써 사탄은 고발당하는 사람 안에 비난의 영을 심어놓는다. 마가복음 7장 20-23절은 앞서 언급한 바 있는 의심에 찬 사악한 눈에 관해 이야기하고 있다. '사악한 눈'이란, 누군가를 보자마자 곧바로 악한 것을 생각하는 것이다. 혹은 무언가 잘못된 것을 찾아내기 위해 쳐다보는 것, 전혀 비난할 만한 것이 아님에도 불구하고 단지 겉모습만으로 판단하는 것을 말한다.

> 우리가 다시 너희에게 자천하는 것이 아니요 오직 우리로 말미암아 자랑할 기회를 너희에게 주어 마음으로 하지 않고 외모로 자랑하는 자들에게 대답하게 하려 하는 것이라 … 그러므로 우리가 이제부터는 어떤 사람도 육신을 따라 알지 아니하노라 비록 우리가 그리스도도 육신을 따라 알았으나 이제부터는 그같이 알지 아니하노라 (고후 5:12, 16)

'육신을 따라'라는 구절은 '사물의 외면적이고 자연적인 질서'를 따른다는 것을 의미한다.

"외모로 판단하지 말고 공의롭게 판단하라 하시니라"(요 7:24). 하나님은 언제나 의롭게 판단하신다. 우리의 판단은 종종 겉으로 드러난 모습들에 영향을 받는다. 그러나 우리는 이러한 행위를 내어버리고 의롭게 판단해야 한다. 육신을 따라 판단하는 것이 아니라, 성령을 좇아 판단해야 한다.

유월절에 예수께서 예루살렘에 계시니 많은 사람이 그의 행하시는 표적을 보고 그의 이름을 믿었으나 예수는 그의 몸을 그들에게 의탁하지 아니하셨으니 이는 친히 모든 사람을 아심이요 또 사람에 대하여 누구의 증언도 받으실 필요가 없었으니 이는 그가 친히 사람의 속에 있는 것을 아셨음이니라 (요 2:23-25)

본문의 의미는 무엇인가? 예수님은 다른 어떤 사람에 관해 아시기 위해 그 누구의 말이 필요한 분이 아니었다. 주님은 단지 물리적인 눈으로 볼 수 있는 것뿐 아니라, 사람의 마음속에 있는 것까지도 모두 아셨다.

서로 친절하게 하며 불쌍히 여기며 서로 용서하기를 하나님이 그리스도 안에서 너희를 용서하심과 같이 하라 (엡 4:32)

'친절하게 하며'라는 구절은 '느긋해지라'는 의미로도 읽을 수 있다. 주님의 몸 된 교회의 구성원들은 느긋해지지 못할 때가 얼마나 많은가! 그러나 당신이 잊지 말아야 할 것이 있다. 하나님께서는 당신이 다른 사람들을 판단하기 위해 사용한 바로 그 잣대로, 당신도 판단을 받게 하실 것이다. 내가 감히 용기를 내어 충고해보자면, 이제는 '느긋해지는 것'이 당신의 최대 관심사가 되어야 한다.

마태복음 7장 1-5절에는 우리가 잘 아는 들보와 티의 개념이 다시금 소개되고 있다.

비판을 받지 아니하려거든 비판하지 말라 너희가 비판하는 그 비판으로 너희가 비판을 받을 것이요 너희가 헤아리는 그 헤아림으로 너희가 헤아림을 받을 것이니라 어찌하여 형제의 눈 속에 있는 티는 보고 네 눈 속에 있는 들보는 깨닫지 못하느냐 보라 네 눈 속에 들보가 있는데 어찌하여 형제에게 말하기를 나로 네 눈 속에 있는 티를 빼게 하라 하겠느냐 외식하는 자여 먼저 네 눈 속에서 들보를 빼어라 그 후에야 밝히 보고 형제의 눈 속에서 티를 빼리라 (마 7:1-5)

네가 어찌하여 네 형제를 비판하느냐 어찌하여 네 형제를 업신여기느냐 우리가 다 하나님의 심판대 앞에 서리라 … 그런즉 우리가 다시는 서로 비판하지 말고 도리어 부딪칠 것이나 거칠 것을 형제 앞에 두지 아니하도록 주의하라 (롬 14:10, 13)

비판과 중상모략은 당신의 형제가 다른 사람들을 위한 축복의 통로가 되지 못하도록 속박시켜 놓는다. 비판과 중상모략은 초신자들뿐 아니라, 심지어 어느 정도 성숙한 그리스도인들의 길에도 장애물을 놓아둔다! 이 '장애물'로 인해 사람은 '뒷걸음질'칠 수밖에 없게 된다. 당신은 누군가가 하나님의 축복으로부터 뒷걸음질쳐서 육체의 정욕을 따르게 된 것에 대해 책임지고 싶지는 않을 것이다. 진리를 선포하되, 사랑 안에서 선포하라. 언제나 그리하라.

'판단하다'(judge)라는 단어에는 이중적인 의미가 있다. 하나는 '누군가를 낮게 평가하다, 사람들에게 형을 선고하다' 등과 같은 부정적인 의미다. 또 하나는 사사기에서 찾아볼 수 있듯이, '구원하다'(to deliver)와 같은 정의로운 의미다. 이해되는가?

우리는 산더미 같은 정죄의 말이 아니라도 얼마든지 잘못을 규명할 수 있다. 우리는 판단을 하되, 비난함으로써가 아니라, 상대방의 필요를 알아차리고 섬김과 구원의 손길을 내밀어주는 방법으로 판단해야 한다. 그들을 자기비난이라는 독방에 감금시켜 놓는 처벌의 방법이 되어서는 안 된다.

반드시 유의해야 할 사실이 있다. 우리는 영적인 사안들에 대해 판단해야 한다. "신령한 자는 모든 것을 판단하나 자기는 아무에게도 판단을 받지 아니하느니라"(고전 2:15). 그러나 우리가 영적인 사안들을 판단하는 목적은, 판단 당하는 자들을 성령 안에서 회복시키기 위함이어야 한다. 정죄하기 위해서가 아니라, 가석방시켜 주기 위해서라는 말이다.

> 형제들아 사람이 만일 무슨 범죄한 일이 드러나거든 신령한 너희는 온유한 심령으로 그러한 자를 바로잡고 너 자신을 살펴보아 너도 시험을 받을까 두려워하라 너희가 짐을 서로 지라 그리하여 그리스도의 법을 성취하라 (갈 6:1-2)

"내가 내 아우를 지키는 자니이까"(창 4:9). 이 질문에 대한 대답은 다음과 같다. "그렇다. 바로 당신이다!" 난감한 상황에 처해 있는 형제들을 그대로 방치해두는 것이 아니라 잘 지켜줌으로써, 우리는 그들을 성령 안에서 회복시켜 준 후에 이렇게 말한다. "너를 고발하던 그들이 어디 있느냐"(요 8:10).

> 네 형제가 죄를 범하거든 가서 너와 그 사람과만 상대하여 권고하라 만일 들으면 네가 네 형제를 얻은 것이요 만일 듣지 않거든 한두 사람을 데리고 가서 두세 증인의 입으로 말마다 확증하게 하라 만일 그들의 말도 듣지 않거든 교회에

말하고 교회의 말도 듣지 않거든 이방인과 세리와 같이 여기라 (마 18:15-17)

여기서 그리스도께서는 교회 안에서 발견되는 허물들을 다루는 기준에 관해 제시해주신다. 우리 중에 이 본문의 말씀을 모르는 사람은 없을 것이다. 그러나 우리는 이 말씀대로 행하지 못할 때가 얼마나 많은가! 우선은 당사자와 일대일로 만나 이야기하고, 그 다음에는 두세 사람과 함께 가고, 마지막으로 그 문제를 주님의 몸 된 교회 앞에 가져가라. 이런 차례로 하면 된다. 우리는 예수님의 말씀을 단지 정중한 제안이 아니라 법으로 받아들여야 마땅하다. 나는 우리가 이렇게 함으로써 수많은 마음의 고통과 비참함을 모면할 수 있다고 확신한다.

부정한 것을 말하는 입(그것을 미워하라!)에 관해서는, 야고보서 말씀을 참조하라.

> 혀는 곧 불이요 불의의 세계라 혀는 우리 지체 중에서 온 몸을 더럽히고 삶의 수레바퀴를 불사르나니 그 사르는 것이 지옥 불에서 나느니라 … 혀는 능히 길들일 사람이 없나니 쉬지 아니하는 악이요 죽이는 독이 가득한 것이라 (약 3:6, 8)

당신의 혀는 이제껏 축복이 되어왔는가, 아니면 저주가 되어왔는가? 어쩌면 사도적 기름부음이 밝히 드러날 때에야 비로소 이 질문들에 온전히 대답할 수 있을지도 모른다. 우리는 의심과 부정에 대한 민감함(증오)을 계발해야 할 수도 있다. 어쩌면 우리는 우리의 혀와 눈을 죄악 된 판단과 행위의 도구로 허용해온 것에 대해 서로 회개해야 할지도 모른다.

하나님께서 애굽의 죄악을 어떻게 심판하셨는지 주목하여 보라. "여호와께서 그 가운데 어지러운 마음을 섞으셨으므로 그들이 애굽을 매사에 잘못 가게 함이 취한 자가 토하면서 비틀거림 같게 하였으니"(사 19:14). 참으로 강력한 시각적 효과가 아닌가? 사람의 마음속에 있는 생각을 구체화시키는 의미로 토한다는 표현을 사용한 것이 얼마나 대단한가! 토사물은 역겨운 음식물 덩어리로 가득할 뿐이다.

우리는 '어지러운'(perverse)이라는 말을 '무언가를 완전히 바닥에 내던져버리기 위해 말하다'라는 의미로 이해할 수 있다. "온순한 혀는 곧 생명나무이지만 패역한 혀는 마음을 상하게 하느니라"(a wholesome tongue is a tree of life, but perverseness in it breaks the spirit 잠 15:4). 자, 하나님께서는 애굽의 인본주의적인 힘을 무너뜨리기 위해, 그들 안에 어지러운 마음을 섞어두셨다. 어지러운 마음으로 인해 그들은 입에서 쏟아놓는 말로 서로를 완전히 넘어뜨리고 말 것이다. 그들은 사악한 말들을 마치 토사물처럼 분출시킴으로써, 서로를 말로 비난하고 정죄하고 공격했다.

요지는 다음과 같다. 결코 애굽 사람들처럼 되지 마라! 대신에 사악한 눈과 혀에 맞서 싸우자. 정의롭게 판단하자. 함께 연합을 이루자. 우리의 행동을 통해 예수님의 말씀이 진리로 드러나도록 하자. "내게 주신 영광을 내가 그들에게 주었사오니 이는 우리가 하나가 된 것 같이 그들도 하나가 되게 하려 함이니이다"(요 17:22).

의심에 찬 사악한 눈과 부정한 것을 말하는 악한 혀와 관련하여, 사도적인 사람들은 자신들에게 부여된 영향력의 범위 안에서 분별력을 키워가야 한다. 우리는 정의롭게 판단하기 위한 민감성을 계발해야 한다! 어지러운 마음을 정복하고 의심과 부정의 일들을 무효화시키기 위해, 사도적인 사람들은 하나님의 능력을 가시적으로 나타내줄 돌파의 기름부음을 추구해야 한다. 바로 이런 맥락 속에서, 비로소 우리는 하나님 아버지의 충만한 긍휼을 발견할 수 있다. 서로 사랑하라!

개요

CHAPTER 11 하나님의 긍휼

| 사랑의 행보

- 긍휼은 어떤 필요를 향해 투사되는 사랑이다.
- 우리는 사도적인 사람들로서 이러한 하나님의 긍휼을 나타내 보여주는 자들이 되어야 하며, 성도들에게 거룩한 사랑의 흐름을 따라 살도록 가르쳐주어야 한다. 우리는 너무나도 많은 사랑을 절박하게 필요로 하는 세상 사람들 앞에, 그리스도의 능력을 자유롭게 표현해내는 자들이 되어야 한다.
- 창세기 24장에 소개된 리브가는 그리스도의 신부를 상징한다. 그녀는 순결한 처녀로서 아버지와 본토를 떠나 이삭을 남편으로 맞이하였다. 우리는 신랑이신 주님을 맞아들이기에 합당한 신부가 되어야 한다. 그러기 위해 우리는 옛 삶을 벗어버리고 주님과 함께 새로운 삶을 시작해야 한다. 신랑의 품안에 들어가는 사랑의 행보는, 자연적이고 세상적인 것들을 모두 버려두고 떠나는 것으로부터 출발한다. 나아가 우리는 모든 관심을 우리의 신랑에게 쏟아부어야 한다.
- "딸이여 듣고 보고 귀를 기울일지어다 네 백성과 네 아버지의 집을 잊어버릴지어다 그리하면 왕이 네 아름다움을 사모하실지라 그는 네 주인이시니 너는 그를 경배할지어다"(시 45:10-11).
- "이 세상이나 세상에 있는 것들을 사랑하지 말라 누구든지 세상을 사랑하면 아버지의 사랑이 그 안에 있지 아니하니 이는 세상에 있는 모든 것이 육신의 정욕과 안목의 정욕과 이생의 자랑이니 다 아버지께로부터 온 것이 아니요 세상으로부터 온 것이라 이 세상도, 그 정욕도 지나가되 오직 하나님의 뜻을 행하는 자는 영원히 거하느니라"(요일 2:15-17).
- 우리는 옛것들을 버려두고 떠나 주님께 열정적으로 매달려야 한다. 세상을 버려두고 떠난 후, 우리는 온전한 헌신과 자기포기와 숭배의 마음으로 주님을 사랑하고 있는 자신을 발견하

게 된다.
- 우리는 항상 우리의 연인이신 주님만을 찾고 또 찾아야 한다.
- "내가 밤에 침상에서 마음으로 사랑하는 자를 찾았노라 찾아도 찾아내지 못하였노라"(아 3:1).
- 사랑이 우리 안에 채워져야 한다. 우선은 사랑을 받아야 그것을 표현할 수 있다. 이 사랑의 행보는 우리 편에서 떠나고, 사랑하고, 찾아다님으로 이루어진다. 떠나기와 사랑하기와 찾아다니기 모두 우리의 신랑이신 주님을 위한 것들이다. 이것이 바로 신부와 신랑을 위한 하나님의 놀라운 긍휼하심이 사도적인 방식으로 계시된 모습이다. 이로써 우리는 하나님 아버지로부터 받아 누리고 있었던 것을, 다시금 하나님 아버지께 마음껏 표현해드리는 자유를 선사받게 된다.

| 우정의 행보

- "다윗이 사울에게 말하기를 마치매 요나단의 마음이 다윗의 마음과 하나가 되어 요나단이 그를 자기 생명 같이 사랑하니라 그날에 사울은 다윗을 머무르게 하고 그의 아버지의 집으로 다시 돌아가기를 허락하지 아니하였고 요나단은 다윗을 자기 생명 같이 사랑하여 더불어 언약을 맺었으며"(삼상 18:1-3).
- "내 형 요나단이여 내가 그대를 애통함은 그대는 내게 심히 아름다움이라 그대가 나를 사랑함이 기이하여 여인의 사랑보다 더하였도다"(삼하 1:26).
- 하나님의 긍휼하심이 드러날 때, 우리는 다른 사람들에게 우리 자신을 자유롭게 표현할 수 있게 된다. 상대방에게 친절하게 대해주고, 사랑을 주고받고, 서로를 돌봐주게 된다.
- "너희는 내가 명하는 대로 행하면 곧 나의 친구라 이제부터는 너희를 종이라 하지 아니하리니 종은 주인이 하는 것을 알지 못함이라 너희를 친구라 하였노니 내가 내 아버지께 들은 것을 다 너희에게 알게 하였음이라 너희가 나를 택한 것이 아니요 내가 너희를 택하여 세웠나니 이는 너희로 가서 열매를 맺게 하고 또 너희 열매가 항상 있게 하여 내 이름으로 아버지께 무엇을 구하든지 다 받게 하려 함이라 내가 이것을 너희에게 명함은 너희로 서로 사랑하게 하려 함이라"(요 15:14-17).
- "내 계명은 곧 내가 너희를 사랑한 것 같이 너희도 서로 사랑하라 하는 이것이니라 사람이 친구를 위하여 자기 목숨을 버리면 이보다 더 큰 사랑이 없나니"(요 15:12-13).

- 그리스도와의 가깝고 친밀한 우정을 통해, 우리는 담대하게 주님의 명성(주님의 은총)에 다가갈 수 있다.
- 사도적인 사람들은 사람들이 최상의 형태로 하나님의 사랑을 경험할 수 있도록 돕는다. "나는 나의 독생자를 받아들인 것과 동일한 열정으로 너를 받아들인다."
- "너희 중의 두 사람이 땅에서 합심하여 무엇이든지 구하면"(마 18:19).
- 이것이 바로 집단적인 그리스도의 몸 위에 펼쳐진 열린 하늘이다. 이것은 당신이 형제들을 향해 베푸는 우정과 사랑의 수준과 직접적으로 관련이 있다!

예수님의 인성

- 사도적인 사람들은 그리스도의 능력에 관한 간증들로 인간성을 회복시키는 일에 능숙한 자들이다. 예수님은 온전한 인간이셨다(동시에 온전한 하나님이시기도 했다). 사도적인 사람들은 이러한 예수 그리스도의 인성을 가시적으로 드러낸다. 주님께서 아버지 하나님의 말씀을 들으시고, 주님의 영광의 만남들을 다른 사람들이 이해할 수 있도록 바꾸어 표현해주셨듯이 말이다.
- 이런 영광의 체험들은 이해하기 쉽게 표현해주는 돌파의 기름부음이 없으면 사람들이 보기에 매우 기괴하고 환각적인 거짓 종교적 표현이 되어버리고 만다.
- 만일 그리스도께서 돌파의 기름부음을 보여주지 않으셨다면, 사람들은 주님의 기적적인 능력을 이해조차 할 수 없었을 것이다.
- 인간성을 통해 가시화된 하나님의 능력은 결코 신비주의적이거나 기상천외한 것이 아니다. 하나님의 능력은 지극히 실제적인 것으로, 우리와 예수 그리스도 및 성부 하나님과의 관계를 토대로 하여 나타난다. 이러한 은혜와 하나님 체험, 하나님께 담대하게 가까이 나아감 등은 모두 사랑과 우정으로부터 말미암는 것들이다.
- 기름부음이 임하여 우리의 인간성 안으로 들어간다. 우리를 사람들 앞에서 현실적인 존재로 만들어주는 힘이 바로 이것이다.
- 주님은 우리가 한낱 인간에 불과하다는 사실도 수용하신다. 주의사항이 있다. 나는 결코 죄를 합리화시키려고 이런 말을 하는 것이 아니다. 다만 하나님 아버지께서 우리의 인간성을 이해해주시는 분이라는 사실을 제시하고 싶을 따름이다. 이것이 바로 주님의 치유사역에서

나타나는 동일시(identification)이고 받아주심(acceptance)이다.
- 사도적인 사람들의 인격과 삶을 통해 나타나는 사도적 돌파의 기름부음은, 반드시 인간을 향한 하나님의 사랑을 계시해주어야 한다. 한발 더 나아가 인간을 향한 이러한 긍휼의 마음에는 반드시 부인할 수 없는 은혜와 은총도 수반된다는 사실을 밝히 드러내주어야 한다.

| 믿음의 행보

- "믿음이 없이는 하나님을 기쁘시게 하지 못하나니 하나님께 나아가는 자는 반드시 그가 계신 것과 또한 그가 자기를 찾는 자들에게 상 주시는 이심을 믿어야 할지니라"(히 11:6).
- 하나님의 긍휼에 관한 계시가 밝혀짐으로써, 하나님께서는 자신을 우리에게 얼마든지 자유롭게 표현하실 수 있게 된다. 아울러 주님은 우리에게 초자연적인 일들로 보상해주신다.
- 사람은 결코 사랑의 원천이 되지 못한다. 단지 사랑을 받고 표현할 수 있는 존재일 따름이다. 우리는 사랑을 받고 표현할 줄 아는 사람을 하나님을 아는 자라 말할 수 있다.
- "사랑하지 아니하는 자는 하나님을 알지 못하나니 이는 하나님은 사랑이심이라"(요일 4:8).
- "또 사랑은 이것이니 우리가 그 계명을 따라 행하는 것이요 계명은 이것이니 너희가 처음부터 들은 바와 같이 그 가운데서 행하라 하심이라"(요이 6).
- 성경은 우리에게 '투사된'(projected) 사랑을 행하라고 명령한다. 이는 다른 사람의 필요에 직접적으로 초점이 맞춰진 사랑이다. 하나님께서는 지금 사랑의 메신저들을 파견하고 계신다. 이 메신저들은 자신들이 주님께 받은 사랑을 가지고, 이제는 주님께서 만나게 해주시는 사람들의 필요들에 초점을 맞추기 시작한다.
- 사랑이 투사될 때, 비로소 은혜가 가시적으로 나타나기 시작한다.

| 연합이라는 요소

- "보라 형제가 연합하여 동거함이 어찌 그리 선하고 아름다운고 머리에 있는 보배로운 기름이 수염 곧 아론의 수염에 흘러서 그의 옷깃까지 내림 같고 헐몬의 이슬이 시온의 산들에 내림 같도다 거기서 여호와께서 복을 명령하셨나니 곧 영생이로다"(시 133:1-3).

- "진실로 너희에게 이르노니 무엇이든지 너희가 땅에서 매면 하늘에서도 매일 것이요 무엇이든지 땅에서 풀면 하늘에서도 풀리리라 진실로 다시 너희에게 이르노니 너희 중의 두 사람이 땅에서 합심하여 무엇이든지 구하면 하늘에 계신 내 아버지께서 그들을 위하여 이루게 하시리라 두세 사람이 내 이름으로 모인 곳에는 나도 그들 중에 있느니라"(마 18:18-20).
- "나는 세상에 더 있지 아니하오나 그들은 세상에 있사옵고 나는 아버지께로 가옵나니 거룩하신 아버지여 내게 주신 아버지의 이름으로 그들을 보전하사 우리와 같이 그들도 하나가 되게 하옵소서 … 아버지여, 아버지께서 내 안에, 내가 아버지 안에 있는 것 같이 그들도 다 하나가 되어 우리 안에 있게 하사 세상으로 아버지께서 나를 보내신 것을 믿게 하옵소서 … 곧 내가 그들 안에 있고 아버지께서 내 안에 계시어 그들로 온전함을 이루어 하나가 되게 하려 함은 아버지께서 나를 보내신 것과 또 나를 사랑하심 같이 그들도 사랑하신 것을 세상으로 알게 하려 함이로소이다"(요 17:11, 21, 23).

정의로운 판단

- 사탄은 믿는 자들을 하나님 앞에서 고발하며, 믿는 자들에게 하나님에 관해 고발한다. 또한 그는 다른 그리스도인들을 믿는 자들에게 고발한다.
- 형제가 형제를 고발하는 일과 관련하여, 사탄은 너무도 자주 우리 입을 도구로 불화와 불만의 씨앗을 뿌려놓는다. 이렇게 함으로써 사탄은 고발당하는 사람 안에 비난의 영을 심어놓는다. 마가복음 7장 20-23절은 의심에 찬 사악한 눈에 관해 이야기하고 있다. '사악한 눈'이란, 누군가를 보자마자 곧바로 악한 것을 생각하는 것이다. 혹은 무언가 잘못된 것을 찾아내기 위해 쳐다보는 것, 전혀 비난할 만한 것이 아님에도 불구하고 단지 겉모습만으로 판단하는 것을 말한다.
- "외모로 판단하지 말고 공의롭게 판단하라 하시니라"(요 7:24).
- "비판을 받지 아니하려거든 비판하지 말라 너희가 비판하는 그 비판으로 너희가 비판을 받을 것이요 너희가 헤아리는 그 헤아림으로 너희가 헤아림을 받을 것이니라"(마 7:1-2).
- "네가 어찌하여 네 형제를 비판하느냐 어찌하여 네 형제를 업신여기느냐 우리가 다 하나님의 심판대 앞에 서리라 … 그런즉 우리가 다시는 서로 비판하지 말고 도리어 부딪칠 것이나 거칠 것을 형제 앞에 두지 아니하도록 주의하라"(롬 14:10, 13).

- 우리는 판단을 하되, 비난함으로써가 아니라 상대방의 필요를 알아차리고 섬김과 구원의 손길을 내밀어주는 방법으로 판단해야 한다. 그들을 자기비난이라는 독방에 감금시켜 놓는 처벌의 방법이 되어서는 안 된다.
- "형제들아 사람이 만일 무슨 범죄한 일이 드러나거든 신령한 너희는 온유한 심령으로 그러한 자를 바로잡고 너 자신을 살펴보아 너도 시험을 받을까 두려워하라 너희가 짐을 서로 지라 그리하여 그리스도의 법을 성취하라"(갈 6:1-2).
- "네 형제가 죄를 범하거든 가서 너와 그 사람과만 상대하여 권고하라 만일 들으면 네가 네 형제를 얻은 것이요 만일 듣지 않거든 한두 사람을 데리고 가서 두세 증인의 입으로 말마다 확증하게 하라 만일 그들의 말도 듣지 않거든 교회에 말하고 교회의 말도 듣지 않거든 이방인과 세리와 같이 여기라"(마 18:15-17).

The Dancing Hand of God

CHAPTER 12

하나님의 확신

우리는 주의 일을 함에 있어서 반드시 담대함을 가져야 한다. 이 담대함은 오로지 성령님과의 관계로부터 말미암는다. 성령님의 파르헤지아 안에서 우리는 주님이 본질적으로 담대한 분이심을 목격하게 된다. 주님은 우리와 나란히 걸어가시면서, 우리의 행위와 담대함의 수준을 증가시켜 주심으로써 우리를 도와주신다. 그분은 우리가 무기력감을 떨쳐버리고 하나님의 운행하심을 향해 나아가도록 도와주신다. 주님은 한계의 영으로부터 자유케 된 우리들을 위해 하늘의 문들을 열어주신다.

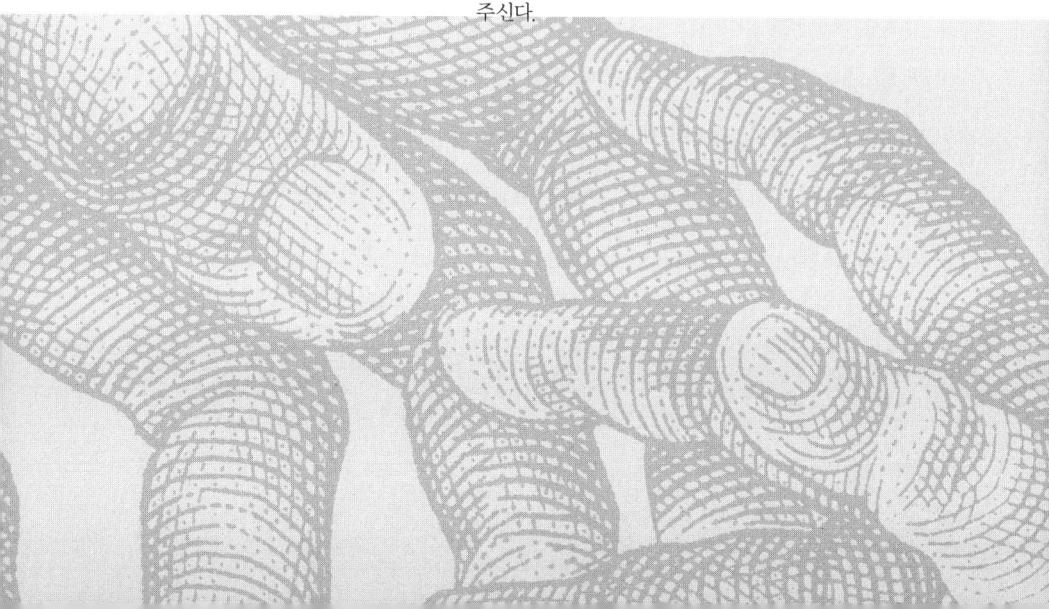

또 다른 버스정류장 간증

도대체 어떻게 된 영문인지 모르겠지만, 내가 CFNI에 다니는 동안 주님은 댈러스 시내에 있는 그 버스정류장을 실제로 주님의 특정한 성품들을 계시하는 도구로 사용해주셨다. 앞 장에서 나는 술주정뱅이 사건을 계기로 주님께서 거룩한 사랑의 흐름에 민감하게 반응하는 법, 긍휼의 마음으로 기능하는 법에 관해 가르쳐주셨다는 이야기를 소개하였다. 그런데 동일한 버스정류장에서 또 한 번의 범상치 않은 사건이 일어났다. 이 사건을 통해 나는 도움을 필요로 하는 사람을 향해 나아가는 또 다른 수준의 담대함을 배우게 되었다.

당시 나는 삶을 에워싸고 있던 환경들(나의 성장과정과 거절에 대한 두려움

등)과 위협감으로부터 자유케 되어, 확신을 가지고 나아가는 법을 터득해 가고 있었다. 이제야 깨닫게 된 사실인데, 당시 주님은 내 안에 다름 아닌 주님의 확신이 가진 속성들을 계발시켜 주시는 중이었다. 이제 나는 그러한 확신이 사도적 기름부음의 풀어짐과 어떤 식으로 연관되어 있는지에 관해 잠시 이야기하려고 한다.

어느 날 나는 다시금 그 버스 정류장에서 주님께서 사역을 필요로 하는 누군가에게 나를 인도해주시기를 기다리며 서성대고 있었다. 정말 재미있는 일이지만, 지금 생각해보니 그때 나는 스미스 위글스워스의 또 다른 책 한 권을 막 완독하고 난 후였다. 매우 강력했던 그 책은 우리가 어떻게 해야 언제라도 사역에 응할 수 있게 준비되는지 그리고 주님께서 우리의 순종을 보시고 응답해주신다는 내용에 관해 요약적으로 잘 설명해놓고 있었다. 사자처럼 담대하라! 담대하게 발걸음을 내딛고, 현장에서 사람들과 만나라!

여기는 버스정류장이다. 주님은 나의 열정을 인정해주시어 또다시 응답해주셨다. 틀림없이 스미스 위글스워스가 느꼈을 흥분과 대담함이 내 안에서도 느껴졌다. 마침 나는 정류장으로 들어와 정차하고 있는 한 대의 버스를 열망에 찬 눈으로 지켜보고 있었다. 나는 속으로 이렇게 생각했다. '주님! 기회가 왔습니다.' 마치 온 세상을 안을 수 있을 것만 같은 기분이었다.

그때 굉장히 많은 사람들이 버스정류장을 지나가는데, 200명가량은 되어 보였다. 그들은 오로지 아프리카계 미국인들로만 구성되어 있었다. 이런 광경은 당시만 해도 내게는 무척 낯설게 여겨졌다. 그들은 마치 하나의 거대한 무리로 어딘가에서 함께 버스를 타고 온 사람들 같아 보였다.

'도대체 이 많은 남녀들이 어디서 왔을까' 궁금해하며 곰곰이 생각하고 있는 동안, 그 버스가 멈춰 섰다. 그리고 버스에서 한 신사가 내렸다. 그는 한 손에는 작은 여행용 가방을 들고 있었고, 또 다른 손에는 지팡이를 짚고 있었다. 그는 매우 신중한 걸음으로 버스에서 내렸다. 그런데 그의 한쪽 발이 굽혀지지 않는 것이 분명했다. 그는 몸을 지탱하기 위해 지팡이에 기대면서 얼굴을 찡그리고 있었다.

나는 얼른 그 남자를 따라갔다. 그리고 그를 앞에 두고 내가 할 수 있는 가장 위글스워스다운 목소리로 다음과 같이 용기 있게 말했다. "당신은 온전해지기 원하십니까?"

모든 사람들이 가던 길을 멈추고 나를 쳐다보았다.

지금 생각해보면 그때 나는 심지어 영화배우 제임스 얼 존스의 억양까지 흉내내고 있었던 듯하다. 아마도 위글스워스가 이런 나를 보았다면, 자랑스러워했을 것이다! 그 남자는 눈을 가늘게 뜨며 나를 쏘아보았다. 왠지 갑자기 웃음이라도 터뜨릴 것만 같았다. 그러나 그 대신에 그는 이렇게 말했다. "지금 치유 같은 것에 관해 말하고 있는 거요? 내 여동생은 캐서린 쿨만의 집회에 참석했다가 암을 치유 받았소. 나는 이번 주에 이 불편한 다리를 절단하는 수술을 받으려고 한다오. 이 다리 안에 종양이 수십 개나 있소. 더 이상은 의사들도 손을 쓸 수 없다고 하는구려. 내가 이 도시로 온 이유도 그 때문이라오."

정말 놀라운 하나님의 섭리 아닌가!

"제가 예수님의 이름으로 당신을 위해 기도해드려도 되겠습니까? 저는 당신이 반드시 치유될 것이라고 믿습니다."

그로서는 어렵지 않은 제안이었다. 그는 고개를 끄덕였다. 나는 예수님의 이름으로 간구하며 종양들을 꾸짖었다. 그게 전부였다.

"음, 젊은이." 그는 잠깐 비틀거리더니, 손에 들고 있던 여행용 가방과 지팡이를 바닥에 떨어뜨렸다. "자, 시작이다!"

그는 아픈 다리를 이끌고 앞쪽으로 몇 발자국을 내디뎠다. 균형을 잃은 그가 막 넘어지려던 찰나, 내 귀에 "툭! 탁탁! 빵!" 하는 소리가 들려왔다. 정말 놀랍게도 그는 한발을 앞으로 내디뎠다. 그의 다리 안에 있던 종양들은 완전히 사라져버렸고 그는 즉각적으로 온전해졌다!

그 남자와 내가 얼마나 기뻐했는지는 충분히 상상할 수 있을 것이다. 그는 지팡이와 가방은 그대로 내버려둔 채, 주위를 빙글빙글 돌면서 감사의 찬양을 불렀다. 우리는 두 사람만의 은밀한 부흥집회를 가졌다. 그저 경이로울 뿐이었다.

그러나 그 순간 200명 정도 되어 보이던 일단의 흑인 남녀들이 보여준 모습이야말로 최고였다. 그들은 그야말로 제정신이 아니었다! 자리에서 펄쩍펄쩍 뛰고, 빙글빙글 돌고, 비명을 질러대고, 기쁨의 함성을 외치고, 고함을 질러대고 있었다. 버스정류장 바로 앞에서 말이다. 그런 그들의 모습을 지켜보는 것은 정말이지 장관이었다. 모든 사람들이 마음껏 함성을 외쳐대는 옛날 방식의 성령잔치를 즐기고 있었다.

나는 이 모든 사람들이 이렇게 소리치고 기뻐하는 모습을 보며 어안이 벙벙해졌다.

잠시 후에야 나는 이들이 방금 전 어느 오순절 부흥집회에 참석했다가 돌아오는 중이었음을 알게 되었다.

파르헤지아 원리

이제 그리스도의 몸 된 교회 안에 존재하고 있는 쟁점에 관해 살펴보자. 우리는 하나님이 치유하실 수 있는 분임을 너무나 잘 알고 있다. 하나님은 하나님이시고, 전능하신 분이기 때문이다. 어떤 그리스도인들은 여기서 한발 더 나아간다. 그들은 하나님이 치유하실 뿐 아니라, 사람들을 온전케 해주시는 것이 주님의 진정한 뜻이자 바람이라고 주장한다. 그러나 하나님께서 우리를 치유해주기 원하심을 믿는 것과 하나님께서 주님의 백성들을 통해 치유하기 원하심을 믿는 것은, 전혀 별개의 문제다. 주님의 백성들은 담대함에 관한 계시를 받고 담대함을 가져야 한다.

일전에 내가 사도행전 4장 31절에 나타난 사도들의 담대함에 관해 좀 더 심도 있게 다뤄 보겠다고 말한 것을 기억하는가? 나는 약속은 반드시 지키는 사람이다. 자, 이제 성령님의 '파르헤지아'에 관해 논의해보자. 이 개념이 이번 장의 주제와 얼마나 멋지게 연관되는지 살펴보겠다.

헬라어 '파르헤지아'(parrhesia)를 우리에게 친숙한 표현으로 바꾸어 말하면 '담대함'이다. 이는 '자유롭고 확신 있게 말하다, 거리낌 없이 말하다, 두려움이나 비겁함, 위협과는 정반대의 것' 등을 의미하는 말이다. 사람들이 성령으로 충만해졌을 때, 파르헤지아가 그들 위에 임하였다.

초대교회의 사도들과 마찬가지로, 오늘날의 사도적인 사람들도 성령의 능력으로 사람들에게 담대함을 구비시켜 주는 일에 부름 받았다. 이 일은 사도적인 사람들이 가진 돌파의 기름부음의 일부일 뿐 아니라, 상당히 주된 부분을 차지하고 있다! 담대함이 없는 하나님의 백성들은 어디에 있는가? 위협과 두려움의 족쇄에 매여 있는 이들은 어디에 있는가? 하나님의 백성들이 위협과 두려움을 느끼는 것은 결코 주님의 뜻이 아니다.

우리는 위협으로부터 온전히 자유로워야 한다. 왜냐하면 우리는 새 사람일 뿐 아니라 하나님께서 발행하신 예정보험(open policy)이기 때문이다. 주님의 보좌의 권세가 우리를 후원해주고 있다. 우리는 주님이 소유하신 모든 것들을 언제든지 마음대로, 즉각적으로 이용할 수 있다. 하나님의 모든 소유물들을 말이다. 그분은 정의와 자비, 자유의 하나님이시다. 따라서 우리는 말이나 행실이나 무엇을 하든지 하나님의 영광을 위해서 해야 한다(고전 10:31). 우리는 주의 일을 함에 있어 반드시 담대함을 가져야 한다. 물론, 언제나, 항상 주님의 지혜와 인도하심 가운데서 말이다.

이러한 담대함은 오로지 성령님과의 관계로부터 말미암는다. 나에게 있어서 담대함은 성령으로 세례를 받았음을 입증해주는 가장 중요한 증거 중의 하나다. 단지 방언을 말하는 것만이 성령세례의 증거는 아니다. 물론 방언이 지극히 중요한 것은 사실이다! 사실 방언을 하기 위해서도 확신이 필요하다. 파르헤지아가 요구된다.

사도적인 사람들인 우리는 종교적인 영에 맞서 싸우고 있다. 종교의 영은 우리에게 위협감을 주고 주님 안에서 우리가 가진 권위를 제한하려고 얼마나 애를 쓰는지 모른다. 우리를 어떻게 해서든 평범함과 명목론의 수준으로 끌어내리려고 한다. 그것은 '평균적인 수준'이라고 불리는 원수다 (내가 이 말을 어디에서 들었는지는 잘 기억나지 않는다. 아마도 밥 메이슨의 말이었던 것 같다. 아무튼 그의 가르침은 매우 탁월하다. 우리의 원수는 바로 '평균적인 수준'이다). 종교의 영은 우리가 단순히 목숨을 연명하는 현상유지에 만족하며 살아가기를 원한다. 그것은 우리가 하나님의 역사하심에 대해 무관심한 채 안전지대에 머물러 있기를 바란다.

사도적인 사람들은 이러한 무기력의 영에 맞서 싸워야 한다. 이 문제는 그리스도의 몸 된 교회 안에서 매우 심각하다. 줄잡아 말하자면, 우리는 급하고 강한 바람과도 같은 하나님의 일하심을 매우 중요하게 생각해야 한다. 이러한 하나님의 일하심을 회복하는 일이야말로 사도적인 사람들의 부르심이다!

내가 경각심을 느끼고 있는 사실이 있다. 지금 주님의 몸 된 교회는 이 종교의 영에 의해 활력을 잃고 '거의'라고 불리는 체험(almost experience)의 명목론을 받아들이고 있다. 이것에 관해서는 앞에서 한 번 다룬 적이 있다. 기억하는가? 나는 종교의 영으로 인해 속사람이 파라클레토스, 곧 위로자이신 성령님(요 14:26)과 한 번도 관계를 주고받은 적이 없는 젊은 세대가 형성되고 있는 모습을 보고 있다.

돌파의 기름부음은 '일반적인 수준'이라는 둔감함을 제거해내고, 성령님의 공격적인 측면을 사람들 앞에 제시해준다(그렇다. 성령님은 공격적인 측면을 지니고 계신다. 여기에 관해서는 이후에 보다 깊이 다루기로 하겠다). 주님은 우리 옆에서 나란히 걸으면서 필요할 때마다 격려해주시고 사기를 북돋아주시는, 단지 수동적이기만 한 분이 아니다.

성령님의 파르헤지아 안에서 우리는 주님이 본질적으로 담대한 분이심을 목격하게 된다. 주님은 우리와 나란히 걸으시면서, 우리의 행위와 담대함의 수준을 높여 주심으로써 우리를 도우신다. 그분은 우리가 무기력을 떨쳐버리고 하나님의 운행하심을 향해 나아가도록 도와주신다. 무슨 말인지 이해되는가?

사도적인 사람들은 성령님의 담대함이 사람들의 삶 속에 편만해지게 하려고 매우 열정적으로 노력한다. 그들은 영적인 영역에서 이루어지는 일들을 이 땅에 가시화시킴으로써, 세상적인 표현들과 그 권능을 좌절시켜야 함을 인식하고 있다.

분명 세상도 나름대로의 고유한 표현을 가지고 있다. 세상은 사람들로 하여금 주어진 환경을 그대로 받아들이고 안주하도록 유혹한다. 그들의 눈은 자연적인 것에 초점이 맞춰져 있고, 하나님의 초자연적인 능력에 대해서는 두려워하거나 무시한다. 하나님의 초자연적인 능력이 그들이 현재 겪고 있는 온갖 환경들을 대신할 수 있는데도 말이다.

우리는 성령께서 강력하고 공격적인 방식으로 역사하시도록 허용해드려야 한다. 그렇게 함으로써 위협과 불신앙의 영을 파쇄해야 한다. 위협과 불신앙의 영은 사람들에게 이렇게 말한다. '만일 네가 하나님의 활동에 관여한다면, 결국은 계속해서 실망만 경험하고 말 거야.' 사랑하는 나의 친구들이여, 이것은 원수의 속임수다! 이것이 바로 한계의 저주다!

한계의 저주

내 소견에 의하면, 사도적인 사람들의 가장 큰 부르심 중 하나는 '하나님의 표현을 한정 짓는 저주를 성령님을 통해 반전시키는 것'이다. 사도적인 사람들은 표적과 기사와 이적들을 권세 있게 행할 만큼 담대함으로 가득 차 있다. 이렇게 함으로써 그들은 이 땅에서 사람들의 마음속에 하나님의 나라를 확립시킨다. 하늘에서 이미 확립된 통치권과 권세가 이 땅 위에서도 풀어져야 한다.

"나라가 임하시오며 뜻이 하늘에서 이루어진 것 같이 땅에서도 이루어지이다"(마 6:10). 그것은 이미 하늘에 존재한다. 주님의 뜻은 이루어져 있다. 이미 하늘에서 활성화된 주님의 뜻을 이 땅 위에서 활성화시키는 것이, 우리가 할 일이다. 초자연적인 영역에서 일어나고 있는 일을 이 땅에서도 일어나게 하는 것이 우리의 임무다.

이전에도 간략하게 다룬 적이 있으나, 사도행전 8장에 소개된 빌립의 모습을 또 다른 각도에서 관찰해보도록 하자. 특히 7-8절을 참고하라. 본문에서 빌립은 사마리아 성에 내려가서 사람들에게 그리스도를 전파하고 있다. 그 결과 다음과 같은 일이 이어졌다.

> 무리가 빌립의 말도 듣고 행하는 표적도 보고 한마음으로 그가 하는 말을 따르더라 (the multitudes with one accord heeded the things spoken by Philip, hearing and seeing the miracles which he did, 행 8:6)

하나님의 은혜로 그동안 나는 수많은 기적들을 목격하며(seen) 살아왔다. 그런데 기적들에 관해 듣는 것(hearing)은 어떠한가? 바로 다음 구절은 이렇게 말씀한다.

> 많은 사람에게 붙었던 더러운 귀신들이 크게 소리를 지르며 나가고 또 많은 중풍병자와 못 걷는 사람이 나으니 그 성에 큰 기쁨이 있더라 (행 8:7-8)

귀신을 내쫓는 것은, 기적이 일어나고 있음을 '듣는 것'(hearing)이다. 왜냐하면 귀신은 하나님의 참된 소리를 죽여 놓기(다시 말해 '속박해놓기') 때문이다. 따라서 귀신에게서 놓임을 받을 때, 하나님 나라의 참된 소리가 들려온다. 그것은 기쁨의 소리다. 사마리아 성에 '큰 기쁨'이 있었던 것처럼 말이다.

마귀는 우리가 자유와 해방과 확신이 없이, 그저 아무 말도 하지 않고 침묵을 지키며 가만히 있어 있기를 바란다. 그러나 이적의 영역 안에서 이루어지는 일들을 들음은 이 땅의 영역에 기적을 풀어놓는다. 모든 기적들이 풀어진 후에는 큰 기쁨이 찾아온다. 왜냐하면 하나님의 뜻이 하늘에서와 같이 이 땅에서도 이루어지는 모습을 목격하기 때문이다. 돌파의 기름부음은 한계의 영들을 떠나보내고 기쁨의 소리들을 가져온다.

그동안 나는 여러 팀을 이끌고 지구상의 많은 오지들을 방문했다. 인도의 정글에 가본 적도 있는데, 고립되어 있는 산간벽지로 들어갈 때면, 우리는 여러 세대 동안 아무도 넘어뜨리지 못한 명백한 귀신의 능력과 마주치곤 했다. 이를테면, 미신적 관습들, 고뇌들, 신비사술의 행위, 이교신앙, 성령주의 등이다. 또한 이런 견고한 진들이 하나님의 기적적인 개입으로 말미암아 무너져 내리는 모습을 지켜보는 것은, 참으로 놀랄 만한 일이다. 이런 일들은 온통 환희의 분위기를 만들어낸다.

그것은 단순한 기적이 아니다. 그것은 자유와 담대함의 표현이다. 이제껏 한계로 고통받고 속박되어 있던 사람들이 난생 처음으로 기쁨과 평강과 의를 경험하는 모습을 지켜보는 것은, 정말이지 굉장한 일이다. 그들은 마침내 하나님의 나라와 접촉하게 된다. 우리는 단지 기적들이 일어나는 것만 보는 것이 아니다. 물론 기적의 광경은 더할 나위 없이 멋지지만 말이다. 오히려 기적들은 하나님과의 만남과 체험으로 이끌어가는 관문의 역할을 한다. 영적인 영역에서 이루어진 일들이 이 땅 위에서도 경험되는 것이다.

주님의 몸 된 교회 어디에서나, 기적적인 일들은 사람들을 유혹하는 세상적인 것들을 깨뜨려놓는다. 세상은 미혹과 유혹의 강력한 도구들을 자체적으로 소유하고 있고, 참된 하나님의 능력으로부터 사람들의 시선을 빼앗을 수 있는 온갖 도구들을 갖추고 있다. 이 도구들은 그들을 억압하고 마비시켜 하늘의 기쁨을 느끼지 못하게 만들어놓는다. 사람들은 '조용하다'라는 단어가 지닌 모든 의미 가운데 마침내 '평균적인 수준'이라는 거짓된 안정감에 빠져들게 된다.

사도적인 사람들은 응답을 풀어놓는 기적들을 일으켜야 한다. 파르헤지아의 비결은 그들 위에 임하는 하나님의 담대함이다. 사도적인 사람들은 이러한 담대함을 가지고 종교의 영과 맞서 싸워야 한다. 종교의 영은 사람들이 하나님과의 만남을 체험하는 것을 원하지 않는다. 또 주님의 몸된 교회의 사람들이 현재 경험하고 있는 것에 대해 응답하는 것도 싫어한다. 왜냐하면 만일 그들이 그렇게 응답하면, 담대함이 그들에게 임하게 되기 때문이다! 또한 종교의 영은 삽시간에 번져가기 시작한다.

일어나라! 우리는 이러한 한계의 저주에 대항하여 싸워야만 한다. 한계의 저주는 우리에게 하나님을 경험하는 것은 불가능한 일이라고 말한다! 따라서 우리는 이에 대항하여 마태복음 16장 19절, 즉 묶기와 풀기에 관한 말씀을 연구해야 할 뿐 아니라, 나아가 하나님의 사람들을 종교적 허무의 속박에서 풀어놓기 위하여 돌파의 기름부음을 추구해야 한다.

당신도 알다시피, 나의 신앙적 성장배경과 관련하여 내가 가장 감사하게 여기는 것 중 하나는, 내가 결코 한 가지만을 배우지 않았다는 사실이다. 그렇기 때문에, 고의적으로 잊어버려야 할 것도 없었다. 이전에도 이야기한 바 있지만, 나는 남부 캘리포니아 스타일의 이방인으로 자라났다!

지금 나는 포괄적인 진술을 하고 있는 것이 아니다. 나는 우리가 성령 충만하고 성경을 하나님의 말씀으로 믿는 교회 안에서 목소리를 내도록 격려를 받아서는 안 된다고 이야기하는 것이 아니다. 오히려 나는 그렇게 해야 한다고 강력히 지지하는 사람 중 하나다. 그러나 그 무렵 내가 자란 캘리포니아에서는 그런 유의 교회들을 한 군데도 찾아볼 수 없었다. 따라서 나는 최고의 선의를 가진 교회들에까지 만연되어 있는 종교적 허무에 관해 고의로 잊어버릴 필요도 없다.

나는 예수운동을 통해 성령 충만해지고 거듭남을 체험하게 된 것에 대해 매우 감사하고 있다. 내가 놀랄 만한 부흥이 진행되던 성경학교에 다닌 것도, 바로 이처럼 은사주의적인 부흥이 한창 일어나던 초창기 무렵의 일이었다. 나는 6시간 동안 진행되는 기적의 집회들을 표준적인 것이라고 생각했다! 그러한 삶이 내게는 그리스도인으로서의 평균적인 수준으로 여겨졌다.

하늘의 자유들이 이 땅 위에 표현될 때, 우리는 참된 자유 가운데로 들어가게 된다. 그러나 지금 우리는 이 한계의 영에 의해 위협 받고 있다. 한계의 영은 주님의 몸 된 교회가 하늘에서와 같이 이 땅에서도 마음껏 자유와 해방 가운데 자신을 표현하는 것을 결코 원하지 않는다.

여기서 앨마 자매의 담대함에 관한 이야기를 소개함으로써 당신의 믿음을 격려하고자 한다.

앨마 이야기

나는 팀원들을 데리고 인도의 격리된 정글에 살고 있는 부족민들을 위한 봉사사역을 나가곤 하였다. 그 지역이 얼마나 오지였는가 하면, 그곳의 부족민들은 이제껏 백인들을 한 번도 본 적이 없었다. 한번은 이 사역 여행에 어느 귀한 자매가 함께한 적이 있었다. 루터교 배경을 가지고 있던 그 자매의 이름은 앨마였다. 다음은 그녀가 실제로 겪은 이야기다.

우리는 인도의 북부중앙 지역 어딘가에 있었다(그곳이 정확히 어디인지는 아무도 모를 것이다. 아마 지도에도 나오지 않는 지역인 듯하다). 당시 우리가 전하는 예수에 관한 메시지를 듣기 위해, 수많은 작은 부족 사람들이 몰려오고 있었다. 주님은 그들에게 은혜로 자신을 계시해주셨다. 그들 중 대부분이 구원계획에 관해서는 그동안 한 번도 들어본 적이 없었다. 우리는 당시 몇 가지 엄청난 기적과 구원의 사건들을 목격하였다. 부흥집회가 진행되는 동안, 밤이면 밤마다 수많은 사람들이 물밀듯이 몰려왔다.

그러던 어느 특별한 밤, 나는 줄지어 서 있는 인도인들에게 기도해주기 위해 아래로 내려갔다. 그들은 기도를 받기 위해 팔을 펼치고 서 있었다. 나는 상상할 수 있는 온갖 형태의 질병, 아픔, 허약함으로 고생하고 있는 사람들을 위해 기도해주었고 매우 강력한 기적들이 일어나는 것을 지켜보았다. 모든 영광과 존귀를 주님께 올려드린다. 신체적 불구가 치유되었고, 꼬부라진 뼈들이 곧게 펴졌다. 못 보던 눈이 보게 되었고, 못 듣던 귀가 열렸다. 주님께서 수많은 이들을 하나하나 만져주시는 광경을 지켜보는 것은 굉장한 즐거움이었다.

그리고 어느새 한 남자가 내 앞에 서 있었다. 그가 무슨 문제를 가지고 있는지는 굳이 분별의 은사를 동원하지 않아도 금방 알 수 있었다. 심지어 통역사조차 필요하지 않았다. 이 사람에게는 팔이 없었다. 오그라든 팔도 아니고, 불구가 된 팔도 아니고, 심하게 훼손된 팔도 아니었다. 그냥 아예 팔이 없었다. 어리석게도 나는 혹시나 팔이 잘못된 위치에 달려 있는 것은 아닌가 하여 그의 등 쪽을 확인해보기까지 했다. 그래도 없었다. 팔이 완전히 없었다. 어깨는 있는데, 겨드랑이에 손이 달려 있었다. 손도 달랑 하나였다. 그는 나를 보며 하나밖에 없는 손을 흔들었다.

그는 아예 처음부터 팔이 없는 채로 태어난 것이 분명했다. 왜냐하면 손은 있었기 때문이다. 그는 손을 흔들어 나에게 인사를 건넸다. 하지만 팔은 없었다.

한편, 앨마는 완전히 질려 있었다. 그녀를 비롯한 우리 팀원들은 앞으로 몰려나오는 수백 명의 인도인들을 위해 나 혼자 일일이 기도를 해준다는 것은 도저히 불가능하다고 생각했다. 결국 모든 팀원을 모이게 한 다음, 다시 그들을 사람들 사이로 파송했다. 능력전도를 가르치기 위해 그들을 에이즈와 암과 그 외 훨씬 더 처참한 질병들을 앓고 있는 수많은 사람들 가운데 무작위로 투입시키는 것만큼 좋은 방법은 없다.

첫날 밤, 사랑스런 앨마 앞에 선 사람은 한센병을 앓고 있는 환자였다. 그녀는 조금도 과장하지 않고 기겁할 정도로 놀랐다. 그녀의 확신은 거의 제로수준에 가까웠다. 집회가 끝나고 난 후, 그녀는 내게 다가와 이렇게 말했다. "짐 형제님, 저는 이런 식으로 진행되는 줄은 미처 모르고 있었어요. 제가 인도에 올 때는 찬송 정도로 목회자들에게 용기를 주는 일을 할 것이라고 생각했어요. 저는 이 일을 도저히 해낼 자신이 없어요. 그러니 내일 밤에 형제님이 아픈 사람들을 불러 세우실 때, 저는 저쪽, 저 강대상 뒤로 가서 형제님을 위해 중보할게요. 제발 제 이름을 불러서 사람들에게 안수하라고 말씀하지는 마세요."

물론 나도 사람들 사이로 들어가서 사역하는 이들이 믿음이나 확신도 없이 누군가를 위해 기도해주는 것을 원치 않았다. 그리하여 나는 고개를 끄덕이며 대답했다. "네, 그러지요, 앨마 자매님. 괜찮습니다."

친애하는 독자들이여, 여러분이 나를 의심 어린 시선으로 쳐다보기 전에 말해두겠다. 마음속 깊은 곳에서 나는 누구를 위해서든 기도하라는 요청을 하지 말아달라는 그녀의 부탁을 존중해주려고 생각하고 있었다.

그런데 지금 여기에 팔 없는 남자가 서 있다. 기억하는가? 그는 두 팔이 아예 없다. 방금 전까지 나는 여기 있는 모든 사람들에게 참되고 지혜로우신 하나님은 오직 한 분뿐이라고 설득했다. 또한 그분의 이름은 바로 예수시며, 이 사실을 입증하기 위해 아픈 사람들을 모두 데려오기만 하면 반드시 치유 받을 것이라고 말해놓은 터였다. 그리고 이제까지의 사역은 매우 성공적이었다. 팔 없는 이 남자가 내 앞에 서기 전까지는 말이다.

나는 내가 아는 모든 방법을 다 동원해보았다. 이 남자를 위해 영어로도 기도하고, 방언으로도 기도하고, 축사도 하고, 선포도 하였다. 내가 아는 치유에 관한 온갖 성경구절들이 입술을 통해 쏟아져 나왔다. 흔들거리는 그 남자의 손을 확 잡아당겨보기도 했다. 그러나 아무 일도 일어나지 않았다. 그는 여전히 팔이 없는 채로 서 있었다. 당시 모든 사람들의 시선이 나를 향해 있었다. 빛의 나라와 어둠의 나라가 충돌을 일으키고 있었다. 순간 엄청난 압박감이 느껴졌다.

몇 분가량이 지난 후에, 마침내 녹초가 되도록 이렇게 하는 것을 중단해야겠다는 생각이 들었다. 나는 주님께 기도했다. '주님, 이 사람이 치유되지 않는 이유가 무엇인가요?'

주님께서 내게 말씀하셨다. '그를 앨마에게 맡겨라.'

'예, 좋-습니다!'

"오, 앨마? 앨마, 여기로 좀 와보세요."

앨마는 강대상 뒤에 있었다. 그곳에서 눈을 꼭 감은 채, 강렬하게 방언기도를 드리는 중이었다. 아마도 그녀는 주님께서 자신을 부르신다고 생각했던 모양이다. 왜냐하면 그녀가 하늘을 향해 고개를 홱 돌렸기 때문이다. "네? 뭐라고요?"

"자, 앨마", 나는 그녀의 관심을 좀더 현실세계로 끌어당기면서 말했다. "어젯밤에 그 누구를 위해서도 기도사역을 해주기 원치 않는다고 말씀하신 걸 기억합니다. 그러나 지금 여기 있는 이 남자 분을 위해 당신이 기도해주셨으면 합니다."

그녀의 두 눈이 그 남자에게 향했다. 그런데 그에게는 팔이 없었다. 오, 맙소사! 누군가를 어쩜 저렇게 노려볼 수 있단 말인가! 그녀는 끓어오르는 듯한 눈빛으로 나를 뚫어지게 쳐다보았다. 마치 이렇게 말하고 있는 것 같았다. '제가 아무에게도 기도해주고 싶지 않다고 당신에게 이미 말씀드렸 잖아요. 그런데도 이 남자를 제게 넘겨주시다니요. 이 문제에 관해 나중에 이야기 좀 해요. 짐!' 그러나 그녀는 팔이 없는 그 남자가 있는 데로 걸어왔다. 비참한 심경이었지만, 그럼에도 불구하고 그녀는 그에게 다가갔다.

혹시 여러분 중에 모르는 이가 있을지도 모르기에 말해두겠는데, 인도의 날씨는 매우 덥고 밤 9시에도 습도가 90퍼센트나 된다. 이런 집회에 참석하기 위해 때로는 2-3시간가량 소요되는 길을 걸어와야 하는 어머니들과 자녀들이 약 500명이나 되었다. 그들은 부흥회 기간 내내, 이틀이나 사흘, 나흘 동안 계속해서 집회 장소에 머물렀다. 우리는 그들을 더위로부터 보호해주어야 했다. 그리하여 부흥회의 주최자들(그 지역 출신의 목회자들)은 임시적으로 서까래로 큰 천막을 세운 뒤, 지붕을 짚으로 덮었다.

누군가가 서까래마다 일정한 간격으로 백열전구를 매달면 좋겠다는 의견을 제시했다. 전등이 있으면 어두워진 후에도 집회가 차질 없이 진행될 수 있기 때문이었다. 문제는 인도인들이 비교적 키가 작은 사람들이라는 데 있었다. 내 키는 약 2미터다. 따라서 내가 서 있는 자리에서 백열전구는 바로 내 코 높이에 와 닿았다. 보통 강단 위에 서면 내 머리가 서까래 천장에 부딪치곤 했다.

당신은 이 백열전구들 주위에 모여든 벌레들의 모습을 상상이나 할 수 있는가? 나는 이를 악문 채 말하는 법까지 터득했다. 왜냐하면 인도에서 더위가 참을 수 없을 정도가 되면, 벌레 문제는 훨씬 더 심각해지기 때문이다. 오, 맙소사! 벌레들의 모양은 정말 기상천외하다! 마치 아주 조그만 사람의 얼굴처럼 보였다. 설교시간에 내가 무엇을 삼키고 있었는지는 오직 하나님만이 아신다!

벌레 문제와는 별도로, 우리는 그곳 천막 아래 더러운 바닥 위에서, 아이들과 어머니들에게 음식을 공급해주어야 했다. 인도에서는 아기들이 음식물을 바닥에 떨어뜨리면, 반드시 쥐들이 몰려오는데, 쥐들이 고양이들을 잡아먹는다. 내 말이 농담처럼 들리는가? 이것은 결코 농담이 아니다. 그것들은 잡종이다. 다소 지나친 생각이지만, 나는 인도 정부가 생물학적 무기로 사용하려고 그것들을 만들어냈다고 생각하기까지 했다. 그것들은 서까래에 붙어 있다가, 아이들이 먹다 떨어뜨린 음식 위로 주기적으로 뛰어내렸다. 우리는 사람들을 고용하여 하루 종일 쥐들을 때려잡거나 쫓아내도록 해야 했다. 그 쥐들은 성질이 고약하기로 악명이 높았으므로, 사람들에게 신체적인 위협을 가했다. 정말 사악한 작은 괴물들이다.

내가 잠시 옆길로 샜다. 아무튼, 그곳에는 서까래와 짚으로 된 천막이 있었다. 이 천막 아래에 지금 앨마와 그 팔 없는 남자가 서 있다.

그녀는 그 남자에게 가까이 다가갔다. 그녀의 눈은 나를 뚫어져라 쳐다보면서, 처참한 표정으로 자신의 손을 그 남자의 한쪽 어깨 위에 털썩 올려놓았다. 그의 어깨는 더할 나위 없이 정상적이었다. 그녀는 그의 다른 한쪽 어깨에서 흔들리고 있는 손에는 감히 시선조차 두지 못하고 있었다. 그녀는 두 눈을 꼭 감은 채, 고개를 저으며 중얼거렸다. "예-예-예수님!"

첫 번째인가 두 번째로 '예-예'라고 말하던 순간에(그녀는 시종일관 '예수님'이라는 단어조차 제대로 말하지 못하고 있었다) 예상했던 대로, 그 남자의 어깨에 붙어 있던 손이 격렬하게 흔들리기 시작했다. 그러더니 마치 제트연료로 동력을 갖춘 구형포탄이 공중을 날아가는 것처럼, 움푹 들어간 어깨 부위에서 점점 빠져나오기 시작했다. 하나님께 감사를 드린다. 그의 어깨에는 어느새 팔이 붙어 있었다.

우리가 반드시 기억해야 할 사실이 있다. 당시 앨마는 두 눈을 꼭 감고 있었다. 만일 그녀가 눈을 뜨고 있었더라면, 이 이야기가 그다지 웃기지 않았을 것이다. 그러나 그녀는 눈을 감고 있었고, 그 사이 새롭게 생긴 그 남자의 팔에 붙어 있던 손이 사랑스런 앨마의 정수리에 탁 하고 놓였다.

"아아아아아아아아악!!!!!!!" 그녀는 비명을 지르며 얼른 그의 손을 자신의 머리에서 떼어냈다. 그녀는 그것이 쥐라고 생각했다. 서까래에 있던 쥐가 자신의 머리 위로 떨어졌다고 생각한 것이다. 정말로 심각한 상황이었다. 그녀는 큰소리를 지르며, 발끝으로 이리저리 왔다 갔다 하면서 머리카락을 격렬하게 쓸어내렸다. 그러는 동안, 새로 생긴 그 남자의 팔은 옆구리에서 마치 원숭이 팔처럼 흔들거리고 있었다(그때까지만 해도 그는 근육을 통제하는 법을 배워본 적이 없었다). 다행스럽게도 그 남자는 너무도 놀란 나머지지, 자신의 새로운 팔 때문에 누군가의 기분이 상했다는 사실조차 알지 못했다.

마침내 앨마는 마음의 평정을 되찾고 감았던 눈을 번쩍 떴다. 그녀 앞에는 그 남자가 완벽하게 회복된 팔을 흔들거리며 서 있었다. 그녀는 충격적이라는 표정으로 나를 올려다보고는, 다시금 그 남자의 팔을 쳐다보았다. 그리고 다시 나를 바라보면서 큰소리로 외쳤다.

"말로니 형제님! 오, 주님! 효과가 있었어요! 정말로 효과가 있었다니까요!"

이후부터, 나는 도저히 앨마를 제지할 수가 없었다. 그 사역여행에서 내가 강단초청을 할 때마다, 그녀는 내 어깨를 툭툭 치며 "실례합니다, 말로니 형제님." 하고는, 내 앞쪽으로 새치기해 들어와서 사람들 사이를 헤집고 다니며 신체적인 장애가 있거나 팔다리가 손상된 사람을 찾아다녔다. 통역사도 필요 없었다.

그녀는 각 사람을 손가락으로 지목했다. "당신, 그리고 당신. 그리고 맞아요, 당신." 그녀는 매일 밤 20-30명 정도를 찾아냈다.

내가 아는 한, 그녀의 성공률은 100퍼센트였다. 나는 종종 이런 생각을 한다. '하나님께서 행하신 일이 얼마나 대단한지!'

내가 이 간증을 소개한 이유는, 한계의 저주, 종교성의 저주로부터 자유케 되는 것이 얼마나 중요한지를 보여주기 위해서다. 이것에 관해서는 다음 단락에서 살펴보기로 하겠다. 사실상 이 한계의 저주는 점술의 저주와 아주 유사하다. 주님의 파르헤지아 안에서, 성령님은 사도적인 사람들을 부르셔서 이러한 저주를 반전시켜 놓을 수 있는 담대함이라는 돌파의 기름부음을 풀어놓게 하신다.

점술의 저주

사도행전 16장 16절에서 점술의 영이 한 노예 소녀를 사로잡고 있었던 일을 상기해보라. 비단뱀의 영을 기억하는가? 점술의 영도 동일한 것이다. 점술의 영은 생명을 지니고 있는 것은 무엇이든지 억압하고 쥐어짜려 한다. 우리를 제어하려 든다. 그것은 비단뱀이 우리를 향해 뿜어낸 경멸의 말이며 그리스도 안에서 이루어지는 일들을 제한시키는 판결이나 전망에 관한 말이다.

오늘날 우리가 당면한 가장 심각한 문제는, 원수가 우리를 미혹하여 피상적인 것의 늪에 빠뜨리려 애를 쓴다는 사실이다. 원수는 우리로 하여금 육신적인 영역에서 허우적거리면서 신적인 것을 모방하도록 부추긴다. 사도적인 사람들이 은사뿐 아니라 인격적인 면에서도 분연히 떨치고 일어나야 하는 이유가 여기에 있다.

한계와 점술의 영이 위험한 만큼, 그것은 우리의 최대약점(육신)을 연료 삼아 힘을 얻는다. 그것은 단순히 귀신적인 것만은 아니다. 차라리 그랬더라면 좋았을 것이다. 귀신이었다면 내쫓음으로써 문제를 해결할 수 있기 때문이다. 그러나 사실 우리의 가장 큰 원수는 바로 우리의 육신이다. 그것은 단순히 죄가 아니라, 종교적인 허영이다.

우리는 하나님의 성령을 우리의 영으로 체험하지 않으려는 위험을 무릅쓴다. 이전에도 언급한 바 있으나, 사도적인 사람들은 하나님의 사람들에게 거룩한 것과 속된 것의 차이를 가르쳐주어야 한다. 그렇지 않으면 우리는 모두 자신의 피상성과 허영에서 우러나온 힘으로 사역하려 애쓰게 된다. 이런 식으로 우리가 사람들의 영에 접촉하는 것은 불가능하며, 삶의 수준이 저급해지고 만다. 또한 주님의 몸 된 교회 안에 있는 사람들을 위협하고 제한시키게 된다.

비단뱀이 노예 소녀에게서 쫓겨났을 때 무슨 일이 일어났는지 아는가? 이 일로 인해 바울과 실라는 감옥에 갇히게 되었다. 그런데 우리가 주목해야 할 사실이 있다. 사도행전 16장 25절에서 우리는 바울과 실라가 한밤중에 찬송을 부르는 모습을 본다. 그들은 노예 소녀에게서 귀신을 쫓아낸 일로 매까지 맞았음에도 불구하고, 여전히 하나님을 찬미하고 있다! 나는 그들이 하늘의 성가대원이 되었다고 믿는다. 자, 하늘에서는 무슨 일이 벌어지고 있었을까? 그들은 이 땅에서 하늘의 성가대원이 되었고, 그들의 찬양은 위협의 영을 박살냈다. 그로 인해 지진이 일어났고, 마침내 그들은 곧바로 감옥에서 걸어나올 수 있었다. 이 얼마나 경탄스런 일인가!

사도행전 3장 8절에서는, 걷지 못하던 한 남자가 치유를 받은 후에 걷기도 하고 뛰기도 하며 하나님을 찬송한다. 앞서 소개한 버스정류장에서 만난 남성이 그랬던 것처럼 말이다. 단지 그 기적 자체가 멋진 것이 아니다. 그가 한계의 속박으로부터 해방된 것에 대해 보인 반응도 굉장했다. 그는 하나님께 자유자재로 마음껏 자신을 표현했다! 그러나 사도행전 4장에 나타난 종교적인 사람들의 반응을 주목해 보라. 제사장들은 다음과 같이 말했다. "이 사람들을 좀 조용히 시키시오. 이봐요, 그런 부질없는 소리 좀 하지 마시오! 더 이상 그런 얘기를 거론하지 마시오!" 이것은 전형적인 종교적 허영이다.

종교적인 사람들이 가하는 위협에 대한 하나님의 반응은 무엇이었는가? '입을 다물라!'는 경고를 받은 이후에도, 베드로와 요한과 믿는 이들은 모두 한마음이 되어 목소리를 높였다. 그러자 그들이 모인 곳이 진동하였고, 무리가 다 성령으로 충만해졌다. 그들 안에 담대함이 풀어졌을 때, 그것은 집단적인 파급효과를 가져왔다. 단순히 기적이 일어난 것이 중요한 것이 아니다. 점술의 저주에 하나님이 반응을 보여주셨다!

나는 표적과 기사와 이적들은 보다 심오한 목적을 가지고 있다고 확신한다. 이것들은 원래 그 자체만으로도 경이롭다. 사람들이 자유케 되기 때문이다! 그러나 그뿐이 아니다. 기적적인 일들이 풀어지면서 파르헤지아도 풀려나온다. 사람들은 담대해져서 하나님의 권능을 마음껏 찬양하며 기뻐한다. 한계와 점술의 저주가 파쇄되는 것이다!

마태복음 21장 10-17절을 확인해보라. 여기서 우리는 온 예루살렘 성이 예수님 때문에 소동하고 있는 모습을 보게 된다. 나사렛 출신의 예수님이 이 마을에 오셨다. 예수님이 가장 먼저 하신 일이 무엇이었는가? 선지자이신 주님은 곧장 성전으로 올라가셔서 그 안에 있던 강도들을 내쫓으셨다. 채찍을 휘두르시면서 말이다. 그런 다음 바로 그곳에서 메시지를 전하셨다!

일단 강도들이 쫓겨난 후에는 무슨 일이 일어났는가? 맹인과 저는 자들이 치유를 받았다. 나는 우리가 보다 위대한 기적들을 목격하려면, 우선은 주님의 집안에 축사가 이루어져야 하고 강도들이 쫓겨나야 한다고 생각한다. 그런 다음에야 비로소 어린이들이 큰소리로 외치기 시작할 것이다. "호산나, 다윗의 자손이여!"

이번에도 역시 대제사장들과 서기관들은 어린이들의 입을 다물게 하려고 했다. 상황이 그러했다. 이들의 반응은 종교적인 허무에 근거한 것이었다. 그들은 사람들에게 다음과 같이 명령하려고 했다. "여보시오, 여러분들! 여기서는 우리의 표현을 좀 삼가기로 합시다." 그들은 한계와 점술의 영에 사로잡혀 있었다. 그것들은 사람들을 억누르고 복종시키려고 애를 썼다. 이것이 바로 저주다! 친구들이여, 나는 그들이 신비사술과 점술의 저주에 근거하여 이런 반응을 보였다고 믿는다. 사람들이 자유로워지기라도 하면, 이제 그들은 종교적인 지배권과 통제권을 잃어버리게 된다. 이런 차원에서 종교성이 전혀 중요하지 않다고 어찌 말할 수 있겠는가?

민수기 23장 23절을 상기해보라. 점술과 복술만 아니었다면, 이스라엘 백성들은 젊은 사자들처럼 분연히 떨치고 일어났을 것이다! 사자는 상당히 담대한 짐승이다! 그러나 세상은 사람들이 복 받기를 원치 않는다. 그들이 사자처럼 포효하기를 원치 않는다.

한편 우리가 순전한 마음으로 주님을 기쁘고 즐겁게 섬기면, 주님은 우리를 압제당하는 삶이 아니라 모든 민족 위에 뛰어난 존재로 만들어주신다(신 28:13, 47). 우리는 담대하게 포효할 것이고, 우리 삶에는 주님의 복이 넘쳐날 것이다. 한계에 맞서 싸우라! 사도적인 사람들이여, 점술에 대항하여 싸우라!

점술의 저주는 일종의 복술이다. 그 희생물이 된 사람들은 늘 실패하거나 압제를 당한다. 또한 외면적인 것에 크게 좌지우지되거나 누군가에게 미혹을 받아 하나님의 말씀을 확신하던 자리에서 떠나, 오히려 미혹하는 사람을 따르는 자가 되고 만다. 점술의 저주는 거짓을 믿고 마음의 동기가 변질되도록 유혹한다.

간단하게 말하자면, 점술의 저주는 우리로 하여금 하나님 대신 다른 무언가를 경배하도록 이끈다. 그것은 우리에게 한계와 위협, 속박이라는 형벌을 선고한다. 그렇게 되면, 우리는 충만한 생명을 경험할 수 없게 된다. 다시 말하지만, 그것은 우리를 옥죄는 경멸의 말, 일종의 예측이다. 그것은 우리 위에 둔감함의 베일을 치려고 애를 쓴다. 또 우리가 모조품을 받아들이고 하나님의 능력의 대체품을 수용하기를 원한다.

그것은 단지 귀신적인 모조품이 아니다. 그것은 우리로 하여금 하나님의 능력을 자연적인 지혜와 지식으로 대체하게 한다(내가 자연적인 지혜를 배척한다는 말이 아니다. 잘 이해하기 바란다. 그러나 위로부터 말미암은 지식, 하나님의 지식이야말로 우리 삶 속에서 가장 우위를 차지해야 한다. 이것에 관해 고린도전서 8장 7절을 참조하라).

점술의 베일에 덮여 있는 동안, 우리는 하나님의 권능과 치유의 능력을 의학에서 찾아볼 수 있는 자연적인 치료법들로 대체하려 한다. 여기서 나의 말을 오해하지 말기 바란다. 나는 의사와 간호사들을 찬성한다. 나는 그들을 사랑한다! 그들은 자연적인 영역에서 할 수 있는 최선의 방법으로 사람들을 돕는다. 그러나 우리는 그들의 지식을 훨씬 더 위대한 것, 즉 신적인 치유와 신적인 건강에 대한 대용품으로 사용하는 경우가 많다.

여기 또 하나의 사례를 들어보기로 하겠다. 어떤 종교인들은 이 사례를 들을 때 화가 날 수도 있다. 현 세대의 모든 지도자들이 자신의 믿음을 오직 재정적인 풀어짐을 위해서 사용하고 있는 듯하다. 재정을 위해서 믿음을 사용해서는 안 된다는 말이 아니다. 우리는 모두 여러 가지 일들을 성사시키기 위해 더 많은 재정을 필요로 할 수 있다. 하지만 그들은 너무나 많은 시간과 에너지를, 자신들의 재정적인 필요를 충족시켜 줄 수 있는 기적적이고 초자연적인 개입에 대한 믿음에만 쏟아붓고 있는 듯하다.

만일 그들이 이와 동일한 수준의 에너지를 병자들과 고통당하는 이들의 치유에 투자한다면, 아마도 우리는 기적적인 영역에 있어서 하나님의 권능을 훨씬 더 많이 경험하게 될 것이다. 이런 유의 사안들이 우리 삶의 수준과 하나님을 체험하는 수준을 저급하게 만들어놓을 수도 있음을 잊지 마라. 때로는 축복들이 우리가 실제로 필요로 하는 것에 대한 대용품이 될 수 있다.

사도적인 사람들은 인간성이 대두되는 지점에서는 인간성에 접촉해야 한다. 나는 사도적인 사람들이 이 모든 상황들을 말끔히 해결해줄 것이라 확신한다. 사역자들 편에서는 하나님께서 초자연적인 방법으로 사람들을 만져주시는 모습을 목도하기 위해서다. 한편, 사역에 몸담고 있지 않은 남녀들의 경우에는 자신들의 필요가 채워지는 것을 지켜보기 위해서다.

반복해서 말하지만, 친구들이여, 여기서도 균형을 유지하라. 우리의 필요들을 채우는 모습이 결코 잘못된 것은 아니다. 나는 우리가 번영을 누리는 것에 전적으로 찬성한다. 하나님은 우리에게 복 주기 원하신다. 하지만 손에 잡힐 듯한 하나님의 권능의 만져주심을 절박하게 필요로 하는 사람들을 희생하면서까지는 아니다.

이보다 훨씬 더 중요한 사실이 있다. 만일 내가 재정적인 번영과 기적적인 일 사이에서 선택해야 하는 상황에 처한다면 어떻게 할까? (물론 나는 우리가 선택해야 한다고 믿지는 않는다. 나는 우리가 양자 모두를 가질 수 있다고 생각한다. 다시 말해 우리는 기적을 체험하면서, 동시에 하나님께서 우리의 재정적인 필요를 초자연적인 방법으로 채워주시는 분임을 믿을 수도 있다는 말이다.) 만일 내가 집중력과 에너지를 어디에 쏟아부어야 할지를 선택해야 한다면, 나는 병자들과 고통당하는 이들의 치유를 목도하는 편을 선택하고 싶다! 당신도 그렇지 않겠는가?

인간성에 접촉하는 바로 그 순간, 하늘의 하나님께서 무엇이 풀어지기를 원하시는지, 우리의 눈이 열려 분별할 수 있어야 한다. 우리는 시간을 초월하여 영속적인 가치와 보상을 지니고 있는 것이 무엇인지 볼 수 있는 눈이 열려야 한다!

인도에서 만난 맹인

한번은 15-20명가량의 인도인들이 내 앞에 줄지어 서 있었던 적이 있다. 그들은 모두 온갖 질병으로 고통당하고 있었다. 서 있는 사람들에게 일일이 기도해주는 동안, 나는 엄청난 하나님의 영광의 나타나심을 목격할 수 있었다.

내 앞에 한 남자가 서 있었다. 그의 눈은 더 이상 어떻게 할 수 없을 정도로 최악의 상태였다. 눈에는 아무 색깔도 없었다. 눈동자도 없었고, 오로지 흰자위만 있었다. 그는 태어나서부터 지금까지 35년 동안 단 한 줄기의 빛도 본 적이 없었다. 한때 시력을 가지고 있었다가 상실한 사람은 있다. 그러나 살면서 단 한 번도 본 적이 없는 사람이 치유되는 모습을 지켜본다는 것은 전혀 차원이 다른 문제였다. 일단 이런 사람들의 눈이 뜨일 때 나타나는 결과는, 매우 재밌는 경우가 많다. 왜냐하면 대개 그들이 최초로 목격하는 대상이 나일 때가 많기 때문이다.

아무튼, 성령님은 내게 누가복음에 나타난 예수님의 말씀을 상기시켜 주셨다. 당신도 알고 있겠지만, 이것은 주님께서 이사야서를 인용하여 말씀하신 구절이다.

> 주의 성령이 내게 임하셨으니 이는 가난한 자에게 복음을 전하게 하시려고 내게 기름을 부으시고 나를 보내사 포로 된 자에게 자유를, 눈 먼 자에게 다시 보게 함을 전파하며 눌린 자를 자유롭게 하고 (눅 4:18)

나는 이 구절에 관해 알소부룩이 가르쳐준 내용이 무척 마음에 든다. 구약성경에는 맹인이 치유되었다는 구절이 단 한군데도 없다. 이사야의 메시지는 앞으로 메시아, 메신저가 오시면 맹인이 보게 될 것이라는 내용이었다(사 35:5). 물론 우리는 이사야가 이제 곧 의로운 해가 떠올라서 치료하는 광선을 비춰줄 것을 예언하고 있음을 잘 알고 있다. 그러나 내가 알고 있는 바로는, 맹인들을 위한 치유와 축사가 나타나기 시작한 것은 예수님이 이 땅에 오신 후부터이다. 따라서 맹인의 눈이 열리는 것은 언제든지, 세상의 빛이신 주님이 임하셨다는 증거가 된다! 그러므로 맹인이 보게 되는 것은 주님께 영광을 돌려드릴 일이다!

내 안에 이상과 같은 깨달음이 찾아옴과 동시에, 매우 놀라웠던 또 하나의 사실이 있다. 성령님은 내게 하나님을 가리키는 히브리어 언약의 이름도 생각나게 해주셨다. 바로 여호와 라파(Jehovah Rapha)였다. 이 이름을 번역하면 '나는 너의 인생을 바느질하여 수리해주는 여호와 하나님이다'이다.

물론 두말할 나위도 없이, 참으로 경탄스런 광경이 눈앞에서 펼쳐졌다. 주님이 이 남자의 눈을 수리하기 시작하신 것이다. 몇 분이 소요되었다. 마치 그의 두 안구 흰자위 부분에 바늘로 색깔을 쿡쿡 찔러 넣는 모습을 지켜보는 것만 같았다. 한 땀 한 땀의 바느질을 통해 그의 눈이 정상으로 돌아오고 있었다! 홍채에 색깔이 생겼고, 눈동자가 만들어졌다. 마침내 그의 두 눈은 정상처럼 보였다. 단 하나의 사소한 부분만 제외하고 말이다. 그의 두 눈은 필름 같은 얇은 막으로 덮여 있었기 때문에, 여전히 앞을 볼 수 없었다.

그 기적적인 바느질만으로도 나는 기절초풍할 지경이었다. 그러나 나는 속으로 이렇게 생각했다. '하나님께서 아직 작업을 끝내지 않으신 모양이야. 저 사람이 아직은 앞을 못 보고 있으니 말이야!' 그리하여 나는 두 번째로 기도해주었다. 마침내 두 눈에서 그 얇은 막이 녹아 그의 뺨 위로 흘러내렸다. 그때까지만 해도 그 남자는 내 목소리에 따라 행동하고 있었다. 그러다가 갑자기 자신이 나를 노려보고 있음을 알게 되었다. 그는 큰 소리로 비명을 질러댔다!

그런데 정말 재미있는 일은 그의 흥분이 다소 가라앉은 다음에 일어났다. 나는 그가 내 행동을 그대로 따라하고 있음을 알아차렸다. 우리는 그 남자에게 집회의 저녁시간마다 나와서 간증을 해달라고 부탁했다. 그는 내 버릇이며, 나의 억양(그는 분명 나와는 다른 언어를 사용하였다), 나의 제스처들을 지켜보곤 했다. 그러더니 간증하기 위해 강단에 올라왔을 때, 아니나 다를까 그의 손동작은 내가 하던 방식을 그대로 따라하고 있었다. 그는 나의 인정을 바란다는 듯이, 완전히 새롭게 생긴 두 눈으로 나를 곁눈질하며 쳐다보았다. 그는 내가 소리치는 것처럼 소리쳤다. 단, 그가 토속방언을 사용한다는 점만 달랐다. 그는 내가 다른 사람들에게 기도해주는 방식을 그대로 따라했다. 한 손을 사람들의 어깨에 얹고, 또 한 손을 이마에 얹고, 한쪽 발은 다른 쪽 발보다 약간 뒤로 두는 모습을 정확히 따라하고 있었다. 그것은 상당히 재밌는 광경이었다. 갑자기 내게 앵무새 한 마리가 생긴 것이다. 그는 진정으로 사랑스런 앵무새였다.

여기서 한 가지 원리를 말해보겠다. 그것이 매우 강력한 기적이었다는 점 외에 이 남자는 자신을 나와 동일시하고 있었다. 왜냐하면 그가 태어나서 처음으로 본 것이 바로 내 삶 속에서 역사하고 계시는 하나님이었기 때문이다. 그는 단순히 나의 행동을 그대로 따라했다. 그는 자연적인 영역뿐 아니라(그의 시력이 회복된 것) 영적인 영역에 있어서도(그는 자신이 '목격한' 바를 그대로 재현하고 싶어 했다), 하나님 안에서 자유를 발견하였다.

당신 주변에 있는 사람들이 온전한 자유 가운데 행동하기 시작할 뿐 아니라, 자신들이 직접 만난 하나님께 반응하며 살아가는 모습을 지켜보는 것은, 참으로 놀라운 사도적인 은혜의 계시다.

　사도적인 사람들의 부르심은 믿음의 영을 확립시켜 준다. 그들의 부르심은, 하나님 아버지 안에서 자신들이 누리는 통치권에 관해 잘 이해하는 사람들을 재생산하는 일에 있다. 다시 말해, 일단의 동류들을 만들어내는 것이 그들의 부르심이다. 이들은 하나님이 어떤 종류의 질병이라도 치유하실 수 있는 분임을 알고 있는 무리들이다.

　사람들 안에 참된 하늘의 소리를 듣는 능력을 창조해주기 위해서는 사도적 기름부음이 필요하다. 방금 전에 소개한 이 사랑스런 남자의 신체적인 눈이 열렸듯이, 이와 동일한 방식으로 영적인 눈이 열리려면 돌파의 기름부음이 요구된다. 나아가 이들은 사도적 기름부음과의 만남 이후 최초로 목격한 일을 그대로 복제하기 시작할 것이다. 그들은 죽은 행실들을 회개하고 하나님을 향한 믿음을 갖는다.

　사도적인 사람들은 사람들에게 회개를 촉구한다. 이는 그들로 하여금 '볼 수 있게' 하려는 것이다. 죽은 행실들은 우리가 이 책에서 줄곧 이야기하는 것이기도 하다. 죽은 행실들은 기적들이 원활하게 일어나지 못하도록 방해하는 장애물이다. 사람들에게 참된 변화를 가져다주지 못하는 무익하고 불필요한 것들이다. 자유를 질식시키는 것들이다. 그것은 은폐시키는 역할을 함으로써 하나님의 기름부음이 자유자재로 흐르지 못하게 방해한다.

　믿음이 없이는 하나님을 기쁘시게 할 수 없음을 보여주는 계시가 필요하다. 누구든지 하나님께 나아오는 자는 주님이 살아 계신 것과 주님을 찾는 자들에게 상주시는 분이심을 믿어야 함을 보여주는 계시가 필요하다(히 11:6).

그러므로 사도적인 사람들이란 그리스도 안에서 우리의 진정한 정체성을 깨달을 수 있도록 믿음을 가져오는 자들이다. 우리는 하나님의 권세와 은혜라는 새로운 실상 안에서 무한한 가능성을 가진 새 피조물이다. 사람들은 자아상뿐 아니라, 그리스도 안에서 자신이 가진 정체성에 관해서도 좀더 나은 관점을 얻어야 한다!

사도적인 사람들은 사람들이 보이지 않는 영역 혹은 영원한 영역에 관심을 갖게 만들어야 한다. 초자연적인 일의 비결은 예수님의 삶을 그대로 본받는 데 있다. 우리는 하나님 아버지께서 행하시는 것을 본 대로만 행하고, 하나님 아버지께서 말씀하시는 것을 들은 대로만 말해야 한다. 예수님께서 보여주신 행동들의 능력은 볼 줄 아는 힘과 들을 줄 아는 힘에 근거하고 있었다(요 5:19).

하나님 아버지께서는 우리에게 하나님을 체험하는 법, 주님을 보는 법, 주님을 듣는 법을 가르쳐주시는 일에 온통 몰두해 계신다. 그분은 우리가 한계의 영으로부터 풀려나는 모습을 지켜보시고자 단호한 태도를 보이신다. 주님은 한계의 영으로부터 자유케 된 우리들을 위해 하늘의 문들을 열어주신다.

당신은 미혹에 빠져 살아왔는가?

우리는 거룩한 것의 모조품과 싸우고 있다. 때로 이런 모조품은 흔적인 영역에서 우리를 다른 사람들에게 속박시켜 놓는 경우가 있다. 아울러 사람들을 자유케 하시는 하나님과 그분의 능력으로부터 우리의 초점과 관심을 이탈시켜 놓을 수도 있다. 그러면 우리는 마법에 걸리고 만다. 오래전에 미혹하는 사악한 눈에 관해 다루었던 내용이 생각나는가? "어리석도다 갈라디아 사람들아 … 누가 너희를 꾀더냐"(O foolish Galatians! Who has bewitched you? 갈 3:1).

점술의 저주는 일종의 미혹이다. 그것은 종교적인 허무에 기반을 두고 하나님의 표현을 제한시킨다. 우리의 눈을 흐리게 하여 잘 보이지 않게 하며, 거룩한 것의 대용품이다. 갈라디아 사람들은 하나님의 말씀과 능력이라는 명백한 진리의 토대 위에 허무한 것들을 쌓아올리려고 애를 썼다. 율법의 행위들이 그들을 구원할 수 있었는가? 아니다. 그렇지 않다. 그러나 그들은 미혹에 빠져 이렇게 말하였다. "이보시오, 당신들은 구원을 받아야 합니다만, 아울러 할례도 받아야 합니다. 당신들은 어느 특정한 날에 모여 특정한 음식들을 먹어야 합니다." 이것이 바로 거룩한 것의 모조품이었다. 그로 인해 결국 그들은 하나님의 임재에 대해서는 무관심해지고 말았다.

자, 그렇다면 무엇이 마법, 미혹, 점술과 모조품의 저주를 깨뜨릴 수 있을까? 성경은 이 물음에 대한 답을 '듣고 믿음'이라고 제시한다(갈 3:2).

바울은 다음과 같이 말하고 있다.

> 너희에게 성령을 주시고 너희 가운데서 능력을 행하시는 이의 일이 율법의 행위에서냐 혹은 듣고 믿음에서냐 (갈 3:5)

그런데 여기서 '주시고'(supplies)라는 단어는 '대단히 풍성할 정도로,

평균치를 초월하여' 등의 의미를 지니고 있다. 헬라어에서 이 단어는 전치사 '에피'(epi)를 포함하고 있다. '에피'는 ' ~을 초월하는, ~을 넘어서는, 충분히' 등을 뜻한다. 이런 유의 성령사역은 율법이 아니라 듣고 믿음으로 수행할 수 있다.

미혹을 당한다는 것은 사악하고 흐리멍텅한 눈에 매료되는 것이다. 다시 말해 신기루를 체험하는 것이요, 모조품을 체험하는 것이다. 율법주의는 궁극적으로 한계와 점술의 저주로서, 성령님의 풍성한 분량을 날조하는 위조품을 만들어낸다. 오늘날의 수많은 그리스도인들과 마찬가지로, 갈라디아 사람들도 자신들의 종교적 허무에 근거한 무관심의 유리벽을 경험하고 있었다.

바울은 다음과 같이 말한다. "이보시오, 여러분은 성령으로 시작했습니다. 그런데 왜 육체와의 관계성으로 마치려 하십니까?" 여기서 바울은 거짓 교사들을 향하여 이야기한다. 그들은 유대인의 옛 율법을 준수하기 원했을 뿐 아니라, 바울과 사도들이 전해준 신약성경 안에 유대인의 옛 율법을 혼합시키려 했다. 그들은 갈라디아 교회 안에 몰래 숨어 들어와서 사람들을 율법의 속박 아래 두려고 했다. 아마도 이와 유사한 사람들이 오늘날 주님의 몸 된 교회 안에도 여전히 존재하는 듯하다.

그러나 우리는 성령 안에서 영으로 하나님 아버지께 나아가야 한다. 그런 다음 그것이 영으로부터 우리의 혼과 몸에 배어들게 해야 한다. 듣고 믿는 것은 율법의 행위들을 초월하여, 사람들에게 드리워져 있는 미혹을 산산조각 낸다. 사도적인 사람들은 사람들을 '듣고 믿음'으로 인도해가기 위해 부름 받았다.

이러한 사도적 기름부음은 기능면에서 두 가지로 나뉜다. 우선, 사도적인 사람들은 사람들 앞에 초자연적인 체험을 가져옴으로써 미혹의 저주를 깨뜨린다. 극심한 핍박 속에서 표적과 기사와 강력한 이적들과 기적적인 일들을 가시적으로 드러내 보이는 것도, 바로 이 사도적 돌파의 기름 부음이다(고후 12:12). 사도적인 사람들이 파르헤지아의 원리를 잘 이해해야 하는 이유도 이 때문이다. 그들은 담대하게 포효해야 하고, 기적적인 일들을 끌어낼 정도로 그리고 선두에 서서 한계와 점술의 저주 아래 있는 사람들을 흔들어 깨울 정도로 담대해야 한다. 이것은 사도적인 사람들이 보여주는 표적들 중 하나로, 참으로 '위대한 일들'이다.

사람들은 진리가 가시적으로 나타나는 모습을 경험한다. 이것은 그들이 마음과 생각과 영으로 느낀 무언가다. 이 지구상에 가시적으로 나타난 진리, 손에 잡힐 듯한 무언가다. 다시 말해 표적과 기사와 이적들이다. 당신도 기억하고 있겠지만, 고린도후서 4장 2절은 이것을 '진리를 나타냄'(manifestation of the truth)이라고 표현한다. 간단히 말하자면, 그것은 한 개인에게 가시적으로 나타난 진리로, 능력뿐 아니라 하나님의 권능의 만져주심을 드러낸다. 이것을 통해 사람들은 진리(truth) 이면에 있는 하나님의 영(Truth)을 경험한다.

사도적인 사람들은 자신들의 담대한 믿음을 이야기하고, 사람들은 그 진리를 지지해주시는 성령님을 '듣는다.' 이것이 바로 사도적인 사람들이 '듣고 믿음' 안에서 선포하는 바의 일부다. 사도행전에는 이것에 관한 수많은 사례들이 소개되어 있다. 사도들은 자신들이 체험했던 초자연적인 만남들에 관해 나눔으로써 사람들의 믿음을 북돋워주었을 뿐 아니라, 나아가 그들도 직접 이런 만남을 체험할 수 있도록 이끌었다.

또한 사람들은 사도적인 사람들의 가르침을 통해 '듣고 믿는다.' 동시에 주님의 말씀에 나타난 하나님의 호흡으로 인하여 진리를 경험한다. 사도적인 사람들이 담대함과 기름부음을 나누어줄 때, 성령님은 사람들에게 기록된 말씀 안에서 레마(rhemas)를 드러내신다. 성령님은 기록된 말씀이 미혹된 사람들에게 살아 있는 말씀이 되게 해주시고, 마법은 깨어진다. 이것은 예언적 메시지로서의 레마에도 적용된다.

당신도 알다시피, 그동안 많은 예언적 메시지들이 선포되어 왔지만, 그것들과 더불어 기름부음도 함께 풀어진 것은 아니었다. 혹시 잠깐이라도 은사주의적인 계열에 몸담아본 적이 있는가? 있었다면, 아마도 숱한 예언적 메시지들을 접해볼 기회가 있었을 것이다. 그러나 애석하게도, 대부분은 실제적이고 손에 잡힐 만한 능력은 결여된, 단지 '부담스럽기만 한' 메시지들이었는지도 모른다.

나는 비판하려는 목적으로 이런 말을 하는 것이 아니라, 다만 그 가운데 능력이 결여되어 있다는 사실을 지적하려는 것 뿐이다. 사도적이고 선지자적인 기름부음은 상대를 한 단계 더 끌어올려줄 수 있을 만큼 대담한 것이어야 한다. 우리의 예언적 메시지는 능력을 수반하고 있어야 하며, '듣고 믿음'에 이를 수 있도록 성령님의 호흡을 머금고 있어야 한다.

예언적 메시지 이면에 존재하는 하나님의 호흡, 이것이 바로 레마다. 레마에는 성령님의 호흡이 불어넣어져 있다. 레마는 능력을 가시적으로 나타낸다. 사람들은 손에 잡힐 듯한 구체적인 능력을 각자의 영으로 경험할 뿐 아니라, 오감을 통해서도 느낀다. 이러한 '듣고 믿음'을 통해서 사람들은 충격을 받고, 미혹과 한계에서 벗어나며, 점술과의 온갖 연관성을 끊어버릴 수 있게 된다. 레마는 한계에 관한 거짓말들, 원수의 배신으로 인해 초래된 영적인 죽음을 제거해낸다. 사람들은 선포된 메시지를 통해 하나님의 말씀이 확증됨을 경험한다. 선지자들은 반드시 돌파의 기름부음의 지원을 받아야 한다.

히브리서 2장 3-4절에 따르면, 하나님께서는 선포하신 말씀을 주님의 가시적인 임재를 통해 확증해주신다. 하나님께서는 말씀하신 바를 표적과 기사와 이적과 성령의 은사들을 통해 증거하신다. 어떻게 우리가 이토록 귀한 구원을 소홀히 여길 수 있겠는가? 결코 미혹되지 마라!

사도적 기름부음은 기적들을 사용하고, 귀신의 억압으로부터 축사를 사용한다. 다시 말해 '해방의 메시지'를 사용하는 것이다. 이렇게 함으로써 하늘의 소리를 풀어놓고, 한계에 대한 예측을 좌절시키며, 저주를 반전시켜 놓는다. 이제 당신은 누구의 이야기를 믿을 것인가? '마법도 없고, 점술도 없고, 한계도 없고, 오직 파르헤지아만 있으니, 사자처럼 담대하라'고 선포하시는 주님의 말씀을 믿을 것인가? 아니면 또 다른 이야기, 곧 무관심과 대용품, 죽음에 관한 소리를 믿을 것인가?

당신은 스스로에게 질문해보아야 한다. 그동안 나는 한계의 저주 가운데 살아온 것은 아닌가? 그동안 나는 점술의 저주 아래 살지는 않았는가? 나는 현재 미혹당하고 있는 것은 아닌가? 만일 그렇다면 나와 함께 다음의 기도를 드리자.

> 사랑이 많으신 하나님 아버지, 예수님의 이름으로 간구하오니 제게 담대함을 주십시오. 주님의 말씀을 통한 파르헤지아가 제게 임하게 해주십시오. 그리하여 제가 온갖 한계의 저주들과 점술의 저주들로부터 벗어나도록 해주십시오. 그동안 제게 드리워져 있던 온갖 미혹들을 제거합니다. 저는 담대함으로 주님의 말씀이 사도적 기름부음을 통해 확증되는 모습을 지켜보기 원합

니다. 저는 저주들이 파쇄되고 반전되기 원합니다. 저는 듣고 믿음으로써 주님의 진리가 표적과 기사와 이적들을 통해 증거되는 모습을 보기 원합니다.

이러한 내용으로 예수님께 간구하라. 한계와 점술의 영과 맞서 싸우기 시작하라. 미혹을 떨쳐버리라. 대체로 이 모든 일들은 말씀을 지지해주시는 주님을 기대하며, 그분을 진정으로 깊이 신뢰하는 것과 관련되어 있다.

사도적인 사람들, 바로 당신과 나와 우리 동료들은 명목화(nominalization)와 종교성에 대항하여 싸워야 한다. 이것들은 하나님의 영광이 가시적으로 나타나지 못하도록 은폐시켜 놓으려고 애쓴다. 우리는 하나님의 운행하심에 대한 무관심의 유리벽에 저항한다. 우리는 '듣고 믿으며' 한계와 점술의 저주에 반대한다. 우리가 온전한 담대함 가운데 성령님의 인도하심에 따라 깨우침을 받고 하나님 아버지와의 만남을 경험하기를, 우리의 눈꺼풀에 씌어 있는 이 모든 영적 비늘들이 벗겨지기를 나는 기대한다. 당신의 마음에 어떠한 베일도 남아 있지 않게 하라! 지금 하나님은 사도적인 사람들을 이끌어오고 계신다. 그들은 강력하고 손에 잡힐 듯하며 폭발적이고 경험적인 방식으로 역사하시는 주님을 목격할 수 없다고 하는 불신앙에 맞서 싸울 것이다!

발가락이 없는 소녀

만일 사도적인 역사를 통해 이 한계와 둔감함과 미혹의 영(이것에 관해서 우리는 다양한 표현을 사용할 수 있을 것이다)을 깨뜨리지 않으면, 우리는 성령님의 운행하심을 완전히 놓쳐버릴 위험이 크다. 그동안 나는 이런 경우를 수십 번, 아니 수백 번은 목격했다. 모든 사람들이 지켜보는 앞에서 기적이 일어나야 한다. 또 어떤 사람들은 여전히 둘러대여 발뺌하려 할 것이다. 당신은 얼마나 심각하게 우둔해질 수 있는 존재인가? 종교의 영으로 인한 무관심을 떨쳐버리기 위해서는 사도적인 돌파의 기름부음이 필요하다.

언젠가 미국 중서부 지역에 위치한 한 은사주의적인 교회에 갔을 때의 일이다. 그곳에서는 주님의 임재로 말미암아 치유가 일어나고 있었다. 참석인원은 200명가량 되었다. 예배장소에는 어느 십대 소녀도 앉아 있었다. 그런데 그 소녀는 태어나면서부터 발가락이 없었다. 발에 아주 작고 몽땅한 돌출부가 형성되어 있기는 했으나, 결코 발가락은 아니었다. 그녀에게는 문자 그대로 발가락이 없었다.

나는 그 소녀에게 신발과 양말을 벗고 모든 사람들이 볼 수 있도록 의자 위에 올라가 서라고 지시했다. 하나님이 내 증인이시다(또한 내 아내도 그 현장에 있었다). 그로부터 45분이 채 지나기도 전에, 그녀의 발가락들이 완전히 새롭게 만들어졌다!

아마도 당신은 그 교회가 흥분의 도가니가 되었을 것이라고 생각할 것이다. 그렇지 않은가? 여기 발가락이 없이 태어난 소녀가 있다. 그런데 모든 사람들이 지켜보는 가운데, 온전한 10개의 발가락들이 불과 45분 만에 완성되어 흔들거리고 있다.

그러나 이곳에는 둔감함의 영이 역사하고 있었다. 그 소녀가 그렇게 치유를 받았음에도 불구하고 말이다. 약 1년 후에 다시 그 교회에 가게 되어 사람들에게 하나님께서 그 십대 소녀를 위해 행해주신 엄청난 기적에 관해 이야기했다. 원래 발가락이 하나도 없었으나 모든 사람들이 보는 앞에서 하나님의 손길에 의해 새롭게 발가락을 선사받은 소녀 말이다.

그런데 나의 말에 몇몇 사람들은 당황스러운 표정을 보였다. 마치 속으로 이렇게 말하는 듯했다. '뭐라고요? 지금 무슨 말씀을 하시는 거예요? 그런 기적이 일어났다는 사실조차 전혀 기억에 없는 걸요?'

나는 매우 놀라지 않을 수 없었다. 속으로 이런 생각이 들었다. '그럼 도대체 당신들은 그때 어디 있었단 말이오?'

그 예배에 참석한 몇몇 사람들은 둔감함의 영, 무관심의 속박에 너무나도 심하게 짓눌려 있었다. 그들은 무슨 일이 일어났는지 알아차리지도 못했을 뿐더러, 기억하지도 못하고 있었다. 그들은 그날 일어난 일에 관해 아주 작은 단서조차 파악하지 못했다. 다행이 기억하고 있는 사람들도 있었다. 그러나 대부분의 사람들은 그야말로 혼란스러워 했다. 그들의 자기 중심성이 얼마나 강하기에, 심지어 기적이 일어난 사실조차 의식하지 못할 수 있단 말인가?

이것은 매우 안타까운 경험담이기는 하다. 그러나 나는 이와 같은 일들을 얼마나 많이 목격해왔는지 모른다. 사람들이 지켜보는 가운데 기적이 일어났는데도 말이다. 만일 당신이 나중에 그들에게 물어보더라도 (드물게는 교회의 지도자들마저도) 무슨 일이 벌어지고 있었는지 전혀 기억하지 못할 것이다.

이것은 오늘날 그리스도의 몸 된 교회 안에 존재하고 있는 실질적인 문제다. 우리는 사도적인 돌파의 기름부음으로 주님의 몸 된 교회를 흔들어 깨워야 한다. 하나님의 강력한 운행하심이 미혹의 영을 끊어내고, 사람들을 하나님 아버지 안에서 보다 높은 수준으로 이끌어갈 것이다.

텍사스 중부에서 만난 소년

이 이야기는 교회사에 관심이 많은 분들을 위한 것이다. 아주사거리 부흥사로 유명한 고(故) 시무어 형제와 파함 형제는 텍사스 중부지역에 북아메리카에서 가장 오래된 고전 오순절교회들 중 하나를 세웠다.

한번은 나와 아내 조이가 이 역사적인 교회에 초청을 받아 간 적이 있었다. 그곳에서 나는 주일부터 다음 주일까지 예정된 일련의 집회를 인도하기로 되어 있었다. 첫 번째 주일예배를 시작하기 전에, 나는 상당히 재미있는 일을 경험하였다. 제법 연로한 몇 명의 형제들이 내게 다가와서 들려준 몇 마디 충고 때문이었다.

나는 연세가 많으신 어른들의 조언에 항상 귀를 열어두고 있다. 그러나 처음에는 그들의 충고를 받아들이지 못했다는 것을 인정해야겠다. 왜냐하면 그들은 줄곧 나를 '얘야!'라고 불렀기 때문이다. 그들 중 대부분은 상당히 연로했다. 그뿐 아니라, 그들은 50여 년 전 부흥이 막 터져 나오던 시기에 그 교회를 다니던 사람들이었다. 그들은 내게 하나님께서 마지막으로 역사하신 이후로 벌써 50년이라는 세월이 흘렀다고 이야기해주었다.

"얘야!" 그들 중 한 사람이 이렇게 말했다. "자, 내 얘기 좀 들어보려무나. 너는 우리가 이미 보거나 듣지 못했던 일들은 아무것도 행하지 못할 거야! 우리는 그 모든 일들을 이미 옛날에 경험했단다. 그러나 우리는 앞으로 8일 동안 하나님께서 50년 동안 죽어 있었던 이 교회를 되살려주실 것을 믿는다."

오, 주 예수님! 50년 동안 지속된 종교적인 허무를 8일 만에 정복할 수 있을까요? 물론 그렇다. 전혀 문제없다. 나는 즉시 착수하기로 했다.

우리는 기본적으로 우리 앞에 주어지는 온갖 사역의 기회들을 받아들여야 했다. 그리고 하나님께서 그곳에서 그들을 만나주실 것을 단순히 믿어야만 했다.

그는 칠판을 손톱으로 긁는 듯한 목소리로 계속해서 말했다. "그러니 얘야, 얘야, 우리도 무언가를 기대는 하고 있다. 그러나 무슨 일이 일어난다 해도 우리는 결코 놀라지는 않을 거야."

나는 빙그레 웃으며 찬양과 경배를 인도하기 위해 자리에서 일어났다. 처음 순회사역을 시작하던 때만 해도, 아내(그녀는 상당히 유능한 피아니스트다)와 나는 함께 찬양과 경배를 인도하곤 했다. 그럴 수밖에 없었던 것이 우리가 주로 방문하는 곳들이 작고 외딴 교회들이었기 때문이다. 그 무렵은 한창 경배 음반들이 출시되기 시작하던 때였다. 따라서 조이가 피아노를 치면서 새로운 찬양들을 익히면, 나도 찬양들을 따라 배우곤 했다. 그렇게 우리는 방문하는 교회에 새로운 찬양들을 가르쳐주었다.

그 교회에서도 나는 사람들을 분발시키기 위한 곡을 골라 부르고 있었다. 초자연적인 능력에 관한 내용의 다소 새로운 노래였다. 그런데 아무도 반응을 보이지 않았다. 잠깐, 싱어로서 나의 목소리는 그다지 나쁜 편이 아니다. 그런데 아무도 우리를 따라하지 않았다. 아무도 두 손을 들고 찬양하지 않았다. 그들은 양손을 무릎 위에 가지런히 올려놓은 채 적대적인 자세로 가만히 앉아 있을 따름이었다. 나는 속으로 생각했다. '대단하군. 일주일 내내 저럴 작정인가? 이제 나는 어떻게 해야 하지?'

드디어 설교를 시작했다. 그런데 마치 내가 선포한 모든 메시지들이 그대로 땅에 떨어져버리는 것 같았다. 오, 형제여, 도대체 지금 나는 어떤 상황에 빠져 있는 것인가? 첫 번째 예배 시간에 나는 아무에게도 기도해주려고 시도조차 하지 않았다.

그날 오후 예배시간에 단상으로 올라가면서, 나는 어떻게 하면 아픈 사람들을 위해 기도해줄 수 있을까 고심하고 있었다. 그곳 사람들이 마음의 문을 열고 받아들이지 않는다면, 내가 어떻게 예언을 하거나 기적을 일으키는 사역을 행할 수 있겠는가?

그때 갑자기 성령님께서 내게 말씀해주시는 것이 느껴졌다. 주님은 이렇게 말씀하셨다. "목요일 저녁 때까지는 단 한 사람에게도 기도해주지 마라."

'네? 뭐라고요? 왜요, 주님?'

"속박의 영을 깨뜨리기 위해서는 그 정도의 시간이 필요할 거란다. 너는 다만 설교를 하고 부흥에 관해 가르치고, 율법주의에 맞서 싸워라!"

'예, 알겠습니다.' 그래서 나는 주님의 말씀대로 했다. 내가 주님께 불순종했다는 말은 절대로 하지 마라. 월요일, 화요일, 수요일이 지나도록 아무런 일도 일어나지 않았다. 나는 자리에서 일어나 설교를 하고, 다시 자리에 가 앉았다. 차라리 벽에 대고 설교를 하는 편이 나을 뻔했다. 목요일이 되자 나는 극심한 걱정에 휩싸였다. 왜냐하면 이미 회중들에게 목요일에 기적의 집회를 가질 것이라고 광고해놓았기 때문이다. 그러나 일주일 내내 성령님의 역사하심을 조금도 느끼지 못하고 있었다. 과연 무슨 일이 일어날 것인가? '오, 하나님, 목요일에는 제발 좀 나타나주시면 좋겠습니다! 우리가 어떻게 돌파를 이뤄낼 수 있겠습니까?'

수요일 저녁에 나는 그 교회에 다니는 한 자매로부터 전화를 받았다. 감사하게도 그녀는 나를 '애야!'라고 부르지는 않았다.

그녀의 이야기는 다음과 같았다. "말로니 형제님, 알려드릴 것이 있어서 전화했어요. 30명가량의 거듭난 사람들로 구성된 무리가 있습니다. 성령 충만한 감리교도들인데요, 그들이 지난 3일 동안 밤낮을 가리지 않고 금식하며 기도해왔어요."

마치 석탄 한 덩어리가 내 뱃속으로 쿵 하고 떨어지는 것만 같았다. "어, 네, 네." 나는 우물거렸다.

"그뿐만 아니라, 그들은 내일 저녁집회에 참석하면, 그동안 그들이 금식하며 기도해온 이 꼬마소년이 치유를 받게 될 것이라고 믿고 있답니다."

아이고, 저런! 상황은 점점 악화되고 있었다.

나는 이번에도 또다시 중얼거리듯 말했다. "어, 네."

"그 아이가 어디가 아픈지에 관해서는 지금 말씀드리지 않을게요. 하지만 말로니 형제님, 저는 형제님이 끝까지 기도하고 계실 줄을 바라 마지않아요!"

그렇게 말한 후에 그녀는 전화를 뚝 끊었다!

목요일 내내 내 머릿속에서 이 소년에 관한 상상이 맴돌았다. 아마도 머리가 3개에 발가락은 20개쯤 될 것 같았다. 나는 그날 저녁 집회 장소로 들어오는 모든 꼬마아이들을 바라보면서, 그 아이들이 가지고 있는 문제가 무엇인지 하나하나 살펴보았다.

집회가 시작되어 단상에 서서 찬양과 경배를 인도하고 있을 때였다. 여전히 모든 청중들은 저항하고 있었고, 성령님의 운행하심은 조금도 느껴지지 않았다. 바로 그때, 그 감리교도들이 예배당 안으로 걸어 들어오는 모습이 보였다. 그들이 약간 늦게 도착한 까닭은, 집회 시간을 착각했기 때문이었다. 그 소년도 그들과 함께 있었다!

언뜻 보아서는 그 아이의 문제가 무엇인지 쉽게 분간할 수 없었다. 그는 대략 4살 정도였지만, 어찌된 영문인지 마치 18개월 된 아기처럼 보였다. 나중에 알고 보니, 그 아이는 성장 장애를 겪고 있었다. 일종의 유전적 왜소증이었다. 정상적인 체격으로 성장하는 것은 전혀 불가능한 일처럼 보였다. 사람들은 그 아이가 아무리 자라도 110-120센티미터가 최고일 것이라고 예측하고 있었다. 뿐만 아니라 그 아이는 유전적 기형으로 인해, 이제까지도 줄곧 그랬지만 앞으로도 계속해서 아프고 허약할 수밖에 없었다.

나는 집회 내내 곁눈질로 슬쩍슬쩍 그 아이를 살펴보았다. 설교하고 가르치기 위해 애를 썼지만, 온전히 집중하지 못하고 있었다. 하나님의 임재는 철저하리만치 조금도 느껴지지 않았다. 사람들이 잠들기 시작하는 모습을 보면서, 마침내 나는 한숨을 내쉬었다. 그리고 성경책을 덮었다.

나는 그들에게 이렇게 말했다. "자, 여러분, 내 말을 들어보십시오. 여러분도 아시다시피, 이번 주 내내 성령님이 가시적으로 나타나시지 않고 있습니다. 저는 더 이상 시간낭비를 하고 싶지 않습니다. 여태까지 저는 시늉만 하고 있었습니다. 그러나 앞으로는 그렇게 하지 않을 것입니다. 저는 자리에 앉아서 주님이 일해주시기를 잠시 동안이나마 기다리겠습니다. 만일 그래도 주님이 역사하지 않으시면, 우리는 차라리 집으로 돌아가는 편이 훨씬 나을 것입니다."

그렇게 말한 후에 나는 자리로 가서 앉았다. 그리고 기다렸다.

그곳에는 그 꼬마아이의 부모도 와 있었다. 그들은 이제 아이가 치유 받을 수 있는 기회를 놓칠지도 모른다고 생각했다. 그래서 허락을 받지도 않은 채, 자리에서 일어나 아이를 데리고 앞쪽으로 나왔다. 그리고는 그 자리에 서서 나를 쳐다보았다. 그들은 다른 사람들과 함께 사흘 밤낮을 금식하며 기도하는 중이었다. 그들에게는 지금이야말로 하나님의 기적을 기대할 수 있는 절호의 찬스였다!

잠깐이지만 나를 물끄러미 쳐다보는 그들의 시선을 느끼면서, 내 안에서 왠지 불편한 마음이 들기 시작했다. 그리하여 나는 자리에서 일어나 단상으로 걸어 올라갔다.

"무엇을 도와드릴까요?" 나는 중얼거리듯이 말했다. 마치 은행의 창구 직원이나 맥도날드의 점원과도 같은 투로 묻고 있었다. 하나님은 정말 은혜로운 분이시다. 그렇지 않은가?

"말로니 형제님." 그들은 최소한 나를 '얘야'라고는 부르지 않았다. "우리는 지난 3일 동안 밤낮으로 금식하며 기도해왔습니다. 형제님이 안수해주시면, 이 아이가 반드시 치유될 것이라고 확신합니다. 저희는 하나님께서 그렇게 해주실 줄 믿습니다."

'오, 주님, 주님!' 나는 처참한 기분이 들었다. '과연 이 일을 행할 믿음이 내게 있는가?' 이 책을 읽는 독자들이여, 부디 내가 언제나 성령으로 충만한 사람이라고 생각하지 말기 바란다. 어쩌면 당신도 경험을 통하여 이미 속속들이 알고 있을지도 모른다! 당신은 강력한 하나님의 사람들이 다음과 같이 기도하는 것을 들어보았을 것이다. "오, 예수님, 저를 이 상황에서 건져 주십시오! 이 기도에만 응답해주신다면, 이제 두 번 다시 아무것도 달라고 요청하지 않겠습니다."

나는 순회사역자들이 누군가를 위해 사역해줄 믿음이 생기지 않을 때 주로 사용하는 장치를 최후의 수단으로 삼았다. 그들은 당장 처해 있는 상황에서 벗어날 목적으로 다음과 같이 말하곤 한다. "당신의 믿음에 따라 그대로 이루어지기를 바랍니다!"

내가 그들에게 들려준 말도 바로 이것이었다. 나는 마지못해 오른손으로 그 아이의 머리에 안수하면서, 하나님의 자비가 임하시길 기도했다.

그런데 어디선가 '꽝' 하는 아주 큰 소리가 들려왔다! 마치 누군가가 쓰레기통 안에서 폭죽을 터뜨린 것만 같았는데, 그 교회 안에 있는 모든 사람들이 들을 수 있을 정도로 큰소리였다. 사람들은 사방을 둘러보며 모두 비명을 질러댔다. 도대체 무슨 일이 일어난 걸까?

폭발음이 들린 후 벌어진 첫 번째 사건은, 감리교도 무리의 3분의 1 정도가 자리에 앉은 채로 성령의 권능 아래서 쓰러진 일이었다. 나머지 감리교도들은 복도 중앙으로 뛰어나오더니 주위를 돌면서 춤을 추기 시작했다. 그들은 빙글빙글 돌면서 함성을 지르고 펄쩍펄쩍 뛰었다.

"아이의 병이 나았어요!" 누군가가 큰 소리로 외쳤다. 그는 마치 이스라엘 백성들이 여리고 성을 돌듯이 예배당 내부를 행진하고 있었다.

내 눈에는 그 남자아이의 모습이 이전과 조금도 달라진 게 없었다. 그러나 성령님은 그 감리교도들에게 압도적으로 임하셨고, 나와 내 아내도 어느새 축제의 분위기에 동참하고 있었다. 주 안에서 이루어진 너무나도 멋진 시간이었다.

그러나 안타깝게도 대다수의 오순절파 사람들은 우리의 대열에 합류하지 않았다. 성령님은 주로 그 감리교도들 사이에서만 운행하고 계신 듯했다. 그 교회에 정규적으로 출석하는 교인들은 단지 팔짱을 낀 채 눈살을 찌푸리고 있을 따름이었다. 아마 그들은 이런 생각을 하고 있었을지도 모른다. '육안으로 봐서는 저 꼬마아이에게 아무런 변화도 없는 것 같은데.' 우리는 그날 저녁집회의 나머지 시간 내내 축제를 벌였다.

그 오순절파 사람들을 위해서는 이렇다 할만한 성령님의 역사가 나타나지 않은 채 일련의 집회가 그대로 막을 내렸다. 나는 그들이 보여준 변변찮은 반응에 약간 의기소침한 채로 그곳을 떠나왔다. 그러나 그 남자아이에 관한 소식만은 전해 듣고 싶은 마음이 간절했다.

그로부터 5개월쯤 지났을 때, 한 통의 전화를 받았다. 지난번에 나에게 전화를 걸었던 그 부인이었다. 내가 미국의 어느 지역에 있든지 매번 사람들이 어떻게 내 전화번호를 알아내는지 도통 알 수가 없다. 일단 전화가 걸려오기 시작하면, 이후부터는 수십 통의 전화가 걸려온다. 나의 위치를 추적한 누군가로부터 심지어 새벽 3시에 무작위로 전화를 받기도 한다. 그들은 잠도 안 자는가?

그들이 전해주는 이야기는 언제나 동일하다. "말로니 형제님! 여보세요. 저는 OOO에 사는 OOO입니다! 지금 우리는 철야기도집회에 참석 중인데요, 왠지 형제님이 우리를 위해 전해주실 메시지가 있는 듯 느껴집니다!"

새벽 3시에 말인가? 물론 그들을 위한 메시지가 있다! 하나님께서 주신 것인지 아닌지는 잘 모르지만, 확실히 있다! 주님은 이렇게 말씀하신다. "잠 좀 잡시다. 친구!"

아무튼, 이번 전화도 새벽 3시쯤에 걸려왔다. 그때 내가 정확히 어느 지역에 있었는지는 기억나지 않는다. 다만 전화벨이 울렸고, 수화기 너머로 그 부인의 숨가쁜 목소리가 들려왔다. 그녀는 자신이 누구라고 말할 겨를도 없이 다음과 같이 말했다.

"말로니 형제님! 오, 형제님처럼 연락하기 힘든 분은 정말 처음입니다!"

"누구, 누구십니까?" 나는 하품을 하며 졸린 눈을 비볐다.

"형제님은 도대체 어떻게 이런 일을 하실 수 있었습니까?"

"뭐라고요? 무슨 말씀이십니까? 누구십니까?" 나는 이렇게 생각했다. '이 여자 분이 내가 무슨 잘못을 했다고 이러는 거지?'

그녀는 헐떡이며 말하다가 심호흡을 했다. 그런 다음 그녀의 입에서 곧바로 다음과 같은 말이 튀어나왔다. "5개월 전 텍사스에서 형제님이 기도해주신 남자아이를 기억하십니까?"

나는 나의 짙고 호화스런 머리칼을 쓸어 넘기면서 머리를 긁적였다. "어, 네." 나는 가까스로 대답했다.

"그 아이의 부모가 어떻게 형제님이 이런 일을 하실 수 있었는지 여쭤보고 싶어 합니다! 아이의 부모가 아이에게 바지 한 벌을 사주었는데, 나흘 만에 아이가 자라서 그 바지를 입을 수 없게 되었답니다! 신발도 새로 사주었는데, 불과 일주일 만에 새 신발이 필요하게 되었답니다! 셔츠는 3일 만에 새것을 사야 했고요! 이제 그 아이는 유아반에 속한 다른 아이들보다 훨씬 더 크답니다! 그 아이가 집안의 음식을 다 먹어치우고 있답니다! 도대체 형제님은 어떻게 이런 일을 하실 수 있었나요?"

이 얼마나 멋진 일인가?

그 작은 남자아이에게 과연 무슨 일이 일어난 것일까? 그는 소생했다! 하나님의 생명이 그 아이를 되살리셨을 뿐 아니라, 그 감리교도들로 하여금 하나님의 자유가 무엇인지 밝히 깨달아 알게 해주셨다. 또한 하나님의 생명은 그 오순절파 교인들 안에 스며들어 있던 불신앙이라는 율법적인 속박을 드러내 보여주셨다. 둔감함의 영의 정체를 지적해주셨고, 몇몇 사람들은 둔감함의 영으로부터 자유케 되었다.

머리핀을 꽂은 여인

주님 안에서 확신을 가질 때, 부수적으로 수반되는 것은 자유다. 자유에 관해서는 이미 이전에도 언급한 바 있다. 하나님 앞에서 우리 자신을 마음껏 표현하는 자유, 다른 사람들 앞에서 우리 자신을 마음껏 표현하는 자유, 우리 앞에서 하나님이 자신을 마음껏 표현하실 수 있는 자유 말이다. 우리가 하나님께서 원하시는 바를 두려움 없이 행하기 위해서는, 특정 수준의 초자연적인 확신이 필요하다.

그리스도의 몸 된 교회가 가진 문제 중 하나는, 성령님의 운행하심에 관해 상당한 두려움을 느끼는 듯하다는 것이다. 우리는 아주 오래전 이스라엘 백성들의 모습과도 크게 다르지 않다. 그들은 자기들 대신 모세가 산에 올라가 주기를 원했다(신 5장). 우리도 그들처럼 지도자들이 하나님을 경험한 후에, 그들이 경험한 바를 우리에게 조금씩 떨어뜨려주기를 바란다.

그러나 나는 하나님의 확신에 관한 계시가 사도적인 계열 안에 자유를 산출시킬 것이라고 확신한다. 이제껏 한 번도 본 적이 없는 대대적인 수준으로 자유가 풀어질 것이다. 나는 사도적인 돌파의 기름부음 아래 있는 모든 교회들이, 훨씬 더 위대한 수준의 자유 가운데로 진보하게 될 것이라고 믿는다.

하나님의 운행하심이 생각처럼 겁나는 일이 아니라는 것을 충격적으로 일깨워주기 위해서는, 기적들이 필요하다. 그렇다. 우리는 육체에 영합하지 않도록 늘 주의해야 한다. 아울러 우리는 '거룩'이라는 미명 아래 하나님 아버지의 활발한 표현들을 억제시켜 놓음으로써, 사람들이 주님의 확신과 자유 안에서 각성되지 못하게 방해해서는 안 된다. 사도적인 사람들은 담대함에서 말미암은 하나님의 자유에 관해 잘 이해하고 있어야 한다.

이쯤에서, 하나님의 자유에 관해 깜짝 놀랄 만한 계시를 지니고 있던 한 여인의 이야기를 소개하기로 하겠다.

나는 캘리포니아 남부에서 기적의 집회를 인도하고 있었다. 그때 주님께서 내게 다음과 같은 지식의 말씀을 주셨다. "지금 이 집회 장소에 혈액과 관련된 불치병을 앓고 있는 여인이 있습니다. 의사들은 당신이 앞으로 90일밖에 살 수 없다고 말했습니다. 이런 분이 계시면, 앞쪽으로 나오십시오. 주님이 당신을 치유하기 원하십니다."

자, 이러한 지식의 말씀이 옳은지 틀린지를 알 수 있는 자들은 과연 몇이나 되겠는가? 예를 들어 다음과 같은 경우는 실수할 여지가 그리 많지 않다. "저는 주님이 허리에 통증이 있는 분들을 치유하기 원하신다고 생각합니다." 물론 이러한 지식의 말씀도 결코 틀린 것은 아니다. 우리는 누구나 처음에는 초보이기 때문이다. 누구를 불문하고 하나님으로부터 무언가를 받는 것만으로도, 나는 기쁘다. 그러나 다시 한 번 나는 밧줄도 없이 절벽 위에서 뛰어내리고 있었다.

아무도 앞쪽으로 나오지 않았다. 내가 틀렸을 수도 있다. 하지만 나는 그렇게 생각하지 않았다. 나는 그 여인이 맨 뒤쪽에 있음을 알아챘다. 그 여인은 예배가 시작된 후에 예배당 안으로 슬며시 들어왔다. 그녀가 입고 있는 옷은 대략 일만 달러는 되어보였다. 밍크코트에 다이아몬드로 치장을 하고 있었다. 나중에 그녀가 차를 타고 있는 모습을 보았는데, 아마도 롤스로이스였던 것 같다. 그녀를 부유하다고 말해도 좋을 듯하다. 어쨌든 정말 이상한 점은, 이토록 잘 차려입은 여인이 앞에 있는 의자 밑으로 살금살금 기어들어갔다는 것이다. 다시 말해, 그녀는 자신의 이름이 불리기를 원치 않았던 것이다.

나는 그녀가 바로 이 혈액 관련 질병을 앓고 있는 사람이라고 생각했다. 왜냐하면 나는 상황이 명백하다는 것을 알아차릴 만큼 영리할 뿐 아니라, 재치도 있고, 온화하기도 하고, 말을 유창하게 잘하고, 주제넘지 않은 사람이기 때문이다. 나는 뒤쪽으로 걸어가서 그녀를 내려다보며 빙그레 웃었다. "자매님, 제 생각에는 주님이 말씀하신 분이 바로 당신인 것 같습니다. 자, 이리 나오십시오." 그녀는 고개를 흔들며 나를 쳐다보았다. 그 매서운 시선이라니. 만일 시선으로 사람을 죽일 수도 있다면, 아마 나는 죽어서 매장되었을지도 모른다.

그러나 그 시선에 죽지 않았기에, 나는 이렇게 말했다. "자매님, 하나님께서는 지금 당신이 있는 바로 이 자리에서 치유하실 수 있는 분입니다. 하지만 주님은 당신이 앞쪽으로 나오기를 원하고 계십니다. 괜찮습니다."

그때 옆에 있던 그녀의 친구가 발로 걷어차는 바람에, 그녀는 복도 중앙으로 튕겨져 나왔다. 그 친구에게 하나님의 축복이 임하시길. 그리하여 나는 다시 앞쪽으로 돌아왔고, 그 부인은 나를 노려보면서 따라왔다. 드디어 목적지에 도착하여 그녀가 내 앞에 섰다. 공격적인 태도로 한 손은 자신의 허리에 얹고, 다른 편 손가락은 나의 코 바로 앞까지 치켜들고 말이다.

한 번 상상해보라. 그녀의 머리는 흠잡을 데가 없을 정도로 단정했다. 머리카락 한 올 한 올이 완벽하게 정돈되어 있었다. 그녀가 이제 막 미용실에서 나왔으리라는 것은 누가 보아도 쉽게 알 수 있었다. 게다가 그녀는 최소한 30개 이상의 머리핀으로 그 길고 숱 많은 머리카락들을 고정시켜 놓고 있었다. 그녀의 화장은 완벽했고, 멋지게 차려입고 있었다. 그런 모습으로 여인은 매우 언짢은 표정을 지어보이면서 서 있었다.

"자, 설교자님! 저는 치유를 받고 싶어요. 하지만 바닥으로 넘어지기는 정말 싫어요!"

아, 이것은 어디서 많이 들어본 말이었다. 그 오만함이라니! 내가 전에 저런 말을 어디서 들어보았지?

맞다. 바로 나다. 나도 저런 말을 한 적이 있다. 결국은 작은 그랜드피아노 밑에 누워 있는 신세가 되었지만 말이다. 바로 그 종교의 영이 지금 여기서도 동일한 일로 나에게 도전하고 있었다. 아, 종교의 영들은 도무지 배울 줄을 모르는 것인가? 지혜로운 이들을 위해 한마디만 하고 지나가겠다. 제발 나에게 도전하지 마라! 특히 과거에 내가 경험했던 어리석은 일이 동일하게 발생하면, 나는 조급해지는 경향이 있기 때문이다!

지금 내가 하려는 말이 반드시 하나님께로부터 온 것이라고는 생각하지 않는다. 하지만 나는 주님께서 이 말을 존중해주셨다고 믿는다. 나는 순진하게 웃는 얼굴로 온화하게 그녀를 내려다보며 이렇게 말했다. "오, 성령님, 그녀에게 임하십시오."

그 가엾은 여인은 결코 하나님의 권능 아래서 바닥으로 넘어지지는 않았다. 대신 주님은 그녀가 서 있는 바닥에서부터 그녀의 발을 쿡쿡 찌르기 시작하셨다(내 말은 결코 과장이 아니다). 나는 그녀가 두 다리를 허공에 휘두르면서 카펫 위로 곤두박질치던 그 무시무시한 광경을 지금까지도 잊지 못한다. 당시 순간적으로 내 머릿속을 스치고 지나간 생각도 기억난다. '아, 아무래도 고소를 당하겠는걸.'

그녀를 심각한 뇌진탕 사고에서 보호해준 것은 바로 머리숱이었다. 머리카락이 충격을 멋지게 흡수해 준 것이다. 정말로 기가 막힌 장면이었다! 그녀는 성령 안에서 취하여 쓰러졌다.

그녀로 인해 집회는 이후 45분 동안이나 엉망이 되었다(나는 실제로 시간을 재보았다). 그녀는 씩씩거리기도 하고 흐느껴 울기도 하면서, 여기저기에 화장을 묻히고 다녔다. 그야말로 완전히 엉망이었다.

나는 안내인들에게 그녀를 옆방으로 옮겨 놓으라고 했다. 그러나 그들마저도 성령의 권능 아래 쓰러져버렸다. 마침내 나는 손수 그녀를 옮겨 놓아야겠다고 생각했다. 하지만 바닥에 붙은 그녀의 손을 도저히 떼어낼 수가 없었다. 그녀의 몸은 마치 강력접착제로 카펫에 찰싹 붙여놓은 것만 같았다. 결국 나는 그녀를 옮겨놓으려는 시도를 포기하기로 했다. 내 안에 이런 생각이 들었다. '이야, 하나님께서 지금 뭔가를 행하고 계시는구나. 그냥 저 여인을 그대로 놓아두는 것이 좋겠어.' 나는 상황이 명백하다고 판단되는 순간에는 영리하게 처신한다.

그것이 정확히 무슨 현상이었는지는 모르겠다. 어찌됐든 2-3분마다 주기적으로 '땡!' 하는 소리가 들려왔는데, 그때마다 머리핀 하나가 공중으로 붕 날아올랐다. 처음에는 그것이 머리카락에 붙어 있던 이가 튀어 오르는 것인가 싶었다. 하지만 그녀는 정말 깔끔해 보이지 않았던가. 잠시 후에 자세히 보니, 그 이들은 금속이었다. 그것들은 임계질량에 이르렀을 때마다 소음을 만들어내고 있었다. '땡!' 그 머리핀들은 제법 오랫동안 공중에 머물러 있었다! 나는 이제껏 그토록 재밌는 광경을 본 적이 없다. 모든 사람들이 공중으로 붕 떠오르는 자동발사체들을 지켜보면서, 어안이 벙벙한 채 자리에 앉아 있을 따름이었다. '땡!'

나는 계속 세고 있었다. 드디어 17번째 머리핀이 바닥에 떨어질 무렵,

그 여인의 의식이 돌아왔다.

45분 동안이나 콧물을 흘리고 기침을 해댄 후에, 과연 그녀의 모습이 어떻게 되었을지 당신은 상상이나 할 수 있겠는가? 여기저기에 화장 얼룩이 묻어 있었고, 머리는 산발이 되어 사방팔방으로 뻗쳐 있었다. 디자이너가 만든 의상은 완전히 구겨졌고, 밍크코트는 비뚤어져 있었다. 그녀에게서 유일하게 정상적인 모습으로 남아 있는 부분은 오로지 매니큐어를 바른 손톱뿐이었다. 그녀는 완전히 성령에 취하여 그야말로 끈적끈적해져 있었다. 그녀가 비틀거리는 걸음으로 원래 앉아 있었던 자리로 돌아가는 동안, 그녀로 인해 네 사람이나 바닥에 쓰러졌다. 마치 '프랑켄슈타인의 신부'를 보고 있는 것만 같았다.

그녀의 친구는 겁에 질린 채로 몹시 당황해하였다. 그녀는 지갑에서 거울을 꺼내들더니 그 여인의 얼굴 앞쪽으로 쑥 내밀었다.

"아아아아아아아아아아아아아!" 그 여인은 거울에 비친 자신의 모습을 보면서 비명을 지르기 시작했다. 우리는 그야말로 까무러쳐버렸다. 모든 이들이 통로 쪽으로 나가 옆구리를 쥐고 웃어댔다. 어찌나 재미있던지, 숨을 돌리기 위해 애써야 했고, 눈물이 다 나올 지경이었다. 우리는 거의 1시간 동안을 웃어댔다.

자, 우리는 언제나 기름부음이 점잖게 임하기를 원하지만, 오히려 점잖은 걸 포기해야 하는 경우들이 대부분이다! 하나님의 자유로운 운행하심은 우리가 가지고 있던 주님의 근엄하심에 대한 선입견과 충돌한다. 성령님의 움직이심은 결코 엄숙하지 않다! 아무튼, 그 여인은 당황스러워하며 어쩔 줄을 몰라 했다. 하지만 그녀는 완전히 치유되었다.

CHAPTER 12 하나님의 확신

| 파르헤지아 원리

- '파르헤지아'(parrhesia)는 '담대함'(행 4:31), '자유롭고 확신 있게 말하다, 거리낌 없이 말하다, 두려움이나 비겁함, 위협과는 정반대의 것'을 의미한다.
- 초대교회의 사도들과 마찬가지로, 오늘날의 사도적인 사람들도 성령의 능력을 통해 사람들을 담대함으로 구비시켜 주는 일에 부름 받았다.
- 이러한 담대함은 오로지 성령님과의 관계로부터 말미암는다. 나에게 있어서 담대함은, 성령으로 세례를 받았음을 입증해주는 가장 중요한 증거 중 하나다.
- 돌파의 기름부음은 둔감함을 제거해내고, 성령의 공격적인 측면을 사람들 앞에 보여준다.
- 우리는 성령님이 강력하고 공격적인 방식으로 역사하시도록 허용해드려야 한다. 그렇게 함으로써 위협과 불신앙의 영을 파쇄해야 한다. 위협과 불신앙의 영은 사람들에게 이렇게 말한다. '만일 네가 하나님의 활동에 관여한다면, 결국은 계속해서 실망만 경험하고 말 거야.'

| 한계의 저주

- 사도적인 사람들의 가장 큰 부르심 중 하나는 하나님의 표현을 한계짓는 저주를 성령님을 통해 반전시켜 놓는 것이다. 사도적인 사람들은 표적과 기사와 이적들을 권세 있게 행할 만큼 담대함으로 가득 차 있다. 이렇게 함으로써 그들은 이 땅에서 사람들의 마음속에 하나님의 나라를 확립시킨다. 하늘에서 이미 확립된 통치권과 권세가 이 땅 위에서도 풀어져야 한다.
- 파르헤지아의 비결은 사도적인 사람들 위에 임하는 하나님의 담대함이다. 그들은 이러한 담대함을 가지고 종교의 영과 맞서 싸워야 한다. 종교의 영은 사람들이 하나님과의 만남을 체

험하는 것을 원하지 않는다.

|점술의 저주

- 점술의 영은 생명을 지니고 있는 것은 무엇이든지 억압하고 쥐어짜려 한다. 또 우리를 제어하려 든다. 그것은 비단뱀이 우리를 향해 뿜어낸 경멸의 말이며, 그리스도 안에서 이루어지는 표현을 제한시키는 판결이나 전망에 관한 말이다.
- 그들 안에 담대함이 풀어졌을 때, 이는 집단적인 파급효과를 가져왔다. 단순히 기적이 일어난 것이 중요한 게 아니다. 점술의 저주에 대해 하나님께서 반응을 보여주셨다!
- 기적적인 일들이 풀어지면서 파르헤지아도 풀려나온다. 사람들은 담대해져서 하나님의 권능을 마음껏 찬양하며 기뻐한다. 한계와 점술의 저주가 파쇄되는 것이다!
- 점술의 저주는 일종의 복술이다. 그 희생양이 된 사람들은 늘 실패하거나 압제를 당한다. 또한 외면적인 것에 크게 좌우지되거나, 누군가에 의해 미혹을 받아 하나님의 말씀을 확신하던 자리에서 떠나 오히려 미혹한 사람을 따르는 자가 되고 만다. 점술의 저주는 거짓을 믿고 마음의 동기가 변질되도록 유혹한다.

| 당신은 미혹에 빠져 살아왔는가?

- "어리석도다 갈라디아 사람들아 … 누가 너희를 꾀더냐"(O foolish Galatians! Who has bewitched you? 갈 3:1).
- 점술의 저주는 일종의 미혹이다. 그것은 종교적인 허무에 기반을 두고 하나님의 표현을 제한한다.
- "너희에게 성령을 주시고 너희 가운데서 능력을 행하시는 이의 일이 율법의 행위에서냐 혹은 듣고 믿음에서냐"(갈 3:5).
- 듣고 믿는 것은 율법의 행위들을 초월하여 사람들에게 드리워져 있는 미혹을 산산조각 낸다. 사도적인 사람들은 사람들을 '듣고 믿음'으로 인도하기 위해 부름 받았다.
- 사도적인 사람들은 사람들 앞에 초자연적인 체험을 가져옴으로써 미혹의 저주를 깨뜨린다.

극심한 핍박 속에서 표적과 기사와 강력한 이적들과 기적적인 일들을 가시적으로 드러내 보여준 것도, 바로 이 사도적인 돌파의 기름부음이다(고후 12:12).

- 사람들은 사도적인 사람들의 가르침을 통해 '듣고 믿는다.' 그와 동시에 그들은 주님의 말씀에 나타난 하나님의 호흡으로 인하여 진리를 경험한다.

The Dancing Hand of God

CHAPTER 13

하나님의 권능

하나님의 권능은 성령을 통해 계시된다. 성령님은 우리 안에 존재하는 다이너마이트를 폭발시키는 불꽃이시다. 사도적인 사람들의 존재목적은, 그리스도의 몸 된 교회 안의 모든 사람들에게 삼위일체 하나님의 세 번째 위격이신 성령님의 중요성을 일깨워주고 강조하기 위함이다. 성령님은 나머지 위격들 못지않게 중요한 분이시기 때문이다. 사도적인 사람들은 성령님을 존귀한 분으로 여기는 것이 얼마나 중요한지에 관해 가르쳐준다. 이는 하나님의 권능의 풀어짐을 존귀하게 여기는 일이기도 하다.

독일에서의 체험

몇 년 전 독일에 있는 한 성경학교에서 강연할 수 있는 특권을 누린 적이 있다. CFNI의 독일 분교로, 하나님의 말씀에 매우 탁월한 재능이 있는 몇몇 학생들을 자랑하는 학교였다. 학교도 훌륭했고, 학생들도 대단했다. 내가 머물던 숙소도 좋았다. 그러나 조심스럽게 말하자면, 약간 유감스러운 부분이 있었다.

숙소는 학교 위층에 있는 작은 방이었다. 방 안에는 마치 아기용으로 보이는 거무칙칙한 침대 하나가 놓여 있었다. 그것을 보는 순간 이런 생각이 들었다. '저렇게 작은 침대에 내가 누울 수 있을지 모르겠다!' 틀림없이 내가 누우면 그 침대는 부서지고 말 것이다! 침대는 길이가 150센티미터, 너비가 90센티미터 정도 되어 보였다. 만일 내가 거기서 잔다면, 밤잠을 설칠 것이 분명했다. 게다가 침대에는 발판까지 붙어 있었다! 이쯤에서 독자들에게 해둘 말이 있다. 사실 발판 종류들과 나는 잘 어울리지 않는다. 왜냐하면 내 키는 거의 2미터에, 어깨가 구부정하지도 않기 때문이다.

나는 난국을 타개할 방책을 모색하면서 그 자리에 서 있었다. 발판 쪽에 여러 개의 베개를 쌓아 올려 침대 난간에 괴어보려고 했다. 그렇게 하면 내 키의 일부를 가장자리 바깥으로 걸쳐놓을 수 있을 것이라고 생각했기 때문이다. 그렇게 베개들을 써서 어떻게 해서든 편한 잠자리를 만들어보고자 했으나 결국 실패하고 말았다. 밤새도록 나는 거의 잠을 이루지 못한 채 침대에서 엎치락뒤치락하고 있었다.

마침내 씩씩거리다가 나는 그 아기침대에서 굴러 떨어지고 말았다. 떨어지면서 마치 특공대원처럼 매트리스를 와락 움켜잡았다. 그리고는 그 매트리스를 바닥으로 휙 던져버렸다. 혹시라도 나를 물어뜯으려고 기다리고 있을지도 모를 섬뜩한 작은 벌레들을 향해 권세 있게 명령까지 하였다. 그리고는 오전 강의가 시작되기 전에 잠깐 동안이라도 바닥에서나마 잠을 자두기 위해 애를 썼다. 머릿속에서는 온통 독일식 풀코스 아침식사에 대한 생각들이 생생하게 맴도는 가운데, 꾸벅꾸벅 졸면서 자다 깨다를 반복하고 있었다.

그러다가 나는 세차게 몰아치는 강한 바람소리에 잠에서 깨었다. 새벽 미명 무렵이었다. 마치 그 바람은 현관문을 '쾅' 하고 강타하고 들어와 내가 누워 있는 방 안에 휘몰아치고 있는 듯했다. 그리고 엄청나게 큰 소리로 불어대면서 나의 머리카락을 마구 헝클어뜨려 놓았다. 나는 속으로 이렇게 생각했다. '이 바람은 학교 전체를 깨워놓을 것이 틀림없겠구나.' 바람이 만들어내는 소음 때문에 정말이지 귀청이 떨어질 것만 같았다!

마치 나는 터널 속에 있는 것 같았다. 강력하게 휘몰아치는 돌풍은 쌩쌩 소리를 내면서 내 주변에 있는 모든 것들을 진동시키고 있었다. 그런데 정말 이상한 것은 이 바람이 내 머리 위쪽에서만 불고 있는 듯했다는 것이다. 바람의 힘이 오직 나의 민감한 코 위에서만 느껴지고 있었다. 나는 왜 이 바람이 나를 관통하여 불지 않는지 매우 이상하게 여겨졌다. 그래서 매우 지적인 사람이었던 나는 주님께 그 이유가 무엇인지 여쭤보았다.

언젠가 어떤 신학자들이 다음과 같이 가르치는 것을 들은 적이 있다 (물론 당신이 이 내용에 교리적으로 동의할지는 잘 모르겠지만 말이다). 출애굽기 14장에는 하나님께서 홍해를 가르시는 장면이 나온다. 주님은 이스라엘 백성들이 마른 땅으로 걸어가게 하시려고, 바람을 통해 바닷물을 한쪽으로 물러나게 하셨다. 그런데 만일 그때 이스라엘 백성들이 그 거룩하고 초자연적인 바람(앞으로 임하실 성령님을 예시함) 속에 손을 집어넣었더라면, 당시에 고군분투하던 온갖 문제들이 해결되었을지도 모른다는 것이다. 그랬더라면 가나안으로 향하는 그들의 여정이 훨씬 더 순탄해졌을 것이다. 그들은 그 숱한 시련들을 겪지 않고도 유업으로 받은 땅에 들어갈 수 있었을 것이다. 궁극적으로는, 광야를 방황하다가 죽음을 맞는 일도 없었을 것이다. 나는 이것이 매우 훌륭한 개념이라고 생각한다.

따라서 이 바람이 아직 내 머리 위에서 포효하고 있는 동안, 나는 주님께 왜 이 바람은 나를 관통하여 불지 않는지 여쭤보았다. 문득 이 바람이 나를 향해 내려오지 않는다면, 이제는 내가 양손을 들어 바람 속에 넣어야 할지도 모르겠다는 생각이 들었다. 과연 그랬다. 너무나도 자주 하나님의 초자연적인 활동은 우리로 하여금 좀더 높이 올라오도록 요구하신다. 언제나 주님이 우리의 수준에 맞춰 내려오시는 것만은 아니다.

'이 체험을 결코 놓쳐서는 안 된다!' 이렇게 중얼거리며 나는 양손을 그 강력한 바람 속으로 쑥 밀어 넣었다. 마치 내 두 손을 강한 뇌우 속으로 찔러 넣은 듯한 느낌이었다. 일만 볼트의 전력이 아치형으로 내 몸을 관통하면서 내 몸 구석구석을 태우는 것 같았다(이것이 내가 그때의 경험을 묘사할 수 있는 유일한 방법이다).

내가 힘겹게 이 바람 속으로 양손을 밀어 넣기 위해 애쓰는 동안, 담대함이 빠른 속도로 나를 관통하여 흘렀다. 그 바람 안에서 능력을 느끼면서도 가슴이 엄청나게 벅차올랐다! 문득 이때의 느낌이 사도행전 2장에서 성령님께서 신실한 사람들을 관통하시던 순간과도 매우 흡사할 것 같다는 생각이 들었다.

바람은 몇 분간 그렇게 휘몰아쳤다. 나는 바닥에 펴놓은 그 불편한 매트리스 위에 가만히 누워 이 엄청나고 거룩한 능력에 흠뻑 젖어 있었다. 그러는 동안 줄곧 나의 양손은 이 보이지 않는 힘 속에 머물러 있으려고 안간힘을 썼다. 나의 영에 전기가 통하기 시작했는데, 마치 영이 콧노래를 부르고 있는 것처럼 느껴졌다. 나는 이 체험이 이후의 내 삶을 완전히 변화시켜 놓을 것을 잘 알고 있었다.

이 사건 이후에 일어난 일에 관해서는 잠시 후에 이야기해주겠다. 지금은 성령세례의 능력에 관해 먼저 공부해보도록 하자.

성령세례

진지하게 말하자면, 초자연적인 것은 당신이 성령님과 더불어 누리는 직접적인 관계성과 연관되어 있을 때가 많다. 따라서 나는 성령님이 성령세례를 받은 신자들의 일상적인 삶 속에서 정확히 어떤 역할을 수행하시는지에 관해 간단하게나마 나누는 것이, 여러분과 같은 훌륭한 독자들에게 매우 유익할 것이라고 생각한다.

나는 사도적인 영을 출산시키는 힘이 바로 방언의 능력 안에 있다고 믿는다. 우리는 사도적인 사람들로서 보다 심오한 수준으로 방언을 풀어놓기 위해(다시 말해, 능력을 풀어놓기 위해) 열심히 밀고 들어가야 한다.

만일 당신이 은사주의적인 계열에 속한 사람이 아니라 할지라도, 어찌됐든 이 책을 읽어준다는 사실에 고마움을 표하고 싶다. 아무쪼록, 이 내용이 거듭난 신자가 방언을 말할 때 우리의 믿는 바가 이루어진다는 것을 조금이나마 이해하는 데 도움이 되었으면 한다.

> 이와 같이 성령도 우리의 연약함을 도우시나니 우리는 마땅히 기도할 바를 알지 못하나 오직 성령이 말할 수 없는 탄식으로 우리를 위하여 친히 간구하시느니라 마음을 살피시는 이가 성령의 생각을 아시나니 이는 성령이 하나님의 뜻대로 성도를 위하여 간구하심이니라 우리가 알거니와 하나님을 사랑하는 자 곧 그의 뜻대로 부르심을 입은 자들에게는 모든 것이 합력하여 선을 이루느니라 (롬 8:26-28)

본문에서 '연약함'(weaknesses)에 해당하는 헬라어는 '아쎄네이아'(astheneia)다. 나는 '연약함'이 그다지 적절한 번역은 아니라고 생각한다. '연약함'보다 좀더 강력한 단어는 '허약함'(infirmities)이다. 이것은 개인적이고 내면적인 허약함만이 아니라, 외적인 문제들과 신체적이고 도덕적인 허약함을 모두 가리킨다. '도우시나니'(help)에 해당하는 헬라어는 매우 긴 단어로, '우리와 함께 들어올려주시다' 혹은 '맞은편에서 함께 붙잡아주시다'(매튜 헨리 주석)의 의미를 지닌다. 이를 현대적인 표현으로 바꾸면, '함께 저항하다' 정도이다. 따라서 우리는 이 구절의 의미를 다음과 같이 이해할 수 있다. "이와 같이 성령도 우리와 함께 우리의 온갖 허약함에 맞서 저항해 주시나니."

'간구하시느니라'(make intercession)에 해당하는 헬라어는 '후페렌툭차노'(huperentugchano)다. 척 플린 박사에게 들은 바에 의하면, 이 단어는 옛날에 사용되던 법률용어와 관련된 것으로, 성령님이 우리의 상황에 전적으로 뛰어드신다는 의미를 함축하고 있다. 성령님은 하나님 아버지 앞에서 우리를 위하여 변호해주신다. 다시 말해, 성령께서 우리를 위해 개입, 즉 사람들이 당면하고 있는 문제들을 중재해주신다는 뜻이다. 이 단어는 히브리서 7장 25절에서도 사용되었다. "그러므로 자기를 힘입어 하나님께 나아가는 자들을 온전히 구원하실 수 있으니 이는 그가 항상 살아 계셔서 그들을 위하여 간구하심이라."

따라서 성령님의 탄식하심이란, 우리가 고군분투하고 있는 내적 및 외적 문제들을 중재하시고 개입해주시는 성령님의 기도를 말한다. 그러나 이것이 가능해지려면, 우선 우리의 속사람이 활성화되어야 한다. 즉, 우리는 성령 안에서 세례를 받아야 한다. 만일 성령님이 믿는 자의 삶 속에 거주하신다는 개념에 익숙하지 않은 이가 있다면, 잠시 짬을 내어 사도행전 2장 1-4절과 11절을 읽어보라.

2절은 다음과 같이 말씀한다. "홀연히 하늘로부터 급하고 강한 바람 같은 소리가 있어 그들이 앉은 온 집에 가득하며." 사도행전은 역사적으로 의사였던 누가가 기록한 것으로 알려져 있다. 누가의 저술들은 초자연적인 만남들을 기록하면서 의학용어들을 자주 사용하는 경향이 있다. 여기서도 그는 '급한'(rushing)이라는 의학용어를 사용하는데, 헬라어 '페로'(phero)는 특별히 산부인과와 관련된 용어로, '출산하다' 또는 '낳다'로도 번역될 수 있다. 출산의 시점은 아기가 세상으로 나와 최초의 호흡을 시작하는 일회적인 순간이다. 아기는 생명으로 인한 충격 때문에, 또한 격렬하게 산소를 들이마시는 까닭에 울음을 터뜨린다.

함께해 보자. 급하게 숨을 들이마시라. 단, 씹던 껌을 삼키지 않도록 주의하라!

이해가 되는가? '페로'는 마치 어머니가 아기를 낳는 것과 같고, 아기가 최초의 호흡으로 받는 충격과도 같다. 아울러 '페로'는 생명을 주시는 하나님의 호흡이기도 하다. 이것은 교회를 생명체로 키워주시는 하나님의 호흡이다. 하나님 아버지의 목적은 '페로'를 체험한 사람들을 낳는 것, 하나님의 호흡 안에서 영적 거인들로 이루어진 한 세대를 낳는 것이다.

우리는 9장에서 로마서 8장 26-28절을 살펴보았다. 그러나 우리가 알고 있는 바로는, 수많은 그리스도인들이, 모든 것이 합력하여 선을 이루는 경험을 하지 못하고 있다. 맞는가? 부분적으로는 사람들이 26절과 27절을 제외시킴으로써 약속에 관해 부정확하게 말하고 있기 때문이다. 28절 앞부분에 작은 글자로 '그리고'(and, 한글역본에는 이 단어가 드러나 있지 않지만, 영어역본들에는 표현되어 있다 - 역주)가 있다. 바로 앞에 무언가가 선행되어야 한다는 것이다.

이러한 맥락에서, 우리가 성령님의 '페로'를 경험할 때 '모든 것'이 합력하여 선을 이룬다는 사실을 알게 된다. 말하자면, '하나님이 레마의 말씀으로 호흡을 불어넣으신 것'이다! 그럴 때 비로소 모든 것들이 합력하여 선을 이룬다. 모든 것들이 결국은 선하다는 사실이 입증되기 위해서는, 초자연적인 성령님의 호흡이 필요하다.

> 먼저 알 것은 성경의 모든 예언은 사사로이 풀 것이 아니니 예언은 언제든지 사람의 뜻으로 낸 것이 아니요 오직 성령의 감동하심을 받은 사람들이 하나님께 받아 말한 것임이라 (벧후 1:20-21)

여기서도 마찬가지다. '감동하심'이 '페로'다. 미안하지만, 사랑하는 친구들이여, 여러분은 성령님을 피해 쉽사리 도망칠 수 없다. 하나님 아버지를 이해하려면, 성령님의 '페로'가 필요하다. 만일 당신이 삶 속에서 여러 가지 문제들로 씨름하고 있다면, 성령님은 당신의 상황 속으로 뛰어드시어 성경구절에 호흡을 불어넣어주실 수 있다. 그럴 때 비로소 모든 것들이 합력하여 선을 이루기 시작할 것이다.

> 너희는 다 모든 사람으로 배우게 하고 모든 사람으로 권면을 받게 하기 위하여 하나씩 하나씩 예언할 수 있느니라 예언하는 자들의 영은 예언하는 자들에게 제재를 받나니 (고전 14:31-32)

본문은 예언이 선한 것이라고 말씀한다. 예언은 성령님이 호흡을 불어넣으신 추가적인 계시다. 예언을 통해 모든 이가 추가적인 지식을 얻을 수 있고 격려를 받는다. 성령님이 당신에게 숨을 내쉴 때, 당신은 감지한 바를 말로 선포해낸다. 이렇게 함으로써 점차 당신은 하나님의 지식 가운데서 세워져간다. 주님은 당신 안에 생명을 불어넣어주신다. 이러한 거룩한 선포들은 당신의 통제 아래 있다. 성령님의 감동하심에 따라 행동할 것인지 그렇지 않을 것인지를 결정하는 것은, 당신의 책임이다. 본문에서 "예언하는 자들의 영은 예언하는 자들에게 제재를 받나니"라고 말씀하는 이유도 이 때문이다.

그러니 힘을 내라. 나와 함께 다음과 같이 말해보자. "성령께서 나에게 감동을 주심에 따라, 나는 깨달음에 이르게 될 것이다!" 성령세례는 결코 두려워할 일이 아니다. 오히려 신자의 삶을 구성하는 매우 필수적인 부분이다.

우리는 보다 깊은 계시로 나아가기 위해 성령님의 감동하심에 따라 살아가야 한다. 이러한 계시를 우리는 '레마'라 부른다. 종종 사람들은 영적 거인이 되기를 원하면서도, 정작 자신들의 영을 훈련하는 일은 원치 않는 경우가 많다! 그로 인해 그리스도의 몸 된 교회를 이루는 소중한 구성원들이 너무도 많은 계시들을 놓쳐버리고 있다. 그들은 성령님이 우리에게 얼마나 필요한 분인지를 강경하게 부인하고 있다.

당신이 거듭나던 순간에 성령님이 함께 계셨음을 알고 있는가? 그렇다. 그것은 분명한 사실이다.

> 내가 주는 물을 마시는 자는 영원히 목마르지 아니하리니 내가 주는 물은 그 속에서 영생하도록 솟아나는 샘물이 되리라 (요 4:14)

때로 성령님은 물로 상징된다. 본문에서도 물로 상징되고 있다. 성령님은 신자들에게 영생을 주시는 개인적인 생기의 창고이시다.

명절 끝날 곧 큰 날에 예수께서 서서 외쳐 이르시되 누구든지 목마르거든 내게로 와서 마시라 나를 믿는 자는 성경에 이름과 같이 그 배에서 생수의 강이 흘러나오리라 하시니 이는 그를 믿는 자들이 받을 성령을 가리켜 말씀하신 것이라 (예수께서 아직 영광을 받지 않으셨으므로 성령이 아직 그들에게 계시지 아니하시더라) (요 7:37-39)

여기서는 성령님이 흘러나오는 생수의 강으로 상징된다. 이것은 성령 충만한 사람으로부터 다른 이들의 삶 속으로 흘러들어가는 복의 물줄기를 말한다.

이 말씀을 하시고 그들을 향하사 숨을 내쉬며 이르시되 성령을 받으라 (요 20:22)

바로 이 순간에 제자들은 예수님의 생명을 받아들였다. 거듭난 것이다. 성령님의 임재는 구원의 체험을 구성하는 필수적인 요소다. 여기서 우리가 주목해야 할 것이 있다. 지금 제자들은 성령을 받고 구원을 받았다. 그런데 사도행전 2장에서 우리는 바로 이 제자들이 성령을 통해 보다 심오한 깨달음에 이르게 되는 모습을 보게 된다.

그들이 다 성령의 충만함을 받고 성령이 말하게 하심을 따라 다른 언어들로 말하기를 시작하니라 (행 2:4)

나는 복음주의자들이 다음과 같이 말하는 것을 듣곤 한다. "나는 거듭났기 때문에 성령 충만합니다." 물론 이들의 이야기도 틀린 것은 아니다. 성령님은 구원의 순간에 임하신다. 그러나 성경은 더 나아가 성령님의 내주하심에 관해 말씀하고 있다. 우리는 이것을 두 번째 투여라고 말할 수 있을 것이다. 다시 말해, 성령의 내주하심은 페로를 가져왔고, 제자들은 단순히 그리스도를 따르는 자들에서 강력한 기적을 행하는 사도들로 변화되었다.

우리는 구원을 받을 때 성령을 받는다. 이때의 성령은 마치 개인적인 생기의 창고와도 같다. 우리는 이때의 성령님을 한 잔의 물로 표현할 수도 있을 것이다. 맞는 말이다. 성령님은 결코 마르지 않는 한 잔의 물과도 같다. 하지만 여전히 한 잔에 불과하다. 성령세례를 받을 때, 우리는 그 한 잔의 물이 이제 하나의 강줄기 속에 푹 잠기는 모습을 그려볼 수 있다. 넘치는 물줄기, 그것은 바로 성령 충만한 신자가 행하는 초자연적인 활동들이다. 간단히 말하자면, 성령님은 우리 자신뿐 아니라 다른 사람을 위해서도 표적과 기사와 이적들에 개입하신다.

만일 당신이 거듭난 신자라면, 참으로 당신 안에도 성령님이 존재하신다. 그러나 내가 묻고 싶은 질문은 다음과 같다. 과연 성령님은 당신의 모든 것을 차지하고 계신가?

성령의 능력은 한 사람에게서 또 다른 사람에게로 옮겨갈 수 있다. 사도행전 8장 17절의 말씀을 들어보자. "이에 두 사도가 그들에게 안수하매 성령을 받는지라." 사도들은 이 생명의 물(Water)을 나눠주고 있다.

우리가 여기서 유의할 것은, 바로 다음 절에 소개되고 있는 마술사 시몬이다. 그의 파렴치한 행위에 대해서는 이미 앞에서 언급한 적이 있다. 18절은 제자들이 안수함으로써 사람들이 성령을 받고 있을 때, 시몬이 무언가를 '보았다'고 말씀한다. 그는 과연 무엇을 '본' 것일까? 아마 이 책을 읽는 이들 중에는 그가 사람들이 방언하는 모습을 보았을 것이라고 추측하는 이들도 있을 것이다. 그 외에 또 그는 무엇을 보았을까? 만일 그것이 사람들의 삶 속에 임한 어떤 내면적인 복이었다면, 그는 그것을 목격하지 못했을 수도 있다. 틀림없이 사람들이 성령을 받는 순간에, 어떤 물리적인 현상이 가시적으로 나타났을 것이다.

21절에서 베드로는 시몬의 죄악을 다음과 같이 맹렬하게 비난한다. "하나님 앞에서 네 마음이 바르지 못하니 이 도에는 네가 관계도 없고 분깃 될 것도 없느니라." 본문에서 베드로가 언급한 '도'란 무엇을 말하는가? 이 표현은 독자로 하여금 마치 바울이 들려주던 이야기, 다시 말해 방언을 믿도록 이끄는 것은 아닐까?

그렇다면 이제 우리는 신자들의 삶 속에서 이루어지는 성령세례가 물리적이고 가시적인 나타나심을 야기한다는 사실을 믿을 수 있다. 즉 한 잔의 물이 강줄기 속에 잠겨 있음을 보여주는 증거로서 방언을 말하게 된다는 것이다.

이는 방언을 말하며 하나님 높임을 들음이러라 (행 10:46)

당시만 해도 사울로 불리던 바울이 성령을 받았다. 우리는 이러한 사실을 다음과 같은 바울의 말을 통해 알 수 있다. "내가 너희 모든 사람보다 방언을 더 말하므로 하나님께 감사하노라"(고전 14:18).

뿐만 아니라, 바울에게는 성령을 다른 사람들에게 전이시켜 줄 수 있는 능력도 있었다. "이르되 너희가 믿을 때에 성령을 받았느냐 이르되 아니라 우리는 성령이 계심도 듣지 못하였노라 … 바울이 그들에게 안수하매 성령이 그들에게 임하시므로 방언도 하고 예언도 하니"(행 19:2, 6).

이상에 제시된 모든 성경구절들을 통해 우리는 방언들 말함이라는 증거를 드러내며 성령으로 충만해지는 것이 얼마나 중요한지를 이해할 수 있다. "내가 이제 세 번째 너희에게 가리니 두세 증인의 입으로 말마다('교리, 가르침'을 의미함) 확정하리라"(고후 13:1).

그러므로 성령을 받으라!

최근 몇 년 동안, 나는 몇몇 은사주의적인 리더십 안에서 방언의 중요성을 깜짝 놀랄 만큼 과소평가하는 모습을 주시해왔다. 나는 이런 현상을 볼 때마다 매우 안타깝고 걱정스런 생각이 든다. 친애하는 독자들이여, 우리는 사도들을 본받아 방언들 말함의 중요성을 결코 폄하해서는 안 된다!

내가 척 플린과 케네스 해긴에게 특별히 감사하는 것이 있다. 그들은 내게 성령세례라는 교리에 관한 통찰력을 주었다. 그들의 가르침으로 나는 방언의 중요성을 확고히 믿게 되었다. 나는 여러분에게도 이와 동일한 일이 일어나기를 바란다!

방언의 중요성

성령 충만한 상태임을 보여주는 첫 번째 표지가 방언을 말함이다. 방언은 성령님의 거주하심을 입증하는 초자연적인 증거다. 방언은 신자의 행복에 엄청나게 중요하다. 왜냐하면 하나님은 영이시기 때문이다. 우리는 영을 통해서 하나님과 접촉해야 한다. 방언은 영적인 덕을 세우는 일에 매우 유익하다.

방언을 말하는 자는 자기의 덕을 세우고 예언하는 자는 교회의 덕을 세우나니 (고전 14:4)

바로 전 구절인 2절에서는 다음과 같이 말씀한다. "방언을 말하는 자는 사람에게 하지 아니하고 하나님께 하나니 이는 알아듣는 자가 없고 영으로 비밀을 말함이라"(고전 14:2). 여기서 '비밀'(mysteries)이란 '신적인 비밀들과 진리들'을 암시한다.

확대역성경(Amplified Bible)에서는 바울의 말을 다음과 같이 옮긴다. "내가 만일 방언으로 기도하면 나의 영이 기도하거니와 나의 마음은 열매를 맺지 못하리라"(For if I pray in a tongue, my spirit by the Holy Spirit within me prays, 고전 14:14).

방언은 우리로 하여금 성령님이 내주하고 계심을 일깨워준다. 이로써 우리는 이 사실을 망각하지 않을 수 있다. 방언을 말할 때, 우리는 '또 다른 보혜사'가 함께해주신다는 것을 의식하게 된다.

> 내가 아버지께 구하겠으니 그가 또 다른 보혜사를 너희에게 주사 영원토록 너희와 함께 있게 하리니 그는 진리의 영이라 세상은 능히 그를 받지 못하나니 이는 그를 보지도 못하고 알지도 못함이라 그러나 너희는 그를 아나니 그는 너희와 함께 거하심이요 또 너희 속에 계시겠음이라 (요 14:16-17)

우리는 방언기도를 통해 우리의 기도를 언제나 하나님의 말씀과 뜻에 일치시킬 수 있다. "오직 하나님이 성령으로 이것을 우리에게 보이셨으니 성령은 모든 것 곧 하나님의 깊은 것까지도 통달하시느니라"(고전 2:10). 방언을 사용할 때, 비로소 우리는 어떻게 기도하고 언제 기도할 것인지에 관해 성령님의 방식들을 깨닫기 시작한다.

방언을 통해 풀어진 천상의 언어는 믿음을 풀어놓고 증가시켜 준다. 왜냐하면 방언을 말하기 위해서는 믿음이 사용되어야 하기 때문이다. "사랑하는 자들아 너희는 너희의 지극히 거룩한 믿음 위에 자신을 세우며 성령으로 기도하며 하나님의 사랑 안에서 자신을 지키며 영생에 이르도록 우리 주 예수 그리스도의 긍휼을 기다리라"(유 20-21).

방언은 우리를 세상적인 괴로움으로부터 지켜줄 뿐 아니라 하나님의 사랑 안에서 안전하게 보호해준다. 우리는 하나님께 전적으로 거룩하게 구별된다. 우리는 방언을 사용함으로써 하나님 아버지와 끊임없이 소통할 수 있다. 방언을 말함에 관한 맥락 속에서 바울은 다음과 같이 제안한다. "교회에서는 잠잠하고 자기와 하나님께 말할 것이요"(고전 14:28).

로마서 8장 26절과 고린도전서 14장 14절에서 알 수 있는 바와 같이, 방언으로 기도할 때 우리는 잘 알지 못하는 일을 위해서도 기도하게 된다. 기도의 언어가 내포하는 여러 측면들 중의 하나는, 어떤 상황이나 문제를 놓고 항상 지속적으로 기도한다는 점이다. 당신은 승리로 이끌어가는 찬양의 어조가 풀어질 때까지 기도한다. 문자 그대로 문제들을 기도로 돌파해가는 것이다.

당신은 현재 가지고 있는 문제를 어떻게 주님께 전달해드려야 할지 알지 못할 수도 있다. 그러나 성령님은 아신다. 따라서 성령님이 당신을 통해 기도하시도록 허용함으로써, 당신은 바라던 결과를 얻을 수 있게 된다.

그러므로 더듬는 입술과 다른 방언으로 그가 이 백성에게 말씀하시리라 전에 그들에게 이르시기를 이것이 너희 안식이요 이것이 너희 상쾌함이니 너희는 곤비한 자에게 안식을 주라 하셨으나 그들이 듣지 아니하였으므로 (사 28:11-12)

영적인 해갈은 방언을 말하는 동안에 이루어진다. 그것은 하나님 아버지께서 성자 예수님께 주신 선물이다. 성자 예수님은 성령님을 활용하시어 지친 영혼에게 쉼과 상쾌함을 제공해주신다. 하지만 수많은 그리스도인들이 하나님 아버지께서 그토록 베풀어주기 원하시는 쉼에 '귀 기울이지 않는다.' 참으로 안타까운 모습이 아닐 수 없다!

한편 우리는 방언을 말함으로써 우리의 혀를 복종시킨다. 야고보서 3장 8절에 의하면, 혀는 걷잡을 수 없는 악이고 죽이는 독으로 가득 차 있다. 혀를 길들일 수 있는 사람은 아무도 없다. 그러나 만일 당신의 혀가 전능하신 하나님을 찬양하는 일에만 몰두한다면, 혀를 악하고 불경한 말을 하는 일에 사용할 시간은 거의 없을 것이다. 그렇지 않은가? 당신의 혀가 방언에 몰두하게 하라!

방언기도는 당신 안에 있는 주님을 향한 감사의 마음을 매우 잘 드러내 보여준다.

그러면 어떻게 할까 내가 영으로 기도하고 또 마음으로 기도하며 내가 영으로 찬송하고 또 마음으로 찬송하리라 그렇지 아니하면 네가 영으로 축복할 때에 알지 못하는 처지에 있는 자가 네가 무슨 말을 하는지 알지 못하고 네 감사에 어찌 아멘 하리요 너는 감사를 잘하였으나 그러나 다른 사람은 덕 세움을 받

지 못하리라 (고전 14:15-17)

나는 본문에서 바울이 타당한 의견을 제시하였다고 생각한다. 바울은 방언으로도 기도했고, 알아들을 수 있는 말로도 기도했다. 너무나 많은 그리스도인들이, 그것도 그리스도를 진실하게 믿고 있는 이들조차도 동일하게 소중한 반쪽을 소홀히 하고 있다. 그 결과 그들은 반쪽짜리 응답만을 받으며 살아가고 있다. 사도적인 은총을 회복하는 일은 등식의 이편과 저편을 모두 회복하는 일이기도 하다. 그렇지 않을 경우, 총합은 균형을 잃게 될 뿐 아니라, 가변적인 것이 되고 만다. 그리하여 마침내 시스템 전체가 망가져버린다.

방언은 어느 모로 보나 하나님 나라의 언어다. 그러므로 우리의 협력으로 성령님은 우리의 삶 속에 하나님 나라의 지식을 증진시키는 구조를 만드신다. 성령님은 열매 맺는 삶 속에 자체적으로 투영되신다. 우리가 속해 있는 하나님 나라는 언제나 이런 식으로 표현된다. 따라서 방언으로 말미암아 우리는 하나님 나라의 초자연적인 나타남을 회복하게 된다. 이것은 이 책의 전체적인 요지이기도 하다.

천상의 기도언어인 방언을 통해, 우리의 영은 성령 안에서 하나님과 대화를 나눈다. 방언은 우리로 하여금 늘 하나님의 사랑 안에 머물도록 인도한다. 그리고 성경에 있는 하나님의 약속들(여기에는 다른 무엇보다도 기적적인 일들을 풀어놓는 것도 포함된다)이 성취될 것을 기대하게 한다.

영을 사용함으로써 우리는 성령님과 공동 작업을 한다. 그뿐 아니라, 우리의 삶 속에 성령님이 머무실 개인적인 처소를 마련하도록 돕는다. 방언으로 기도하는 동안, 당신은 성령님이 거주하실 집을 세워가는 것이다.

동시에 당신의 삶 가운데 그동안 황폐해져 있던 것들(당신의 상처, 아픔, 부정, 속임수 등)이 치유되고 회복되기 시작한다.

사도행전 2장에서 사람들은 제자들이 방언을 통해 각각 자신들의 언어로 '하나님의 큰 일'(wonderful works of God, 행 2:11)을 말하고 있는 모습을 보며 깜짝 놀랐다. '큰 일'은 헬라어로 '메가레이오스'(megaleios)다. 이제 우리는 접두어 '메가'(mega)의 의미를 안다. '레이오스'(leios)는 '웅장하고 숭고한 행위들'을 뜻한다.

누가복음에는 마리아의 찬가가 소개되고 있다. 그중에서도 특히 1장 49절에서 마리아는 다음과 같이 말한다. "능하신 이가 큰 일을 내게 행하셨으니"(For He who is mighty has done great things for me). 여기서 '큰 일'(great things)이 바로 '메가레이오스'다. 마리아는 메시아의 탄생에 관해 이야기하는 것이다. 또한 다락방에 모여 있던 제자들이 방언으로 하나님의 큰 일을 말할 때, 마치 메시아를 출산하는 듯했다.

여기서 척 플린은 방언이 지닌 함축적 의미를 다음과 같이 제시한다. 방언을 말함으로써 예수 그리스도께서 행하신 능하신 일들을 출산하게 된다는 것이다. 이 말은 로마서 8장에서 찾아볼 수 있듯이, 출산에 관한 맥락에서 '성령의 말할 수 없는 탄식'(groanings)이라는 단어와도 일치한다. 그러므로 방언기도를 하는 것을 우리가 만나는 모든 상황과 경험 속에서 메시아를 출산하는 일이라고 말해도 결코 과장이 아니다!

그리스도의 출산으로 인해 주님은 우리의 삶의 방식과 충돌하시고, 주님의 큰 일들을 행하신다! 방언을 말하는 것은, 예수님을 현장에 출산시키는 일이고, 동시에 주님의 기름부음을 풀어놓는 일이다. 이렇게 해서 풀어진 기름부음은 우리 안에 스며들고, 우리를 에워싸고, 우리를 확장시켜 준다. 그리고 주님께서 행하시는 큰 일들의 결과로 말미암아 우리가 처한 상황들은 하찮은 것이 되고 만다.

자, 이제는 사도적인 사람들 쪽으로 화제를 돌려보자. 이 모든 정보들이 사도적인 사람인 당신에게 어떠한 깨달음을 주고 있는가? 이러한 내용이 사도적인 사람들과 그들이 가진 돌파의 기름부음과 도대체 어떤 관련이 있는 것일까?

하나님의 권능은 성령을 통해 계시된다. 성령님은 우리 안에 존재하는 다이너마이트를 폭발시키는 불꽃이시다. 사도적인 사람들의 존재 목적은, 그리스도의 몸 된 교회 안의 모든 사람들에게 삼위일체 하나님의 세 번째 위격이신 성령님의 중요성을 일깨워주고 강조하기 위함이다. 성령님은 나머지 위격들 못지않게 중요한 분이시기 때문이다. 사도적인 사람들은 성령님을 존귀한 분으로 여기는 것이 얼마나 중요한지에 관해 가르쳐 준다. 이는 성령으로 말하는 방언, 하나님의 권능의 풀어짐을 존귀하게 여기는 일이기도 하다. 사람들이 방언 말함의 중요성을 폄하하거나 '축소시키거나' 무시할 때, 속임수가 임한다.

나의 친구들이여, 방언은 돌파의 기름부음을 풀어놓을 뿐 아니라, 나아가 사람들 위에 예언적인 영이 임하도록 해준다.

사도적인 돌파의 기름부음은 사람들에게 성령님의 이러한 속성을 밝히 계시해준다. 따라서 사도적인 사람들 스스로가 반드시 영적 언어들에 대한 민감성과 애정을 계발시키는 법을 배워야 한다. 사도적인 사람들과 하나님의 사람들은 성령의 은사를 인정함으로써, 하나님 아버지의 약속들을 온전히 받아 누릴 수 있는 위치를 차지하게 된다.

하나님 아버지의 약속 받기

사도와 함께 모이사 그들에게 분부하여 이르시되 예루살렘을 떠나지 말고 내게서 들은 바 아버지께서 약속하신 것을 기다리라 … 오직 성령이 너희에게 임하시면 너희가 권능을 받고 (행 1:4, 8)

하나님이 오른손으로 예수를 높이시매 그가 약속하신 성령을 아버지께 받아서 너희가 보고 듣는 이것을 부어 주셨느니라 … 베드로가 이르되 너희가 회개하여 각각 예수 그리스도의 이름으로 세례를 받고 죄 사함을 받으라 그리하면 성령의 선물을 받으리니 이 약속은 너희와 너희 자녀와 모든 먼 데 사람 곧 주 우리 하나님이 얼마든지 부르시는 자들에게 하신 것이라 하고 (행 2:33, 38-39)

보혜사 곧 아버지께서 내 이름으로 보내실 성령 그가 너희에게 모든 것을 가르치고 내가 너희에게 말한 모든 것을 생각나게 하리라 … 내가 아버지께로부터 너희에게 보낼 보혜사 곧 아버지께로부터 나오시는 진리의 성령이 오실 때에 그가 나를 증언하실 것이요 … 그러나 내가 너희에게 실상을 말하노니 내가 떠나가는 것이 너희에게 유익이라 내가 떠나가지 아니하면 보혜사가 너희에게로 오시지 아니할 것이요 가면 내가 그를 너희에게로 보내리니 (요 14:26, 15:26, 16:7)

나는 이번 장에서 정말 많은 성경구절들을 인용하였는데, 다만 성령이 하나님 아버지로부터 말미암는 은사라는 선례를 제시하고 싶었을 따름이다. 모든 은사들이 하나님께로부터 임하는 것과 마찬가지로, 우리는 은사들을 받기 위해 주님께 요청해야 한다. "너희가 얻지 못함은 구하지 아니하기 때문이요"(약 4:2).

사도적인 사람이 되기 위해 우리는 반드시 성령의 은사를 받아야 한다는 것을 인식하고 있어야 한다. 또한 우선 은사를 받은 후에야 비로소 그것을 하나님 아버지께로부터 취하여 우리 삶에 적용할 수 있음을 알아야 한다.

"내가 또 너희에게 이르노니 구하라 그러면 너희에게 주실 것이요 … 너희가 악할지라도 좋은 것을 자식에게 줄 줄 알거든 하물며 너희 하늘 아버지께서 구하는 자에게 성령을 주시지 않겠느냐 하시니라"(눅 11:9, 13). 예수님은 우리가 하나님 편에서 먼저 무언가를 해주시기만 기다리는 게 아니라, 적극적으로 하나님 아버지께 성령을 달라고 구하는 것이 얼마나 중요한지를 크게 강조하셨다. 나는 그동안 선한 의도를 가진 수많은 그리스도인들이 다음과 같이 말하는 것을 들었다. "만약 하나님께서 내가 방언하기를 원하신다면, 방언의 은사를 주시겠지요."

오, 이 말에 내가 좀 반박을 해보겠다. "당신은 어떻게 구원을 받았는가? 하나님 아버지께서 주권적으로 주시기만 기다림으로써 구원받았는가? 아니면 당신이 그것을 주님께 구함으로써 받았는가?" 거창하게 말하자면, 그렇기 때문에 우리는 하나님 아버지께 성령의 은사도 구해야 하는 것이다!

그러므로 일단 은사를 구한 후에는, 그것을 믿음으로 받아야 한다. 당신이 받았음을 믿으라. 그리고 당신의 마음과 혀를 성령님께 복종시키라. "무리는 내 말을 듣고 희망을 걸었으며 내가 가르칠 때에 잠잠하였노라 내가 말한 후에는 그들이 말을 거듭하지 못하였나니 나의 말이 그들에게 스며들었음이라 그들은 비를 기다리듯 나를 기다렸으며 봄비를 맞이하듯 입을 벌렸느니라"(욥 29:21-23).

이런 모습이 어리석게 보이는가? 만일 그렇다면 하나님은 미련한 것들을 사용하여 지혜 있는 자들을 부끄럽게 하시는 분임을 기억하라(고전 1:27). 당신은 은사를 주시는 분인 하나님과 협력해야 한다. 하나님의 방식을 받아들여야 한다. 하나님께서 당신을 위해 그것을 먼저 행해주시지는 않는다. 왜냐하면 주님은 언제나 등식의 다른 한쪽인 인간의 참여를 통해 일하시는 분이기 때문이다. 이것은 구원을 받기 위해 우리가 하나님의 방식으로 주님과 협력해야 하는 것과 동일한 이치다. 성령님을 주신다고 말씀하신 하나님 아버지의 약속을 받는 일에 있어서도 마찬가지다.

또 다른 보혜사

당신이 성령을 받아야 하는 이유는 너무나도 절박하다! 모든 사도적 기름부음, 모든 표적과 기사와 이적들은 성령님의 도우심으로 공급된다. 온전한 그리스도인이 되기 위해서는, 주님이 우리에게 보혜사를 보내주셨음을 반드시 믿어야 한다. "믿는 자들('믿어온 자들'이나 '믿게 될 자들'이라기보다는)에게는 이런 표적이 따르리니 곧 그들이 내 이름으로 귀신을 쫓아내며 새 방언을 말하며 뱀을 집어올리며 무슨 독을 마실지라도 해를 받지 아니하며 병든 사람에게 손을 얹은즉 나으리라 하시더라"(막 16:17-18).

성령님은 사막의 오아시스다. 성령님의 임재 안에 머물러 있는 동안 우리는 활력을 얻는다! 성령님은 언제나 현대인의 삶 가운데 발생한 영적인 독소나 독성효과를 말끔히 제거하신다.

지금 이 순간, 우리의 도움은 우리 안에 활성화되신 성령님으로부터 말미암는다. 지금 이 순간이란, 우리의 일상적인 삶을 뜻하는 시적인 표현이다. 성령님은 연약함과 허약함에 빠져 있는 우리를 향해 도움의 손길을 펴신다. 현대의 여러 가지 문제들과 스트레스들이 우리를 연약하게 만들 수 있다. 우리는 원수가 가해오는 맹공격에 허약해질 수 있다.

내가 성령님을 '보혜사'(Helper)라고 정의하는 것을 양해해주기 바란다. 예수님도 성령님을 보혜사라고 부르셨다. 대부분이 헬라어 '파라클레토스'(parakletos)를 잘 알고 있을 것이다. 이 단어는 '옆에 나란히 서도록 부름을 받다'라는 뜻을 지니고 있다. 동시에 이 단어는 변호사의 도움을 받는 것, 어려운 처지에 있는 사람에게 도움을 주기 위해 전문분야에 속한 어떤 이를 부르는 것 등의 세속적인 의미도 담고 있다.

로마서 8장 26-28절에 언급된 '연약함'이란, 불치병, 근육질환, 귀신에 의한 시달림, 전염병(혹은 역병), 혹은 무력하거나 혼수상태로 판명된 어떤 사람 등을 말하는 것일 수도 있다. 또 문자 그대로 '되풀이되는 채찍질'이라고 번역할 수도 있다. 즉 '연약함'은 당신을 끊임없이 약하게 만들고 지속적으로 위협하는 것을 말한다.

친애하는 독자들이여, 성령님은 태형 기둥(채찍질 당하는 사람을 붙들어 매는 기둥)이 있는 바로 그곳에서 당신을 구원해주신다! 당신을 돕는 손길이 실재하고 있다! 왜 굳이 그것을 거절하려 하는가? 거듭난 그리스도인들이 성령님의 도우심을 받지 않고 마다하는 이유는 도대체 무엇인가?

고린도전서 1장 25-29절에 따르면, 우리는 세상을 살아가는 사람들을 크게 세 가지 타입으로 나눌 수 있다. 천한 사람들, 연약한 사람들, 어리석은 사람들이 그것이다.

여기서 우리는 '천한'을 '추한'이라고 표현할 수도 있을 것이다. 어떤 이들은 그야말로 명백하게 추하다. 우리는 그들을 위해 해줄 수 있는 게 아무것도 없다. 그들은 단지 수많은 못생긴 사람들에 불과하다. 아무리 성형수술을 하고 화장을 해도 소용이 없다. 무슨 말인지 알겠는가? 다소 경박한 표현을 사용하는 것 같긴 하지만, 이것이 바로 '못생겼다'는 말을 내가 이해하는 방식이다!

'연약한'은 '혼수상태인'으로도 바꾸어 표현할 수 있다. 어쩌면 당신은 정서적으로나 영적으로 코마상태에 빠진 누군가를 연상할지도 모르겠다. 온전한 의미에서 그가 '살아 있다'고는 말하기 어렵다. 그는 정신이 없는 상태로 평생 동안 비틀거린다.

'어리석은'이라는 단어에서 '바보천치' 혹은 '정신박약자' 등의 말이 유래되었다. 내가 농담하고 있다고는 생각지 마라. 지금 나는 매우 진지하다. 문자 그대로, 지적으로나 신체적으로 바보 또는 얼간이를 의미한다. 이들은 스스로를 돌볼 만한 능력이 없는 사람들이다.

이런 유의 사람들에 관하여 바울은 마치 다음과 같이 이야기하고 있는 듯하다. "심지어 가장 사소한 영적인 사안에 관해서도 우리는 무엇을 해야 할지 전혀 알지 못하고 있습니다. 우리는 추한 사람들 같고, 혼수상태에 빠진 멍청이들 같습니다!" 한편 성령님은 다음과 같이 말씀하시는 듯하다. "나의 도움을 받지 않는다면, 너희들은 모두 영적인 무능력자들이다!" 과연 얼마나 많은 이들이 자신이 영적으로 무능력하다는 것을 알고 있을까?

하지만 걱정하지 마라! 당신이 요청하기만 하면, 위로자이신 성령님이 당신을 돕기 위해 당신 옆에 와주실 것이다. 성령님이 당신의 허약함과 연약함에 맞서 주시며, 당신을 활기차고 온전히 유능한 사람으로 만들어주실 것이다. 당신은 제발 어리석은 자가 되지 마라! 성령님의 도움을 요청하고 받아 누리라!

성령님의 열정

로마서 8장 26절에 언급된 '도움'에 해당하는 헬라어 '순-안티-람바노마이'(sun-anti-lambanomai)는 크게 세 부분으로 나눌 수 있다. '순'은 '함께, 더불어'라는 뜻이다. '안티'는, '부동액'(antifreeze)이나 '용두사미의'(anticlimactic), 혹은 '적그리스도'(anti-Christ) 등과 같이 '~에 반대하는'의 의미이며, '람바노마이'는 '제거하다'라는 뜻이다. 우리는 이 단어들이 각각 '위치'(position-sun), '태도'(attitude-anti), '욕구'(desire-lambanomai)에 상응한다고 볼 수도 있다.

성령님은 당신의 허약함에 맞서 싸우심으로 그것을 제거해주시기 위해 당신과 함께 일하신다. 물론 성령님이 반드시 수동적인 태도로만 그렇게 하시는 것은 아니다. 성령님은 당신과 함께 일하시되 매우 열정적인 태도를, 또한 필요한 경우에는 매우 과격한 태도를 취하신다. 당신의 허약함을 사로잡아서 제거해주시기 위해서 말이다. 내가 배워온 바에 의하면, 성령님의 도우심이란 '주님의 사자 같은 본성을 계시하는 것'을 말한다. 이것에 관해 보다 구체적으로 설명해보겠다.

그동안 우리는 언제나 성령님을 '자비로우시고 친절하신 우주적인 집사' 같은 분으로 인식해왔다. 이 점은 한 동료 설교자가 지적해낸 사실이다. 확실히 성령님은 친절하시고 부드러우시며 사랑을 베푸시는 특성을 지니고 계신다. 그분은 부드럽게 우리를 깨우쳐주시고, 우리의 침대 곁에 앉으신다. 또한 우리가 좀더 나아질 때까지 닭고기 수프를 떠먹여주시며, 우리의 상처를 감싸주시고 안아주시며 입 맞춰 주신다. 이러한 성령님의 포옹을 받을 때, 영적이고 정서적인 치유 효과가 뒤따라온다. 우리는 성령님을 사랑한다!

그러나 헬라어의 경우, 한 단어 안에 수동적이고 여성적인 암시뿐 아니라 적극적이고 남성적인 암시가 함께 들어 있을 수 있다. '도움'이라는 단어도 예외가 아니다. 여기에도 부드럽고 수동적인 측면(성령님의 포옹)과 거칠고 공격적인 측면(포효하는 사자)이 공존하고 있다.

'위치'에 상응하는 단어는 훨씬 더 수동적인데, 이것은 '파트너십'을 의미한다. 바라는 결과를 얻기 위해 성령님과 협력하여 일하자는 일종의 초청장이며, 거듭되는 채찍질로부터의 자유를 말한다.

그러나 '태도'에 상응하는 단어는 공격적이다. '안티'는 맞서서 저항한다는 뜻이다. 반전(anti-war), 반 빨치산(anti-partisan) 등에서 알 수 있듯이, 이 말은 '허약함에 대항하는 폭력, 격분, 분노, 매도' 등을 의미할 수 있다. 러시아에 있는 강력한 교사 릭 레너는 이것을 '성령님의 열정'이라고 부른다. 다시 말해, 성령님은 당신이 곤경에 처해 있다는 안타까운 소식을 듣자마자, 너무나도 화가 나신 나머지 맹렬한 분노에 휩싸이신다. 그리고 당신을 반복적으로 때려눕히고 넘어지게 하는 것을 심하게 몰아세우신다.

한편, '욕구'에 상응하는 단어도 남성적이고 공격적인 의미를 가지고 있다. 성령님은 싸우기 위해 일어나시면서 다음과 같이 말씀하신다. "내가 원하는 무언가를 네가 가지고 있다! 나한테 그것을 건네 주어라. 그렇지 않으면 내가 그것을 강제로라도 네게서 빼앗아올 것이다!"

예수님도 이런 말씀을 하신 적이 있으셨다. "세례 요한의 때부터 지금까지 천국은 침노를 당하나니 침노하는 자는 빼앗느니라"(마 11:12). 당신 안에 있는 허약함을 무찌르고 승리하기 위해서는, 반드시 성령님의 도우심이 필요하다. 성령님이 당신의 연약함을 강제로 제거해주실 정도로 강렬하게 분노하셔야 한다! 하나님 아버지께서 성자 예수님을 통해 당신에게 보내주신 '보혜사'란 바로 이런 분이다!

우리는 주님의 몸 된 교회 안에 있는 종교의 영에 대항하여 전투를 벌여야 한다. 종교의 영은 하나님께서 과거에 행하신 일들을 기념하면서도, 지금 이 순간에 행하시는 일에 대해서는 저항한다. 하나님 아버지는 끊임없이 진보적이실 뿐 아니라, 언제나 성령님을 통해 하나님의 무한하신 성품과 역사가 지닌 새롭고 신선하고 흥미진진한 국면들을 가져오신다. 실제로 이것은 사도적인 사람들이 지닌 돌파의 기름부음 이면에 존재하는 추동력이기도 하다. 사도적 돌파의 기름부음은 종교의 영을 몰아내고, 신선하고 새롭게 성령님을 표현하게 이끈다.

우리는 성령님을 부드럽고 온유하고 친절한 분으로 여기는 일은 조금도 어려워하지 않는다. 그러나 우리가 결코 잊지 말아야 할 것이 있다. 하나님은 온갖 감정들을 창조하신 분이다! 따라서 당신이 불의를 보며 격분할 수 있는 사람이라면, 거룩한 분노의 창시자이신 하나님은 얼마나 더 그러하시겠는가? 물론 주님은 화내기를 더디 하시는 분이다. 그렇다고 해서 주님이 전혀 화내지 않으신다는 말이 아니다.

지금 우리는 유명무실과의 전쟁을 치루고 있다. 우리의 원수는 '평균'(Average)이라고도 불린다. 원수는 우리가 일상적인 삶을 살며 단지 현상유지만 하며 안주하기를 바란다. 이 영은 끊임없이 우리를 대적하여 싸움을 걸어온다. 그뿐 아니라 우리와 성령님과의 관계를 끊어놓으려고 우리의 삶을 엉망으로 만들기도 한다.

그러나 우리가 단순히 주님을 허용하기만 하면, 성령님은 기꺼이 우리 삶 속에 개입하셔서, 원수의 방해활동들을 중재해주신다. 그분은 우리가 처한 상황들 한복판에 친히 공격적인 자세로 뛰어들어주신다. 그분의 기도는 인간의 다양한 사정들에 선한 방식으로 간섭해주시고, 당신 안에 있는 허약의 영을 분별하여 제거해주신다. 원수는 어떻게든 우리를 억제시키려 하고, 성령님은 어떻게든 우리를 고무시키려 하신다!

성령님의 인도하심에 따라 행할 때, 우리는 결과적으로 보다 심오한 계시에 이르게 된다. 우리 안에 아주 충격적인 방식으로 생기가 주입되어야 한다.

당신은 그리스도께서 종종 스스로를 '인자'(the Son of Man)라고 말씀하셨음을 알고 있는가?(특히 마태복음 8장 20절과 9장 6절을 참고하라) '인자'란 도대체 무슨 의미인가?

그리스도께서 인용하신 구절은 다니엘 7장 1절이었다. 다니엘 선지자는 주님이 하늘 구름을 타고 오시는 모습을 보았다. '구름'(clouds)은 비구름, 뇌운을 말한다. 언젠가 내가 들었다고 말한 것과 같은 뇌우나 회오리바람 등을 떠올릴 수도 있을 것이다. '인자'를 좀 색다르게 해석하자면, '폭풍우처럼 임하시는 분'으로 생각할 수도 있다. 간단하지만 훌륭하지 않은가?

기름부음을 받으신 이(Anointed One)가 마치 회오리바람을 타신 것처럼 이리저리 움직이시면서, 먼지를 휘저어 놓으신다. 우리들이 바로 먼지다. 땅바닥에 혼수상태로, 아무런 목적도 없이 무기력하게 축 늘어져 있는 인간을 구성하고 있는 것이 바로 먼지다. 그런데 회오리바람이 우리를 관통하여 움직이실 때, 주님은 우리를 자극하여 영적 의로움과 성경에 대한 흥분 속으로 몰아가신다. 그뿐만 아니라 성령님이 자유자재로 풀려나 주님의 일을 수행하시고, 선한 이들을 위해 온갖 일들을 행하신다.

허약의 영 분별하기

성령님이 우리 위에 호흡을 내쉬어주실 때, 그리스도께서 회오리바람처럼 거칠게 몰아치실 때, 우리는 우리 위에 임해 있는 허약의 영을 감지하기 시작한다. 허약의 영에 관해 좀더 살펴보면, 우리는 몇 가지 매우 재미있는 정의들을 만나게 된다. 당신에게 도움이 되도록 그 정의들을 지금 여기에 소개해보겠다.

허약의 영은 친밀의 영과도 연관되어 있을 수 있다. 허약의 영은 '예후'(prognosis), 즉 '미리 알게 된 지식'을 가져온다. 이 단어는 오늘날 의학계에서도 사용되고 있다. 의사는 당신의 증상들을 토대로 하여 예후를 제시한다. 예를 들어보겠다. "이 발진은 당신의 피부에 염증이 있다는 것을 알려줍니다." "당신의 어머니가 당뇨병을 앓았으므로, 당신도 당뇨병을 앓게 될 가능성이 있습니다." 바로 이런 것들이다. 의사는 발진과 당뇨병에 대한 과거의 경험을 통해, 근본적인 원인이 피부의 염증부위 혹은 특정 질병에 대한 세대적인 경향성임을 알게 된다. 그는 증상들을 근거로 당신의 질병을 진단한다. 다시 말해 이러한 증상들은 의사들이 이미 잘 알고 있는 것들이다.

자, 여기서 내 말을 오해하지 말기 바란다. 나는 우리의 의학계 지체들을 매우 존경하는 사람이다. 의사들과 간호사들은 과학적 연구를 바탕으로 최선을 다해 일하고 있다. 그들의 일은 우리의 안녕에 대한 관심에 근거한 것이다. 나는 의사들이 구비하고 있는 재능들에 감사하게 생각하고 있다. 그러나 때때로 그들의 염려는 자연적인 영역을 벗어나 초자연적인 영역까지 침범해 들어가곤 한다.

허약의 영은 예후를 '내뱉어버린다.' 다시 말해 우리의 마음속에 어떤 이미지를 형성시키는 것이다. 나는 주님이 내게 이것에 관한 계시를 주셨다고 믿는다. 허약의 영은 문자 그대로 당신의 삶과 환경들에 관한 예측을 뱉어낸다. 예후란, 영이 '가계적으로 지난 세대들 때부터 이미 잘 알려져 있던 무언가에 대한 친숙함에 근거하여 어떤 이미지(혹은 단어)를 투사' 할 수 있음을 의미한다. 즉 당신은 당신의 생각 속에서 나음과 같은 소리를 듣고 있을 수 있다. "당신의 아버지는 술주정꾼이었습니다. 그런데 당신이 아버지와는 다를 것이라고 생각하는 근거는 무엇입니까?" "당신의 어머니는 암으로 돌아가셨습니다. 그러니 당신도 그렇게 될 것입니다!"

과거의 환경들이 자체적으로 계속 반복된다고 하는 말은 거짓이다. 여기서 내 이야기의 요지는 이렇다. 당신은 이 거짓말의 정체가 무엇인지 분별할 수 있어야 한다. 그것은 자연적인 원인들을 근거로 하고 있는 거짓말에 불과하다. 자연적인 것은 언제나 초자연적인 것의 지배를 받는다! 주님의 회오리바람은 일상을 훨씬 뛰어넘는 높은 곳까지 당신을 휘저어놓을 수 있다. 그렇게 될 때, 당신은 이 허약과 친밀의 영들이 거짓된 것에 뿌리를 두고 있음을 알게 될 것이다.

나아가, 이 허약과 친밀의 영은 절망과 불가피성이라는 속임수를 당신 위에 드리우려고 한다. 그것은 당신에게 정신적인 부담, 멍에 혹은 짐을 가중시킴으로써, 당신이 일어나지 못하도록 방해한다. 그것을 떨쳐버리라! 성령님이 당신 위에 생기를 불어주실 것이다. 성령님이 당신에게 보다 심오한 계시를 주실 때, 당신은 하나님의 관점으로 당신의 환경들을 바라보게 될 것이다. 하나님은 당신을 에워싼 환경들을 불가피한 것으로 보시지 않는다. 주님이 보시기에 그 환경들은 단지 저주를 역전시켜 놓을 은총의 손길을 필요로 하는 상황들에 불과하다!

하나님께서 내게 주셨다고 확신하는 계시에 근거하여 말하겠다. 내가 허약의 영에 관해 제시할 수 있는 가장 기본적인 묘사는 다음과 같다. "허약의 영은 당신의 양손을 묶어놓으려고 애를 쓴다." 허약의 영은 당신을 가능한 한 움직이지 못하게 해놓으려 한다. 골격과 근육 관련 문제들이나 피로 등의 경우처럼 말이다. 그 영은 당신을 질식시켜 생명을 빼앗고, 익사할 때까지 물속에 깊이 처박아 둔다.

사도적 기름부음은 이러한 허약의 영을 분별할 수 있도록 도와준다. 우리는 이 영을 반드시 분별해내야 한다. 이 영의 거짓말에 대항하여 반대 의견을 선포하고, 우리에게 닿아 있는 이 영의 손길을 강제적으로 잡아당겨 제거해야 한다!

허약의 영은 당신이 위험이라는 연약함을 경험하게 하려고 애를 쓴다. "더 이상 예전처럼은 움직이지 못하겠어. 혹시라도 다치면 어떻게 해!" 이 영은 당신이 특정 질병에 동의하게 하려고 한다. 그러면 사람들은 실제적으로 자신의 허약함에 속박을 당한다. 그들은 그 허약함과 스스로를 동일시함으로써, 결국 그것이 자신을 규정하도록 허용한다. 간단히 말해서, 당신의 신체가 당신의 영을 거부하기 시작하는 것이다.

그러나 성령님은 주님의 회오리바람 속에 들어 있는 진리를 알고 계신다. 그래서 거짓말하는 영의 정체를 적극적으로 당신에게 깨우쳐주시려 할 것이다. 그 예후를 거부하라! 당신을 속박시키려 하는 것에 대해 격렬하게 저항하라! 그것은 반드시 굴복하게 마련이다. 왜냐하면 당신의 영은 언제나 당신의 신체보다 강하기 때문이다.

독일에서의 체험 이후 일어난 일

이쯤에서 다시 독일 방문사건으로 돌아가보자. 당신은 내가 양손을 밀어 넣었던 그 강력한 성령의 돌풍을 기억하는가? 그 놀라운 만남을 경험한 후에 내가 사람들을 위해 사역해주었을 때, 이전과는 뭔가가 달라져 있었다. 어떤 사람들에게 손을 얹고 있는 동안, 내 손바닥에서 일종의 맥박 같은 것이 느껴졌다. 이것이 내가 표현할 수 있는 전부다. 사실 내가 기도해 준 모든 사람들에 대해 이런 현상이 나타난 것은 아니었다. 그러나 오른쪽 손바닥에서 시작되어 손가락 끝으로 번져가는 이 웅웅거림은 빈번하게 나타났는데, 매우 특이한 느낌이었다.

성령님은 그 떨리는 듯한 감각이 무엇인지에 관해 가르쳐주기 시작하셨다. 그것은 허약의 영, 곧 그 사람을 억압하고 있는 귀신의 속임수를 다루고 있음을 말해주는 표지(분별의 은사)였다. 성령의 기름부음을 통하여 당시 기도받는 사람들이 시달리고 있는 허약함을 '탐지하는'(나로서는 이것이 최선의 표현이다) 능력의 풀어짐을 느낀 것이다.

내 이야기가 해괴하게 혹은 뉴에이지 풍으로 들리지 않기를 바란다. 그러나 나는 이 특이하고 초자연적인 하나님과의 만남을 당신에게 들려주는 것이 매우 중요하게 느껴진다. 이 이야기가 주님과의 직접적인 만남을 추구하는 당신의 믿음을 북돋워줄 것이다. 내가 주님을 신뢰하면서 솔직하게 이야기하고 있다는 것을 성령께서 깨우쳐주시리라 믿는다. 또한 당신이 예수 그리스도와의 보다 깊은 친밀함으로 들어갈수록 성령님이 당신만의 고유한 체험을 할 수 있도록 인도해가실 줄 믿는다. 여기서 당신은 감각에 초점을 맞춤으로써 곁길로 빠지는 일이 없도록 하라. 감각은 우리를 주님께로 좀더 가까이 이끌어주는 하나의 수단에 불과하다는 점을 기억하라.

어쨌든, 그것은 치유의 기름부음이나 두나미스(dunamis)와는 다르다. 그것은 사람 속으로 들어가는 것이 아니라 질병을 야기하는 요인이 무엇인지에 대한 분별이다. 만일 그들의 생각 속에 허약의 영이 들어 있음을 감지하면, 나는 그들의 이마에 손을 얹고 그 영을 향해 권세 있게 명령한다. 그러면 그 영이 떠나가는 것을 문자 그대로 느낄 수 있다. 그 영은 마침내 내 손바닥에 부딪치고 그들에게서 떠나간다. 속임수가 제거되는 것이다.

이따금씩 나는 성령님의 인도하심에 따라 두 손으로 사람들의 어깨에 안수하는 경우도 있는데, 그럴 때면 마치 두 개의 손이 그들을 짓누르고 있는 듯한 느낌을 받는다. 때로는 일종의 외투 같은 것이 느껴지기도 한다. 이런 경우에도 내가 그 영을 향해 권세 있게 명령하면, 그들을 억압하고 있던 두 개의 손이 떠나가는 것을 느낄 수 있다. 이때 그들은 뒤로 밀리면서 바닥에 쓰러진다.

대부분의 경우, 나는 감각으로 분별하는 은사가 내 손을 타고 올라오는 것을 감지하기만 할 따름이다. 그것은 내 손을 타고 올라와서 어깨에 이르고, 계속해서 내 심장에 부딪친 다음에 사라져버린다. 일단 그것이 사라져버리면 나는 그 사람이 자유로워졌음을 알게 된다. 나는 권세 있게 명령함으로써 그 영을 그들에게서 제거한다. 종종 그런 후에는 치유의 기름부음이나 기적 행함의 기름부음이 훨씬 더 강력한 수준으로 그들에게 흘러가는 것을 느낄 수 있다.

이런 식으로 수많은 세월 동안 수만 명의 사람들이 주님의 권능으로 그동안 시달려온 귀신의 억압에서 자유케 될 수 있었다. 모든 영광을 하나님께 돌린다!

종종 사람들에게 안수를 해도 아무 감각도 느껴지지 않는 경우들이 있다. 이는 그들 안에 그들을 반복적으로 쓰러뜨리는 허약의 영이 들어 있지 않다는 증거이다. 그들에게는 단지 하나님의 기적적인 만져주심만이 필요할 뿐이다. 이럴 때는 보통 치유의 기름부음이 흘러들어가고, 사람들은 은혜를 받는다.

이 분별의 은사는 개인적으로 사역하는 시간에 훨씬 더 유용하다. 아울러 나는 이 은사로 인해 사람들이 보다 놀라운 결과들을 얻고 있음을 믿는다. 내 안에 뭔가 특별한 것이 있기 때문이 아니다. 나는 이런 느낌을 감지할 수 있을 정도로 남들보다 특별한 사람이 아니다. 다만 주님께서 이 은사를 통해 내가 어떻게 기도해야 할지 알려주실 뿐이다.

내가 이런 이야기를 당신에게 들려주는 이유가 무엇이겠는가? 단순히 나 자신을 뽐내기 위해서가 아니다(어찌됐든 그것은 내가 하는 일이 아니므로). 오히려 나는 당신도 사도적인 사람으로서 이와 유사한 하나님과의 만남을 경험하는 자리로 밀고 들어갈 수 있음을 믿기에 이것을 나누는 것이다. 당신이 손바닥에서 웅웅거림을 느끼는 단계부터 시작할지의 여부는 나도 잘 모르겠다. 내가 말하려는 요지는 그것이 아니다. 당신도 당신만의 특별한 방법으로 성령님과 만나는 돌파의 체험을 기대할 수 있다. 그러한 만남을 통해 당신의 믿음은 활력을 얻게 될 것이고, 그동안 당신을 억압해 왔던 온갖 속임수들을 돌파하게 될 것이다. 나아가, 당신도 그 놀라운 계시를 다른 사람들에게 전하게 될 것이다.

이 책의 요지는 우리 모두가 사도적 기름부음을 소유할 수 있다는 것을 알려주려는 것이다. 물론 우리 모두가 사도적인 사람들은 아니다. 그러나 사도적 기름부음을 통해 우리는 하나님의 기적적인 권능이 우리의 삶 속에서 역사하는 모습을 목격할 수 있다!

사도적인 사람들은 보다 강력한 하나님의 기적적 권능의 단계로 들어가기 위하여, 사람들의 삶 속에 도사리고 있는 이처럼 '까다로운' 사안들을 다룰 줄 알아야 한다. 하나님께는 그것이 전혀 어려운 일이 아니다. 다만 우리의 생각 속에서 어려울 뿐이다. 그러나 하나님 아버지께서는 이 마지막 때에 사도적인 사람들에게 다양한 은사들을 부어주고 계신다. 이로 인해 그들은 원수의 책략들을 더 잘 분별하게 될 것이다. 우리는 수많은 그리스도인들이 인식하는 것보다 훨씬 더 많이 귀신의 세력들을 다루고 있다.

성령님은 이처럼 까다로운 사도적인 사람들의 사역, 예언적 돌파의 기름부음을 통해 우리를 돕기 원하신다. 그것은 오랜 세월 동안 이 세상에서 목격한 것보다 훨씬 더 웅장하게 사람들을 자유케 해주시기 위해서다. 사도적인 사람들은 사람들의 삶 속에 활동하고 있는 영들을 분별하기 위해 힘써야 한다.

영분별의 은사는 단순히 보거나 들을 수 있는 무언가가 아니다. 그것은 느낄 수도 있다. 히브리서 5장 14절은 우리가 선악을 분별하기 위해 영적 지각을 사용해야 한다고 말씀한다. 따라서 우리의 영적인 능력들이 계발되어야 한다. 우리의 감각이 성숙해져서, 혼에 속한 것과 영에 속한 것을 분별할 수 있어야 한다.

달리 말하겠다. 영 안에는 '듣는' 영역이 있다. 이것은 대부분의 은사주의자들에게 잘 알려진 예언적 기름부음으로, 주님이 말씀하시는 바를 그대로 선포하는 것이다. 또한, 영적으로 '보는' 영역도 있다. 예언적 계열에 속한 우리들은 이를 '선견자의 기름부음'(seer anointing)이라고 부르는데, 참으로 적절한 표현이다. 선견자의 기름부음은 영 안에서 일어나는 일을 감지하고 분별하는 것을 말한다. 따라서 내가 손바닥으로 경험하는 이 감각은 영분별의 '느낌'(feeling)이다.

선견자의 기름부음

사도적인 사람들은 분별의 모든 측면들, 즉 보고 듣고 느끼는 능력을 계발하는 법을 익혀야 한다. 이러한 분별의 형태들은 오직 예수님과 친밀함을 누리는 삶의 방식에서 비롯된다. 그런 후에야 비로소 이런 분별력을 자신의 오감을 통해 표현할 수 있으며, 나아가 하나님과의 만남을 경험할 수 있게 된다.

우리가 알기로 하나님은 매우 다양한 방식들을 통해 의사소통을 하신다. 그러나 나는 사람들이 오감을 통해 주님을 만나는 것이 주님이 원하시는 바라고 믿는다. 단지 사람의 내면에 있는 어떤 열광적이고 불분명한 생각을 통해서도 아니고, 저 멀리 우주적인 공간에 떠다니고 있는 어떤 신비적인 힘을 통해서도 아니다. 주님은 실제적인 분이다. 주님은 손으로 만지고, 들을 수 있을 뿐 아니라, 또한 볼 수 있는 분이다.

사무엘상 3장에서, 우리는 사무엘이 아주 어릴 때부터 주님의 작고 세미한 음성을 듣는 법을 배우는 것을 목격한다. 20-21절은 주님의 말씀이 실로에서 사무엘에게 임하는 모습을 보여준다. 그런 다음 사무엘의 메시지가 온 이스라엘에 전파된다(삼상 4:1). 메시지가 어떤 방식으로 다른 이들에게 전달되는지 이해되는가?

그러나 여기서 내가 지적하고자 하는 핵심구절은 다음과 같다. "여호와께서 실로에서 여호와의 말씀으로 사무엘에게 자기를 나타내시니라"(revealed Himself to Samuel in Shiloh by the word of the Lord, 삼상 3:21). '나타내다'(revealed)와 '나타나다'(appeared)에 관해 연구해본 결과, 나는 사무엘이 '주님을 분별하고, 주님과의 만남을 체험하고, 주님을 지켜보고, 주님을 즐기고, 주님을 관찰하고, 주님을 아는' 사람이었다는 생각을 하게 되었다. 사무엘이 계발한 것은, 단지 주님의 음성을 듣기만 하는 예언적 기능이 아니라, 선견자의 기름부음이었다. 여기서 요지는 사도적인 사람들과 선지자적인 사람들은 반드시 이 선견자의 표현을 계발해야 한다는 것이다.

사무엘상 9장 9절로 훌쩍 넘어가보자. 만일 당신 곁에 언제라도 사용할 수 있는 근사한 성구사전이 있다면, 우선 '선견자'(seer)라는 단어를 찾아보라. 그런 다음에는 '선지자'(이 단어는 사무엘상 3장 20절에 나온다)를 찾아보기 바란다. 이것들은 서로 다른 예언의 표현들을 세분화하고 있는 상이

한 두 단어이다. '선지자'에 해당하는 히브리어 '나비'(nabiy)는 보다 일반적으로 통용되는 말로, 하나님의 음성을 듣고 이를 말로 선포하는 사람이라는 뜻을 내포하고 있다. 반면에 '선견자'에 해당하는 히브리어 '라하'(raah)는 다소 드물게 사용된다. '선견자'를 언급하고 있는 관련성구로는 사무엘하 24장 11절과 역대하 29장 30절이 있다. 갓과 아삽은 '선견자'(seer)들이었다. 또 사무엘하 7장 2절을 볼 때, 나단은 '선지자'(prophet)였다.

어떤 이들은 이 두 개의 단어가 완전히 호환가능한 것들이라고 주장한다. 물론 나는 이런 견해를 이해할 수 있다. 선지자나 선견자나 모두 '선지자'를 암시하고 있기 때문이다. 그러나 사실 이 단어들은 보기(seeing)와 듣기(hearing)라는 두 종류의 체험을 묘사하는 서로 다른 표현들이다. 역대상 29장 29절을 보면 사무엘과 나단과 갓의 이름이 동일한 구절 안에 거론되면서, 각각 선견자, 선지자, 선견자로 소개되고 있다.

물론 결코 선견자의 기름부음이 선지자적 기름부음보다 더 '나은' 것이라는 말이 아니다. 선견자나 선지자 모두 지극히 중요하다. 그러나 선견자의 기름부음은 보다 구체적이고 손에 잡힐 듯한 하나님의 표현을 사람들에게 전달해줄 수 있다. 오감으로 느껴질 정도의 하나님의 임재를 가시적으로 드러낼 수 있는 것이다. 나는 사도적인 사람들과 선지자적인 사람들은 듣기와 보기라는 이 두 가지 표현들을 모두 계발시켜야 한다고 생각한다. 그러나 우리는 하나님의 말씀을 듣는 것은 엄청나게 강조하면서도, 하나님의 말씀을 '보거나' 경험하는 것에 대해서는 그다지 강조하지 않고 있다.

나는 지금 하나님의 사람들 가운데 새로운 권위가 생겨나고 있다고 믿는다. 천국에서 보고 있는 것(그리고 듣고 있는 것)을 지금 이 땅 위에서도 보고 들을 수 있다고 선포하기 위해서다. 우리가 하나님께 사도적인 사람들과 선지자적인 사람들을 통해 보다 위대한 표적과 기사와 이적들을 보여 달라고 구해야 하는 이유도 여기에 있다. 왜냐하면 그것이 바로 하늘에서 이루어지고 있는 바를 이 땅에서 보는 것이기 때문이다.

나는 이제 곧 우리가 엄청난 규모의 가시적인 나타나심을 목격하게 될 것이라고 확신한다. 선견자, 예언적 기름부음, 사도적 기름부음이 모두 혼연일체가 되어, 하나님 아버지를 구체적인 방식으로 드러내되, 이제껏 우리가 경험한 것보다 훨씬 더 심오한 수준으로 드러낼 것이다.

사람들은 하나님의 임재를 실제로 감지할 수 있게 될 것이다. 단순히 하나님이 존재하신다는 맹목적인 신앙으로 하나님의 임재를 알지는 않을 것이다. 물론 그리스도인으로서 우리는 하나님이 존재하고 계심을 안다. 우리는 무언가를 느낄 수도 있고 그렇지 않을 수도 있다. 나는 본 적이 없이 믿는 사람들이야말로 복되다는 것도 안다(요 20:29). 그러나 하나님은 사람들에게 주님의 임재를 가시적으로 나타내심에 있어서, 충분히 크시고, 스스로에 대해 충분히 안정감을 가지고 계신 분이다.

나는 모든 인류가 오감으로는 결코 하나님을 느끼지 못하면서 경배하는 것이 주님의 섭리라고 생각하지 않는다. 만일 주님이 우리를 갈망하신다면, 사람에게 감각능력을 주신 하나님이 도대체 무슨 이유로 주님을 느끼지 못하게 하시겠는가? 이것은 전혀 이치에 맞지 않는 이야기다.

손바닥으로 무언가를 느끼는 영분별의 은사 안에서 기능하면서 사람들이 자유케 되는 모습을 지켜보는 나의 믿음은 점점 증가되고 있다. 만약 하나님께서 시간을 들여 허약의 영을 나에게 보여주신다면, 그것은 반드시 그 사람을 그 영으로부터 구원해주기 원하신다는 사실을 전제로 한다. 이렇듯 주님이 내게 허약의 영을 알려주시기 시작하면서 필연적으로 나는 가시적인 현상을 감지하게 되었다.

주님은 나를 통해 사역을 받는 당사자에게도 명백한 증거를 전하기 시작하셨다. 실제로 그들은 매우 강력하고 이상한 무언가를 감지한다(sense). 그들은 자신들이 주님과의 만남을 경험하고 있음을 안다(know). 또 만일 주님이 자연적인 영역에서 주님을 느낄 수 있도록 해주시는 분임을 안다면(know), 이제 그들은 주님이 자신들을 자유케 해주실 수 있다는 것도 알게 된다(know). 이것을 통해 나의 믿음뿐 아니라 그들의 믿음도 커진다. 나아가 우리의 믿음의 기도는, 허약에 관한 거짓말들에 맞서 권능을 사용할 수 있을 정도로 활력을 얻는다.

믿음의 기도

변명하지 않겠다. 나는 믿음의 사람이며 믿음의 말씀을 믿는다. 이것은 '일단 말로 선포한 후에, 놓치지 않도록 낚아채라'는 식의 사고방식을 믿는다는 말이 아니다. 내가 믿음의 말씀을 믿는 이유는, 허약의 영으로부터의 자유를 비롯하여 그리스도께서 우리를 위해 싸워주심으로써 그토록 어렵게 확보해주신 것을 실제화시키기 위해서다. 나는 아픈 자들을 구원하는 믿음의 기도를 귀하게 여긴다. 그동안 주님께서 믿음의 기도를 확증해주시는 광경을 수도 없이 많이 목격해왔기 때문이다.

내 안에 당신을 도울 만한 것이 아무것도 없음을 이미 잘 안다. 그러나 성령님이 우리 위에 호흡을 불어주시면, 우리는 일어설 수 있을 뿐 아니라, 우리의 사정이 주님께 알려지게 된다. 주님은 언제나 열심히 귀 기울여 들으시고 우리를 위해 올바르게 판단해주신다.

우리 위에 임하신 하나님 아버지의 명성(이것이 바로 주님의 '영광'이다)은, 우리에게 하나님의 속성들을 전해준다. 사도적 기름부음은 상황이 현재 상태 그대로 머물러 있어야 한다는 잘못된 생각들을 노출시킨다. 집단적인 주님의 몸에 임해 있는 믿음의 영은 '큰 은혜'(great grace)뿐 아니라, 주님의 몸 된 교회가 하나님 나라의 온전함 가운데로 들어갈 수 있는 전략들을 가져온다.

하나님의 말씀인 성경은 무엇을 말하고 있는가?

> 너희 중에 고난 당하는 자가 있느냐 그는 기도할 것이요 즐거워하는 자가 있느냐 그는 찬송할지니라 너희 중에 병든 자가 있느냐 그는 교회의 장로들을 청할 것이요 그들은 주의 이름으로 기름을 바르며 그를 위하여 기도할지니라 믿음의 기도는 병든 자를 구원하리니 주께서 그를 일으키시리라 혹시 죄를 범하였을지라도 사하심을 받으리라 (약 5:13-15)

여기서 더 이상 무슨 논란의 여지가 있겠는가? 성령님이 호흡을 불어주셨기에 야고보는 자신이 하고 있는 말의 의미가 무엇인지 확실히 알고 있었다. 믿음의 기도는 반드시 병든 자를 구원한다. 그런데 과연 실상이 그러한가? 우리가 이것을 경험하고 있는가?

도대체 왜 믿음의 기도는 항상 효력을 발휘하지 않는 걸까? 어쩌면 당신은 어떤 사람이 장로들을 불러 기도를 받았음에도 불구하고 죽게 된 경우를 떠올릴지도 모르겠다. 원인은 과연 무엇일까? 결코 하나님의 말씀이 잘못되었거나 하나님이 실수하셨을 리는 없다. 여러 가지 이유들이 있겠지만, 그중 하나는 모든 기도들이 믿음의 기도는 아니기 때문일 수도 있지 않을까! 그러므로 우리가 드리는 기도들은 활력을 부여받음으로써 믿음의 기도가 되어야 한다. 성령님의 호흡이 불어넣어진 기도가 되어야 한다는 말이다. 이해되는가?

매우 다양하고 상이한 형태의 기도들이 존재한다. 사도행전 4장 23-31절에서, 우리는 간구의 기도(prayer of petition)를 드리는 사람들의 모습을 보게 된다. 그들은 주님께 담대함을 달라고 간구했고, 주님은 그들의 기도에 응답해주셨다.

믿음의 기도와 간구의 기도는 급수가 다르다. 따라서 우리는 서로 다른 기도의 유형들에 관해 잘 이해하고, 어떻게 기도할 것인지 주님께 지혜를 구해야 한다(약 1:5). 너무나도 자주 우리는 간구의 기도를 드리고 있다. "오, 주님, 주님의 뜻이라면 제발 저를 낫게 해주십시오." 이것은 활성화된 믿음이 아니다. 또 이것은 하나님께 우리의 어떠함에도 불구하고 주권적으로 역사해주시기를 간구하는 기도다. 그렇다. 이런 기도도 이따금씩은 효력을 발휘한다. 왜냐하면 하나님은 충분히 크신 하나님이시기 때문이다.

그러나 우리가 반드시 알아두어야 할 것이 있다. 만일 그동안 우리가 짧든 길든 주님과 동행하는 삶을 살아왔다면, 주님은 이제 십자가의 축복들을 누리기 위해 단순히 주님의 선한 성품들만을 의지하는 것 이상을 우리에게 요구하신다. 우리는 십자가를 통해 성취된 일들을 활성화시켜 우리의 소유로 만들어야 한다.

그러므로 당신의 기도들을 조심스럽게 분석해보라. 당신은 큰소리로 기도하는가? 아니면 낮은 음성으로 기도하는가? 당신은 눈물과 울부짖음, 혹은 분노와 두려움이 실린 강력한 기도를 드리고 있는가? 어쩌면 당신은 이제껏 믿음의 기도를 드린 적이 없을지도 모른다. 어쩌면 당신이 허약함에서 자유케 되지 못하게 방해하는 요인이 바로 이것일 수도 있다.

여기서 전반적인 해결책, 즉 신적인 치유를 위한 어떤 신비한 공식을 제시하려는 것이 아니다. 다만 우리가 구체적인 사건들 속에서 하나님의 영광의 나타나심을 목격하지 못하는 데는 여러 가지 이유가 있다고 말하려는 것이다. 믿음의 기도는 병든 자를 구원한다. 그러므로 문제는 우리들 편에 있는 것이 분명하다. 우리는 현재 드리고 있는 기도의 스타일을 잘 규정해보고 수정해야 한다.

야고보서 5장을 중심으로 병든 자를 구원하는 믿음의 기도에 관해 잠시 연구해보자. '구원하다'(save)에 해당하는 헬라어는 '소조'(sozo)다. 이 말은 수동적인 단어가 아니라, 일종의 활동 언어다. 이 단어에는 운동, 활동성, 믿음의 행보 등의 뜻이 담겨 있다.

예수님은 기도드리실 때마다 믿음을 활성화시키셨다. 비록 병든 사람의 믿음은 온전치 못했을지라도, 주님은 그들에게 주님과 함께 발걸음을 내디딜 것을 요구하셨다. 원하는 치유를 얻기 위해 최선을 다해 주님과 협력할 것을 요구하신 것이다. 예수님은 사람들로 하여금 주님이 치유하실 수 있는 분임을 믿게 만드셔야만 했다. 그렇다고 예수님이 그들의 믿음이 온전치 못하다거나 흠이 많다고 판단하신 것이 결코 아니다. 그들의 믿음의 수준이 어떠하든지, 그들의 믿음이 활성화되기를 기대하셨을 뿐이다. 주님은 제자들에게 믿음 안에서 자라가라고 권고하셨다.

여기서 우리가 주목해야 할 매우 중요한 사실이 있다. 예수님은 철저하게 주님의 주권에 근거하여 치유를 행하신 것이 아니다. 주님도 우리들과 마찬가지로 이 세상에 계시는 동안에는 자신의 믿음을 의지하셨다. 그리스도께서는 하나님으로서 치유를 행하신 적이 없다. 주님은 오직 인자로서 치유를 행하셨다. 그렇지 않다면, 어떻게 우리도 주님과 동일한 일을 행할 것이라고 기대하실 수 있겠는가?

물론 주님은 공생애 기간에도 여전히 온전한 하나님이셨다. 그러나 주님은 자신을 비우고 사람이 되기로 선택하셨다. 주님은 자신을 통해 흘러나오는 성령의 은사들을 의지하셨다. 이와 관련하여 빌립보서 2장 5-11절을 참고하라.

잃어버린 영혼들을 찾아 나서는 복음전도자의 기름부음과 이미 하나님과 언약관계에 있는 사람들을 위한 믿음의 기대는 서로 다르다. 능력전도의 경우에는(능력전도는 복음이 제시된 다음, 기적적인 일들에 의해 복음이 입증되는 것을 말한다), 하나님 편에서 주권적으로 사랑의 역사를 행하신다. 주님은 세상 사람들에 대해서는 기대하는 믿음(expectant faith)을 바라지 않으신다. 그들이 어떻게 그런 믿음을 가질 수 있겠는가? 따라서 주님은 아무리 낮은 수준의 믿음이라도 그들이 소유하고 있는 믿음을 취하여 일하신다.

그러나 그들이 주님을 점점 더 알아감에 따라, 하나님은 그들도 기대하는 믿음 안에서 자라가기를 기대하시고, 그 믿음을 활성화시켜 십자가의 풍성함을 누리게 되기를 바라신다.

사람들이 주님과 함께 믿음의 발걸음을 내디딜 때, 주님께서 치유해 주심과 동시에 그들의 믿음이 활성화되었다. 하나님 아버지께서는 그들의 믿음을 어느 정도 인정해주시고, 하나님의 믿음(이 믿음은 온전한 믿음이다. 왜냐하면 주님은 주님이 치유하실 수 있음을 잘 아시기 때문이다)을 어느 정도 '다운로드 해주셨다.' 하나님의 믿음이 그들의 불완전한 믿음과 합쳐지면서, 마침내 원하던 결과를 얻었다.

당신도 이런 경험을 해본 적이 있는가? 무언가를 위해 기도하고 있는데, 갑자기 이 특별한 수준의 믿음이 당신의 영 안에 '쿵' 하고 떨어지는 듯한 순간 말이다. 그러면 무슨 일이라도 능히 해낼 수 있을 것 같은 느낌이 든다. 이것은 하나님 아버지의 믿음의 은사가 당신에게 주어진 것이다. 일단 바라던 결과를 얻기만 하면, 그 믿음의 은사는 사라져버리고, 그 사람에게는 원래 가지고 있던 분량의 믿음만이 남는다.

여기서 이면에 존재하는 생각은 다음과 같다. 하나님의 믿음이 당신의 믿음에 주입되면, 당신의 눈에는 모든 일이 가능해 보이기 시작한다. 그래서 다음에 또 믿음을 필요로 하는 순간이 되면, 당신의 개인적인 믿음은 기도하는 순간에 이미 받았다고 믿을 만큼 훨씬 높은 수준으로 커진다. 당신의 믿음의 기도가 활력을 얻게 된 것이다.

야고보서 5장 14절에 언급된 '병든'(sick)이라는 말은, 두말할 것 없이 '아픈 사람' 혹은 '기진맥진한' 등을 의미한다. 15절의 '일으키다'(raise)에 해당하는 헬라어는 '에게이로-아우토스'(egeiro-autos)다. 이 단어는 재귀적인 용법으로 다음과 같은 의미를 지닌다. '신체적인 질병으로부터 스스로 일어나거나 들어올리다.' 이것은 행동을 하는 것은 당신이며, 하나님께서는 단지 '무대 뒤에서' 당신에게 능력을 부어주실 뿐이라고 이해할 수 있다.

우리는 이와 동일한 단어를 마가복음 1장 31절에서도 찾아볼 수 있다. "나아가사 그 손을 잡아 일으키시니 열병이 떠나고 여자가 그들에게 수종드니라." 그렇다. 주님께서 그녀의 손을 잡으셨으나, 그녀는 자신의 믿음을 활성화시킴으로써 '일어났다'(에게이로-아우토스). 그렇게 한 후에 열병이 그녀에게서 떠나갔다. 이렇듯 그녀의 행위가 주님의 행위와 연결되었을 때 비로소 치유가 이루어졌다.

나에게 '에게이로-아우토스'는 다음과 같은 뜻을 내포한다. '만일 사람이 스스로 일어나려고 노력하지 않으면, 그는 결국 계속 누워 있을 수밖에 없다.' 그렇다. 하나님께서 당신의 손을 잡아주실 것이다. 그러나 주님은 단지 당신을 지원하는 역할을 하실 뿐이다. 주님은 당신이 그 사안에 대해 아무런 권한도 없이 그저 철저히 의존하기만 하는 목발 같은 존재가 결코 아니다.

내가 여기서 말하는 내용을 오해하지 말기 바란다. 나는 우리가 전적으로 주님께 의지하는 존재들임을 잘 알고 있다. 주님이 아니면 우리는 믿음에 관한 지식을 알 길이 전혀 없다. 주님께서는 그분에 대한 우리의 의존이 하나님의 은사들에 대한 우리의 반응에 근거하고 있음을 우리가 알기 원하신다. 이제 이해가 되는가?

우리가 주의해서 보아야 할 사실이 있다. 야고보서 5장에서 야고보는 교인들에 관해 이야기하고 있다. 즉 이미 구원받은 사람들을 대상으로 하고 있다는 말이다. 이들은 알고 있는 것이 거의 없는 세상 사람들과는 다르다. 하나님께서는 세상 사람들 가운데서는 좀더 주권적으로 역사하신다. 왜냐하면 그들은 아직 주님의 백성들이 아니기 때문이다. 그러나 이미 구원받은 사람들은 자신들이 언약의 백성임을 알아야 한다. 그들은 언약에 근거한 권리들을 소유하고 있다. 하나님께서는 주님의 백성들이 이 언약적인 권리들을 적극적으로 사용하기 원하신다.

야고보서 5장 14절에서 '청하다'(call)는 일종의 명령이다. 이 말은 '부르다, 혹은 소환하다'라는 의미를 지닌다. 이것은 단순한 요청이 아니라 "오라!"는 명령이다. 문제는 대부분의 그리스도인들이 결코 명령에 복종하지 않는다는 점이다. 혹은 명령을 "제발 정성을 다해 부탁합니다만, … "과 같이 매우 소심한 방식으로 바꾸어버린다. 그러나 이런 것은 적극적인 믿음이 아니라, 수동적인 믿음에 불과하다.

우리는 기대하는 믿음(expectant faith)을 사용해야 한다. "내가 장로들을 청할 때, 우리는 기대하는 믿음을 사용하여 기도할 것입니다. 그렇게 할 때 주님께서 나를 낫게 해주실 것입니다!" 문제는 대부분의 기도들이 기대하는 믿음으로 드려지지 않고 있다는 것이다. 대체로 우리는 수동적인 믿음으로 기도를 드린다. 이런 믿음은 사실 신뢰(trust)에 불과하다. 이것은 장로들과 병자 모두와 관련이 있다.

만일 장로들이 수동적인 믿음으로 기도한다면, 마치 자로 잰 듯한 고의적인 기름부음만 임할 뿐이다. 만약 병자가 수동적인 믿음으로 기도한다면, 자로 잰 듯한 고의적인 결과만을 얻게 될 뿐이다. 따라서 장로들과 병자 모두가 감지하는 마치 계약보증금과도 같은 분량의 기름부음이 있을 수 있다. 이 기름부음으로 우리의 믿음이 고무되어 온전한 결과를 얻을 수 있다는 기대감을 산출시켜야 한다. 그러나 장로들이든 병자들이든, 이 기름부음을 마치 모든 것이 완결되었음을 보여주는 하나의 표지로 받아들이는 경우가 너무도 빈번하다. 믿음은 조금도 활성화시키지 못한 채로 말이다. 온전한 결과를 얻기 위해서, 언약의 백성들은 반드시 믿음을 활성화시켜야 한다.

사도적인 사람들은 이러한 상황에 관해 확실히 이해하고 있어야 하며, 속임수를 깨부수고 열어젖힐 기름부음이 임하도록 허용해야 한다. 그런 후에야 비로소 믿음이 활성화되기 때문이다. 사도적인 사람들이 가진 가장 위대한 무기 중 하나가 바로 사람들의 믿음을 활성화시키는 일이다.

이 모든 가르침, 즉 성령의 중요성, 성령의 방언, 허약의 영들을 분별하는 기능, 선견자의 기름부음과 사도적 돌파의 기름부음의 결합 등을 통해, 우리는 하나님 아버지께서 사도적인 사람들 손에 두신 특정한 열쇠들과 은사들이 무엇인지 보기 시작했다. 이러한 열쇠들과 은사들로 말미암아, 우리는 하나님의 권능이 보다 심오한 수준으로 사람들의 삶 속에 풀어지는 모습을 보게 될 것이다. 뿐만 아니라, 우리의 기도가 믿음의 기도로 변화됨으로써 사람들의 삶에서 기적적인 권능이 역사하는 모습도 보게 될 것이다.

사랑하는 친구들이여, 우리는 그 정도로 깊은 권능의 수준을 향해 계속해서 밀고 들어가야 한다. 사도적인 은사는 오늘날 우리가 하나님 아버지의 권능을 한층 더 깊이 드러낼 수 있게 돕는다. 오늘도 성령님이 우리 곁에서 함께 일하신다.

개요

CHAPTER 13 하나님의 권능

| 성령세례

- "이와 같이 성령도 우리의 연약함을 도우시나니 우리는 마땅히 기도할 바를 알지 못하나 오직 성령이 말할 수 없는 탄식으로 우리를 위하여 친히 간구하시느니라 마음을 살피시는 이가 성령의 생각을 아시나니 이는 성령이 하나님의 뜻대로 성도를 위하여 간구하심이니라 우리가 알거니와 하나님을 사랑하는 자 곧 그의 뜻대로 부르심을 입은 자들에게는 모든 것이 합력하여 선을 이루느니라"(롬 8:26-28).
- '연약함'(weaknesses)은 헬라어로 '아쎄네이아'(astheneia)이며, 이것보다 더 강한 표현으로는 '허약함'(infirmities)이 있다. 이것은 개인적이고 내면적인 허약함뿐 아니라, 외적인 문제들과 신체적이고 도덕적인 허약함 모두를 가리키는 말이다.
- '도우시나니'(help) – '우리와 함께 들어올려주시다' 혹은 '맞은편에서 함께 붙잡아주시다', '함께 저항하다'를 의미한다.
- "이와 같이 성령도 우리와 함께 우리의 온갖 허약함에 맞서 대항해 주시나니."
- '간구하시느니라'(make intercession) – '후페렌툭차노'(huperentugchano). '성령님이 우리의 상황 속에 전적으로 뛰어들어주시다', '하나님 아버지 앞에서 우리를 위하여 변호해주시다', '다른 이를 위해 개입해주시다', '사람들이 당면하고 있는 문제들을 중재해주시다'라는 의미를 지닌다.
- "그러므로 자기를 힘입어 하나님께 나아가는 자들을 온전히 구원하실 수 있으니 이는 그가 항상 살아 계셔서 그들을 위하여 간구하심이라"(히 7:25).
- "홀연히 하늘로부터 급하고 강한 바람 같은 소리가 있어 그들이 앉은 온 집에 가득하며"(행 2:2).

- '급한'(rushing) – '페로'(phero). 산부인과 용어로서, 출산한다는 의미를 지닌 '낳다'라는 표현으로 번역할 수도 있다.
- "먼저 알 것은 성경의 모든 예언은 사사로이 풀 것이 아니니 예언은 언제든지 사람의 뜻으로 낸 것이 아니요 오직 성령의 감동하심을 받은 사람들이 하나님께 받아 말한 것임이라"(벧후 1:20-21).
- '감동하심'이 '페로'다.
- "이 말씀을 하시고 그들을 향하사 숨을 내쉬며 이르시되 성령을 받으라"(요 20:22).

방언의 중요성

- "방언을 말하는 자는 자기의 덕을 세우고 예언하는 자는 교회의 덕을 세우나니"(고전 14:4).
- "내가 만일 방언으로 기도하면 나의 영이 기도하거니와 나의 마음은 열매를 맺지 못하리라"(고전 14:14).
- "내가 아버지께 구하겠으니 그가 또 다른 보혜사를 너희에게 주사 영원토록 너희와 함께 있게 하리니 그는 진리의 영이라 세상은 능히 그를 받지 못하나니 이는 그를 보지도 못하고 알지도 못함이라 그러나 너희는 그를 아나니 그는 너희와 함께 거하심이요 또 너희 속에 계시겠음이라"(요 14:16-17).
- "오직 하나님이 성령으로 이것을 우리에게 보이셨으니 성령은 모든 것 곧 하나님의 깊은 것까지도 통달하시느니라"(고전 2:10).
- "사랑하는 자들아 너희는 너희의 지극히 거룩한 믿음 위에 자신을 세우며 성령으로 기도하며 하나님의 사랑 안에서 자신을 지키며 영생에 이르도록 우리 주 예수 그리스도의 긍휼을 기다리라"(유 20-21).
- "그러므로 더듬는 입술과 다른 방언으로 그가 이 백성에게 말씀하시리라 전에 그들에게 이르시기를 이것이 너희 안식이요 이것이 너희 상쾌함이니 너희는 곤비한 자에게 안식을 주라 하셨으나 그들이 듣지 아니하였으므로"(사 28:11-12).
- "그러면 어떻게 할까 내가 영으로 기도하고 또 마음으로 기도하며 내가 영으로 찬송하고 또 마음으로 찬송하리라 그렇지 아니하면 네가 영으로 축복할 때에 알지 못하는 처지에 있는

자가 네가 무슨 말을 하는지 알지 못하고 네 감사에 어찌 아멘 하리요 너는 감사를 잘하였으나 그러나 다른 사람은 덕 세움을 받지 못하리라"(고전 14:15–17).

- 너무나 많은 그리스도인들이, 그것도 그리스도를 진실하게 믿고 있는 이들조차, 동일하게 소중한 반쪽을 소홀히 하고 있다. 그 결과 그들은 반쪽짜리 응답만을 받으며 살아가고 있다. 사도적인 은총을 회복하는 일은 등식의 이편과 저편을 모두 회복하는 일이기도 하다. 그렇지 않을 경우, 총합은 균형을 잃게 될 뿐 아니라 가변적인 것이 되고 만다. 그리하여 마침내 시스템 전체가 망가져버린다.
- 방언은 어느 모로 보나 하나님 나라의 언어다. 그러므로 우리의 협력으로, 성령님은 우리의 삶 속에 하나님 나라의 지식을 증진시키는 구조를 만드신다. 성령님은 열매 맺는 삶 속에 자체적으로 투영되신다. 우리가 속해 있는 하나님 나라는 언제나 이런 식으로 표현된다. 따라서 방언으로 말미암아 우리는 하나님 나라의 초자연적인 나타나심을 회복할 수 있게 된다.
- 우리는 방언을 말함으로써 예수 그리스도께서 행하신 능하신 일들을 출산하게 된다.
- 하나님의 권능은 성령을 통해 계시된다. 성령님은 우리 안에 존재하는 다이너마이트를 폭발시키는 불꽃이시다. 사도적인 사람들의 존재 목적은, 그리스도의 몸 된 교회 안의 모든 사람들에게 삼위일체 하나님의 세 번째 위격이신 성령님의 중요성을 일깨워주고 강조하는 것이다. 성령님은 나머지 위격들 못지않게 중요한 분이기 때문이다.
- 사도적인 사람들은 성령님을 존귀한 분으로 여기는 것이 얼마나 중요한지 가르쳐준다. 이는 성령으로 말하는 방언, 하나님의 권능의 풀어짐을 존귀하게 여기는 일이기도 하다.

| 하나님 아버지의 약속 받기

- "사도와 함께 모이사 그들에게 분부하여 이르시되 예루살렘을 떠나지 말고 내게서 들은 바 아버지께서 약속하신 것을 기다리라 … 오직 성령이 너희에게 임하시면 너희가 권능을 받고"(행 1:4, 8).
- "하나님이 오른손으로 예수를 높이시매 그가 약속하신 성령을 아버지께 받아서 너희가 보고 듣는 이것을 부어 주셨느니라 … 베드로가 이르되 너희가 회개하여 각각 예수 그리스도의 이름으로 세례를 받고 죄 사함을 받으라 그리하면 성령의 선물을 받으리니 이 약속은

너희와 너희 자녀와 모든 먼 데 사람 곧 주 우리 하나님이 얼마든지 부르시는 자들에게 하신 것이라 하고"(행 2:33, 38-39).

- "보혜사 곧 아버지께서 내 이름으로 보내실 성령 그가 너희에게 모든 것을 가르치고 내가 너희에게 말한 모든 것을 생각나게 하리라 … 내가 아버지께로부터 너희에게 보낼 보혜사 곧 아버지께로부터 나오시는 진리의 성령이 오실 때에 그가 나를 증언하실 것이요 … 그러나 내가 너희에게 실상을 말하노니 내가 떠나가는 것이 너희에게 유익이라 내가 떠나가지 아니하면 보혜사가 너희에게로 오시지 아니할 것이요 가면 내가 그를 너희에게로 보내리니"(요 14:26, 15:26, 16:7).
- "너희가 얻지 못함은 구하지 아니하기 때문이요"(약 4:2).
- 사도적인 사람이 되기 위하여, 우리는 반드시 성령의 은사를 받아야 한다는 것을 인식하고 있어야 한다. 또한 우선 은사를 받은 후에야 비로소 그것을 하나님 아버지에게서 취하여 우리 삶에 적용할 수 있음을 알아야 한다.
- "내가 또 너희에게 이르노니 구하라 그러면 너희에게 주실 것이요 … 너희가 악할지라도 좋은 것을 자식에게 줄 줄 알거든 하물며 너희 하늘 아버지께서 구하는 자에게 성령을 주시지 않겠느냐 하시니라"(눅 11:9, 13).

| 또 다른 보혜사

- 모든 사도적인 기름부음, 모든 표적들과 기사들과 이적들은 성령님의 도우심을 통해 공급된다.
- "믿는 자들('믿어온 자들'이나 '믿게 될 자들'이라기보다는)에게는 이런 표적이 따르리니 곧 그들이 내 이름으로 귀신을 쫓아내며 새 방언을 말하며 뱀을 집어올리며 무슨 독을 마실지라도 해를 받지 아니하며 병든 사람에게 손을 얹은즉 나으리라 하시더라"(막 16:17-18).

| 성령님의 열정

- 성령님은 당신의 허약함에 맞서 싸우심으로써 그것을 제거해주시기 위해 당신과 함께 일하

신다. 물론 성령님이 반드시 수동적인 태도로만 그렇게 하시는 것은 아니다. 성령님은 당신과 함께 일하시되 매우 열정적인 태도를, 필요한 경우에는 매우 과격한 태도를 취하신다. 당신의 허약함을 사로잡아 제거해주시기 위해서 말이다.
- 성령님은 당신이 곤경에 처해 있다는 안타까운 소식을 듣자마자, 너무나도 화가 나신 나머지 맹렬한 분노에 휩싸이신다. 그리고 당신을 반복적으로 때려눕히고 넘어지게 하는 것을 심하게 몰아세우신다.
- "세례 요한의 때부터 지금까지 천국은 침노를 당하나니 침노하는 자는 빼앗느니라"(마 11:12).

선견자의 기름부음

- 사도적인 사람들은 분별의 모든 측면들, 즉 보고 듣고 느끼는 능력을 계발하는 법을 익혀야 한다. 이러한 분별의 형태들은 오직 예수님과 친밀함을 누리는 삶의 방식에서 비롯된다.
- 그런 후에야 사도적인 사람들은 비로소 이런 분별력들을 자신의 오감을 통해 표현할 수 있으며, 나아가 하나님과의 만남을 경험할 수 있게 된다.
- 선견자들은 단지 주님의 음성을 듣기만 할 뿐 아니라, 하나님의 임재를 실제로 체험하거나 대면한다.
- 사도적인 사람들은 듣기와 보기라는 두 가지 표현들을 모두 계발해야 한다.

믿음의 기도

- 사도행전 4장 23-31절에서, 우리는 간구의 기도(prayer of petition)를 드리는 사람들의 모습을 보게 된다. 그들은 주님께 담대함을 달라고 간구했고, 주님께서는 그들의 기도에 응답해주셨다.
- 믿음의 기도와 간구의 기도는 급수가 다르다.
- 예수님은 기도를 드리실 때마다 자신의 믿음을 활성화시키셨다. 비록 병든 사람의 믿음은 온전치 못했을지라도, 주님은 그들에게 자신과 함께 발걸음을 내디딜 것을 요구하셨다. 원하는 치유를 얻기 위해 최선을 다해 협력해달라고 요구하신 것이다. 예수님은 사람들로 하여

금 주님이 치유하실 수 있는 분임을 믿게 만드셔야 했다. 그렇다고 예수님이 그들의 믿음이 온전치 못하다거나 흠이 많다고 판단하신 것이 결코 아니다. 주님은 그들의 믿음의 수준이 어떠하든지 그저 그들의 믿음이 활성화되기를 기대하셨을 뿐이다. 주님은 제자들에게 믿음 안에서 자라가라고 권고하셨다.

The Dancing Hand of God

CHAPTER 14

하나님의 축복

우리는 축복을 이어받을 수 있는 능력을 가지고 있으며, 우리가 그리스도 안에서 세상 사람들에게 축복을 간증하는 것이 하나님의 뜻이다. 우리에게는 미래가 있고 소망이 있다. 우리의 미래와 소망은 하나님 아버지께서 우리를 위해 품고 계신 선한 생각들에 기반을 둔다. 우리는 속박에서 벗어나 예수님의 왕국 안으로 들어가고 있다. 우리는 그리스도와 함께 공동으로 다스리면서 막대한 부요(복)를 이어받기로 되어 있는 자들이다.

표적과 기사와 이적들

다시 한 번 나는 인도의 마드라스에 가게 되었다. 그곳에서 나는 복음 전도자들로 구성된 팀과 함께 일련의 부흥집회를 인도하였다. 사람들의 필요가 얼마나 대단하던지 그야말로 완전히 압도당할 정도였다. 지금 나는 최대한 부드러운 표현으로 말하는 것이다. 복음서나 사도행전에서 찾아볼 수 있는 허약함을 지닌 수많은 사람들이 인산인해를 이루며 우리 앞에 누워 있었다.

나는 계속해서 보트라도 있으면 올라타려고 찾아보았다. 혹시라도 인파에 깔리는 일이 없도록 하기 위해서였다. 그러나 근처에서 물줄기조차 찾아볼 수 없었다. 그곳에는 선포되는 말씀을 하나라도 놓치지 않으려고 몰려든 수많은 무리들 가운데 상상할 수 있는 모든 종류의 질병과 아픔들이 있었다.

그럼에도 불구하고, 소망의 메시지는 명료하게 울려 퍼졌다. 그들은 영원한 구원을 보장받았다! 지친 영혼들에게 위로를 주는 생명의 말씀을 갈망하면서, 수많은 사람들이 마음에 심겨진 말씀을 허겁지겁 집어삼켰다. 예수님을 삶의 구세주로 영접하라는 초청에 수천 명의 사람들이 응답했다. 그들은 기대감에 가득 차서 눈물을 흘리면서 앞다투어 앞쪽으로 돌진해왔다.

인도에서는 사람들이 강단으로 오려면 그냥 걸어올 수 없다. 그들은 사람들 위로 기어 올라가야만 그곳에 이를 수 있다! 이 소중한 영혼들이 기적들 중에서도 가장 놀라운 기적(즉, 거듭남)을 체험하면서 보여주는 반응들을 지켜보는 일은 참으로 놀라웠다! 나는 그 일을 생각할 때마다 마음이 따뜻해지곤 한다.

그러나 이처럼 마음이 따뜻해지는 순간마다, 내 영 안에서는 한 가지 질문이 제기되며 나를 괴롭히곤 했다. 즉시로 나는 그 질문이 주님으로부터 온 것임을 알아차렸다. 그것은 내 존재 자체를 뒤흔들어 놓았다. 그것은 부드러운 연민과 강렬한 갈망이 한데 뒤섞여 있는 질문이었다. 다음과 같은 말씀이 나의 내면에서 메아리치고 있었다.

"도대체 언제가 되어야 내가 많은 사람들 앞에 모습을 드러낼 수 있겠느냐? 바로 얼마 전에 그러했던 것처럼 말이다. 병든 사람들을 치유하고 갇힌 자들을 자유케 하고 싶은 나의 열망은 어제나 오늘이나 동일하지 않겠느냐?" 이 말씀이 내 안에서 울려 퍼지는 동안, 순간적으로 나의 머릿속에 누가복음 4장 18-19절의 말씀이 떠올랐다.

주의 성령이 내게 임하셨으니 이는 가난한 자에게 복음을 전하게 하시려고 내게 기름을 부으시고 나를 보내사 포로 된 자에게 자유를, 눈먼 자에게 다시 보게 함을 전파하며 눌린 자를 자유롭게 하고 주의 은혜의 해를 전파하게 하려 하심이라 (눅 4:18-19)

당신은 삶 가운데 고군분투하며 괴로움에 시달리는 사람들의 절박함을 알기 위해, 너무 먼 곳까지 시선을 돌리지 않아도 된다. 살다 보면, 고뇌에 빠져 힘든 몸과 영혼에 아무런 해답도 얻지 못할 것처럼 느껴질 때가 얼마나 많은지 모른다. 그럼에도 불구하고 여전히 오늘도 궁핍한 사람들의 믿음을 회복시켜 주는 맑고 명료한 메시지가 선포되고 있다. 그 메시지는 바로 예수 그리스도이시다. 예수 그리스도는 어제나 오늘이나 영원토록 동일하신 분이기 때문이다 (히 13:8).

오늘날 우리는 주님의 몸 된 교회 안에서 날카로운 비명소리들을 매우 자주 듣고 있다. 이제 우리는 스스로에게 질문해 보아야 한다. "내가 지금 듣는 것은 예수님의 가르침과 모범에 부합된 것인가? 과연 예수님은 이전부터 줄곧 현재 내가 경험하고 있는 방식으로 기능해오셨던 걸까? 나는 주님께서 행하셨던 사역을 오늘날에도 명백하게 목도하고 있는가?" 'WWJD'(What Would Jesus Do? '예수님이라면 어떻게 하실까?'- 역주)라는 문구가 새겨진 팔찌는, 우리가 생각하는 것보다 훨씬 더 통렬한 질문을 제기한다!

지금 돌파의 기름부음을 가진 사도적인 사람들이 예수 그리스도의 영원성을 이해하고 있는 사람들을 일으켜 세우고 있다. 그들은 주님이 20세기가 지난 지금도 조금도 변하지 않으셨음을 잘 알고 있다. 주님은 인간의 역사 속에서 전혀 변함이 없으시다.

예수 그리스도께서는 주님의 몸 된 교회 안의 사람들과 세상 사람들을 축복해주시기를 너무나도 간절히 원하신다. 사람들로 하여금 예수 그리스도와 같은 태도를 갖게 하려면, 평균 이상의 어떤 것, 바로 돌파의 기름부음이 필요하다. 사도적인 사람들은 한편으로 예수 그리스도의 표적과 기사와 이적들을 일으키면서, 또 한편으로는 주님께서 사람들로 인해 몹시 아파하고 계신 모습을 보여주어야 한다. 주님은 우리를 축복해주시는 일에 얼마나 열정적인 분인지 모른다!

그리스도는 절대로 변하지 않는 분이다. 그러므로 병자들을 향한 주님의 태도도 여전히 동일하다. "예수께서 … 백성 중의 모든 병과 모든 약한 것을 고치시니"(마 4:23, 24; 8:16, 17). 사도행전 1장 1-2절은 "예수께서 행하시며 가르치시기를 시작하셨다"고 말씀한다. 복음서들은 주님께서 '시작하신' 경이로운 일들에 관해 보여준다. 또한 사도행전은 주님의 승천 이후에 주님의 몸 된 교회를 통해 표적과 기사와 이적들이 지속되고 있음을 말해준다. 역사는 하나님의 끊임없는 사랑과 강력한 개입하심에 관한 무수한 사례들을 전해주고 있다. 오늘날에는 사도적인 사람들이 내일의 역사를 기록하고 있다!

그리스도께서는 변하지 않으셨다! 주님은 오늘도 여전히 '여호와 라파'(Jehovah Rapha, 치료하시는 하나님)이시다(출 15:26, 사 53:3-5). 이러한 주님의 실존이 지니는 속성과 성품들을 잘 이해할 때, 우리는 보다 위대한 믿음 안에 견고히 서게 될 뿐 아니라 초자연적인 것에 대한 확신을 얻게 된다. 달리 말해서, 사도적인 기적들은 더 많은 기적들을 산출시킨다. 사도적인 사람들에 의해 나타난 하나님의 축복들이 더 많은 축복들을 가져오는 것이다.

이제 한 가지 질문을 해보겠다. "사랑하는 독자들이여, 오늘날 표적과 기사와 이적들을 왜 접하기 힘든 것인가?"

비록 유도적인 질문이기는 하지만, 이 질문은 우리로 하여금 하나님의 관점에 초점을 맞추도록 한다. 주님은 그분의 사랑을 기적적인 일들로 가시화하심으로써 주님의 말씀을 확증시켜 주신다. 우리는 이것이 얼마나 중요한지를 깨닫고 있다(히 2:1-4, 고전 12:7). 나는 이러한 가시적인 나타나심이 오늘날에도 여전히 주님께 절대적으로 중요하다고 확신한다. 우리에게는 춤추는 하나님의 손이 필요하다는 것이 바로 이 책의 요지이다.

온갖 지혜와 지식과 능력의 나타나심들(기적적인 일들)은, 예수님이 실제로 살아 계심을 말해주는 하나님 아버지의 선포다! 이전에도 언급한 바 있으나, 사도행전 4장 33절은 다음과 같이 말씀한다. "사도들이 큰 권능으로 주 예수의 부활을 증언하니 무리가 큰 은혜를 받아." 단지 사람들이 부활에 관한 이야기를 듣는 것만이 주님의 뜻이 아니다. 주님께서는 그들이 생생한 증거로써 주님의 부활을 체험하기를 바라신다!

우리는 사람들로 하여금 이 땅 위에서 예수님의 생생한 일하심을 경험하게 해주어야 한다. 아직 많은 사람들이 경험해 보지 못한 하나님의 생명을 풀어놓아야 한다(롬 8:2).

하나님은 불가능한 상황들을 반전시켜 놓을 수 있는 기회를 찾기 원하신다. 그분은 주님의 사랑과 받아주심과 친밀하심이라는 보다 위대한 실제를 가져오기 원하신다. 다시 한 번 말하겠다. 예수님은 지상에서 사역하시는 동안, 어디를 가시든지 하나님 아버지의 명성을 현실 속에 가시적으로 드러내 보이셨다(히 1:3, 요 14:8-11). 하나님 아버지께서는 주님의 백성들이 잃어버린 영혼들과 죽어가는 세상을 위해 이와 동일한 실제를 표현해주기를 간절히 열망하신다. 그렇게 하지 않는 것은 하나님의 뜻에 반대하는 것이다.

다시 말하지만, 성경에 나오는 온갖 표적과 기사와 이적들은 삼위일체 하나님의 위대하심을 계시하기 위한 목적을 지니고 있다. 하나님의 영광은 성령의 기적적인 나타나심에 의해 가시화된다. 요한복음 2장 11절 말씀은 다음과 같다. "예수께서 이 첫 표적을 갈릴리 가나에서 행하여 그의 영광을 나타내시매 제자들이 그를 믿으니라." 예수님에 관한 온전한 증거를 회복하기 위해 열심으로 노력하는 동안, 우리는 주님을 가시적으로 드러내시고 계시하심으로 이루고자 하시는 하나님의 목적들에 관해 엄청난 깨달음을 얻게 된다(고전 1:4-9). 하나님의 경이로우심이 계시됨에 따라, 수많은 불신앙과 혼란의 소리들이 잠잠해질 것이며, 나아가 명료함과 방향성이 제시될 것이다(요 3:2).

한편, 성경에서 하나님께서 기적적으로 개입하신 목적들 중 하나는, 대면(confrontation)을 위함이었다. 표적과 기사와 이적들이 어떻게 사람들로 하여금 하나님에 대한 결단을 촉구하게 하는지에 관해서는, 이미 앞에서 이야기한 적이 있다. 히브리서 2장 1-4절은 우리가 받은 큰 구원에 관해 말씀하고 있다. 삼위일체 하나님도 표적과 기사와 이적들과 성령의 은사들을 통해 이 큰 구원을 증언해주신다. 신적인 권세가 이처럼 가시적으로 나타날 때, 수많은 반응들이 야기될 수 있다.

쉽게 말해, 표적은 반응을 촉구한다. '표적'(sign)은 헬라어로 '세메이온'(semeion)이다. 이 단어에는 마치 중요한 인물의 등장을 알리기 위해 분위기를 고조시키는 드럼소리와 같은 '신호'(a sign)의 의미가 있다. 이보다 좀 더 나은 정의를 소개하면 다음과 같다. 표적은, 우리의 삶 속에서 하나의 전환점 혹은 이정표로 사용될 수 있는 기적적인 현상이다. 문자 그대로,

표적은 우리에게 하나님이 계신 곳을 가리켜주는 초자연적인 사건이다.

하나님께서 주신 표적을 믿을 때, 그 표적을 통해 우리는 어디로 가야 할지 분명한 방향성을 발견하게 된다. 그것은 우리가 우리의 삶을 향한 하나님의 부르심을 성취할 수 있는 올바른 길로 향하도록 지시해준다. 다시 말해, 표적은 우리의 반응을 촉구한다.

하나님의 개입하심은 우리의 마음속 동기들을 드러낸다. 주님의 초자연적인 표현은, 우리를 주님께로 이끌어가는 수단으로 사용될 수도 있지만, 동시에 우리의 마음을 강퍅하게 만드는 요인으로 작용할 수도 있다(눅 2:34-35, 사 8:14-15). 때때로 성령님의 운행하심에 대해 우리가 보이는 공격적인 반응은, 하나님과 동행하는 삶에 있어서 우리에게 부족한 점이 무엇인지를 말해주는 것일 수 있다.

종종(물론 언제나 그런 것은 아니지만) 주님은 복을 주시기 직전에, 우리를 불쾌하게 만드는 것을 먼저 놓아두신다. 그러므로 우리는 무엇이든지 성령께서 행하기 원하시는 것에 대해 절대로 불쾌해하지 않기로 굳게 결심해야 한다. 오히려 우리 모두는 이것을 회개하고 하나님에 대한 믿음으로 나아가는 촉진제로 삼아야 한다(히 6:1). 마틴 루터가 이런 말을 하였다. "태양은 눈을 녹이기도 하지만, 땅을 단단하게 만들어놓기도 한다." 하나님은 마음의 어떠함을 드러내시기 위해 우리의 화를 돋우어 놓으신다.

이제는 '기사'(wonder)의 의미에 관해 생각해보자. 이따금 '세메이온'(semeion)을 '기사'로 번역하기도 한다. 따라서 '표적'(sign)과 '기사'(wonder)는 서로 바꿔 쓸 수 있는 단어들이다. 그러나 '기사'로 번역되는 또 하나의 헬라어가 있는데, 바로 '쌈보스'(thambos)다. 이 단어의 의미는 '당신을 놀라게 하는 표적'이다.

'쌈보스'는 하나님이 행하신 일에 대해 경탄한다는 뜻을 가지고 있다. 너무나도 충격적이고 경이로워서 할 말을 잃을 정도로 깜짝 놀라는 모습이다. 마가복음 1장 22절을 보면, 사람들이 그리스도의 교훈을 듣고 '놀란다'(astonished). 내가 생각하기에 '놀라다'(astonished)는 훨씬 약화된 번역이다.

이 단어에 해당하는 헬라어는 '에크플레쏘'(ekplesso)로, 문자적인 의미는 '경악을 금치 못할 만큼 놀라다'이다. 한마디로 뺨을 맞은 것처럼 깜짝 놀라는 모습이다. 이 말은 충격을 받아 얼떨떨한 표정을 짓고 있음을 암시하기도 한다. 로버트슨은 이것에 대해 다음과 같이 설명한다. "정확히 말하자면, 어떤 강력한 감정으로 인해 분별을 잃고 누군가를 때리는 것을 의미한다." 이처럼 누군가를 깜짝 놀라게 하는 것, 이것이 바로 '기사'다. 기사로 인해 수많은 사람들이 그리스도께로 돌아왔다. 그러나 동시에 기사는 또 다른 이들 가운데 의문과 비웃음을 불러일으켰다. 표적과 마찬가지로 기사도 반응을 이끌어낸다.

우리는 '이적'(miracle)에 해당하는 헬라어의 의미를 이미 잘 알고 있다. 그것은 바로 '두나미스'(dunamis)이다. 그 폭발적이고 번식력 있는 하나님의 권능이 이 지구상에 가시적으로 나타났다. 엄청난(Dy-no-mite) 권능 말이다! '두나미스'는 그것을 받아 누리는 사람의 마음속에 보다 위대한 믿음이 풀어지게 할 수 있다. 주님은 사람들을 구원하시고 치유하시는 도구로 두나미스를 사용하실 수 있다. 다시 말하지만, '이적'도 반응과 응답을 이끌어낸다.

이 세상은 끊임없이 변화하는 극심한 혼란의 도가니다. 이런 세상 속에서 언제나 변함없으신 주님의 위대하심에 관해 생각할 때, 우리에게는 주님이 어떤 분이신가에 관한 깜짝 놀랄 만한 계시가 필요하다. 여기서 우리가 정직하게 인정해야 할 것이 있는데, 지금은 주님께서 그분이 원하시는 만큼 강력하고 손에 잡힐 듯 구체적인 수준으로는 나타나지 못하신다는 것이다. 이런 상황은 이제 변화되어야 한다!

주 예수님께서는 그분의 선하신 마음을 사람들에게 계시해줄 기회들을 열심히 찾고 계신다. 지금 사람들은 주님의 긍휼하심에 대한 선포뿐만 아니라 가시적으로 나타나는 주님의 긍휼하심을 필요로 한다(마 9:35-36).

하나님의 초자연적 개입을 추구하는 동안, 종종 우리에게 충분한 믿음만 있었다면 기적을 체험할 수 있었겠다고 느껴지는 순간들이 있다. 반면에 성경에는 하나님께서 주권적으로 역사하시는 장면들도 소개된다. 인간이 가진 믿음의 활성화나 협조가 없이도 기적들이 일어나는 경우들 말이다(요 18:10-11).

성령님은 우리의 위대한 스승이시다. 사도적 돌파의 기름부음과 관련하여 우리가 주님의 기적적인 만져주심을 추구할 때, 성령께서 우리를 지도하시고 가르쳐주실 것이다. 비록 우리의 믿음이 불완전하고 흠이 있을지라도, 주님은 우리에게 주님의 믿음 안에서 기능하는 법을 가르쳐주실 것이다. 왜냐하면 주님은 믿음의 주요 온전케 하시는 분이기 때문이다(히 12:2).

이제까지 줄곧 말해온 것이기는 하지만, 근사한 우리 주님은 누구든지 믿음 안에서 주님께 나아오기만 하면 결코 거절하지 않으셨다. 설사 그들의 믿음이 온전치 못했을지라도 말이다. 그러나 주님은 그들이 하나님의 말씀을 통해 믿음 안에서 자라가기를 진정으로 바라셨다(눅 17:5-6, 롬 10:17). 그러므로 우리는 기대하는 믿음으로 주님께 도움을 요청하라는 권고를 받아들여야 한다. 또 주님이 우리의 기도를 듣기 위해 언제나 귀를 기울이고 계신다는 것을 믿어야 한다(요일 5:14-15).

더 나아가, 우리는 성령의 도우심으로 주님의 경이로운 사역 가운데 우리의 믿음을 성장시켜가야 한다. 주님은 우리 마음을 감동하시는 레마를 불어넣어 주신다(요 15:7). 우리가 성경을 연구하고 묵상하며 주님의 친밀하고도 가시적인 임재를 체험함에 따라, 일종의 선물로 원래 주님으로부터 말미암은 하나님의 믿음이 다시금 주님께로 돌아갈 것이다. 우리는 이 사실을 반드시 잘 이해하고 있어야 한다. 궁극적으로 우리의 마음속에서 이루어지는 초자연적인 은혜의 역사는 마침내 주님의 기적적인 권능을 작동시켜 놓을 것이다.

헛수고일 수도 있지만, 거듭 말하겠다. 우리는 하나님께서 놀라운 일들을 행하시는 모습을 목도하고자 노력하는 동안, 초자연적인 것을 놓치지 않도록 주의해야 한다. 하나님은 우리 삶에서 일어나는 모든 실제적인 일들 가운데 개입하기 원하신다. 주님으로부터 임한 개인적인 격려의 메시지들, 새롭게 해주시는 주님의 임재, 이것들도 우리를 향한 주님의 영속적인 사랑의 표적들이다. 내용에 있어서나 실제적으로나 완벽하게 초자연적이라는 말이다.

오늘날 우리가 살아가는 이 시대에, 성령님은 생명과 경건에 속한 모든 것들을 주님의 몸 된 교회에 회복시키시는 과정에 있다(행 3:19-21, 벧후 1:3). 무한하신 지혜 가운데서 주님은 선택하신 백성들에게 기름을 부으시고, 그에 따르는 표적으로 말씀을 증거하게 하시려는 뜻을 줄곧 품고 계셨다(막 16:20).

이러한 회복의 과정 안에서, 기적적인 일들을 확립시키는 것은 세상을 향한 교회의 증거에 있어서 가장 중요한 일이다. 교회들 안에 사도적인 사람들이 절실하게 필요한 이유도 바로 여기에 있다. 지금 우리는 계시의 기름부음 안으로 들어가고 있다. 사도적인 사람들은 바로 이 계시의 기름부음을 가져오는 역할을 한다.

지금 우리가 살아가는 이 세상에서는 귀신의 가시적인 나타남도 갈수록 증가되고 있다(이것은 잠깐 TV를 켜봐도 쉽게 알 수 있다). 이제 주님의 몸 된 교회는 줄곧 약속되어왔던 통치 믿음(dominion faith)을 향해 밀고 들어가야 한다(눅 10:19). 우리가 주님과 그분의 말씀을 찬송할 때, 사람들의 필요에 맞춰 사역하기 원하는 우리의 자비로운 갈망에 초자연적 권능이 수반될 것이다.

수많은 사람들의 마음속에 형성된 영적 공허함이 충족될 것이고, 진리의 실제가 표현됨으로써 가장 강퍅하고 불신하던 사람들도 깨우침을 얻게 될 것이다.

오늘날의 사람들도 예수님이 2천 년 전에 나타나셨던 것처럼 그분의 모습을 선명하게 볼 수 있어야 한다. 예수님은 기적들을 행하셨고, 이로써 청중들의 관심을 완전히 사로잡으셨다. 주님의 복음전도 방식은 주님의 말씀을 듣고 있던 사람들의 마음을 사로잡았다. 2천 년 전, 주님께서 손을 내미실 때마다 반드시 역사가 일어났다. 오늘날 그리스도의 몸 된 교회인 우리는 이 세상을 향해 내미는 주님의 손이다.

사도적인 사람들이여, 여러분에게 한 번 더 질문하겠다. 오늘날 표적과 기사와 이적들은 도대체 어떻게 된 것인가?

사납게 날뛰는 불독 귀신

언젠가 인도로 선교여행을 갔을 때의 일이다. 나는 대형천막 안에서 수천 명의 인도인들을 앞에 두고 설교를 하고 있었다. 그곳은 찌는 듯한 더위를 가까스로 막을 수 있을 정도의 초라한 가건물이었다. 나는 단상 위에 있었으므로 사람들보다 약 2.5미터 정도 높은 위치에 있었다. 단상 바로 앞 땅바닥에는 천 명 정도의 아이들이 앉아 있었다. 집회 참석자들이 자녀들을 모두 앞쪽으로 보냈기 때문이었다. 수많은 아이들이 고개를 들고 나를 바라보는 동안, 나는 통역자의 도움을 받아 하나님의 구원계획에 관한 메시지를 선포하면서 예수님께서 그들에게 복을 풀어 주시고 그들을 불러주시기를 마음속으로 간절히 열망했다.

그런데 갑자기 뒤쪽 출입문이 바깥으로부터 확 열리는 모습이 보였다. 문은 기둥에 부딪치면서 심하게 흔들렸고, 깨지는 듯한 날카로운 소리를 냈다! 바깥쪽에 누가 서 있는지는 보이지 않았다. 그러나 나는 이미 영분별의 영역 속에서 기능하고 있었다. 잠시 후 그동안 내가 본 것 중 가장 혐오스럽고 추하게 생긴 귀신이 가건물 안으로 뛰어들어왔다. 그것을 묘사할 수 있는 유일한 표현은 마치 불독 같았다는 것뿐이다. 턱밑 살이 축 늘어진 모습으로 으르렁거리는 불독 말이다. 크기가 정확히 어느 정도인지는 잘 모르겠으나, 아무튼 거대했다. 당신이 평균적으로 볼 수 있는 불독보다 훨씬, 훨씬 더 컸다. 작은 코끼리만한 크기였다고 해도 좋을 듯하다.

이 귀신은 발끈 성을 내며 으르렁거리더니, 사람들 사이를 요리조리 통과하면서 내가 설교하고 있는 단상을 향해 돌진해오기 시작했다. 그 귀신이 앞쪽에 앉아 있는 아이들 가까이에 이르렀을 때, 나는 어찌나 놀랐는지 심지어 뒷걸음질까지 쳤다.

그 귀신이 수천 명의 아이들 사이를 통과하는 동안, 그들은 순간적으로 일제히 자리에서 일어나더니 서로 주먹질을 해대며 싸우기 시작했다. 날카로운 비명과 우는 소리가 나를 맹습해왔다. 심지어 여기저기서 피를 흘리는 아이들도 있었다. 귀신이 으르렁거리며 지나가자마자, 그토록 사랑스럽던 아이들이 극도로 포악해졌다. 그들도 자신들이 왜 그러는지 전혀 이유를 알지 못하고 있었다. 그야말로 아수라장이었다. 혼란과 분노만 가득했다. 문득 나는 아이들이 서로를 심하게 상하게 하는 것은 아닌가 하는 두려움을 느꼈다.

불독 귀신은 한 바퀴를 돈 후에, 다시 또 한 바퀴를 돌기 위해 그들 사이를 헤집고 나오고 있었다. 나는 도저히 내 힘으로는 이 부흥집회를 통제할 수 없음을 깨달았다. 이 상태로는 더 이상 강단초청을 지속해갈 수 없었다. 그런데 갑자기 그 짐승이 나를 향해 직선코스로 달려오기 시작했다. 치고받고 싸우는 무리들과 비명을 질러대는 아이들 사이를 관통하여, 마치 나를 덮쳐 삼켜버리기라도 할 듯이 돌진해오고 있었다.

그 짐승이 미친 듯이 으르렁거리며 단상에 도착하기 직전, 번쩍이는 한 줄기의 빛이 마치 번갯불처럼 내 머리 위로부터 단상 앞쪽으로 내려오는 모습이 보였다. 그 빛줄기는 불독 귀신이 나를 향해 덤벼들기 직전에 땅바닥에 탁 부딪쳤다. 그와 동시에 그 짐승의 머리는 전쟁하는 천사의 가슴팍에 세게 부딪히고 말았다!

당시 나는 약 2.5미터 높이의 단상 위에 서 있었다. 내가 보는 앞에서 귀신이 천사의 가슴팍에 머리를 부딪친 순간, 나는 그 천사의 양 어깨를 보았다. 내 눈높이에서 볼 때, 천사의 어깨는 매우 넓었고 근육질인 듯했다. 천사의 어깨는 나와 귀신 사이에서 방패 역할을 해주고 있었다. 나는 그것을 단지 '엄청나게 컸다'라고 밖에는 묘사할 길이 없다.

그 짐승은 천사의 가슴에 부딪친 후 그대로 땅바닥으로 곤두박질치더니 한 무더기를 이루었다. 실제로 바닥에 그것의 자국이 남은 것이 보였다. 그것은 아주 잠시 팔딱거리면서 정신을 잃었다가 곧 머리를 흔들며 가까스로 일어나더니, 비틀거리며 뒷걸음질치기 시작했다. 그것은 나를 바라보며 으르렁거린 다음, 휙 방향을 돌려 처음에 들어왔던 출입문을 통하여 황급히 달아나버렸다. 그와 동시에 싸움은 진정되었다. 아이들은 혼란스러워하며 겁먹은 표정으로 사방을 둘러보기 시작했다. 어떤 아이들은 피를 흘리고 있었다. 그들은 자신들이 방금 전 왜 싸움을 시작했는지 알지도 못한 채, 당혹스러워하며 천천히 제자리로 돌아가 앉았다.

이처럼 원수는 다음 세대를 죽이기 위해 언제나 호시탐탐 기회만 노린다. 그들이 하나님과의 기적적인 만남을 경험하지 못하게 하려고 애를 쓴다. 하나님께서는 다음 세대들을 주님의 열정을 지닌 자들로 표시해두기 원하신다. 그러나 원수는 이러한 하나님의 손자국을 몹시도 싫어한다. 원수는 그들이 하나님의 부르심에 응답하기를 원치 않는다. 그들이 하나님을 실재하시는 분으로 알게 되는 것을 바라지 않는다. 이런 이유로 그 불독 귀신은 아이들과 어른들이 예수님을 만남으로써 변화되지 못하게 하려고 훼방을 놓은 것이다. 그러나 광분과 혼돈도 예수님의 부르심의 권능을 도저히 감당해낼 수 없었다!

그 귀신이 밖으로 달아난 이후, 그곳에 하나님의 권능이 임하였고, 사람들은 구원과 회복을 향한 주님의 부르심에 응답하기 시작했다. 또한 몇 가지 깜짝 놀랄 만한 표적과 기사와 이적들이 일어남으로써, 예수 그리스도께서 궁극적인 왕권을 지니신 분임이 입증되었다. 주님께 모든 영광과 존귀를 돌려드린다.

나는 하나님께서 우리에게 이처럼 놀라운 표적을 볼 수 있도록 허락해주신 데는 이유가 있다고 확신한다. 주님은 상처 입은 사람들 사이에서 기적적으로 역사하기 원하시는 압도적인 갈망을 이런 식으로 표현하신다. 하나님은 모든 사람들을 축복하기 원하신다. 남자든 여자든, 아이든 누구든지 주님께로 오는 자를 주님은 철저하고도 온전하게 축복해주고 싶어 하신다.

하나님의 축복인 표적과 기적들이 없다면, 다시 말해 예수님께서 이 지상의 영역에 역동적으로 개입해주시지 않으면, 사람들은 대혼란과 분노의 먹이가 되고 만다. 이로써 스스로는 연약함을 능히 극복해낼 수 없다는 무능력함이 드러난다. 이러한 무능력은 쉽게 귀신의 먹잇감이 된다. 귀신의 맹공격을 즉석에서 중단시키기 위해서는 돌파의 기름부음, 곧 기적의 풀어짐이 필요하다. 표적과 기적들, 즉 나와 당신이 열심히 추구하는 사도적인 돌파의 기름부음 자체가 강력한 부르심이다.

하나님 아버지께서는 주님의 자녀들을 축복해주시기를 너무나도 간절히 열망하신다. 주님은 원수가 뿌려놓은 악의와 혼돈에 맞서 싸우실 수 있는 전능하신 분이다.

하나님의 축복이 풀어지는 모습을 유감없이 보여준 또 하나의 간증을 여러분에게 소개하겠다. 이 이야기 가운데 우리가 사도적인 사람으로서 표적과 기사와 이적들을 통해 축복을 풀어놓을 사명을 지니고 있음을 알게 될 것이다.

얼굴이 기형인 여학생

나는 '열방을 위한 그리스도 협회'(Christ for the Nations Institute)의 강사로

섬기면서, 내가 담당하는 '치유와 기적의 신학'이라는 수업시간에 치유집회를 인도하곤 했다.

당시에 열렸던 한 집회에서 있었던 일이다. 그때 그 집회에는 2백 명가량의 학생들이 참석했고, 루이지애나에서 온 토미라는 아주 멋진 동료 목사가 나와 함께 사역해주었다. 물론 내 아들과 나의 신실한 조교 캐롤도 나를 도왔다.

이 특별한 집회에서 주님이 나에게 메시지를 주셨는데, 신체적 기형이 있는 학생들이 30명가량이나 참석했다는 말씀이었다. 그리하여 나는 신체적인 기형을 가지고 있는 사람들은 앞으로 나오도록 초청했다. 아니나 다를까 대략 30명의 학생들이 앞쪽으로 나왔다. 나는 계획이 착착 맞아 들어갈 때 기분이 제일 좋다!

첫 번째 청년은 내반족(club foot, 날 때부터 기형으로 굽은 발 – 역주)을 앓고 있었다. 우리가 그를 위해 기도해주자, 그의 발은 눈에 보이게 흔들리면서 '탁' 소리를 내더니 제자리를 찾아갔다. 정상적인 모습으로 회복된 것이다. 토미 목사는 흉골이 비틀려 심하게 휘어 있던 한 남학생을 위해 기도해주었다. 그가 그 학생의 옆구리에 손을 얹었을 때, 가슴 전체가 즉시 원래의 자리로 돌아갔다. 그야말로 흥분의 도가니였다. 모든 일을 종합해 보자면, 춤추는 하나님의 손이 역사하고 계셨다!

줄의 맨 끝에는 한 여학생이 서 있었다. 순간 하나님의 임재가 그 여학생 위에 이상할 정도로 강력하게 임해 있는 것을 느꼈다. 만일 당신이 그녀를 보았다면, 당장에 그녀의 문제가 무엇이었는지 알 수 있었을 것이다. 그녀는 왼쪽 얼굴이 기형이었다. 어떻게 표현해야 좋을지 참으로 난감하다. 비틀린 것처럼 보이기도 하고 짓이겨진 것처럼 보이기도 했다. 그녀를 보자 주님의 긍휼하심이 내 안에서 솟구쳐 올라오면서, 나의 마음이 그녀에게 향했다. 나는 손을 들어 그녀의 얼굴 왼편에 안수하였다. 그러자 그녀는 몸을 뒤로 뺐다.

나는 그녀에게 필요한 것이 단순히 신체적인 치유 이상의 것임을 알아차렸다. 치유되어야 할 것이 무언가가 더 있었다. 바로 거절감이었다. 그녀는 오랜 세월 동안 언어적인 비웃음, 비난, 놀림을 받아온 상처와 아픔을 가지고 있었다. 그녀에게는 신체의 치유뿐 아니라 내면의 치유도 필요했다. 나는 다시 한 번 그녀에게 안수를 시도했다. 그녀는 주저하면서 어렵사리 그녀의 얼굴 측면에 안수할 수 있도록 허락해주었다.

내가 그녀에게 안수하고 있는 동안, 누군가가 내 오른쪽 어깨에 가까이 있는 것이 느껴졌다. 다시 말해, 누군가(Someone)가 내게 손을 대고 있음을 감각으로 느낄 수 있었다. 주님의 손이 그녀의 얼굴에 안수하고 있는 내 손등에 얹혀 있었다. 나는 그것이 예수님의 손임을 알 수 있었다.

나는 그녀의 얼굴 부위에 있는 뼈 조직이 말랑말랑해지는 느낌을 받았다. 손가락으로 그녀의 얼굴을 눌러보니 근육은 느슨해져 있었고, 뼈들은 마치 유리용 접합제처럼 변해 있었다. 그 순간 성령께서 예레미야 18장에 나오는 성경구절을 생각나게 하셨다. 토기장이와 터진 진흙그릇에 관한 이야기였다. 토기장이가 어떻게 자기의 계획과 목적에 따라 진흙으로 그릇을 빚었는지에 관한 내용이었다(렘 18:1-6).

이후 5분 동안 나는 이 여학생 앞에 서 있었다. 주님의 손이 내 손과 함께 움직이시는 것이 느껴졌다. 마치 그녀의 얼굴을 빚으면서 나와 주님의 손이 하나가 된 것만 같았다. 주님과 내가 공동작업자가 되어 함께 일하고 있었다. 그 기적이 경탄스러운 것은, 단지 주님께서 그 여학생을 치유하고 계시다는 사실이 전부가 아니었다.

물론 그 자체도 놀라운 일이긴 했다. 그러나 정말 놀라웠던 것은, 내가 이 체험을 주님과 함께하고 있었다는 점이다. 나와 주님이 동일한 일을 함께하고 있었다. 우리는 그녀의 한쪽 얼굴을 마치 진흙덩이처럼 마사지했다. 골격 있는 데까지 깊이 압박하였다. 한 손가락으로는 얼굴의 한쪽 부분을, 또 다른 손가락으로는 얼굴의 다른 부분을 마사지하고 있었다.

주님이 내 손에 대고 계시던 손을 떼신 것이 느껴지는 순간, 갑자기 그녀는 마치 충격을 받은 것처럼 숨을 들이마셨다. 나는 그녀의 얼굴이 정상적인 수준으로 단단해졌다고 느껴졌을 때 손을 떼었다. 내가 그녀를 쳐다보니, 그녀의 얼굴은 완벽하게 온전해져 있었다. 주님께서 그녀의 얼굴에 남아 있던 온갖 기형의 자취를 다 없애주신 것이다!

그 여학생은 자신의 손으로 직접 얼굴을 만져보고 있었다. 얼굴 부위의 뼈 조직과 피부가 새롭게 빚어져 있음을 느낄 수 있었다. 그녀는 온몸을 흔들면서 바닥에 무릎을 꿇고 앉아 흐느끼기 시작했다. 그러는 동안 여전히 나는 그곳에 서 있었다. 그때 문득 예수님이 그녀의 옆에 서서 내려다보고 계신 듯한 매우 독특한 느낌을 받았다. 더할 나위 없이 아름다운 친밀감이 느껴졌다. 그녀는 이제껏 마음속에 감춰두었던 울음을 풀어내기 시작했다. 나는 마치 듣지 말아야 할 말을 엿듣고 있는 느낌마저 들었다.

"오, 주 예수님, 감사합니다!" 그녀는 울면서 말했다. "너무너무 감사합니다! 저는 주님이 저를 반드시 치유해주실 줄 이미 5살 때부터 믿고 있었어요. 그런데 정말로 저를 치유해주셨네요! 주님은 저를 정말로 사랑하시는군요! 정말로 저를 사랑하고 계셨어요!" 그녀는 이 말을 몇 번이고 되풀이했다.

주님은 그녀를 신체적으로 치유해주셨을 뿐 아니라, 내면의 아름다움까지도 엄청나게 회복시켜 주셨다. 나아가 주님은 그녀에게 간증거리를 주셨다. 그녀는 간증을 통해 하나님의 축복들을 다음 세대에 전달함으로써 자신의 부르심과 목적을 성취할 수 있었다. 이 얼마나 놀라운 일인가!

사도적인 사람들이여, 기적적인 일들의 풀어짐, 표적과 기사들의 나타남이 바로 돌파의 기름부음이다. 돌파의 기름부음은, 사람들이 가지고 있는 마음의 상처와 신체적인 상처를 모두 산산이 부서뜨린다. 사도적인 사람들은 축복의 권능을 풀어놓기 위해 기름부음 받은 자들이다. 나아가 그러한 축복은 한 사람의 삶 속에서 목적과 부르심에 대한 감각을 형성시킨다. 그들은 자신이 주님 안에서 훨씬 더 유용하고 가치 있는 존재임을 발견하게 된다. 우리는 반드시 축복을 풀어놓아야 한다!

복을 증거하기

베드로전서 3장 9절은 우리에게 다음과 같이 경고한다. "악을 악으로, 욕을 욕으로 갚지 말고 도리어 복을 빌라 이를 위하여 너희가 부르심을 받았으니 이는 복을 이어받게 하려 하심이라."

여기서 우리는 다소 생소한 표현을 만나게 되는데, 바로 '복을 이어받다'라는 구절이다. 우리는 아직 성취되지 않은 예언을 받은 사람들이다. 하나님은 우리에게 은혜와 은총을 베풀어주시는 주님의 신실하심에 대해 선포하셨다. 따라서 우리는 하나님의 축복에 관한 간증을 가질 수 있게 되었다.

당신도 알다시피, 유언장은 유언한 사람이 죽은 후에야 비로소 효력을 발휘하게 된다. 이 경우에, 예수님의 죽음과 부활(신약)은 당신에게 축복의 유산과 간증을 제공해준다. 다른 이들과 나누어야 할 간증이 한 가지도 없는 사람은 단 한 명도 없다. 모든 이들이 복을 상속받았다. 사도적 기름부음에서 발견되는 열쇠들 중 한 가지는 하나님의 축복을 밝히 드러내고 그 축복을 이어받는 일에 당신도 부분적인 역할을 감당하는 자임을 보여주는 것이다. 당신에게는 그리스도께서 이미 당신을 위해 베풀어주신 것을 실제화시킬 의무가 있다.

이와 관련하여 욥기 22장 28절 말씀을 살펴보자. "네가 무엇을 결정하면 이루어질 것이요 네 길에 빛이 비치리라"(You will also declare a thing, and it will be established for you; so light will shine on our way). 나는 본문에 언급된 '무엇'(thing)이 복(우리 길을 비춰주는 빛)을 가리킨다고 생각한다. 따라서 사도적 기름부음 안에서의 풀어짐과 관련하여, 우리는 축복을 선포하고 은총을 간증하는 것이야말로 우리의 임무라고 말할 수 있을 것이다. 우리는 필사적으로 능력을 활용해야 하며, 이 능력은 축복 안에 있다!

우리는 '축복'(blessing)을 다음과 같이 정의할 수 있다. '신적인 은총을 초청하다, 은총이나 재능을 부여해주다, 번영케 해주다'(당신은 '인생 전반에 걸쳐 누리는 행복'을 생각할 것이다). 한편, '축복'에는 다음과 같은 의미도 있다. '은총을 선포하다, 영적인 특성을 전가하다, 죽어 있는 것을 소생시키다, 하나님의 창조적 능력을 풀어놓다, 인봉하여 보호하다.' 이제 우리는 복의 정확한 의미에 관하여 모두 같은 생각을 품게 되었다.

여기서 나는 은혜(grace)에 관해 다뤄보려고 한다. 은혜는 다음과 같이 정의할 수 있다. '그리스도의 희생으로 말미암은 하나님의 부요하심, 받을 만한 자격이 없는 사람들에게 베풀어주시는 하나님의 자비.' 당신은 은혜가 '한 사람의 삶 속에 가시적으로 나타나는 하나님의 지속적인 권능과 분에 넘치는 은총'임을 기억할 것이다. 은총을 받는다 함은, 누군가의 관점에서(여기서는 하나님 아버지의 관점에서) 은혜를 입는 것을 의미한다. 이것은 사람들과 주님의 몸 된 교회와 도시가 하나님의 은혜 안에서 아름다움과 매력을 지닌 모습이 되는 것을 말한다.

바울은 다음과 같이 말했다. "하나님 우리 아버지와 주 예수 그리스도로부터 은혜와 평강이 너희에게 있을지어다 … 이는 그가 사랑하시는 자 안에서 우리에게 거저 주시는 바 그의 은혜의 영광을 찬송하게 하려는 것이라 우리는 그리스도 안에서 그의 은혜의 풍성함을 따라 그의 피로 말미암아 속량 곧 죄 사함을 받았느니라 이는 그가 모든 지혜와 총명을 우리에게 넘치게 하사"(엡 1:2, 6-8). 한편 에베소서 2장 7절에서는 다음과 같이 말한다. "이는 그리스도 예수 안에서 우리에게 자비하심으로써 그 은혜의 지극히 풍성함을 오는 여러 세대에 나타내려 하심이라."

우리가 주님의 은혜 안에서 회복해야 할 부요의 분량은 엄청나다!

"너희를 위하여 내게 주신 하나님의 그 은혜의 경륜을 너희가 들었을 터이라"(엡 3:2). 지금 우리는 은혜의 경륜 가운데서 살아가고 있다. 여기서 '경륜'(dispensation)이라는 말의 문자적 의미는, 하나님의 은혜의 '청지기'(stewards)이다. 우리는 모두 선한 청지기가 되기를 원한다. 그렇지 않은가? 그뿐 아니라, 다른 사람들을 위해 봉사할 수 있다는 것 자체가 일종의 선물이다. 바울이 에베소서에서 다음과 같이 권면한 이유도 이 때문이다. "무릇 더러운 말은 너희 입 밖에도 내지 말고 오직 덕을 세우는 데 소용되는 대로 선한 말을 하여 듣는 자들에게 은혜를 끼치게 하라"(엡 4:29).

당신은 이전 장들을 통해, 사도행전에 나타난 사도적인 교회가 어떻게 '큰 권능'과 '큰 은혜'를 지니게 되었는지 떠올릴 수 있을 것이다(행 4:33). 그들이 '큰 은혜'를 받았다는 것은, 삶의 모든 측면들이 부요해지고 활력을 얻었다는 의미이다. 그들은 생산적인 사람들이었다. 우리 또한 생산적인 사람이 되기를 원한다. 그렇지 않은가?

궁극적으로 우리는 다음과 같은 결론에 도달하게 된다. 우리는 축복을 이어받을 수 있는 능력을 가지고 있으며, 우리가 그리스도 안에서 세상 사람들에게 축복을 간증하는 것이 하나님의 뜻이다. 이런 이유로 내가 확신하는 바가 있다. 우리는 사도적 기름부음이 풀어지는 가운데 큰 은혜와 복을 누리는 계절로 점차 진입하고 있다. 주님은 예레미야 5장 24-25절을 통해 다음과 같이 말씀하셨다. "또 너희 마음으로 우리에게 이른 비와 늦은 비를 때를 따라 주시며 우리를 위하여 추수 기한을 정하시는 우리 하나님 여호와를 경외하자 말하지도 아니하니 너희 허물이 이러한 일들을 물리쳤고 너희 죄가 너희로부터 좋은 것을 막았느니라."

본문을 통해 알 수 있는 사실은, 우리가 죄악을 자백하고 온갖 부정을 떨쳐버림에 따라, 분명 카이로스(kairos)의 순간을 위해 준비를 갖추게 된다는 것이다. 이 카이로스의 순간에 우리는 축복을 출산시키는 권능을 발휘할 것이다. 카이로스란, 일상적인 시간의 흐름, 달력의 시간대인 크로노스의 흐름 안에 있는 어떤 예정된 '계절'을 말한다. 이러한 카이로스의 시간이 지금 시시각각 우리를 향해 다가오고 있다. 카이로스의 시간이 우리에게 다가올 때, 자연적인 시간의 흐름은 미리 예정된 신적인 목적을 위한 기회에 길을 내어준다. 그것은 그야말로 하나님께서 매우 구체적으로 개입하시는 행위일 것이다. 그 시간이 아주 빠른 속도로 다가오고 있다.

바라건대 부디 이 사실을 믿으라!

이해를 돕기 위해 출산을 앞둔 산모의 경우를 예로 들어 설명하겠다. 지금 나는 무언가가 출산되는 시간에 관해 이야기하고 있다. 이것은 무언가가 만삭이 되고 온전해지는 시간을 가리킨다. 진통의 순간이 점점 가까워오고 있다!

이러한 진통의 순간이 점점 빠르게 다가옴에 따라, 하나님의 목적의 개입하심(카이로스)이 나타나야 한다. 간단히 말해서, 우리는 큰 은혜와 축복의 시기를 출산한다. 우리에게는 미리 예정해놓으신 하나님 아버지의 지식 안에서 그리스도를 통하여 축복을 풀어놓을 능력이 있다! 이 얼마나 놀라운 일인가? 우리는 목적에 관해 증거해야 한다. 다음의 말씀을 상고해보라.

> 이는 너희가 그 안에서 모든 일 곧 모든 언변과 모든 지식에 풍족하므로 그리스도의 증거가 너희 중에 견고하게 되어 너희가 모든 은사에 부족함이 없이 우리 주 예수 그리스도의 나타나심을 기다림이라 (고전 1:5-7)

본문에서 '풍족하다'란, 모든 면에 있어서 주님에 의해 '충만해지고, 온전해지고, 강건해지다'라는 뜻이다. 나의 동료이자 친구인 래리 힐 박사가 이 개념에 관해 가르쳐준 적이 있다. 그는 온전히 풍족해진 주님의 몸 된 교회가 지니는 특징들을 크게 네 가지로 요약해서 보여주었다.

첫째, 우리는 주님의 몸에 속한 다른 구성원들과 더불어 강건하고 영적인 관계를 영위한다. 우리 모두는 하나의 공동체로서 귀중히 여겨지고 격려를 받는다. 둘째, 우리는 주님의 몸 안에서 영적인 성장을 경험한다.

우리는 하나님 안에서 점점 더 심오한 지식의 수준으로 열심히 들어가고 있다. 셋째, 우리는 영적인 활력을 지니고 있다. 우리는 살아 약동하고, 즐거워하며, 행복하다. 넷째, 우리가 가진 관점은, 영적으로 여러 세대들에 걸쳐 작용한다.

여기서 한 가지 질문이 우리에게 제기된다. 과연 우리는 '마지막 세대'인가? 나는 우리가 마지막 세대라고 확신하지는 않는다. 그러나 그리스도께서 내일 재림하시든 혹은 지금으로부터 100년 후에 재림하시든지 간에, 우리는 미래의 주역이 바로 우리 자신이라는 관점으로 인생을 바라보아야 한다!

선배들은 이 세대를 '마지막 세대'라고 주장했는데, 이는 마치 영적 낙태를 저지르는 것과 같다. 하나님의 나라를 확장시키고 부르심을 성취할 다음 세대들의 꿈과 비전들을 낙태시키는 것과도 같은 것이다! 물론 이것이 매우 극단적인 표현인 줄은 알지만, 그래도 적절한 표현이라고 생각한다. 만일 그리스도께서 내일 다시 오신다면, 아무도(아이든지 노인이든지) 불평하지 않을 것이다. 불평한다는 게 얼마나 어리석은가! 우리는 하나님 아버지와 함께 하늘의 영원한 복 가운데로 들어가게 된다.

그러나 주님이 내일 재림하시지 않는다고 해보자. 제발 매번 새로운 세대가 마지막 세대보다 훨씬 더 생산적이 될 것이라는 강렬한 열망을 소멸시키지 마라. 하나님은 세대들을 통해 일하시는 분이다. 이 사실을 늘 명심하라. 다음 세대의 꿈과 비전을 부인하는 것은, 영적으로 우리 스스로 생명을 포기하는 행위와도 같다.

아주 오래전, 풋내기 시절의 일이다. 당시 예수운동의 열렬한 지지자였던 우리에게, 누군가가 다음과 같은 예언적 메시지를 주었다. "주님이 말씀하십니다. 예수 그리스도는 1974년 1월 1일에 재림하신다고 합니다!" 우리는 모두 큰 소리로 함성을 외쳐댔다. "좋았어! 그리스도께서 다시 오신다!" 주 안에서 그야말로 너무나 어렸던 우리는 열정과 자극적인 지식으로 충만해 있었다.

1973년 12월 31일, 우리 공동체의 온 구성원들이 캘리포니아 남부의 어느 산꼭대기에 모였다. 우리는 휴거되기를 기다리면서 모두 그곳에 앉아 있었다. 어쩌면 내 말이 농담처럼 들릴지도 모르겠다. 시계 바늘이 정확히 자정을 가리켰을 때, 우리는 발가락으로 땅을 디디며 허공을 향해 점프했다. '오, 하나님, 우리가 여기 있습니다!'

그러나 결국 우리는 아무데로도 가지 않았다. 우리 중 몇 명이 쓰러진 채 눈 속에 파묻혀 있었던 것 같기도 하다.

우리는 서로 부둥켜안고 울었다. 도대체 무엇이 잘못된 것인지 알 수 없었다. "주님이 말씀하십니다!"라고 하지 않았던가? 마침내 15분가량 서로의 어깨에 기대어 울고 난 후, 뒤쪽에 앉아있던 무리 중 하나가 큰소리로 이렇게 외쳤다. "주님이 말씀하십니다. 이전에 우리에게 예언해준 그 사람의 예언이 빗나갔습니다!"

"그래요? 설마 농담은 아니겠죠?"

"네, 그는 '주님이 말씀하십니다. 예수 그리스도는 1975년 1월에 재림하십니다!'라고 예언해야 했습니다."

오! 그런데 여전히 무지와 용감무쌍함을 버리지 못한 채 이듬해에도 역시 동일한 산꼭대기로 올라간 이들이 몇 명인가 있었다. 감사하게도, 나는 그들 중에는 끼지 않았지만 말이다.

자, 내 얘기를 들어보라. 내가 이 글을 쓰고 있는 지금은 2008년도다.

그런데 우리는 아직도 이곳에서 이렇게 살아가고 있다!

요지는 다음과 같다. 우리가 다음 세대에 철저히 주입시키고 가르쳐야 할 사실이 있다. 그들은 자신들이 터득한 바를 반드시 그 다음 세대에도 전수해주어야 한다. 왜냐하면 우리 세대도 '마지막 세대'가 아닐 수가 있기 때문이다. 지금 하나님은 그분의 아들과 딸들을 장차 올 카이로스의 순간들에 대비하여 적절한 태도를 견지한 자들로 양육시켜 줄 아버지들을 찾고 계신다. 사도적 기름부음은 미래에 대한 열정에 불을 붙여주는 일에 사용될 수 있다. 예수님이 내일 오시든지, 언제 오시든지 상관없이 말이다. 잠시 시간을 내어 시편 78편, 특히 1-8절을 면밀히 연구해보라.

축복을 풀어놓으려면, 주님의 몸 된 교회가 역사적인 공동체가 되어야 한다. 당연히 과거와의 지속성이 존재해야 한다. 그러나 이러한 지속성에는 언제나 새로움이 스며들어 있어야 한다. 그렇지 않으면, 우리는 정체되고 만다. 나아가 하나님께서 지금 이 순간에 풀어놓으시는 축복들을 복도할 수 있는 위대한 기회들도 놓쳐버릴 수 있다.

당신도 알다시피, 오늘날의 문화에서 개인의 삶은 오직 현재 그 사람이 행하는 일에 의해서만 판단을 받는다. 그러나 진리 안에서는 다르다. 진리 안에서 우리가 개인의 삶을 온전히 판단하려면, 과연 그 사람이 자신의 자녀들 및 손자들과 행하는 바가 무엇인지를 보아야 한다.

> 너를 축복하는 자에게는 내가 복을 내리고 너를 저주하는 자에게는 내가 저주하리니 땅의 모든 족속이 너로 말미암아 복을 얻을 것이라 하신지라 (창 12:3)

이 약속은 이후의 세대들이 축복의 언약을 받아들일 때 비로소 성취될 수 있었다. 아브라함이 어떻게 후손들에게 언약을 전달해 주었는지 주목하여 보라. 그처럼 우리도 다른 이들의 미래에 적극적인 역할을 수행해야 한다. 우리는 그들의 헌신, 기도, 훈련, 부르심에 함께 동참해야 한다.

이 땅에 증거를 세우기 원하실 때, 하나님은 반드시 한 사람과 함께 출발하신다. 그러나 주님은 결코 그 사람의 세대에서 끝내지 않으신다. 주님은 언제나 세대들을 초월하여 바라보신다. 바로 여기서 유산(legacy)이 생겨난다. 주님은 하나의 운동(movement)을 태동시키신다.

사도적인 정신을 견지한 사람들의 사고방식은 언제나 세대들을 초월한다. 그들은 하나님께서 행하시는 모든 일들이 단 한 사람 혹은 단 한 세대만을 통해 이루어지지 않는다는 사실을 잘 알고 있다. 그들은 온 열방을 변화시키기 위해, 미래의 세대들을 준비시킬 놀라운 전략과 지혜를 가지고 구상하고 행동한다.

믿음으로 이삭은 장차 있을 일에 대하여 야곱과 에서에게 축복하였으며 (히 11:20)

베냐민 문

그(라헬)가 난산할 즈음에 산파가 그에게 이르되 두려워하지 말라 지금 네가 또 득남하느니라 하매 그가 죽게 되어 그의 혼이 떠나려 할 때에 아들의 이름을 베노니(슬픔의 아들)라 불렀으나 그의 아버지(야곱)는 그를 베냐민(내 오른손의 아들)이라 불렀더라 (창 35:17-18)

다윗 성 주변에 성곽을 건축하는 일에 관한 이야기가 느헤미야 3장에 소개되어 있다. 여기에는 재건된 여러 개의 성문 이름이 정리되어 있다. 이 문들의 이름은 양문(Sheep Gate), 어문(Fish Gate), 옛 문(Old Gate), 골짜기 문(Valley Gate), 분문(Dung Gate), 샘문(Fountain Gate), 집 문(House Gate), 베냐민 문(Benjamin Gate)이었다.

문이란 무엇인가? 문은 분명 진입을 위한 장소다. 쉽게 말해, 안으로 들어가는 길이다. 사람들은 약속의 성인 예루살렘에 들어가기 위해 반드시 문을 통과해야 했다. 솔직하게 표현하자면, 지금 나는 하나님 아버지께서 약속하신 새로운 복으로 들어가는 영적 길들에 관해 말하고 있다.

성벽의 재건은 하나님 아버지께서 미리 예정해두신 일이었다. 예레미야 선지자의 예언을 들어보자.

여호와께서 이와 같이 말씀하시니라 바벨론에서 칠십 년이 차면 내가 너희를 돌보고 나의 선한 말을 너희에게 성취하여 너희를 이곳으로 돌아오게 하리라 여호와의 말씀이니라 너희를 향한 나의 생각을 내가 아나니 평안이요 재앙이 아니니라 너희에게 미래와 희망을 주는 것이니라 너희가 내게 부르짖으며 내게 와서 기도하면 내가 너희들의 기도를 들을 것이요 너희가 온 마음으로 나를 구하면 나를 찾을 것이요 나를 만나리라 이것은 여호와의 말씀이니라 나는 너희들을 만날 것이며 너희를 포로된 중에서 다시 돌아오게 하되 내가 쫓아 보내었던 나라들과 모든 곳에서 모아 사로잡혀 떠났던 그곳으로 돌아오게 하리라 이것은 여호와의 말씀이니라 (렘 29:10-14)

시편 2편은 일종의 메시아적 선포다. 여기서 하나님께서는 부질없이 주님을 대적하는 세상의 군왕들을 비웃으시면서, 왕이신 하나님의 아들에게 다음과 같이 말씀하신다.

> 내가 여호와의 명령을 전하노라 여호와께서 내게 이르시되 너는 내 아들이라 오늘 내가 너를 낳았도다 내게 구하라 내가 이방 나라를 네 유업으로 주리니 네 소유가 땅끝까지 이르리로다 (시 2:7-8)

깨달음의 눈으로 바라볼 때, 우리는 하나님 아버지께서 말씀하신 열방이 그리스도로부터 우리에게 넘겨진 사실을 이해할 수 있다. 우리는 하나님의 아들과의 공동통치와 관련된 온갖 복들을 상속받기로 되어 있다. 그러나 우리는 문을 통과해야 한다. 즉, 영적으로 하나님의 아들이 우리에게 남겨주신 것들 가운데로 들어가야 한다는 말이다.

이번 장은 독자의 반응을 촉구하는 가르침보다는, 오히려 예언적인 언명에 관하여 다루고 있다. 만일 당신이 내가 지금부터 말하려는 바를 마음에 새겨둔다면, 앞으로 다가올 일들을 위해 준비를 갖추는 데 반드시 유익할 것이라고 확신한다. 아울러 이것은 실제로 사도적 기름부음의 회복과 돌파의 시작이기도 하다.

우리에게는 미래가 있고 소망이 있다. 우리의 미래와 소망은 하나님 아버지께서 우리에게 품고 계신 선한 생각들에 근거한다. 우리는 속박에서 벗어나 예수님의 왕국 안으로 들어가고 있다. 우리는 그리스도와 함께 공동으로 다스리면서 막대한 부요(복)를 이어받기로 되어 있는 자들이다. 하나님의 복에 관한 계시는, 베냐민 문을 통과한다는 의미에 관하여 우리에게 보다 심오한 깨달음을 던져준다. 이를 위해 앞으로 이어지는 이야기를 잘 듣기 바란다.

느헤미야 3장에 나타난 문들과 성벽, 도성의 회복은, 하나님의 백성들을 영적으로 회복시키기 위한 특별한 풀어짐이자 하나님의 역사하심을 의미한다. 그동안 우리의 영적인 문들은 대부분 닫혀 있거나 파괴되어 있었다. 일단 우리가 속박(생각의 속임수)으로부터 벗어난 후에는, 이 문들을 반드시 보수해야 한다. 나는 지금 우리가 베냐민 문의 시대로 진입하고 있다고 굳게 확신한다.

> 온 땅이 아라바 같이 되되 게바에서 예루살렘 남쪽 림몬까지 이를 것이며 예루살렘이 높이 들려 그 본처에 있으리니 베냐민 문에서부터 첫 문 자리와 성 모퉁이 문까지 또 하나넬 망대에서부터 왕의 포도주 짜는 곳까지라 사람이 그 가운데에 살며 다시는 저주가 있지 아니하리니 예루살렘이 평안히 서리로다 (슥 14:10-11)

예언적인 찬양과 경배와 산고 안에서 찾아볼 수 있는 베냐민 문과 예언적인 것의 풀어짐 사이에는 연관성이 존재한다. 실제로 온 땅이 이러한 행위들을 통해 높이 들릴 것이다! 새로운 세대(베냐민들)가 베냐민 문을 통과하기 위해 북적거리는 수많은 젊은이들을 이끌 것이다. 그 젊은이들은 폭발적인 찬양과 열정적인 경배, 격렬한 산고의 소리를 들으면서 도성 안으로 들어갈 것이다. 그들은 새 생명의 출산, 약속들에 관한 새로운 물결을 경험할 것이다!

그러나 새 생명이 도래하는 과정 중에 때로 무언가가 죽기도 한다. 라헬은 베냐민을 출산하기 위해 죽었다. 우리의 온갖 노력에도 불구하고, (라헬로 상징되는) 주님의 몸 된 교회는 자녀를 출산하는 일에 심한 어려움을 겪고 있다. 그렇다. 우리는 그동안 갱신(renewal)의 표현들(나는 이것들을 가리켜 '영적 입양들'이라고 부르겠다)에 있어서는 굉장한 성공을 거두었다. 그러나 여전히 새로운 아기들, 우리 자신의 자녀들을 낳는 일에 있어서는 고군분투하고 있다. 내 말이 무슨 뜻인지 이해하겠는가?

다음과 같이 설명해보겠다. 이제껏 지구상 곳곳에서 다양한 갱신의 현상들이 나타났다. 그럼에도 불구하고 영적인 아들과 딸들, 심지어는 생물학적인 자녀들조차도 이러한 갱신들을 지역사회를 변화시키는 부흥(revival)으로 옮겨가는 일에 무척 애를 먹고 있다. 여기서 나의 본뜻을 오해하지 말기 바란다. 나는 하나님의 갱신 운동들에 대해 매우 감사하게 생각한다. 다만 이런 갱신의 현상들이 폭발적으로 일어나는 전국적인 부흥(어떤 신학자들은 이것을 가리켜 '제3의 대각성'이라고 부른다)의 출발점들이라고 믿을 뿐이다.

몇몇 경우들을 볼 때, 그것은 마치 우리가 하나의 운동을 태동시키기보다는 오히려 하나의 표현을 입양한 것과 같았다. 지금 우리의 자녀들은 그것을 나머지 세상 사람들에게 전달하는 일에 어려움을 겪고 있다(다시 말하지만, 나는 모든 갱신에 관해 포괄적으로 진술하고 있는 것은 아니다. 그러나 여러분들도 내 견해에 동의할 것이다. 수많은 갱신의 표현들이 신자들에게는 영향을 주었지만, 불신자들에게는 그러지 못했던 것이 사실이다).

물론, 입양 자체가 잘못되었다고 말하려는 것이 아니다. 다만 비유적으로든(부흥들) 실제적으로든(우리의 아들딸들), 우리의 자녀들이 당면한 필요가 과연 무엇인지 지적하고 싶을 따름이다.

우리는 심지어 자녀들을 부모세대와 같은 열정을 가지고 하나님을 섬기는 자들로 만들기 위해 고군분투해왔다. 혹자는 이런 세대들(X세대들과 밀레니엄세대들)을 '문제 세대들'(problem generations)로 여긴다. 그리하여 세속적인 영역에서는, 그들에게 리탈린(Ritalin, 주의력결함 다중성장애 치료약 – 역주)을 복용시킨다. 한편 기독교 영역에서는 그들을 무기력한 상태로 제압해둠으로써, 영적으로 세속적인 사람들과 동일하게 행하고 있을 때가 많다. 혹은 그 정도에 준하는 어떤 일을 저지르곤 한다.

사실 우리에게는 미래의 수많은 군왕들이 있다. "세상의 군왕들이 나서며 관원들이 서로 꾀하여 여호와와 그의 기름부음 받은 자를 대적하며 우리가 그들의 맨 것을 끊고 그의 결박을 벗어 버리자 하는도다"(시 2:2-3).

달리 표현해서, 이 미래의 지도자들(다음 세대를 말한다)은 근본적으로 하나님의 말씀이 가르치고 있는 바를 떨쳐버리기 위해 함께 모의했다. 영적인 아버지와 어머니들로부터 배운 것을 폐기처분하려는 것이다. 과거와의 연계성 자체가 그들에게는 부담이다. 그들에게 옛것은 옛것일 뿐이다. 따라서 그들은 자신들만의 방식을 도모한다. 종종 이들의 방식은 세대적이신 주님이 법으로 확립해두신 바와 상반될 때가 많다. "어찌하여 이방 나라들이 분노하며 민족들이 헛된 일을 꾸미는가"(시 2:1).

어쩌면 그들에게 아버지로서의 권위가 은폐되고 가려져 있는지도 모른다. 그들이 영적으로 양육되는 과정에서 하나님 아버지의 이미지가 왜곡되어버렸는지도 모른다. 그로 인해 결국 하나님의 가족(Family of God)은 산산조각 나버렸다. 우리는 이런 현상을 오늘날 미국사회를 비롯한 다른 나라들에서 쉽게 찾아볼 수 있다. 왜냐하면 자연적인 것은 영적인 것을 투영하기 때문이다.

오늘날 한 세대 가운데서 열매를 찾아볼 수 없는 까닭은, 바로 임신(다시 말해, 자녀들을 영적으로 양육시키는 일) 자체가 이루어지지 않기 때문이다. 우리는 그들에게 하나님 아버지를 제대로 보여주지 못했다. 그리하여 그들은 여전히 문밖에 머물러 있으며, 이는 미래의 세대들에게까지 악영향을 준다.

베냐민은 하나님께서 주님의 몸 된 교회의 고통을 통해 출산시키기 원하시는 한 세대를 상징한다. 그런데 베냐민을 바라보는 두 종류의 시각이 존재한다. 라헬은 그를 '슬픔'으로 본 반면, 야곱은 그를 자신의 '오른손'으로 보았다. 어느 쪽이 맞는가? 나는 라헬의 관점이 '현재'(now, 그녀가 당장 겪고 있는 산고)에 의해 오염되었다고 믿는다. 물론 결코 그녀의 고통을 비하하려는 것이 아니다. 그녀의 목숨을 대가로 치른 고통이었기 때문이다! 그러나 아버지의 관점은 장기적인 것이었다. 그것은 아버지의 은총과 복으로 채색되어 있는 관점이었다. 그렇다면 하나님 아버지께서는 지금 이 세대를 어떤 눈으로 바라보시겠는가?

정체성을 위한 시간

아마 에스더 이야기를 모르는 사람은 없을 것이다. 혹시라도 모른다면, 잠시 시간을 내어 에스더서를 읽어보기 바란다. 에스더 이야기 중에서 내가 말하고자 하는 것은, 모르드개의 요청에 관한 내용이다. 모르드개는 에스더에게 왕을 찾아가서 유대인들의 목숨을 구해달라고 부탁할 것을 요청한다. 이때 그녀의 답변은 다음과 같았다. "만일 내가 부름을 받지도 않은 채로 왕 앞에 모습을 드러낸다면, 왕은 나를 죽일 수도 있습니다." 대부분의 왕들이 그렇게 하듯이 말이다. 여기서 우리는 특히 모르드개가 어떻게 반응하는지를 주목해보자. "네가 왕후의 자리를 얻은 것이 이때를 위함이 아닌지 누가 알겠느냐"(에 4:14).

모르드개의 말은 에스더를 설득시키기에 충분했다. 결국 그녀는 왕을 만나보기로 마음먹었다. 담대해진 그녀의 모습이 다음 구절에 잘 나타나 있다. "왕에게 나아가리니 죽으면 죽으리이다"(에 4:16).

정말 놀랍지 않은가? 이 얼마나 강한 여인이란 말인가! 그녀는 자신의 정체성을 발견했고, 자신이 결코 실수로 태어난 존재가 아니었음을 깨닫기 시작했다. 그녀는 한 가지 목적을 위해 태어났다. 설사 그 목적을 위해 목숨을 잃어야 할지라도 말이다.

이 세대도 이와 같은 각성을 경험해야 한다. 당신은 매우 적절한 시기에 태어났다! 당신의 존재는 결코 실수가 아니다!

주님께서 만드신 것은 결코 그 무엇으로도 대체할 수 없다. 바로 당신이 그런 존재다! 당신은 이 세상에서 유일무이한 존재다. 이 세대는 전체적인 구도에서 이 사실이 얼마나 중요한지 밝히 깨달아야 한다. 하나님께서는 오직 이 세대를 통해서만 가능한, 다른 세대는 결코 할 수 없는 무언가를 계획해놓으셨다! 세상을 향해 복을 풀어놓는 사도적인 은총과 권능의 일어남이 바로 그것이다!

"내가 애굽 사람에게 어떻게 행하였음과 내가 어떻게 독수리 날개로 너희를 업어 내게로 인도하였음을 너희가 보았느니라"(출 19:4). 하나님께서는 오늘날 이 세대를 향해 이렇게 말씀하신다. "내가 너희를 내게로 이끌어오겠다!"

주님은 목적을 찾기 위해 몸부림치는 우리의 모습을 보며 기뻐하신다. 우리가 대체할 수 없는 본래의 가치로 살아가고자 결단하는 모습을 보며 기뻐하신다. 나도 주님께로 이끌려가기 원한다. 당신도 그렇지 않은가? 나는 주님이 이렇게 말씀해 주셨으면 좋겠다. "네가 나를 찾아내도록 해주겠다."

많은 경우에 우리는 주님께서 우리의 갈망을 뭔가 구체적인 대상으로 보상해주실 것이라고 생각한다. 그러나 우리가 반드시 이해해야 할 것이 있다. 그것은 다름 아닌 주님 자신이 우리의 보상이라는 것이다. 우리는 주님을 추구한다! 하나님 아버지는 이 세대를 큰 은총의 세대로 바라보신다. 그 은총은 주님 안에서, 오직 주님 안에서만 발견된다!

이전 세대들은 한 번도 경험해본 적이 없는 방식으로 주님의 음성을 선명하게 들을 수 있는 것이 바로 보상이다. 사무엘의 경우를 예로 들어보자. 그는 아직 어린아이였을 때부터 이미 주님의 음성을 들을 줄 알았다. 그와 마찬가지로, 베냐민 문 안에 주님의 음성을 들을 수 있는 젊은이들이 있게 될 것이다.

> 아이 사무엘이 엘리 앞에서 여호와를 섬길 때에는 여호와의 말씀이 희귀하여 이상이 흔히 보이지 않았더라 … 여호와께서 사무엘을 부르시는지라 그가 대답하되 내가 여기 있나이다 하고 … 여호와께서 실로에서 다시 나타나시되 여호와께서 실로에서 여호와의 말씀으로 사무엘에게 자기를 나타내시니라 … 사무엘의 말이 온 이스라엘에 전파되니라 (삼상 3:1, 4, 21; 4:1)

베냐민 문 안쪽에는 과거의 크리스천 젊은이들에게는 결여되어 있던 끄는 힘과 매력, 충만함이 있을 것이다. 그것을 본 사람들이 그들의 탁월함과 기량을 보며 이끌려갈 것이다.

사무엘상 16장에서 다윗이 왕으로서 어떻게 기름부음을 받았는지 주목해보라. 우리는 다윗이 탁월한 영의 소유자였음을 잘 알고 있다. 그는 수금을 연주할 줄 알았다. 또한 용감한 전사인데다가 빼어난 외모도 가지고 있었다. 참으로 주님이 그와 함께하고 계셨다. 베냐민 문 안에 있는 사람들도 마찬가지이다. 그들은 믿음의 영(spirit of faith)을 가지고 모습을 드러낼 것이다.

바로 다음 장인 사무엘상 17장에 소개되어 있는 다윗과 골리앗의 이야기를 자세히 살펴보라. 블레셋의 거인 앞에 서 있는 다윗과 마찬가지로, 이 세대도 믿음의 영역에서 아직 검증되지 않은 이들이다. 그러나 다윗은 어느 순간 갑자기 믿음에 도취되어 자신의 세대를 위한 큰 싸움에서 승리를 거두었다. 이처럼 이 세대도 사도적인 열정에 사로잡히고 기술과 소양을 갖춰 그들의 거인을 쓰러뜨리고, 그 목을 베어버릴 것이다.

사무엘상 18장에는 다윗과 요나단의 이야기가 소개된다. 두 사람은 성령 안에서 결속되어 있었다. 베냐민 문 안에서, 하나님께서는 다윗과 요나단처럼 전통적인 접근법을 거부하는 협력자들을 한데 모으실 것이다. 젊은이들로 이루어진 이 새로운 세대는 서로를 의지할 줄 아는 자들일 것이다. 그들은 거인을 정복하기 위해 자신만의 목적과 명성을 포기할 것이다. 다시 말해, 그들은 각자가 지닌 재능에도 불구하고 협력하는 데 아무런 문제가 없을 것이다.

자, 여기서 한 가지 재미있는 생각을 해보자. 모든 신세대들은 자신들만의 고유한 음악적 표현을 가지고 있다. 맞는가? 대체로 구세대는 신세대의 음악적 표현을 몹시 불편해한다. 여기 베냐민 문 안에도 그 세대를 규정하는 새로운 음악적 표현이 있을 것이다. 그것은 이전 세대들의 귀에 익숙한 음악과는 사뭇 다른 종류의 음악일 것이다. 나는 지금 찬양과 경배에 관해 이야기하고 있다. 그것은 우리에게 익숙한 것과는 전혀 다른 방식의 신선하고 새로운 음악일 것이다.

비틀즈는 세속음악의 세계를 새롭게 만들었다. 이와 마찬가지로, 우리의 새로운 베냐민 세대는 찬양과 경배를 통해 하나님 아버지께 가까이 나아가는 일에 있어서, 주님의 몸 된 교회로서 우리에게 익숙한 것들을 새롭게 바꾸어놓을 것이다. 역사 속에는 유래를 찾아볼 수 없는 음악적 소통방식이 항상 존재했다. 그 시대와 그 순간에만 찾아볼 수 있는 독특하고 특징적인 것이 늘 있었다. 그것은 진취적이고 신선할 뿐 아니라, 기성세대들이 놀랄 만한 것이었다. 그러나 동시에 그것은 온 세대를 포괄하고 구세대들을 달래주는 힘을 내포하고 있다. 이 새로운 음악은 구세대와 신세대를 이어주는 다리역할을 할 수 있다.

> 원하건대 우리 주께서는 당신 앞에서 모시는 신하들에게 명령하여 수금을 잘 타는 사람을 구하게 하소서 하나님께서 부리시는 악령이 왕에게 이를 때에 그가 손으로 타면 왕이 나으시리이다 하는지라 (삼상 16:16)

이 세대는 일단 문을 통과하자마자 탁월하고 사도적인 영을 가진 자들이 될 것이다. 그들은 탁월함을 추구하기로 결심하고 다시는 되돌아갈 수 없는 지점에, 전임자들을 능가하는 수준에 이를 것이다. 그들은 단호한 태도로 한 곳을 바라보면서, 산만해지거나 빗나가거나 물러나지 않을 것이다. 그들은 방향을 바꾸지도 않고 급히 서두르지도 않을 것이다. 그들에게는 주님과 그분의 뜻을 추구하는 것 외에는 모두 쓸모없는 것이 될 것이다. 그들의 마음은 주님의 마음과 연결되어 있을 것이다. 잠시 시간을 내어 시편 22편을 연구하면서 앞의 내용들을 숙고해보라.

사도적인 사람들이 행하는 표적과 기사와 이적들은, 이 세대의 정체성을 하나님의 복 안에 풀어놓을 것이다. 내가 CFNI의 교사였을 때의 일이다. 나는 연단에 걸터앉은 채로 학생들을 쳐다보고 있었다. 그때 주님께서 다음과 같이 말씀하시는 것이 느껴졌다. "이 학생들이 너의 미래다! 이들은 내일의 내 지도자들이다!" 이 세대에 메시지를 전하는 것이 얼마나 보람 있는 일이란 말인가! 앞으로 사도적인 사람들의 표적과 기사와 이적이 일반적으로 일어나는 가운데, 다음 세대 자체가 세상 사람들에게 하나의 표적과 기사가 될 것이다(사 8:18).

아버지 세대들은 믿음의 눈으로 반드시 이 베냐민 세대의 마음을 돌아보아야 한다. 그저 겉으로 보이는 그들의 외양에 초점을 맞춰서는 안 된다. 사도적인 사람들은 이 세대가 통과해야 할 문이 무엇인지 식별할 수 있게 도와주어야 한다. 그들이 자신들의 목적과 표현, 풀어심을 발견할 수 있도록 도와주어야 하는 것이다.

사도적인 사람들은 인생을 향한 하나님 아버지의 목적들을 계시해주는 기적적인 일들을 행함으로써 이 세대를 도와야 한다. 하나님은 인간성을 통해 주님을 나타내는 일에 사도적인 사람들을 사용하고 싶어 하신다. 보물이 질그릇에 담겨 있기 때문이다. 이는 이 세대가 자신의 인생을 향한 주님의 위대한 섭리들을 나타내게 하시려는 것이다.

사도적인 사람들이여! 하나님 아버지의 축복과 권능 안에서 이 새로운 세대를 일으켜 세우라. 영적인 아들과 딸들이여! 새 세대의 정체성 안에서 태어나라! 당신 앞에 놓인 문을 활용하라!

복 있는 사람이 지니는 특성들

이 세대가 하나님 아버지의 축복에 관한 계시로 들어감에 따라, 복 있는 사람이 지니는 사도적인 특성들에 관해 개괄적으로 살펴보는 것이 좋겠다. 우리는 그들 위에 임한 탁월함의 영이 지니는 특징이 무엇인지 알아야 한다. 이것은 명확함을 위함이기도 하고, 그들 옆을 지나칠 때 알아보기 위함이기도 하다.

드웨인 밴더클락은 나와 함께 성경학교를 다닌 아주 굉장한 사역자다. 그는 리더십을 식별하는 것에 관한 가르침에 있어서 놀라운 견해들을 제시해주었는데, 그중 몇 가지를 소개하고자 한다. 이것들은 복 있는 사람의 특성들과도 연관된다.

복 있는 사람은 좋은 평판을 지니고 있다. 이것은 그의 행위 때문이 아니라, 그의 존재 자체로 인한 평판이다. 그는 일을 마무리하는 사람이다. 그는 현재 자신의 위치에 초점을 맞추기보다는, 일의 마지막 결과를 바라본다. 그리고 최후의 결과(축복들의 가시적인 나타남)를 위하여 기꺼이 대가를 지불하려 하며, 언제나 더 나은 방법을 모색한다.

복 있는 세대는 동기와 은사 사용, 재능과 능력들을 재조정한다. 이를 통해 사람들은 자신의 성격프로파일에 맞게 행동하기 시작할 것이다. 깨지고 정신없는 모습으로 평소와 다르게 행동하는 것 대신에 말이다. 이런 현상은 오늘날 이 세대에 너무나도 만연해 있다. 그러나 그들은 선견지명을 가진 지도자들, 사도적인 남녀들로 변화될 것이다(롬 12장).

그들은 방향성을 지닌 사람들로 복을 풀어놓기 위한 분명한 행동계획안을 제시할 줄 안다. 또 전략가로서, 복에 이르는 과정을 어떻게 전개시켜 나갈 것인지 고안해낼 것이다. 그들이 구비한 인력관리기술(세속적인 용어를 빌려오자면)은 실천으로 나아갈 수 있도록 동기를 부여해줄 것이고, 다른 사람들로 하여금 그들의 대의명분(즉, 복이 가시적으로 나타나는 모습을 목도하는 것)을 지지하며 하나로 결집하도록 이끌 것이다.

그들은 팀을 세우는 사람들로, 모든 이들이 각자의 잠재가능성을 최대한 발휘할 수 있게 격려할 것이다. 그들은 강력한 돌봄과 상담의 기름부음을 가진 자들로, 다른 이들을 회개로 이끌 뿐 아니라 나아가 생산적인 사람들이 되도록 도와줄 것이다. 그들은 동기 면에서 상당히 기업가다운 사고방식을 가질 것이며, 일상의 새로운 분야들 가운데 자신들의 영향력을 키워갈 것이다. 그들은 기술자들이고, 문제해결사들이며, 조정자들이 될 것이다. 다시 말해, 그들은 세상의 기업가들을 위한 갈등 관리자들이고 협상가들이다.

이제까지 소개한 내용은 일정한 규모의 주님의 몸 된 교회 안에 늘 어느 정도 존재하고 있었다. 그러나 나는 이러한 속성들이 훨씬 더 심오하게 발전되는 모습을 본다. 이러한 속성들은, 교회사에서 유래를 찾아볼 수 없는 방식으로 하나님의 축복을 가시적으로 드러낼 것이다. 사도적인 탁월함의 영이 혁명을 일으킬 것이며, 권능으로 복음전도를 행할 수 있도록 교회를 위해 새로운 전략을 제시해줄 것이다. 간단히 말해서, 이것은 이 책 전반에 걸쳐 우리가 계속 다루고 있는 돌파의 기름부음을 말한다.

그러나 모든 세대가 반드시 처리해야 할 한 가지 영이 있다. "믿음이 없고 패역한 세대여 내가 얼마나 너희와 함께 있으며 얼마나 너희에게 참으리요"(마 17:17). 오늘날 모든 세대 안에 불신앙의 영이 도사리고 있다. 우리는 축복의 시기로 들어가기 위해 이 사악한 영을 반드시 떨쳐버려야 한다. 우리는 예수운동이라는 혁명 안으로 들어가기 위해, 60년대의 영을 처리해야 했다.

"또 여러 말로 확증하며 권하여 이르되 너희가 이 패역한 세대에서 구원을 받으라 하니"(행 2:40). 문자 그대로, 이 세대는 사악함에서 벗어나야 한다. 방향을 전환하고 대외적인 이미지를 변화시켜야 한다. 이러한 이미지 자체가 이 세대의 저주가 되었다.

부모들이여! 당신의 가족들을 사도적인 사람들로 조율시켜야 한다. 당신의 자녀들이 문을 통과하여 복 가운데로 들어갈 것이다. 사도적인 사람들은 이 자녀들을 잘 돌봐야 한다. 사도적인 사람들은 다음 세대를 위해 살아야 하며, 자신들의 상급이 다음 세대로 계속 이어져간다는 사실을 깨달아야 한다. 이것이 비뚤어지고 왜곡된 영에서 벗어날 수 있는 유일한 방법이다.

그러므로 새로운 세대여, 용기를 내라. 이 사악한 영은 하나님의 사람들이 자신들 앞에 열려 있는 문 안으로 들어갈 때 처리된다.

CHAPTER 14 하나님의 축복

| 표적과 기사와 이적들

- 돌파의 기름부음을 가진 사도적인 사람들이 예수 그리스도의 영원성을 이해하고 있는 사람들을 일으켜 세우고 있다. 그들은 주님이 20세기가 지난 후에도 조금도 변하지 않으셨음을 잘 알고 있다.
- 주님은 인간의 역사 속에서 전혀 변함이 없으시다. 예수 그리스도께서는 주님의 몸 된 교회 안의 사람들과 세상 사람들을 축복해주시기를 너무나도 간절히 원하신다. 사람들로 하여금 예수 그리스도와 같은 태도를 갖게 하려면 평균 이상의 어떤 것, 바로 돌파의 기름부음이 필요하다.
- 성경에 나오는 온갖 표적과 기사와 이적들은, 삼위일체 하나님의 위대하심을 계시하기 위한 목적을 지니고 있다. 하나님의 영광은 성령의 기적적인 나타나심에 의해 가시화된다.
- "예수께서 이 첫 표적을 갈릴리 가나에서 행하여 그의 영광을 나타내시매 제자들이 그를 믿으니라"(요 2:11)
- 표적은 반응을 보여줄 것을 촉구한다.
- 표적, '세메이온'(semeion)은 우리에게 하나님이 계신 곳을 가리켜주는 초자연적인 사건이다.
- '쌈보스'(thambos)는 '당신을 놀라게 하는 표적'을 말한다.
- 기사로 인해 수많은 사람들이 그리스도께로 돌아왔다. 그러나 동시에 기사는 또 다른 사람들 안에 의문과 비웃음을 불러일으켰다. 표적과 마찬가지로 기사도 사람들의 반응을 이끌어 낸다.
- '두나미스'(dunamis), '이적'(miracle)은 폭발적인 하나님의 권능을 말한다.
- '두나미스는 그것을 받아 누리는 사람의 마음속에 보다 위대한 믿음이 풀어지게 하는 일에

사용될 수 있다. 주님은 사람들을 구원하고 치유하는 도구로 두나미스를 사용하실 수 있다. 다시 말하지만, '이적'도 반응과 응답을 이끌어낸다.

복을 증거하기

- 우리는 아직 성취되지 않은 예언을 받은 사람들이다. 하나님은 우리에게 은혜와 은총을 베풀어주시는 주님의 신실하심과 관련하여 무언가를 선포하셨다. 따라서 우리는 하나님의 복에 관한 간증을 가질 수 있게 되었다.
- 사도적 기름부음에서 발견되는 열쇠들 중 한 가지는, 하나님의 복을 밝히 드러내고 그 복을 이어받는 일에 당신도 부분적인 역할을 감당하는 자임을 보여주는 것이다. 당신은 그리스도께서 이미 당신을 위해 베풀어주신 것을 실제화시킬 의무가 있다.
- '축복'(blessing)이란, '신적인 은총을 초청하다, 은총이나 재능을 부여해주다, 번영케 해주다, 은총을 선포하다, 영적인 특성을 전가하다, 죽어 있는 것을 소생시키다, 하나님의 창조적인 능력을 풀어놓다, 인봉하여 보호하다' 등을 의미한다.
- 사도적인 정신을 견지한 사람들의 사고방식은 언제나 세대들을 초월한다. 그들은 하나님께서 행하시는 모든 일들이 단 한 사람 혹은 단 한 세대만을 통해서 이루어지지 않는다는 사실을 잘 알고 있다.
- "악을 악으로, 욕을 욕으로 갚지 말고 도리어 복을 빌라 이를 위하여 너희가 부르심을 받았으니 이는 복을 이어받게 하려 하심이라"(벧전 3:9).

베냐민 문

- 우리는 하나님 아버지께서 말씀하시는 열방이 그리스도로부터 우리에게 넘겨진 사실을 이해할 수 있다. 우리는 하나님의 아들과의 공동통치와 관련된 온갖 복들을 상속받기로 되어 있다.
- 우리에게는 미래가 있고 소망이 있다. 우리의 미래와 소망은 하나님 아버지께서 우리를 위해 품고 계신 선한 생각들에 근거한다. 우리는 속박에서 벗어나 예수님의 왕국 안으로 들어

가고 있다. 우리는 그리스도와 함께 공동으로 다스리면서 막대한 부요(복)를 이어받기로 되어 있는 자들이다.
- 그동안 우리의 영적 문들은 대부분이 닫혀 있거나 파괴되어 있었다. 일단 우리가 속박(생각의 속임수)으로부터 벗어난 후에는, 이 문들을 반드시 보수해야 한다.
- 베냐민은 하나님께서 주님의 몸 된 교회의 고통으로부터 출산시키기 원하시는 한 세대를 상징한다. 베냐민을 바라보는 두 종류의 시각이 있다. 라헬은 그를 '슬픔'으로 보았지만, 야곱은 그를 자신의 '오른손'으로 보았다.

정체성을 위한 시간

- "네가 왕후의 자리를 얻은 것이 이때를 위함이 아닌지 누가 알겠느냐 하니"(에 4:14)
- 모르드개의 말은 에스더를 설득하기에 충분했다. 결국 그녀는 왕을 만나보기로 마음먹었다. 담대해진 그녀의 모습은 다음 구절에 잘 드러난다. "왕에게 나아가리니 죽으면 죽으리이다"(에 4:16).
- 그녀는 자신의 정체성을 발견했고, 자신이 결코 실수로 태어난 존재가 아니었음을 깨닫기 시작했다. 그녀는 한 가지 목적을 위해 태어났다. 설사 그 목적을 위해 목숨을 잃어야 할지라도 말이다. 이 세대도 이와 같은 각성을 경험해야 한다. 당신은 매우 적절한 시기에 태어났다! 당신의 존재는 결코 실수가 아니다!

복 있는 사람이 지니는 특성들

- 복 있는 사람은 좋은 평판을 지니고 있다. 이것은 단지 그의 행위 때문이 아니라, 그의 존재 자체로 인한 평판이다. 그는 일을 마무리하는 사람으로, 현재 자신의 위치에 초점을 맞추기보다는, 일의 마지막 결과를 바라본다. 또 최후의 결과(복들의 가시적인 나타남)를 위하여 기꺼이 대가를 지불하려 하며, 언제나 더 나은 방법을 모색한다.
- 복 있는 세대는 동기와 은사 사용, 재능과 능력들을 재조정한다. 이를 통해 사람들은 자신의 성격프로파일에 맞게 행동하기 시작할 것이다. 깨지고 정신없는 모습으로 평소와 다르게 행

동하는 것 대신에 말이다. 이런 현상은 오늘날 이 세대에 너무나도 만연해 있다. 그러나 그들은 선견지명을 가진 지도자들, 사도적인 남녀들로 변화될 것이다(롬 12장).

- 그들은 방향성을 지닌 사람들로서, 복을 풀어놓기 위한 분명한 행동계획안을 제시할 줄 안다. 또 전략가로서, 복에 이르는 과정을 어떻게 전개시켜 나갈 것인지 고안해낼 것이다. 그들이 구비한 인력관리기술(세속적인 용어를 빌려오자면)은 실천으로 나아갈 수 있도록 동기를 부여해줄 것이고, 다른 사람들로 하여금 그들의 대의명분(즉, 복이 가시적으로 나타나는 모습을 목도하는 것)을 지지하며 하나로 결집하도록 이끌 것이다.

- 그들은 팀을 세우는 사람들로, 모든 이들이 각자의 잠재가능성을 최대한 발휘할 수 있도록 격려할 것이다. 또 강력한 돌봄과 상담의 기름부음을 가진 자들로서, 다른 이들을 회개로 이끌 뿐 아니라, 나아가 생산적인 사람들이 되도록 도와줄 것이다. 그들은 동기 면에 있어서 상당히 기업가다운 사고방식을 가질 것이며, 일상의 새로운 분야들 가운데 자신들의 영향력을 계발시킬 것이다. 그들은 기술자들이고, 문제해결사들이며, 조정자들이 될 것이다. 다시 말해, 그들은 세상의 기업가들을 위한 갈등 관리자들이고 협상가들이다.

CHAPTER 15

하나님의 단순성

초자연적이고 사도적인 표적과 기사와 이적들은 초대교회의 기본으로 돌아가는 것, 하나님께서 품으신 생각의 단순성으로 돌아가는 것이다. 세상은 지금 주님 없이 방황하며 아파하고 있으며, 우리에게는 주님의 초자연적인 만져주심이 필요하다. 이제는 성령님과 동역하시는 그리스도 중심의 권세 있는 하나님의 말씀을 통해, 삼위일체 하나님의 갈망이 성취되어야 한다.

기본으로 돌아가라

자, 우리는 해냈다. 드디어 어렵사리 이 책의 마지막 장에 이르렀다. 여기까지 읽느라 시간을 내어준 당신에게 정말 감사하게 생각한다. 나는 이 책을 통해 주님께서 당신의 믿음을 고무시켜 주셨기를 기도한다. 또한 당신의 삶과 사역 가운데 주님의 역사하심을 보다 온전하게 목도하기 원하는 기대감을 증가시켜 주셨기를 바란다. 나는 성령님을 신뢰한다. 내가 이 책에 담긴 진리들을 '대충 얼버무리는 일' 없이 가능한 한 축약적이고 현실적인 방식으로 제시했기를 바란다. 특히 하나님의 사람들이 사도적인 영을 풀어놓기 위한 핵심적인 요소들에 관해서 말이다.

이제 이 책의 핵심을 정리하는 의미에서 몇 가지 사항들만 짚어보기로 하겠다. 사도적인 영을 풀어놓기 위해 가장 중요한 요소 중 하나는, 하나님의 계획이 얼마나 단순한지를 이해하는 것이다. 세상 사람들에게 그토록 놀라운 구원을 보여주기 위해 교회의 구성원들을 부흥시키시려는 하나님의 계획은 너무나도 단순하다.

나는 사도적인 개혁을 비방하는 대부분의 사람들의 의견에 대체로 동의하는 바다. 으레 그들은 몇몇 부흥사들이 기독교의 근본적인 토대에서 벗어났다는 점을 지적하곤 한다. 나는 기독교의 근본 토대에서 벗어나 있는 사람들에게 도저히 동의할 수 없다. 그리스도의 몸 된 교회가 종종 일을 지나치게 어렵게 만들고 있는 것이 사실이다. 교회는 교회를 변화시키는 진심어린 회개, 활력 있는 경배, 형제들과의 사적이고 책임성 있는 관계, 하나님의 기록된 말씀을 구구절절 연구해보고 싶은 보다 심오한 갈망 등이 얼마나 중요한지를 간과할 때가 많다.

앞쪽으로 거슬러 올라가보자. 1장에서 나는 사도적인 영을 위한 필수적인 열쇠로, 체계직인 성경연구의 중요성을 강조했다. 기독교 신학이 지닌 건전한 원리들에 근거한 참된 토대가 없다면, 우리는 육신적인 유행에 쉽게 휩쓸리고 위험한 속임수에 빠져들 가능성이 크다. 그러므로 우리는 교회의 토대를 이루는 근본원리들을 회복해야 한다. 사도행전에서 사도들이 목격한 모든 일들은, 그리스도께서 지상에서 행하신 몸 사역의 표현을 중심으로 한 것이었으며, 그 안에 뿌리를 내리고 있었다. 사도들은 주님이 행하신 바를 행하였고, 주님이 보신 바를 보았고, 주님이 들으신 바를 들었다.

내가 은사중단론자(cessationist)의 사고방식을 변화시킬 수는 없다. 요컨대 만일 당신이 오늘날 일어나는 기적들과 초월적인 만남들, 방언, 성령의 은사들을 믿지 않는다면, 당신은 이 책에 담긴 내용들도 믿지 못할 것이다. 아니, 믿을 수가 없을 것이다. 당신의 신앙과 이 책에 담긴 간증들은 완전히 상반되고 상충할 것이다. 내가 속고 있다는 것이 당신이 해줄 수 있는 최선의 말일 것이다. 이 만남들이 실제로 일어난 일들임을 인정할 수 없기 때문이다.

심지어 당신은 나를 육체적인 욕망에 따라 기능하는 사기꾼이라고 생각할 수도 있다. 내가 선량한 그리스도인들의 눈을 속여, 난해한 체험들을 추구하도록 이끌고 있다고 생각할 것이다. 또는 하나님의 이름으로 사람들을 속이려는 목적으로 의식 상태를 다소 바꿔놓으려 한다고 생각할지도 모른다. 지난 30여 년간 사역을 해오면서, 이런 식의 비난은 내게 전혀 새로운 것이 아니었다. 이미 충분할 정도로 많이 들었다.

그러나 당신은 나의 확신, 즉 이 만남들이 '실제로' 일어났다는 것에 대한 확신만은 흔들 수 없다. 하나님께서는 이러한 만남들을 주님의 백성들의 일상적인 삶 속에서 지속하기를 바라신다. 나는 이것이야말로 기본을 회복하는 일이요, 하나님께서 품고 계신 갈망의 단순성으로 돌아가는 일이라고 믿는다. 주님은 과거에 그러셨던 것처럼, 오늘날에도 변함없이 동일하게 주님의 백성들을 축복해주시기를 갈망하신다.

사도적인 개혁은 일종의 부흥이다. 초대교회의 핵심적인 요소들로 이루어진 부흥 말이다. 물론 육신적인 모습도 나타난 것이 사실이다. 과도함도 있었다. 여기에는 변명의 여지가 없다. 개선해야 할 점들이 분명 있다. 그러나 나는 하나님의 사람들 대다수가, 자신들의 삶과 사역을 통해 주님의 영광이 가시적으로 나타나기를 바라는 강렬한 갈망을 기반으로 기능하고 있다고 확신한다.

이 부흥은 기본으로 돌아가는 것이다. 진실하게 하나님을 경배하고,

예수님과 열정적인 관계를 주고받으며, 성경연구를 통해 경건한 지식을 발견해가는 삶 말이다. 사도행전에 등장하는 사도들은 이 모든 일들을 열심히 추구했다. 아울러 그들은 표적과 기사와 이적들도 목격하였다.

그렇다면 우리라고 이 양자를 모두 행하지 못할 까닭이 무엇인가? 왜 균형 잡히고 식견을 갖춘 그리스도인으로서 초자연적인 만남들을 체험하는 사람이 될 수 없단 말인가? 하나님께서 병자들을 깨끗케 해주시고 마음이 상한 자들을 고쳐주시는 모습을 목격하지 못할 이유가 무엇인가? 영혼들이 하나님 나라 안으로 물밀듯 밀려들어가는 초자연적인 만남들을 경험하지 못할 이유가 무엇인가?

나는 하나님의 운행하심과 주님의 말씀을 가르치는 일 사이에서 균형을 유지하기 위해 매우 열심히 노력하고 있다. 사랑하는 독자들이여, 지금 나는 여기서 우리가 헛된 소동을 벌여야 한다고 말하는 것이 결코 아니다.

만일 거룩한 웃음이 사람들로 하여금 예수님께서 목도하신 기적들을 보도록 인도하지 못한다면, 내가 계속해서 거룩한 웃음에 관해 언급하는 일은 없을 것이다. 설사 당신이 내가 인도하는 집회에 참석했다가 성령 안에서 쓰러진다 할지라도, 그 일이 예수님께서 목도하신 기적들을 보도록 인도해가지 못한다면, 나는 당신에게 일어난 그 일에 아무런 관심이 없다. 성령에 취하는 것은 더할 나위 없이 좋고 멋진 일이다. 그러나 그것이 나로 하여금 예수님께서 목도하신 기적들을 보도록 이끌어주지 못한다면, 차라리 나는 멀쩡한 정신으로 남아 있는 편이 훨씬 낫다.

내가 말하려는 요지는 다음과 같다. 기본으로 돌아가는 것이란, 말 그대로 기본으로 돌아가는 것이다. 다시 말해, 예수님께서 보신 바를 우리도 보자는 것이다. 주님께서 행하신 바를, 우리도 행하자는 것이다. 우리도 주님이 가르쳐주신 대로 가르치고, 사역하고, 기도하고, 사랑하자는 것이다. 오래전 사도들이 행했던 것처럼 우리도 그렇게 행하자는 것이다. 저쪽에 있는 습관적인 반대론자들은 이렇게 반대의견을 제시한다. "이보시오, 개혁의 일부분이 우스꽝스럽다면, 전체가 우스꽝스러운 거랍니다. 그러니 차라리 부흥을 한꺼번에 없애버립시다." 이것은 참으로 안타까운 일이 아닐 수 없다.

물론 잘못된 것은 바로잡아야 한다. 대신 제대로 효능을 발휘하는 것은 그대로 두자. 보다 심오하게 그리스도를 체험하자. 확실하게 주님을 경외하면서 주님께서 우리에게 원하시는 방식으로 기능하겠다는 열정에 사로잡히자.

초자연적이고 사도적인 표적과 기사와 이적들은, 기본으로 돌아가는 것이다. 초대교회의 기본으로 돌아가는 것, 하나님께서 품으신 생각의 단순성으로 돌아가는 것이다. 세상은 지금 주님 없이 방황하며 아파하고 있다. 우리에게는 주님의 초자연적인 만져주심이 필요하다. 성령님과 동역하는 그리스도 중심의 권세 있는 하나님의 말씀을 통해, 삼위일체 하나님의 갈망이 성취되어야 한다.

사도적인 사람들의 단순한 표현

사도적인 영을 가진 사람이 보여주는 단순한 활동들 몇 가지를 간단하게 항목별로 살펴보기로 하자. 다음은 사도적인 사람들이 일상적으로 행하는 '기본적인' 기능들이다. 다른 무엇보다도, 사도적인 사람들은 그리스도 안에서 매우 역동적인 체험들을 해온 사람들이다. 따라서 그들은 자신들의 동기와 부르심을 정확히 식별할 줄 안다. 그뿐만 아니라, 그러한 동기를 다른 사람들에게 전하고, 자신의 부르심을 사람들에게 풀어놓을 줄도 안다. 사도적인 사람들은 자신들과 다른 사람들의 마음을 첫사랑, 곧 주 예수 그리스도께로 돌이키기 위해 준비시킨다.

사도적인 사람들은 자신들이 몸소 체험한 영광의 만남들을 통해 기름부음에 대한 민감성을 계발시킨다. 나아가 그들은 사람들로 하여금 이와 유사한 민감성을 키워가도록 격려해줄 수 있다. 사람들에게 각자 자신의 영 안에서부터 기적이 생겨난다는 것을 믿도록 가르치는 동안, 사도적인 사람들의 믿음은 커진다. 거듭 말하지만, 이것도 사람들에게 전이될 수 있다. 사람들의 삶 속에서 하나님의 뜻이 성취되는 것을 목도하기 위해서는, 사도적인 사람들의 메시지와 하나님의 말씀이 융합되어야 한다.

사도적인 사람들은 주님으로부터 받은 기적의 기름부음에 관한 진리를 자세히 설명해줌으로써, 사람들로 하여금 하나님의 권능이 지닌 영적인 영역에 접할 수 있게 해준다. 하나님의 가시적인 임재를 가져오는 이러한 영광의 만남 속에 있을 때, 사람들에게 영분별의 은사가 풀어진다. 달리 표현하자면, 사도적인 사람들의 메시지와 기능 이면에는 능력과 권세가 작용하고 있다. 그들의 능력과 권세는 사람들을 위한 계시로 전환될 수 있다.

이러한 초월적인 체험 안에서, 사도적인 사람들은 주님의 몸 된 교회를 향해 하나님의 목적을 선포하는 법을 익힌다. 그들은 단순성과 명료성에 대한 감각을 제공하고, 하나님의 표현을 알기 쉽게 설명하며, 사람들의 마음을 변화시켜 놓을 정확한 만남과 체험이 이루어지게 만들어준다. 간단히 말하자면, 사도적인 사람들은 주님의 몸 된 교회를 그리스도 안에서 보다 성숙해지도록 인도한다.

거룩의 회복은 사도적인 사람들의 초자연적인 표현이 지닌 특징이다. 사도적인 사람들의 사역을 통해 나타나는 표적과 기사와 이적들은, 죽음을 각오한 회개를 불러일으킬 뿐 아니라, 그리스도인의 신앙에 있어서 첫사랑을 회복하도록 촉구한다. 사도적인 사람들은 사람들의 행위 이면에 감춰져 있는 마음의 동기들을 밝히 드러낸다. 그들은 죄를 자각시키고, 방법론에 있어서의 단순성, 경건한 두려움의 회복, 생각과 행동에 있어서의 순결과 거룩을 가져온다.

그리스도의 인격, 곧 성령의 열매는 사도적인 사람들의 기능이 지닌 단순성과 순결성 안에서 계시된다. 앞에서도 언급한 바 있으나, 이러한 인격, 즉 열매는 하나님의 부성적인 기름부음의 표현 중 하나다. 이러한 표현들을 통해 사도적인 사람들은 세상적인 문화 안에 편만해 있는 결손가정을 회복시키는 일에 쓰임 받는다. 다시 말해, 사도적인 인격과 거룩함, 부성적/모성적 돌봄의 영이라는 표현 자체가 가족을 하나로 단결시켜 주며, 이렇게 함으로써 그들은 초자연적 기름부음이 어떻게 도덕성과 진실성을 규정하게 되는지를 보여준다.

사도적인 관점을 가질 때, 주님의 몸 된 교회가 어떤 모습으로 지역사회에 드러나야 하는지 개괄적으로 보여주는 전략이 초자연적으로 풀어진다. 바로 이 지점에서, 하나님의 권능의 창조적인 나타남은 봉사를 위한 프로그램, 사회적인 돌봄, 정치적인 발언권 등과 융합된다.

교도소 사역과 급식시설들을 통해 병든 자들이 치유되고 마음이 상한 자들이 회복되는 모습을 상상해보라! 과부들은 훨씬 더 많은 재정적인 원조와 돌봄을 받을 뿐 아니라, 영적으로도 회복된다! 고아원은 하나님의 사랑을 보여줌으로써 고아들의 영을 변화시키며, 아이들의 인격과 정체성도 회복시킨다. 어쩌면 그들은 이런 방법이 아니면 영영 잃어버리고 말았을 수도 있다!

집단차원의 사도적인 교회는 지역사회의 정치적 기후에 영향을 준다. 사회적 공의와 도덕적 정의를 절실히 필요로 하는 지역들 안에 경건한 능력을 전이시킨다. 지식의 말씀, 지혜의 말씀이 시기적절하게 도시의 리더십에게 전달되는 모습을 상상해보라. 그것들이 입법과정에서 행해지는 결정들에 어떤 영향을 미치겠는가? 그것은 사회의 필요들에 대한 돌봄과 정치적 압박을 훨씬 능가하는 것이며, 이러한 동기들 이면에서 가동되고 있는 기적적인 힘이다. 또한 자비와 성실성이 역동적으로 풀어지는 돌파의 기름부음과 결합되어 있는 모습이다.

끝으로, 진정한 사도적인 표현은 하나님의 기적적인 능력을 교회행정의 모든 국면들 안에 심어놓는다. '철권통치'의 사고방식이 아니라, 모든 회중들이 협력자가 되어 각자의 잠재가능성을 온전히 성취할 수 있도록 격려해준다. 예언적인 찬양과 경배에 미치는 사도적인 영향력에 관해서는 어떠한가? 초자연적 돌파의 기름부음이 풀어지면서 교회가 자유롭게 천국의 소리들을 풀어내고, 하나님 아버지께 찬양과 경배를 드리는 가운데 영적 전쟁을 수행하는 모습을 한 번 상상해보라. 이런 종류의 경배를 통해 성령의 은사들이 자유롭게 풀어져, 하나님 아버지를 만나기 위해 집회에 참석한 영혼들과 하나님의 사람들을 만져준다. 나는 이보다 더 가슴 뛰는 주일예배를 도저히 상상할 수 없다! 당신은 어떠한가?

한 걸음만 더 나가보자. 예언적 중보기도가 역동적으로 풀려나오는 사도적 기름부음과 결합된 모습을 상상해보라. 우리는 하나님으로부터 온 부담을 짊어지고 있는 중보기도자들을 만나게 될 것이다. 그들은 그 부담을 풀어놓을 수 있도록 초자연적인 전략과 기름부음으로 충만해 있을 것이다. 그들은 도시적 차원 혹은 지역적 차원의 전략을 가지고 있을 수도 있다!

사도의 시대는 지나갔다고 말하는 사람들이 있는가? 그리스도의 몸 안에 기적이 필요하다는 사실을 이해하기는 매우 쉽다. 그러나 많은 이들이 이 책에 담긴 내용들에 동의하지 않는다. 그들은 이 책의 내용들을 불필요하고 신비주의적인 '세뇌용'이라며 무시해버릴 것이다. 그러나 내 생각은 좀 다르다.

사도적인 개혁에 반대하는 사람들은 이런 종류의 책이 지닌 중요성을 공격하려 할지도 모른다. 그러나 당신이 공들여 만든 이 책을 던져버리기 전에 나는 이렇게 말하고 싶다.

내게 답변할 기회를 좀 달라

이런 종류의 책에 관해서는 어느 정도 논쟁이 불거지게 마련이다. 나는 기꺼이 그런 논쟁을 받아들일 준비가 되어 있다. 어떤 이들은 마리아 수녀의 간증을 거짓이라고 말할지도 모르겠다. 그녀는 언젠가 내가 남부 캘리포니아에서 인도한 집회에 참석한 적이 있었다.

주님이 내게 지식의 말씀을 주셨다. 나는 그녀를 가리키며 이렇게 말했다. "당신은 몇 주 후에 심장수술을 받기 위해 예약해 두었습니다. 당신의 심장 일부가 죽어가고 있기 때문입니다. 그러나 하나님께서 당신을 치유하기 원하십니다."

마리아 수녀는 뛸 듯이 기뻐했다. 계속해서 하나님은 나를 다음 사람에게 이끌어 가셔서 사역하게 하셨다. 나는 주님의 거룩한 사랑의 흐름을 따라가고 있었다. 사람들이 치유 받고 구원받고 축사 받는 모습을 지켜보고 싶은 마음을 주체할 수가 없었다.

그로부터 15분가량이 지났을 때였다. 마리아 수녀는 내 집회를 망쳐놓으려고 작정이라도 한 것처럼, 큰 소리로 비명을 질러대며 앞쪽으로 뛰어나가더니, 펄쩍펄쩍 뛰고 가쁜 숨을 내쉬었다. 마침 나는 어떤 사람에게 예언의 메시지를 들려주려던 참이었다.

그녀는 나를 향해 펄쩍펄쩍 뛰어와서는, 누군가의 이마에 안수해주고 있는 나의 손을 탁 쳐서 떨어뜨렸다. 나는 속으로 이렇게 생각했다. '어쩜 이렇게도 무례할까!'

"말로니 형제님, 하나님께서 제 심장을 치유해주셨어요!"

"아, 굉장하네요, 수녀님. 축복합니다."

"아니, 제 말씀을 잘 이해하지 못하신 것 같네요. 하나님이 정말로 제 심장을 치유해주셨어요."

나는 기도를 받고 있던 사람에게 어깨를 으쓱해 보인 다음, 마리아 수녀를 향해 돌아섰다. "무슨 뜻이죠? 다시 한 번 말씀해보세요."

"저는 얼마 전에 맥박조정기를 끼워 넣었어요. 그런데 지금 그 맥박조정기가 없어져버렸어요! 그뿐만이 아니에요, 흉터까지 온데간데없이 사라졌어요!"

하나님께서는 그녀의 심장을 치유해주셨을 뿐 아니라, 맥박조정기까지 소멸시키셨고, 흉터도 모두 사라지게 해주셨다! 이런 이야기를 듣고, 어떤 이들은 내가 속고 있다고 말할지도 모르겠다. 또 어떤 이들은 이 만남이 꾸며낸 것이라고 말할 것이다. 아니면 마리아 수녀가 치유되기를 바라는 내면의 어떤 갈망이 정신적으로 투사된 현상이라고 말하는 사람도 있을 것이다. 마리아 수녀의 치유사건을 확신하기가 어려운 것이다.

그러나 분명한 진리는 이것이다. "예수 그리스도께서는 조금도 변하지 않으셨다!" 사람들이 권면을 받고 성장함에 따라, 주님의 나라가 그들의 마음속에 이루어진다. 사람들은 비단 하나님의 말씀뿐 아니라, 죽을 수밖에 없는 육체 안에 가시적으로 나타나는 하나님의 권능의 실제를 통해서도, 권면을 받고 성장해간다.

우리가 놓치고 있는 이 사도적인 개혁의 핵심요소들이란, 이처럼 삶을 변화시키고 우리를 겸손케 해주는 하나님의 권세와 권능과의 초자연적인 만남들을 말한다. 만일 반대자들이 육체적이고 감정적인 분출들을 지적하면서 갱신운동들을 비난한다면, 예수님과 사도들이 행한 모습을 보여주는 하나님의 말씀을 가르침으로써 균형을 가져오는 일에는 왜 좀더 많은 시간과 에너지를 쏟지 않는 걸까? 나는 다음과 같은 옛 속담에 어느 정도 진리가 담겨 있다고 생각한다. '아기를 목욕물과 같이 버리지 마라.'

비난하는 자들이나 불신자들은 은사주의적인 집회에서 일어나는 '이상야릇한' 일들을 보며 속상해하면서도, 왜 불변하시는 그리스도에 관한 계시는 찾아보려고 하지 않는지, 나로서는 정말 의문이다. 그리스도께서는 이 땅에 살아가시는 동안에도 사람들을 치유하셨고, 오늘날에도 사람들을 치유해주기 원하신다. 그럼에도 불구하고, 비난하는 이들은 모든 게 잘못되었고, 모든 게 가짜고, 모든 게 지나치다고만 말한다. 그러는 동안 사람들은 여전히 사랑받지 못하고, 치유 받지 못하고, 구원받지 못한 채 죽어가고 있다. 우리는 이런 상황에 반드시 모종의 답변을 제시할 수 있어야 한다.

모두가 하나님 아버지와의 만남을 체험하기 위해 열심히 노력해보는 것은 어떤가? 하나님 아버지와의 만남은 우리로 하여금 연합된 마음으로 주님을 경배하게 하며, 성경말씀을 통해 깨우침을 받도록 이끌어준다. 동시에, 하나님 아버지와의 만남은 암과 에이즈로 고통당하는 불쌍한 영혼들도 치유해준다.

당신은 이보다 얼마나 더 복음적일 수 있겠는가? 사람들에게 이슬람교나 불교가 줄 수 있는 것보다 훨씬 더 나은 무언가를 주고 싶어 하는 모습이 도대체 왜 잘못되었단 말인가? 가톨릭교도들, 침례교도들, 성공회교인들, 루터교인들, 감리교인들 등은 하나님이 자신들의 인간적이고 종파적인 정의, 혹은 소속적인 정의에 갇혀 계신 분이 아니라는 명백한 증거를 왜 이해하지 못하는가? 왜 그들은 오직 예수님만이 길이요, 진리요, 생명이심을 제시하지 못하고 있는가? 왜 그들은 눈먼 당신이 볼 수 있고, 귀먹은 당신이 들을 수 있고, 다리를 저는 당신이 걸을 수 있음을 증명해주지 못한단 말인가? 이 모든 일들은 지상사역 기간에 예수님이 행하신 바다. 또한 사도들이 이 세상에 있는 동안 행한 것도 바로 이런 일들이었다. 그렇다면 지금 달라진 것은 무엇인가?

내가 참으로 이상하게 여기는 것이 있다. 사도적인 개혁을 비난하는 사람들은 언제나 갱신의 표현들, 부흥의 표현들에서 발견되는 온갖 '성경의 범주를 벗어나는'(extra-scriptural) 행위들에 관해서만 끊임없이 물고 늘어진다. 그렇다. 소처럼 '음매' 하고 우는 것은 성경의 범주를 벗어난다. 그러나 그리스도와 주님의 사도들이 행하신 사역에 있어서의 기본원리들(표적, 기사, 이적, 꿈, 환상, 눈먼 자가 눈을 뜨는 것, 귀먹었던 자가 듣게 되는 것, 저는 자가 걷는 것, 죽은 사람이 깨어나는 것)은 결코 성경의 범주를 벗어나지 않는다.

우리에게 주님과 주님의 사람들의 활동방식에 관해 알려주는 것이 바로 성경이다. 그렇다면, 이러한 활동들이 중단되었다고 말하는 것이야말로 성경의 범주를 벗어난 것이 아닐까? 나는 성경에서 다음과 같이 말씀하는 구절은 한 군데도 찾아보지 못했다. "보라, 이전에는 이런 식으로 행했다. 그러나 더 이상은 아니다."

물론 은사중단론자들(cessationists)은 자신들의 가설(은사주의자들이 끊임없이 비난당하고 있는 부분들)을 뒷받침하기 위해, 성경구절을 곡해하거나 마음대로 오역할 수 있을 것이다. 그러나 초자연적 활동(예수님과 사도들의 사역을 통해 지속적으로 나타나던 일들)에 관해서는, 더 이상의 해석이 필요치 않다. 예수님, 바울, 베드로, 그 밖의 수많은 사람들은 병든 자들이 치유 받고 구원받으며, 귀신들과 정신적인 고통으로부터 자유케 되는 모습을 언제든지 목도했다. 그런 일들은 매우 일상적으로 일어났다. 보기 드물게 일어나는 은밀한 체험들이 결코 아니었다.

초자연적인 일들이 지속적으로 행해져왔음을 보여주는 부인할 수 없는 증거들을 교회사 전반에서 찾아볼 수 있다. 그것들은 신비스런 것이 아니라, 오히려 매우 실제적인 것들이었다. 그것은 하나님 아버지로부터 동기부여를 받아 이루어진 사도적인 활동이었다.

이 책은 이제까지 사도적 기능성(functionality)에 관해 다루었다. 과연 사도적인 사역을 수행함에 있어 우리는 어떤 방식으로 기능해야 할까? 이 물음에 대한 나의 답변은 다음과 같다. 초대교회의 사도들이 그러했던 것처럼, 사도적인 사람들은 초자연적인 기름부음 안에서 활동해야 한다. 수많은 선의의 감독들(bishops), 선지자들, 목사들, 교회개척자들이 사도적인 전략들(strategies)의 중요성은 잘 이해하면서도, 사도적인 기능(operation)이 지니고 있는 폭발적인 능력은 상실하고 있다. 다시 말해, 이 전략들 안에 포함되어 있는 표적과 기사와 이적들, 병든 자를 고치고 상처를 치유하는 기름부음을 통해 상심한 사람들을 섬기고 손에 잡힐 듯 구체적인 하나님의 임재를 수반한 복음을 전할 기회 등은 놓치고 있다.

우리에게 필요한 것은 현란한 웹사이트나 21세기의 전략으로서 30분짜리(혹은 이보다 더 짧은) 훌륭한 설교에 인형극과 총천연색 인쇄물을 곁들이는 것과 같은, 단순히 솜씨 좋은 광고가 아니다. 이것들도 나쁘지는 않다. 그러나 도대체 왜 우리는 표적과 기사와 이적들이 수반된 하나님의 구체적인 임재는 경험하지 못하고 있는 걸까?

나는 매우 신중한 사람이다. 지금 여기서 그리스도와 사도들이 도달했던 사도적인 표현의 충만함에 도달했다고 말하려는 것이 결코 아니다. 혹시라도 당신이 내가 인도하는 집회에 와본다면, 내가 그토록 보기 원하는 이 표적과 기사와 이적의 풀어짐을 온전히 목격하지 못하고 있음을 알게 될 것이다. 우리 모두는 단지 보다 높은 수준을 향해 계속해서 밀고 들어갈 뿐이다.

내가 가진 가장 솔직한 바람을 말해보자면, 모쪼록 이 책을 통해 우리 모두가 격려를 받고 풀어져 믿음 안에서 성령님과 협력하게 되기를 바란다. 그리하여 우리 모두가 사도적인 기름부음과 기능성을 보다 위대한 수준으로 나타내게 되기를 바란다.

사도적인 사람들이 지닌 단순한 기능성

사도적인 사람들은 오로지 전략에만 초점을 맞출 수 없다. 그들은 기능성, 활동, 실행에도 초점을 맞춰야 한다. 그들은 스스로가 직접 초자연적인 만남들을 체험해야 한다. 다시 말해, '무슨 일이 있어도 예수님이 역사하시는 모습을 반드시 보고야 말겠다'는 태도를 지닌 사람으로 변화될 만남들을 몸소 경험해야 한다.

사도적인 사람들은 예수님과의 만남을 경험해야 한다. 이러한 만남들은 그들이 가진 전략들에 초자연적인 힘을 실어준다. 우리에게 결여되어 있는 이 요소야말로 비난하는 이들이 제기하는 타당한 질문들에 대한 답변이다.

표적과 기사와 이적들, 신적인 치유, 생동감 있고 예언적인 천상의 경배와 찬양, 손에 잡힐 듯 구체적인 기름부음, 온전한 내적치유, 축사와 회복 등이 없다면, 우리에게 남는 것은 또 한 묶음의 창조적인 프로그램들과 신조들밖에 없다. 그러나 이것들만으로는 초자연적인 증거를 가지고 사람들에게 영향력을 행사하지 못한다.

초자연적인 증거는 하나님 아버지의 단순성과 충만함 가운데서 발견된다. 비난하는 사람들은 계속해서 비난할 것이다. 사람들은 변화되지 않고 동기부여도 받지 못하며, 나아가 궁극적으로는 충족 받지도 못한 채, 그대로 교회를 떠나고 말 것이다.

자, 이제 모든 것을 훌륭하게 요약·정리해주는 확실한 문장 하나를 소개하겠다. "사도적인 사람들이 진정으로 사도적인 사람이 되려면, 반드시 그들의 사역을 통해 초자연적인 표현이 나타나야 한다."

이것은 받아들이기 힘든 말일 수도 있다. 그렇다면 현재 사도적으로 행하고 있는 사람들은 초자연적인 표현이 없다는 이유로 사도적인 사람으로 부름 받지 않았다고 말할 수 있는가? 그렇지 않다. 나는 사도적인 사람이라 자칭하는 사람들 중 많은 이들이 실제로 그 직임으로 부름 받았다고 믿는다. 그러나 그들에게는 자신들의 사역에 대변혁을 가져올 핵심적인 요소, 즉 표적과 기사와 이적들이 결여되어 있을 가능성이 있다.

사도적인 개혁은 단순히 갱신의 표현들에 관한 것이 아니라, 사람들의 사역에 기적을 회복시켜 주는 갱신의 표현들에 관한 것이다. 이제 내 말을 주의해서 들어보라. 이러한 갱신의 표현들이 원래 기적적인 특성을 지닐 수는 있다. 그러나 어느 정도에 불과할 따름이다. 하나의 표현이 진정으로 기적적인 체질을 지니기 위해서는, 반드시 예수님과의 관계를 통해 하나님 아버지 안에서 이루어지는 보다 위대한 만남들이 필요하다. 보다 위대한 만남들, 이것이 바로 내가 이 책을 통해 당신을 돕기 원하는 부분이다.

오늘날 우리는 사도적인 사람들을 정의함에 있어, 그리스도의 몸 된 교회에 사도의 직임이 지닌 몇 가지 엄청난 측면들에 관해서만 다뤄온 것이 사실이다. 그러나 우리에게는 그 이상의 것이 필요하다. 우리는 예수님과의 만남들을 추구해야 한다. 예수님과의 만남을 통해, 우리의 사역 안에서 지속적이고 일상적으로 기적적인 일들이 일어나야 한다.

우리는 단지 영적인 영역에서뿐 아니라 자연적인 영역에서도, 실제적이고 가시적인 표현들을 경험해야 한다. 우리에게는 춤추는 하나님의 손이 필요하다. 하나님의 말씀, 인격, 관계성, 전략 등이 필요하다. 기본으로 돌아가는 것이 필요하다는 말이다. 하나님께서 주님의 백성들을 향해 품고 계신 온전한 계획의 단순성으로 돌아가야 한다. 우리는 하나님에 관한 모든 것으로 돌아가야 한다. 일부가 배제된 한쪽 부분만으로는 안 된다. 하나님의 충만하심으로 돌아가야 한다. 성령 안에서, 진리 안에서, 그리고 가시적인 나타나심 안에서 말이다.

사도적인 사람들은 초월적인 체험들을 하거나 영광의 만남들을 몸소 경험해야 한다. 이런 경험들을 당신이 무엇이라고 칭하는지는 아무래도 좋다. 천국이 이 땅의 영역을 침노할 때마다, 삶의 자연적인 질서는 하나님의 생명력을 지닌 초자연적인 질서에 의해 변화된다. 사도적인 사람들이 사도적인 돌파의 기름부음을 풀어놓으려면, 현재 활동 중이신 성부, 성자, 성령님의 계시를 받아야 한다. 아울러, (좋은 의미에서) 그들을 망가뜨려놓을 정도로 강력한 파급효과를 가져오는 가시적인 나타나심도 반드시 필요하다. 어떤 대가를 치르더라도, 누가 무슨 말을 하더라도, 제아무리 '최첨단' 교회를 만들 수 있는 전략들을 가지고 있더라도, 손에 잡힐 듯한 춤추는 하나님의 손을 보자마자 망가져야 한다.

당신이 속한 도시의 문지기 역할을 하는 것이 당신의 사도적인 표현일 수 있다. 당신은 오직 몸의 연합을 도모하는 일에만 관심이 있을 수도 있다. 당신에게는 예언적인 찬양과 경배만이 최고일 수도 있다. 당신은 미혼모들과 에이즈 감염자들을 돌보는 자비의 집에 관해 구상하고 있을 수도 있고, 거리공연과 교회개척, 무료급식소 등을 통해 사회적으로 소외된 자들에게 다가가기를 원할 수도 있다. 모든 것이 훌륭하다.

당신은 사도적인 마음을 품은 자다. 이제 이 모든 것들은 초자연적인 표현을 필요로 하고 있다. 에이즈 감염자들이 치유되고, 미혼모들이 회복되고, 사회적으로 소외된 자들이 하나님의 부르심에 맞게 권능의 사람들로 변화되어야 한다.

그런데 이 모든 일들은 당신이 몸소 초자연적인 만남들을 경험할 때, 비로소 가능해진다. 당신은 너무나도 강력한 체험으로 인해, 그 체험을 들고 다른 사람들에게 가서 전하지 않고는 견딜 수가 없을 것이다. 당신이 정부요원이든, 목회자든, 복음전도자든, 초자연적인 것을 구비하기 바란다! 당신이 몸소 이런 체험들을 해보아야 한다! 그렇게 함으로써 하나님의 나라는 진보할 것이다! 그리고 세상이 변화될 것이다! 그것이 바로 사도적인 것이다.

사도행전 2장에는 유명한 베드로의 설교가 소개되어 있다. 그가 성령님의 능력으로 메시지를 선포하고 있는 동안 부흥이 터졌다. 물론 그 일은 하나님의 주권적인 운행하심이었다. 그러나 베드로는 자신이 몸소 체험한 만남을 사람들에게 전하면서 말씀을 듣고 있는 사람들 위에도 성령님이 임하실 것을 기대했다. 다시 말해, 그는 하나님의 가시적인 나타나심을 기대하였다(벧전 1:12). 그는 사람들을 하나님의 임재 가운데로 들어가게 해주었다. 주님은 베드로가 받은 계시를 존중해주셨다. 그에게 몰려든 사람들에게 만남을 허락해주심으로써 말이다.

그러니 당신도 열심히 추구하라! 내가 서두에서 인용한 빌 존슨 목사의 말을 늘 기억하라. "내가 어디서든지 간에 하나님의 활동하심을 발견하기만 하면, 나 역시도 그 활동의 소유자가 될 수 있다." 지혜로우신 성령님의 뜻과 인도하심 안에서, 사람들은 당신의 체험들을 토대로 하나님의 가시적인 임재를 이어받을 수 있다! 춤추는 하나님의 손이 그들에게 옮겨갈 수 있다. 하나님의 충만한 위대하심과 권능과 권세는 취하는 자의 몫이다!

사도적인 사람들이여, 계속해서 추구하라!

개요

CHAPTER 15 하나님의 단순성

| 기본으로 돌아가라

- 사도적인 영을 풀어놓기 위해 가장 중요한 요소 중 하나는, 하나님의 계획이 얼마나 단순한지를 이해하는 것이다. 세상 사람들에게 그토록 놀라운 구원을 보여주기 위해 교회의 구성원들을 부흥시키시려는 하나님의 계획은 너무나도 단순하다.
- 기독교 신학이 지닌 건전한 원리들에 근거한 참된 토대가 없다면, 우리는 육신적인 유행에 쉽게 휩쓸리고 위험한 속임수에 빠져들 가능성이 크다. 우리는 교회의 토대를 이루는 근본 원리들을 회복해야 한다.
- 사도행전에서 사도들이 목격한 모든 일들은, 그리스도께서 지상에서 행하신 몸 사역의 표현을 중심으로 한 것으로 그 안에 뿌리를 내리고 있었다. 사도들은 주님이 행하신 바를 행하였고, 주님이 보신 바를 보았고, 주님이 들으신 바를 들었다.
- 초자연적이고 사도적인 표적과 기사와 이적들은, 기본으로 돌아가는 것이다. 초대교회의 기본으로 돌아가는 것, 하나님께서 품으신 생각의 단순성으로 돌아가는 것이다. 세상은 지금 주님 없이 방황하며 아파하고 있고, 주님의 초자연적인 만져주심을 필요로 한다. 성령님과 동역하시는 그리스도 중심의 권세 있는 하나님의 말씀을 통해, 삼위일체 하나님의 갈망이 성취되어야 한다.

| 사도적인 사람들의 단순한 표현

- 사도적인 사람들은 그리스도 안에서 매우 역동적인 체험들을 해온 사람들이다. 따라서 그들은 자신들의 동기와 부르심을 정확히 식별할 줄 안다. 그뿐만 아니라, 그들은 그러한 동기

를 다른 사람들에게 전하고, 자신의 부르심을 사람들에게 풀어놓을 줄도 안다.
- 사도적인 사람들은 자신들과 다른 사람들의 마음을 첫사랑, 곧 주 예수 그리스도께로 돌이키기 위해 준비시킨다.
- 사도적인 사람들은 자신들이 몸소 체험한 영광의 만남들을 통해 기름부음에 대한 민감성을 계발시킨다. 나아가 그들은 사람들로 하여금 이와 유사한 민감성을 키워가도록 격려해줄 수 있다. 사람들에게 각자 자신의 영 안에서부터 기적이 생겨난다는 것을 믿도록 가르치는 동안, 사도적인 사람들의 믿음은 커진다. 거듭 말하지만, 이것도 사람들에게 전이될 수 있다.
- 사도적인 사람들은 주님으로부터 받은 기적의 기름부음에 관한 진리를 자세히 설명해줌으로써, 사람들로 하여금 하나님의 권능이 지닌 영적인 영역에 접할 수 있도록 해준다. 하나님의 가시적인 임재를 가져오는 이러한 영광의 만남 속에 있을 때, 영분별의 은사가 풀어진다.
- 이러한 초월적인 체험들 안에서, 사도적인 사람들은 주님의 몸 된 교회를 향해 하나님의 목적을 선포하는 법을 익힌다. 그들은 단순성과 명료성에 대한 감각을 제공하며, 하나님의 표현을 알기 쉽게 설명하고, 사람들의 마음을 변화시켜 놓을 정확한 만남의 체험이 이루어지도록 만들어준다.
- 거룩의 회복은 사도적인 사람들의 초자연적인 표현이 지닌 특징이다. 이들의 사역을 통해 나타나는 표적과 기사와 이적들은, 죽음을 각오한 회개를 불러일으킬 뿐 아니라, 그리스도인의 신앙에 있어서 첫사랑을 회복하도록 촉구한다. 사도적인 사람들은 사람들의 행위 이면에 감춰져 있는 마음의 동기들을 밝히 드러낸다. 그들은 죄를 자각시키고, 방법론에 있어서의 단순성, 경건한 두려움의 회복, 생각과 행동에 있어서의 순결과 거룩을 가져온다.
- 그리스도의 인격, 곧 성령의 열매는 사도적인 사람들의 기능이 지닌 단순성과 순결성 안에서 계시된다. 이러한 인격, 즉 열매는 하나님의 부성적인 기름부음의 표현 중 하나다. 이러한 표현들을 통해 사도적인 사람들은 세상적인 문화 안에 편만해 있는 결손가정을 회복시키는 일에 쓰임 받는다.
- 사도적인 관점을 가질 때, 주님의 몸 된 교회가 어떤 모습으로 지역사회에 드러나야 하는지 개괄적으로 보여주는 전략이 초자연적으로 풀어진다.
- 집단차원의 사도적인 교회는 지역사회의 정치적 기후에 영향을 준다. 사회적 공의와 도덕적 정의를 절실히 필요로 하는 지역들 안에 경건한 능력을 전이시킨다.
- 진정한 사도적인 표현은 하나님의 기적적인 능력을 교회행정의 모든 국면들 안에 심어놓으

며, 모든 회중들이 협력자가 되어 각자의 잠재가능성을 온전히 성취할 수 있도록 격려해준다.
- 사도적인 영향력을 받은 예언적인 찬양과 경배는 초자연적인 돌파의 기름부음을 산출시킨다. 돌파의 기름부음이 풀어질 때, 교회는 자유롭게 천국의 소리들을 모방하고, 하나님 아버지께 찬양과 경배를 드리면서 영적 전쟁을 수행한다.
- 예언적인 중보기도가 역동적으로 풀어지는 사도적인 기름부음과 결합될 때, 하나님으로부터 온 부담을 짊어진 중보기도자들이 산출된다. 그들은 그 부담을 풀어놓을 수 있도록 초자연적인 전략과 기름부음으로 충만해져 있을 것이다.

사도적인 사람들이 지닌 단순한 기능성

- 사도적인 사람들은 오로지 전략에만 초점을 맞출 수 없다. 그들은 기능성, 활동, 실행에도 초점을 맞춰야 한다.
- 사도적인 사람들은 스스로가 직접 초자연적인 만남들을 체험해야 한다.
- 표적과 기사와 이적들, 신적인 치유, 생동감 있고 예언적인 천상의 경배와 찬양, 손에 잡힐 듯 구체적인 기름부음, 온전한 내적치유, 축사와 회복 등이 없다면, 우리에게 남는 것은 또 한 묶음의 창조적인 프로그램들과 신조들밖에 없다. 그러나 이것들만으로는 초자연적인 증거를 가지고 사람들에게 영향력을 행사하지 못한다. 초자연적인 증거는 하나님 아버지의 단순성과 충만함 가운데서 발견된다.
- 사도적인 사람들이 진정으로 사도적인 사람이 되려면, 반드시 그들의 사역들을 통해 초자연적인 표현이 나타나야 한다.

순전한 나드 도서목록

번호	도서명	저자	가격
1	존 비비어의 승리〈개정판〉	존 비비어	12,000
2	교회를 뒤흔드는 악령을 대적하라	프랜시스 프랜지팬	5,000
3	교회를 어지럽히는 험담의 악령을 추방하라	프랜시스 프랜지팬	5,000
4	그리스도인의 삶의 비결〈개정판〉	진 에드워드	9,000
5	존 비비어의 친밀감〈개정판〉	존 비비어	14,000
6	내 백성을 자유케 하라	허 철	10,000
7	내게 신선한 기름을 부으셨나이다	허 철	9,000
8	내어드림	페늘롱	7,000
9	더 넓게 더 깊게	메릴린 앤드레스	13,000
10	마켓플레이스 크리스천〈개정판〉	로버트 프레이저	9,000
11	존 비비어의 축복의 통로〈개정판〉	존 비비어	8,000
12	부서트리고 무너트리는 기름 부으심	바바라 J. 요더	8,000
13	사도적 사역	릭 조이너	12,000
14	사사기	잔느 귀용	7,000
15	사업을 위한 기름 부으심〈개정판〉	에드 실보소	10,000
16	상한 마음을 치유하는 기도	마크 버클러	15,000
17	상한 영의 치유1	존 & 폴라 샌드포드	17,000
18	상한 영의 치유2	존 & 폴라 샌드포드	13,000
19	성령님을 아는 놀라운 지식	허 철	10,000
20	속사람의 변화 1	존 & 폴라 샌드포드	11,000
21	속사람의 변화 2	존 & 폴라 샌드포드	13,000
22	신부의 중보기도	게리 윈스	11,000
23	십자가의 왕도	페늘롱	8,000
24	아가서	잔느 귀용	11,000
25	악의 속박으로부터의 자유	릭 조이너	9,000
26	어머니의 소명	리사 하텔	12,000
27	여정의 시작	릭 조이너	13,000
28	영광스러운 교회에 보내는 메시지 1	릭 조이너	10,000
29	영분별	프랜시스 프랜지팬	3,500
30	영적 전투의 세 영역〈개정판〉	프랜시스 프랜지팬	11,000
31	예레미야	잔느 귀용	6,000
32	예수 그리스도와의 친밀함	잔느 귀용	7,000
33	예수님 마음 찾기	페늘롱	8,000
34	예수님을 닮은 삶의 능력〈개정판〉	프랜시스 프랜지팬	12,000
35	예수님을 향한 열정〈개정판〉	마이크 비클	12,000
36	잔느 귀용의 요한계시록〈개정판〉	잔느 귀용	13,000
37	인간의 7가지 갈망하는 마음	마이크 비클 & 데보라 히버트	11,000
38	저주에서 축복으로	데릭 프린스	6,000
39	주님, 내 마음을 열어주소서	캐티 오츠 & 로버트 폴 램	9,000
40	지구상에서 가장 강력한 기도	피터 호로빈	7,500

순전한 나드 도서목록

번호	도서명	저자	가격
41	천국경제의 열쇠	샨 볼츠	8,000
42	천국방문〈개정판〉	애나 로운튜리	11,000
43	축사사역과 내적치유의 이해 가이드	존 & 마크 샌드포드	18,000
44	출애굽기	잔느 귀용	10,000
45	하나님과 동행하는 사람들〈개정판〉	샨 볼츠	9,000
46	하나님과 사람에게 더욱 사랑스러운 자	듀안 벤더 클럭	10,000
47	하나님과의 연합	잔느 귀용	7,000
48	하나님을 연인으로 사랑하는 즐거움	마이크 비클	13,000
49	하나님 마음에 합한 사람	마이크 비클	13,000
50	하나님의 아름다움을 바라보는 축복	허 철	10,000
51	하나님의 요새〈개정판〉	프랜시스 프랜지팬	9,000
52	하나님의 장군의 일기〈개정판〉	잔 G. 레이크	6,000
53	항상 부족함이 없으리로다	롤랜드 & 하이디 베이커	8,000
54	혼동으로부터의 자유	릭 조이너	5,000
55	혼의 묶임을 파쇄하라	빌 & 수 뱅크스	10,000
56	존 비비어의 회개〈개정판〉	존 비비어	11,000
57	횃불과 검	릭 조이너	8,000
58	금식이 주는 축복	마이크 비클 & 다나 캔들러	12,000
59	부활	벤 R. 피터스	8,000
60	거절의 상처를 치유하시는 하나님	데릭 프린스	6,000
61	그리스도의 제사장적 신부	애나 로운튜리	13,000
62	존 비비어의 분별력〈개정판〉	존 비비어	13,000
63	통제 불능의 상황에서도 난 즐겁기만 하다	리사 비비어	12,000
64	어린이와 십대를 위한 축사사역	빌 뱅크스	11,000
65	빛은 어둠 속에 있다	패트리샤 킹	10,000
66	목적으로 나아가는 길	드보라 조이너 존슨	8,000
67	컴 투 파파	게리 윈스	13,000
68	러쉬 아워	슈프레자 싯홀	9,000
69	지도자의 넘어짐과 회복	웨이드 굿데일	12,000
70	하나님의 일곱 영	키이스 밀러	13,000
71	너희 지체를 의의 병기로 하나님께 드리라	허 철	8,000
72	추수의 비전	릭 조이너	8,000
73	하나님의 집	프랜시스 프랜지팬	11,000
74	도시를 변화시키는 전략적 중보기도	밥 하트리	8,000
75	왕의 자녀의 초자연적인 삶	빌 존슨 & 크리스 밸러턴	13,000
76	언약기도의 능력	프랜시스 프랜지팬	8,000
77	믿음으로 산 증인들	허 철	12,000
78	욥기	잔느 귀용	13,000
79	나라를 변화시킨 비전: 윌리엄 테넌트의 영적인 유산	존 한셴	8,000
80	세상을 다스리는 권세의 회복	레베카 그린우드	10,000

번호	도서명	저자	가격
81	창세기 주석	잔느 귀용	12,000
82	하나님의 강	더치 쉬츠	13,000
83	당신의 운명을 장악하라	알렌 키란	13,000
84	자살	로렌 타운젠드	10,000
85	레위기·민수기·신명기 주석	잔느 귀용	12,000
86	그리스도인의 영적혁명	패트리샤 킹	11,000
87	초자연적 중보기도	레이첼 힉슨	13,000
88	나는 하나님의 음성을 듣는다	킴 클레멘트	11,000
89	하나님의 초자연적인 능력	바비 코너	11,000
90	거룩과 진리와 하나님의 임재	프랜시스 프랜지팬	9,000
91	사랑하는 하나님	마이크 비클	15,000
92	일곱 교회 이기는 자에게 주시는 축복	허 철	9,000
93	일곱 산에 관한 예언(개정판)	조니 엔로우	13,000
94	일터에 영광이 회복되다	리차드 플레밍	12,000
95	초자연적 경험의 신비	짐 골 & 줄리아 로렌	13,000
96	웃겨야 살아난다	피터 와그너	8,000
97	폭풍의 전사	마헤쉬 & 보니 차브다	13,000
98	천국 보좌로부터 온 전략	샌디 프리드	11,000
99	영향력	윌리엄 L. 포드 3세	11,000
100	신의 성품에 참예하는 자	허 철	8,000
101	예언, 꿈, 그리고 전도	덕 애디슨	13,000
102	아가페, 사랑의 길	밥 멈포드	13,000
103	불타오르는 사랑	스티브 해리슨	12,000
104	그 이상을 갈망하라!	랜디 클락	13,000
105	능력, 성결, 그리고 전도	랜디 클락	13,000
106	종교의 영	토미 펨라이트	11,000
107	예기치 못한 사랑	스티브 J. 힐	10,000
108	모르드개의 통곡	로버트 스텐스	13,500
109	1세기 교회사	릭 조이너	12,000
110	예수님의 얼굴(개정판)	데이비드 E. 테일러	13,000
111	토기장이 하나님	마크 핸비	8,000
112	존중의 문화	대니 실크	12,000
113	제발 좀 성장하라!	데이비드 레이븐힐	11,000
114	정치의 영	파이살 말릭	12,000
115	이기는 자의 기름 부으심	바바라 J. 요더	12,000
116	치유 사역 훈련 지침서	랜디 클락	12,000
117	헤븐	데이비드 E. 테일러	13,000
118	더 크라이	키스 허드슨	11,000
119	천국 여행	리타 베넷	14,000
120	파수 기도의 숨은 능력	마헤쉬 & 보니 차브다	13,000

순전한 나드 도서목록

번호	도서명	저자	가격
121	지저스 컬처	배닝 립스처	12,000
122	넘치는 기름 부음	허 철	10,000
123	거룩한 대면	그래함 쿡	23,000
124	선지자 학교	조나단 웰튼	12,000
125	믿음을 넘어선 기적	데이브 헤스	10,000
126	꿈 상징 사전	조 이보지	8,000
127	삶을 변화시키는 성령의 권능	스티븐 브룩스	11,000
128	잔 G. 레이크의 치유	잔 G. 레이크	13,000
129	영적 전쟁의 일곱 영	제임스 A. 더함	13,000
130	영적 전쟁의 승리	제임스 A. 더함	13,000
131	기적의 방을 만들라	마헤쉬 & 보니 차브다	12,000
132	개인적 예언자	미키 로빈슨	13,000
133	어둠의 영을 축사하라	짐 골	13,000
134	보좌를 향하여	폴 빌하이머	10,000
135	적그리스도의 영을 정복하라	샌디 프리드	13,000
136	성령님 알기	마헤쉬 & 보니 차브다	12,000
137	십자가의 권능	마헤쉬 & 보니 차브다	13,000
138	성령이 이끄시는 성공	대니 존슨	13,000
139	축복의 능력	케리 커크우드	13,000
140	하나님의 호흡	래리 랜돌프	11,000
141	아름다운 상처	룩 홀터	11,000
142	하나님의 길	덕 애디슨	13,000
143	천국 체험	주디 프랭클린 & 베니 존슨	12,000
144	당신의 사명을 깨우라	M. K. 코미	11,000
145	기독교의 유혹	질 샤넌	25,000
146	우리가 몰랐던 천국의 자녀양육법	대니 실크	12,000
147	임재의 능력	매트 소거	12,000
148	예수의 책	마이클 코울리아노스	13,000
149	신앙의 기초 세우기	래리 크레이더	13,000
150	내 인생을 바꿔 줄 최고의 여행	제이 스튜어트	12,000
151	시간 & 영원	조슈아 밀즈	10,000
152	거룩한 흐름, 분위기	조슈아 밀즈	10,000
153	하이디 베이커의 사랑	하이디 & 롤랜드 베이커	13,000
154	하나님의 임재	빌 존슨	13,000
155	영광의 사역	제프 젠슨	12,000
156	초자연적 기름부음	줄리아 로렌	12,000
157	하나님의 갈망	제임스 A. 더함	14,000
158	형통의 문을 여는 31가지 선포기도	케빈 & 캐티 바스코니	5,000
159	주님의 안식	케빈 바스코니 & 폴 L. 콕스	14,000
160	임박한 하나님의 때	R. 로렌 샌드포드	13,000

번호	도서명	저자	가격
161	하나님을 향한 울부짖음	바바라 J. 요더	12,000
162	춤추는 하나님의 손	제임스 말로니	37,000
163	참소자를 잠잠케 하라	샌디 프리드	13,000
164	영광이란 무엇인가	폴 맨워링	14,000
165	내일의 기름부음	R. T. 켄달	13,000
166	영적 전투를 위한 전신갑주	크리스 밸러턴	12,000
167	성령을 소멸치 않는 삶	R. T. 켄달	13,000
168	초자연적인 삶	아담 F. 톰슨	10,000
169	한계를 돌파하라	샌디 프리드	13,000
170	블러드문	마크 빌츠	11,000
171	마지막 부흥을 위하여	시드 로스	10,000
172	하나님의 권능 안에 살기	잔 G. 레이크	14,000
173	구약에서 일어난 모든 일들	윌리엄 H. 마티	13,000
174	신약에서 일어난 모든 일들	윌리엄 H. 마티	11,000
175	드보라 군대	제인 해몬	14,000
176	거룩한 불	R. T. 켄달	13,000
177	성령에 압도되다	제임스 말로니	12,000
178	기적 안에 걷는 삶	캐더린 로날라	12,000
179	당신의 자녀를 향한 하나님의 65가지 약속	마이크 슈리브	8,000
180	무슬림 소녀, 예수님을 만나다	사마 하비브 & 보디 타이니	13,000
181	스미스 위글스워스의 병 고침〈개정판〉	스미스 위글스워스	12,000
182	뇌의 스위치를 켜라	캐롤라인 리프	13,000
183	약속된 시간	제임스 A. 더함	13,000
184	실패를 딛고 일어서는 믿음	샌디 프리드	12,000
185	스미스 위글스워스의 성령의 은사〈개정판〉	스미스 위글스워스	13,000
186	끝날 때까지 끝난 것이 아니다	R. T. 켄달	15,000
187	완전한 기억	마이클 A. 댄포스	10,000
188	금촛대 중보자들 1	제임스 말로니	15,000
189	마지막 때와 이슬람	조엘 리차드슨	15,000
190	질투	R. T. 켄달	14,000
191	사탄의 전략	페리 스톤	14,000
192	죽음에서 생명으로	라인하르트 본케	12,000
193	금촛대 중보자들 2	제임스 말로니	13,000
194	금촛대 중보자들 3	제임스 말로니	13,000
195	올바른 생각의 힘	케리 커크우드	12,000
196	부흥의 거장들	빌 존슨 & 제니퍼 미스코브	25,000
197	악의 삼겹줄을 파쇄하라〈개정판〉	샌디 프리드	12,000
198	지옥의 실체와 하나님의 열쇠	메리 캐서린 백스터	12,000
199	문지기들이여 일어나라	제임스 A. 더함	15,000
200	안식년의 비밀	조나단 칸	15,000

순전한 나드 도서목록

번호	도서명	저자	가격
201	교회를 깨우는 한밤의 외침	R. T. 켄달	15,000
202	하나님의 시간표	마크 빌츠	12,000
203	사랑의 통역사	샨 볼츠	12,000
204	예루살렘의 평화를 위해 기도하라	탐 헤스	13,000
205	마이크 비클의 기도	마이크 비클	25,000
206	유대적 관점으로 본 룻기	다이앤 A. 맥닐	13,000
207	폭풍을 향해 노래하라	디모데 D. 존슨	13,000
208	세미한 하나님의 음성을 듣는 방법	스티브 샘슨	12,000
209	영광의 세대	브루스 D. 알렌	15,000
210	영적 분위기를 바꾸라	다우나 드 실바	12,000
211	하나님을 홀로 두지 말라	행크 쿠네만	14,000